Literatur und Leser

Literatur und Leser

Theorien und Modelle zur Rezeption literarischer Werke

Herausgegeben
von Gunter Grimm

Philipp Reclam jun. Stuttgart

Schrift: Borgis Garamond-Antiqua. Printed in Germany 1975
Herstellung: Kösel, Kempten
ISBN 3-15-010250-2

Inhalt

Vorwort

Rezeptionsforschung hat, wie die seit einiger Zeit anhaltende Publikation wirkungsgeschichtlicher und rezeptionstheoretischer Untersuchungen belegt, den Charakter einer kurzlebigen Modeerscheinung hinter sich gelassen.
Zunächst war das Interesse für die Rezeption von Literatur eine Reaktion auf die Vorstellung von einer autonomen Kunst und auf den Vorrang der Intentions- und Autorperspektive. Die einseitige Orientierung der Literaturwissenschaft an den Werken sogenannter ›hoher‹ Dichtung wurde vor allem durch soziologische, aber auch psychologische Fragestellungen problematisiert. Unter dem Aspekt des Ist- und des Soll-Bestandes, der gesellschaftlichen Relevanz von Literatur und der Beschäftigung mit ihr, rückte das Lesepublikum in den Vordergrund des literaturwissenschaftlichen Interesses. Der Text selbst erscheint nun in der Spannung zwischen Zeitbedingtheit und Überzeitlichkeit, als Produkt seiner historischen Situation und als diese überdauerndes Werk, immer jedoch in Abhängigkeit von der Perspektive des Lesers oder Interpreten. Eng verbunden mit dieser Sicht ist auch die Hinwendung zu lange Zeit von der Forschung vernachlässigten, vom Publikum aber massenhaft konsumierten Texten (Unterhaltungs-, Trivialliteratur, Texte aus Zeitungen und Zeitschriften, Comics u. a.).
Das rezeptionstheoretische Konzept bleibt nicht allein auf den literatursoziologischen Bereich eingeschränkt, es wirkt sich auch aus auf die Textinterpretation, die Literaturkritik, die Literaturgeschichtsschreibung, die Ästhetik und auf Fragen der Wertung, der Ideologiekritik und der Pädagogik, und es kann gerade im Schul- und Hochschulunterricht zur Erstellung gesellschaftsbezogener didaktischer Modelle beitragen. Allerdings sind die Varianten der Rezeptionsforschung maßgeblich von dem zugrundeliegenden Gesellschaftskonzept geprägt; je nach Standpunkt wird gefragt, ob die Erforschung (historisch) verschiedener und (synchronisch) verschiedenartiger Rezeptionen allein dem besseren Verständnis eines Textes dienen oder ob damit ein erzieherisches Programm verbunden sein soll, ob mehr die Erforschung tatsächlicher Wirkung im Vordergrund steht oder mehr das Programm einer Einflußnahme auf die Leserschaft.
An Kommunikationsmodellen oder an Entwürfen zu Rezeptionsmodellen herrscht kein Mangel, wohl aber an der Umsetzung dieser Theorien in die wissenschaftliche Praxis. Diesem Mangel möchten die hier veröffentlichten Beiträge abhelfen. Zwar versuchen sie auch, die bisherigen theoretischen Ansätze weiterzuführen, auszubauen und in produktiver Weise zu widerlegen; doch liegt der Hauptakzent auf der konkreten Anwendbarkeit der Modelle auf Gegenstände und Texte der Vergangenheit und der Gegenwart. Erst diese Anwendbarkeit begründet die gesellschaftliche Berechtigung und die Relevanz der Rezeptionsforschung.

Die Konzeption des Bandes ist bewußt weitmaschig: Einführung, theoretische Abhandlungen und ›angewandte‹ Modelle oder Analysen basieren nicht auf einem einzigen theoretischen Entwurf. Da sich gerade bei rezeptionsanalytischen Studien

Theorie und wissenschaftlich-analytische Praxis nicht voneinander trennen lassen, mußte jeder Mitarbeiter die Möglichkeit erhalten, seinen eigenen theoretischen Standpunkt zu vertreten.

Die *Einführung* soll einen Überblick über die Rezeptionsforschung bis Ende 1973 verschaffen, über die wichtigsten Theoreme und Aspekte ihrer ›Anwendung‹. Der erste, historisch aufgebaute Abschnitt behandelt in kritisch referierender Weise die Publikationen zur Rezeptionsforschung, von denen die größte Wirkung ausgegangen ist. Der zweite, mehr systematisch gegliederte Abschnitt versucht, die einzelnen Bereiche, in denen rezeptionstheoretische Ansätze fruchtbar gemacht werden können, abzugrenzen und Positionen zu verdeutlichen, Probleme anzuschneiden und noch offene Fragen zur Diskussion zu stellen.
Drei Aufsätze mit überwiegend theoretischer Thematik führen die im Forschungsreferat begonnene Diskussion mit neuen Perspektiven fort. Der erste Beitrag setzt sich mit der Rezeptionsforschung unter dem zentralen Aspekt der Tradition auseinander und formuliert einige Thesen und Forschungsaufgaben (Barner). Das Wertungsproblem steht im Mittelpunkt des zweiten Beitrags, der die Verdinglichung und die ideologische Umpolung des ursprünglich politisch motivierten und gesellschaftskritischen Autonomiebegriffs zu einem Instrument der Affirmation analysiert und Forderungen an eine rezeptionsästhetische Wertungstheorie aufstellt (Schulte-Sasse). Der dritte Beitrag macht am Beispiel der Rezeption eines kritischen Textes Vorschläge zu einer exakten Terminologie (Wunberg).

Der *Hauptteil* mit den Beiträgen ›angewandter‹ Rezeptionsanalyse realisiert, bei (angestrebter) stofflicher Ausgewogenheit, eine Vielzahl rezeptionsanalytischer Aspekte; dabei umfaßt die Kategorie ›Rezeption‹ den Bereich der tatsächlichen wie der im Text angelegten intendierten Wirkung sowohl im historischen als auch im gegenwärtigen Zeitraum. Zwei Beiträge beleuchten die Figur des fiktionalen Lesers im Verhältnis zur realhistorischen Umwelt (Scholz) und zur poesiologischen Theorie des Autors; hiermit ist eine leserorientierte Erklärung des Phänomens ›poetischer Realismus‹ verbunden (Steinmetz). Bei der Betrachtung der Appellstruktur affektiver Texte rückt der wirkungsästhetische Aspekt ins Blickfeld (Mog). Ideologiekritisch ist der Gesichtspunkt, unter dem die Vereinnahmung eines Kunstwerks und Begriffs durch ein totalitäres Regime behandelt wird (Mahal), wie auch der Versuch, die Wandlungen eines kanonischen Urteils in verschiedenen historischen Epochen zu verfolgen und nach dessen Geltung für die Gegenwart zu fragen (Grimm). Wie nach ideologiekritischer Musterung der Forschung die Rezeptionsanalyse sich soziologischer Theorien bedienen kann, führt eine Interpretation exemplarisch an *Dantons Tod* vor (Turk). Dem Literaturbetrieb der Gegenwart schließlich wenden sich vier Beiträge zu. Eine demoskopische Umfrage versucht am repräsentativen Beispiel die Zusammenhänge von sozialer Position, Kulturkonsum und der ›Vorliebe‹ für einen bestimmten Autor aufzudecken (Böll-Arbeitsgruppe). Das Rezipieren von Texten im Schulunterricht und die Abhängigkeit des Rezeptionsvorgangs vom Rollenverständnis der Rezipienten führt eine kooperative Arbeit vor (Eggert, Berg, Rutschky). Ebenfalls empirisch ist der Beitrag über das Leseverhalten Jugendlicher beim Konsum von ›Landser‹-Romanen (Geiger); hier wie auch in dem Beitrag, der mit Hilfe von Ergebnissen der Aggressionsforschung die potentielle Wirkung von bestimmten Elementen eines Kriminal-Heftromans auf seine aggressiv disponierten Leser aufzeigt (Kellner), steht der unmittelbare Bezug zwischen Text und Leser im Vordergrund.

Der leichteren Benutzbarkeit des Bandes dient das Namenregister am Schluß. Ein Literaturverzeichnis auch zur weiterführenden Orientierung befindet sich vor dem Anmerkungsteil.

Tübingen, April 1974 *Gunter Grimm*

I

GUNTER GRIMM

Einführung in die Rezeptionsforschung

I. Gesellschaftliche Interessen – Hermeneutische Prämissen – Rezeptionsästhetische Ansätze – Die Rezeptionsästhetik von Hans Robert Jauß – Kritiken am Ansatz von Jauß – Marxistische Stellungnahmen – Zusammenfassung der Einwände – Jauß' Metakritik

II. Funktionsbestimmung von Literatur – Texttheorie – Interpretation, Wertung, Kritik; Ästhetik und Edition – Historische Rezeptionsforschung (Wirkungsgeschichte) – Der konzeptionelle Leser – Literatursoziologie und empirische Rezeptionsforschung

I

Gesellschaftliche Interessen

Die lange Zeit vorherrschende Auffassung vom Kunstwerk als einem autonomen Gebilde, dessen Kunstcharakter sich gerade in seiner Überzeitlichkeit, dem Überdauern der entstehungsgeschichtlichen Bedingtheiten, manifestierte, ließ eine Beschäftigung sowohl mit den sozialen Bezügen, die seine Produktion beeinflußten, als auch mit den Medien seiner Distribution und Rezeption als überflüssig erscheinen, weil sie angeblich nicht zur Erhellung seines ›Wesens‹ beizutragen vermochten. Die Gründe für eine Zuwendung zu diesen vernachlässigten Bereichen, in denen zwar der literarische Text nicht im Vordergrund steht, die aber unbedingt zum Arbeitsfeld der Literaturwissenschaft gehören, ergeben sich zum Teil aus dem Aufschwung, den die soziologische Forschung erlebt hat. Daß das Interesse sich nun aber gerade der Empfängerseite zuwandte, lag außer an dem großen Nachholbedürfnis auf diesem Gebiet sicher auch an den Legitimationsschwierigkeiten, denen sich die Beschäftigung mit Literatur ausgesetzt sah.
Die einseitige Beschäftigung mit der Produktionsseite der Literatur konnte leicht als Ausdruck einer Ideologie dargestellt werden, der es nicht um ihre Rechtfertigung zu tun war, die ihre Wissenschaft bewußt elitär und ohne unmittelbare Verbindung zur Gesellschaft betrieb, sich selbst also auch kaum eine Wirkungsmöglichkeit zubilligte. Rückt die Frage nach der gesellschaftlichen Relevanz und mit ihr das Legitimationsproblem in den Vordergrund, so gilt das Augenmerk nun dem *Wofür*, dem Nutzwert, der Funktion von Literatur und Literaturwissenschaft überhaupt.[1] Eine

der Literatur zugestandene gesellschaftliche Funktion legitimiert ja auch die wissenschaftliche Beschäftigung mit ihr.
Dieser Betonung der gesellschaftlichen Bezüge und der grundsätzlichen Wirkungsfähigkeit von Literatur entspricht der Verzicht auf den Glauben von autonomer Literatur und der Aufschwung einer Forschungsrichtung, die sich den potentiellen und den tatsächlichen Wirkungen widmet. Gesellschaftliche Relevanz erhält freilich diese Forschung auch erst dann, wenn sie nicht einen vom festgelegten Klassiker- und Normenkanon selektierten Text in seiner Wirkung auf verschiedene Zeitalter und Publika diachron und synchron untersucht, sondern wenn sie die Perspektive des Lesepublikums zum Raster der Materialerhebung wählt und folglich den tatsächlich konsumierten Lesestoff erforscht. Erst wenn die Forschung nicht mehr von den Normen der ›bildungsliterarisch‹ herrschenden Gesellschaftsschicht ausgeht und die ›hohe Literatur‹, die solche Normen erfüllt, nicht mehr ausschließlich ins Zentrum stellt, erst dann beginnt eine undogmatische und ›demokratische‹ Wissenschaft.
Eine Wissenschaft, die positivistisch im Rahmen einer anerkannten Gesellschaftsordnung ›objektiv‹ Fakten und Zusammenhänge erforschen will, übernimmt die in den ›tonangebenden‹ Kreisen tradierten Bildungsgüter und -normen, macht sie zu den eigenen Orientierungsrichtlinien und sanktioniert deren Überschreitung. Die scheinbare Neutralität einer solchen Wissenschaftshaltung besteht freilich in nichts anderem als blinder Reproduktion der herrschenden Normen.
Eine demokratische Wissenschaft hätte also nicht von den Qualitätserlebnissen einer Minderheit auszugehen und an ihnen das literarische Verhalten sämtlicher Publika zu messen; sie hätte vielmehr auszugehen vom Ist-Bestand; sie müßte das tatsächliche Verhalten des Publikums zur Literatur untersuchen und von diesen Ergebnissen das Arbeitsmaterial abhängig machen. Die Trivialliteratur, die Unterhaltungsliteratur, die Gebrauchsliteratur im weitesten Sinne: Texte vom Gesetzbuch bis zum Kochbuch, von der Betriebsanleitung bis zum Werbespot, würden die sogenannte ›hohe Literatur‹ ganz an den Rand drängen.
Schul- und Universitätsunterricht müßten dennoch nicht auf literatur-erzieherische, geschmacksbildende Vorschläge und Programme verzichten. Nur hätte die Textauswahl sich an anderen Normen als den bisherigen auszurichten. Die Folge wäre nicht unbedingt eine völlige Vernachlässigung des tradierten Kanons ›hoher Literatur‹; denn gerade die ideologiekritisch betriebene Rezeptionsforschung zeigt, daß klassische Texte zum Teil völlig entgegengesetzt und mit höchst verschiedenen Skalen ethischer und ästhetischer Werte gemessen wurden (man denke an Lessings *Minna von Barnhelm* und *Nathan den Weisen* oder an Kleists *Prinz Friedrich von Homburg*).
Selbstverständlich gibt es neben ideologischen Motivationen auch pragmatische Gründe für die weitgehende Vernachlässigung des Publikumsaspekts in der Literaturwissenschaft. Neben der Einbeziehung soziologischer Forschungsmethoden wäre eine Erweiterung des Materials unumgänglich; und zwar handelt es sich bei historischer Publikumsforschung durchweg um schwer zu beschaffendes Material.
Alphons Silbermann zufolge erachtet es die klassische Literaturwissenschaft »als eine fachliche Überforderung [...], den Schriftsteller und seine Kreationen in Interaktion mit dem Publikum zu sehen, um von dort aus zu Wirkungsmodi vorzustoßen«.[2]
Mehr auf zeitgenössische Publika zielt das Argument, die Heterogenität der Konsumentengruppen wie auch der Produzentengruppe und der »Vielfalt der literarischen

Sparten« habe eine eindringende Beschäftigung mit diesem soziologischen Bereich bisher fast verhindert.

Im Unterschied zur älteren Wirkungsästhetik, der die intendierte Wirkung im Mittelpunkt steht, gewinnt die Rezeptionsästhetik ihre Maßstäbe aus der tatsächlich ausgeübten Wirkung, soweit sich diese feststellen läßt. Doch dürfte es die Rezeptionsforschung bei der Ermittlung des Tatsächlichen nicht bewenden lassen. Sie hätte selbst zwar die empirischen Grundlagen zu schaffen, auf die sich dann die gesellschaftspolitische Fragestellung beziehen könnte: welche Literatur wirken *solle*. Daß dies nur eine Literatur sein sollte, die emanzipatorischen Charakter hat und der Errichtung gesellschaftlicher Schranken entgegenwirkt, steht außer Zweifel. Die Lösung des aus dem Zwiespalt zwischen pädagogischem Anspruch und Konsumentenbedürfnis sich ergebenden Problems, wie diese emanzipatorische Literatur weitervermittelt werden soll, bleibt vom jeweiligen gesellschaftlichen System abhängig. Denn auf dem ›freien‹ kapitalistischen Markt wird nach Prinzipien des Gewinns, nicht des emanzipatorischen Interesses gehandelt. Schule und Universität würden, wollte man die Pflege solcher Literatur auf sie einschränken, auf ein völlig anders geartetes ›Leben‹ vorbereiten, als es nach den emanzipatorischen Prinzipien zu erwarten gewesen wäre. Staatliche Lenkung des Literaturbetriebs auf breitester Basis wie in der DDR entspräche allerdings den freiheitlichen Prinzipien der Lehre am wenigsten.

Darum gilt das Interesse den Versuchen, den freiheitlichen Spielraum, den Literatur verschaffen kann, weiterzuvermitteln; der tatsächliche Spielraum entscheidet nicht zuletzt über den Bestand einer emanzipatorischen Literatur selbst.

Das Ziel aller Bemühungen, seitens der Soziologie, der Literaturwissenschaft, der Psychologie und anderer Disziplinen, mag in Abgrenzung vom negativ gemeinten Begriff der Massenkultur und vom exklusiven einer Elitekultur die Schaffung einer Populärkultur sein, wie Alphons Silbermann sie »mit der kulturellen Entwicklung der demokratischen und post-industriellen Gesellschaft sowie einer sich herausbildenden Dienstleistungsgesellschaft« verbindet.[3]

»Blickt man ohne Vorurteile [...] auf die Korrelation zwischen Schriftsteller bzw. Literatur und Gesellschaft, d. h. vom Standpunkt des gleichen Rechts eines jeden Mitglieds der Gesellschaft auf eine Kulturform und auf den durch die Massenkommunikation hergestellten Zugang zu derselben, dann dient der Kulturbegriff ›Populärkultur‹ dazu, Ungleichheiten und Unterschiede zwischen den diversen sozialen Schichten zumindest zu verringern.«

Auf Grund ihrer Wirkungsmöglichkeit könne Literatur Mittel für den Staat werden, »weite Schichten der Gesellschaft mit der Verarbeitung einer allen gemeinsamen Kulturform zu assoziieren«. Drei Richtungen konstatiert Silbermann, in die sich die Wirkungskreise von Literatur bewegen:

1. zur Reduktion sozialer Exklusivität,
2. zur Minderung kultureller Konventionalität,
3. zur Konservierung der Kultur.

Angesichts der zahlreichen mit ungezügeltem Optimismus die emanzipatorische Rolle von Literatur hervorhebenden Arbeiten und angesichts der geringen tatsächlichen Emanzipation des Publikums kann Skepsis kaum unterdrückt werden. Immerhin steht die ideologiekritische Forschung noch in den Anfängen. Mit den Mitteln empirischer Demoskopie hat sie gerade in der Gegenwart die Chance, von der exakten Feststellung des Ist-Bestandes zur Erfüllung der emanzipatorischen Postulate fortzuschreiten. Was die Skepsis allerdings verstärkt, ist die Tatsache der Ideologieabhängigkeit jeglicher Normen, auch der emanzipatorischen.

Hermeneutische Prämissen

Wenn Literaturgeschichte sich nicht auf das Resümieren vergangener Dichtung und deren historischen Wirklichkeitsbezüge beschränken will, sondern sich als bewußter »Prozeß der Konfrontation vergangener Werte und gegenwärtiger Wertungen«[4] versteht, so verliert zwangsläufig ihr Inhalt den musealen Charakter, um als ein zwar Vergangenes eine für die Gegenwart produktive Funktion zu gewinnen. Eine Lösung, die sich nicht mit der Alternative »museale Rekonstruktion« oder »vulgäre Aktualisierung« begnügt, muß, wie Robert Weimann ausführt, »auf dem Widerspruch (und der Einheit) zwischen der zeitgeschichtlichen Entstehung und der über die Zeiten weisenden Wirkung großer Literatur«[5] basieren. Es ist die bereits von Marx erkannte »Schwierigkeit«, daß vergangene Literaturwerke »für uns noch Kunstgenuß gewähren und in gewisser Beziehung als Norm und unerreichbare Muster« gelten könnten, auch wenn die gesellschaftlichen Verhältnisse, deren Produkt sie darstellen, längst vernichtet seien.[6] Der von Hans-Georg Gadamer zum Verstehen als notwendig aufgewiesene »Verschmelzungshorizont« ist bei Hegel und Wilhelm von Humboldt bereits vorhanden; sie fassen Vergangenheit nicht als ein von der Gegenwart losgelöst Abgeschlossenes und autonom Rekonstruierbares auf. Es bedürfe laut Humboldt vielmehr zwischen der »forschenden Kraft« des Historikers und seinem Objekt einer »Assimilation«; diese vereine »Darstellung des Geschehenen« mit der »Idee« des gegenwärtigen Historikers, dessen »Kenntnis des Allgemeinen« Prämisse für die »vollständige Durchschauung des Besondren« sei. Der Historiker übernimmt so in Anerkennung seiner aufklärerischen Funktion die Aufgabe des Erziehers. Doch kann eine solche »Verwaltung der Vergangenheit im Dienste der Gegenwart« vom Historiker erst dann geleistet werden, wenn er sich nicht dem Engagement in seiner Zeit als Subjekt des gegenwärtigen Geschichtsprozesses entzieht. Diese etwa von Georg Gottfried Gervinus vertretene Position des Vormärzlers zielt allerdings, im Wissen, Objektivität an sich als höchstes Erkenntnisinteresse sei Illusion, auf Ideologisierung von Vergangenheit im Sinne einer an der Gegenwart orientierten Idee über Zukunft. Die Ideologie bewirkt oft den Anschein, Vergangenheit antizipiere in ihrer Betrachtung die Zukunft; daraus folgt der Schein objektiver Notwendigkeit, während in Wirklichkeit allein die Tendenz sie zu einer solchen deklariert hat. Sowohl Hegels als auch Humboldts Konzept[7] eignet der Einheitshorizont, der Gegenwart und Vergangenheit zusammenfaßt, und bietet »die methodologische Voraussetzung, unter welcher auch die Literaturgeschichte schließlich die Einheit ihrer Entstehung geschichtlicher und wirkungsgeschichtlicher Aspekte erringt«.[8]

Der *Historismus* übernimmt zwar nicht den hermeneutischen Standpunkt Hegels, wohl aber dessen in die Anerkennung des Bestehenden mündende Staatsphilosophie. Zwar verweigert der Historismus aktive Mitarbeit am Staat der Gegenwart, indem

er sich ihm durch Hinwendung in die Vergangenheit entzieht: doch gerade im passiven Entzug liegt die schweigende Anerkennung des nicht mehr Änderbaren.
So weist der Historismus durchaus ambivalente Züge auf: er ist zwar Folge politischer Enttäuschung im Bürgertum und als solche negativ bestimmt, andererseits positiv deutbar, eben aus seiner resignativen Haltung heraus, und einspannbar für die Zwecke derer, die ihre gegenwärtige Herrschaft durch eine sie bestätigende Vergangenheit zu legitimieren suchen. Diesen Zwecken ist der an der Gegenwart desinteressierte Historismus relativ leicht dienstbar zu machen. Die Ideologie, unter deren Schirm er seine Objekte erforscht, wird ihm vom Bestehenden, ohne daß er sich dessen recht bewußt würde, vorgeschrieben, und zwar ergibt sie sich ihm aus dem Lauf der Weltgeschichte, ohne daß nun Hegels Philosophie hier eigens noch herangezogen werden müßte. Ranke als Hauptvertreter der Historischen Schule wendet sich ab von der hermeneutischen Verschmelzung des Subjekthorizontes mit dem Objekthorizont als Prämisse jeden Verstehensprozesses; dafür setzt er die scheinbare Objektivität einer ausschließlich am (vergangenen) Objekt orientierten, vom Subjekt und dessen Gegenwartsbewußtsein absehenden Perspektive. Damit geht ihm die Einheit von vergangenheitsgeschichtlicher Konstruktion und gegenwärtig geschichtlicher Funktion verloren zugunsten des von Gervinus als »objektive Manier« geschmähten historischen Objektivismus, dem das Subjekt vor dem Objekt wegfallen soll, damit dieses um so klarer hervortrete.[9] Scheinbar ist die Objektivität, da sie auf der Hypothese beruht, Vergangenheit lasse sich als eine von der Gegenwart und deren Deutung unabhängige Größe rekonstruieren. Die Subjektseite wird also keineswegs eliminiert, vielmehr scheint sie in der Darstellung nur unreflektiert und daher unbewußt hindurch. Rankes Position war Ausdruck der Krise bürgerlichen Fortschrittsdenkens, wie es etwa Gervinus vertritt: das Absehen vom Standpunkt der Gegenwart und die Forderung, zu erforschen, »wie es eigentlich gewesen«, implizieren ein Urteil über eine vergangene Epoche, das »unabhängig von ihren Produkten und ihren Folgen zustande« kommt.[10]
Folge der Eliminierung des Subjekts ist die Zerstörung des Zusammenhangs; in die Kluft fällt, was dessen Sinn ausmacht: die lebendige Funktion des Vergangenen in der Gegenwart sowie die Geschichte selbst.
Daß diese Geschichtsauffassung ebenfalls historisch bedingte Folge des Scheiterns bürgerlicher Emanzipation auf politischer Ebene darstellt, bestätigt letztlich ihre inhaltliche Unhaltbarkeit. Was für die Epoche gilt, gilt auch für deren Auffassung von Geschichtsschreibung. Der Wert einer Epoche beruht nicht, anders als Ranke meint, »in ihrer Existenz selbst, in ihrem eigenen Selbst«, sondern sie hat als eine vergangene nur den Wert, für das sie betrachtende oder handelnde Subjekt Objekt kausaler Verbindungen im Kontext verschiedener Epochen, also Bezugspunkt zu sein, dessen Analyse den eigenen Horizont erst definiert. Damit negiert die Folge der Rankeschen Epoche den Inhalt der aus ihr hervorgegangenen Geschichtsbetrachtung.

Bereits bei Schopenhauer wurde als philosophischer Ansatz eine Position deutlich, die später gegen den Positivismus ausgespielt wurde. Schopenhauers eskapistisches Denken erschien, weil es auf der Negation basierte, weit radikaler als das der Romantik. Die Idee der ausdrücklichen Individualisierung des Individuums und seines Rückzugs aus der Gesellschaft war romantisch: Gedankenfreiheit erschien als

illusionäre Kompensation verweigerter gesellschaftlicher Aktivität. Doch stellte Schopenhauers bewußt und radikal ahistorische Lehre den Menschen über jede Geschichte und abseits jeder Gesellschaft: In der Betrachtung der ebenfalls ihrer Zeitbedingtheit enthobenen Kunst befreit sich der Mensch zeitweise vom blinden, ihn ins Leiden verstrickenden Trieb zum Leben und erhebt sich zum Standpunkt des interesselosen Betrachters.
Dezidiert wurde das Versagen der Positivisten vor der Gegenwart Ansatzpunkt für Nietzsches Kritik der »Ewig-Objektiven«; der »Widerspruch von Leben und Wissen« als Ausdruck der Krise zwischen Leben und Historie endete im »irrationalen Bekenntnis zum Leben und Vergessen-Können«.[11] Unwesentlich modifiziert findet sich der Nietzschesche Ansatz in der Geschichtsmythologisierung des *George-Kreises*. Die historischen Individualitäten sind nicht Produkte verschiedener Kausalitäten, sondern Verkörperungen von Urbildern (daher die kritiklose Bewunderung des Genies); sie zu erfassen, bedarf es folglich nicht detaillierter Materialerforschung, sondern einer intuitiven ›Wesensschau‹; wer das Urbild, die Idee erkannt hat, dem gilt seine irdische Inkarnation als offenes Geheimnis. Vor allem das Individuum wird zu einer zeitlosen Erscheinung, deren der Geist sich zu irgendeinem, nur dem Adepten der ideologisch präformierten Geistesrichtung offenbaren Zwecke bedient.
Prägnant bringt diesen Sachverhalt zum Ausdruck das Vorwort zu Ernst Bertrams Nietzsche-Buch mit dem bezeichnenden Untertitel »Versuch einer Mythologie«, das über die vergangene Geschichte urteilt: »Nur als Bild, als Gestalt, nur als Mythos also lebt sie, nicht als Kenntnis eines Gewesenen.«[12] Auch Karl Wolfskehls Essay-Sammlung *Bild und Gesetz* (1930) enthält diese Tendenz; bereits im Titel kommen das platonische Verhältnis von Idee und Wirklichkeit und die ›Methode‹, es durch intuitive ›Wesensschau‹ zu erkennen, zur Aussage. Dieser ›subjektiven Manier‹ als einer Folge der Infragestellung objektiver Erkenntnis und Darstellung steht die jeweils wirkende ›Legende‹ im Vordergrund: als Hauptgegenstand der Literaturgeschichte gilt nun der mythenstiftende, legendäre Nachruhm.[13] Das Bemühen, zeitlose Gesetze und Typologien und zeitloses ›Wesen‹ zu erkennen, verschiebt den Akzent von historischen, aufs Individuelle und Einmalige gerichteten Kategorien auf psychologische, intentional »mythenschaffende« Kategorien.
Das für die ganze von George ausgehende Geistesrichtung symptomatische Vorwort von Friedrich Gundolfs berühmtem Buch *Shakespeare und der deutsche Geist* (1911) erklärt den Ansatz. Ihm zufolge ist die Geschichte der Rezeption (Urteile, Übersetzungen, Bearbeitungen, Entlehnungen, Nachahmungen) nur Vorarbeit für die Darstellung der einerseits Shakespeares Eindringen und Bild bedingenden und andererseits der von ihm erweckten Kräfte, die nicht in Faktenaddition sich erschöpft, sondern sinnbildliche Deutung sein will, welche die in den Tatsachen sich verkörpernden Ideen charakterisiert. Selektion bedingt die Darstellung des symbolisch Entscheidenden, und sie ist notwendig subjektiv; doch auch die Methode der Darstellung bleibt unerlernbar, da Methode »Erlebnisart« sei. Von Wesensschau intuitiver Art, d. h. einer prinzipiell subjektiv oder ideologisch determinierten Willkür, der freilich in Gundolfs Fall die Souveränität nicht abzusprechen ist, zeugt der Grundsatz: Das »Richter- und Sichteramt auszuüben mit eignem Blick auf den Rohstoff ohne vorgegebene methodische Einstellung, aus der alle Vorurteile stammen, ist die einzige Objektivität, d. h. Gerechtigkeit, die der begrenzte Mensch sich zu-

trauen darf«.[14] Dieses Verfahren ist ein spezifischer Reflex auf die gesellschaftliche Situation in der Weimarer Republik. Die Perspektive, wie Wirkungsgeschichte geschrieben werden kann, orientiert sich hier eindeutig am Mythos, dem Bild, welches das forschende Subjekt von seinem Objekt, dem ›großen Mann‹ hat. Bezeichnend sind wieder Gundolfs Ausführungen in seinem Buch *Caesar. Geschichte seines Ruhms.* »Heute, da das Bedürfnis nach dem starken Mann laut wird, da man der Mäkler und Schwätzer müd sich mit Feldwebeln begnügt statt der Führer, da man zumal in Deutschland jedem auffallenden militärischen wirtschaftlichen beamtlichen oder schriftstellerischen Sondertalent die Lenkung des Volkes zutraut und bald soziale Pfarrer bald unsoziale Generäle bald Erwerbs- und Betriebsriesen bald rabiate Kleinbürger für Staatsmänner hält, möchten wir die Voreiligen an den großen Menschen erinnern dem die oberste Macht ihren Namen und Jahrhunderte hindurch ihre Idee verdankt: Caesar.«[15]

Die errichteten ›Bilder‹ spiegelten einen mythologisierenden Subjektivismus, wie er besonders in den Geschichtsdarstellungen der von George beeinflußten Historiker waltet.[16] So waren es bezeichnenderweise Biographien, Darstellungen bedeutender Männer, in denen solches Denken, das die geschichtsbildenden Kräfte auf Individuen zurückführte, seinen adäquaten Ausdruck fand.

Alles Gewesene sei nur Gleichnis. Keine historische Methode verhelfe, so führt Bertram aus, zum »Anblick leibhafter Wirklichkeit«,[17] »Geschichte, zuletzt doch Seelenwissenschaft und Seelenkündung, ist niemals gleichbedeutend mit Rekonstruktion irgendeines Gewesenen, mit der möglichsten Annäherung auch nur an eine gewesene Wirklichkeit. Sie ist vielmehr gerade die Entwirklichung dieser ehemaligen Wirklichkeit, ihre Überführung in eine ganz andere Kategorie des Seins; ist eine Wertsetzung, nicht eine Wirklichkeitsherstellung.«

Die Wertsetzung war intentional auf eine Idee bezogen, gliederte nach typologischen Kategorien und transzendierte ihre Ergebnisse auf einen ahistorischen Horizont. Dieser Tatsache entsprechen die Sätze über die Beschäftigung mit vergangenen Werken und Taten. »Wir vergegenwärtigen uns ein vergangenes Leben nicht, wir entgegenwärtigen es, indem wir es historisch betrachten. Wir retten es nicht in unsre Zeit hinüber, wir machen es zeitlos. Indem wir es uns verdeutlichen, deuten wir es schon. Was von ihm bleibt, wie immer wir es zu erhellen, zu durchforschen, nachzuerleben uns mühen, ist nie das Leben, sondern immer seine Legende. Was als Geschichte übrigbleibt ist immer zuletzt [...] die Legende.«

Diese Auffassung hat ihren Niederschlag auch in den philosophiegeschichtlichen und den literaturwissenschaftlichen Werken des Kreises gefunden (Hildebrandt, Gundolf, Wolters u. a.).

Der ›objektiven Manier‹ löst sich schließlich das Objekt vom Subjekt, und die Frage lautet: Wozu Studium dessen, was keinen Bezug auf die Gegenwart hat? Der ›subjektiven‹ löst sich das Subjekt vom Objekt, und die entsprechende Frage lautet: Wozu eine Mythologisierung, die zur historischen Realität kaum noch Bezug hat, wenn der gegenwartsgerichtete Subjektivismus auch auf anderem Wege seine Ziele erreichen könnte? Kurz: Bezugslosigkeit des Rekonstruierten zur Gegenwart auf der einen, Verfälschung der Vergangenheit um des ›geschauten‹ Bildes willen, des Ausdrucks subjektiver Zielsetzungen, auf der anderen Seite, so lauten die Vorwürfe, die Weimann auf die Formel ›Abstraktion der historischen Wirklichkeit vom histori-

schen Bewußtsein‹ und ›Reduktion der historischen Wirklichkeit aufs historische Bewußtsein‹ gebracht hat.[18]
Ebenfalls aus dieser Zeit stammt das ideengeschichtlich orientierte, für rezeptionsgeschichtliche Forschungsweise ergiebige Werk Fritz Strichs *Goethe und die Weltliteratur* (1946). Strich betrachtet zunächst die auf Goethe einwirkenden Kräfte, dann die von Goethe ausgehenden Einflüsse in mehr oder weniger chronologischer Reihenfolge bis zu seinem Tod. Neben Frankreich, Italien, England, Rußland und Polen wird unter dem Titel »Weltpoesie« der übrige Bereich zusammengefaßt. Das letzte, »Ausblick« genannte Kapitel bietet einen Abriß über die Wirkung Goethes von 1832 bis 1932. Hier zeigt sich bereits ein Wandel des Goethebildes: aus dem Autor des *Götz* und des *Werther* wird der unrevolutionäre Olympier. Strichs Darstellung beschränkt sich weitgehend auf literarische Kreise, soziale und politische Faktoren werden nur kurz referierend berücksichtigt.

Rezeptionsästhetische Ansätze

Friedrich Schlegel, der Autonomielehre klassischer Ästhetik verpflichtet, wies zwar eine Wirkungserklärung dem Psychologen zu – weniger rigoristisch äußerte sich August Wilhelm Schlegel, der Isolation nur beim Rezensieren für erforderlich, sonst aber Aufnahme und Wirkung für »aufklärende Gesichtspunkte« hielt,[19] doch folgert Hinrich C. Seeba, Wirkungsästhetik sei der »Kern« von Friedrich Schlegels Hermeneutik gewesen, da Schlegels Konzept des synthetischen Schriftstellers und der »Symphilosophie oder Sympoesie« auf dem ›lebendigen und entgegenwirkenden‹, also dem aktiv mitschaffenden Leser basiert.[20] Im Lessing-Aufsatz etwa empfiehlt Schlegel eine historische Wirkungskritik, eine kritische »Geschichte der Wirkungen«, die unmittelbar zu den modernen Modellen der Rezeptionsgeschichte hinführt.
Wirkungsästhetik und Wirkungsgeschichte dürften nicht gleichgesetzt werden, beabsichtigte und tatsächliche Wirkung seien nicht identisch. Der von Schlegel als analytisch bezeichnete, in der rhetorischen Tradition stehende Schriftsteller benutze die Wirkungspoetik zur Erzielung einer »bestimmten Wirkung«, der synthetische Schriftsteller dagegen könne »im romantischen Bewußtsein seiner unendlichen Wirkung auf die ›bestimmte Wirkung‹ verzichten und es jedem möglichen Leser überlassen, durch ›das heilige Verhältnis der innigsten Symphilosophie oder Sympoesie‹ die jeweilige Wirkung eines Werkes in seinem Mitvollzug selber zu bestimmen«.[21] Seeba folgert aus diesem Konzept einer Befreiung des Lesers von einer bestimmten Moral, daß der Leser nun zum »eigentlichen Vollender des Werkes« werde. »Deshalb muß die synthetische Wirkungsästhetik der Romantik im Gegensatz zur analytischen Wirkungspoetik der Aufklärung, die noch die beabsichtigte und erreichbare Wirkung auf den Leser berechnet, den Sprung über die Grenze wagen, die das Werk selbst zwischen Zweckzusammenhang und Wirkungszusammenhang zieht. Sie muß, um konsequent zu sein, die Absicht des Autors vergessen und nach der tatsächlichen Wirkung unter den Lesern fragen, weil diese – nach dem hermeneutischen Prinzip der Romantik – das Werk des Autors ›besser verstehn als er sich selbst verstanden hat‹.«[22] Und zwar ziele Schlegels hermeneutische Formel vom Besser-Verstehen im Sinne des progressiven Mitvollzugs »auf die Konkretisation eines literarischen Wer-

kes in der Geschichte seiner Wirkung durch Kritik«, nicht wie später bei Dilthey, auf »die Bewußtmachung des vom Genie unbewußt Geschaffenen«, also die psychologisierende Schaffensästhetik.
Eine prinzipiell ähnliche Auseinandersetzung fand in der amerikanischen Literaturwissenschaft zwischen W. K. Wimsatt, M. C. Beardsley (New Criticism) und I. A. Richards (Wirkungsästhetische Theorie) sowie Lascelle Abercrombie statt. Zeitlos autonomes Kunstwerk steht hier dem wirkungsästhetischen Relativismus gegenüber, dem das Werk nur als »Leerform« gilt. An dieser vollzieht sich »die in der Wirkung (sich) realisierende Aktualisierung durch den individuellen Interpreten«.[23]
In der Mitte dieser beiden Extrempositionen hat sich die Literatursoziologie etabliert, etwa die geschmackssoziologische Schule Levin L. Schückings.[24] Der literatursoziologische Ansatz Schückings, zur Zeit des Heidegger- und Staiger-Booms angegriffen, steht in der Zeit seiner Publikation vereinzelt da.[25] Schücking untersucht Geschmack und Publikum; beide werden in der Moderne immer heterogener. Das Gefallen am Werk sei nicht lediglich bedingt durch dessen Qualität, sondern Ergebnis eines materielle und ideologische Kräfte umfassenden Prozesses. Schücking betrachtet den Wandel in der soziologischen Position des Künstlers, die Zusammensetzung des Publikums (Lehre von den Geschmacksträgertypen), die Bedeutung von Propagandamitteln und Kritik neben den Vermittlungsträgern: Schule, Universität, Bibliotheken, Buchhändler und Buchgemeinschaften. Auf diesem Ansatz läßt sich Rezeptionsgeschichte modellhaft aufbauen: ausgehend von synchronen exemplarischen Wirkungsfeldern läßt sich Diachronie durch Querschnittssummation erzielen. Dabei kann verschieden vorgegangen werden: vom Werk oder vom Publikum aus. Im ersten Fall ist es von Interesse, die im Laufe der Zeit wechselnden Leserschichten *eines* Buches festzustellen, im zweiten Fall, die wechselnden Leseinteressen *eines* (sozial gleichbleibenden) Publikums zu ermitteln.
In den angelsächsischen Ländern hat diese vergleichsweise empirisch vorgehende Schule zunächst größere Resonanz als in Deutschland gefunden. Zahlreiche Untersuchungen über Publikum und Leser finden sich in der englischen Literaturwissenschaft.
Diese Untersuchungen waren freilich nicht rezeptionsästhetisch im heutigen Sinn, wohl aber literatursoziologisch; ein Beispiel ist Schückings Buch über *Die puritanische Familie*.[26] Das sechste Kapitel behandelt die Familie als literarisches Publikum. Bereits diese Phase der Literaturwissenschaft zeigt, daß die historische Rezeptionsforschung, wenn sie nicht literarische Leerformen produzieren will, auf die soziologische Fundierung ihrer Rezeptionsanalysen angewiesen ist.
Wichtige Beiträge aus den Jahren 1928–31 stammen von Leo Löwenthal, der von 1926 an Mitarbeiter am Institut für Sozialforschung in Frankfurt war, zusammengefaßt in: *Erzählkunst und Gesellschaft* (1971). Die Herausarbeitung des gesellschaftlichen Bezugs bei Entstehung der Werke ist zwar das Hauptanliegen des Buchs, doch betont Löwenthal im ersten Kapitel »Das gesellschaftliche Bewußtsein in der Literaturwissenschaft« bei Behandlung des Kommunikationsmodells die Wichtigkeit des »Zusammenhangs von Werk und Aufnahme«[27]. Er konstatiert, daß bislang »eine für die Forschung so wichtige und zentrale Aufgabe wie das Studium der Wirkung dichterischer Werke fast überhaupt nicht in Angriff genommen worden ist, obwohl in Zeitschriften und Zeitungen, Briefen und Erinnerungen ein unendliches

Material bereitliegt, um über die Aufnahme der Dichtungen in bestimmten gesellschaftlichen Gruppen und Individuen sich zu unterrichten. Diese Aufgabe bleibt der geschichtstheoretischen Literaturgeschichte vorbehalten, die unbekümmert um die bisherige ängstliche Behütung der Poesie deren Studium breit zu organisieren hat, ohne dabei fürchten zu müssen, in bloßer Philologie und Datensammlung stecken zu bleiben, da die ihr zugrundeliegende gesellschaftliche Theorie ihr die Arbeitsrichtung anzugeben vermag.«[28]

Auf seiten der *Bibliothekswissenschaft* wurde schon seit den dreißiger Jahren auf die Bedeutsamkeit von Untersuchungen über die Wirkungen der Literatur hingewiesen. Eugen Sulz entwickelte eine »Lehre vom kulturellen Wirkungswert des Literaturwerks« (1932).[29] Die Frage nach dem Wirkungswert suche »die dynamische Struktur eines Erzählungswerks in Zusammenhang zu bringen mit der seelischen Struktur des Lesers«, sie suche einmal am Werk die Eigenschaften, »die auf psychologischem Weg Kräfte und Bewegungen in der Seele des Lesenden auslösen«, zum andern analysiere sie am Leser, »welcher Zustand des Seelischen und Geistigen« ihn besonders aufnahmefähig mache für ein bestimmtes Erzählwerk. Sulz betont die Einseitigkeit der Perspektive der bisherigen Betrachtung, die beim Bezugssystem zwischen Werk und Leser nur »die vom Werk ausstrahlenden Kräfte« hervorgehoben habe; er legt starkes Gewicht auf die vom Leser ausgehende »aktive, gewissermaßen ansaugende, Wirkung auf das Kunstwerk«; diesen subjektiven Wertungsfaktor nennt er Bedürfnis.

Joseph Peters (1954) unterscheidet vier Richtungen, welche die Wirkung schöner Literatur nehmen könne:

1. Erweiterung des Ich; »phantasiemäßige Erweiterung des Lebensspielraumes« (vollgültiges, lebensechtes, wahres Schrifttum),
2. Unterhaltung, Wechsel und Entspannung (Unterhaltungsliteratur),
3. Ausweichen vor der Wirklichkeit, Wirklichkeitsflucht (Kitsch),
4. rein sensationell (Schund, Schmutz).[30]

Diese meist an den Bedürfnissen der Volksbibliotheken orientierten Ansätze zeigten ein Interesse an der Publikumsseite, das innerhalb der Literaturwissenschaft nur vereinzelt anzutreffen war.

Karl Wolf lieferte 1957 eine *Skizze zu einer Wirkungslehre der Literatur*,[31] wobei er noch von einem phänomenologischen Interpretationsmodell ausging, das nicht nach Entstehung und Weiterwirkung fragte; diese »Wesensforschung« möchte er durch eine Wirkungslehre ergänzt sehen. Er unterscheidet zwischen der Wirkungsintention des Autors und der tatsächlichen Wirkung auf das Publikum, zwischen quantitativer (Erfolg) und qualitativer (Richtung) Wirkung. Wolf geht von den Prämissen aus, Dichtung sei immer »von erzieherischer Bedeutsamkeit, positiv oder negativ«; der einzelne Dichter und sein Werk wirke nur auf Ähnlichgestimmte (»Verstehen der Strukturverwandten«); ein Kunstwerk könne »auf verschiedene Zeiten und auf verschiedene Menschen verschieden wirken«. Die pädagogische Tendenz der Ausführungen über Lehrgehalt, Milieu und Stil wird deutlich an seiner Auffassung von Interpretation: sie solle »die Wirkung der Dichtung in erzieherisch günstiger Weise« lenken.

Wieder vom Standpunkt des Bibliothekars hat sich Gustav Sichelschmidt mehrfach

über Probleme der Wirkung geäußert. Er ist noch ganz dem ›Substanzdenken‹ verhaftet, das dem Kunstwerk eine aktive Durchsetzungskraft zubilligt: »Erst eine Generation nach dem Tode eines Autors fällt ja gewöhnlich die schwerwiegende Entscheidung, ob seine dichterische *Substanz* nun eigentlich ausreicht, die Zeit, in der er lebte und wirkte, zu überdauern. Dieser Ausleseprozeß ist unerbittlich, aber gerecht.«[32] Diesen Glauben teilt Sichelschmidt etwa mit Lessing[33] und Schopenhauer[34]; Goethe beurteilt die »Gerechtigkeit der Nachwelt« weit skeptischer[35]. Sichelschmidt weist auf die Bedeutung der Konsumliteratur hin; erst neuerdings beginne sich die Einsicht durchzusetzen, »daß der bevorzugte Lesestoff der Massen, der quantitativ begreiflicherweise die Hochliteratur glatt in den Schatten stellt, den Zeitgeist zutreffender inkarniert als die Lektüre einer dünnen Elite«.[36] Doch räumt er ein, daß man bei Erforschung von »Lesegewohnheiten früherer Epochen« weitgehend auf Zufallsberichte und dokumentarische Überbleibsel angewiesen sei. Der Trend macht sich bemerkbar, von den Gipfelprodukten den Blickwinkel auszuweiten auf die gesamte Literaturgesellschaft einer Epoche.
In der westdeutschen Literaturwissenschaft bedeutete die Hinwendung zum Leser einen »Versuch des Ausbruchs aus dem Elfenbeinturm«, in den sich die Germanistik nach dem Zweiten Weltkrieg zurückgezogen hatte. »Die ›Immanenz‹ literaturwissenschaftlicher Interpretationskunst, die in diesen Jahren aufblühte, beruht auf Vorverständnissen und Vorentscheidungen, die eigentlich schon damals höchst fragwürdig hätten werden müssen; vor allem darauf, daß Literatur in keinem Fall ein soziales Phänomen ist, bezogen weder auf die tatsächliche Realität noch auf einen geschichtlichen Leser, sondern selig und verständlich nur in sich selbst.«[37]

Die Anstöße zu einer Verbindung von Literatur mit gesellschaftlichen Interessen kamen von außerhalb der Germanistik. Neben Sartres Essay *Qu'est-ce que la littérature?* (1947), in dem Schreiben als Appell des Autors an den Leser verstanden wird, gerieten wieder die literatursoziologischen Untersuchungen über Werk und Publikum ins Blickfeld.[38]
Walter H. Bruford wies 1955 ebenfalls auf die Publikumsforschung hin; er selbst hatte ja zwei bedeutsame Werke über die literatursoziologischen Grundlagen der Goethezeit veröffentlicht.[39] Bereits für ihn erhebt sich die Frage, ob ein Text als ein in sich geschlossenes Ganzes angesehen werden könne; denn »wie jedes andere symbolische Gebilde« sei ein Text »sinnvoll nur für lebende Geister«. Geistiger Gehalt sei »nicht ›an sich‹ in der geformten Materie des Kunstwerks, sondern nur ›für uns‹, die Auffassenden« (Nicolai Hartmann). Für die bisherige Vernachlässigung des soziologischen Literaturstudiums in Deutschland seien verschiedene Faktoren verantwortlich: die werkimmanente Betrachtung, die Vorstellung vom romantischen Dichter, der ohne Rücksicht auf ein Publikum schreibe, und schließlich der Verdacht deutscher Gelehrter, die soziologische Literaturbetrachtung in Verbindung brachten mit materialistischer Geschichtsdeutung und Marxismus. Anders als die Anglistik habe die Germanistik nur einen dürftigen Anteil an der Publikumsforschung: die Arbeiten von Arthur Eloesser,[40] Samuel Lublinski,[41] Karl Viëtor, Fritz Brüggemann und Heinz Kindermann[42] stünden vereinzelt da, wenn man von speziellen Studien (auch von Theaterwissenschaftlern) absehe. Publikumsforschung in ihrer Gesamtheit gehöre zur Kulturgeschichte, sie liefere aber für die Literaturgeschichte einen wesent-

lichen Beitrag zur Erhellung der soziologischen Hintergründe, vor denen die Werke und deren Autoren zu sehen seien, und somit auch zum Verständnis der Literatur selbst. Eine wichtige Erweiterung dieser von Bruford aufgezeigten Richtung brachte das Buch von Robert Escarpit *Sociologie de la Littérature* (Paris 1958).[43] Hier wurde der gegenwärtige Literaturbetrieb erfaßt und mit Hilfe der drei Kategorien »Produktion«, »Verbreitung« und »Konsumtion« eingeteilt. Escarpit untersuchte die Rolle des Schriftstellers in der Zeit und in der Gesellschaft, den Veröffentlichungsprozeß und die Umkreise der Verbreitung, schließlich das Publikum und die Arten und Gelegenheiten der Lektüre. Diese empirische, allerdings auf Frankreich beschränkte Untersuchung erbrachte wichtige Ergebnisse; auch in Deutschland schlossen sich demoskopisch-statistisch vorgehende Analysen an Escarpits Arbeit an.[44] Auch Hans Norbert Fügens repräsentative Untersuchung *Die Hauptrichtungen der Literatursoziologie und ihre Methoden*[45] enthält einen Abschnitt über Publikum und Vermittler.

Zur Aufgabe der Literatursoziologie hat 1957 Martin Greiner Stellung genommen; er billigt dem Bezugskomplex Werk–Empfänger größere Bedeutung als dem Komplex Sender–Werk zu – eine Wertung, die aller bisherigen Praxis und (Interpretations-)Theorie widersprach. Das Fragen nach der Entstehung scheint ihm ein »nicht unbedenkliches Geschäft, das mehr Takt als Methode« erfordere. Die Literatursoziologie finde, wenn sie vom Publikum ausgehe, einen glücklicheren methodischen Ansatz. Als Aufgaben definiert er zunächst »Feststellung dessen, was jeweils für ein Werk, für einen Dichter, für eine Zeit oder auch für eine literarische Richtung oder für eine literarische Gattung Publikum ist und sein kann«.[46] Publikum müsse keineswegs, wie früher angenommen wurde, rein passiv oder rein rezeptiv sein: eben im Reagieren auf Kunstprodukte beweise das Publikum seine geschmacksbestimmende Funktion, wobei Publikum als amorphes Gebilde, als Öffentlichkeit sich erst nach Verlust des direkten Bezugs konstituiere, also nach Erfindung der Buchdruckerkunst. Zweite Aufgabe sei die Erforschung der Übermittlungsmöglichkeiten. Gerade die Isolierung von Autor und Publikum durch den technischen Apparat erzeuge neue Literaturgattungen, psychologisch vorgehende Analysen wie auch Unterhaltungsliteratur, für die eben der unpersönliche Kollektivbegriff Publikum die Voraussetzung bilde.

Führt *ein* Weg von der Literatursoziologie zur Rezeptionsforschung über die Wirkung auf ein Publikum, so führt der *andere* Weg über die Hermeneutik, im literaturwissenschaftlichen Bereich speziell über das Verstehen bzw. Interpretieren von Kunstwerken.

Nicht eigentlich der Wirkungsgeschichte »als einer neuen selbständigen Hilfsdisziplin der Geisteswissenschaften« redet Hans-Georg Gadamer in seiner Hermeneutik das Wort, sondern er sieht im »Prinzip der Wirkungsgeschichte« die Möglichkeit, der Naivität des sogenannten Historismus zu entgehen, der die eigene Geschichtlichkeit im blinden Vertrauen auf seine Methodik vergißt. Die wirkungsgeschichtliche Fragestellung soll also nicht »neben die auf das Verständnis des Werkes unmittelbar gerichtete«[47] treten, sondern sie soll im Verstehensprozeß enthalten sein: »In allem Verstehen, ob man sich dessen ausdrücklich bewußt ist oder nicht, [ist] die Wirkung dieser Wirkungsgeschichte am Werke«. Zum Bewußtsein der hermeneutischen Situation gehört der Begriff des Horizontes; wird diese ausgearbeitet, so erhält man den adäquaten Fragehorizont für die angesichts der Überlieferung sich stellenden Fragen. Das Sichversetzen in eine historische Situation bedeutet nicht Aufgabe der eigenen Situation noch »Unterwerfung« der anderen unter die eigenen Maßstäbe, sondern »Erhebung zu einer höheren Allgemeinheit, die nicht nur die eigene Partikularität, sondern auch die des anderen überwindet«. Gadamer geht es um ein grundsätzliches hermeneutisches Problem, das freilich gerade im Rezeptionssektor von besonderer Bedeutung ist, da hier historisches Bewußtsein geradezu sich bildet. Um nicht der Gefahr absoluter Relativität ausgesetzt zu sein, ist es wichtig, den von Gadamer geäußerten Satz im Auge zu behalten, ein wahrhaft historisches Bewußtsein sehe die eigene Gegenwart immer mit, »und zwar so, daß es sich selbst wie das geschichtliche Andere in den richtigen Verhältnissen sieht«. Da eine hermeneutische Situation durch die mitgebrachten Vorurteile bestimmt ist, bilden sie den Horizont einer Gegenwart, der sich freilich ständig wandelt, in der Erprobung dieser Vorurteile, was eben kraft der »Begegnung mit der Vergangenheit« und des Verstehens der Überlieferung geschieht. »Der Horizont der Gegenwart bildet sich also gar nicht ohne die Vergangenheit. Es gibt so wenig einen Gegenwartshorizont für sich, wie es historische Horizonte gibt, die man zu gewinnen hätte. Vielmehr ist Verstehen immer der Vorgang der Verschmelzung solcher vermeintlich für sich seiender Horizonte«.

Der *dritte* Weg, der zur Rezeptionsforschung führt, kommt von der Literaturgeschichte. 1960 hat der Strukturalist Roland Barthes einen 1963 publizierten Aufsatz *Literatur oder Geschichte*[48] verfaßt, der, obwohl er in erster Linie Entwurf einer neuen Literaturgeschichtsschreibung ist und nicht auf Probleme der Rezeption eingeht, doch einige bedeutsame Erwägungen zum Verhältnis von Gesellschaft und Werk liefert. Er postuliert für eine künftige Literaturgeschichte stärkere Berücksichtigung des gesellschaftlichen Bezugs der beiden »Kontinente« Welt (als Ort politischer, gesellschaftlicher, ökonomischer, ideologischer Fakten) und Werk. Die Literaturgeschichte habe bislang meist nur aus einer Monographienfolge bestanden und sei bestenfalls im Chronikstil verfaßte, mit historischen Ingredienzien versehene Aufeinanderfolge einzelner Männer gewesen. Ähnlich stellt sich auch bisher historische Rezeptionsdarstellung als Aufeinanderfolge mehr oder weniger 1. untereinander beziehungsloser und 2. zur gesellschaftlichen Wirklichkeit bezugsloser Urteile dar. Analog der für die Literaturgeschichtsschreibung von Barthes erhobenen Forderung nach »radikaler Konversion«, die in der Historik ihre Analogie im Übergang von den Königschroniken zur eigentlichen Geschichtsschreibung finden würde, läßt sich diese Forderung auch für die Abfassung einer Wirkungsgeschichte erheben: Wirkungsgeschichte wie Literaturgeschichte sind nur sinnvoll, wenn sie nicht Fakten und Urteile aneinanderreihen, sondern immer den historischen Kontext als Basis und Ausgangspunkt literarischer Betrachtung im Auge behalten.

Noch 1964 konnte Klaus Lubbers in seinem Überblick über die Rezeptionsforschung feststellen: »Während die Einzelforschung blüht und bereits Beachtliches zuwege gebracht hat, ist der Problemkomplex ›Rezeptionsforschung‹ bisher nur vereinzelt und ansatzweise systematisch durchdacht und gegliedert worden.«[49] Er schlägt eine Spezifizierung dieses literatursoziologischen Bereichs vor und unterscheidet Verlagssoziologie, Buchsoziologie (Erforschung des Verhaltens der Leserschaft) und Untersuchung der Aufnahme von Literatur bei der Kritik. Lubbers erwähnt die Gründe, die Frederic T. Blanchard[50] für Rezeptionsforschung geltend macht: »[...] sie führt

zum besseren Verständnis eines Autors und seiner Werke, zum besseren Verständnis einer Gattung, in der ein Autor besonders erfolgreich war; sie leistet einen Beitrag zur allgemeinen literarischen (und oft nichtliterarischen) Geschichte einer Periode und liefert wichtige Daten zur Beurteilung des Scharfsinns und der Vorurteilslosigkeit oder Befangenheit einer Vielzahl von Kritikern [...]; schließlich stellt sie ein wertvolles Repertorium kritischer Äußerungen zusammen, die bei vergleichender Untersuchung letztlich nicht nur auf die Geschichte der Kritik und der Ästhetik, sondern auf die Grundlagen kritischer und ästhetischer Theorie Licht werfen.«[51]
René Welleks Meinung zufolge stellt Rezeptionsforschung eine Synthese von Wertrelativismus und Wertabsolutismus dar; von Literaturgeschichte unterscheide sie sich durch »die Verbindung vieler kritischer Standpunkte«.[52] »Volle Wahrheit« für ein Kunstwerk sei die ideale ›Gesamtbedeutung‹, der es sich »auf Grund seiner dynamischen Doppelexistenz als zeitloses und geschichtlich gebundenes Dokument fortwährend« nähere. Dieses ›total meaning‹ sei »the result of a process of accretion, i. e. the history of its criticism by its many readers in many ages«.[53] Als Kennzeichen ›großer Literatur‹ stellt sich ihre Fähigkeit zur Neuinterpretation dar (nach Escarpit). Für die Literaturgeschichtsschreibung folgert Lubbers, der auf Rezeptionsforschung aufbauende Literarhistoriker dürfe nicht urteilend, sondern müsse beschreibend verfahren. Der Grundsatz, er begebe sich des eigenen Urteils, übe keine eigene Kritik, sondern gebe nur die Standpunkte vergangener Kritiken und Beurteilungen wieder, ist in dieser Einseitigkeit nicht aufrechtzuerhalten.[54] Zur Praxis der Rezeptionsforschung empfiehlt Lubbers, sie auf zwei Konstanten festzulegen: »erstens auf einen oder in bestimmten Fällen zwei Schriftsteller [...]; zweitens auf einen eingeengten Kreis der Aufnehmenden. Nur so kann man vergleichbare Urteile zusammenstellen.«[55] Viele der hier anklingenden Probleme tauchen später, in erweiterter und modifizierter Form wieder auf.[56]
Einen wichtigen Beitrag hat Walter Hohmann in einem Aufsatz *Es geht um die Erforschung der literarischen Wirkung* geliefert (1965).[57] Zieht man die ideologischen Angriffe ab, die der in der DDR lebende Verfasser gegen den Kapitalismus vor allem der Bundesrepublik losläßt, so bietet sein Aufsatz wichtige Vorschläge zur Rezeptionsforschung. Allerdings betrachtet Hohmann Literatur durchweg als Erziehungsfaktor; sie besitzt bewußtseinsändernde Kraft und ist letztlich nur ein Medium im gesellschaftlichen Prozeß. Aus diesem Ansatz folgt die von allen sozialistischen Wissenschaftlern geteilte Ansicht, Wirkung müsse erforscht werden, um mit Hilfe der erkannten Wirkungsgesetzlichkeiten Wirkung auf die Gesellschaft ausüben zu können, sie im ideologisch präformierten Sinn zu ändern. In der Bundesrepublik seien es die kapitalistischen Interessen, die aus kommerziellen Gründen Wirkungsforschung veranlaßten, in der DDR dagegen sei der leitende Gesichtspunkt die erzieherische und bildende Bedeutung von Literatur. Diese Literatur müsse die sozialistische Gegenwart sich poetisch aneignen; Voraussetzung für ihr Wirksamwerden sei exakte Erforschung aller Prozesse in der Literaturgesellschaft. Das Ziel ist eindeutig: »Die Aufdeckung der Zusammenhänge der literarischen Wirkung soll dazu beitragen, die Grundlagen für eine nicht mehr spontane, nicht mehr mit unzureichenden Erfahrungswerten experimentierende, sondern planmäßige und kontinuierliche Leitung und Lenkung der Prozesse in unserer Literaturgesellschaft zu schaffen.« Im Vordergrund des Interesses steht das Verhältnis der Literatur zum

Konsumenten, das Hohmann aus zwei Gründen kein einfaches Kausalitätsverhältnis nennt: erstens sei die Rolle des Publikums nicht nur auf passive Rezeption beschränkt; es schreibe insofern mit, als der Autor sich auf sein (oft ideal vorgestelltes) Publikum einrichte. Zweitens sei Rezeption, anders als Produktion, die eigentliche Sache des Publikums; »in einem bestimmten Sinn« vollende sich das Kunstwerk erst »im Bewußtsein des Lesenden«. Der Rezeptionsprozeß stellt sich dar als ein »Wechselspiel zwischen dem Kunstwerk und dem Leser« – auf der Seite des Kunstwerks bestimmt »durch die ästhetische Eigenart der Literatur als einer spezifischen Form des gesellschaftlichen Bewußtseins«, auf der Seite der Rezipierenden »durch die individuelle Variabilität des Publikums«. Die weiteren Ergebnisse Hohmanns können nur gestreift werden. Im Verlauf seiner Untersuchung der Frage, worin die Wirkungspotenzen literarischer Werke bestehen, kommt er zu dem (programmgemäßen) Ergebnis, in den (im Sinne der Humanisierung) bewußtseinsändernden, erzieherischen Funktionen lägen »ihre entscheidenden Wirkungspotenzen«, die durch die anderen Seiten des literarischen Werkes (Form, Sprache) »nur verstärkt oder abgeschwächt, nicht aber ersetzt« werden könnten: »Die Wirkungspotenzen der Literatur sind ideologischer, vor allem politischer und moralischer Art«. Ganz übereinstimmend mit dem Programm des sozialistischen Realismus ist die Forderung nach Identifizierung des Lesers mit dem positiven Helden: »Die wichtigste Voraussetzung der ästhetischen Rezeption ist die Identifikation des Lesers mit den literarischen Figuren, die er in dieser oder jener Hinsicht als Vorbild empfindet, und die Distanzierung von Personen, deren Bestreben er verurteilt.« »Gute oder hohe oder seriöse Literatur« im Gegensatz zur Trivialliteratur intendiere hauptsächlich »menschlich-gesellschaftliche Beziehungen darzustellen und so zu durchleuchten, daß ihr wesentlicher Gehalt transparent wird«; die Wirkungspotenzen dieser Literatur reichen weiter und tiefer als die von Trivialliteratur. Ihre Realisation hänge von der »Aufnahmebereitschaft des Lesers« ab (Rezipientenseite) und von den »tatsächlichen ästhetischen Qualitäten« des Kunstwerks (Objektseite). Diese sieht Hohmann dann als vorhanden, wenn dem Dichter das »andeutende Sichtbarmachen einer unausschöpflichen Ganzheit« gelingt, wenn also das Werk »konkrete Totalität menschlicher Beziehungen« gibt. Erfüllt das Kunstwerk einerseits diese Bedingungen, so ist andererseits der Rezipient aufgefordert, beim Erschließen der im Kunstwerk gestalteten Totalität schöpferisch mitzuarbeiten, »in einem bestimmten Sinn das Werk fortzusetzen, zu ergänzen, weiterzuführen, daß er aus seinen eigenen Erfahrungen und Erkenntnissen immer neue Beziehungen zu ihm herstellt«. Durch diese Bezugsetzung dringe der aktive Leser selbst »zu neuen Erfahrungen und Erkenntnissen« vor, beginne er sich »selbst unter dem Eindruck des künstlerischen Erlebnisses zu verändern, zu wandeln«. Der Unausschöpfbarkeit auf seiten des Kunstwerks entspricht die Individualität auf seiten des Lesers. Faktoren, von denen die Fähigkeit des Lesers zur Aufnahme eines literarischen Kunstwerks abhänge, seien z. B. Erziehung, Bildung, Weltanschauung, Reife, Lebens- und Kunsterfahrung, Charakter, Temperament, Neigungen, Stimmungen. Das Wechselspiel zwischen Kunstwerk und Geschmack des Lesers bestimme die literarische Wirkung. Der Geschmack selbst werde von gesellschaftlich determinierten und individuellen Faktoren gebildet, wobei die sozialen Faktoren die lediglich modifizierend wirkenden Individualfaktoren an Bedeutsamkeit übertreffen: Geschmack sei »ein geistiger Ausdruck der gesellschaftlichen Situation des Menschen, ein ideeller Reflex seines Klasseninteresses«. Daraus zieht Hohmann die Konsequenz, daß Wirkungsforschung ausgebaut werden müsse, in Richtung auf empirisch-soziologische Untersuchungen; daß sie interdisziplinär betrieben werden müsse, da sie »im Schnittpunkt einer ganzen Reihe von Wissenschaftsdisziplinen: der Literaturwissenschaft, der Gesellschaftswissenschaft, der Psychologie, der Pädagogik, der Soziologie« liege. Ziel der Zusammenarbeit ist die Einflußnahme auf die Entwicklung der Literaturgesellschaft; Literatur wird zum pädagogisch-ideologischen Medium im Rahmen einer ›programmierten‹ Gesellschaft degradiert. Das unterscheidet das sozialistische Modell in erster Linie von den Ansätzen in der Bundesrepublik Deutschland, denen dafür der Vorwurf der Literarizität und der gesellschaftlichen Unverbindlichkeit gemacht worden ist.

Die Rezeptionsästhetik von Hans Robert Jauß

Harald Weinrich regte in dem 1967 erschienenen, 1971 erweiterten Aufsatz *Für eine Literaturgeschichte des Lesers*[58] an, die Werke nicht aus der Perspektive des Autors (wie bisher üblich), sondern aus der des Lesers zu betrachten; er verschiebt den Schwerpunkt im Kommunikationsmodell also auf den Rezipienten, für welchen der Autor das Werk verfaßt habe. Rekurrierend auf die aristotelische Wirkungsästhetik betont Weinrich die Existenz bestimmter Konstanten in der Erwartung des Publikums, welche der Autor zur Erzielung von Affekten einkalkulieren müsse. Seit Poe und Baudelaire sei Wirkungsästhetik nach Europa eingedrungen und konkurriere nun mit der Inspirationsästhetik. In seinem die Anregungen von Jauß, Weinrich und Mandelkow aufgreifenden Aufsatz *Wirkungsgeschichte der Wirkungsgeschichte. Zu den romantischen Quellen (F. Schlegel) einer neuen Disziplin* macht Hinrich C. Seeba allerdings darauf aufmerksam, daß die Poeschen Alternativen ›inspiration – combination‹ schon bei Friedrich Schlegel als ›Instinkt‹ und ›Absicht‹ begegnen.[59]

Auch Jean Paul Sartre hat in seinem Essay *Qu'est-ce que la littérature?*[60] die rezeptionsästhetische Position vorweggenommen, indem er das Schreiben als einen auf ein Gegenüber bezogenen Anruf auffaßt, das einen »pacte de générosité« zwischen Autor und Leser stiftet: »[...] der Vorgang des Schreibens schließt als dialektisches Korrelativ den Vorgang des Lesens ein, und diese beiden zusammenhängenden Akte verlangen zwei verschieden tätige Menschen. Die vereinte Anstrengung des Autors und des Lesers läßt das konkrete und imaginäre Objekt erstehen, das das Werk des Geistes ist. Kunst gibt es nur für und durch den anderen. [...] Lesen scheint tatsächlich eine Synthese von Wahrnehmung und Schaffen zu sein.«

Der Autor führe den Leser an: »Die Richtpunkte, die er angegeben hat, sind durch Leeres voneinander getrennt, man muß sie miteinander vereinen, muß über sie hinausgehen. Mit einem Wort: Lesen ist gelenktes Schaffen.« Das Werk existiere nur auf der Ebene der Fähigkeiten des Lesers. Schreiben versteht Sartre als einen Appell an den Leser, er möge mit seiner freiheitlichen, konstruktiven Phantasie der vom Autor durch das Mittel der Sprache vorgenommenen Enthüllung zu objektiver Existenz verhelfen. Grundvoraussetzung für gesellschaftliche Veränderungen sei also das Engagement der als soziale Gruppen organisierten Leserschaft. Im Kapitel »pour qui écrit-on?« liefert Sartre auch einen rezeptionsgeschichtlich verfahrenden Ansatz, indem er die Rolle des Publikums untersucht. Weinrich, der sich auf Sartre beruft, erkennt, daß Literatursoziologie fortan die rezeptive Seite in ihre Betrachtung einbeziehen müsse, da die Erwartungen von Lesergruppen ein konstitutives Element des literarischen Werkes bilden. Der von Arthur Nisin[61] entworfenen Theorie des Lesers zufolge ist ein ungelesenes literarisches Werk nur der Potenz nach vorhanden; sie werde erst im Leseprozeß aktualisiert. Weinrich folgert daraus, daß Literatur erst im Dialog mit dem Leser existiere und Literaturgeschichte demnach Geschichte dieses Dialogs sei. In solcher Betrachtung gerät der Produktions- gegenüber dem Rezeptionsprozeß stark ins Hintertreffen. Neben der Berücksichtigung des für eine Gruppe typischen Lesers empfiehlt Weinrich auch die Rolle des fiktiven Lesers innerhalb eines Werkes stärker ins Blickfeld zu rücken. Vorschläge zu einer Lesertypologie, die noch historisch jeweils zu verankern wäre, weisen auf die *Literaturgeschichte des Lesers* hin. Allerdings arbeitet Weinrich nicht genügend den grundlegenden Unterschied zwischen fiktivem und realem Leser heraus. Da der fiktive Leser eine (wie auch immer motivierte) Projektion des Verfassers ist, kann für rezeptionshistorische Zwecke, also für eine Untersuchung der tatsächlichen Wirkung des Kunstwerks, nur der reale Leser herangezogen werden (vgl. S. 77). Weinrich fügt dem Mannheimschen, von Jauß in die Literaturwissenschaft eingeführten Begriff des Erwartungshorizontes den Begriff des Signals hinzu. Ein solches Signal kann den von Jauß hauptsächlich gattungspoetisch angesetzten Erwartungshorizont strukturieren, indem es dem Leser orientierungserleichternde Anweisungen gibt.[62]

Hans Robert Jauß, dem der Anstoß für rezeptionshistorisch orientierte Literaturgeschichte und -ästhetik zu verdanken ist, hat 1969 das von Thomas Kuhn[63] im Rahmen der Naturwissenschaften untersuchte Phänomen des Paradigmawechsels, worunter er den Wechsel von Methoden mit Systemcharakter versteht, auf die Literaturwissenschaft übertragen.[64] Im ersten (klassisch-humanistischen) Paradigma galt die Antike als Vorbild und Normensystem; das zweite (historisch-positivistische) Paradigma war »die Methode historischer Erklärung«, die von der »Literatur-Revolution der Romantik« ihren Ausgang nahm und in einem national ausgerichteten Historismus gipfelte. Auf dieses Paradigma sei im übrigen die Konzeption der bisher vorliegenden Literaturgeschichten zurückzuführen, die von der »substantiellen Einheit einer nationalen Literatur vom Mittelalter bis zur Gegenwart« ausging, synchrone Beziehungen verschiedener Literaturen vernachlässigte zugunsten von diachronen, oft nur mit Mühe als Entwicklung darzustellenden Vorgängen innerhalb einer Nationalliteratur. In der Stilistik und der werkimmanenten Ästhetik erblickt Jauß das dritte (ästhetisch-formalistische) Paradigma. Die Zuwendung zum Werk selbst hatte eine Fülle von Interpretationen zur Folge, die dem Kunstwerk als einem »Ausdruckssystem von Sprache, Stil und Komposition« gerecht zu werden suchten. Nicht zuletzt aus Gründen der Legitimation von Literaturwissenschaft vor der Gesellschaft wurde Kritik geübt an der werkimmanent-formalistischen Methode, die jegliche gesellschaftlichen Bezüge des als autonom betrachteten Kunstwerks außer acht läßt. Von der Soziologie vor allem wurde die Frage nach den gesellschaftlichen (Entstehungs-)Bedingungen und nach den historischen Auswirkungen gestellt. Obwohl Jauß die Gegenwart noch keinem eindeutigen Paradigma zuordnet, sieht er die augenblickliche Krisensituation von drei Faktoren her bestimmt.

1. Die Literaturwissenschaft könne sich »nicht mehr allein durch die philologisch-historische oder durch die interpretatorische Methodik legitimieren«, sie könne dies vielmehr erst, wenn sie sich als eine hermeneutische, »ihr Verstehen begründende Wissenschaft« auffasse. So werde die Prämisse des dritten Paradigmas, die »Isolierung der Literatur von der Geschichte, des Kunstwerks von seiner Wirkung und seinem Publikum«, aufgehoben.
2. Werner Krauss habe in seinem Aufsatz *Literaturgeschichte als geschichtlicher Auftrag* (1950)[65] die »Wendung von der Widerspiegelungstheorie zu der Frage nach der gesellschaftsbildenden Funktion der Literatur« postuliert[66] und diese gesellschaftsbildende Funktion gegen »die klassische Autonomie der Kunst« ausgespielt. Als Forschungsfeld bietet sich dann die Untersuchung des »prozeßhaften Zusammenhangs von Literatur und Gesellschaft« an.
3. Auch die archetypische Kritik (Frye)[67] billigt wie die marxistische dem Kunstwerk eine Funktion im Emanzipationsprozeß der Menschheit zu und betont den »synchronen Zusammenhang der Literatur«. Das vierte Paradigma dem Strukturalismus zuzuordnen hält Jauß noch für verfrüht.

Die »Herausforderung durch die Massenmedien« verschärfe die Krise des Selbstverständnisses von Literatur und Literaturwissenschaft. »Methoden, die an der Höhenkammliteratur, am Kanon der klassischen, der nationalen oder wie immer bewerteten Gipfelwerke ausgebildet wurden, versagen vor der Wirkung der nicht-kanonischen Künste.«[68] Das bisher bevorzugte Textmaterial: die hohe Dichtung, bildet heute im Rahmen der Lebenspraxis lediglich ein Randprodukt.
Drei Forderungen stellt Jauß an die Forschung zur Ausbildung eines neuen Paradigmas:

1. »Vermittlung von ästhetisch-formaler und historisch-rezeptionsbezogener Analyse, wie von Kunst, Geschichte und gesellschaftlicher Wirklichkeit«,
2. »Verknüpfung strukturaler und hermeneutischer Methoden [...]«,
3. »Erprobung einer auf Wirkung (und nicht mehr allein auf Darstellung) bezogenen Ästhetik und neuen Rhetorik, die sich gleichermaßen der Höhenkammliteratur wie auch der Subliteratur und Erscheinungen der Massenmedien annehmen müßte.«[69]

In zweien der drei Forderungen taucht die Rezeption auf, und zwar einmal im Zusammenhang mit der Interpretation, zum andern mit der Ästhetik. Dem dritten Bereich, in dem der rezeptionshistorische Ansatz eine fundamentale Bedeutung gewinnen könnte, hat Jauß eine eigene Abhandlung gewidmet: *Literaturgeschichte als Provokation der Literaturwissenschaft*.[70] Zu seinem Modell einer in Rezeptions- und Wirkungsästhetik fundierten Produktions- und Darstellungsästhetik mit dem Ziel einer neuen Literaturgeschichtsschreibung kommt Jauß, indem er seine Auseinandersetzung mit materialistischer und formalistischer Theorie auf hermeneutischen Erkenntnissen und Postulaten aufbaut und die Forderungen einer Literaturgeschichtsschreibung mit soziologischen Bezugnahmen abdeckt.
Ein zentrales Problem marxistischer Literaturwissenschaft war die Erklärung des Sachverhalts, wie ein der Widerspiegelungstheorie zufolge ökonomische Prozesse reproduzierendes Kunstwerk »noch Kunstgenuß gewähren« könne,[71] da es eigentlich als »Reflex einer überwundenen Entwicklungsstufe« nur noch von historischem Interesse sei. Georg Lukács behilft sich mit dem geschichtstranszendenten Begriff des

»Klassischen«: zeitlose Idealität überbrückt die Kluft zwischen vergangener, auf zerstörter ökonomisch-gesellschaftlicher Basis fundierter Kunst und gegenwärtiger Wirkung. Die Widerspiegelung als einzige Aufgabe reduziert Kunst auf ein Wiedererkennen von bereits Erkanntem und negiert den antizipatorischen Charakter der Kunst, indem sie ihr nur zugesteht, »Reflex dieser bewußt den Gang der Dialektik vorantreibenden politischen und gesellschaftlichen Wirklichkeit (im Marxschen Sinne)« zu sein.[72] Die im Kunstwerk ästhetisch vermittelte Erkenntnis reproduziert nach Jauß' Auffassung nicht nur das außerästhetisch Gewußte, sondern provoziert Bewußtsein durch die Darstellung des ideologisch nicht Fixierten. Karel Kosík,[73] für Jauß ein Kronzeuge des Marxismus, betont den Doppelcharakter der Kunst: sie sei Ausdruck von Wirklichkeit und bilde zugleich eine in ihr existierende Wirklichkeit.[74] Das Problem, wie ein Kunstwerk seine gesellschaftlich-ökonomische Basis überdauern könne, löst Kosík mit folgender Definition des Kunstcharakters: »Das Werk lebt, soweit es wirkt. In der Wirkung des Werkes ist einbegriffen, was sich sowohl im Konsumenten des Werkes als auch im Werk selbst vollzieht. Das, was im Werk geschieht, ist ein Ausdruck dessen, was das Werk ist. [...] Das Werk ist ein Werk und lebt als ein Werk deshalb, weil es eine Interpretation fordert und in vielen Bedeutungen wirkt.«[75] Diese Einsichten führten Jauß zur Forderung nach Einbeziehung zweier Faktoren im Hinblick auf eine Neubegründung der Literaturgeschichtsschreibung. Der Verstehens- und Reproduktionsprozeß des Vergangenen muß von der Betrachtung einzelner Werke ausgeweitet werden auf eine Betrachtung, die das Verhältnis von Werk zu Werk einbezieht und ihren Zusammenhang »in den Interrelationen von Produktion und Rezeption« sieht. Die »wechselseitige Interaktion von Werk und Menschheit«[76] muß vom Produktions- auch auf den Rezeptionsvorgang erweitert werden: »Literatur und Kunst werden erst zur prozeßhaften Geschichte, wenn das Nacheinander der Werke nicht allein durch das produzierende, sondern auch durch das konsumierende Subjekt – durch die Interaktion von Autor und Publikum vermittelt wird.«[77] Zum andern kann die Funktion der Kunst nicht ausschließlich als nachahmend (mimetisch, widerspiegelnd) bestimmt werden. Neben der »wahrnehmungsbildenden« muß auch die bewußtseinsändernde Funktion gesehen werden.[78]

Auch die russischen Formalisten, ursprünglich der Synchronie verhaftet, erkennen, daß Literarisches nicht nur durch (synchrone) Opposition poetischer und praktischer Sprache, sondern auch diachron durch Opposition zur Gattungsvorgegebenheit und zur »vorangegangenen Form in der literarischen Reihe«[79] bedingt sei. Daraus entwickelt sich die These von der literarischen Evolution, derzufolge sich Literaturgeschichte als Abfolge von Systemen darstellt. Unerfaßt bleibt der historische Bezug: Produktion, gesellschaftliche Funktion und Rezeption.

Aus der Unvereinbarkeit der marxistischen und der formalistischen Extrempositionen entwickelte Jauß den eigenen Ansatz, der die zwischen historischem und ästhetischem Bereich bestehende Kluft überbrücken sollte, indem er von der im Kommunikationsmodell bisher vernachlässigten Position des Rezipienten ausging. Aus diesen Prämissen ergibt sich ihm die Konsequenz, den »geschlossenen Kreis einer Produktions- und Darstellungsästhetik [...] auf eine Rezeptions- und Wirkungsästhetik« zu öffnen, um »die geschichtliche Folge literarischer Werke als Zusammenhang der Literaturgeschichte zu begreifen«.[80]

1. These
»Eine Erneuerung der Literaturgeschichte erfordert, die Vorurteile des historischen Objektivismus abzubauen und die traditionelle Produktions- und Darstellungsästhetik in einer Rezeptions- und Wirkungsästhetik zu fundieren. Die Geschichtlichkeit der Literatur beruht nicht auf einem post festum erstellten Zusammenhang ›literarischer Fakten‹, sondern auf der vorgängigen Erfahrung des literarischen Werkes durch seine Leser. Dieses dialogische Verhältnis ist auch die primäre Gegebenheit für die Literaturgeschichte. Denn der Literarhistoriker muß selbst immer erst wieder zum Leser werden, bevor er ein Werk verstehen und einordnen, anders gesagt: sein eigenes Urteil im Bewußtsein seines gegenwärtigen Standorts in der historischen Reihe der Leser begründen kann.«[81]
Jauß faßt ›Literaturgeschichte‹ nicht als Aneinanderreihung oder Aufeinanderfolge von entstehungsgeschichtlichen, biographischen, historischen und psychologischen Fakten; für ihn ist sie »ein Prozeß ästhetischer Rezeption und Produktion, der sich in der Aktualisierung literarischer Texte durch den aufnehmenden Leser, den reflektierenden Kritiker und den selbst wieder produzierenden Schriftsteller vollzieht«. Den Ereigniszusammenhang der Literatur sieht Jauß primär vermittelt »im Erwartungshorizont der literarischen Erfahrung zeitgenössischer und späterer Leser, Kritiker und Autoren«.[82]
Da in dieser These der gesellschaftliche Hintergrund, vor dem und auf den bezogen Literatur sich abspielt, überhaupt nicht (anders als bei Roland Barthes) erwähnt ist, liegt der Vorwurf nahe, der Ansatz verkehre zwar die Perspektive vom Autor auf den Leser, stelle jedoch keinen Bezug zur gesellschaftlichen Realität her und verharre darum wie die übliche Literaturgeschichtsschreibung im ausschließlich literarischen Bereich. Allerdings darf nicht übersehen werden, daß gerade die Leserperspektive sich leicht ausweiten läßt auf eine Einbeziehung des Publikums und dessen gesellschaftlicher Situation.

2. These
»Die Analyse der literarischen Erfahrung des Lesers entgeht dem drohenden Psychologismus, wenn sie Aufnahme und Wirkung eines Werks in dem objektivierbaren Bezugssystem der Erwartungen beschreibt, das sich für jedes Werk im historischen Augenblick seines Erscheinens aus dem Vorverständnis der Gattung, aus der Form und Thematik zuvor bekannter Werke und aus dem Gegensatz von poetischer und praktischer Sprache ergibt.«[83]
Jauß wendet sich hier gegen Wellek, der in wirkungsgeschichtlicher Analyse die Gefahr einer Soziologie des Geschmacks erblickt. Die Möglichkeiten der Objektivierung des Erwartungshorizontes sieht Jauß, wenn Signale, d. h. Anweisungen in einem Prozeß dirigierter Perzeption fehlen, im Vorhandensein von drei allgemein voraussetzbaren Faktoren:
1. der »bekannten Normen oder der immanenten Poetik der Gattung«,
2. der »impliziten Beziehungen zu bekannten Werken der literarhistorischen Umgebung«,
3. des Gegensatzes »von Fiktion und Wirklichkeit, poetischer und praktischer Funktion der Sprache«.[84]

3. These
»Der so rekonstruierbare Erwartungshorizont eines Werkes ermöglicht es, seinen Kunstcharakter an der Art und dem Grad seiner Wirkung auf ein vorausgesetztes Publikum zu bestimmen. Bezeichnet man den Abstand zwischen dem vorgegebenen Erwartungshorizont und der Erscheinung eines neuen Werkes, dessen Aufnahme durch Negierung vertrauter oder Bewußtmachung erstmalig ausgesprochener Erfahrungen einen »Horizontwandel« zur Folge haben kann, als ästhetische Distanz, so läßt sich diese am Spektrum der Reaktionen des Publikums und des Urteils der Kritik (spontaner Erfolg, Ablehnung oder Schockierung; vereinzelte Zustimmung, allmähliches oder verspätetes Verständnis) historisch vergegenständlichen.«[85]
Ein Werk kann, wenn es den Erwartungshorizont dermaßen durchbricht, daß kein Publikum sich findet, erst rezipiert werden, wenn der neue Erwartungshorizont Geltung erlangt hat: der Horizontwandel bestimmt die jeweilige Rezeption eines Werkes durch das Publikum.

4. These
»Die Rekonstruktion des Erwartungshorizontes, vor dem ein Werk in der Vergangenheit geschaffen und aufgenommen wurde, ermöglicht andererseits Fragen zu stellen, auf die der Text eine Antwort gab, und damit zu erschließen, wie der einstige Leser das Werk gesehen und verstanden haben kann. Dieser Zugang korrigiert die meist unerkannten Normen eines klassischen oder modernisierenden Kunstverständnisses und erspart den zirkelhaften Rekurs auf einen allgemeinen Geist der Epoche. Er bringt die hermeneutische Differenz zwischen dem einstigen und dem heutigen Verständnis eines Werkes vor Augen, macht die – beide Positionen vermittelnde – Geschichte seiner Rezeption bewußt und stellt damit die scheinbare Selbstverständlichkeit, daß im literarischen Text Dichtung zeitlos gegenwärtig und ihr objektiver, ein für allemal geprägter Sinn dem Interpreten jederzeit unmittelbar zugänglich sei, als ein platonisierendes Dogma der philologischen Metaphysik in Frage.«[86]
Jauß bemüht Gadamers Darlegungen über das Prinzip der Wirkungsgeschichte, die anknüpfen an Robin George Collingwoods[87] These, Textverständnis sei erst möglich, wenn die Frage, auf die der Text antwortet, verstanden sei, indem er expliziert, die rekonstruierte Frage könne »in ihrem ursprünglichen Horizont« nicht mehr stehen, weil dieser bereits von dem der Gegenwart umfaßt sei. So findet Jauß seine Lösung für die von Wellek gestellten Fragen nach dem Standpunkt, von dem aus ein literarisches Urteil zu fällen sei: das von Wellek abgelehnte »Urteil der Jahrhunderte« sei eben mehr als nur Ansammlung beliebiger anderer Urteile, nämlich »die sukzessive Entfaltung eines im Werk angelegten, in seinen historischen Rezeptionsstufen aktualisierten Sinnpotentials«.[88] Die »produktive Funktion des fortschreitenden Verstehens« soll seinen »rezeptionsästhetischen Entwurf einer Literaturgeschichte« begründen; dieser Entwurf sieht die Berücksichtigung der in These 2 genannten drei Faktoren vor; Geschichtlichkeit der Literatur manifestiert sich auf dreierlei Weise:
1. »diachronisch im Rezeptionszusammenhang der literarischen Werke« (These 5),
2. »synchronisch im Bezugssystem der gleichzeitigen Literatur wie in der Abfolge solcher Systeme« (These 6),

3. »im Verhältnis der immanenten literarischen Entwicklung zum allgemeinen Prozeß der Geschichte« (These 7).

5. These

»Die rezeptionsästhetische Theorie erlaubt nicht allein, Sinn und Form des literarischen Werks in der geschichtlichen Entfaltung seines Verständnisses zu begreifen. Sie erfordert auch, das einzelne Werk in seine ›literarische Reihe‹ einzurücken, um seine geschichtliche Stelle und Bedeutung im Erfahrungszusammenhang der Literatur zu erkennen. Im Schritt von einer Rezeptionsgeschichte der Werke zur ereignishaften Geschichte der Literatur zeigt sich diese als ein Prozeß, in dem sich die passive Rezeption des Lesers und Kritikers in die aktive Rezeption und neue Produktion des Autors umsetzt oder in dem – anders gesehen – das nächste Werk formale und moralische Probleme, die das letzte Werk hinterließ, lösen und wieder neue Probleme aufgeben kann.«[89]

Der Einwand, der gegen die dritte These, der *Kunst*charakter lasse sich an der Wirkung auf das Publikum bestimmen, erhoben werden kann, begegnet in Manfred Durzaks Versuch, Rezeptionsästhetik als Literaturkritik anzuwenden, zwar nicht ausdrücklich. Doch zeigt seine Analyse der verschiedenartigen Wirkung eines Werkes auf zwei unterschiedliche Publika (Grass' »örtlich betäubt« in den USA und der Bundesrepublik Deutschland), daß »rein ästhetische« Urteile nicht gefällt werden können, der Erfolg eines Werkes vielmehr von ganz anderen Bedingungen abhängt.

Es ist daher problematisch, ob die »ästhetische Distanz« sich an den Relationen des Publikums und am Urteil der Kritik ablesen läßt. Das Phänomen des Ästhetischen ist gar nicht »rein« faßbar, sondern nur in Verbindung mit den von Durzak namhaft gemachten Faktoren der Meinungsbildung: den politischen, ökonomischen, gesellschaftlichen, religiösen, nationalen.[90]

Jauß hat diesen Einwand vorhergesehen und eingeräumt, daß zumindest das Kriterium des Neuen »nicht nur eine ästhetische Kategorie« sei,[91] vielmehr werde es zur historischen Kategorie, wenn die historischen Momente untersucht werden, »die das Neue einer literarischen Erscheinung erst zum Neuen machen«. Freilich löst diese praxisorientierte Einschränkung nicht das Problem, wie das Phänomen des Ästhetischen auch im historisch bedingten Kontext als spezifisch ästhetisches zu fassen sei.

6. These

»Die Ergebnisse, die in der Sprachwissenschaft mit der Unterscheidung und methodischen Verbindung von diachronischer und synchronischer Analyse erzielt wurden, geben Anlaß, auch in der Literaturgeschichte die bisher allein übliche diachronische Betrachtung zu überwinden. Wenn schon die rezeptionsgeschichtliche Perspektive bei Veränderungen der ästhetischen Einstellung immer wieder auf funktionale Zusammenhänge zwischen dem Verständnis neuer und der Bedeutung älterer Werke stößt, so muß es auch möglich sein, durch einen Moment der Entwicklung einen synchronen Schnitt zu legen, die heterogene Vielfalt der gleichzeitigen Werke in äquivalente, gegensätzliche und hierarchische Strukturen zu gliedern und so ein übergreifendes Bezugssystem aufzudecken. Daraus ließe sich das Darstellungsprinzip einer neuen Literaturgeschichte entwickeln, wenn weitere Schnitte im Vorher und Nachher der Diachronie so angelegt werden, daß sie den literarischen Strukturwandel historisch in seinen epochebildenden Momenten artikulieren.«[92]

7. These
»Die Aufgabe der Literaturgeschichte ist erst dann vollendet, wenn die literarische Produktion nicht allein synchron und diachron in der Abfolge ihrer Systeme dargestellt, sondern als besondere Geschichte auch in dem ihr eigenen Verhältnis zu der allgemeinen Geschichte gesehen wird. Dieses Verhältnis geht nicht darin auf, daß sich in der Literatur aller Zeiten ein typisiertes, idealisiertes, satirisches oder utopisches Bild gesellschaftlichen Daseins auffinden läßt. Die gesellschaftliche Funktion der Literatur wird erst dort in ihrer genuinen Möglichkeit manifest, wo die literarische Erfahrung des Lesers in den Erwartungshorizont seiner Lebenspraxis eintritt, sein Weltverständnis präformiert und damit auch auf sein gesellschaftliches Verhalten zurückwirkt.«[93]
Schließlich gilt der Jaußsche Entwurf dem Zweck, die gesellschaftsbildende Funktion der Literatur zu erweisen, eben indem er versucht, »die Kluft zwischen literarhistorischer und soziologischer Forschung durch die rezeptionsästhetische Methode zu schließen«.[94]
Besondere Bedeutung erhält die antizipatorische Funktion der Literatur, die dem Leser unverwirklichte Möglichkeiten bereitstelle und so »Wege zukünftiger Erfahrung« eröffne.[95] Lektüreerfahrung könne den Leser auch aus »Adaptionen, Vorurteilen und Zwangslagen« befreien.
»Die Kluft zwischen Literatur und Geschichte, zwischen ästhetischer und historischer Erkenntnis« werde überbrückbar, wenn die Literaturgeschichte nicht den »Prozeß der allgemeinen Geschichte« wiederbeschreibe, sondern »im Gang der ›literarischen Evolution‹ jene im eigentlichen Sinn gesellschaftsbildende Funktion« aufdecke, die der Literatur »in der Emanzipation des Menschen aus seinen naturhaften, religiösen und sozialen Bindungen« zugekommen sei.[96]
Man erkennt unschwer, daß viele der hier vorgetragenen Ideen schon seit Jahren im Umlauf waren, daß Jauß aber der erste war, der sie systematisierte und zu einem provokativen Neuansatz ausbaute.[97]
Hans Günther hat die Beiträge der tschechischen Strukturalisten, auf die sich auch Jauß bezieht, zusammengefaßt. Jan Mukařovský trennt zwischen dem Kunstwerk als materiell gegebenem Zeichen (Artefakt) und auf der semantischen Ebene dem ästhetischen Objekt, das sich mit dem Erfahrungsstand des Rezipienten ändert. Felix Vodička hat dieses strukturalistische Modell vom phänomenologischen Ingardens abgegrenzt; er betont, nicht nur schematische Stellen würden konkretisiert, sondern die Struktur des ganzen Werks erhielte unter veränderten Bedingungen »einen immer neuen Charakter«.[98]
Besondere Aufmerksamkeit widmeten Mukařovský und Vodička dem Studium der ästhetischen Normen; die Rekonstruktion historischer Normensysteme entspricht der Jaußschen Objektivierung des Erwartungshorizontes. Der Bereich der Normenstruktur, die aus verschiedenen ästhetischen Normenkanons besteht, wird mit der Gesellschaftsstruktur verknüpft; Mukařovský nimmt zwischen Normenhierarchie und Gesellschaft sogar Strukturhomologie an.[99]

Kritiken am Ansatz von Jauß

Die Diskussion, die sich an den Jaußschen Aufsatz anschloß, brachte einige grundsätzliche Bedenken zur Theorie und zu ihrer praktischen Anwendung. Die wichtigsten der deutschen Kritiken seien im folgenden kurz referiert, wobei zunächst die ›bürgerlichen‹ Kritiker, dann die marxistischen zu Wort kommen sollen.
Max Wehrli steht dem »Programm einer neuen Literarhistorie« skeptisch gegenüber. In der (wenn auch randhaften) Verpflichtung der Literatur auf ihre emanzipatorische Funktion scheint ihm »ein bescheidener Rest von Fortschrittstheorie« durchzuleuchten, »auch wenn dieser Fortschritt durchaus negativ als Emanzipation von allen denkbaren Bindungen« erscheine, also zu einer »völlig leeren Freiheit« führe. »Das ist ein später, schwächlicher Nachklang von Hegels Selbstrealisierung der Freiheit als Ziel der Geschichte!«[100]
Karl Robert Mandelkow geht nach einem Überblick über die entgegengesetzten Positionen von Wimsatt und Beardsley (New Criticism: Werk als konstante Struktur) auf der einen, von Abercrombie (Werk als Leerform) auf der anderen Seite ausführlich auf die Studie von Jauß ein, die er weniger kritisiert, als wissenschaftshistorisch einordnet und um eigene Vorschläge erweitert.

1. Mandelkow zweifelt an der Praktikabilität des Begriffs ›Erwartungshorizont‹ und differenziert auf der Ebene historischer Gleichzeitigkeit drei verschiedene ›Erwartungsfolien‹: die Epochenerwartung, die Werkerwartung und die Autorerwartung. Die durch Tradition und Konvention definierte Epochenerwartung könne als Kontrastfolie zur rezeptionsästhetisch orientierten Werkanalyse dienen; als Musterbeispiel nennt Mandelkow Karl Ludwig Schneiders Arbeit *Klopstock und die Erneuerung der deutschen Dichtersprache im 18. Jahrhundert*. Unter Werkerwartung versteht Mandelkow die Fixierung des Autors auf ein Werk, das zum Maßstab seiner folgenden Werke erhoben wird (*Werther*, *Buddenbrooks*, *Berlin Alexanderplatz*). Autorerwartung als dritte Kategorie könne sich zumindest für den Autor selbst zu Lebzeiten oder auch hinsichtlich seines ›Nachruhms‹ als Handikap erweisen: einmalige Abstempelung durch einen Publikumserfolg verhindere unvoreingenommene Aufnahme völlig andersartiger Produktionen durch das Publikum. Die synchrone Differenzierung des Erwartungshorizontes potenziere sich im »zeitlichen Verlauf der gesamten Wirkungsgeschichte« und kompliziere sich durch Neubildung oder Abbau von traditions- oder konventionsbedingten Horizonten.[101]
2. Eine zweite Schwierigkeit rezeptionshistorischer Darstellung ergibt sich für Mandelkow aus dem »Rückkoppelungseffekt rezeptionsästhetischer Prozesse«. Wirkungsgeschichte sei nie allein die eines Werkes, sondern zugleich und stets auch die ihrer selbst. Hermeneutische Differenz bestehe »nicht erst zwischen dem einstigen und dem heutigen Verständnis des Werkes«, sie sei auch im »werkgleichzeitigen Rezeptionsvorgang« enthalten, da der eigene Erwartungshorizont stets durch die »Reaktion auf andere Erwartungshorizonte« modifiziert werde.
3. Dritter Aspekt der Wirkungsgeschichte ist das Verhältnis zwischen Autor und Wirkung und deren Einfluß auf das Werk, das mitunter Reaktion auf antizipierte Rezeption darstellen kann.

Abschließend stellt Mandelkow den über bloße Urteils- oder Rezeptionsgeschichte hinausgehenden Umfang der Wirkungsgeschichte fest: sie dringe in außerliterarische Bereiche vor, berühre sich mit der früher Einflußgeschichte benannten Sphäre unmittelbarer Wirkung eines Künstlers (bzw. Kunstwerks) auf einen andern und streife den Bereich der Darstellungs- und Produktionsästhetik: da Urteile über andere Autoren häufig als »Dokumente eigenen Selbstverständnisses« im Dienst eigener Profilierung stehen. Daß Wirkungsgeschichte als den literarischen Bereich überschreitendes Totalphänomen schließlich zur allgemeinen Kulturgeschichte ausgeweitet (z. B. Wirkungsgeschichte Goethes) werde, bleibt vorerst ein theoretisches Modell, dessen praktische Ausführung auf erhebliche Widerstände stoßen wird. Zu Recht warnt Mandelkow am Schluß vor einer Verabsolutierung der rezeptionsästhetischen Methode, außerdem vor der »Gefahr einer Flucht in die wirkungsgeschichtliche Betrachtungsweise«: das Sammeln von historischen Rezeptionszeugnissen und die relativierende Wirkung dieser Urteile könne leicht in eigene Standpunktlosigkeit umschlagen.[102]

An Mandelkows Modell vermißt Hinrich C. Seeba die Einbeziehung der Kritik. Er fordert daher als hermeneutisches Prinzip jeder Wirkungskritik »die ständige Überprüfung auch des Wertungskanons«, welche »die Bedeutung eines literarischen Werkes von seiner Wirkung her ständig in Frage stellt«, um die Gefahr zu vermeiden, daß »neues Material immer nach demselben, kanonisch gewordenen Wirkungsmodell« geordnet wird.[103] Die geforderte Wirkungskritik sei »nur als methodologische Selbstkritik glaubwürdig«; sie äußere sich in der wirkungsgeschichtlich verstandenen Literaturwissenschaft so, daß die Literaturwissenschaft »nicht nur ihren Gegenstand, sondern, um konsequent zu sein, erst recht ihr eigenes Selbstverständnis vor Kanonisierungen in der Überlieferung bewahren« müsse. Daraus leitet sich die »Überprüfung des Literaturkanons« als eine der wichtigsten Aufgaben wirkungsgeschichtlicher Untersuchungen ab.[104]

Dietrich Harth weist auf das Vordringen deskriptiver Verfahrensweisen hin, etwa bei Lucien Goldmann und Hans Robert Jauß; beide übertrügen den Strukturbegriff in mehr oder weniger modifizierter Form auf die literarische Überlieferung. Die methodische Explikation des Strukturbegriffs »in den Begriffen der Synchronie und Diachronie macht freilich deutlich, daß es hier nicht mehr um das rekonstruktive Verständlichmachen gebrochener Überlieferungszusammenhänge geht, in welchen der Interpret selber steht, sondern um die genaue Analyse solcher, vom Interpreten als unabhängig gesetzten zeitlichen Epochen, die sich auf Grund einer hypothetisch imputierten Systematik als kulturelle Einheiten des Stils, des Geschmacks usf. beschreiben lassen. Den diachronischen Zusammenhalt der als Struktursysteme zu beschreibenden Texte, Literaturen und Kulturepochen verbürgt nach dieser Auffassung der Vergleich der synchronen ›Querschnitte‹ untereinander. Eine unter diesem Gesichtspunkt gegliederte Vergangenheit kann kaum noch als Geschichte bezeichnet werden, da es nichts mehr zu erzählen gibt.«[105]

Gerhard Kaiser erblickt im Hinzugewinn der neuen Perspektive zugleich eine »gefährliche Verengung des literarhistorischen Ansatzes«;[106] skeptisch verhält er sich gegenüber dem Jaußschen Postulat einer Objektivierbarkeit der Erwartungshorizonte. Die »Objektivierbarkeit der Erforschung des Erwartungshorizonts« würde sich von der Objektivierbarkeit der Ergebnisse von Gadamers Texthermeneutik nicht unterscheiden: »Auch der Erwartungshorizont ist relativ zum historischen

Standort dessen, der ihn erforscht. Ein Unterschied allerdings besteht – ein Text ist sehr viel leichter zu fassen als der Erwartungshorizont, in den ein Text hineintritt, und das ist wohl einer der praktischen Gründe dafür, daß die Rezeptionsforschung bisher vernachlässigt worden ist und daß es sehr schwierig sein wird, eine rezeptionsästhetisch orientierte Literaturgeschichte zu schreiben, die denn doch noch etwas anderes ist als die Verfolgung der Rezeption einzelner Schriftsteller oder des geschichtlichen Wandels in der Momentaufnahme des vollständig analysierbaren Querschnitts des synchronen literarischen Systems, auf die Jauß sein Programm zusammenzieht.«
Kaiser sieht im rezeptionshistorischen Ansatz die Gefahr einer einseitigen Betrachtung des Kunstwerks enthalten, daß zugunsten des Werk-Leser-Dialogs die Objektqualität des Kunstwerks vernachlässigt werde, daß das »Was und Wie« der Mitteilung zum »Sinnpotential« und zur »virtuellen Bedeutung« entleert würden. Eine weitere Gefahr bestehe im Verdrängen des Verhältnisses Literatur–Gesellschaft, soweit es kein Verhältnis Literatur–Leser sei, also einer unzulässigen Betonung des Konsumbereichs auf Kosten des Produktionsbereichs. »Nicht nur ist der von Jauß konstatierte Gegensatz von historischem und ästhetischem Moment der Literatur kein Gegensatz, da auch das Ästhetische historisch ist; beide Momente werden auch keinesfalls nur in der Dimension ihrer Aufnahme und Wirkung, sondern zugleich im Kunstwerk selbst vermittelt, das Historisches ästhetisch faßt.« Das literarische Werk sei »ebenso primär geschichtlich in seiner Entstehung und in seiner geschichtlichen Substanz an Inhalten und Formen [...] wie in seinem Mitteilungscharakter und in seiner Wirkung«. Der literarische Erwartungshorizont als »Publikumserwartung« werde von Jauß auf Kosten der gesellschaftlichen Unmittelbarkeit der Literatur und des Autors entschieden überschätzt. Schließlich sieht Kaiser eine Gefahr im Jaußschen Ansatz, daß er »nicht nur seine Rezeptionsästhetik gegen die Produktions- und Darstellungsästhetik ausspielt, während sich alle drei doch sehr wohl miteinander vereinbaren ließen, sondern auch noch ständig in der Schwierigkeit schwankt, den wirkungsästhetischen Aspekt, der die Wirkungsintention des Kunstwerks meint, in den rezeptionsästhetischen Aspekt, der auf die tatsächliche Wirkung zielt, einzubauen und den darstellungsästhetischen doch noch irgendwie [...] zur Geltung zu bringen [...]«. Die Kritik zielt hier auf den Werkhorizont, der Jauß zufolge antizipatorisch wirken kann.
Der grundsätzlichste Gegensatz wird deutlich an der unterschiedlichen Auffassung des Textes; Jauß erblickt in ihm, ähnlich wie Wolfgang Iser, ein Sinnpotential, das sich erst in verschiedenen Aktualisierungen konkretisiert, während Kaiser durchaus einen Substanzbegriff von objektimmanenter Qualität vor Augen hat. Er bezweifelt die Jaußsche Feststellung, klassische Werke würden im Laufe der Zeit ihre anfängliche Befremdlichkeit verlieren,[107] zur vertrauten Selbstverständlichkeit werden und dadurch in die gefährliche Nähe von kulinarischer Literatur rücken; aus dieser Nachbarschaft könne man sie nur befreien und ihren Kunstcharakter retten, indem man sie gegen den Strich lese. Kaiser argumentiert, das von Jauß empfohlene »gegen den Strich«-Lesen hätte bei (kulinarischer) Unterhaltungsliteratur keinen Erfolg, würde also bei ihr keinen Kunstcharakter enthüllen. Daraus müsse man schließen, daß der Unterschied in der Sache bestehe: »darin nämlich, daß die Substanz klassischer Literatur, ihr Weltentwurf, so reich und problemgeladen ist, daß er über Jahrhunderte hinweg immer die gleichen, aber auch immer neue Fragen an den Leser stellt, die

dieser vernimmt, sobald er die Ohren öffnet und sich um einen Zugang bemüht, während andere Werke, indem sie vertraut werden, veralten, weil ihr Potential an Fragen erschöpflich ist und weil die Fragen, die es beantwortet hat, ad acta gelegt sind. Nicht, wie man nach Jauß meinen könnte, in der bloß historischen Vergegenwärtigung des Sachverhalts, daß klassische Werke ursprünglich einmal nicht klassisch, sondern befremdlich waren, sondern in ihrer immer neuen Gegenwärtigkeit, mit der sie uns in Frage stellen, sind klassische Werke klassisch.«[108] Ein nicht unwesentlicher Unterschied zwischen den beiden Positionen liegt in der Umschreibung des Kunstwerks auf der einen Seite primär als Antwort auf einen Frage- bzw. Erwartungshorizont, auf der anderen Seite primär als Fragenpotential. Der Antwortcharakter entspricht der Charakterisierung des Kunstwerks als eines durch Konkretisationen aktualisierbaren Sinnpotentials, die Definition als Fragenpotential entspricht dem (aktivistischen) Substanzbegriff werkimmanenter Qualität. Zu weit geht wohl Kaisers Kritik, Jauß übersehe die indirekte Beeinflussung der Entwicklung literarischer Formen und Inhalte durch ein Werk: deren Veränderung lege für die Existenz dieses Kunstwerks Zeugnis ab, auch wenn es keinen unmittelbaren Leserzuspruch mehr erfahre.

Im ganzen zeigt Kaisers Kritik wieder einmal die Unvereinbarkeit der beiden Standpunkte, wenn ein Anhänger der Werk- auf einen Anhänger der Rezeptionsästhetik stößt. Billigt man die Prämissen, so treffen die Einwände zu, billigt man sie nicht, so sind sie verfehlt.

In der Einleitung zu seiner Dissertation über die Wirkungsgeschichte verschiedener deutscher historischer Romane geht Hartmut Eggert auch auf den Jaußschen Ansatz ein, und zwar in Abgrenzung von der problematischen Zeitgeistforschung.[109] Bei der Beantwortung der Frage nach der »gesellschaftsbildenden Funktion« der Literatur suche Jauß den Ausweg aus dem Dilemma, daß eine formalistische Theorie literarischer Evolution keine ausreichenden »Antworten über das Verhältnis von literarischer und gesellschaftlicher Entwicklung« geben könne, in der »Erfahrung antizipierenden Funktion der Literatur«. Einschränkend bemerkt Eggert, eine »Zusammenstellung der expliziten und impliziten Gattungspoetik, der Themata und des Sprachgebarens« müsse als »potentieller Erwartungshorizont« abstrakt bleiben, da sie mit einem nicht exakt definierten Publikum operiere. Doch könne diese »idealtypische Konstruktion eines Erwartungshorizontes« von Nutzen sein, solange sie als »Orientierungsmaßstab zur Feststellung literarischer Innovationen« diene. Doch lasse sich mit dieser Methode noch keine genügende Aussage über die »gesellschaftsbildende Kraft dieser Innovationen« machen; außerdem scheint ihm der Optimismus von Jauß, die »Emanzipation des Menschen« mit den Verfahrensweisen »zur Rekonstruktion der ›literarischen Evolution‹ zu erreichen«, nicht angebracht zu sein.

In vielen Fällen könne bei gesellschaftlich wirksamen Werken der emanzipatorische Effekt nicht auf die ästhetischen Innovationen zurückgeführt werden – der Grund sei vielmehr die Infragestellung herrschender Moral durch die Thematik des Werks (z. B. *Madame Bovary*) oder das Angebot neuer Lösungen für die Lebenspraxis des Lesers. Gerade am Beispiel des historischen Romans lasse sich zeigen, »daß literarische Werke auch halfen, Emanzipation zu verhindern, obwohl sie in der Abfolge literarischer Systeme als Neuerung zu verzeichnen« seien (*Ekkehard* nach Lukács). Es fehle bei Jauß die gesellschaftstheoretisch oder geschichtsphilosophisch untermauerte Definition des Begriffs »Emanzipation«. Grundsätzlich aber erhebt sich der Einwand, daß die Idealtypik des Erwartungshorizontes im unverbindlichen Leerraum des Literarischen verbleibt, wenn die spezifische Wirkung auf den einzelnen Leser sich nicht nachweisen läßt. Diese ist nicht erfaßbar durch den »Rekurs auf einen überindividuellen Erwartungshorizont«. Für die »Herausarbeitung der tatsächlichen gesellschaftlichen Funktion« der Literatur sei der »abstrakte« Erwartungshorizont ungeeignet; erst eine »Konkretion durch den spezifischen Leser« könne diese angestrebte Art der Literaturgeschichtsschreibung fundieren; die Materialien dazu seien also nur von einer Lesersoziologie zu erwarten.

Literaturgeschichte ist letztlich nur möglich, wenn sie, von der Produktions- wie von der Konsumtionsseite her, soziologisch verankert ist.[110] Eggerts Kritik läßt sich dahingehend zusammenfassen, daß er Jauß' idealtypischen und darum literarisch bleibenden Ansatz von *dem* Erwartungshorizont und *dem* Leser differenzieren will, indem er das Werk auf verschiedene soziale Leserschichten bezieht. Erst wenn der tatsächliche Wirkungseffekt von Literatur auf einzelne Schichten der Gesellschaft feststellbar ist, läßt sich von einer soziologischen Verknüpfung von Literatur und Gesellschaft sprechen.

Die von Werner Bauer, Wolfram Mauser u. a. hergestellte Analyse der Wirkung eines Celanschen Gedichtes[111] beschäftigt sich in der Einleitung mit Michael Riffaterres »Methode der Rezeptionsanalyse als Alternative zu einer rein deskriptiven Strukturanalyse«[112] und dem rezeptionsästhetischen Ansatz von Jauß, wobei sie die Anregungen Felix Vodičkas einbezieht. Einziger Kritikpunkt ist die Feststellung, daß bei Jauß eine Definition des von ihm gemeinten Lesertyps fehlt; allerdings hebe er den »reflektierenden Kritiker« und den »wieder produzierenden Schriftsteller« hervor. Eine Analyse der soziologischen Einordnung des Lesers und eine Ermittlung seiner literarischen Vorkenntnisse fehle gleichfalls. Ein besonderes Problem der historischen Rezeptionsanalyse stellt die Quellenlage dar: einerseits spiele »die diachronische Betrachtungsweise bei der Selektion und Analyse eines Textes« mit, da sie vom Standpunkt des Untersuchenden abhänge, andererseits bedinge »eine zum Teil zufällige und möglicherweise unvollständige Überlieferung der Rezeptionsdokumente den synchronen Schnitt«.[113]

Auch Susanne Müller-Hanpft geht in ihrer Untersuchung über die zeitgenössische Rezeption der Lyrik Günter Eichs auf die Ansätze von Jauß ein. Stelle der Interpret das Werk in seinen historisch konkreten Zusammenhang und begreife es in seinen Rezeptions- und Wirkungsbedingungen, so könne er »das Kunstwerk aus dem Bereich des Subjektiven, nicht Nachprüfbaren durch Verstehen und Erklären in die Sphäre des Objektivierbaren« heben.[114] In Auseinandersetzung mit Adorno und Jauß kommt sie zu einer skeptischen Einschätzung der »Erwartungshaltungen«: die »Reaktionen des Publikums auf Kunstwerke« seien nicht einheitlich, »sondern von dessen jeweiligem gesellschaftlichen Standort und darin aufgehobener individueller Erfahrung aus verschieden vermittelt«.[115] Das Gesellschaftliche an der Kunst sei, Adorno zufolge, in erster Linie in der Produktion zu sehen: das »Interesse an der gesellschaftlichen Dechiffrierung der Kunst« müsse sich der Produktion zuwenden, »anstatt mit der Ermittlung und Klassifizierung von Wirkungen sich abspeisen zu lassen, die vielfach aus gesellschaftlichen Gründen von den Kunstwerken und ihrem objektiven gesellschaftlichen Gehalt gänzlich divergieren«.[116] Die bei Adorno und

Jauß in manchen Partien übereinstimmende Beurteilung der Rolle, welche die Rezeption hinsichtlich des Kunstgehaltes literarischer Werke spielt, etwa die kritikabschleifende Wirkung von Rezeption, täuscht nicht über den grundlegenden Unterschied ihrer Kunstauffassung hinweg: anders als für Jauß steht für Adorno der objektimmanente Kunstgehalt fest, ist die ästhetische Qualität dem Objekt inhärent; also der gesellschaftliche Gehalt in der Produktion aufzusuchen. Daher steht und fällt solche Kritik mit der zugrundeliegenden Textauffassung bzw. Texttheorie. Müller-Hanpfts Feststellung, der »theoretische Anspruch« Adornos verkümmere, »wenn man die Analyse der objektiven gesellschaftlichen Verhältnisse der jeweiligen historischen Situation« ausklammere; Jaußens Rezeptionsästhetik bleibe dadurch »formal« und könne »das Verhältnis von Kunstwerk und Rezeption nur vordergründig empirisch belegen«, hat besondere Berechtigung, wenn man ihren Begriff vom Text als einer Substanz mit objektimmanenter Qualität billigt.
Ebenso kursorisch kann der Einwand von Norbert Groeben in dessen grundlegender Studie *Literaturpsychologie,* die Ansätze zu einer »empirischen Grundlegung« der Literaturwissenschaft liefert, behandelt werden.[117] Er sieht zu Recht die Arbeiten Weinrichs, Isers und Jauß' auf einer Linie liegen. Wenn das »nur potentiell bestehende monologhafte Kunstwerk« auf die »kommunikative Reproduktion« angewiesen ist, so verlagert sich der Akzent notwendigerweise auf die Rezipientenseite. Groeben sieht den Zusammenhang von Jauß mit der hermeneutischen Tradition, gegen die er sich selbst wendet; so richtet sich sein Haupteinwand gegen das Verfahren, auf hermeneutischem Weg »die Objektivierung dieses Erwartungshorizontes als Bezugssystem« zu ermöglichen, »ohne über die dabei auftretenden literaturtheoretischen und methodologischen Unstimmigkeiten ausreichend Rechenschaft abzulegen«.[118] Konsequenz (oder Prämisse) der Jaußschen Rezeptionstheorie ist die Isersche Texttheorie; wie immer man zur Priorität stehen möge (vgl. Kapitel »Texttheorie«), die gegenseitige Bedingtheit beider steht außer Zweifel.
Im Sammelband *Grundzüge der Literatur- und Sprachwissenschaft* ist der Jaußsche Ansatz an drei Stellen zugleich behandelt, im Rahmen der Hermeneutik (Peter Rusterholz), der Literatursoziologie (Urs Jaeggi) und der Literaturgeschichtsschreibung (Horst Albert Glaser). Rusterholz[119] weist nachdrücklich auf Gadamers Hermeneutik als eine Voraussetzung des rezeptionshistorischen Vorgehens hin; allerdings unterscheide sich Jauß von Gadamer durch seine kritische Haltung gegenüber der Tradition. Dennoch wird man der Einstufung des Jaußschen Ansatzes als einer möglichen »Synthese zwischen Gadamerscher Hermeneutik und dem emanzipatorischen Erkenntnisinteresse der kritischen Theorie« nicht ohne weiteres zustimmen, da das strukturalistische Textverständnis, auf dem die Theorie von Jauß konsequenterweise basiert, den spekulativ ontologischen Kunstbegriff Adornos[120] ausschließt.
Urs Jaeggi[121] betrachtet den Jaußschen Ansatz unter dem literatursoziologischen Aspekt, welches reale Publikum die Literatur konsumiere, welche empirisch nachweisbaren Wirkungen die Literatur auf die Rezipienten ausübe. Er betont zu Recht,[122] man dürfe den literarischen Text nicht als Medium eines Kommunikationsvorgangs zwischen Sender und Empfänger verstehen. Der Zugang von der Kommunikationswissenschaft zu der Rezeptionsästhetik ist wegen der intentionalen Verschiedenheit kommunikativer und nichtkommunikativer Texte ziemlich fragwürdig.

Glaser schließlich betrachtet den rezeptionshistorischen Ansatz unter dem von Jauß selbst vorgeschlagenen Aspekt »Literaturgeschichte als Rezeptionsgeschichte«.[123] Er steht dem Jaußschen Modell skeptisch gegenüber, da es Literatur nur aus dem einseitigen Rezeptionsaspekt zu verstehen suche. Werde Rezeptionsästhetik so verstanden, daß die Werke ihre Bedeutung erhalten »durch die Normen aller anderen, mit denen sie im Verhältnis der Diachronie oder Synchronie stehen«, so reiche sie über die traditionelle Literaturgeschichtsschreibung nicht hinaus. Denn die Umformulierung des Begriffs »Kontext der Literaturgeschichte« in einen »Erwartungshorizont literarischer Bildung« für die Aufnahme der Werke bringe »in der Sache nicht weiter«. Rezeptionsästhetik dürfe »nicht vermittels der literarischen Bildung des Publikums wieder auf Literaturgeschichte sich beziehen«, vielmehr müßte sie »im Ernst den historischen Augenblick selber meinen, in dem Werke auftreten oder neue Wirkung entfalten«.[124] Mit dieser Formulierung meint Glaser die historische Bedingtheit der jeweiligen Rezeptionsstufen in ihrer subjektiven Erfahrbarkeit; heute stünden einer solchen (Re-)Konstruktion des »historischen Augenblicks« Daten der Sozialgeschichte, der Sozial- und Individualpsychologie zur Verfügung. Als umfassenden Rahmen intendiert Glaser eine »kritische soziologische Theorie der Literatur«. So ist seine Kritik wohl dahingehend aufzufassen, daß die konkrete Verknüpfung des literarischen Rezeptionsmodells mit dem realen Publikum, zwischen Literatur und Geschichte, noch nicht geleistet sei.

Richtig ist zweifellos jegliche Kritik an der Meinung, mit einem idealtypischen Leser sei bereits eine Aussage über den Real-Leser gemacht und der Bezug zwischen Literatur und Gesellschaft hergestellt. Zwar macht die Verlagerung des Akzents vom Dichter auf den Leser den Bezug des Kunstwerks auf die Gesellschaft evident – allerdings nur in dem auch von Adorno angeprangerten vordergründigen Sinn,[125] doch ist mit so pauschalen Begriffen wie *das* Publikum oder *der* Leser nur eine weitere im Rahmen des Literarischen verbleibende Hilfskonstruktion geschaffen, die sich aber nicht auf die Gesellschaft und deren sozial differenzierte Publika, und innerhalb dieser nicht auf die individuellen Leser übertragen läßt. Wie der intendierte Leser im Kunstwerk eine Fiktion des Dichters ist, so bleibt »der« Leser bzw. »der« Rezipient eine Fiktion des Wissenschaftlers. Der Bezug von Literatur und Gesellschaft läßt sich auf rezeptionsästhetischem Gebiet nicht über einen spekulativen Idealtyp[126] gewinnen, sondern nur über den empirisch faßbaren Einzelleser oder ein hinsichtlich seiner sozialen Strukturierung exakt erkennbares Publikum.

Während auf dem Gebiet der empirischen Rezeptionsforschung zahlreiche Anstöße von seiten der Kommunikationswissenschaft, der Soziologie, der Demoskopie, dem Verlagswesen usw. erfolgten, blieb auf dem rezeptionshistorischen Sektor der Ansatz auf Einzelphänomene beschränkt. Eine auf rezeptionshistorischer Basis verfaßte Literaturgeschichte ist noch nicht geschrieben; ihrer Realisation dürften sich auch allzu viele Hemmnisse in den Weg stellen.

Die Stuttgarter Germanistentagung 1972 stand unter dem Motto »Historizität in der Sprach- und Literaturwissenschaft« und widmete zwei ihrer zehn Sektionen Problemen der Rezeption.[127] In diesem Zusammenhang interessieren besonders die Ausführungen Mandelkows.[128] Während in der Ästhetik von Georg Lukács das Kunstwerk kathartische Funktion hat, den passiven Rezipienten »überwältigt« und »entmündigt«, insgesamt also Vertrauen zu der Wirkungspotentialität »echter«

Kunst herrscht, macht sich in neueren marxistischen Forschungen der Trend zu einer funktionalistischen Literaturbetrachtung bemerkbar. Wurde durch westdeutsche Vorstöße die »Autonomie« des Werkes abgebaut und dessen Substanzcharakter in Frage gestellt, um dem emanzipierten Subjekt die entscheidende Rolle bei der Konkretisation des Kunstwerks zuzuspielen, so gelangten, nicht zuletzt im Gegensatz zu Jauß und Iser, Robert Weimann und Manfred Naumann zum »Postulat einer gelenkten und möglichst eindeutigen Rezeption, die die Freiheit des Lesers auch durch die Kontrolle des Distributionsapparats begrenzte«.[129] Bei Weimann und Naumann herrscht durchaus das Primat der Produktionsästhetik; diesem entspricht das Postulat gelenkter Wirkung. Hinter den verschiedenen ästhetischen Programmen stehen entgegengesetzte Gesellschaftsordnungen: pluralistische und relativierende Tendenzen in der Bundesrepublik mit dem Ideal des mündigen Lesers auf der einen, dem Text als einer zur ›Leerform‹ umschlagenden Appellstruktur auf der anderen Seite, in der DDR die programmierte Literatur mit der intendierten Wirkung auf den zu erziehenden Leser. Die Eindeutigkeit dieser Literatur steht dem ästhetischen Postulat der Multivalenz unversöhnbar gegenüber. Für eigentliche Rezeptionsästhetik, die sich nicht auf intendierter, sondern (ungelenkter) tatsächlicher Wirkung aufbaut, ist in der sozialistischen Literaturtheorie vorerst kein Platz. Freiheit des Lesers und staatlich verordnete Lenkung schließen einander aus.

René Wellek, der schon in seiner *Theorie der Literatur* zu Problemen der Literaturgeschichtsschreibung, der Bewertung und der Wirkung Stellung genommen hat,[130] befaßt sich auch explizit mit Jauß' Entwurf einer rezeptionsästhetisch zu schreibenden Literaturgeschichte.[131]

Aus der Aporie der Literaturgeschichtsschreibung, deren Extreme »entweder Kulturgeschichten oder Sammlungen kritischer Aufsätze«[132] seien, könne auch eine »Geschichte der Literaturkritik« nicht herausführen, weil »in der Abfolge der Kritiken kein Prozeß« festgestellt werden könne. Die Jaußsche Konzeption einer Rezeptionsgeschichte sei »im Grunde nur eine neue Version der Geschmacksgeschichte oder der Geschichte der Kritik«.[133]

Ungeklärt lasse Jauß, wie er sich den Brückenschlag »von der Geschichte der Reaktionen von Lesern und Kritikern zu seiner zweiten Methode, dem Studium des immanenten Lesepublikums«, vorstelle.[134] Seine Skepsis begründet Wellek mit dem Argument, es gebe wohl »keine Kontinuität zwischen diesem impliziten Leser in dem Werk selbst und der Geschichte seiner Aufnahme, seiner historischen Konkretisationen«. »Der Appell, die Signale oder die Anweisungen an den Leser können ganz ungehört geblieben sein. Man kann diese Konkretisationen doch nur aus der Geschichte der Kritik rekonstruieren, wobei ›Kritik‹ natürlich nicht nur formale Kritik, sondern auch briefliche Zeugnisse, Berichte von Gesprächen usw., einschließen kann.«[135]

Vodičkas Untersuchung über die Rezeption des Dichters Jan Neruda aufgreifend, in der die »Schwankungen in der Wertschätzung auf Veränderungen des Kontextes« zurückgeführt werden, bemerkt Wellek völlig zu Recht, daß diese Methode zwar »bloßen Subjektivismus« auszuschließen scheine, in Wahrheit aber »doch nur auf den alten historischen Relativismus« hinauslaufe: »Das Kunstwerk ist, was der Leser dafür hält«.[136] Wellek hat in verschiedenen Publikationen seinen abweichenden, wert-objektivistischen Standpunkt dargelegt.[137] Anläßlich der Frage, ob rezeptions-

geschichtliche Betrachtung mehr für die Erkenntnis des Objekts (das Kunstwerk) oder des Subjekts (der Rezipient) erbringe,[138] votiert Wellek für das Subjekt; nach seiner Auffassung läßt sich das Phänomen des Ästhetischen nicht mit historischen Kategorien analysieren:
»Rezeptionsgeschichte ist vor allem darin wertvoll, daß die verschiedenen historischen Positionen der Rezipierenden geklärt werden; doch bleibt auch in einer durch Rezeption vermittelten Literaturgeschichte vieles an den Werken verdeckt oder unerkannt. Mein Haupteinwand aber ist nach wie vor: auch eine rezeptionsgeschichtlich fundierte Literarhistorie führt nicht aus der Aporie heraus, daß eine Geschichte ästhetischer Produkte sich weder mit Kategorien der Kausalität noch mit solchen der Evolution erfassen läßt.«[139]

Marxistische Stellungnahmen

Robert Weimann hat in mehreren Aufsätzen zu dem Jaußschen Modell Stellung genommen.[140] Für ihn stellt die Rezeptionsästhetik einen Fluchtpunkt der in eine Krise geratenen bürgerlichen Literaturwissenschaft dar.[141] Weimann ordnet den rezeptionshistorischen Versuch den Bemühungen zu, die »Antinomie zwischen subjektivem Gegenwartsbezug [»aktualisierende Umdeutung«] und objektiver Vergangenheitsrekonstruktion [»musealer Nachvollzug«], zwischen modernistischem und traditionalistischem Verhalten zur literarischen Vergangenheit« zu überbrücken. Er gesteht der rezeptionsästhetischen Methode zu, sie erfasse »die geschichtliche Dimension der Literatur von ihrer tatsächlichen, geschichtsbildenden Wirkung her« und räume »der Literatur nicht schlechthin eine gesellschaftliche, sondern eine ›im eigentlichen Sinn gesellschaftsbildende Funktion‹« ein. Doch bestehe die Gefahr, beim Abbau des »historischen Objektivismus« (Jauß) zugleich auch die »historische Objektivität des literaturgeschichtlichen Prozesses« zu überspringen, eben die gesellschaftsbedingte Produktion literarischer Werke. Obwohl er zunächst nur eine rezeptionsästhetisch fundierte Produktionsästhetik fordert, geht Jauß in seinen Ausführungen tatsächlich weiter, wenn er Literaturgeschichte als einen Prozeß definiert, der sich vollzieht »in der Aktualisierung literarischer Texte durch den aufnehmenden Leser, den selbst wieder produzierenden Schriftsteller und den reflektierenden Kritiker«. Weimanns Kritik, Geschichte der Literatur bestehe »nicht allein in der Aktualisierung vorgegebener Texte, sondern auch in dem Akt der Schöpfung neuer Texte«,[142] geht an dem von Jauß angesprochenen Sachverhalt vorbei. Denn das Jaußsche Modell impliziert die auf den Produktionsprozeß einwirkenden Rückkoppelungseffekte seitens der Rezipientenschicht durchaus, behält also die Produktion und deren Erwartungshorizonte im Auge.
Die von Weimann entgegengestellte »humanistische Theorie der Literaturgeschichte« bezieht zwar die rezeptionshistorische Dimension ein, doch gilt für sie weiterhin das Primat der Entstehungsgeschichte: »Sie wird die Geschichtlichkeit der Literatur gerade aus der historisch-ästhetischen Korrelation von Entstehung und Wirkung begreifen und gerade in dieser Korrelation die eigentliche ›Schwierigkeit‹ ihrer Aufgabe erblicken«. Der Vorwurf, Jauß verzichte auf die Entstehungsgeschichte, ist nicht aufrechtzuerhalten; die Einwände gegen die Möglichkeit »soziologischer Er-

forschung des gesellschaftlichen Erwartungshorizonts« treffen schon eher zu – insofern nämlich, als das »Bezugssystem der Erwartungen« doch ungleich schwerer »objektivierbar« sein dürfte als der Produktionsprozeß selbst. Entweder läßt sich der Erwartungshorizont kaum rekonstruieren (in den älteren Epochen), oder er ist »in eine Vielfalt sich widersprechender oder bekämpfender Lesererwartungen aufgespalten« (in den neueren Epochen). Dieses Bezugssystem erschließe die neue Produktion nur sekundär: über das auf den Autor rückgekoppelte Leserbedürfnis.

Für Weimann stellt sich angesichts der unumgänglichen Relativierungen die Frage nach dem Verbleib der (entstehungsgeschichtlichen) Objektivität des Werkes und der geschichtlichen Beziehung zwischen Interpret und Werk. Die Relativierungsgefahr erblickt er darin, daß die Rezeptionsgeschichte die verschiedene Wertigkeit der Rezeptionen nivelliere und »aus der weltanschaulichen Not geschichtlicher Wertung die parlamentarische Tugend des Mitspracherechtes aller ›Wirkungsträger‹« mache. Zwar befreie das rezeptionshistorische Modell die Literaturgeschichte vom »Idealismus eines zeitlosen Sinngehalts«, doch untergrabe sie die »Wahrheit der Dichtung«. Weimanns Kritik hängt von seiner Textauffassung ab: ihm ist Dichtung ein objektivierbares und substanzhaftes Produkt, das zugleich Korrektiv für eine eigene Wertung sein kann. Insofern lehnt er eine Position ab, der »alle bisherigen Normen der Deutung als gleichberechtigte Entfaltungen eines unendlichen dichterischen Sinnpotentials« gelten. Aus der Objektivierbarkeit gerade des Entstehungsprozesses ergibt sich für ihn die Möglichkeit eigener Wertung, der aber die gesamte Skala voraufgehender Rezeptionen unterworfen ist.[143] Auch in dem Aufsatz *Tradition als literar-geschichtliche Kategorie*[144] behandelt Weimann unter dem Aspekt einer Kritik an bürgerlicher Literaturwissenschaft die rezeptionsästhetische Methode. Sie habe angesichts einer »gegenwärtig-historischen Funktionsbestimmung der Literaturgeschichte« versagt. Weimann kritisiert auch hier den Verzicht auf den seiner Meinung nach ›objektiv zu erhellenden literarhistorischen Zusammenhang‹, den Jauß trotz seines Anspruchs zu einem »post festum erstellten Zusammenhang« degradiere: Die »historische Abfolge literarischer Produktionen« werde nicht auf ihre Objektivität befragt, vielmehr werde der Zusammenhang der einzelnen Werke »über die Nachwirkung, über die Normen ihrer Aufnahme relativiert«. Konsequenz des Verzichts auf das Fragen nach der Objektivität literarhistorischer Verknüpfung mit dem Geschichtsprozeß sei die Aufkündigung des »substantialistischen Traditionsbegriffes«. Weimann leitet die Rezeptionsästhetik aus dem gebrochen-negativen Verhältnis ab, das der Kritiker einer spätbürgerlichen Gesellschaft (etwa Adorno) zur Tradition hat. Gegen den Relativismus des rezeptionsästhetischen Ansatzes stellt Weimann sein Konzept, das den »Zusammenhang zwischen der literarhistorischen Arbeit und einem lebendigen Traditionsbewußtsein« anstrebt und auf einem »resoluten wirkungsgeschichtlichen Bewußtsein« basiert, »das sich der Objektivität einer vergangenheitsgeschichtlichen Begründung der Literaturgeschichte (und also der mimetischen Funktion der Literatur) nicht entgegenstellt, sondern [...] diese mit ihrer ›überzeitlichen‹ Wirkung (und ihrer wandelbaren Ausdrucksfunktion) ständig konfrontiert«.[145]

Detaillierter arbeitet Manfred Naumann den an gesellschaftlicher Praxis orientierten (pseudo-)rezeptionsästhetischen Ansatz aus.[146] Literatur ist nicht Konsumobjekt für den kontemplativen Rezipienten, sondern sie aktiviert das gesellschaftlich »tätige«

Subjekt. Er rückt damit die einseitige Interpretation marxistischer Literaturtheorie durch Jauß zurecht. Jauß sieht nur die mimetische (abbildende) Funktion der Literatur in der marxistischen Widerspiegelungstheorie berücksichtigt, er übersieht jedoch, daß auch von Marxisten die bildende Funktion von Literatur hervorgehoben worden ist.[147] Die »Literaturaneignung« steht im Dienst der marxistischen Ideologie; der sozialistische Staat selbst wirkt mit seiner Politik auf die Bedingungen der Literaturaneignung ein: auf die »Beschaffenheit der Literatur«, auf die »Beschaffenheit der Vermittlungswege« und auf das »Kulturniveau des Lesers«.[148] Der Vorrang der Produktion gegenüber der Konsumtion ist schon von Marx erklärt worden. Die Produktion schafft erst das Objekt für Konsumtion; dann produziert sie auch die Weise der Konsumtion – jedes Literaturwerk hält Leitlinien für die Art der Aneignung bereit; schließlich schafft die Produktion »nicht nur einen Gegenstand für das Subjekt, sondern auch ein Subjekt für den Gegenstand«.[149] Die These, daß das Produkt die Aufnahme, die Produktion die Konsumtion bedinge bzw. steuere, hat bei Marx und Engels ihren kunstspezifischen Ausdruck in dem Satz erhalten: »Der Kunstgegenstand – ebenso wie jedes andere Produkt – schafft ein kunstsinniges und schönheitsgenußfähiges Publikum.«[150] Prämisse all dieser Überlegungen ist das grundsätzliche Vertrauen in die Wirkungsfähigkeit der Kunst und die Beeinflußbarkeit des Publikums durch sie. Die leitende Funktion des Kunstwerks innerhalb des Rezeptionsprozesses erklärt die unangefochtene Stellung der Produktionsästhetik. Der Substanzcharakter des Kunstwerks ist eine weitere Voraussetzung für dessen »pädagogische Funktion«, die Indienstnahme für ein politisches Programm. Text als objektivierbarer und substanzhafter Inhalt mit intendierter Wirkung, Erziehungsprogramm und (staatlich) regulierbares Publikum bedingen sich in fast eben der Weise wie Text als verschieden konkretisierbare »Appellstruktur«, kapitalistische Marktwirtschaft mit lediglich indirekt gelenktem Publikum. Ideologisch sind beide Modelle; sie zeigen die Abhängigkeit des Literaturverständnisses vom gesellschaftlichen System, in dem ihre Verfechter stehen.

So erklärt sich auch Naumanns Wendung gegen die ›reine‹ Rezeptionsästhetik, die »sowohl die Literatur als auch den Leser aus dem gesellschaftlich geschichtlichen Prozeß ausklammert«.[151] Naumann interpretiert den Ansatz von Jauß ironischerweise als eine geistreiche »Auslegung der Katharsis-Theorie«: »Dem Konsum von Literatur wird die Würde eines therapeutischen Mittels verliehen; die Lektüre darf den Leser von seinen Neurosen befreien, die sich in ihm auf Grund einer unbewältigten Lebenspraxis gebildet haben.« Naumann reduziert den rezeptionsästhetischen Ansatz auf einen Ausdruck der Aporie gegenüber der spätbürgerlichen Gesellschaft. Er sei das Produkt des Mißverhältnisses zwischen Individuum und Gesellschaft; die »gesellschaftliche Wirkungsmacht« bestehe dann nur noch in der negativ-kritischen Aufgabe, »den Leser von dem gesellschaftlichen Zwang durch eine Befestigung einer ›nonkonformistischen‹ Haltung zu erlösen«. So überspitzt diese Vorwürfe sein mögen und vielleicht nur den Zweck haben, die Negativfolie der spätbürgerlichen »unheilen« Welt besonders kontrastreich gegenüber dem positiven Bild einer sozialistischen »heilen« Welt zu zeichnen, so ist der Schlußeinwand Naumanns, der sich gegen die Jaußsche Interpretation der »gesellschaftsbildenden Funktion« der Literatur wendet, nicht von der Hand zu weisen. Tatsächlich bleibt die Formel »Emanzipation des Menschen aus seinen naturhaften, religiösen und sozialen Bindungen«[152] zu allgemein – Naumann nennt sie »teils anarchisch, teils vordergründig aufklärerisch« –, um von »gesellschaftsbildender Funktion« zu sprechen. Hier müßte zumindest ein gesellschaftstheoretisches Modell, auf dem diese Literatur basiert, genannt werden, außerdem müßten die Bezüge zum realen Publikum, auf das sie abzielt oder tatsächlich gewirkt hat, theoretisch exakter herausgearbeitet werden. Soll rezeptionshistorische Forschung die Bezüge zwischen Literatur und Gesellschaft in den Vordergrund stellen, so darf sie nicht als Ideal ›reine‹ Rezeptionsästhetik anstreben. Mit ihr wäre nur eine weitere Leerformel geschaffen. Ein berechtigter Vorwurf lautet darum, daß durch Ausweitung der Produktions- auf die Rezeptionsgeschichte, vom Autor auf das Publikum zunächst wieder nur eine literarische Ebene, nicht aber deren Vermitteltheit im geschichtlichen Prozeß anvisiert werde. Speziell diesen Aspekt rückt in den Vordergrund der von einem Autorenkollektiv verfaßte Passus über die »Literaturwissenschaft in der BRD«[153], in dem auch Jauß' Marxismusdarstellung zurückgewiesen wird. Jauß' Entwurf einer Systematik und Methodik der »Rezeptions- und Wirkungsästhetik« ende dort, wo von gesellschaftlicher Praxis zu reden wäre, von Praxis, die »über Bewußtseinsveränderungen des lesenden Publikums durch die Lektüre hinausgeht«. Das von Jauß ins Auge gefaßte Wirkungsfeld der Literatur zwischen Werk und Leser sei nur als Geistesgeschichte möglich; so entfalte sich ihm auch die Geschichtlichkeit von Literatur »nur in Gestalt der Geschichte ihrer verschiedenen Deutungen«. Er übersehe »den politischen und ökonomischen Geschichtsprozeß, die reale Basis, auf der Literatur überhaupt als geschichtliches Dokument erkannt werden« könne, und messe statt dessen Dichtung »an der Literatur über Dichtung«. Von Jauß werde »eine systematische Konzeption der Literaturgeschichte nicht mehr aus den ideellen Inhalten der Literatur, geschweige denn aus der politischen und ökonomischen Geschichte, aber auch nicht einmal aus den Bewußtseinsinhalten der Leser gewonnen [...], sondern lediglich durch eine formale Typologie des Rezeptionsvorgangs, die sich in den Begriffen wie ›Variation‹, ›Korrektur‹, ›Abänderung‹ und ›Reproduktion‹ erschöpft«. Sachlich trifft der Vorwurf einer Formalisierung, eines Spiels mit Leerformeln auf das von Jauß intendierte Modell wohl nicht zu: dem vorzubeugen dient die allerdings nicht genug betonte soziologische Fundierung der literarischen Vorgänge – ideologisch betrachtet freilich besteht der Vorwurf unvermindert fort: einer Anschauung, der die gesellschaftliche Praxis im Vordergrund steht und die Literatur nur als ein von ihr produziertes und wieder auf sie einwirkendes Mittel versteht, muß eine Verbindung zwischen Literatur und Lesepublikum mit literarischen und unbestimmten gesellschaftlichen Zielen unweigerlich als Formalismus erscheinen, schlimmer noch, als heuchlerischer Formalismus, der zu kaschieren sucht, was er im Grunde anstrebt: die Autonomie von Literatur. Doch trifft der Vorwurf des »idealistischen Relativismus« eher die zu erwartende Praxis als Jauß' Intention, der die soziologische Fundierung Prämisse ist.

Freilich genügt die Fundierung der Autor-, Werk- und der Leserkomponenten durch die Soziologie nicht. Anschließen müßte sich die Darstellung der vom literarischen in den gesellschaftlichen Bereich umschlagenden Auswirkung dieser Beziehungen. Wie diese praktisch zu analysieren sei, ist ein zwar für die Gegenwart auf empirischer Grundlage punktuell und näherungsweise in Angriff zu nehmendes und auch leistbares, für die Vergangenheit aber schon auf Grund der schlechten Quellenlage aussichtsloses Unterfangen.

In einer polemischen Abrechnung mit der bundesrepublikanischen Romanistikforschung geht Michael Nerlich unter den bezeichnenden Kapitelüberschriften »Ein Neubeginn?« und »Der subtile Anti-Kommunismus« auf Jauß ein.[154] Er kritisiert vor allem die Jaußsche Darstellung marxistischer Literaturwissenschaft und versucht mit Hilfe eines Textvergleichs der Konstanzer (1967) und der Frankfurter (1970) Ausgabe zu beweisen, Jauß habe in der erweiterten Fassung zwar das früher versäumte Studium marxistischer Schriften nachgeholt, sein in der ersten Version über den Marxismus gefälltes Urteil werde dadurch jedoch nur bestätigt.
Intensiver setzt sich Claus Träger mit der Neukonzeption von Jauß auseinander;[155] er schränkt die Geltung der Jaußschen Marxismuskritik, die ja von der vulgärmarxistischen Widerspiegelungstheorie ausgeht, zu Recht auf die Phase zwischen »Plechanow-Methode und Georg Lukács« ein. Betrachte man die »Dimension der Rezeption und Wirkung von Literatur [...] unabhängig von ihrer unmittelbar gegebenen gesellschaftlichen Basis, von der sie erst ihren realen Sinn empfängt«, so gleiche das Ergebnis dem, welches die strukturalistische Soziologie aus der Beziehung zwischen Literatur und Leser gewonnen habe. »Denn steht der ›Leser‹ sozusagen in der Luft, indem er *schlichtweg als lesendes Individuum* gefaßt wird, dann ist er keine geschichtliche Kraft [...] und die ganze postulierte Geschichtlichkeit der Literatur als geschichtsbildender Macht verflüchtigt sich in eine zwar an sich richtige, aber nichts ausrichtende Theorie.« Es ist der bekannte Vorwurf fehlender Differenzierung und fehlender soziologischer Verankerung, der hier erhoben wird. Träger konzediert durchaus die Wichtigkeit, ja die Notwendigkeit, stärker als bisher die Perspektive des Lesers zu berücksichtigen, eben weil das hermeneutische Verständnis der Gegenwart durch die vorausgehenden Erfahrungs- bzw. Rezeptionshorizonte bedingt sei. Infolge der Unbestimmtheit des rezipierenden Individuums und der Unbestimmbarkeit des Erwartungshorizontes könne der angestrebte Bezug zur gesellschaftlichen Realität nicht hergestellt werden. Statt den Erwartungshorizont soziologisch zu bestimmen, nehme ihn Jauß selbst »in den Literaturprozeß« hinein. So bleibe trotz aller Wirkungspostulate die Literaturgeschichte ein immanenter Prozeß. Ideologischer Natur ist der Einwand, die Theorie einer gesellschaftsbildenden Funktion zerbreche an einer Gesellschaft, »die ein durch Literatur im Sinne realer Humanität verändertes Verhalten des (lesenden) Individuums gar nicht duldet«; und: Literatur könne nur Wirkung zeitigen »auf der Grundlage und als Teil des praktischen Kampfes der zur Klasse organisierten Individuen um Fortschritt und realen Humanismus«.
Eine weitere grundsätzliche Kritik stammt von Bernd Jürgen Warneken;[156] hier sollen nur die Teile referiert werden, die sich auf den rezeptionsästhetischen Entwurf unmittelbar beziehen, und nicht jene, in denen Kritik an der Jaußschen Marxismus-Auseinandersetzung geübt wird. Die ›gesellschaftsbildende Funktion der Literatur‹ bestehe nicht in einem Einwirken auf die Wirklichkeit, sondern nur in einem solchen auf das Bewußtsein von Wirklichkeit, und zwar nur im Rahmen eines »größeren sozialen Kontexts« und nicht als Folge eines isolierten Leseerlebnisses. Den objektiven, »auf materieller Produktion und Reproduktion basierenden Zusammenhang« verdünne Jauß zu einem »bloßen, objektive Bedingungen wie Objektivierungen vernachlässigenden Bewußtseinszusammenhang«; er erfasse den literarhistorischen Zusammenhang nur »von der Seite einer Geschichte der Erfahrung«. Gegenüber der Jaußschen Perspektive, für die Literatur und deren historische Abfolge erst im Be-

wußtsein der Rezipienten existent wird, setzt Warneken zu Recht das Primat der Produktion, von der literarische Konsumtion und Konsumtionsweise bestimmt werde.[157] Die rezeptionshistorische Methode vernachlässige die Frage nach den Bedingungen einer bestimmten literarischen Produktion und einer »bestimmten Struktur geistig-kultureller Bedürfnisse«. Der Betonung der Apperzeption entspreche die Auflösung der Texte »als erkenntnisvermittelnder Objekte«; im weiteren ein Verzicht auf Objektivation des Literaturgeschehens, der einen Ausschluß von Ideologiekritik zur Folge hat.

Allein durch die Bestimmung des ›Erwartungshorizontes‹ als eines literarischen entferne sich Jauß' Konzeption von gesellschaftlicher Objektivität; verbunden damit sei trotz Absetzung vom formalistischen Modell einer »sich selbst fortzeugenden literarischen Tradition« eine gewisse Unterschätzung von »Umwälzungen in Produktivkräften und Produktionsverhältnissen«, die unmittelbar den literarischen Prozeß beeinflußten. Ein weiterer Kritikpunkt ist die Qualitätsbestimmung der Literatur, die sich für Jauß aus der »Distanz zwischen Erwartungshorizont und Werk« ergibt. Warneken möchte den »als wertfreie Hypothese übers Kommende« verstandenen Erwartungsbegriff ersetzt sehen durch den Begriff des Interesses oder des Bedürfnisses. Damit wäre prinzipiell die Möglichkeit offengelassen, daß die Erwartung nicht mit dem Gewohnten identifiziert werden müsse, sondern über die (einem sozialistischen Klassenbewußtsein) nachhinkende Kunst hinausweise. Dieser (gewichtige) Einwand ist in diesem Zusammenhang allerdings ideologischer Natur; er trifft den von Jauß anvisierten gesellschaftsimmanenten Erwartungshorizont selbst nur peripher (sofern man von einer gewissen Kongruenz zwischen Gesellschaftsform und Ideologie ausgeht); wohl aber trifft der Einwand die Tatsache, daß bei Jauß kein Raum für Ideologiekritik bleibt, weil sein auf innerliterarischen Erfahrungen konstruierter Erwartungshorizont und dessen Umwandlungen ideologieimmanent sind. Die Verbindung literarischer und gesellschaftlicher Entwicklung ist tatsächlich nicht geleistet. Denn es genügt nicht, so mokiert Warneken zu Recht, »wenn die Theorie literaturimmanenter Formentwicklung zu der einer den ›Automatismus der alltäglichen Wahrnehmung‹ durchbrechenden, ›Wege zukünftiger Erfahrung‹ antizipierenden und ›noch unerprobte Anschauungs- und Verhaltensmodelle‹ imaginierenden Literatur erweitert wird«. So stelle das von Jauß als Alternative zum abgelehnten vulgärmarxistischen Widerspiegelungsmodell verstandene Konzept ein »recht leer und richtungslos bleibendes Programm der ›Bewußtseinserweiterung‹ durch autogenes Training mit literarischen Hilfsmitteln« dar.

Im Rahmen der umfassend angelegten, unter Manfred Naumanns Leitung angefertigten Kollektivarbeit *Gesellschaft, Literatur, Lesen* analysiert das Kapitel »Zur Kritik des Rezeptionsproblems in bürgerlichen Literaturauffassungen«[158] vier wirkungsgeschichtliche Positionen: die hermeneutische Wirkungsgeschichte Hans-Georg Gadamers (S. 104–114), die Stilkritik und die phänomenologische Rezeptionstheorie (S. 115–130), die »literaturgeschichtlich orientierte Rezeptionsästhetik« von Hans Robert Jauß (S. 131–144) und verschiedene strukturalistische Lektüretheorien (S. 145–178). Die Stellungnahme zu Jauß' Versuch faßt die referierte sozialistische Kritik zusammen, setzt aber auch neue Akzente.

Wieder wird zu Recht Jauß' Darstellung marxistischer Ästhetik kritisiert: er identifiziere sie mit Vulgärsoziologie. Doch selbst die Widerspiegelungstheorie existiere für Jauß »nur in ihrer mechanistischen Version«. Gegenüber der »Idee von der geschichtlichen Selbständigkeit der Literatur und Kunst«, dem »Postulat ihrer Eigengesetzlichkeit«, die Jauß »zum Zentrum seiner Auseinandersetzung mit dem Marxismus« mache, stellen Naumann u. a. fest, daß die marxistische »Theorie der dialektisch verstandenen Basis-Überbau-Relation« den literarischen Prozessen eine relative Eigengesetzlichkeit zubillige. Schon Engels hatte ja dem Überbau zwar keine unabhängige Entwicklung zugestanden, wohl aber eine eigene historische Wirksamkeit.[159] Indem Jauß sich an die Theorien der russischen Formalisten anschließe, verbaue er sich selbst die Möglichkeit, den ›wirklichkeitsbildenden Charakter der Kunst‹ methodologisch in den Griff zu bekommen. Die Geschichte der Literatur lasse sich »auch unter einem rezeptionsästhetischen Aspekt nicht zu gegenwärtiger Geltung und Wirkung bringen«, wenn nur danach gefragt werde, »wie eine gegebene Literatur rezipiert wird, nicht aber auch danach, welche Bedingungen und Voraussetzungen auf seiten der Produktion und Rezeption erforderlich sind, damit eine solche Wirkung bei der Aufnahme von vergangenen und gegenwärtigen Werken zustande kommt«.

Jauß beabsichtige die Aufhebung der Autonomietheorie durch den Einbezug des Faktors »Publikum«, wobei einzelne Unschärfen wie die Gleichsetzung von Adressat und Leser ungewollt auf die idealistische Grundhaltung der Konzeption hinweisen;[160] idealistisch insofern, als Jauß »die Rezeption nicht durch die gesellschaftliche Praxis und Erfahrung konkreter Leser und Lesergruppen, sondern innerliterarisch« definiere. Der Rezipient an sich oder das Publikum schlechthin sei ein ebenso idealistisches Konstrukt wie das Dogma von der Autonomie der Kunst, bloß in anderer Perspektive; da es nur in einem ausschließlich literarisch und nicht soziologisch abgesicherten Erwartungshorizont faßbar werde, fungiere das Publikum »als die die Geschichtlichkeit der Literatur konstituierende Vermittlungsinstanz«. Um »aus den Reaktionen, die ein Werk bei seinem ersten Publikum findet, dessen ästhetischen Wert zu bestimmen«, liefert die Rezeptionsästhetik das Kriterium der »Distanz zwischen Erwartungshorizont und Werk« bzw. zwischen vertrauter ästhetischer Erfahrung und dem »mit der Aufnahme des neuen Werkes geforderten ›Horizontwandels‹«. Deutlich wird die Gefahr und die Einseitigkeit dieses Kriteriums, das den Kunstcharakter eines literarischen Werkes bestimmen soll.

Auf Grund der literarischen Definition des Erwartungshorizontes seien dem gegenwärtigen Rezipienten lediglich literarische Maßstäbe zur Beurteilung vergangener Literatur an die Hand gegeben. Jauß erhebe die Kategorie des ›Neuen‹ zu einer Gesetzmäßigkeit der Literaturgeschichte: »Das ›Neue‹, die ›Modernität‹, wird zum Kriterium des literarischen Prozesses, weil jedes neue Werk ›unsere Sicht auf alle vergangenen Werke‹ revidiere.« Daß dieses Modell »praktisch auf eine weitgehende Relativierung« hinauslaufe, ist zwar richtig, muß aber nicht als Mangel betrachtet werden, eher doch die Tatsache, daß das Kriterium des Neuen all jenen Epochen und Künstlern nicht gerecht wird, die nicht Originalität als höchstes Ideal hatten, also in einem anderen Verhältnis zur Tradition standen als die ›Moderne‹. Der elitäre Charakter dieses Kriteriums erweist sich in der geringen Resonanz gerade der ästhetisch besonders avantgardistischen Werke.

Jauß ersetze den kritisierten Historismus lediglich »durch das literaturimmanente Prinzip der Modernität« und erhebe eine »in sich geschlossene Folge eines ständigen

Stilwechsels« zum Gesetz der Literaturgeschichte. Die aus der idealistischen Tendenz des Modells gezogene Konsequenz läßt sich nicht von der Hand weisen: Der »Verzicht auf die Einbeziehung der sozialen Differenziertheit und historischen Unterschiedlichkeit des Publikums in die Rezeptionstheorie« vernachlässige »nicht nur die gesellschaftlichen und ideologischen Ursachen der zwischen literarischer Produktion und Rezeption bestehenden Widersprüche«, er führe vielmehr notwendig »zu einer elitären und ästhetizistischen Literaturkonzeption«. Der Publikumsbegriff, im »idealen Leser« individualisiert, habe die Funktion, »all jenes Publikum, das das Prinzip der ›Modernität‹ nicht mitvollzieht, und all jene Literatur, die den ›Erwartungshorizont‹ nicht durchstößt, aus dem ›eigentlichen‹ historischen Prozeß zu verweisen«. Jauß' Theorie habe im Grunde nur eine (systemkritische) Berechtigung im Rahmen der spätbürgerlichen Gesellschaft, da sie nur das Einverständnis der (sich allerdings als *das* Publikum verstehenden) bürgerlichen Bildungselite mit ihrer Tradition kritisiere. Damit werde das sozialistische ›positive‹ Literaturverständnis von vornherein desavouiert: »Jedes authentische Einverständnis z. B. einer revolutionären Literatur mit ihren Lesern in der realen Gestalt historischer Subjekte« müßte »sich schon im Augenblick seines Zustandekommens als ästhetisch disqualifiziert bekennen.«[161] Andererseits hielte im bürgerlichen Gesellschaftssystem sich nun »jeder Produzent einer literarischen Modeerscheinung und jeder ihrer snobistischen Konsumenten in ihrer kulturfördernden ›Modernität‹ gerechtfertigt«. Das Bürgertum, im Versuch, die eigene Tradition zu kritisieren, würde, bei Verabsolutierung der Norm des ›Neuen‹, die elitäre Konzeption nur ins Negative gewandt reproduzieren. Der neue Kulinarismus besteht nun in der Zertrümmerung der Traditionswerte: das Kriterium des ›Neuen‹ sinkt ab zur sensationsbedingten ›Mode‹.

Auch in seiner differenzierenden Einschränkung »Die Partialität der rezeptionsästhetischen Methode« (vgl. S. 51 ff.) habe Jauß auf die Frage nach der geschichtsbildenden Kraft der Literatur keine befriedigende Lösung gefunden. Die Rezeptionsästhetik stelle, zu diesem Schluß kommen Naumann u. a., nur »eine methodologische Ergänzung der immanenten Literaturbetrachtung durch eine immanent aufgefaßte Rezeptionsgeschichte« dar.

Die abschließende Frage, die sich für Naumann u. a. aus der Einbeziehung des realen Lesers in das rezeptionsästhetische Konzept ergibt, beleuchtet exemplarisch die sozialistische Version des Modells: »Es wäre dann zu fragen, wie denn die Literatur dazu beiträgt, die gesellschaftlichen Erfahrungen und die projektive Phantasie ihrer Leser zu *organisieren.*«[162] Der Wertungsmaßstab müsse konsequenterweise »von der gesellschaftlichen Funktion der Literatur in der gesellschaftlichen Praxis« ausgehen; aus dieser Funktion ergäben sich dann die Forderungen an die literarische Produktion.

Es ist nur konsequent, wenn Naumann u. a. gegenüber dem Jaußschen Begriff des Erwartungshorizontes, der auf der Rezipientenseite zu verankern ist, den Akzent wieder auf die Produktionsseite setzen: »Der Text, zu dem er [der Leser] in Beziehung tritt, bestimmt die Art der Aneignung, das Wie und Was der Wirkung.«[163] Sie operieren daher mit dem neuen Begriff ›Rezeptionsvorgabe‹: »Die Eigenschaft des Werkes, die Rezeption zu steuern, fassen wir unter dem Begriff *Rezeptionsvorgabe* zusammen. Diesen Begriff gebrauchen wir wertfrei; eine Rezeptionsvorgabe ist jedes beliebige Werk. Es handelt sich um eine Kategorie, die ausdrückt, welche

Funktionen ein Werk potentiell von seiner Beschaffenheit her wahrnehmen kann.«[164] Allerdings leugnen sie nicht die Bedeutsamkeit der Rezipientenseite. Zwei Bedingungen müßten erfüllt sein, damit ein literarisches Werk »humanisierend« wirken könne: »Es muß eine Rezeptionsvorgabe haben, die es ermöglicht, diese Funktion auszuüben, und Leser vorfinden, die diese Funktion verwirklichen.«[165] Die theoretische Darlegung des dialektischen Prozesses zwischen Produktion und Rezeption, Literatur und Wirklichkeit wird ergänzt durch die Anwendung einer neuen Interpretationsmethode, die mit dem Begriff der ›Rezeptionsvorgabe‹ arbeitet. Hier muß der Hinweis darauf genügen.

Zusammenfassung der Einwände

Die Einwände lassen sich in zwei Kategorien aufteilen: *prinzipieller* Natur ist die Kritik an der zugrunde liegenden Theorie; konzediert man ihre Berechtigung, so erheben sich dennoch Zweifel an der *Praktikabilität* einer aus ihr abgeleiteten Methode.

Der Glaube an die Möglichkeit der Objektivität von Literatur und deren Objektivierbarkeit im Produktionsprozeß, der darum in den Vordergrund gerückt werden müsse, ist ein solch prinzipieller Einwand gegen die rezeptionsästhetische Theorie, wie auch der Vorwurf, Rezeptionsästhetik bleibe ideologieimmanent, da sie im Relativismus der Standpunkte nicht den positiv eigenen zum (objektiv) gültigen Wertmaßstab nehme; ebenso prinzipiell ist der Einwand, die Verknüpfung von Literatur und Gesellschaft über die Rezeption sei sekundär; die primäre geschehe im Produktionsprozeß selbst. Diese und die anderen, etwa das Kriterium des ›Neuen‹ (vgl. S. 32) betreffenden, hier nicht nochmals aufgeführten Gründe stützen sich in erster Linie auf Begriffe von Gesellschaft und Text, die den Jaußschen widersprechen. Das Jaußsche Modell einer Rezeptionsästhetik erweist sich in sozialistischer Sicht als spezifisches Produkt einer sich absolutsetzenden spätkapitalistischen Gesellschaft.

Gegen die Praktikabilität können zahlreiche Einwände vorgebracht werden. Der Erwartungshorizont läßt sich nicht objektivieren; *der* Leser ist nie faßbar: Wirkung von Literatur auf die Gesellschaft läßt sich nur an Einzelrezipienten nachweisen, niemals an einer allgemeinen oder gar idealtypischen Konstruktion. Da für die historische Rezeptionsforschung nicht genügend Material vorhanden ist, um einen generellen Erwartungshorizont zu konstruieren, läßt sich immer nur ein nichtrepräsentativer und individueller Erwartungshorizont erstellen; ein allgemeiner Erwartungshorizont ließe sich nur auf empirisch-demoskopischem Weg ermitteln, d. h. nur für die Gegenwart. Trifft diese methodologische Voraussetzung zu, so fällt der Begriff des Erwartungshorizontes, wenn er nicht wie der Begriff des ›Zeitgeistes‹ ins Ungreifbare und Spekulative sich verflüchtigen soll, als ein praktikables Instrument für historische Rezeptionsforschung fort. Denn eine bloße, eventuell auf Grund von Analogieschlüssen errichtete Hypothese ist von nur geringem instrumentellem, höchstens heuristischem Wert. Der Schluß von der sogenannten ›repräsentativen‹ Erwartung auf einen allgemeinen Erwartungshorizont bliebe dem subjektiven Eindruck und damit der Mutmaßlichkeit überlassen. Wie unzulänglich die praktische

Ausführung der theoretischen Postulate sein muß, belegt Jauß' eigene Untersuchung über Goethes *Iphigenie;* hier werden ziemlich unbefragt Zeugnisse zur Wirkung des Dramas aus einem Dokumentenbändchen[166] herangezogen. Diese Textausschnitte gewähren zwar einen interessanten Einblick in die Wirkungsgeschichte der *Iphigenie,* können aber nicht den Anspruch auf Repräsentativität erheben; diese konstruiert erst Jauß aus ihnen (und nur aus ihnen): zur Konstruktion eines Erwartungshorizontes bedarf es indes wesentlich umfangreicherer Recherchen.
Wie aber sollte praktisch Literaturgeschichte als Rezeptionsgeschichte geschrieben werden? Jauß selbst praktiziert sein Verfahren nur an einzelnen literarischen Phänomenen. Schwierigkeiten für die Darstellung aus der Rezeptionsperspektive ergäben sich gegenüber der Produktionsperspektive dadurch, daß bei ihr für fast jedes Werk ein besonderer Erwartungshorizont konstruiert werden müßte, der, wenn man die idealtypische Konstruktion aufgibt zugunsten seiner sozialen Verankerung, in eine Vielzahl von Erwartungshorizonten aufgespalten werden müßte, je nachdem, welches Publikum anvisiert werden soll. Außerdem genügte es ja nicht, neuproduzierte Werke in der Spiegelung der Rezipienten zu behandeln; es müßte, wollte man die Leserperspektive konsequent durchhalten, in jeder Epoche die tatsächlich gelesene Tradition von neuem (in ihrem jeweiligen Konkretisationsmodus) dargestellt werden.
Für die Abfassung einer gesamten Literaturgeschichte ist die rezeptionshistorische Methode unpraktikabel, da sie einen Aufwand erforderte, den das Ergebnis nicht rechtfertigen würde. Gerade wenn auf die Zeitverhaftetheit und Zeitenthobenheit von Werken der Akzent gesetzt werden soll, bietet die Untersuchung des Produktionsprozesses bessere Möglichkeiten, ohne daß man nun, wie Jauß das tut, gleich von »hypostasierten Wesenheiten einer anonymen Entwicklung« spricht, also den angeblich sich selbst fortzeugenden Substanzcharakter von Literatur bemüht.[167]
Die Positionen haben sich einigermaßen verhärtet: der rezeptionsästhetischen stehen unversöhnbar die produktionsästhetische und die darstellungsästhetische gegenüber, wobei diese in ihrer sozialistischen und ihrer ›bürgerlichen‹ Variante fast noch unversöhnbarer sind.

Jauß' Metakritik

Jauß selbst hat im Anhang zu einer rezeptionshistorischen Einzelstudie seinen rezeptionsästhetischen Ansatz unterbaut und zu verschiedenen der aufgeführten Kritiken Stellung genommen.[168] Es geht ihm dabei um die Klärung der Funktion von rezeptionsästhetischer Reflexion für Kunst und deren Verhältnis zur Geschichte. Sie könne nicht den Rang eines »autonomen methodischen Paradigmas« beanspruchen, sondern bleibe eine »partiale, anbaufähige und auf Zusammenarbeit angewiesene methodische Reflexion«. Diese Einschränkung entspricht dem intentionalen Ansatz, Produktionsästhetik und Darstellungsästhetik in einer Rezeptionsästhetik zu fundieren, also nicht, wie manche Kritiker unterstellten, Produktionsästhetik durch Rezeptionsästhetik zu ersetzen.[169] Drei Hauptproblemen wendet Jauß seine Aufmerksamkeit zu: 1. Rezeption und Wirkung, 2. Tradition und Selektion, 3. Erwartungshorizont und kommunikative Funktion.

1. Rezeption und Wirkung

Jauß grenzt die Begriffe voneinander ab, indem er unter Wirkung »das vom Text bedingte«, unter Rezeption »das vom Adressaten bedingte Element der Konkretisation oder Traditionsbildung« versteht. Rezeptionsgeschichte könne nur bei Berücksichtigung beider Komponenten: Anstoß des Textes und Disposition des Adressaten, geschrieben werden. Das auch von Weimann eingehend behandelte Zentralproblem ist das der Vermittlung zwischen der vom Werk ausgehenden Wirkung (Vergangenheit) und der vom Leser ausgehenden Aneignung (Vergegenwärtigung); Jauß erblickt die Gewähr, daß Kunstwerke die Gebundenheit an ihre Entstehungszeit überdauern, nicht in einer (undialektischen und absoluten) ›zeitlosen Form‹; vielmehr erscheint ihm das vergangene Werk »darum als ›noch sprechend‹, weil die Form, verstanden als Kunstcharakter, der die praktische Funktion als Zeugnis einer bestimmten Zeit überschießt, über den Wandel der Zeiten hinweg die Bedeutung, verstanden als implizite Antwort, die das Werk für uns noch sprechend macht, offen und damit gegenwärtig hält«.

An die Adresse Kaisers[170] gerichtet ist die explizite Deutung des Vermittlungsprozesses von Wirkung und Rezeption als eines Dialogs, in dem das vergangene Kunstwerk erst ›etwas sagen‹ könne, wenn das gegenwärtige Subjekt die richtige Frage für die im Kunstwerk implizite Antwort stellt. Wer wie Kaiser die Fragerichtung, die vom Leser zum Text verlaufe, umkehre, falle »nicht allein in den Substantialismus monologisch sich selbst fortzeugender ewiger Fragen und bleibender Antworten zurück«, sondern er verkenne, »daß die Potentialität des Kunstcharakters die unmittelbar gestellte und vernehmbare Frage ausschließt«.[171]

Jauß stellt das rezeptionsästhetische Verfahren in den Rahmen des hermeneutischen Prinzips von Frage und Antwort; der Text gilt als Antwort auf die zu rekonstruierende Frage; die Rezeptionen stellen stattgefundene Konkretisationen auf zeitbedingte Fragen dar. Gegen Warneken richtet sich die Feststellung, auch marxistische Erkenntnistheorie könne das Problem nicht lösen, *wie* aus den Produktionsverhältnissen sich der Charakter literarischer Produktion ableiten lasse. »Auch wenn die produktive Seite das übergreifende Moment des Gesellschaftsprozesses ist, kann die Erkenntnis der Bedeutung, die dem Kunstwerk in diesem Prozeß zufällt, nur von der rezeptiven Seite aus gewonnen werden, sollen nicht wieder hypostasierte Wesenheiten einer anonymen Entwicklung, sondern deren gesellschaftliche Träger und Subjekte Gegenstand der Erkenntnis sein.«[172] Dieser zentrale Satz bringt die Absage an den Substanzbegriff des Textes auf eine prägnante Form. Er soll sich in gleicher Weise gegen den marxistischen Kritiker (hier Warneken) wie auch gegen den Verfechter des Autonomiegedankens (Kaiser) richten, wobei er den marxistischen Ansatz allerdings verfehlt. Wieder erweist sich die gesellschaftsbedingte Auffassung vom »Wesen« des Textes als der Punkt, mit dem die Rezeptionsästhetik in ihrer anspruchsvollsten Ausprägung steht oder fällt.

2. Tradition und Selektion

Jauß unterscheidet zwischen »ereignishafter Kanonbildung« und »latenter Institutionalisierung« als einer gewählten und als einer gewordenen Tradition. Durch Aufnahme in den Schullektürekanon könnten literarische Werke »als ästhetische Normen unmerklich in eine Tradition eingehen und als vorgegebene Erwartung die ästhetische Einstellung späterer Generationen normieren«.[173] Tradition setze Selektion voraus, wobei Jauß unter Tradition die »latente Institutionalisierung«, unter Selektion die »bewußte Kanonbildung« versteht. Von den Modifizierungen und Differenzierungen, die Jauß vorschlägt, seien hier nur einige aufgeführt. In die Nähe der Ideologiekritik gerät sein Konzept, Rezeptionsästhetik müsse damit rechnen, »daß der vorverstandene Konsensus einer Tradition, ›pseudokommunikativ erzwungen‹ sein« könne, und sie müsse daher »die von der zutageliegenden Rezeptionsgeschichte verschwiegenen oder unterdrückten Konkretisationen« aufdecken. Allerdings dürfe diese Rezeptionskritik nicht mit der »Entlarvung falschen Bewußtseins« verwechselt werden, die ein auf sein ›wahres Bewußtsein‹ sich berufender und gerade dadurch als Ideologe sich erweisender Ideologiekritiker ausübt. Sie habe darum gerade den Konkretisationen, »die gegenwärtigem Frageinteresse als Antwort nicht mehr genügen, ihr historisches Recht widerfahren zu lassen«. Diese hermeneutisch verständliche Auffassung kann zu scharfem Widerspruch herausfordern. Dem Leugnen von Objektivität entspricht der Verzicht auf »wahres Bewußtsein«. Konsequenterweise ergibt sich aus dieser generellen Feststellung auch für die Gegenwart der Verzicht auf eine Erkenntnis des Wahren und des Falschen. Was einem Verfechter von Objektivationen als »falsches Bewußtsein« erscheint, erhält für den Rezeptionskritiker immer noch eine historische Wahrheit. Damit aber nivelliert sich falsches und wahres Bewußtsein – denn alles, was zu irgendeiner Zeit existierte, ist ein Ausdruck dieser Zeit und hat darum historische Wahrheit. »Alles verstehen heißt alles verzeihen«; dieser Satz könnte leicht abgewandelt werden in: Erkenntnis der Bedingtheiten wird zum Verständnis gegenüber den historischen Aussagen und schließlich zur Anerkennung ihrer historischen Berechtigung. Totaler Relativismus und allgemeine Nivellierung wäre die Folge dieses Maßstabverlustes. So weit geht Jauß selber nicht; für ihn gilt ein (allgemein emanzipatorischer) Standpunkt der Gegenwart; zwar nicht als ›wahres‹, doch als für die Beurteilung des Vergangenen maßgebendes Bewußtsein.

Jauß setzt seine Kritik an Weimanns Ausführungen über Vergangenheit und Gegenwart an dessen Traditionsverständnis an; Weimanns Modell lasse »an entscheidender Stelle« die »Bestimmung der [...] menschlichen Tätigkeit vermissen«, von der die Vermittlung geleistet werden müsse: eben das freiheitliche Prinzip der Selektion. Weimann vereinige Geschichte und Tradition, indem er »sie im Rückgang auf das Programm des ›Kulturerbes‹ ungewollt« resubstantialisiere.[174] Jauß zieht aus Weimanns Bestreben nach einer Verklammerung von Entstehungsgeschichte und Wirkungsgeschichte die Konsequenz, dieses Modell impliziere, daß das »Wissen von der Entstehung eines Werkes die Erfahrung seiner Wirkung« begründe und daß die Nachgeschichte eines Werkes »kontinuierlich aus seiner Vorgeschichte erklärt werden könne«. Für Jauß ist dieses Traditionsverständnis, das die »Wahrheit der Wirkung aus dem Zeitalter der Entstehung begründet oder vorwegnimmt«,[175] eine »materialistische Metaphysik«,[176] mit der sich allerdings das Problem der selektiven Erbe-Aneignung nicht erklären läßt.

Den Widerspruch zwischen dem objektivistischen Prinzip, das die Wahrheit der Wirkung im Ursprung und die Rezeption in der Produktion antizipiert sieht, und dem selektiven Prinzip der Aneignung formuliert Jauß in prononcierter Weise: »In einer marxistischen Geschichtsphilosophie der Kunst darf es nur Erkennen als Wiedererkennen vorgegebener gesetzmäßiger Prozesse, nicht aber Selektion als Instanz der Freiheit menschlichen Bewußtseins geben, so daß im Prozeß der reproduktiven Erfahrung vergangener Kunst dem gegenwärtigen Bewußtsein auch nicht die dominante Rolle zugebilligt werden kann.«[177] Allerdings trifft diese Charakterisierung nur für die vulgärmarxistische Theorie zu. Daß marxistische Theorie (bereits bei Engels) zwischen Überbau und Basis eine Dialektik vorsieht, übergeht Jauß prinzipiell.[178]

3. Erwartungshorizont und kommunikative Funktion

Rezeptionsästhetische Methode könne nur in Verbindung mit historischer und soziologischer Wissenschaft betrieben werden, außerdem könne sie gegenüber »der produktiven und der darstellenden Funktion ästhetischer Praxis« nur hermeneutische Priorität beanspruchen. Diese Feststellung unterbaut den bereits in der grundlegenden Studie zum Ausdruck gekommenen Ansatz, Produktionsästhetik und Darstellungsästhetik seien in einer Rezeptionsästhetik zu fundieren. Zur weiteren Differenzierung des Erwartungshorizontes schlägt Jauß, Mandelkows Anregungen (Epochenerwartung, Werkerwartung und Autorerwartung) aufnehmend, außerdem eine ›gattungsbedingte‹ Erwartung vor. Gegenüber dem Einwand, die den Erwartungshorizont konstituierende Erfahrung sei vorwiegend innerliterarisch gefaßt, gesteht Jauß zu, daß der »so rekonstruierbare ästhetische Normenkanon (Code) einer bestimmten literarischen Öffentlichkeit soziologisch in die Erwartungsebenen verschiedener Gruppen, Schichten oder Klassen aufgeschlüsselt und auch auf Interessen und Bedürfnisse der sie bedingenden historischen und ökonomischen Situation zurückbezogen werden könnte und sollte«. Das entscheidende Problem werde dadurch allerdings noch nicht gelöst: »wie sich im Erwartungshorizont einer Lebenspraxis ästhetische Erfahrung in kommunikative Verhaltensmuster umsetzen kann«.[179] Gegen Träger[180] richtet sich die Feststellung, die »kommunikative und damit gesellschaftsbildende Funktion der Kunst« beginne nicht am Ort einer Assoziierung des ›einsamen Lesers‹ mit anderen ›gleichstrebenden Individuen‹, sondern sie setze ein mit »der impliziten Übernahme von Erwartungen und Normen [...], die sein gesellschaftliches Verhalten präformieren, aber auch motivieren und ändern können«.[181]

Drei Leistungen der »ästhetischen Erfahrung im Kommunikationsprozeß« will Jauß unterschieden wissen:

die präformative oder normgebende,
die motivierende oder normbildende,
die transformative oder normbrechende Funktion.

Zwischen der Reduktion der kommunikativen Funktion von Kunst auf einen »Appell zur ›höchsten individuellen Selbstbestimmung‹«[182] und ihrer vollständigen Suspendierung (»bis ein ›in nicht nur literarischer Erfahrung herausgebildetes Klassenbewußtsein‹ die Bedingungen für eine neue, herrschaftsfreie Kommunikation durch Kunst erst einmal hergestellt hat«[183]) sieht Jauß die Chance für rezeptionsästhetische Methoden, um mit ihrer Hilfe den »Dialog über die Frage, ob und wie heute der Kunst die fast verlorene kommunikative Funktion zurückgewonnen werden kann, gemeinsam fortzuführen«.[184]

Dieses Konzept basiert auf der pluralistischen, kapitalistischen und demokratischen Gesellschaftsordnung: die scheinbare Freiheit des Rezipienten ist zwar keine offenkundig von der Produktion gesteuerte, doch wäre es Selbsttäuschung, den Subjekten der Selektion Unabhängigkeit von Produktion und Distribution zuzubilligen. Wenn sich ein emanzipatorisches Element überhaupt in den Beziehungen der Literatur zur Gesellschaft findet, dann weit eher in der Produktion als in der Rezeption. Insofern ist wenig für eine gesellschaftsbildende Funktion der Literatur gewonnen, wenn man das Pferd vom Schwanz her aufzäumt, also Literatur, deren Produktion und deren Gesellschaftsbezug vom Konsumenten her nicht nur betrachtet, sondern auch wertet. Vielmehr muß das freiheitliche Element dort aufgesucht werden, wo sich das Kunstwerk dem Vernutzungsprozeß der Rezeption gerade entzieht: in der Neuproduktion und in der Provokation einer antitraditionalistischen Interpretation (auch bei ihr liegt das freiheitliche Moment nicht im Rezeptions-, sondern im Produktionsprozeß. Kaiser, Leibfried und Groeben legen ja auch schlüssig dar, daß Rezeption und Interpretation keineswegs identisch sind). Anregungen aus diesem auch Adornos Intentionen tangierenden Konzept, das gewiß nur im Rahmen einer demokratischen Gesellschaft denkbar ist, müßten in die Rezeptionsästhetik noch eingefügt werden. Jauß hat im übrigen die Konsequenz aus seiner rezeptionsästhetischen Betrachtungsweise für seine Auffassung vom Text gezogen: während er im Aufsatz *Literaturgeschichte als Provokation* noch auf einem der Hermeneutik verpflichteten Textmodell basiert, vertritt er im zweiten Beitrag *Die Partialität der rezeptionsästhetischen Methode* eine strukturalistische Textauffassung. Eine nach dieser Methode geschriebene Literaturgeschichte hätte sich nicht mehr mit Texten und deren vom Autor intendierten Bedeutungen zu beschäftigen, sondern mit (vom Autor bereitgestellten) Strukturgefügen und deren tatsächlich vorhandenen (vom Leser realisierten) historischen Konkretisationen, ohne daß darum der Produktionsprozeß ausschließlich unter rezeptionellen Perspektiven betrachtet werden sollte.

II

Funktionsbestimmung von Literatur

Im Rahmen einer Wissenschaftsgeschichte läßt sich mit einiger Plausibilität erklären, warum die Rezeptionsästhetik gerade jetzt solch große Aktualität gewonnen hat (vgl. auch die Ausführungen von Jauß, Mandelkow und Weimann[185]). Neben den drei Bereichen der Hermeneutik, der Literatursoziologie und der Literaturgeschichte (Rusterholz, Jaeggi, Glaser), von denen sich direkte Beziehungen zur Rezeptionsästhetik herstellen lassen, ist es vor allem die Kommunikationswissenschaft, die auf die Erforschung von Wirkung besonderen Wert legt. Für nichtliterarische Texte steht die Zuständigkeit kommunikationstheoretischer Prinzipien außer Frage; fragwürdig wird nur deren Relevanz für literarische Texte. Soll hermeneutische Literaturwissenschaft traditionellen Stils durch eine »kommunikative Literaturwissenschaft«[186] oder eine »empirische Literaturwissenschaft«[187] ersetzt werden, so stehen grundsätzliche Probleme wie die Frage nach der Differenz zwischen poetischer und nichtpoetischer Sprache, die Frage nach dem Monolog- oder dem Dialogcharakter von Literatur und die Frage nach dem ›Wesen‹ des Textes erneut zur Debatte. Auch muß bei Betonung der Rezipientenseite der Warencharakter von Kunst verstärkt in den Blickwinkel rücken.[188]

Im folgenden sollen nur andeutungsweise einzelne Bereiche umrissen werden, die für den rezeptionsästhetischen Ansatz Voraussetzung bilden, in enger Beziehung zu ihm stehen oder in denen mit rezeptionsästhetischen oder rezeptionshistorischen Methoden gearbeitet werden kann.[189]

Texttheorie

Eng verbunden mit der Jaußschen Rezeptionstheorie ist die Texttheorie Wolfgang Isers.[190] In den dreißiger Jahren traten in der amerikanischen Literaturwissenschaft die entgegengesetzten Positionen: Text als unveränderliche Substanz (Wimsatt/Beardsley) und Text als Leerform (Abercrombie) auf.[191] Beide sind in ihrer Einseitigkeit unhaltbar.

Von der orthodoxen Substanztheorie wich bereits der Phänomenologe Roman Ingarden insofern ab, als er beim Werk schematischen Aufbau und »Unbestimmtheitsstellen« annahm. Wenn der Leser die dargestellten Gegenständlichkeiten analog den »wirklich gegebenen« Gegenständlichkeiten erfassen soll, ist er genötigt, die Schematik und Unbestimmtheit zu überwinden und die Lücken zu ergänzen. »Dies geschieht in einem Prozeß des ›aktiven‹ Lesens, in dem der Leser die offen gelassenen ›Stellen‹ der Gegenständlichkeiten ›ausfüllt‹ und die ihnen zukommenden Ansichten aktualisiert, so daß sie ihm *die konkreten* Gegebenheiten erscheinen.«[192] Das literarische Werk konkretisiert sich also erst in der Rezeption durch den Leser. Dennoch gibt es für den Phänomenologen eine objektive Instanz, von der aus Konkretisationen als verfälschend abgelehnt werden können: das literarische Werk selbst. Durch Reduktion der Konkretisationen soll Objektivation erreicht werden, als »ideale Objektivität« erscheint dann der Sinn, der einer Anzahl von Bedeutungen identisch ist. Die zwar vorhandene Leseraktivität ist durch das bewußtseinstranszendent konstituierte Werk eingeschränkt; dieses Werkmodell stellt einen Widerspruch zum Modell der Konkretisationen dar, dem das literarische Werk erst im subjektiven Bewußtsein des Rezipienten konstituiert erscheint. Das Kunstwerk als »rein intentionaler Gegenstand« kann im Rezeptionsakt als ästhetisches Objekt ein »intentionales Korrelat« erhalten: eben in der adäquaten oder idealen Konkretisation.[193]

In Ingardens Auffassung bedeuten »die Abweichungen zwischen den einzelnen Konkretisationen und die daraus resultierende Verschiedenheit der ästhetischen Objekte [...] eher die Gefahr einer Verfehlung des intendierten ästhetischen Objekts als eine Bereicherung der ästhetischen Wirkfähigkeit des literarischen Kunstwerks«.[194] Das unterscheidet Ingardens Modell von dem der tschechischen Strukturalisten.

Einen Schritt weiter geht Jan Mukařovský, wenn er dem Leser den gleichen Rang wie dem Autor zubilligt. Er unterscheidet zwischen dem Artefakt als dem materiell vorliegenden Zeichen und dem ästhetischen Objekt, das auf der Bedeutungsebene im Bewußtsein des Rezipienten dem Artefakt entspricht.[195] Gegen Ingardens Auffassung der Konkretisation wendet Felix Vodička ein, der Rezipient würde nicht nur die schematischen Stellen konkretisieren, sondern »die Struktur des ganzen Werks, indem sie auf den Hintergrund der Struktur der aktuellen literarischen Tradition projiziert wird«, erhalte »unter veränderten zeitlichen, örtlichen, gesellschaftlichen und bis zu einem gewissen Grad auch individuellen Bedingungen einen immer neuen

Charakter«.[196] Die Tätigkeit des Lesers wird aus dem Nachschaffen bei Ingarden zu einem aktiveren Mitschaffen.

Der im Zusammenhang mit Rezeptionsästhetik gewichtigste Beitrag stammt von Wolfgang Iser. Jauß selbst charakterisiert das Verhältnis zwischen Rezeptionsästhetik und Texttheorie in seiner Iphigenie-Abhandlung: »Mit der phänomenologischen und semiologischen Theorie der Kunst setze ich im Anschluß an W. Iser einen Begriff des *Werkes* voraus, der die vorgegebene Struktur des *Textes* (Zeichencharakter des Artefakts) und seine *Aufnahme* oder Wahrnehmung durch Leser/Zuschauer (ästhetisches Objekt als Korrelat im Bewußtsein des oder der Rezipienten) zusammenschließt. Die virtuelle Struktur des Textes bedarf der *Konkretisation,* d. h. der aneignenden Erfahrung durch seine Empfänger, um sich als Werk zu entfalten; das Werk ›aktualisiert die Spannung zwischen seinem „Sein" und unserem „Sinn"‹ derart, daß sich die *Bedeutung* erst in der Konvergenz von Text und Rezeption konstituiert, mithin der *Sinn* des Kunstwerks nicht mehr als überzeitliche Substanz, sondern als historisch sich bildende Totalität zu fassen ist. Den Begriff ›Konkretisation‹ verwende ich nicht im engeren Sinne von R. Ingarden, als Ergänzung der Lücken und imaginative Auffüllung von Unbestimmtheitsstellen in der schematischen Werkstruktur, sondern bezeichne damit im Einklang mit der ästhetischen Theorie des Prager Strukturalismus den immer neuen Charakter, den das Werk in seiner ganzen Struktur unter veränderten geschichtlich-gesellschaftlichen Rezeptionsbedingungen erhalten kann.«[197] Für Iser hat der Lesevorgang entscheidende Bedeutung; durch die im Leser verursachten Reaktionen gelange die ›komponierte Textgestalt‹ erst zur Wirkung; Bedeutungen seien keine »im Text versteckten Größen«, sondern würden erst im Lesevorgang generiert.[198] Textrezeption sei nicht »›verstehende‹ Reproduktion von Textteilen«, sondern textangeleitetes Generieren aktueller ästhetischer Bedeutungen.[199] Da fiktionale Texte den Gegenstand selbst konstituieren, seien sie nur im Lesevorgang zu verankern. Der Text entrolle vor dem Leser »schematische Ansichten« des von ihm konstituierten Gegenstandes. Zwischen ihnen entstünden »Leerstellen«, die vom Leser aufgefüllt würden, und zwar je nach dessen Informationsstand und ästhetischer Einstellung in verschiedener Weise.[200] Erst die Leerstellen gewährten dem Leser einen Anteil am Mitvollzug. Als Beleg gilt Iser der Unterschied zwischen Erst- und Zweitlektüre.[201]

Die Beobachtung, daß seit dem 18. Jahrhundert die Unbestimmtheit in literarischen Texten anwächst, ist zwar richtig; doch müßte die für moderne Texte verifizierbare Hypothese von der Appellstruktur und dem Leerstellengehalt fiktiver Texte vor ihrer Verallgemeinerung wesentlich differenziert werden.

Ästhetische Qualität läßt sich von diesem Textverständnis nur als Polyfunktionalität oder als potentielle Multivalenz[202] definieren, die sich in den verschiedenen historischen Rezeptionen erweist; sie eignet dem Text nur noch indirekt. Von der Rezeption trennt Iser zu wenig die Interpretation, die er lediglich als »kultiviertes Leseerlebnis« apostrophiert.[203]

Die Einwände der Verfechter einer substantialistischen Textauffassung sind leicht ableitbar: das Problem von Geschichtlichkeit und Überzeitlichkeit allein durch die Annahme von »Leerstellen«, die je nach den historischen Bedingtheiten vom Rezipienten verschieden ausgefüllt würden, sei insofern naiv, als es längst vergessene Texte gäbe, die mehr Leerstellen als die noch gelesenen enthalten hätten. Daraus ergibt sich die Gegenposition, derzufolge die Chance literarischer Texte, ihre Geschichtlichkeit zu überwinden, gerade auf ihrer »Geschlossenheit in der Kunstform« beruht.[204] Als geprägte Form stehe das Kunstwerk im Gegensatz zur »Zerstreutheit des bloß Seienden«. Adorno wird als Kronzeuge aufgerufen: »Als tabula rasa subjektiver Projektionen jedoch wird das Kunstwerk entqualifiziert. Die Pole seiner Entkunstung sind, daß es sowohl zum Ding unter Dingen wird wie zum Vehikel der Psychologie des Betrachters. Was die verdinglichten Kunstwerke nicht mehr sagen, ersetzt der Betrachter durch das standardisierte Echo seiner selbst, das er aus ihnen vernimmt.«[205]

Adorno, dem es um Erweis der Übergeschichtlichkeit gerade in der Geschichtlichkeit von Kunstwerken geht, ist insofern kein unvoreingenommener Zeuge, als er eine nicht zuletzt Hegel verpflichtete Kunstphilosophie oder -spekulation betreibt, für die in ganz extremer Weise die Produktion und die Substanzhaftigkeit von Texten im Vordergrund steht. Ein Satz wie »Die Entfaltung der Werke ist das Nachleben ihrer immanenten Dynamik«[206] muß den Vertretern der Rezeptionstheorie als metaphysische Spekulation erscheinen, die dem Werk Eigenbewegung zugesteht, besonders deutlich in Adornos Begriff von der »Widerstandskraft« des Kunstwerks. Konsequenterweise bezieht Adorno die von ihm erkannte »innere Veränderung« der Kunstwerke[207] nicht ausschließlich auf den Rezeptionsprozeß (»Objektiv, keineswegs nur der Rezeption nach, verändern sich darum die Werke: die in ihnen gebundene Kraft lebt fort.«[208]).

Als Übersteigerung betrachtet Peter Rusterholz Isers Versuch, der (von Iser allerdings allzu vereinfacht dargestellten) hermeneutischen Interpretation ein Modell entgegenzuhalten, dem das Kunstwerk zum Spiegel oder Echo des Lesers wird. Iser stelle »dem Phantom einer objektivistischen Hermeneutik, die sich nur mit Autor, Sinn und Bedeutung beschäftige, das andere Extrem einer subjektivistischen Textwissenschaft entgegen, die sich nur mit dem Leser und der Form des Textes befaßt«.[209]

Wenn Rusterholz konstatiert, »unwandelbare Sinngestalt und beliebig zu füllende Leerform« würden beide »die geschichtlich geprägte Form, die in der Geschichte lebend sich entwickelt«, verkennen, so steht dieser von ihm unternommene Versuch einer Synthese durchaus in der Nähe Adornos, der letztlich doch ein substanzhaftes Kunstwerk annimmt. Hermeneutischer und strukturalistischer Ansatz stehen sich in solcher Auffassung vom Text unvereinbar gegenüber.[210] Für den Strukturalisten erzeugt der literarische Text »nicht die vom Autor intendierte Bedeutung, sondern eine Struktur, die ihren Sinn durch den Leser erhält, den Leser, dessen Sinnentwürfe variieren je nach dem ideologischen, biographischen und historischen Systemzusammenhang, dem er angehört«.[211] Bedeutung haftet für den Ontologen dem substanzhaften Kunstwerk textimmanent an: sie adäquat »heraus«zufinden ist Aufgabe des Interpreten; der Strukturalist sieht im Text die zeichenhafte Struktur; erst der Rezipient schafft durch seine Rezeption Bedeutung, die in seiner individuellen Konkretisation faßbar wird. Der Ontologe oder Phänomenologe kann das Kunstwerk zur Verifizierung bzw. Falsifizierung von Interpretationen heranziehen, der Strukturalist muß sich auf den Vergleich verschiedener Konkretisationen beschränken.

Die Einseitigkeit beider Positionen kann Rusterholz zufolge vielleicht durch eine Verbindung von Hermeneutik, Textlinguistik und Kommunikationstheorie vermieden werden, so daß »der Text weder nur im Hinblick auf eine Intention des Autors, noch einseitig unter dem Aspekt des Lesers gesehen würde«.[212] Leider schweigt sich Rusterholz darüber aus, wie diese Synthese in concreto aussehen sollte. Zweifellos ist es notwendig, das zeigt dieser Abriß der Positionen, eine Rezeptionsästhetik in einer Texttheorie zu fundieren. Auch hier gibt dann den Ausschlag, welche Funktion der Literatur im gesellschaftlichen Kontext zugebilligt werden soll.

Die strukturalistische Betrachtung des Textes als einer semantisch offenen sprachlichen Struktur kommt dem rezeptionsästhetischen Ansatz entgegen: die ontologische und ahistorische Frage nach der einen adäquaten Bedeutung eines Kunstwerks ist dem historischen Kunstwerk unangemessen. Unter Einbeziehung historischer und soziologischer Hilfsmittel fragt die Rezeptionsforschung nach den verschiedenen Bedeutungsstrukturen eines Werkes in historisch-sozial verschiedenen Kontexten.[213] Verschiedenartigkeit und Vielzahl der Deutungen eines Kunstwerks werden zum Indiz seines Wertes. Bedeutung wird zwar erst im Rezeptionsprozeß beim Leser erzeugt, jedoch keine beliebige, sondern eine vom Objekt der Rezeption gelenkte. Zumindest der Bedeutungscode A (des Autors) ist dem Objekt immanent; durch historischen Bedeutungswandel, d. h. Verschiebung auf der Code-Ebene kann der Code A dem Text bei unmittelbarer (spontaner) Rezeption verlorengehen; er läßt sich dann nur durch Rekonstruktion der sozialen bzw. semiotischen Voraussetzungen und Determinanten der Textproduktion wiedergewinnen. Andererseits können auf Grund der Veränderung des semiotischen Kontexts vom Rezipienten neue Bedeutungen am Text gewonnen werden. Gerade in der Analyse historischer Rezeptionen können die Ansätze der Semiotik fruchtbar gemacht werden.[214] Ohne Kenntnis des semiotischen Kontextes könnte ein Leser einen Text gar nicht semantisch realisieren.[215]

»Ein Text (der zunächst reine Zeichenmaterialität ist) bedarf, um zur Bedeutungsstruktur zu werden, semantischer Komplexion, die vom jeweiligen Rezipienten auf dem Hintergrund seines eigenen historisch aktuellen und semiotisch strukturierten Kommunikationshorizontes erstellt werden muß. Auf diese Weise *vollzieht sich eine immer wieder neue Synthese von Text und Kontext,* eine immer wieder *neue Einheit von intra- und extratextuellen Strukturen eines Werkes.* Die alten Bedeutungen eines Werkes werden dadurch freilich nicht aufgehoben; sie treten mit den neu zu erstellenden in strukturelle Beziehungen ein. Man darf deshalb nicht den Fehler begehen, diese historische Umstrukturierung von literarischen Werken als subjektiv beiseite zu schieben und sich auf ein angeblich allein objektives, in seiner ursprünglichen Einheit rekonstruierbares Werk zu konzentrieren. *Das Wandern von Texten durch Kontexte* zu verfolgen, das Aufgabe der *Rezeptionsgeschichte* ist, stellt eine ebenso objektive, weil auf kodifizierte Konnotationsstrukturen gestützte und durchaus wichtige Beschäftigung mit Literatur dar. Die Frage nach der einen und ahistorischen Bedeutungsstruktur eines Kunstwerks, die die traditionelle Literaturwissenschaft bestimmt hat, ist eine das Kunstwerk unangemessen ontologisierende Frage, die rezeptionsästhetisch dynamisiert werden sollte zur Frage nach den Bedeutungsstrukturen eines Werkes in historisch variablen Kontexten. Der wichtigste Kontext wird dabei für die Literaturgeschichtsschreibung natürlich der ursprüngliche Kontext eines Werkes sein, d. h. jener Kontext, auf den hin der Autor seinen Text verfaßt hat. Denn nur im Hinblick auf diesen Kontext lassen sich die Produktionsbedingungen des Textes angeben.«[216]

Interpretation, Wertung, Kritik; Ästhetik und Edition

Die Frage nach der werkadäquaten *Interpretation* stellt sich[217] dem Verfechter der ›Substanztheorie‹, der dem Kunstwerk immanente Qualität zubilligt, in wesentlich prinzipiellerer Weise als dem Strukturalisten. Joseph Strelka konstatiert: »Die Einsicht in die wechselseitigen Verzahnungen, Strukturen und Abhängigkeiten der einzelnen Einflußformen und ihre vergleichende Gegenüberstellung sowohl untereinander als auch mit dem ›geisterhaften Wesen‹ des Werkes selbst trägt nicht nur zur Erhellung der jeweils einzelnen Arten solcher Einflüsse bei, sondern darüber hinaus auch zu einer weitgehenden Überwindung der einzelnen Relativierungen und einer größeren Annäherungsmöglichkeit an das Wesen des Werkes selbst.«[218]
Dieser Auffassung zufolge steht dem »unveränderlichen eigentlichen und gleichbleibenden ›geisterhaften Wesen‹ des Werkes eine Reihe von wechselnden praktischen Konkretisationen«[219] gegenüber; es ist im Grunde eine verkappte Substanztheorie. Erst in ihrem Gefolge ist es möglich, die Frage nach der »adäquaten Konkretisation« zu stellen.
H. P. H. Teesing ist diesem Problem nachgegangen in seinem Aufsatz *Der Standort des Interpreten.*[220] Die adäquate Interpretation gebe es nur idealiter, nicht realiter: »Sie ist die Norm, an der wir alle interpretatorischen Bemühungen, auch die eigenen, messen.«[221] Es erhebt sich allerdings der Einwand, daß solch eine ›ideale Interpretation‹ ebenfalls ein an absoluten und unhistorischen Prinzipien ausgerichtetes Wunschbild ist, das gerade in seiner zeitenthobenen Idealform dem Kunstwerk als einem zeitbedingten Gebilde nicht gerecht zu werden vermag.
Interpretation geht über die Konkretisation, den Lesevollzug des Rezipienten, hinaus; sie bemüht sich, die dem Werk inhärente ›konstante‹ Struktur aufzudecken. Es taucht der Begriff der ›verfälschenden‹ Konkretisation und Interpretation auf.[222] Möglich ist eine Konfrontation von Konkretisation und Werk nur bei Annahme des Substanzcharakters literarischer Texte. An diese Ingardensche Position schließt A. L. Sötemann seine Überlegungen an. Er geht auch auf das Problem ein, daß der zeitgenössische Leser auf Grund gegenwärtiger Informationen Unbestimmtheitsstellen im Kunstwerk ohne weiteres ausfüllen kann, während der spätere historische Leser diese kontextbedingte Möglichkeit nicht mehr hat; für ihn werden solche Stellen, wo ihm die außerliterarische Information des Zeitgenossen fehlt, zur Leerform. Daraus folgert Sötemann als These, daß eine »werkgetreue Rekonstruktion künstlerischer Werte in zeitgenössischen Werken nahezu unerreichbar« sei.[223] Ausgehend von der Ingardenschen Theorie, derzufolge künstlerische Werte intersubjektiv im schematischen Gebilde des Kunstwerks nachweisbar sind, lehnt Sötemann den Wertrelativismus ab. Zwar sei eine »völlig adäquate Rekonstruktion und eine ›richtige‹ Einschätzung der ästhetischen Wertqualitäten durch einen ganzen Komplex von Ursachen für den Vertreter einer späteren Generation ebensowenig möglich [...] wie für den Zeitgenossen«, doch sei es wohl möglich, mit Hilfe von Strukturuntersuchungen unter Einbeziehung des literarhistorischen, kulturellen und sozialen Kontexts, »der Einsicht in die künstlerischen Werte, die im Werk als solche vorhanden sind, und auch der Einsicht in das gegenseitige Verhältnis, in dem die Werte und die auf Grund ›verantworteter‹ Konkretisationen fundierten Wertqualitäten zueinander stehen, *näher zu kommen*«. Es ist die Frage, ob der Optimismus berechtigt ist,

den Sötemann an den Tag legt, wenn er die rezeptionsästhetische Betrachtung hinsichtlich einer adäquaten Interpretation und Wertung für unentbehrlich hält. Die vollständige adäquate Konkretisation werde zwar niemand *individuell* realisieren können, doch komme man ihr »durch die gemeinschaftliche Anstrengung von Generationen von Forschern stets näher«.

Rezeptionsanalyse dient nicht zuletzt dazu, die Voraussetzungen, die Grundlagen einer Objekt–Subjekt–Auseinandersetzung bewußtzumachen, also bei bereits stattgehabter das Ideologische der Interpretation zu erklären, bei erst erfolgender deren weltanschauliche Positionen (zumindest auf Angemessenheit oder immanente Stringenz) zu befragen. Der von Sötemann als Annäherung an eine »adäquate« Interpretation bezeichnete Konkretisationsversuch müßte differenziert werden in den ideologischen und den relativ wertneutralen Teil eines Urteils,[224] in dessen Subjekt- und Objektseite. Diese Trennung läßt sich nur im rezeptionshistorischen Vergleichsverfahren erreichen.

Ideologiekritik und Interpretation gehen dabei eine enge Verbindung ein. Das auch einer Näherung vorschwebende Ideal der »adäquaten Konkretisation« oder der »richtigen Interpretation« ist dem geschichtlichen Denken und dem rezeptionshistorischen Verfahren nicht angemessen, da es sich ausschließlich an der Objektästhetik des Kunstwerks orientiert. Erst der ›Substanztheorie‹ stellt sich ja das Problem einer objektadäquaten Interpretation. Der extremen Theorie vom Kunstwerk als einer Leerform zufolge müßte die Möglichkeit einer Deutung bereits deren Realität begründen – ›richtig‹ und ›falsch‹ sind hier Kategorien, die nicht mehr zutreffen. Das Kunstwerk als schematisches Gebilde, als Signalstruktur evoziert verschiedene Interpretationen; für sie gibt es zwei Urteilsinstanzen: den Text selbst und das Publikum. Eine Interpretation, bezieht man sie zunächst auf ihr Subjekt, kann zeitgemäß oder unzeitgemäß sein. Angesprochen ist dabei die Subjektseite der Interpretation, die ›ideologische‹ oder die deutende, speziell die wertende Aussage. Die Objektseite ist wesentlich schwerer zu fassen. Der Text kann nicht einfach zu Verifikation oder Falsifikation eines Urteils bzw. einer Rezeption herangezogen werden[225] (wie es bei Ingarden möglich wäre[226]) – er müßte sonst Träger unveränderlicher und einsinniger Bedeutungen (und Werte) sein, die keiner Interpretation bedürften. Der Text müßte als solch eindeutige semantische Realisation in jeder Konkretisation unveränderlich sein, wäre also mit jeder Konkretisation identisch.[227] Da die Bedeutung des Textes sich jedoch in der jeweiligen, vom semiotischen Kontext abhängigen Konkretisation wandelt, sein ›Wesen‹ aber nicht beliebig füllbare ›Leerform‹ ist, sondern Zeichen im Sinne einer Bedeutung evozierenden, codehaften Signalstruktur, kann der Kunst-Text selbst allenfalls mit den relativ wertneutralen Teilen der Konkretisation konfrontiert werden (die sich selbst im Vergleich verschiedener Konkretisationen herauskristallisieren und nicht identisch sind mit den scheinbar rein informatorischen Teilen).

Wertungsaussagen in der Konkretisation fallen also ganz auf die Rezipientenseite und unterliegen dem Anspruch der Zeitgemäßheit. Relativ wertneutrale Aussagen fallen auf die Objektseite und können mit der Struktur des Kunstwerks zur Dekkung gebracht werden. In diesem Spielraum bewegt sich die mögliche ›Adäquatheit‹ einer Konkretisation (wobei selbstverständlich eine exakte und scharfe Trennung zwischen Objekt- und Subjektseite in einer Aussage nicht möglich ist – auch scheinbar ganz sachorientierte Aussagen unterliegen der subjektgebundenen Perspektive des Rezipienten).

Für die Relativisten unter den Rezeptionsforschern wäre die bereits erwähnte Überlegung von Teesing nicht akzeptabel: »Die adäquate Interpretation gibt es *idealiter*, nicht *realiter*. Die ist die Norm, an der wir alle interpretatorischen Bemühungen, auch die eigenen, messen.«[228] Die ideale Interpretation kann keine Norm abgeben, weil sie gar nicht denkbar ist; sie hätte aus dem Absoluten dem Kunstwerk als einem gleichfalls zeitentrückten Gebilde sich zu nähern – eine Vorstellung, deren sämtliche Prämissen unhaltbar sind: weil es kein Kunstwerk und keinen Interpreten außerhalb der Geschichte gibt.

Ein Haupteinwand richtet sich gegen die Identifizierung von Konkretisation und Interpretation.[229] Während die Konkretisation des Kunstwerks durch den Rezipienten zunächst einen naiven Aufnahmeakt darstellt, zeichnet sich die Interpretation durch hermeneutische Reflexion aus. Eine Trennung zwischen Rezeption bzw. Konkretisation und Interpretation ist eine unumgängliche Konsequenz. Norbert Groeben folgt mit seinen Vorschlägen[230] darin Erwin Leibfried[231], der zwei Gruppen unterscheidet: Verstehen I und Verstehen II. Verstehen I meint das Erleben von Dichtung, Verstehen II das Erklären des Erlebten.[232] Groeben spricht sich gegen die Evidenz als genügenden »methodologischen und sachlichen« Beweis aus. Bei Beweisen und Belegen, die auf Evidenz bzw. Nachvollziehbarkeit beruhen, sei »die ›Symbiose von Beweis und Erkenntnis‹ (Szondi[233]) *keine* methodologisch zu fordernde Sicherheit für eine verbindliche, d. h. möglichst *subjektunabhängige Erkenntnis*«.[234] Nachvollziehbar kann so ziemlich alles gemacht werden. Groeben zufolge muß eine konsequente Literaturtheorie die im »Postulat der idealen Objektivität des literarischen Werkes« enthaltene »Hypostasierung bzw. Ontologisierung eines Allgemeinbewußtseins« aufgeben: das literarische Werk habe nur ein nicht direkt greifbares, potentielles Sein. Eine empirische Literaturwissenschaft könne nur »über eine klare Subjekt-Objekt-Trennung« die im Theoriestatus der Begrifflichkeit enthaltene Idealität des interpretierten Kunstwerks »mit dem als Potentialität nur indirekt erreichbaren literarischen Werk« verbinden.[235]

Zwischen den beiden Extremen, Text als unveränderliche Substanz und Text als verschieden konkretisierbare Appellstruktur, lassen sich die möglichen Standpunkte einordnen. Wellek meint, der Begriff der Richtigkeit der Interpretation führe »offensichtlich zum Begriff der Richtigkeit des Urteils«.[236] Dem »totalen Historismus« und dem Relativismus stellt er »ein allgemein Menschliches« gegenüber, das aller Kunst gemeinsam sei und sie dem Rezipienten »zugänglich und genießbar« mache. Als einziger Ausweg kommt für ihn ein »sorgfältig definierter und differenzierter Absolutismus« in Betracht, die Einsicht, daß »das Absolute im Relativen, obschon nicht endgültig und vollkommen, enthalten« sei (nach Troeltsch).

Diese Verbindung von überzeitlichen Gemeinsamkeiten mit historischer Entwicklung wird neuerdings durch den Einbezug strukturalistischer Modelle in die materialistische Geschichtsbetrachtung aufgegriffen.[237]

Rezeptionsforschung bliebe in der Aufbereitung des Materials stecken, wenn sie nicht den Bewußtseinshorizont schaffen könnte, auf dem eine eigene Interpretation aufbauen sollte.[238]

»Die Rezeptionsgeschichte – gleichgültig, wie vollständig sie überblickt wird – bildet

einen wichtigen Teil des Vorverständnisses des (wissenschaftlichen) Interpreten. Sie muß vorgängig analysiert werden, um auf diese Weise einen reflektierten Zugang zum Werk zu gewinnen.«[239]
Konsequenz für die Interpretation ist ihr reflektiertes Verhältnis zum Gegenstand ihrer Analyse.
»Nicht das Werk ›an sich‹ wirkt auf uns, sondern das Werk mit seiner Interpretations- und Rezeptionsgeschichte.« Die Folgerung könne also »nicht der Versuch sein, nun endlich ›objektiv‹« den wahren Sachverhalt zu erkennen, »aber ebensowenig die resignierte Willkür des interpretierenden Subjekts«; es handle sich »vielmehr darum, die Geschichtlichkeit des zu interpretierenden Gegenstands wie des eigenen Standorts zu reflektieren«.[240]

Zum Verhältnis von Rezeptionsästhetik und literarischer *Wertung* bzw. Literaturkritik gibt es bisher nur Hinweise, kaum ausbaufähige Ansätze.[241]
Die Ansicht, ein Werk scheide aus dem Kanon gelesener Literatur aus, weil es sich den gewandelten Normen nicht anzupassen vermochte, ist von der monovalenten Struktur des in Frage kommenden Kunstwerks überzeugt, die bei nur einer Rezipientenschicht Resonanz gefunden habe und ihre Monovalenz im Ausbleiben weiterer Wirkung erweise. Qualität wird hier von der Zahl der stattgehabten Rezeptionen her definiert. Zwar wird mit Hilfe der Perspektive historischer Leser die relativierende Kraft der Geschichte in den Wertungsbereich hereingebracht, und die von Ideologien fixierten absoluten Wertungsschemata werden außer Kraft gesetzt, doch droht auf der anderen Seite mit der völligen Aufgabe der am Kunstwerk festzumachenden Qualität ein Abgleiten in totale Relativität; einzige Richtlinie für Bewertung bliebe eben der Satz: Qualität konstituiere sich durch eine lange Reihe historischer Rezeptionen. Qualität wird so zu einer Resultante quantitativer Vektoren.
In seinem Aufsatz *Lektüre-Kanon und literarische Wertung* setzt Hans-Georg Herrlitz[242] sich auch mit Wilhelm Emrichs Versuch[243] auseinander, seine »absolute Rangordnung von Werten« wissenschaftlich zu erweisen. Wie Lessing oder Schopenhauer glaubt auch Emrich an die historische »Gerechtigkeit«, die über die Dauer von Kunstwerken aus ästhetischen Gründen entscheide. Wahre Kunstwerke erweisen sich Emrich zufolge durch ihr Überleben von Ideologien und »historisch relativierbaren, differierenden oder gegensätzlichen Vorstellungen über das Wesen der Kunst«. Das Gemeinsame dieser sich behauptenden Kunstwerke sieht Emrich in ihrem unausschöpfbaren Interpretationspotential: »Je mannigfacher, reicher, beziehungsvoller das Kontinuum der Reflexion, d. h. die sinnvolle Beziehung aller Teile zueinander strukturiert ist, umso ranghöher ist das Kunstwerk.« Die von Herrlitz vorgebrachten Bedenken haben zweifellos ihre Berechtigung. Auch ein durch langfristige Rezeptionen »gefälltes« Urteil kann ungerecht sein: die Dauer, wie lange ein literarisches Urteil aufrechterhalten worden ist, sagt nichts über den Grund und schon gar nichts über die Berechtigung dieser Tatsache aus. Genausowenig kann die Quantität, also die Addition literarischer Werturteile, Qualität konstituieren.[244] Sich widersprechende, von ideologisch entgegengesetzten Standorten aus gefällte Urteile würden konsequenterweise wie Plus und Minus einander aufheben: wo aber bliebe das Kunstwerk selbst? Die von Emrich beobachteten »Ausleseprozesse« sind, wie Herr-

litz zu Recht betont, nicht einem evolutionistischen Prinzip untergeordnet, eher verschiedenen, einander ablösenden Ideologien. Das in der Geschichte literarischer Überlieferung tatsächlich Beobachtbare »ist keineswegs eine Selbstbehauptung bestimmter literarischer Gebilde ›als Kunstwerke‹ und ein Ausscheiden bestimmter anderer ›als nicht künstlerischer Gebilde‹, sondern eine Folge von Urteilen [...] *über* literarische Gebilde, die dann erst durch diese Urteile die Weihe des Kunstwerks oder den Makel des Nicht-Künstlerischen erhalten. ›Kunstwerk‹ (und ›Kanon‹) sind Funktions- und nicht nur Substanzbegriffe!«[245] Emrich schreibt dem Kunstwerk eine an dessen Substanz gebundene immanente Durchsetzungskraft innerhalb eines objektiv faßbaren »qualitativen Ausleseprozesses«[246] zu; tatsächlich aber betreibt Emrich nichts anderes als Rechtfertigung des Bestehenden, verbleibt also im Banne Schillerscher oder Hegelscher Ideologeme: die Weltgeschichte sei das Weltgericht. Denn auf was anderes zielt das »Ausleseprinzip«, das Max Wehrli als »literarischen Darwinismus« apostrophiert hat?[247]

Emrichs scheinbar rezeptionshistorisches Vorgehen basiert also auf der Hypothese von der Substanz eines Kunstwerks (als seiner immanent qualitativen Bedeutungshaftigkeit), die sich als Wert in seiner Wirkung erst erweise, also auf einem Entwurf, der sich, eigentlicher Rezeptionsanalyse widersprechend, am Objekt statt am Subjekt der Unternehmung orientiert. Was aber »Bestand« hat, zum heutigen Literatur-Kanon gerechnet wird, ist tatsächlich nicht Ergebnis eines Durchsetzungsvorganges, den jedes Kunstwerk aus sich zu leisten hätte, sondern wird von den Subjekten stattgehabter (oder ausgebliebener) Rezeptionen bestimmt. Dabei entscheidet nicht die »immanente Qualität« eines Kunstwerks, sondern das ihm gezeigte Interesse des Subjekts; dieses Interesse ist von der Umwelt des rezipierenden Subjekts bedingt. Daher steht im Vordergrund einer rezeptionshistorischen Analyse nicht das Kunstwerk als unveränderliche Größe, als Substanz, die nur unterschiedliche: richtige und falsche Interpretationen erfährt, sondern der Rezipient und dessen gesellschaftliche und ideologische Voraussetzungen. Sie erst erklären seine Rezeption als historisch spezifisch – ob sie dem Kunstwerk gerecht wird oder nicht. Dem späteren Betrachter bleibt wieder nur die Einsicht in die Relativität des Gedeuteten. Deutung für ein Publikum schließt in ihrer zeitlich fixierten Zielgerichtetheit eine diese Zeit prinzipiell überdauernde Geltung für das Kunstwerk aus. Als Appellstruktur verstanden, bleibt der Text eine individuelle und spezifische Struktur, die den Rezeptionsprozeß durch die in ihr gegebenen Anhaltspunkte: Handlungsverläufe, Personal, Sprache und Stil usw. zwar nicht zu steuern, doch mitzubestimmen vermag. Von daher möchte man, mit aller gebotenen Skepsis, das zu untersuchende Rezeptionsobjekt, den Text, als eine (im Leser) ›Bedeutung evozierende Signalstruktur‹[248] bezeichnen, die ihre Mono-, Ambi- oder Polyvalenz (für eine Epoche) erst zu erweisen hat. Freilich ist mit dieser Definition nur die unbrauchbare Alternative Substanz oder Leerform umgangen. Über die Konstituierung der Qualität von Kunstwerken ist damit noch gar nichts gesagt. Diese Frage läßt sich nicht mit der Wirkungsfrage vermischt behandeln, wohl aber im Zusammenhang mit ihr.

Der Literaturwissenschaft, die allzulange am ontologischen Modell des Kunstwerks als eines Wertträgers festgehalten hat, bleibt Zdenko Škreb zufolge »in der Frage der Wertung nur die Wahl offen zwischen Wertapriorismus und Wertempirismus; der erste führt in vergangenheitsbeladene und zukunftsfeindliche Metaphysik; der andere – in den Strukturalismus«.[249] Jauß' Ansatz folgend stellt Škreb fest, literarischer Wert bewahre »demnach seinen Platz in der Forschung als *eine zu dem in seiner sprachlichen Gestalt unwandelbaren Literaturwerk hinzutretende historische, historischem Wandel unterworfene Größe*«.[250]

Als ästhetische Grundbegriffe lassen sich also für den Rezipienten die Multivalenz, das Sinnpotential (des ästhetischen Objekts) und die ästhetische Distanz festhalten.

Als ästhetische Distanz bezeichnet Jauß »den Abstand zwischen dem vorgegebenen Erwartungshorizont und der Erscheinung eines neuen Werkes« (These 3); sie bestimme rezeptionsästhetisch »den Kunstcharakter eines literarischen Werks«.[251] Sieht man von den empirischen Schwierigkeiten ab, diese Distanz einigermaßen objektiv festzustellen, so kompliziert sich das zunächst einleuchtende Schema, wenn man vier Möglichkeiten der Konstellation von Werk und Erwartungshorizont ansetzt. Es gibt ja nicht nur einen beim jeweils erreichten Stand verharrenden Erwartungshorizont, sondern auch einen Publikumshorizont, der gerade Neuerungen erwartet, also von einem Werk, das keine Neuerungen anbietet, nicht erfüllt, vielmehr enttäuscht wird.

1. Erwartungshorizont neutral – Innovation – durchbrochener: positiv enttäuschter Erwartungshorizont
2. Erwartungshorizont neutral – Stillstand – Erwartungshorizont erfüllt
3. Erwartungshorizont positiv – Innovation – Erwartungshorizont erfüllt
4. Erwartungshorizont positiv – Stillstand – Erwartungshorizont negativ enttäuscht.

Im ersten Fall orientiert sich der Erwartungshorizont des Publikums am ästhetischen Stand vorhandener literarischer Werke. Ein Werk, das Neuerungen enthält, durchbricht diesen Erwartungshorizont, enttäuscht ihn also positiv. Im zweiten Fall bringt das Werk keine Neuerungen – der Erwartungshorizont wird also erfüllt. Diese beiden Möglichkeiten setzt Jauß an. Nun muß allerdings noch mit weiteren Möglichkeiten gerechnet werden. Das erste Werk eines Autors hat den Erwartungshorizont positiv ›enttäuscht‹; das Publikum erwartet von diesem Autor weiterhin Werke, die Neuerungen enthalten. Liefert er solche, so wird der Erwartungshorizont erfüllt, verfaßt er jedoch nur Werke, die auf der Linie des ersten verharren, so wird der Erwartungshorizont negativ enttäuscht; fällt er gar auf den ästhetischen Stand der Literatur vor Erscheinen seines ersten Werkes zurück, so liegt eine negative Enttäuschung zweiten Grades vor.

Dieses Denkspiel ließe sich noch ins Negative erweitern. Der Erwartungshorizont eines Publikums stellt sich bei einem Autor, der von Mal zu Mal ›schlechtere‹ Werke verfaßt, auf diesen Niedergang ein. Es erwartet also ein noch schlechteres Werk. Hält er sich auf dem gleichen Stand, so ist auch hier der Erwartungshorizont nicht erfüllt; verbessert er sich, so liegt eine positive Enttäuschung zweiten Grades vor. Freilich sind das Denkspiele, die sich in historischer Rezeptionsforschung niemals empirisch nachweisen lassen. Sie zeigen aber immerhin, daß die Sachverhalte wesentlich komplizierter sind als in Jauß' Darstellung.

Erst wenn ein Werk sich, losgelöst von den Bedingungen seiner Entstehungszeit, immer wieder semantisch füllen, als Konkretisation realisieren läßt, erweist es seinen Kunstcharakter: die verschiedenen Rezeptionen sind »die sukzessive Entfaltung eines im Werk angelegten, in seinen historischen Rezeptionsstufen aktualisierten Sinnpotentials«.[252]

Konkretisiert erweist das Kunstwerk so entweder in der Abfolge verschiedener historischer oder im Vergleich verschiedener gleichzeitiger Rezeptionen seine Multivalenz. Diese Multivalenz, die Renate Ullmann als spezifisches Kriterium der Poetizität eines Textes bezeichnet,[253] wird definiert als »Vorhandensein einer Vielzahl variierender, kontrastierender, einander teilweise ausschließender Bedeutungsstränge, die gleichberechtigt nebeneinander stehen«.[254]
Eine Rezeptionsästhetik setzt voraus die empirische Erforschung des Rezipienten, seines Literaturverständnisses und seiner Bewertung.[255] Joseph Strelka billigt zwar die Ansätze der Konstanzer Schule (Jauß): daß Qualität und Rang eines literarischen Werks sich aus den ›Kriterien von Rezeption, Wirkung und Nachruhm‹ ergeben, hält aber die »Begrenzung auf die Bewertenden«, in deren Spiegel das Bewertete ausschließlich gesehen werde, für fragwürdig; als Irrwege versteht er das »Extrem eines soziologisch bedingten, axiologischen Absolutismus« totalitärer Staaten und das andere »Extrem eines völligen Relativismus«.[256] Strelka selbst folgt dem Ingardenschen Modell, insofern ist für ihn die Gefahr eines »Abgleitens« in völligen Relativismus nicht gegeben.[257] Jedenfalls ist die von Darwin herzuleitende Auffassung einer ›Art natürlicher Selektion‹, einer ›natürlichen Auslese‹ der höheren Qualität unhaltbar.[258] Totaler Relativismus als anderes Extrem stellt ebenfalls keine Lösung dar; dies läßt sich belegen durch die von zahlreichen Forschern aufgeführte Tatsache, daß die »allergrößten literarischen Werke [...] am wenigsten großen Schwankungen der Wertung« unterliegen.[259]
Der Ort ästhetischer Werte, der Beurteilung überhaupt, ist in der Beziehung zwischen literarischem Objekt und wertendem Subjekt zu suchen; das gilt auch für die Beurteilung der Vergangenheit. »Die Werte sind potentiell in den literarischen Strukturen enthalten; sie werden jedoch nur dann erfaßt und angemessen bewertet, wenn sie von Lesern betrachtet werden, die den geforderten Bedingungen genügen.«[260] Diese Welleksche Feststellung betont die Objektseite: Multivalenz ist hier ein Problem des ›Herausholens‹ von Bedeutung; verlagert man den Akzent auf die Rezipientenseite, so stellt sich Multivalenz als Ergebnis eines ›Hineinlesens‹ von Bedeutung dar. Dem Verständnis des Kunstwerks als eines Strukturgefüges entspricht am ehesten der Schmidtsche Begriff der Polyfunktionalität; für den Rezipienten wird sie zur Polyvalenz.[261]
Es kann also nicht Aufgabe der Literaturwissenschaft sein, die ›gültige‹ oder adäquate Interpretation eines Textes zu liefern, verschieden deutbare Texte eindeutig zu machen. Im Bestreben, die vom Text her mögliche Bedeutungsfülle aufzuzeigen, kann sie dennoch nicht alle denkbaren Interpretationen vollständig ausführen, sondern nur versuchen, den bis zur jeweiligen Gegenwart offenbaren »Umkreis der inhärenten Vieldeutigkeit«[262] abzustecken. Nach Horst Steinmetz besteht nun die Aufgabe der Literaturwissenschaft darin, »das Nebeneinander der verschiedenen Interpretationsmöglichkeiten und damit der verschiedenen Sinnkonstitutionen des Textes zu beschreiben und sich dabei bewußt zu sein, daß sie durch die schöpferischen Akte der Leser entstehen«.[263]
Multivalenz eines Textes kann in synchroner wie in diachroner Richtung erwiesen werden; für beide hält die Rezeptionsforschung zumindest das Material bereit.
Die Anregungen der Rezeptionsästhetik, der strukturalistischen Textauffassung und der Trivialliteraturforschung greift Günter Waldmann auf in seiner Untersuchung

Theorie und Didaktik der Trivialliteratur[264], die sich endgültig von einer scheinbar objektiven Werthierarchie loslöst. Bei Trivialliteratur sind Schlüsse von Textstruktur und Leserrolle auf die tatsächliche Rezeption und die reale Leserschaft eher möglich als bei »hoher«, d. h. ästhetisch hochgewerteter Literatur, weil bei der Leserschaft von Trivialliteratur weitgehend das distanzierende Moment der Kritik zugunsten eines Identifikationsbedürfnisses fortfällt. Nach einer Erörterung der verschiedenen Voraussetzungen charakterisiert Waldmann den eigenen Ansatz: »Wenn zutrifft, worauf die Rezeptionsästhetik neuerdings wieder hingewiesen hat, daß Literatur als Kommunikationsmittel aktuell nur so existiert, wie sie vom jeweiligen Leser oder der jeweiligen Lesergruppe rezipiert ist, und wenn zutrifft, daß diese Rezeption immer schon wertbesetzt ist, dann gibt es Literatur konkret nur als gewertete, und es bedeutete eine unverantwortliche Amputation der Literaturwissenschaft, diesen für Literatur konstitutiven Bestandteil ›literarische Wertung‹ aus dem konkreten Umgang mit ihr zu eliminieren. Da Wertung außerdem stets gesellschaftlich bedingt ist und praktisch immer auch gesellschaftliche Interessen vermittelt hat und vermittelt, betreibt ein Umgang mit Literatur, der literarische Wertung nicht thematisch macht, faktisch Verhüllung gesellschaftlicher Interessen.«[265] In sieben ausführlich diskutierten Thesen[266] entwickelt Waldmann das Programm einer Trivialliteraturdidaktik auf rezeptionsästhetischer Basis; sein Ansatz zur Wertung von Texten kann auch für andere Literaturbereiche fruchtbar gemacht werden. Literaturwissenschaftliche Wertung müsse zuerst »die mit rezipierter Literatur immer schon gegebenen literarischen Eigen- und Fremdwertungen des Lesers« analysieren und bewußtmachen (These 2), also nicht bewerten, sondern Wertungen analysieren. Die Wertung des Rezipienten orientiere sich in erster Linie an der »Angemessenheit der Kodierungsform für die übermittelte literarische Nachricht« sowie an der »Relevanz der übermittelten literarischen Nachricht für den Leser« (These 4). Das »formal literarische Werten des rezipierenden Lesers« sei material abhängig von seiner »individuellen und gesellschaftlichen Situation«; seine *Bedürfnislage* bestimme über die Relevanz dieser übermittelten literarischen Nachricht, seine *literarische Interessenrichtung* bestimme über die »Kodierungsangemessenheit der literarischen Nachricht« (These 5). Da literarisches Werten einer Kodierungsform »innerhalb einer synchronischen Wertungshierarchie literarischer Texte« geschehe, müsse »die Analyse literarischer Wertung eines Textes immer auch auf das synchronische System seiner Gattung« gerichtet sein. Literarische Wertung könne die am literarischen Werten thematisierten gesellschaftlichen und geschichtlichen Determinationen des Lesers bewußtmachen (These 6). Literaturdidaktik müsse jedoch nicht nur Wertsetzungen literarischer Texte analysieren, vielmehr sei sie, »sofern es ihr insgesamt um Emanzipation und kommunikative Kompetenz des Schülers geht und weil sie deshalb kritische Wertungskompetenz gegenüber literarischen Texten vermitteln will, als Didaktik textueller Kommunikation selbst literarische Wertungsdidaktik« (These 7).[267] Anstelle eines absoluten Normsystems bietet dieses Modell einen funktionalen Zugang zur Wertung: Wertung eines bestimmten Textes sei statt auf eine ideologische Tradition »auf seine Bedeutung und Leistung für die konkrete Situation des konkreten Lesers oder der konkreten Lesergruppe zu beziehen«;[268] Werte gäbe es »nur relativ auf das sie setzende Subjekt«[269] bei der Rezeption im Vollzuge der Wertung.
»Werte gibt es mithin nur innerhalb einer Relation und als Relation von vorgezoge-

nen und nachgesetzten Qualitäten: ›*Wert*‹ ist nichts anderes als die Relation einer Vorzugsqualität im Verhältnis zu einer Nachsetzungsqualität innerhalb eines strukturierten Systems von höchsten und höheren, niedrigeren und niedrigsten Vorzugs- und Nachsetzungsqualitäten, wie es das wertende Subjekt, gebunden an oder relativ auf seinen jeweiligen Wertungsstandpunkt im Vollzuge der Wertung konstituiert. ›Wert‹ ist eine relative, nämlich an das wertende Subjekt und die Bedingungen seines Wertungsstandpunktes gebundende Qualität, und ›Wert‹ ist – worum es uns jetzt vor allem geht – eine *relationale Qualität:* ›Wert‹ gibt es sozusagen nicht solo, sondern nur als Teil eines vom wertenden Subjekt entworfenen Beziehungsgefüges von Werten, durch deren Vor- und Nachgesetztsein der einzelne Wert erst zu etwas Gewertetem, zum ›Wert‹ wird. Das bedeutet: Mit einem Wert oder durch eine Wertung ist stets ein Beziehungsgefüge vieler stark und weniger stark vor- und nachgesetzter Vorzugs- und Nachsetzungswerte gegeben. An einem Wert oder durch eine Wertung erscheint immer ein synchronisches, hierarchisch strukturiertes System von Werten.«[270]

Dieses synchronische, hierarchische System literarischer Vorzugs- und Nachsetzungswerte sei bestimmt sowohl durch die gegenwärtigen gesellschaftlichen Verhältnisse als auch durch »die geschichtliche Situation des Wertenden«.[271]

Den spezifisch historischen Aspekt der Wertung greift Waldmann auf, wenn er der Tatsache konstant gebliebener Hochschätzung bestimmter Literatur nachgeht[272] und die Frage stellt, ob dieser Sachverhalt »nicht durch etwas in solchen Werken selbst Liegendes begründet sein« müsse, durch »etwas Zeitüberdauerndes, Zeitloses in ihrem Gehalt oder ihrer Gestalt oder in beiden«,[273] also in textinternen zeitlosen Werten. Zu Recht stellt er die Diskontinuität in der Bewertung auch der »großen Namen« wie Homer, Shakespeare und Hölderlin fest. Die Reihe ließe sich um bezeichnende Beispiele erweitern: Vergil, Dante, Corneille, Milton; evident wird die Diskontinuität bei der historischen Betrachtung des Streits um die Ranghöhe zeitgenössischer Autoren wie Ariost – Tasso, Cervantes – Calderón, Corneille – Racine, Goethe – Schiller.[274] Bei Vergleichspaaren wechselt die Rangeinstufung oft von Jahrhundert zu Jahrhundert. So folgert Waldmann: »Natürlich gibt es viele langandauernde literarische Wertschätzungen; sie haben aber nichts zu tun mit in den literarischen Werken manifesten zeitlosen Werten, sondern mit den Traditionsräumen, in denen diejenigen stehen, die solche Wertungen jeweils vollziehen, und den geschichtlichen Bedingungen, denen sie so unterliegen.« Wenn also »literarische Werke individuelle und gesellschaftliche Wirklichkeiten, die eine Kultur bestimmen [...], eindringlich gestalten, so vermögen sie so lange wirksam zu sein und hochgewertet zu werden, wie die Tradition dieser Kultur wirksam bleibt«.[275] Die Tatsache, »der Einzelne, wenn er bei der Feststellung seines Urteils auf die ihm zugeordnete kulturelle Wertgemeinschaft reflektiert«, werte als »Organ der Wertsetzung dieser Kultur«,[276] erweist, daß bei konsequenter rezeptionsästhetischer Perspektive Wertung wie auch Textkonkretisation von dem jeweiligen Traditionsraum abhängig sind, in dem sie vorgenommen werden.[277] Die Konvergenz von Traditionen verschiedener Kulturräume und die Wiederaufnahme abgesunkener Traditionen desselben Kulturraums sind zumindest eine Voraussetzung für ein annäherungsweise übereinstimmendes Werturteil.

Gegenüber den einseitigen Positionen, die dem Kunstwerk Werte ›an sich‹ zusprechen und die Werte allein auf der Seite des Objekts suchen, ist gewiß die Gegenposition berechtigt, die den Subjektivismus bei aller Bewertung feststellt und die Wertung nicht als objektiv gegebene Skala ›ewiger Werte‹ auslegt, sondern als relatives und relationales Interessengefüge zwischen Objekt und sozial und individuell determiniertem Subjekt, Werte also nicht als textimmanente Konstanten auffaßt, sie vielmehr als Wertungen beim Rezipienten analysiert.

Doch gerät diese Richtung in ein Extrem, wenn sie dabei leugnet, daß dem Kunstwerk Werte inhärent sind, also nicht nur vom Rezipienten beigelegt werden. Diese im Kunstwerk enthaltenen Werte sind nicht zeitlos (immer gültig), sondern von den Entstehungsbedingungen des Werkes (sozial, historisch, psychisch usw.) abhängig; es handelt sich um die expliziten (vom Autor im Werk dargelegten) und die impliziten Werte, also die Wertgrundsätze, nach denen der Autor den Text geschaffen hat – sie sind als Ausdruck der Bewertung des Autors auf die Entstehungszeit des Kunstwerks zu beziehen und stellen einen wesentlichen Faktor im Textgefüge dar, der die jeweilige Rezeption beeinflußt.[278] Zwar kann ein Werk auch ohne Rücksicht auf die Wertintention seines Autors rezipiert werden, einmal weil »das fertige ästhetische Produkt generell mehr und auch anderes enthält, als der Autor bewußt hineingelegt haben kann«,[279] zum andern, weil die Veränderung des semiotischen Kontexts zwischen Entstehungs- und Rezeptionszeit andere Textkonkretisationen ermöglicht. Doch muß zur Erstellung einer Rezeptionsästhetik in jedem Fall der semiotische Kontext der Produktionsphase rekonstruiert werden, um mit Hilfe eines Vergleichs ursprünglicher (autorieller textexterner und davon textintern wirksam gewordener) und gegenwärtiger Wertigkeiten Prinzipien der Wertung und der Wertungskritik finden zu können.

Der Code R des Rezipienten divergiert, je größer der zeitliche Abstand zum Produktionsprozeß wird, um so stärker von dem im Text ursprünglich enthaltenen Code A des Autors. Trotz der Möglichkeit einer Rezeptionsreihe $R_{1\text{-}n}$ sowohl in synchroner ($R_{syn\ 1\text{-}n}$) als auch in diachroner ($R_{dia\ 1\text{-}n}$) und schließlich in beider ($R_{dia\text{-}syn\ 1\text{-}n}$) Hinsicht ist der Code A der Struktur implizit, ohne vom Rezipienten explizit gemacht werden zu müssen (wie es in einer die Autorintention rekonstruierenden Interpretation der Fall ist). Das bedeutet, daß auch ohne Rekonstruktion der Autorintention die vom Code A bestimmte Struktur trotz der Veränderung des Codes für die jeweilige Rezeption Anweisungen gibt, also in jeder Rezeption mehr oder weniger reflektiert der Code A wirksam ist.

Wenn die Rezeptionsästhetik Wertungen nur am Rezipienten festmacht und das Kunstwerk als mehr oder weniger verschieden wertbesetzbare offene Struktur definiert, rückt sie das Werk in die gefährliche Nähe des autonomen (und dazuhin noch wertfreien) Gebildes. Sie negiert dann seine Verhaftetheit an die Bedingungen seiner Produktion und deren Wertigkeiten zugunsten einer Beliebigkeit der Auslegung. Der ideologische Charakter der Produktionsphase ist auch in der Text*struktur* (nicht nur in den expliziten Wertaussagen) faßbar, und er kann, wenn *kritisches* Rezipieren angestrebt ist, nicht übersprungen oder sogar negiert werden.

Das Bewußtmachen der dem Kunstwerk internen, aus seiner Produktion herstammenden Werte soll keineswegs die Existenz objektiver Wertnormen vortäuschen. Vielmehr dient gerade der Aufweis *historischer* Werte zum kritischen Überprüfen ihrer Tradition und eigener (vielleicht unbewußt übernommener und gegenwärtig

nicht mehr haltbarer) Wertvorstellungen. Diese rezeptionshistorische Analyse seiner (Wertungs-)Tradition mündet dann in die Frage, welchen Stellenwert das betreffende Kunstwerk in der Gegenwart hat.
Die Konstituierung einer Rezeptions*ästhetik* ist darum von Wichtigkeit, weil die Ästhetik der Literaturtheorie, diese der Literaturwissenschaft voraufgeht.[280]
Inwieweit Ergebnisse der Literaturkritik für den Aufbau einer Rezeptionsästhetik und wie rezeptionsästhetische Gesichtspunkte für Literaturkritik fruchtbar gemacht werden können, versucht Manfred Durzaks Aufsatz *Rezeptionsästhetik als Literaturkritik* zu zeigen.[281] Die Ergebnisse, die er nach einer Untersuchung der verschiedenen Bewertung von Günter Grass' Roman *örtlich betäubt* in der Bundesrepublik Deutschland und in den USA bereitstellt, belegen die bereits früher erwähnte Schwierigkeit, rein ästhetische Urteile zu fällen bzw. das ästhetische Moment aus Urteilen herauszulösen. Politische oder gesellschaftliche Bedingungen fließen in das Urteil oder bestimmen das Bewußtsein, aus dem heraus eine Wertung vorgenommen wird. So fordert Durzak, der Leser solle den Standort des Kritikers (bei Lektüre einer Rezension) reflektieren; der Kritiker selbst solle bei seiner »kritischen Urteilsfindung« die angewandten Kriterien und die spezifischen historischen, gesellschaftlichen, politischen, religiösen und nationalen Voraussetzungen des Urteils mit einkalkulieren; er solle die eigene Perspektive (der Wertung) hinterfragen. Auch über die Valenz kritischer Urteile könne erst nach diesen Ermittlungen entschieden werden. Das Ziel einer solchen rezeptionsästhetischen Literaturkritik sei nicht das Fällen eines normativen Urteils, sondern die Aufschlüsselung des »spezifischen Hier und Jetzt seiner Wirkung«. Literaturkritik solle konkret so beschaffen sein, daß der Kritiker »sein Urteil anstatt als Resultat im Vorgang des Entstehens mitteilt, daß er ferner den von ihm eingesetzten Begriffsapparat deutlich macht« und »sich selbst mit der historischen Gebundenheit seiner Person im Vorgang des Urteilens vermittelt«.[282]
Freilich wird in diesem Modell nicht deutlich, ob das kritische Moment noch in anderem als der reflektorischen Distanz zum eigenen Standpunkt besteht. Kritik tendiert hier zu stark zum Erklären und vorsichtigen Charakterisieren des Kunstwerks, als daß sich das spezifisch kritische Moment, das sich aus einem vom Objekt der Betrachtung abgesetzten Standpunkt ergibt, in der Rezension dem Leser mitteilen könnte. Auch wäre zu fragen, ob dieses Modell von Literaturkritik zu Recht als ›rezeptionsästhetisch‹ apostrophiert wird, oder ob es sich im Grunde nicht um ein Modell nicht der Autor-Produktionsästhetik, sondern der ›Kritiker-Produktionsästhetik‹ handelt. Der reale Leser bleibt in den Empfehlungen zur praktischen Literaturkritik ausgespart.[283]

Die Anwendung rezeptionsästhetischer Prinzipien für die *Editionstechnik* hätte die Konsequenz, daß nicht mehr prinzipiell die Editio princeps als die Textfassung, die der Autorintention zur Zeit der Entstehung des Werkes am ehesten entspricht, oder die Ausgabe letzter Hand als die Textfassung, die den letztgültigen Willen des Autors repräsentiert, abgedruckt wird, sondern die Version, von der die größte (zeitgenössische) Wirkung ausgegangen ist. In vielen Fällen, aber durchaus nicht in allen, ist dies die Editio princeps. Jedenfalls müßte abgerückt werden von dem Grundsatz, die Intention des Autors sei die einzige Instanz, die über den Abdruck verschiedener Textfassungen entscheide. Man könnte diesen Grundsatz auch mit

einigen Überlegungen zur Kommunikationsfunktion der Literatur untermauern. Voraussetzung bildet die Anerkennung der Tatsache, daß ein publiziertes Werk aus einer Privatsache zu einer ›öffentlichen‹ Angelegenheit geworden ist.
Das Kunstwerk, durchaus nicht mehr zeitlebens oder für immer Eigentum des Herstellers und seinen Intentionen noch verpflichtet, auch wo es längst selbständig in Erscheinung getreten ist, gehört vom Augenblick seiner Publikation an nicht mehr dem Autor allein, sondern im selben Maß, ja mehr noch dem, an den es sich wendet: dem Leser. Das Publikum ergreift das Kunstwerk wie eine für es produzierte Ware und hat ein Recht zumindest auf Erhaltung der Gestalt, in der es das Kunstwerk erstmalig erhielt. Akzeptiert das Publikum also eine vom Autor – etwa für eine Theaterinszenierung oder eine neue Buchauflage – vorgenommene Änderung nicht, so besteht sein Anspruch auf Beibehaltung der bekannten Fassung zu Recht. Denn der Moment der Veröffentlichung macht aus dem Privatbesitz des Autors einen öffentlichen – und vom Autor schließlich auch für die Öffentlichkeit bestimmten Besitz.[284] Einsprüche von Autoren gegen Benutzung älterer, von ihnen inzwischen verworfener Fassungen durch Theater, Rundfunk, Fernsehen und andere Medien sind daher nur bedingt legitim. Solche Einsprüche basieren auf der fragwürdigen Ansicht, ein einmal in die Wege geleiteter öffentlicher Dialog lasse sich durch einseitigen Willensakt wieder in einen privaten zurückverwandeln. Am ›gemachten‹ Kunstwerk hat das Publikum als die Öffentlichkeit, für die es bestimmt ist, denselben Anteil und, vom Zeitpunkt des begonnenen Dialogs an, dasselbe Recht. Immer evidenter wird, daß die Zeitspanne vom Sturm und Drang bis zu den Ausläufern im zwanzigsten Jahrhundert mit ihrer einseitigen (organologischen) Produzentenästhetik ein Einsprengsel in die ihr voraufgehende und sie ablösende Tradition vom ›gemachten‹ Kunstwerk war.
Auf die im Zusammenhang mit genetischen Editionen auftauchenden Interpretationsprobleme, wie Lesarten zu deuten seien, geht Steinmetz ein.[285] Lesarten stehen durchaus nicht immer für eine geänderte Konzeption, sie verdeutlichen oft eine im Entwurf unklar gebliebene Intention.

Historische Rezeptionsforschung (Wirkungsgeschichte)

Wirkungsgeschichtliche Darstellungen sind in der germanistischen Literaturwissenschaft immer noch Desiderat. Eberhard Lämmert erklärt diesen Tatbestand mit der in ihr lange Zeit üblichen »Auffassung von einer der Tagespolitik enthobenen Existenzform des ›deutschen Geistes‹«. Sie habe »nicht nur dahin geführt, daß die deutsche Germanistik sich für die Auswirkung und Umwertung bedeutender deutscher Dichtungen im Bereich politischen Denkens und Handelns, überhaupt für deren Wirkungsgeschichte, nicht sonderlich« interessiert habe; »ein breites, in anderen Philologien stärker gepflegtes Arbeitsfeld« sei so »weitgehend unbestellt« geblieben.
An wirkungsgeschichtlicher Forschung, »die über den Rang der Literatur unter den kulturellen Objektivationen der deutschen Geschichte erst verläßliche Auskunft geben könnte«, mangle es durchaus.[286]
Die von Jauß aufgeworfene Sonderproblematik der mit rezeptionshistorischen Me-

thoden zu schreibenden Literaturgeschichte muß nicht nochmals behandelt werden. Unproblematischer sind die weniger komplexen wirkungsgeschichtlichen Darstellungen einzelner Werke oder Autoren, obgleich sie selten dem methodologischen Reflexionsstand entsprechen. Einen auf die neuere Rezeptionsforschung vorausweisenden Vorschlag hat 1931 Walter Benjamin gemacht, um den literaturwissenschaftlichen Lehrbetrieb zu erneuern und der Literaturgeschichte eine gegenwartsbezogene Funktion zu geben. Der gesamte »Lebens- und Wirkungskreis« der Werke habe »gleichberechtigt, ja vorwiegend neben ihre Entstehungsgeschichte zu treten; also ihr Schicksal, ihre Aufnahme durch die Zeitgenossen, ihre Übersetzungen, ihr Ruhm. Damit gestaltet sich das Werk im Inneren zu einem Mikrokosmos oder viel mehr: zu einem Mikroaeon. Denn es handelt sich ja nicht darum, die Werke des Schrifttums im Zusammenhang ihrer Zeit darzustellen, sondern in der Zeit, da sie entstanden, die Zeit, die sie erkennt – das ist die unsere – zur Darstellung zu bringen.«[287]
Allerdings unterscheiden sich ältere wirkungsgeschichtliche Darstellungen von den neueren dadurch, daß sie vom Blickwinkel des Objekts ausgehen, dessen Wirkung im Lauf der Geschichte verfolgt werden soll. Rezeptions- oder Wirkungsgeschichte gliedert sich in die zwei Bereiche der Beeinflussungs- und der Urteilsgeschichte. Die erste Richtung, unterteilt in Einwirkungs- und Abhängigkeitsforschung, zeigt das Einwirken von Einflüssen am literarischen Werk und seinem Verfasser bzw. dessen Nachfolgern und ihren Werken auf.[288] Mit rezeptionsästhetischen Fragestellungen hat diese ältere, terminologisch hier Wirkungsgeschichte genannte Forschungsrichtung insofern nichts zu tun, als ihre Prämisse eben die Annahme eines semantisch konstanten Objekts ist, das sich angeblich im ›Wandel der Zeiten‹ durchsetzt. Rezeptionsforschung dagegen nimmt die Perspektive des Rezipienten zum Ausgangspunkt;[289] wirkungsgeschichtliche Probleme wie »Verkanntsein«, »Mißdeutung« oder »Überschätzung« können bei dieser Perspektive nicht dominieren, da die Konkretisation des einzelnen Rezipienten durch dessen Bedingtheiten ihre Legitimation oder Nichtlegitimation erhalten. Ingardens Position wäre zwischen diesen beiden Extremen angesiedelt mit leichter Verschiebung zum Substanzmodell. Lebhaften Aufschwung hat die ältere (biographische) Wirkungsforschung erhalten durch das 1927 erstmals erschienene Werk *Genie, Irrsinn und Ruhm* von Wilhelm Lange-Eichbaum.[290] Zahlreiche Pathographien des Ruhms und Aufzeichnungen von Ruhmkurven wurden im Gefolge dieses Buches verfaßt. Der Ruhm galt ja seit der Antike als erstrebenswertes Gut; unter die Rubrik »Ruhm und Nachleben« sind diese Wirkungsgeschichten einzelner Männer einzuordnen. Bei Lange-Eichbaum finden sich bereits Bemerkungen über die Abhängigkeit des ›Ruhms‹ von den Rezipienten und den Vermittlern. Ruhm als die Legende von der Bedeutung eines Mannes ist durchaus unabhängig von der Kenntnis seiner Werke oder seines Wirkens.
Bereits Walter Muschg hat im Kapitel »Der Ruhm« seiner *Tragischen Literaturgeschichte* auf die verschiedenen Weisen seines Zustandekommens und seiner Einschätzung durch die Schriftsteller selbst hingewiesen.[291] Muschg erwähnt auch den modernen Aspekt, daß ein »großer Name« durchaus nicht »auf der weltverändernden Kraft eines Gedankens oder einem erschütternden Schicksal« beruhen muß, er kommt in vielen Fällen »nach den Gesetzen der Massenpsychologie« zustande.[292] Literarischer Erfolg kann innerhalb einer Epoche berechenbar sein, doch die Dauer

einer Wirkung hängt von den Bedingtheiten einer veränderten, nicht vorausberechenbaren Rezipientenschaft ab. Doch sind Spekulationen über das ›Bleibende‹ ideologisch. Sie schreiben die langdauernde Wirkung eines Werkes dessen immanenten Wertqualitäten zu, ohne zu erkennen, daß sie selbst diese Wertvorstellungen in das Werk hineinprojizieren. So sehen sie auch nicht, daß ein Werk seine Wirkung hauptsächlich der Geschmackslage des jeweiligen Publikums verdankt und (oder) einer langen Tradition, die einer Gegenwart das Werk als wertvoll empfiehlt. ›Tradition‹ bildet sich freilich ebenfalls nicht durch eine vom Werk ausgehende Aktivität, sondern stellt die Summe rezeptioneller Urteile über ein Werk dar. Das Verhältnis zwischen beurteiltem historischen Objekt und urteilendem gegenwärtigen Publikum ist dialektisch, da die Geschmackslage dieses Publikums teilweise durch die historischen Werke selbst mit geprägt worden ist in direkter oder indirekter Weise (etwa durch Bildungsumwelt, Erziehung, kulturell bestimmende Einflüsse).

Horst Steinmetz charakterisiert zwei Arten rezeptionshistorischer Betrachtung, die produktive und die urteilende Rezeption.

»Man kann Wirkung und Nachwirkung eines Autors oder einer Epoche am Werk der späteren nachweisen, man kann etwa zeigen, daß und in welchem Maße die Aufklärung in der Romantik nachgewirkt hat, man kann herausarbeiten, daß und in welchem Maße Schillers Werk dasjenige Grillparzers in der Struktur einzelner Dichtungen, in der poetischen Sprache, in der Motivik usw. beeinflußt hat. In diesem Falle handelt es sich um das Freilegen von Wirkungen, die nicht auf den ersten Blick zu erkennen, die gewissermaßen immanenten Charakters sind. Diese Form wirkungsgeschichtlicher Forschung wird sich in der Regel nur auf kleinere Objekte mit Erfolg anwenden lassen. Überdies steht sie der traditionellen Abhängigkeitsforschung sehr nahe. Ein anderes [...] Verfahren geht von den Äußerungen über einen Autor oder eine Epoche aus. Es erfaßt die direkten Beziehungen zu demjenigen, was gewirkt hat oder gewirkt haben könnte. Bewußte Auseinandersetzung ist hier die entscheidende Voraussetzung. Wirkungsgeschichte wird in diesem Falle zur Darstellung einer Urteilsgeschichte. Nicht der oder das Beurteilte steht dabei im Mittelpunkt, sondern der oder die Beurteilenden.«[293]

Das rezeptionsästhetische Verfahren nach dem Jaußschen Modell läßt sich an einzelnen Werken, Autoren oder Problemen besser anwenden als im Rahmen einer Gesamtdarstellung einer Epoche oder gar einer *Literaturgeschichte*.[294] Doch können rezeptionsgeschichtliche Sachverhalte durchaus neue Aspekte für eine Epocheneinteilung literarischer Zeiträume liefern: nicht die Publikationsdaten innovatorischer, das Übliche durchbrechender ›Spitzenprodukte‹ hätten die Epochengrenzen und -gipfel zu markieren, sondern die historische (synchrone) Literaturwirklichkeit, also die Bestseller, die tatsächlich gelesenen Werke, und nicht die erst aus späterer Sicht herausragenden, zu ihrer Entstehungszeit vielleicht sogar übersehenen Werke.[295]

Jauß selbst hat das rezeptionsästhetische Verfahren nach einigen früheren Ansätzen in seiner Untersuchung über *Racines und Goethes Iphigenie* exemplarisch vorgeführt.[296] Rezeptionshistorische Darstellungen mit den neuen Fragehorizonten sind noch kaum vorhanden;[297] doch gibt es eine große Zahl fruchtbarer Ansätze, die teils ideologische, teils ideologiekritische Tendenz haben.[298]

Im Gefolge der Forderungen nach Darstellungen nehmen Dokumentensammlungen einen berechtigten Anteil an der Rezeptionsforschung als Basisaufbereitung ein.[299]

Freilich wäre die Sammlung historischer Rezeptionsdokumente nur ein Ausweichen vor eigener Stellungnahme, wenn sie mit dem Anspruch verbunden wäre, eigene Interpretation überflüssig zu machen.[300] Die von Mandelkow angeführte Ausweitbarkeit der Rezeptionsgeschichte in allgemeine Kulturgeschichte bleibt aus ähnlichen Gründen wohl ebenso unrealisierbar wie die Jaußsche Literaturgeschichte.[301]
Zu Recht macht Wulf Segebrecht darauf aufmerksam, daß es bisher »an wirklich überzeugenden Beispielen einer ›Anwendung‹ solcher empirisch-soziologischer Leserforschungsergebnisse« fehle. In der Arbeit Marianne Spiegels etwa[302] bleibe die Zuordnung bestimmter Romantypen zu bestimmten Lesergruppen fragwürdig, da die untersuchte empirische Basis zu schmal für solche weitreichenden Folgerungen sei. Insofern sind tatsächlich schon von Gründen der Materialbeschaffung und -auswertung her Untersuchungen über das Publikum eines einzelnen Autors aussichtsreicher, wenngleich die von Segebrecht in diesem Zusammenhang genannte, von Siegbert S. Prawer verfaßte Wirkungsgeschichte Mörikes[303] den Anspruch einer Verbindung von »Lesersoziologie mit Wirkungsanalyse« nicht erfüllt.
Ein von vielen Kritikern der rezeptionshistorischen Forschung vorgebrachtes Argument bezieht sich auf die Schwierigkeit der Materialbeschaffung. Für den Literarhistoriker, der Informationen zur Wirkungsgeschichte eines Autors oder eines Werkes sucht, entscheidet ja nicht die Qualität einer Rezension, »sondern eher die numerische Häufigkeit und der geographische Streuungsbereich, in denen sich die wahre Wirkung des jeweils beforschten Literaturproduktes manifestiert«.[304] Statt exemplarischer Beschäftigung mit wenigen ›Spitzenkritikern‹ müßte »archivarischer und systematischer« vorgegangen werden, um historisch haltbare Allgemeinaussagen machen zu können. Allerdings müßten zur Beurteilung des Stellenwertes, den eine Kritik in einer Zeitung und den eine Aussage in dieser Kritik einnimmt, Vorkenntnisse über die politische Einstellung des Publikationsorgans, seine Herausgeber und vor allem sein Zielpublikum vorhanden sein. Aus der Kritik an Anni Carlssons verdienstvollem Werk *Die deutsche Buchkritik von der Reformation bis zur Gegenwart*[305] erwächst Jost Hermands Forderung nach Teamarbeit; ein einzelner könne ein solch ungeheures, noch wenig erforschtes Gebiet gar nicht bewältigen: man müßte »Tausende und Abertausende an Rezensionen gelesen haben, um der Fülle des hier zu erforschenden Materials wirklich gerecht zu werden. Denn erst dann würde man auf jene gesellschaftspolitischen und geschmackspsychologischen Fragen stoßen, in denen der eigentliche Sinn eines solchen Themas liegt. Doch, wie gesagt, dazu braucht man Stäbe von Mitarbeitern, systematisch angelegte Zettelkästen, wohldurchdachte Statistiken und verlags- und zeitungsgeschichtliche Vorarbeiten in Hülle und Fülle [...].«[306] Die Folgerung, die Ergebnisse, so aufschlußreich sie auch sein möchten, rechtfertigten den notwendigen Aufwand nicht, bleibt unabweisbar. Erst wenn die Ergebnisse historischer Forschung für die Praxis der Gegenwart oder der Zukunft angewandt werden können, ließe sich ein solcher Aufwand rechtfertigen. Dies wäre etwa das Argument eines ›objektiv‹ gesellschaftlichen Interesses; systemimmanent dagegen bleibt das Argument, das Interesse des Publikums richte sich nicht auf anonyme Vorgänge, Institutionen und Lesergruppen, sondern auf ›Helden‹, Vorbilder und selbst Wirkung begründende Individuen. Im Interesse des Publikums steht freilich der Produktions- und nicht der Rezeptionsprozeß – weshalb rezeptionshistorischen Untersuchungen also auch von der ›Kauf-

lust‹ her eine Grenze gesetzt ist. Doch unterbliebe bei Anerkennung dieser Argumentationsbasis fast jegliche, den Konsum zunächst nicht befriedigende emanzipatorische Erkenntnisleistung.

Der konzeptionelle Leser

Auf die Existenz einer im Kunstwerk vorhandenen Leserfigur hat bereits Wolfgang Kayser das Augenmerk gelenkt, indem er von der »unlösbaren Korrelation« zwischen Leser und Erzähler spricht,[307] allerdings noch ohne zwischen den verschiedenen Arten des Lesers zu differenzieren.
Das verstärkte Interesse am Rezipienten hat die Aufstellung von Lesertypologien zur Folge gehabt. Mindestens drei ›Arten‹ des Lesers müssen begrifflich getrennt werden.

1. Der *reale* Leser. Er ist Bestandteil des literarischen Publikums und Gegenstand der literatursoziologischen wie der leserpsychologischen Forschung.[308]
2. Der *imaginierte* oder *intentionale* Leser spiegelt die Lesererwartung eines Autors. Häufig entspricht er nicht dem realen, sondern einem Idealbild vom Leser. Diese Vorstellung, die der Autor von seinem Leser hat, schlägt sich nieder im Kunstwerk selbst.[309]
3. Der *implizite, konzeptionelle* oder *fiktive* Leser ist im Text selbst enthalten (werkintern), einerseits als Ausfluß der Leservorstellung seines Verfassers, andererseits als Lektüreanweisungsmuster, als Leserrolle für den realen Leser selbst. Dieser letzte Typus hat mannigfache Bezeichnungen erhalten.[310]

Der ›intendierte‹ Leser, wie Erwin Wolff die ›ideale Vorstellung‹ des Schriftstellers von seinem Rezipienten nennt, die Leseridee, entspricht im wesentlichen dem zweiten Typus. Wolff gibt drei Möglichkeiten an zur Erfassung des intendierten Lesers: »durch herauslösende Beschreibung einer etwa vorhandenen werkimmanenten Leserfiktion, durch indirekte Erschließung des einer bestimmten Darbietungsform komplementären Lesertypus aus eben dieser Darbietungsform und durch entsprechende Auswertung theoretischer Äußerungen des Autors«.[311] Wolffs Bemühen, die direkte Einwirkung des Publikums auf das Werk zugunsten einer ›ideellen‹ Einflußnahme abzustreiten, gipfelt in der These: »Nicht der Geschmack des [realen] Lesers bedingt in der Regel Form und Thematik des literarischen Werks, sondern die Leseridee, die sich im Geiste des Autors bildet.«[312] Die von Jauß als Rückkoppelungseffekt bezeichnete Einflußnahme des Publikums auf den Produktionsvorgang erfolgt natürlich über die Vorstellung des Autors, die er sich von diesem Publikum macht; aber diese Publikums- oder Leseridee des Autors ist selbst ein Reflex gesellschaftlicher Bedingungen und insofern nicht ursprünglich ›ideeller Natur‹.[313]
Ein ganz ähnliches Einteilungsprinzip hat Marianne Kesting vorgeschlagen. Sie unterscheidet vier Kategorien der Aufnahme eines literarischen Werkes:

1. die Rezeption durch die breiten Lesermassen, die sich in den Bestsellerlisten niederschlägt; ihre Untersuchung ist teils Sache der Soziologen, teils Sache der Werbetechniker der Verlage;
2. die Rezeption durch die Kritik, die eine spezielle Vermittlung zwischen Fach- und Leserpublikum übernimmt;

3. die Rezeption durch die ›confrères‹ wie Mallarmé sie nannte, nämlich die anderen Dichter, die ›Einflüsse‹ aufnehmen;
4. die ›innerästhetische‹ Rezeption; sie betrifft die vom Autor in das Werk ästhetisch eingeplante Rolle des Lesers.[314]

Der implizite Lesertyp kann auf verschiedene Weise im Text repräsentiert sein. Dieter Janik unterscheidet vier Grade:

a) nicht repräsentiert (autonome Personenrede);
b) allgemein repräsentiert (objektive und testimoniale Erzählrede);
c) konkret repräsentiert (auktoriale Erzählrede: z. B. »lieber Leser«);
d) individuell repräsentiert (kann in der autobiographischen Erzählrede der Fall sein).[315]

Die Anwesenheit eines Lesers kann durch unauffällige Lesersignale angedeutet werden; als Figur kann der Leser vom allgemeinen Typ bis zum individuellen Adressaten charakterisiert sein.

Auch Manfred Naumann unterscheidet drei Typen: die realgeschichtliche Person, die zum Rezipienten eines Werkes wird; der gedachte Leser oder der »Adressat«, der »im Vorgang der literarischen Schöpfung selbst anwesend« ist[316] – er ist im Bewußtsein oder im Unterbewußtsein des Autors »als Abbild zukünftiger Leser« anwesend; der fiktive Leser, der ein Strukturelement vieler Werke ist. Naumann richtet sein Interesse auf den Typus des Adressaten und unterscheidet drei Funktionen:

1. Der Adressat stelle »als Bild des Lesers im Bewußtsein des Autors eine der Formen dar, in denen der Autor sein Verhältnis zur gesellschaftlichen Wirklichkeit insgesamt und zu den gesellschaftlichen Kräften realisiert, die in ihr agieren«.
2. Die zweite, literarische Funktion ergebe sich daraus, »daß der Adressat im Akt des Schreibens eine Determinante darstellt, die am Aufbau der ästhetischen Welt des Werkes beteiligt ist. [...] Auf diese Weise transponiert der Adressat nicht nur eine gesellschaftliche Beziehung in das Innere der literarischen Schöpfung; er vermittelt gleichzeitig, da er eine Antizipation des zukünftigen Lesers darstellt, den Anteil dieses Lesers am Zustandekommen des Werkes.«
3. Die dritte Funktion beziehe sich auf die Rolle, »die der Adressat als Vermittler zwischen dem fertigen Werk und dem wirklichen Leser spielt«. Der Adressat trete jedoch innerhalb des Textes nicht nur direkt als fiktiver Leser in Erscheinung, vielmehr sei er auch in mittelbarer Weise präsent, in den vom Autor für den gedachten Leser bereitgestellten Orientierungshilfen. In dieser Ausprägung fungiere der Adressat als »Lektüremedium«. Von der Dichte des Lektüremediums ist die Aktivität des Lesers abhängig, die er zur Ergänzung des Textes benötigt: je weniger Orientierung geboten wird, desto aktiver kann der Leser ›mitschaffen‹. Naumann glaubt, der Gefahr des (rezeptionsbedingten) ästhetischen Relativismus zu entgehen, wenn »man das Lektüremedium als eine Funktion der allgemeinen Beziehungen des Autors zur Realität bestimmt, zu der die Leser gehören«.

Noch basierend auf der Erzähltheorie von Käte Hamburger[317] hatte Gerhard Storz 1971 in einem Aufsatz *Zusammenspiel zwischen Erzähler und Leser*[318] auf die im Leseakt geleistete Vervollständigung des vom Erzähler nur Angedeuteten hingewiesen, die er »die nachvollziehende Aktivität der Einbildungskraft des Lesers« nennt.

Einen auf Ingarden und Iser aufbauenden Versuch, die Rolle des Lesers zu bestimmen, hat Horst Steinmetz in einem provozierenden Beitrag angestellt.[319] Die von Roman Jakobson[320] bereits 1921 festgestellten zwei Aspekte des Realismusproblems dienen als Grundlage: ein Werk gelte als realistisch, wenn der Autor es als wahrscheinlich konzipiert hat und wenn der Leser es kraft seines Urteilsvermögens als wahrscheinlich rezipiert. Ausgehend von Isers Konzept vom Leser als mitschöpferischer Kraft, der die Sinnkonstitution eines Textes erst durch seine individuelle Rezeption schafft, kommt Steinmetz hinsichtlich des Realismus zu der These, ein realistischer Erzähler erreiche gerade durch auktoriales Erzählen und durch Vermeiden des Dokumentarischen den angestrebten Effekt (realistischer Darstellung bzw. Wirkung); so erhalte der Leser größeren Spielraum, um »das Gelesene in ein ›eigenes‹ Ganzes zu verwandeln und damit zur ›Realität‹ zu machen«.[321] Der geforderte Realismus entstehe »aus einer Kombination von Romaninhalt (und seiner Darstellung) und der ›Bearbeitung‹«, die der Leser damit vornehme. Realität, folgert Steinmetz, sei nicht das im Text Enthaltene noch das von Interpreten im Vergleich mit der historischen Wirklichkeit als Romanrealität Bestimmte, sondern es sei etwas, »das gleichsam zwischen Werk und Leser aus einem gegenseitigen Ergänzen, Weiterbilden, Interpretieren, Verändern, Reduzieren« erwachse. »Dichtung existiert eigentlich nie als das geschriebene Werk, sondern in der modifizierten Form, die durch die Lektüre zustande kommt. Dichtung existiert zwischen Werk und Leser.«[322] Wenn Romanwirklichkeit und persönliches Realitätsgefühl zur Deckung gelangten, nenne der Leser das von ihm erstellte ›Gebilde‹ realistisch und übertrage diese Etikettierung auf das Werk selbst.

Auch wenn man nicht allen Ausführungen von Steinmetz zustimmt, so geht aus ihnen doch die Bedeutung des Lesers für die Konstitution von Sinn hervor.

Da der reale Leser die vom Autor bereitgestellten Strukturen mit individueller Bedeutung versieht, ist für die Rezeptionsforschung die Gestalt des realen Lesers ungleich wichtiger als der Typ des fiktiven oder des intendierten Lesers, die beide in erster Linie eine Projektion des Autors darstellen, wobei sie bewußt oder unbewußt sein Reflex auf ein reales oder vorgestelltes Publikum sein können. Der Rückschluß vom fiktiven auf den realen Leser ist dann verfehlt, wenn die fiktive Lesergestalt ausschließlich eine vom Autor konzipierte Leserrolle ist; er ist dagegen zulässig, wenn die Leserrolle als Ausdruck der realen Leserschaft zu gelten hat, also gewissermaßen der »verlängerte Arm« des Publikums ist, der in das Kunstwerk selbst hineinreicht. Beim eigentlichen Kunstwerk überwiegt in der Regel das leserbildende, also das konzeptionelle Moment, bei Trivialliteratur das leserabbildende Moment. Bei Trivialliteratur richtet der Autor die Leserrolle bewußt auf eine (weitgehend bekannte oder einkalkulierbare) Leserschaft in affirmativer Weise aus,[323] so daß impliziter Leser (Leserrolle) und realer Leser annähernd übereinstimmen. Bei ›hoher Literatur‹ mögen beide Momente zu berücksichtigen sein: der fiktive (implizite) Leser ist einerseits ein Reflex des realen Publikums, andererseits eine Konzeption des Autors; beide Aspekte wären zu vereinen in der Annahme, die Leserrolle sei die Konzeption des auf ein reales Publikum mit verschiedener Bewußtheit (im Positiven wie im Negativen) reagierenden und sein Modell auf ein erst zu erziehendes Publikum projizierenden Autors.

Iser äußert ja den Verdacht, »daß die scheinbar von jeder Aktualisierung des Textes so unabhängige Bedeutung ihrerseits vielleicht nichts weiter ist als eine bestimmte

Realisierung des Textes, die nun aber allerdings mit dem Text überhaupt identifiziert wird«.[324] Wenn aber Bedeutung im Leseakt erzeugt und als »Ort der Textintention« die »Einbildungskraft des Lesers« bestimmt wird, so geht daraus die Wichtigkeit der empirischen Leserforschung hervor. Diese kann nur in Verbindung soziologischer und psychologischer Methoden geleistet werden. Damit wäre ein weiterer Schritt zu einer empirisch fundierten Ästhetik getan.[325]

Literatursoziologie und empirische Rezeptionsforschung

Sucht man den Zugang zur Literatur über deren Funktionsbestimmung im gesellschaftlichen Kommunikationsprozeß oder faßt man Literaturwissenschaft als eine kommunikative Wissenschaft auf, so besteht die Gefahr, die Differenz zwischen literarischen und nichtliterarischen Texten außer acht zu lassen.[326] Malte Dahrendorf hebt von den Sinndefinitionen der Literatur, Dichtung sei Ganzheit und Totalität (gegenüber der partikulären Wirklichkeit), sie setze dem Wirklichen das Mögliche im Sinn des Utopischen bzw. des Simulationsraums entgegen, die dritte hervor: Kunst sei eine Weise der Kommunikation, die gesellschaftlichen Ausdruck ermögliche.[327] Die Folge ist ein Verzicht auf die Vorstellung von einer monologischen Kunst zugunsten einer auf den Dialog angelegten. Indem alle Komponenten des Kommunikationsmodells: Autor (soziale Herkunft und Position, Haltung gegenüber dem Publikum usw.), Werk (hier wäre mit der kritischen Literatursoziologie auch die ästhetische Dimension einzubeziehen; Lucien Goldmann, Leo Löwenthal, Theodor W. Adorno[328]) und Publikum (soziale Schichtung, Lesegewohnheiten usw.) sowie Produktions- und Verbreitungsformen der Lektüre (Distributionsmedien, Verlagswesen, Auflagenhöhe, Reklame usw.) zum Gegenstand der Erforschung werden, gerät mit dem Literaturbetrieb die Literatur selbst ins Beobachtungsfeld der Kommunikationswissenschaften, der Soziologie, Pädagogik und Psychologie, der Buchmarkt- und Verlagsforschung, der Zeitungs- und Bibliothekswissenschaften und der Demoskopie.[329] Das ›Wesen‹ der Kunst wird nicht mehr unabhängig von ihrer Produktion bzw. Konsumtion gesucht, sondern mit ihrer Funktion identifiziert.
Zielt eine solche »Kommunikationsästhetik« unmittelbar auf die »Gesellschaftsfähigkeit des Menschen«,[330] so rückt das Interesse an der Wirkung von Literatur in den Vordergrund. Der *Lernbegriff* wird zur zentralen Kategorie sowohl im Bereich des Immanent-Literarischen als auch im gesellschaftlichen Bereich, bei der Frage, welche Bedeutung ein Text für Verhaltensänderungen des Rezipienten haben kann, was der Rezipient aus dem Text gelernt hat oder lernen kann.[331] Pädagogische bzw. didaktische Aspekte verdrängen die ausschließlich ästhetischen. Gilt aber »gesellschaftliche Kommunikation und Handlungsfähigkeit« als oberstes Lernziel, so erweitert sich der Materialbereich der Literaturwissenschaft: nicht mehr die genormte ›hohe‹ Literatur gibt den Wertmaßstab her, sondern das Wirkungsprinzip, das alle möglichen Sorten von Texten heranzieht, poetische und expositorische, Groschenromane so gut wie ehrwürdige ›Spitzenprodukte‹, Reklame so gut wie Gesetzestexte. Empirische Wirkungsforschung wird ihre Resultate in den Dienst einer Politik stellen, die »Wirkung zunehmend in Richtung auf Emanzipation und Fortschritt« steuert.[332]

An die Texte wird die Frage zu stellen sein: »Welchen und wessen Interessen dienen sie, welche möglichen Absichten verfolgen sie, welche Funktionen sind zu vermuten?«[333] Diese Fragestellung hat eine Neugewichtung zur Folge: Anstatt die Texte als Selbstzweck des literarischen Studiums zu nehmen, werden die Kommunikationsprozesse, in denen diese Texte stehen, zum Gegenstand des Erkenntnisinteresses. Der Text wird Mittel zum Zweck: »eben jene Mechanismen und Interessen zu erkennen und sich mit ihnen auseinanderzusetzen. [...] Wirkung ist nicht mehr etwas, was (irrational) geschieht, sondern was als ›Lernen‹ rational gesteuert werden kann.«[334] Es bleibt freilich abzuwarten, ob dieser gesellschaftspolitisch-didaktische Zweck der Poetizität von Texten gerecht wird.

Eine Gefahr besteht darin, daß diese Final-Orientierung in verstärktem Maß ideologisch infiltriert wird, je unmittelbarer die Wirkungssteuerung an politischen Inhalten sich ausrichtet.

Empirische Wirkungsforschung betrachtet Literatur als Kommunikationsfaktor, der »auf verbale Interaktion und Lernen zielt«;[335] Wirkungsanalyse selbst verbindet Ästhetik und Lernforschung. Erst auf diesem Weg sei für Literaturwissenschaft und -didaktik ein Bezug zur Gesellschaft herstellbar; Literatur werde »zu einem Teil der gesamtgesellschaftlichen Kommunikation, die Lernen ermöglicht«.[336] Letztlich gehe es bei literarischer Wirkung um die Frage, »welche Rolle Literatur im Lernprozeß spielt, was wer unter welchen Bedingungen aus Literatur lernt«.[337]

Der schwerwiegendste Einwand richtet sich gegen die fehlende Differenzierung poetischer und expositorischer Texte. Prinzipiell muß bei Wirkungsanalyse ein Unterschied gemacht werden zwischen Kommunikations- und Literatursprache. Die von Groeben aufgestellten Modelle[338] stellen einen brauchbaren Ansatz dar. Ihmzufolge nehmen Wissenschaftssprache und Literatursprache die extrempolaren Ausprägungsgrade ein.[339]

Groeben sieht gerade die »Nicht-Kommunikativität als Hauptcharakteristikum der Dimension Sprache – Literarizität moderner Literatursprachlichkeit«.[340] Polyvalenz und Polyinterpretabilität stehen der Eindeutigkeit, Realitätskonstruktion (Potentialität, Destruktion, Utopie) der Repräsentation in wissenschaftlicher Sprache gegenüber. Eine Ästhetik hätte auf dieser noch weiter differenzierbaren Grundlage aufzubauen.[341]

Die gewichtigsten Anstöße für eine Emanzipation des Lesers auf der Basis empirischer Leserforschung kamen zweifellos von der Trivialliteraturforschung.[342]

Empirisch-demoskopische Rezeptionsforschung hat bisher nur in wenigen Analysen ihren Niederschlag gefunden. Ein Modell lieferte 1970 Renate Ullmann.[343] In ihrem theoretischen Ansatz bedeutet Wirkungsanalyse »Analyse der Direktwirkung eines literarischen Textes auf kontrastierende Lesergruppen und Einzelleser«. Selbstverständlich kann diese Methode nur auf zeitgenössische Leser angewandt werden, da sie als Arbeitsinstrumente schriftliche Befragung und mündliche Diskussion vorsieht. Wirkung bezeichnet die Stimulation des Lesers, steht also dem Vorgang des »Wirkens« näher als dem Zustand abgeschlossener »Auswirkung« im Sinne traditioneller Wirkungsästhetik. »Der Leser reagiert auf Text 1 [Primärtext, output], indem er mittels seiner Sprachkompetenz versucht, die gegebene Information semantisch zu decodieren (mikrosemantische Verarbeitung). Dieser Vorgang wird als Verstehensprozeß bezeichnet (Perzeption).«

»Der Leser vollzieht in Ergänzung zu der semantischen Decodierung eine individuelle Decodierung von Text 1, in welcher dessen Zuordnung zum Erwartungsprogramm des Lesers erfolgt. Durch die von der Erwartung des Lesers gesteuerte selektive Kombination erkannter Bedeutungskomponenten wird gleichzeitig die Encodierung des Reaktionsprogrammes in Text 2 [Metatext, output] vorbereitet (makrosemantische Verarbeitung). Dieser Vorgang wird als Reaktionsprozeß im engeren Sinne bezeichnet (Interpretation).«
Verstehens- und Reaktionsprozeß ergeben zusammen den Rezeptionsprozeß, der durch das Verhältnis von Text 1 und Erwartungshorizont des Lesers bedingt ist, wobei sich die Lesererwartung aus folgenden Komponenten zusammensetzt:

1. »Erwartungen aus Erfahrungen sprachlicher Art (d. h. akustische, grammatische und semantische Erfahrung)«,
2. »Erwartung aus Erfahrungen im Umgang mit Texten«,
3. »Erwartung, die aus individuellen Erfahrungen verschiedener Art resultiert«; z. B. emotionale, sozial determinierte, kommunikationspsychologische, kulturelle Erfahrung,
4. Erwartung, die sich »erst unmittelbar im Augenblick der Lektüre aus der persönlichen Situation des Lesers ergibt und von unvorhersehbaren und nicht voll analysierbaren Faktoren beeinflußt wird«.

Untersuchungsobjekte sind literarische Texte, deren Auswahlkriterium geringer Umfang und Multivalenz. Problematisch bleibt die Definition von Poetizität, als deren entscheidendes Indiz eben Wirkung als »Einwirken«, d. h. als Auslösefaktor des Rezeptionsprozesses, angesehen wird.
»Poetizität ist manifest in der erfolgten Aktivierung des Lesers« (Gesamtheit der Texte 2; ausgelöst durch Koinzidenz oder Divergenz von Lesererwartung und Text 1).
Ähnlich ist das Verfahren, das in einer kooperativ entstandenen Wirkungsanalyse eines Celan-Gedichtes angewandt wurde.[344] Als Ausgangspunkt für die Definition des Lesers wird nicht der Idealleser oder »Superreader« von Michael Riffaterre[345] gewählt, sondern ein Durchschnittsleser, der über Mittelwerte an Sprachkompetenz adäquater Decodierung von Text 1 und Encodierung von Text 2 sowie an semantischem Bewußtsein verfügt. Die artifizielle Synthese des Superlesers läßt keine Rückschlüsse »auf den tatsächlichen textspezifischen Rezeptionsverlauf und die ihn auslösenden Wortstimuli« zu.[346] Die Erstellung einer Typologie von »Rezeptionsweisen und der sie auslösenden Momente« läßt sich nur durch »Analyse von Einzelrezeption und spezifischen Rezeptionsverläufen« auf Grund schriftlicher oder mündlicher Befragung gewinnen.[347] Psychologische Forschung hätte nach den individuellen Weisen der Rezeption zu fragen. Simon O. Lesser unterscheidet in seiner Theorie der aktiven Rezeption literarischer Werke drei Stadien, die von unbewußtem Erkennen von Beziehungen innerhalb des literarischen Werkes über die Identifikation mit einzelnen Teilen, Charakteren und Problemen bis zu einer »Art aktiver Weiterproduktion« reichen.[348] Hier müßte sich an empirische psychologische Analysen wieder die soziologische Fragestellung anschließen, inwieweit das individuelle Verhalten durch die soziale Lage des Subjekts determiniert ist, ob also variable Individualfaktoren (Alter, Charakter, Temperament, Neigung, Stimmung) die gesellschaftlich determinierten Klassenurteile nur modifizieren.

Ansätze zur Erforschung der individuellen Lesemotivation finden sich in den Untersuchungen von Wilhelm Salber.[349] Er hält das »Umgehen-Können mit Büchern« für »das Ergebnis eines Lernprozesses, in dem die Motivationsstruktur des Lesens in spezifischen Gestaltungsrichtungen ausgeformt wird«. Die Untersuchung möchte verdeutlichen, daß dieser Lernprozeß nicht automatisch abläuft, »sondern daß die ›Beziehung zum Lesen‹ ein Produkt von Tätigkeiten und Eingriffen, von Erziehungs- und Kultivierungsprozessen ist«.[350]
Zugunsten einer individualpsychologischen Leserforschung wendet sich Salber zu Recht gegen die Annahme eines generellen Leserbildes. Die Erstellung eines solch undifferenzierten Typus ist auch als Arbeitshypothese praktisch wertlos, da er in seiner Idealität in keinen Bezug zu sozialen Gruppen wie auch individuellen Lesern gesetzt werden kann. »Es gibt, von solchen psychologischen Analysen her gesehen, auch keine ›Leserpersönlichkeit‹ und auch keine ›Nichtleserpersönlichkeit‹ – das sind allenfalls Idealbilder, die in einer verdinglichenden Weise zusammenfassen, wie ein Vertausch funktioniert, der nicht gestört wird, oder wie es aussieht, wenn die Ambitendenzen des Vertauschs so ausgeprägt sind, daß es nicht zum Lesen kommt. Das Bild ›Leserpersönlichkeit‹ täuscht etwas vor, was es nicht gibt: feste Entitäten. Wenn diese Entität dann noch zu anderen Entitäten wie Einkommen, Bildungsgrad, soziale Schicht in Verbindung gebracht wird, als seien das Motivationen, werden die Kernprobleme unter Umständen allzusehr verdeckt.«[351] Salber unterscheidet hinsichtlich der Zusammenhänge von Erleben und Verhalten beim Lesen die vier Grundzüge des Vertauschs, des Familiär-Werdens, der Entwicklungspositionen und der Ergänzungsprinzipien, die freilich zahlreiche Übergänge aufweisen. Von diesem im einzelnen weit differenzierteren Grundschema aus wird dann eine Strategie der »Erziehung zum Buch« entworfen.
Zu den einzelnen Faktoren im literarischen Kommunikationsmodell: Autor, Werk, Distributionsmedien und Publikum gibt es eine unüberschaubare Literatur.[352] Erwähnt sei die (empirisch-positivistische) Untersuchung von Hans Norbert Fügen;[353] er unternimmt den Versuch einer literatursoziologischen Typologie, indem er zwischen den Typen des gesellschaftskonformen, gesellschaftskonträren und gesellschaftsabgewandten Schriftstellers unterscheidet.[354]
Mit Einflußforschung im älteren Sinn beschäftigt sich Ulrich Weisstein ausschließlich im Kapitel »›Rezeption‹ und ›Wirkung‹«.[355] Bei den vermittelnden Instanzen müssen mindestens literarische Kritik, Theater, Buchhandel, Buchgemeinschaften, Bibliotheken, Verlage (Reklame, Propaganda), Schule und Universität, Dichterakademien und Schriftstellervereinigungen getrennt werden.[356]
Publikumsforschungen gibt es fast zu jedem bedeutenderen Schriftsteller, sowohl über sein zeitgenössisches wie über sein posthumes Publikum. Der Blickwinkel kann also entweder vom Lektüreobjekt oder von einem bestimmten Publikum ausgehen. Im ersten Fall werden die diachron und synchron sozial verschiedenen Publika eines Autors oder eines Werkes analysiert, im zweiten die verschiedenen Lesestoffe eines sozial bestimmten Publikums festgestellt.[357] Strelka unterscheidet zwischen einer direkten Einwirkung des Publikums auf die Entstehung der Sprachkunstwerke, vor allem in älterer Zeit,[358] und der indirekten Einwirkung in neuerer Zeit.[359] Eine brauchbare Einführung in die Leserforschung stammt von Wolfgang Strauß.[360]
Eine Publikumsforschung, die einerseits den rezeptionsästhetischen Forderungen von

Jauß gerecht werden will, auf der anderen Seite eine soziologisch hieb- und stichfeste Analyse liefern möchte, kann nur mit empirischen und demoskopischen Methoden arbeiten. Das schließt weitgehend die historische Publikumsforschung aus, wenn Spekulation durch exakte Allgemeinaussagen ersetzt werden soll. Überhaupt scheinen die fruchtbarsten Ergebnisse der Rezeptionsforschung nicht im Gebiet der reinen Literatur (Interpretation oder Literaturgeschichte) zu liegen, sondern auf den Überschneidungsfeldern benachbarter Disziplinen (Soziologie, Psychologie usw.). Das belegen vor allem die ideologiekritischen Ansätze, die Untersuchungen über Geschmackswandel und soziale Verschiebungen, schließlich das große Gebiet der literarischen Übersetzung. Denn jede Übersetzung ist unter rezeptionsästhetischem Aspekt eine rezipientenbedingte Konkretisation des Originaltextes. Von der quantitativen Breitenwirkung ist die qualitative Tiefenwirkung zu trennen. Von der literarischen Rezeption wäre weiterzufragen nach ihrer aktiven und sozialen Auswirkung.[361] Das Verhältnis von Staats- und Gesellschaftsform zur literarischen Produktion und Rezeption steht dann am Schluß einer solch erweiterten Fragestellung.

Hans Ulrich Gumbrecht versucht, die Relevanz der soziologischen Theorien, »die sich mit der gesellschaftlichen Konstitution und Funktion von Sinn befassen«, für rezeptionsästhetische Untersuchungen aufzuweisen.[362] Drei Fragestellungen stehen ihm im Vordergrund:

1. »Zu welchem Verständnis will der Text seine zeitgenössischen, d. h. die ursprünglich implizierten Leser anleiten?«
2. »Welche Erfahrungen können die Leser verschiedener soziohistorischer Gruppen und Zeiten in der Textrezeption gewinnen?«
3. »Wie wirken diese Erfahrungen auf das gesellschaftliche Verhalten der Leser verschiedener Gruppen zurück?«[363]

Gumbrecht behandelt die drei Bereiche der Ideologiekritik, der Wissenssoziologie und der Theorie sozialer Systeme und zeigt, wo und wie sie für rezeptionsästhetische Forschung fruchtbar gemacht werden können. Eine »kritische Aufhellung des Rezeptionsprozesses« sei angewiesen »auf historisches Wissen und analytische Erklärungsmodelle, wie sie die [...] soziologischen Theorien repräsentieren«.[364] Andererseits könne auch die Literaturwissenschaft der Soziologie »Anregungen zur Lösung methodologischer Grundfragen« vermitteln[365] und besonders geeignete Materialien bereitstellen (Rollenverhalten, szenisches Verhalten; Einleitung eines historischen Normenwandels durch literarische Kommunikation; Bestimmung der Sinnkonstitution durch Tradition usw.).

Vielleicht lassen sich ausbaufähige Ansätze finden mit einer Verbindung von Rezipientenforschung und Rollentheorie. Erzähler, Leser und Erzählfiguren sind im fiktiven Bereich als Rollenträger ebenso zu definieren wie im Realbereich der Autor, sein Publikum und die verschiedenen Distributionsmedien. Wie die fiktiven Rollenträger mit den empirischen zusammenhängen, könnte mit Hilfe eines terminologisch an die Rollentheorie angeschlossenen Kommunikationsmodells exakter ermittelt werden. Fragen der Kongruenz und Inkongruenz zwischen realem und fiktivem Leser würden auf diese Weise erst behandelt werden können. Allerdings bleibt der ›fiktive Leser‹ eine Arbeitshypothese, die nur im innerliterarischen Rezeptionsprozeß Geltung hat. Die fiktive Lesergestalt könnte den Erwartungshorizont ausdrücken,

den der Autor von seiner realen Leserschaft hat. Freilich ist diese These zu einseitig; denn der implizite Leser muß keineswegs der Erwartung, die ein Autor hinsichtlich seiner realen Leser hat, entsprechen. Es könnte der Fall eintreten, daß ein Autor einen Leser konstituiert, der in bezug auf seine Realleser einen Anti-Typ darstellt. Voraussetzung für dieses Beispiel bleibt, daß der Autor um die Beschaffenheit seiner realen Leserschaft weiß. Prämisse einer Untersuchung, die Kunstwerk und Realität zu vermitteln sucht, kann also nicht die Annahme sein, der fiktive Leser verkörpere die Erwartung des Autors hinsichtlich seiner realen Leserschaft, von der Annahme einer Identität zwischen fiktivem und realem Leser ganz zu schweigen. Der fiktive Leser kann einen Soll-Typ darstellen, der in der Wirklichkeit keine Entsprechung findet; er kann aber auch schlechthin ein Anti-Typ sein, der nicht einmal in Beziehung zu einer (vom Autor nicht akzeptierten) Realleserschaft stünde.
Vielleicht läßt sich mit dem rollenanalytischen Modell im Vermittlungsbereich, den Distributionsinstanzen, Literaturproduktion und -konsumtion wegen der Reaktionsmöglichkeiten der einzelnen Partner eher als im Bereich des Kunstwerks selbst arbeiten.
Im Bereich der empirischen Leserforschung ist bei der Ermittlung typischen Rezeptionsverhaltens eine Abhängigkeit des Rezipienten von seiner sozialen Rolle nachzuweisen. Soziale Rollen und deren Normen legen auch den Umkreis öffentlich einsehbarer Lektüre fest; die von diesen Normen verurteilte Literatur wird gänzlich negiert oder in Winkel der Intimlektüre verdrängt: seine Pornographie liest der Pädagoge meist nur heimlich. Am auffälligsten ist in der Schule die »Trennung von Schüler- und Privatrolle«.[366] In seiner Untersuchung über didaktische Verwertung von Trivialliteratur an der Schule betont Waldmann die besondere Problematik, wie die Auseinandersetzung des Schülers mit trivialen Texten »ohne verunsichernde Intrarollenkonflikte des Schülers mit seinem üblichen Literaturkonsumverhalten« geschehen könne.
Möglichkeiten für den didaktischen Umgang mit Trivialliteratur sieht Waldmann in der Arbeit mit Projektgruppen. Das in ihnen »praktizierte Rollenverhalten« geschehe nämlich »für das Verständnis des Schülers zunächst in einer bestimmten Schülerrolle«; da der Schüler Übung darin habe, »Schülerrollen außerhalb der Schule als Ganze abzulegen«, bestehe »nicht immer Gefahr, daß es zu einem Interrollenkonflikt mit seiner außerschulischen Literaturkonsumrolle« komme. Ziel sei, »daß aus ursprünglichen Schülerrollen individuell realisierte Rollen werden«, der Schüler im angesprochenen Spezialfall also »die kritische Schülerrolle gegenüber Trivialliteratur als eine seiner möglichen individuellen Leserrollen privatisieren oder doch Sequenzen aus ihr in eigenes Literaturkonsumverhalten übernehmen« könne.[367] Bei einer solchen Trennung verschiedener Rezeptionsverhalten an einer Person muß mit dem sozialen (determinierenden) Kontext stets dessen Normgefüge, die dahinterstehende Ideologie (im weitesten Sinne) im Blick bleiben.
Ideologische Momente lassen sich auch an historischen Rezeptionen bestimmen; eine Analyse vermag dann zu zeigen, wieweit eben diese ideologischen Momente noch für die gegenwärtige Rezeption unbewußt bestimmend sind.
In der Untersuchung *Rezeptionsforschung als Ideologiekritik*[368] geht es Grimm um die Frage, ob ideologiekritisch vorgehende Rezeptionsforschung auch zur Erhellung des ›Objekts‹ beitragen kann, wenn sie selbst sich von Ideologie freizuhalten sucht.

Eine Möglichkeit dazu sieht er in der Konfrontation verschiedener Rezeptionen: deren übereinstimmenden Teile ergäben meist einen ›relativ wertneutralen‹ Raum, während die nichtübereinstimmenden Teile meist wertend (im weiteren Sinne von ›deutend‹) und von einer Ideologie bestimmt seien.
Ideologie ist dabei zu verstehen als kausal oder final fixierte Weise der Weltbetrachtung, als ein an bestimmte Prämissen gebundenes kategoriales Sehen. Die Prämissen sind spekulativer bzw. hypothetischer, aber auch empirischer Natur, sofern die Empirie nicht ihre Relativität reflektiert. In den ideologischen Aussagen verkehrten sich intentionale Objekt-Aussagen in Aussagen, die mehr über ihr Subjekt enthielten. Dem ersten Schritt der Erkenntnis des Ideologischen habe der zweite zu folgen: die »Feststellung der gesellschaftlichen Auswirkungen der ideologisch orientierten Objekt-Aussage«. Aus der historischen Ideologieentlarvung entwächst die Kritik an der Gegenwart, die erst auf Grund ihrer reflektierten Vergangenheit transparent wird.[369]
Eberhard Lämmert[370] legt angesichts der allgemein die Literaturproduktion in den Vordergrund rückenden Lehrpläne »ein komplementäres Konzept zur ausreichenden Berücksichtigung der Kommunikations- und Konsumtionssektoren« vor. Vorbedingung zur Erforschung von Rezeptionsvorgängen sei das Studium der Distribution literarischer Texte und ihrer Medien. Um den Erwartungshorizont eines Publikums zu rekonstruieren, schlägt Lämmert vor, andere künstlerische und informierende Medien sowie allgemeine zeitgeschichtliche Dispositionen in das Arbeitsfeld einzubeziehen. Rezeptionsgeschichte müsse zur Wirkungsgeschichte verlängert werden, wobei Lämmert unter Wirkungsgeschichte »die Folge der Konsumtionsprozesse« versteht, »zu denen die Rezeption eines Textes den Anstoß gibt«. Wegen der Schwierigkeit der Materialerhebung empfiehlt Lämmert »die Anlage eines Dokumenten- und Kopienarchivs«; neben den innerliterarischen Wirkungslinien (Neuproduktion; Literaturkritik, Interpretationen) wären auch außerliterarische heranzuziehen, um die Wirkungsmöglichkeit eines Textes auf die Umgestaltung von Bewußtseinsinhalten beziehen zu können.
Das Isersche Modell reichere Text- und Interpretationstheorie an: »der Musterung verschiedener Textauffassungen sollte im Untersuchungsgang einer Lehrveranstaltung als zweiter Schritt der Versuch einer eigenen Textanalyse folgen«. Empirische Übungen eignen sich »für die lehrende Vermittlung« dieser Textverhältnisse in besonderem Maße.[371] Eine chronologische Zusammenstellung von Interpretationen desselben Textes könne zugleich als »Einführung in die Theatergeschichte, in die Wissenschaftsgeschichte, in die Geschichte literarischer Zeitschriften« ausgewertet werden. Freilich birgt, so anregend die vielen Querverbindungen immer sein mögen, die interdisziplinäre Ausweitung die Gefahr in sich, daß Literaturwissenschaft entweder zu einer Universalwissenschaft schriftlich tradierter Texte sich auswächst oder als Materiallieferant zum Tummelplatz aller möglichen Disziplinen benutzt wird. Beiden Extremen ist durch eine sinnvolle Beschränkung eigener und fremder Ansprüche entgegenzuwirken; das kann nur im Gefolge einer Selbstbesinnung auf die Funktion und die Ziele der Literaturwissenschaft im Rahmen der heutigen Universitäts- und Schulpraxis geschehen.

WILFRIED BARNER

Wirkungsgeschichte und Tradition.
Ein Beitrag zur Methodologie der Rezeptionsforschung

Anreiz und Leistung des in den letzten Jahren bemerkenswert in den Vordergrund der literaturwissenschaftlichen Diskussion gerückten wirkungs- bzw. rezeptionsgeschichtlichen Ansatzes[1] beziehen sich wesentlich auf zwei Fundamentalbedingungen der Literatur. Zum einen scheint sich über die Kategorie der Wirkung bzw. der Rezeption (die hier lediglich als zwei verschiedene Aspekte desselben Vorgangs verstanden werden)[2] ein neuer, hermeneutisch reflektierter Zugang zur *Geschichtlichkeit* der Literatur zu öffnen. Zum anderen tritt mit dem gezielten Blick auf die Leser, die Hörer, die Zuschauer, kurz: die Rezipienten notwendigerweise auch die *Gesellschaftlichkeit* der Literatur, zumindest ihre Gebundenheit an gesellschaftliche Kommunikationsvorgänge neu hervor.

In beiden Fällen wird die eigentliche Brisanz der wirkungsgeschichtlichen Fragestellung erst verständlich auf dem Hintergrund der lange Zeit dominierenden und inzwischen ins Kreuzfeuer der Kritik geratenen Immanenz- und Autonomiepostulate.[3] Denn selbst wo noch immer, bewußt oder unbewußt, mit der Fiktion eines überzeitlichen ›Textes an sich‹ gearbeitet wird, lassen sich dessen reale Wirkungen nur in der geschichtlichen Jeweiligkeit des Wirkungsvorgangs erfassen und analysieren. Und wo der Autor noch als isoliert schaffendes Genie ohne wesenhaft gesellschaftliche Dimension gedacht wird, ist doch ein Text, insofern er die Literaturwissenschaft beschäftigt, immer bereits auf eine Mehrzahl potentieller oder tatsächlicher Rezipienten bezogen, deren Gesellschaftlichkeit konsequenterweise nicht mehr ausgeklammert werden kann. Das aber heißt: Jeder, der sich auf die Frage nach der Wirkung literarischer Texte ernsthaft einläßt, ist von der Sache her gehalten, sowohl das Problem der Geschichtlichkeit wie das der Gesellschaftlichkeit substantiell in seine Reflexion einzubeziehen.

In den bisher vorgelegten methodologischen Entwürfen, etwa denen von Hans-Georg Gadamer[4], Hans Robert Jauß[5] und Robert Weimann[6], ist dies freilich mit sehr unterschiedlicher Intensität und Tendenz geschehen. Für Gadamers Konzept des ›wirkungsgeschichtlichen Bewußtseins‹[7] bleibt Gesellschaft gewissermaßen ausgeblendet, hier geht es in erster Linie um die Analyse der individuellen Erfahrung von Geschichte und um die »Logik von Frage und Antwort«.[8] Weimann auf der anderen Seite geht von der Frage aus, welchen Beitrag die historische, literarische Bildung für die anzustrebende sozialistische Gesellschaft leisten könne,[9] und er versucht auf diese Weise das Prinzip der Wirkungsgeschichte als eine gesellschaftliche Funktion der Gegenwärtigkeit zu bestimmen. Jauß schließlich, der bestrebt ist, zwischen Formalismus und historischem Materialismus einen dritten, mittleren Weg zu finden, zielt primär auf »die sukzessive Entfaltung eines im Werk angelegten, in seinen historischen Rezeptionsstufen aktualisierten Sinnpotentials«.[10] In seinen von Karl Mannheim übernommenen Begriff des ›Erwartungshorizonts‹ gehen zwar grundsätzlich auch gesellschaftliche Momente ein, doch wird deren Beschaffenheit jeweils nur ungefähr und nur in synchronischen Schnitten, nicht aber in ihrer geschichtlichen Diachronie begreifbar. Dies gilt auch für die Modifikationen, die Jauß 1973 anläßlich seines Beitrags über Racines und Goethes Iphigenie formuliert hat.[11]

Allen drei hier nur knapp und in Teilaspekten angesprochenen Entwürfen ist gemeinsam, daß sie eine Wirkungsgeschichte immer schon als Faktum voraussetzen, ohne sich um die Möglichkeiten, die konkreten Modi der gesellschaftlich-geschichtlichen Vermittlung zu kümmern. Hinter der zweifellos zentralen Frage nach den Erwartungen, Vorurteilen, Urteilen, die sich in den überlieferten Zeugnissen zu einzelnen Werken manifestieren, verschwindet fast völlig die Frage, unter welchen Bedingungen und nach welchen diachronischen Gesetzmäßigkeiten gesellschaftlicher Praxis sich diese Urteilsstrukturen herausgebildet haben.

Um das Problem an ein paar Beispielen zu verdeutlichen: Wie ist es zu erklären und welche geschichtlichen Prozesse haben dazu beigetragen, daß jemand heute sowohl Grimmelshausens *Simplicissimus* als auch Frischs *Gantenbein*, sowohl Goethes *Werther* als auch Döblins *Berlin Alexanderplatz* kaufen, lesen und wohl auch verstehen kann? Oder: Wieso konnte Vergils *Aeneis* auf der Folie Homers verfaßt und gelesen werden, und wie war es möglich, daß Shakespeare im 18. Jahrhundert in Deutschland neu ›entdeckt‹ wurde? Warum wird zu der gleichen Zeit Cicero noch als Imitationsmuster auf den gelehrten Schulen traktiert, und warum wird er auch heute noch gelesen? Warum ist auf der anderen Seite Büchners *Woyzeck* erst über sieben Jahrzehnte nach seiner Entstehung aufgeführt worden?

Auf solche bewußt vielfältig, ja heterogen gewählten wirkungsgeschichtlichen Fragestellungen[12] ist von den drei genannten Ansätzen her keine methodisch abgesicherte Antwort möglich. Besonders die beiden letztgenannten Fragen stehen im Grunde außerhalb des von den Autoren selbst gezogenen Horizonts. Gadamer und Jauß sind vor allem an der historischen Differenz und Besonderheit jeweiliger Rezeptionen und an deren Bewußtmachung durch den gegenwärtigen Interpreten interessiert, während bei Weimann die Verfügbarkeit für gegenwärtige politische Zielsetzung gewissermaßen alle Historizität verschlingt. Allen drei Konzepten fehlt – aus je verschiedenen Gründen – eine kategoriale Fragestellung, in der gerade die *Verschränkung* von Geschichtlichkeit und Gesellschaftlichkeit der Literaturrezeption voll zur Geltung kommt. Diese Fragestellung könnte etwa lauten: Wodurch wird in der Vielfalt der produzierten Texte und in der Abfolge der Generationen und der Gesellschaften Wirkungsgeschichte von Werken überhaupt möglich? Wodurch bleibt in literarischen Texten niedergeschlagene Geschichte dem jeweiligen Leser und der Gesellschaft, in der er lebt, zugänglich und verstehbar?

»Die Quelle aller Geschichte ist Tradition, und das Organ der Tradition ist die Sprache«, konstatiert Schiller in seiner Jenaer Antrittsrede über Wesen und Studium der Universalgeschichte (1789).[13] Schiller sagt dies in einem historischen Augenblick, als sich der Begriff der Tradition eben erst von der Dominanz des religiös-theologischen Gebrauchs befreit hat und noch nicht in den Sog der politischen Restauration des 19. Jahrhunderts geraten ist.[14] Im Begriff der Tradition, verstanden als Weiter-gabe, als Über-lieferung, scheint auf geradezu ideale Weise sowohl das Diachronisch-Geschichtliche als auch das Moment der gesellschaftlichen Praxis vereinigt zu sein. Tradition ist eine Grundbedingung für die Existenz jeder Art von Sozietäten überhaupt; sie ist, wie man treffend gesagt hat, ›soziales Gedächtnis‹.[15] Ob sie einen Kanon familialer Verhaltensweisen tradiert, ob Techniken des Handwerks und der Agrikultur, ob moralische Normen oder religiöse Glaubensinhalte: Sie ist per definitionem der Garant überindividueller Konstanz und somit zugleich Garant sozialer Kontinuität.

Literarische Tradition stellt auf diesem Hintergrund nur eine besondere Ausprägung gesellschaftlicher Tradition dar und muß dementsprechend analysiert und gedeutet werden. Das aber ist in der bisherigen wirkungsgeschichtlichen Methodik als umfassende Aufgabe noch nirgends formuliert, geschweige denn realisiert worden. Zwar taucht der Begriff der Tradition fast in jeder wirkungs- bzw. rezeptionsgeschichtlichen Arbeit auf, sei sie nun primär analytisch oder theoretisch orientiert. Aber entweder wird der Begriff gedankenlos und diffus verwendet, oder er wird mit politischer Einseitigkeit beladen, die eine Verständigung nahezu unmöglich macht. Das bedarf der Belege und zunächst eines kurzen begriffsgeschichtlichen Exkurses.[16]

Tradition stammt als Terminus – traditio – aus dem Bereich des römischen Rechts und bezeichnet dort eine bestimmte, hier nicht näher zu erörternde Weise der Eigentumsübertragung (z. B. auch die Übergabe einer Stadt an den Eroberer). Schon früh aber begegnet das Wort auch im Sinne der Weitergabe geistiger Inhalte mit Hilfe der Sprache, mündlich oder schriftlich; es bezeichnet den Bericht, den Lehrvortrag, aber ebenso die Lehre, die Satzung usw.[17] Hier bereits konstituiert sich jener doppelte Gebrauch im Sinne von Überlieferungsvorgang und Überlieferungsinhalt, von ›actus tradendi‹ und ›traditum‹ (später auch als ›traditio activa‹ und ›passiva‹ unterschieden), ein Gebrauch also, der sich bekanntlich bis in die Gegenwart erhalten hat, allerdings mit Übergewicht des Inhalts.

Der Begriff gewinnt eine neue Wertigkeit im Zusammenhang der Reformation bei der Auseinandersetzung um das Problem von Schrift (Heiliger Schrift), Schriftauslegung und kirchlicher Überlieferung. Es bildet sich eine Polarität heraus, die als Traditionsprinzip und als Sola-Scriptura-Prinzip (mit Anerkennung nur der frühen apostolischen Tradition) in die Dogmen- und Kirchengeschichte eingegangen ist.[18] Hier wird der Traditionsbegriff deutlich – und zwar nicht nur von seiten der Reformatoren – mit einem konservativen, ja restaurativen Akzent versehen, vor allem im Zuge der Gegenreformation. Häufig begegnet er zusammen mit der Vorstellung von Autorität, besonders amtskirchlicher Autorität. Im übrigen reicht das Überwiegen der Verwendung im religiös-theologischen Zusammenhang bis weit ins 18. Jahrhundert hinein. Lessings Apostrophe an Luther: »Du hast uns von dem Joche der Tradition erlöset«,[19] spiegelt noch einmal die fast affektive Aufgeladenheit des Begriffs wider. Daneben kristallisiert sich im Zeichen der Aufklärung und des neuen Geschichtsdenkens auch ein intentional neutraler, geradezu mechanischer Traditionsbegriff heraus, mit dem etwa die Weitergabe von handwerklichen, künstlerischen Techniken, aber auch von Sagen und Liedern bezeichnet wird. Zunehmend tritt hierfür auch die deutsche Form ›Überlieferung‹ ein. Nicht selten wird aber bei Tradition auch eine Opposition zu ›Natur‹, ›Leben‹, ›Gegenwart‹ mitgedacht, etwa wenn Goethe vom Künstler sagt: »Er hängt an der Tradition und hat einen Blick hinüber in die Natur«[20].

Gewissermaßen eine Wiederaufladung mit konservativem bis reaktionärem Gehalt ist im Zusammenhang der politischen Restauration zu verzeichnen. Immer häufiger wird Tradition jetzt auf moralische, politische, im weitesten Sinne gesellschaftliche Verhaltensweisen bezogen, und insbesondere werden alte Standesgewohnheiten und Standesprivilegien so bezeichnet. Es bilden sich die Formeln von der ›preußischen Tradition‹ und von der ›guten, alten Tradition‹, mit der zumeist Adlig-Aristokratisches gemeint ist. Nicht weniger tiefgreifende Wirkungen zeigt schon früh das Wiederentdecken, Sichern, Wiederaufnehmen sogenannter ›volkstümlicher‹ Traditionen im Zeichen der Romantik. Tradition wird zu einem Hauptbegriff und zu einem Hauptobjekt der sich als Wissenschaft etablierenden Volkskunde[21] und der ihr entsprechenden kulturpolitischen Aktivitäten. Damit ist das Spektrum der Tendenzen und Verwendungsweisen entfaltet, das im wesentlichen auch noch die Gegenwart bestimmt. Der Nationalsozialismus nimmt den Begriff in seinen Agitationswortschatz auf, jetzt wirkt der Dichter, als Gegensatz zum ›Literaten‹, »im Sinne der Tradition, also konservativ«.[22] In Form der sogenannten ›Traditionspflege‹, der ›Traditionsvereine‹ und ›Traditionsverbände‹ reicht der Traditionalismus des 19. Jahrhunderts bis in unsere Tage hinein. Und angesichts des vielbeklagten ›Traditionsverlusts‹[23] – der gerne mit Geschichtsverlust gleichgesetzt wird – sieht er seine eigene Existenznotwendigkeit so klar bestätigt wie nur je.

Erst wenn man sich diese Geschichte des Traditionsbegriffs, das Schillernde und die tiefe Kompromittiertheit durch theologische und politische, kulturpolitische Tendenzen vergegenwärtigt, wird die Verlegenheit der bisherigen Wirkungsforschung hinsichtlich ›Tradition‹ voll verständlich. Die »Rehabilitierung von Autorität und Tradition« fordert Gadamer mit einer unnötig zweideutigen Formulierung als Voraussetzung für die Konstitution des ›wirkungsgeschichtlichen Bewußtseins‹.[24] »Die Kategorie Tradition ist wesentlich feudal«, behauptet Adorno, fernab jeder historischen Konkretion.[25] Den »Klassizismus der Traditionsforschung« kritisiert Jauß ebenso wie die »philologische Metaphysik der Tradition«.[26] Demgegenüber verlangt Weimann gerade eine neue, dialektische »Theorie der Tradition«, worin Tradition »als ein produktives Moment der gegenwärtigen Kultur« erkannt wird.[27]

Eine gemeinsame Basis hinsichtlich des Traditionsverständnisses scheint ausgeschlossen; denn auch die formale Konvergenz zwischen Gadamer und Weimann in der Forderung nach einer Neubesinnung auf Tradition täuscht. Jeder der vier Autoren – die in diesem Punkt als repräsentativ gelten können – reagiert auf eine der genannten Deformationen des Traditionsbegriffs und versucht sie in seinem Sinn zu funktionalisieren. Keiner aber geht von dem oben genannten sozialgeschichtlichen Erfahrungssatz aus, daß Tradition eine Grundbedingung für die Existenz und den Bestand jeder Art von Gesellschaften sei.

Damit ist nicht etwa ein ›wertneutraler‹ Traditionsbegriff postuliert, der gewissermaßen einen archimedischen Punkt außerhalb der Ideologien böte. Der Paulinische Satz aus dem 2. Thessalonicherbrief (2, 14; in der Vulgatafassung): »tenete traditiones, quas didicistis, sive per sermonem, sive per epistolam nostram« – dieser Satz gibt exakt einige Grundeigenschaften von Tradition wieder. Sie ist immer zunächst ein Moment der Kontinuität, der Konstanz, des ›tenere‹. Sie bedarf, um sich zu erhalten und durchzusetzen, der Autorität;[28] hier ist es die des Paulus. Man muß in Tradition hineinwachsen, sie lernen. Tradition kann sich mündlich oder schriftlich erhalten (sive per sermonem, sive per epistolam) und tendiert gerade in der Schriftlichkeit – in den Paulinischen Briefen – zur Kodifizierung und damit zugleich zur Auslegungstradition, gewissermaßen einer Metatradition (von den kodifizierten Texten her gesehen).

Theologie und Jurisprudenz haben sich diesen Phänomenen seit langem intensiv zugewandt, vor allem auch dem Problem der Auslegungstradition, also einer fundamental wirkungsgeschichtlichen Fragestellung.[29] Die Geschichte der Rezeption des römischen Rechts beispielsweise, wie sie durch Paul Koschaker dargestellt worden ist,[30] bietet eine Fundgrube methodischer Anregungen auch für literarische Wirkungsgeschichte. Der Bezug der religiösen und juristischen Primärtexte auf menschliches, gesellschaftliches Handeln ist nicht durch jene vor allem autonomistischen Vorurteile verdeckt worden, die Karl Robert Mandelkow als besondere Hemmnisse wirkungsgeschichtlicher Betrachtungsweise in Deutschland herausgestellt hat.[31]

Kontinuität, Autorität, Mündlichkeit und Schriftlichkeit, Auslegungstradition – alle diese Momente literarischer Tradition begegnen dem einzelnen im Prozeß der Sozialisation. Familie, Schule, Kirche, Vereine, privates und öffentliches Bildungswesen mit ihren Normen und ihren Sanktionsmechanismen bilden den institutionellen Rahmen,[32] der auch und gerade in den modernen komplexen Gesellschaften literarische Tradition wesentlich vermittelt und trägt. Er ist es, der damit Wirkungsgeschichte literarischer Texte nicht nur formal erst ermöglicht (z. B. durch Ausbildung der Lesefähigkeit),[33] sondern auch inhaltlich prägt. Dies gilt grundsätzlich auch für alle diejenigen Fälle, bei denen ein einzelner in seiner Beschäftigung mit Literatur weit über die Kenntnisse und Interessen der ersten Sozialisationsphase und ihre Traditionsinhalte hinauswächst. Hier ergibt sich ein Arbeitsfeld, das bei rezeptionstheoretischen Erörterungen zwar gelegentlich genannt wird – meist unter dem Stichwort Schule –, aber in die konkrete Analyse noch kaum einbezogen worden ist. Die literarische Kritik, die sich der Aufmerksamkeit der Rezeptionshistoriker in vorderster Linie erfreut, ist ja unter den normierenden Institutionen erst ein sekundärer, in seinen Auswirkungen auch durchaus verschieden bewerteter Bereich.[34]

Allerdings stellt sich hier die Frage: Genügt es nicht, den angedeuteten sozialen, institutionellen Rahmen literarischer Tradition jeweils gewissermaßen mitzudenken und im übrigen Wirkungsgeschichte doch weiterhin als die Geschichte spontaner oder auch gelenkter Einzelrezeptionen zu analysieren und darzustellen? Sind nicht die Entelechie des einzelnen Werks und die in den Dokumenten sich niederschlagenden Reaktionen und Urteile das hermeneutisch eigentlich Fruchtbare und damit Wesentliche? Es ist zuzugeben, daß durch die Zentrierung auf solche Dokumente die Bindung an das in seiner Wirkungsgeschichte zu analysierende Werk – oder auch an den Autor – eher gewährleistet ist, daß sich die traditionale Determination im angedeuteten Sinn materialiter oft nur mit Mühe ermitteln läßt und daß man sich dabei auch der Gefahr des Spekulierens und willkürlichen historischen Kombinierens aussetzt. Doch ist demgegenüber mit gleicher Deutlichkeit festzuhalten: Eine von aller traditionalen, institutionalen Prägung abstrahierende, isolierte Interpretation etwa von Kritiken, brieflichen Äußerungen u. dergl. steht nicht weniger in der Gefahr, als individuelle oder gar einzigartige Rezeption auszugeben, was wesentlich Gemeingut einer Gruppe oder gar der ganzen betreffenden Gesellschaft ist; Beispiele dafür könnten aus der Rezeptionsforschung in genügender Zahl angeführt werden. Vor allem läßt sich die traditionale Rahmenprägung von Wirkungen und Rezeptionen prinzipiell nicht ohne Ausgriff auf die Gesellschaftlichkeit der Tradition bestimmen. Das aber bedeutet für die quellenmäßig sehr unterschiedlich gelagerten Untersuchungsgegenstände: Erst wenn alle Möglichkeiten ausgeschöpft sind, den Traditionsrahmen in dem hier verstandenen institutional-sozialen Sinne zu ermitteln, kann grundsätzlich der Anspruch auf ein historisches und damit wesenhaft hermeneutisches Verfahren erhoben werden.[35]

Hierzu drei Beispiele. Wenn man für die muttersprachliche wie die lateinsprachliche Epigrammatik des 17. Jahrhunderts eine intensive Prägung durch das Vorbild Martial feststellt und dies – zu Recht – als ein Stück Wirkungsgeschichte Martials behandelt,[36] genügt es nicht, pauschal etwa auf die lateinische Tradition zu verweisen oder für die theoretischen Prämissen und einzelne sprachliche Formungen auf die sogenannte rhetorische Tradition. Erst wenn man die maßgebenden literarischen Traditionshüter der Zeit, das humanistische Bildungswesen in der Hand des Gelehrtenstandes, in die Untersuchung einbezieht, wird auf diesem klassizistisch geprägten Hintergrund der besondere Reiz des durch Martial repräsentierten manieristischen ›argutia‹-Ideals erkennbar.[37] Es ergeben sich überraschende Konvergenzen zwischen literarischem Jesuitismus und protestantischer Reformpädagogik, und man stößt sogar auf einzelne Sanktionsakte (Warnungen, Verbote),[38] die sich anhand der angedeuteten Traditionsmechanismen – und erst mit ihrer Hilfe – plausibel erklären lassen.

Ein zweites, näherliegendes Beispiel. Die Idee der Volkspoesie, wie sie sich vor allem im Umkreis Herders und dann der Romantik herausgebildet hat, schöpfte einen wesentlichen Teil ihres Reizwertes bekanntlich nicht nur aus der Vorstellung von der dichtenden, ursprünglichen, unverbildeten Volksseele, sondern auch aus der weitverbreiteten Fiktion, die erhaltenen Texte seien unmittelbare, ›volkstümliche‹ Tradition. Für die Wirkungsgeschichte etwa der Grimmschen Märchentexte dürfte es aber sehr entscheidend gewesen sein, daß sie gerade nicht Tonbandprotokolle mündlicher Überlieferungen darstellen, sondern erheblich stilisierende Fassungen, die bestimmten bürgerlichen Lesetraditionen und Leseerwartungen entgegenkamen. An solchen Tatsachen läßt sich belegen, was Hermann Bausinger mit bewußter Prononcierung »die Erfindung der Volkspoesie« genannt hat;[39] man könnte in unserem Zusammenhang geradezu von einer ›Erfindung der Volkstradition‹ sprechen.

Ein drittes Beispiel. Heinrich Mann gilt weithin als Hauptrepräsentant, für einige sogar als Begründer der nicht eben breiten Tradition des politischen Romans in Deutschland. Es hängt offensichtlich auch mit diesen Gegebenheiten zusammen, daß die Wirkungsgeschichten seiner Romane z. T. etwas verzögert einsetzen. *Der Untertan,* kurz vor Ausbruch des Ersten Weltkriegs fertiggestellt, dann teilweise veröffentlicht, schließlich 1916 als Privatdruck erschienen, fand aus einsichtigen Gründen erst 1918 Resonanz, nun gleich mit einer Stückzahl von nicht weniger als 100 000 Exemplaren. Völlig anders steht es mit seinen späten Romanen, besonders *Empfang bei der Welt* und *Der Atem.* Sie sind beim Literaturpublikum weithin unbekannt, nicht einmal die Forschung hat sich ihrer intensiver angenommen.[40] Man könnte den Grund hierfür einfach in der Qualität der Texte selbst suchen, in Merkmalen wie Polyglottie, Tendenz zur dialogischen Auflösung oder zur Lockerung der Komposition. In dieser Richtung gehen denn auch die wenigen zu den Texten überhaupt vorliegenden Äußerungen, meist ohne präzise Beschreibung der Phänomene selbst. Solche Äußerungen sind zweifellos wirkungsgeschichtliche Dokumente. Wer jedoch das Faktum der bisher geringen Resonanz dieser Texte wissenschaftlich verantwortbar zu beschreiben und zu deuten unternähme, ginge methodisch fehl, wenn er nicht zumindest auch die Traditionsbedingungen mit einbezöge: die scheinbar bloß äußerliche Tatsache der Isolierung des Autors von seinem bisherigen Publikum (im Exil), die faktische Unmöglichkeit einer breiteren Resonanz in den ersten Jahren nach dem Erscheinen, und nach dem Krieg die ungünstigen Bedingungen für eine Wiederaufnahme der unterbrochenen Tradition (nicht zuletzt aus politischen Gründen).[41]

Im Detail liegt natürlich das Verhältnis von Wirkungsgeschichte und Tradition bei allen drei Beispielen wesentlich komplizierter, als es hier angedeutet werden konnte. Im ersten Fall müßte etwa die Verbindlichkeit der Bildungstraditionen sozialhistorisch präziser bestimmt werden, im zweiten Fall wären die Lesetraditionen der bürgerlichen Märchenleser und die ideologische Funktion des Gedankens der ›Volksüberlieferung‹ genauer zu analysieren, und im dritten Fall ginge es z. B. um die Frage, welche Marktmechanismen hier die Überlieferung oder Nichtüberlieferung mit bestimmen. Der Begriff der Tradition wurde also in recht verschiedenen Zusammenhängen und damit auch Bedeutungsfacetten verwendet. Gemeinsam war den drei Beispielen die Gesellschaftlichkeit der Traditionsphänomene und der Hinweis darauf, wie tief solche ›exogenen‹ Faktoren die Qualität der einzelnen Rezeptionen und der Wirkungsgeschichte insgesamt prägen können. Durch bloßes Interpretieren und Vergleichen von Texten und von Äußerungen über sie läßt sich hier weder im echten Sinne hermeneutisch arbeiten noch gar Wirkungsgeschichte schreiben.

Die aus der Gesellschaftlichkeit literarischer Tradition resultierenden Forderungen an die Methode sind gewiß anspruchsvoll. Je schmaler die Quellenbasis insbesondere bei weiter zurückliegenden Epochen wird, desto eingeschränkter werden sie sich erfüllen lassen. Doch schon das Beispiel aus dem 17. Jahrhundert zeigt, wie wenig man die sich bietenden Möglichkeiten bisher wahrgenommen hat. Unter diesen Prämissen bleibt es eine unabdingbare Aufgabe, wenigstens einige grundsätzlichere Fragestellungen und Thesen zur traditionsbezogenen Wirkungsgeschichte zu formulieren.

Literarische Tradition ist als besondere Ausprägung gesellschaftlicher Tradition prinzipiell an die gleichen Gesetzmäßigkeiten gebunden wie diese. Einige Aspekte wie Kontinuität, Autorität, Institutionalität, dann auch etwa Mündlichkeit und Schriftlichkeit, wurden bereits genannt. Für Deutschland läßt sich der funktionale Zusammenhang dieser Aspekte von Tradition bis weit ins 18. Jahrhundert hinein vergleichsweise übersichtlich bestimmen. Die Herausbildung einer bürgerlichen Öffentlichkeit im Sinne von Jürgen Habermas,[42] die Entstehung eines literarischen Markts und nicht zuletzt die entschiedene Autoritätskritik der Aufklärung[43] schaffen seit der zweiten Hälfte des 18. Jahrhunderts neue Bedingungen auch des Traditionsverhaltens und damit literarischer Wirkungsgeschichte. Für die modernen Industriegesellschaften ist vor allem auf die Methoden und Resultate der Massenkommunikationsforschung zurückzugreifen.[44] Bölls rheinische Sozialkritik wird auf dem Hintergrund anderer Traditionsmechanismen rezipiert als diejenige Spees.[45]

Das historische Material mag sehr unterschiedlich erschließbar und auswertbar sein, eine prinzipielle zeitliche Grenze für die Frage nach der Traditionalität von Literatur läßt sich nicht benennen. Selbst das Homerische Epos, das so lange als Inbegriff von Ursprünglichkeit und Simplizität hat gelten müssen, ist von der historischen Forschung als spätes Resultat einer bereits langen Tradition des Produzierens wie des Rezipierens erkannt worden.[46]

Bei der Abgrenzung literarischer Tradition innerhalb der allgemeinen gesellschaftlichen Tradition und bei der notwendigen Differenzierung der in der Literaturwissenschaft verwendeten Traditionsbegriffe stehen in vorderster Linie natürlich die Inhalte. Solche Inhalte sind zunächst Normen und Werte (nicht notwendigerweise auch Regeln) der Produktion, der Rezeption und der Beurteilung von Texten; hierher gehören als komplexe Ausprägungen z. B. auch Lesetraditionen.[47] Gottscheds *Versuch einer Critischen Dichtkunst* ist wohl der letzte bedeutende Repräsentant einer geschichtlichen Möglichkeit traditionaler Regulation, in der alle drei Hauptaspekte noch unter dem gemeinsamen Dach der Regel- bzw. Anweisungspoetik vereinigt sind.

Notwendiges Korrelat aller Regelpoetik, aber nicht ausschließlich an sie gebunden, ist ein bestimmter Fundus an Texten, Werken, unter denen die ›Muster‹ als Inkarnationen von Normen herausragen. Im Fall Gottscheds werden sie von der *Critischen Dichtkunst* immer wieder genannt und zitiert, hinzu kommen die verschiedenen Textsammlungen – vor allem von Dramen – und nicht zuletzt das eigene, ›mit Kleister und Schere‹ verfertigte dramatische Musterstück *Der sterbende Cato*[48]. Es gibt keine literarische Tradition, die nicht über solche Markierungspunkte verfügte, und wo die Regelpoetik nicht mehr gilt, übernehmen die sogenannten ›Publikumslieblinge‹ und ›Bestseller‹ die orientierende Funktion (wobei deren Etablierung wieder besonderen Gesetzen folgt). Man braucht kaum eigens zu erläutern, von welcher Bedeutung es für die Wirkungsgeschichte eines Textes ist, ob er etwa einmal zum ›Muster‹ einer literarischen Tradition avanciert ist oder nicht. Und doch wird die überproportionale Eigenkraft solcher traditions- und autoritätsgestützten Musterhaftigkeit von mancher wirkungsgeschichtlichen Darstellung noch unterschätzt.

Für die konkrete Weise der Texttradierung selbst bietet sich ein breites Spektrum an Möglichkeiten, vom verbindlichen Lektürekanon mit ausgesprochenem Mustercharakter bis zum rein mechanischen Überlieferungsbegriff, der alles umfaßt, was irgendwo in den Magazinen der Bibliotheken jeweils zugänglich ist. Eine präzise Grenzziehung erscheint hier kaum möglich, so wünschenswert sie an sich wäre. Im Zweifelsfall sollte man bei der Verwendung des Traditionsbegriffs vielleicht häufiger erkennen lassen, an welche Bezugsgruppe gedacht wird. Natürlicher sozialer Ort einer kanonischen Texttradition ist das Bildungswesen, sei es privater oder öffentlicher, kirchlicher oder weltlicher Art. Auch in Schulen und anderen Bildungsinstitutionen, in denen längst keine Regelpoetik mehr gelehrt wird, repräsentiert doch der Lektürekanon, niedergelegt in Lehrplänen und Leselisten, zumeist eine ganz bestimmte Normtradition, ohne sie explizit zu formulieren. Die Lesebuchdiskussion der letzten Jahre ist im Kern eine Normdiskussion gewesen. Außerhalb des Bildungswesens im engeren Sinne sind Institutionen wie Reichsschrifttumskammer und *Index librorum prohibitorum* wesentlich an der Fixierung und Durchsetzung von Texttraditionen beteiligt. Wo ein bestimmtes Normsystem auf Dauer etabliert, zu

einer neuen Tradition gemacht werden soll, gehört die Benennung vorbildhafter Texte zu den ersten Maßnahmen; man denke an die Propagierung von Gorkis *Die Mutter* als einem Muster für sozialistischen Realismus.[49]
Von der reinen Texttradition ist oft nur schwer zu scheiden, was in der wirkungsgeschichtlichen Typologie gelegentlich als ›Geschichte des Ruhms‹ eines Autors bezeichnet wird.[50] Man könnte hier, mit einem ebenso unpräzisen Begriff, auch von Autortradition sprechen. Wer mit einem oder gar mehreren Texten im Lektürekanon vertreten ist, ob Sophokles, Cicero oder Horaz, ob Walther von der Vogelweide, Lessing, Goethe, Büchner oder Brecht, wird fast stets auch als biographische Person Eingang in die Tradition finden, meist sogleich in der Weise eines bestimmten, stilisierten ›Bildes‹, das dann wiederum auf die Textrezeption zurückwirkt.[51] Goethes Biographie beispielsweise hat lange Zeit zum eisernen Bestand der Tradition des Deutschunterrichts gehört.[52] Die wirkungsgeschichtlichen Arbeiten aus dem George-Kreis, die ja zu den wichtigen Frühformen dieses Forschungszweiges gehören, sind wesentlich durch diese Perspektive bestimmt. Wie die Relationen von personaler und textualer Tradition – insbesondere bei auftretenden Verschiebungen – im Zusammenhang sozialer Traditionsbildung zu sehen sind, bedürfte einer gesonderten Untersuchung.
Ein vierter Bereich literarischer Traditionsinhalte hat innerhalb der Literaturwissenschaft der letzten Jahrzehnte folgenschwere Verwirrungen hervorgerufen. Man könnte ihn vorläufig als die Tradition von Textelementen bezeichnen, worunter etwa Stoffe, Motive, Topoi, Theoreme, Argumente, auch Formen, Gattungsphänomene u. dergl. zu rechnen wären. Die sogenannte Traditionenforschung, wie sie vor allem von Aby Warburg und Ernst Robert Curtius initiiert worden ist – mit der Toposforschung als einem besonders signifikanten Teilbereich[53] –, hat für die konkrete Texterklärung und für die Aufdeckung europäischer Zusammenhänge unbestreitbar Bedeutendes geleistet.[54] Curtius verfaßte sein Standardwerk *Europäische Literatur und lateinisches Mittelalter* noch, wie er sagte, »aus Sorge für die Bewahrung der westlichen Kultur«, als »Versuch, die Einheit dieser Tradition in Raum und Zeit mit neuen Methoden zu beleuchten«.[55] Die Gefahr dieses Ansatzes, zumal sobald weniger kenntnisreiche und souveräne Geister sich an die Arbeit machten, bestand in einer geistlosen Mechanik des Sammelns und Kombinierens, in der Vernachlässigung des geschichtlich Besonderen und in der immer stärkeren Atomisierung zu Teiltraditionen. Manches kleine Motiv, das sich ein paarmal in der Diachronie nachweisen ließ, erhielt sogleich den Rang einer eigenen ›Tradition‹, und so liefen allmählich zahllose ›Traditionen‹ unterschiedlichster Wertigkeit, meist jeweils einsträngig untersucht, mehr oder weniger beziehungslos nebeneinander her oder kreuzten sich auch.[56] Wichtiges stand gleichberechtigt neben Unwichtigem, und wie solche ›Traditionen‹ etwa mit der Wirkungsgeschichte einzelner Werke zusammenhingen – an die sie doch weithin gebunden waren –, wurde oft überhaupt nicht erkennbar.
Das Ergebnis war bei vielen eine erneute Kompromittierung des Traditionsbegriffs schlechthin, die Wirkungen reichen bis in die Gegenwart. Andere versuchten das Chaos der vielen Traditionen zu bändigen und sprachen gelegentlich nur im Singular von ›Tradition‹ – wo man sonst vermutlich eher von ›Vergangenheit‹, ›Geschichte‹ oder auch spezieller von ›Einflüssen‹ gesprochen hätte. Zu Tradition wurde prin-

zipiell alles, was ein Autor vorfand oder was auf ihn einwirkte: Literarisches, Weltanschauliches, Soziales, auch Freunde, Zeitgenossen, aktuelle Moden. So entstanden Buchtitel wie *Bertolt Brecht und die Tradition*[57] oder *Thomas Mann und die Tradition*[58]. Ob man nun mit Hunderten von Traditionen rechnet oder nur mit einer einzigen, allumfassenden: Immer weniger bleibt die Kardinalfrage im Bewußtsein, wer denn wem was überliefert. Diese Aspekte sollten aber grundsätzlich in jeder wirkungs- oder traditionsgeschichtlichen Untersuchung ins Auge gefaßt werden, auch wenn nicht in jedem Einzelfall eine präzise Antwort darauf möglich ist.
Damit ist im Zusammenhang von Wirkungsgeschichte und Tradition ein letzter wichtiger Problemkomplex angesprochen, der einerseits den synchronischen *Geltungsbereich* von Tradition, andererseits das diachronische Phänomen des Traditionenwandels betrifft. Der Geltungsbereich einer literarischen Tradition erstreckt sich zunächst, wie bei gesellschaftlicher Tradition überhaupt, so weit wie die Autorität bzw. die Institution – notfalls mit Hilfe von Sanktionen – sich durchzusetzen vermag. Wenn etwa ein Schüler des 17. Jahrhunderts sich durch Ciceros Redestil gelangweilt fühlt oder ein Schüler des 19. Jahrhunderts mit Lessings *Minna von Barnhelm,* die auf dem Lehrplan steht, nichts anfangen kann, so gehören die Reaktionen beider zur Wirkungsgeschichte Ciceros bzw. Lessings, und zwar dank der Schultradition und der sozialen Autorität, die dahintersteht. Von Petrarcas Cicero-Rezeption oder Thomas Manns Lessing-Rezeption mögen beide um Welten getrennt sein. Aber es *sind* Rezeptionen (im übrigen gibt es abwertende Äußerungen über Cicero und Lessing nicht nur von Schülern), und mit Recht hat Jauß kürzlich wieder darauf hingewiesen, wie fatal gerade der Schulunterricht die Wirkungsgeschichte von Goethes *Iphigenie* beeinflußt habe.[59] Erst durch historische Rekonstruktion der Traditionslage, im Vergleich mit Racine, wird das Originelle, seinerzeit Neuartige der Goetheschen Schöpfung wieder erkennbar.
Außerhalb des Bildungsbereichs mit seinen Zensuren und Zertifikaten mögen die Mechanismen der äußeren Traditionssicherung nicht so offen zutage liegen. Doch denkt man etwa an die Namen und Bücher, die ein Gebildeter kennen ›muß‹, um im literarischen, nicht zuletzt im geselligen Leben zu bestehen, so kann jeder aus eigener Erfahrung Sanktionsmechanismen nennen, wie sie Levin L. Schücking in seiner *Soziologie der literarischen Geschmacksbildung* beschrieben hat.[60] Wenn hier traditionales historisches Wissen im herkömmlichen Sinne auch rückläufig sein mag, bedeutet dies im wesentlichen nur eine Verschiebung der Inhalte. Denn längst haben sich neue, aktueller erscheinende Normen- und Texttraditionen gebildet, deren Geltungsbereich sich bestimmen läßt. Kaum ein Theaterkritiker beispielsweise, der nicht ein neues Stück von Peter Hacks, Heiner Müller oder Peter Weiss an Brecht mißt: eine neue Urteilstradition auf dem Hintergrund einer neuen Texttradition. Und schon beginnt sie auch zu einem Bestandteil der Schultradition zu werden.
Die Sicherung von Tradition durch Machtstrukturen mag nicht die einzige, um nicht zu sagen: wünschenswerte Weise der Geltungssicherung sein. Gadamer hat im Sinne seiner »Rehabilitierung von Autorität und Tradition« gemeint, wahre Autorität habe »überhaupt nichts mit Gehorsam, sondern mit *Erkenntnis* zu tun«.[61] Das mag als Idealbild durchaus anerkennenswert sein, abstrahiert aber in bedenklicher Weise von der historischen und insbesondere der gesellschaftlichen Realität. Natürlich beruht die Wirkungsgeschichte des Sophokles nicht ausschließlich auf machtgeschützter

Tradition, aber ohne die kulturpolitischen Neigungen der Ptolemäer hätten die uns erhaltenen Texte des Sophokles und viele andere griechische Werke die Antike vielleicht nie überdauert. Und ohne das humanistische Gymnasium hätten wohl nur wenige (oder genauer: noch viel weniger) Leser je von ihnen Kenntnis genommen. Ähnlich steht es – um einen ganz anderen Bereich zu wählen – mit Wirkungsgeschichte und Tradition vieler Kirchenlieder, die im Schutz kirchlicher Macht und Institutionen überdauert haben (darunter manche, deren Textqualität den institutionellen Schutz in der Tat sehr nötig hat). Andererseits sollte auch das oben angeführte Beispiel der Spätwerke Heinrich Manns zu denken geben: Hier fehlte nicht zuletzt eine entsprechend interessierte tradierende Autorität oder gar Institution.[62]

Bei dieser Frage nach dem Geltungsbereich und der Geltungsstärke von Tradition geht es gar nicht um ein Ausspielen von literarischem ›Selbstwert‹ gegen machtgestützte Autorität, sondern um Kenntnisnahme und Berücksichtigung beider geschichtlicher Größen. Nicht jede Gesellschaft, Schicht oder Gruppe besitzt überdies eine völlig homogene und für alle gültige literarische Tradition. Gerade das Nebeneinander und das Sichablösen von Traditionen, sei es zwischen verschiedenen sozialen Schichten, sei es innerhalb derselben Schicht, ist für bestimmte historische Gesellschaftsformationen charakteristisch. Man denke etwa an die literarischen Einzeltraditionen der Stände im Spätmittelalter, und dabei auch an die fruchtbaren Querverbindungen und wechselseitigen Einflüsse. Im 17. Jahrhundert ist die Tradition der Mystik zunächst auf nur wenige Zirkel beschränkt, die bezeichnenderweise sowohl Ungelehrte wie Jakob Böhme als auch Adlige wie Daniel von Czepko umfassen. An den Gedichten von Quirinus Kuhlmann und Angelus Silesius ist nicht zuletzt die Tatsache reizvoll, daß sich hier gelehrt-humanistische und mystische Traditionen überschneiden.[63]

Dieses Beispiel vermag zugleich die verschiedenen Geltungsbereiche synchroner Tradition, positiv eingrenzend wie negativ ausgrenzend, zu illustrieren. Im Verhältnis zur institutionell dominierenden gelehrt- humanistischen Tradition hat die mystische Tradition lediglich den Rang einer Nebentradition, sie hat beispielsweise in den gelehrten Schulen prinzipiell nichts zu suchen. Die Existenz solcher Nebentraditionen, die aus der Position der sozial abgesicherten Haupttradition oft stigmatisiert und negativ sanktioniert werden, ist im übrigen charakteristisch für viele Gesellschaften. Fast läßt sich als Gesetzmäßigkeit formulieren, daß Nebentraditionen um so eher entstehen, ja gefördert werden, je rigider die Haupttraditionen sind. Vor allem Orthodoxien (jüdische, katholische, protestantische) provozieren fast regelmäßig Reaktionen in Form mystischer, pietistischer und ähnlicher Strömungen, die dann ihrerseits wieder zur Traditionsbildung tendieren. Ähnliches zeigt sich am Wiener Volkstheater im Verhältnis zur Hofbühne und etwa im Bereich der Auslegung und Anwendung des römischen Rechts, wo sich neben der offiziellen Auslegungstradition eine sogenannte Vulgär-Romanistik mit eigener Tradition herausbildet.

Für die Wirkungsgeschichte sind solche Differenzierungen vor allem deshalb wichtig, weil oft Texte unter bestimmten Bedingungen von der einen in eine andere Tradition überwechseln und somit auch in eine neue Phase ihrer Wirkungsgeschichte eintreten (z. T. auch ›zweigleisig‹ tradiert werden). Vom Aufsteigen sogenannter volkstümlicher Texte in den bürgerlichen Rezeptionsbereich war bereits die Rede. Wieweit

in solchen Fällen noch eine Identität der Texte gewahrt wird – und Wirkungsgeschichte setzt ja eine bestimmte Konstanz des Bezugspunkts voraus –, ist nicht generell zu beantworten. Die Bearbeitung von Shakespeare-Stücken für die Wanderbühne, die Teiltradierung dort und die Rezeption der übersetzten Originale im Deutschland des 18. Jahrhunderts mögen ein Grenzfall sein; aber selbst Friedrich Gundolf kann nicht umhin, in *Shakespeare und der deutsche Geist* auch die Wanderbühnenphase als einen Teil der Wirkungsgeschichte darzustellen.[64]
Mit dem Überwechseln eines Textes von einer Tradition in eine andere, und sei es nur temporär, ist bereits eine geschichtliche Grundmöglichkeit literarischen Traditions*wandels* bezeichnet. Tradition ist Struktur in der Diachronie. Der Wandel literarischer Traditionen, ob als Modifikation oder als Ablösung, vollzieht sich prinzipiell nach den gleichen Gesetzmäßigkeiten wie kultureller Strukturwandel überhaupt: durch Schwächung der Autorität der Traditionsträger, durch Generationenkonflikte, durch soziale Umschichtungen, durch Machteinwirkung von außen, durch Kontakte mit Traditionen anderer Gruppen und Kulturen (sogenannte ›Übertragung‹) – und nicht zuletzt durch die kreative Tat des großen einzelnen. Die Feststellung, daß meist mehrere Faktoren ineinandergreifen, ist trivial. Beim Traditionswandel, der etwa mit dem Sturm und Drang heraufgeführt wird, spielen sowohl soziale Umwälzungen als auch Generationenprobleme als auch beispielsweise der Einfluß englischer Überlieferungen eine wichtige Rolle. Ähnlich steht es mit dem Jungen Deutschland, den Naturalisten oder z. B. mit der Gruppe 47. Ob das jeweils Neue sich behauptet und eventuell zu einer eigenen, wiederum traditionsgestützten Wirkungsgeschichte aufsteigt oder bald wieder versinkt, hängt einerseits von der kreativen Fähigkeit der Neuerer in der Setzung neuer Muster ab, andererseits von der sozialen Stärke ihrer Träger (d. h. vor allem der potentiellen Rezipienten, aber auch etwa der Mäzene und politischen Interessenten: Sie können fördern und hemmen).
Daß auch der entschiedenste literarische Revolutionär, der sich in einem Kahlschlag oder auch an einem Nullpunkt glaubt (Gottfried Benn 1916: »Nun ist dies Erbe zuende ...«), ohne die Basis vorgefundener Traditionen nicht arbeiten kann – und sei es durch deren Negation –, ist oft gesagt worden. Entscheidend ist, nach der Formulierung von Ernst Bloch und Hanns Eisler, »das Wie der Erbmethode«.[65] Einer der genialsten Integratoren mit taktischem Geschick war, wie Hans Mayer gezeigt hat,[66] Brecht. Man möchte die These wagen, daß sich gerade dies auch in seiner Wirkungsgeschichte niedergeschlagen hat: Unter den vielen sowohl bürgerlichen wie volkstümlichen, sowohl antiken wie christlichen Traditionselementen befindet sich immer etwas (oder gleich mehreres), woran auch der bürgerlichste Leser oder Theaterbesucher noch anknüpfen kann. Auch wenn das allein als Begründung für die Kulinarisierung und Entpolitisierung Brechts natürlich nicht ausreicht, ist es doch ein Hinweis auf die überindividuelle Macht von Traditionen im Rahmen der Wirkungsgeschichte.
Wenn hier der Traditionsaspekt sowohl die Produktionsseite wie die Wirkungsseite betrifft, so ist dies kein Sonderfall. Ein Werk, das durch nichts anderes gekennzeichnet ist als durch die Erfüllung einer vorgefundenen Tradition, ist kaum denkbar – oder es ist eben langweilig.[67] Tradition läßt immer Spielraum, wenn auch mit unterschiedlicher Strenge. Auf der Basis tradierter klassizistischer Rhetoriktheorie konnte

sich im 17. Jahrhundert durchaus manieristische Praxis bilden. Daß dies nicht in allen Fällen ohne negative Sanktionen abging, wurde schon erwähnt. Auch in produktionsästhetischer Hinsicht gibt es eine gleitende Skala des Verhaltens zur Tradition. Denn wieder stellt sich das Problem der Verbindlichkeit. Wie Mythenrezeption, nach Hans Blumenbergs Definition, sich zwischen den Extremen »Terror« und »Spiel« erstreckt,[68] so kann auch jede literarische Tradition, wenn sie ihren originären sozialen Träger überlebt, durch bewußte Setzung neue Autorität erhalten oder auch zum ›Spiel‹ werden. Freilich ist auch im Bereich der Traditionen nicht alles zu allen Zeiten möglich. Thomas Mann hätte sein Spiel mit den Romantraditionen (höfischer Roman, Schelmenroman, Bildungsroman usw.) nie als Angehöriger eines erst *aufsteigenden* Bürgertums treiben können.

Aber zum Produktionsaspekt kommt nun der Aspekt der Wirkungsgeschichte. Geht das spezifische Verhältnis des *Doktor Faustus* zur Tradition des deutschen Bildungsromans[69] als ästhetische Qualität auch in die Wirkungsgeschichte ein? Oder um ein noch problematischeres Beispiel zu wählen: Muß man zum vollen Verständnis nicht nur des *Felix Krull*, sondern auch der *Blechtrommel* mit der Tradition des Schelmenromans[70] vertraut sein? In den zahlreichen Arbeiten, die sich insbesondere mit Gattungstraditionen befassen, werden wirkungs- bzw. rezeptionsgeschichtliche Fragestellungen dieser Art oft noch zu wenig oder überhaupt nicht berücksichtigt. Fast stets handelt es sich hier ja um längere Traditions-›Ketten‹, die nach rückwärts etwa bis zum ersten ›Muster‹ und nach vorwärts nicht selten bis in die unmittelbare Gegenwart des Lesers reichen. Wer mit einem historisch orientierten Erwartungshorizont den *Grünen Heinrich* liest, wird in diesen Horizont möglicherweise sowohl den *Wilhelm Meister* als auch den *Doktor Faustus* einbeziehen. Und mancher wird vielleicht durch die *Blechtrommel* angeregt, sich einmal näher mit der Tradition des Schelmenromans zu befassen.

In allen diesen Fällen vermag erst die Einzelinterpretation zu ermitteln, wie weit der Text etwa an bestimmte Traditionen gebunden bleibt und wie weit er seinerseits eventuell zu einem Traditionswandel beiträgt. Die Grundsatzdiskussion um das ›richtige‹ Verhältnis zur vorgefundenen literarischen Tradition ist neuerdings im Bereich der marxistischen Literaturkritik und Literaturwissenschaft wohl am intensivsten geführt worden. Die sogenannte Expressionismusdebatte war in weiten Teilen eine Traditionsdebatte, wobei zunächst noch der Begriff des ›Erbes‹ mit seinem stärker verpflichtenden Nebenton im Zentrum stand.[71] Zwar ging es strenggenommen nur um die Frage, *welches* Erbe anzutreten sei (ob die ›Errungenschaften‹ des Expressionismus im Vergleich zu den Realisten des 19. Jahrhunderts ein legitimes Erbe seien), aber nicht selten verschob sich die Diskussion auf eine recht formale Ebene, bis hin zu einer allgemeinen »Kunst zu erben«.[72] Schon Engels und Lenin hatten mehrfach darauf hingewiesen, daß der Marxismus eine Reihe wichtiger bürgerlicher Traditionselemente übernommen habe, und zwar die ›wertvollen‹, ›fortschrittlichen‹.[73]

Dieses Konzept ist, in deutlicher Anknüpfung an die Expressionismusdebatte, vor allem von Weimann und seinen Schülern weiterentwickelt worden. Dabei wird der zunächst dominierende Begriff des ›Erbes‹, der von traditionalistischen oder auch reaktionären Entstellungen ebenfalls nicht verschont worden war,[74] zunehmend wieder durch den Begriff der ›Tradition‹ ersetzt. Um so entschiedener stellt sich die Aufgabe einer Kritik »des bürgerlichen Traditionsbegriffs«.[75] Dieser Singular wird, aus offenkundig taktischen Gründen der Profilierung, mit Vorliebe gewählt, obwohl es – wie sich gezeigt hat – gerade in den ›bürgerlichen‹ Traditionsvorstellungen fast mehr Divergenzen als Gemeinsamkeiten gibt. Die Kritik verteilt sich denn auch auf Konservatismus, Elitarismus, Formalismus und Strukturalismus. Sie bilden den kontrastiven Hintergrund für den eigentlichen, dialektischen, produktiven, sozialistischen Traditionsbegriff.

Mag für Weimann und seine Schüler das begriffliche Moment der Auseinandersetzung auch einen hohen Rang einnehmen, im Kern geht es um das Problem eines Traditionswandels, der die kulturpolitische Szene der DDR in den letzten Jahren bestimmt. Nimmt man vor allem die verschiedenen literaturgeschichtlichen Darstellungen und Handbücher hinzu,[76] so zeigt sich dieser Wandel nicht nur bei den Normen der Textbewertung, sondern auch bei der konkreten Textauswahl. Mit der Hervorkehrung der volksverbundenen, dann vor allem der proletarischen Tendenzen in der Geschichte der deutschen Literatur wird Tradition gewissermaßen neu gesetzt, wird Wirkungsgeschichte neu angestoßen. Ein repräsentativer Dokumentenband trägt bezeichnenderweise den Titel *Zur Tradition der sozialistischen Literatur in Deutschland*.[77]

Einzelne Texte und Autoren – man denke etwa an Georg Weerth – treten somit zugleich in eine neue Phase ihrer Wirkungsgeschichte. Man könnte den Vorgang auch in der Weise begreifen, daß hier eine bisher als Nebentradition diskreditierte oder auch ignorierte Linie (Weimann nennt sie »die plebejische Traditionslinie«)[78] in die Haupttradition hineingenommen wird, und zwar ohne daß die überkommenen Relationen schlichtweg umgekehrt würden. Dieser Vorgang ist sowohl unter dem Gesichtspunkt des Traditionswandels als auch des Verhältnisses von Tradition und Wirkungsgeschichte bedeutungsvoll. Zwar treten etwa die Literatur des Mittelalters oder die der Romantik aus leicht eruierbaren Gründen stärker zurück, aber die bürgerlichen ›Klassiker‹ wie Lessing, Schiller, Goethe werden gemäß dem skizzierten Traditionskonzept nicht ausgestoßen, sondern gerade neu bestätigt, als Vorkämpfer für die bürgerliche Emanzipation. Auch für diese Autoren, die es nicht erst ›auszugraben‹ gilt, beginnt – wenigstens im sozialistischen Bereich – durch neue Traditionsbestimmung eine neue Phase ihrer Wirkungsgeschichte.

In dieser integrativen, mitunter auch deutlich legitimistischen Tendenz unterscheidet sich das hier angesprochene sozialistische Konzept etwa von dem oft untersuchten und diskutierten Beispiel der frühen humanistischen Rückwendung zur antiken Tradition.[79] Zwar etabliert sich in beiden Fällen ein neues Bewußtsein durch normative Infragestellung des als gültig Vorgefundenen und durch Neubewertung von Tradition. Aber jenes humanistische bewußte Überspringen ganzer Epochen unter Verzicht auf Kontinuität hat im sozialistischen Traditionsverhältnis kaum eine Entsprechung. Der Rekurs auf Marx und der Rekurs auf Platon im florentinischen Platonismus des 15. Jahrhunderts lassen sich formal vielleicht noch vergleichen. Die humanistische Wiederentdeckung eines Homer, Cicero oder Tacitus und der entsprechende Neueinsatz ihrer Wirkungsgeschichte sind im sozialistischen Traditionsbereich ohne Parallele.

Der Begriff der ›Renaissancen‹, mit dem man seit Jules Michelet solche wirkungsgeschichtlichen und traditionsbildenden Prozesse gern bezeichnet hat, führt zugleich auf ein letztes Zentralproblem. Die organizistische Vorstellung der ›Wiedergeburt‹ ist zumindest geeignet, eine Art Selbsttätigkeit oder auch weltgeistige Notwendigkeit des jeweiligen historischen Vorgangs zu suggerieren. Auch der Begriff der ›Wirkungsgeschichte‹ kann zumindest in dieser Richtung verstanden werden (und ist von nicht wenigen so verstanden worden). Wie steht es mit Tradition? Ist sie ›geworden‹ oder ›gemacht‹? Die Frage ist so naheliegend wie in dieser Form unbeantwortbar. Der Traditionsbegriff der älteren Volkskunde und weithin auch des politischen Konservatismus tendierte eindeutig zur ›Gewordenheit‹, ›Gewachsenheit‹, ›Naturwüchsigkeit‹ der Überlieferungen. In dieser Hinsicht müßten manche der hier angeführten Beispiele Zweifel geweckt haben. Auch wenn in vielen Fällen das verfügbare Material keine differenzierten und präzisen Antworten gestattet: Zensur, Mäzenatentum, Marktmanipulationen, institutionelle Willkür jeder Art erweisen sich immer wieder als wichtige Faktoren der Traditionsbildung.[80]

Dem ›Gewordenen‹ und dem ›Gemachten‹ von Tradition, wie immer dies auch zu denken sei, ist gemeinsam, daß es auf *Selektion* beruht. Gadamer hat mit Recht darauf hingewiesen, daß »Zugehörigkeit zu Traditionen genau so ursprünglich und wesenhaft zu der geschichtlichen Endlichkeit des Daseins gehört wie sein Entworfensein auf zukünftige Möglichkeiten seiner selbst«.[81] Doch ist Tradition nicht nur für den einzelnen Rahmenbedingung seiner Endlichkeit, sondern ebenso für die Gesellschaft. Dadurch, daß im Prozeß der Traditionsbildung aus der verwirrenden Fülle des prinzipiell Zugänglichen und des neu Entstehenden normativ selektiert wird, kann auch gesellschaftliche Kontinuität erst sich bilden. Was man gemeinhin als ›literarisches Leben‹ einer Gesellschaft bezeichnet, ist ja unter dem Gesichtspunkt der Kontinuität nichts anderes als ein fortwährendes Ineinander und Nebeneinander von Selektionsprozessen.

Um diesen Komplex in seiner zeitlichen Dimension zu differenzieren, hat man gelegentlich von synchronischen ›Konventionen‹ und diachronischen ›Traditionen‹ gesprochen.[82] Wenn man die Funktionsübergänge zwischen beiden Begriffen im Blick behält, kann das Moment der sozialen Verbindlichkeit, das im Wort Konvention enthalten ist, durchaus der Verdeutlichung dienen. Das im Prozeß der literarischen Selektion aus dem Kontinuum der normativen Möglichkeiten und der produzierten Texte Herausgehobene erhält durch Konvention jenes ›Überschießende‹, das mit jeder Autorität oder Institution gegeben ist. Es kennzeichnet den Rückkopplungsprozeß des literarischen Bestsellererfolgs (nach dem Prinzip ›nothing succeeds like success‹) phänomenologisch ebenso wie die überdauernde und sich selbst bestätigende Macht von Lehrplänen und Lektürelisten.

Diese Eigentümlichkeit der Selektionen, die zu Traditionen gerinnen, ist von der wirkungsgeschichtlichen Forschung bisher viel zu wenig realisiert worden. Wenn Jauß neuerdings der Unterscheidung von »Tradition und Selektion« und »von gewählter und von gewordener Tradition« stärkere Aufmerksamkeit widmet und das »Fehlen dieser Unterscheidung« als einen Mangel seines »bisherigen theoretischen Konzepts« ansieht,[83] so ist dies eine begrüßenswerte, freilich noch sehr rudimentäre Modifikation. Erst in der historischen Konkretisierung und in der Beschreibung auch der gesellschaftlichen Aspekte der Selektion wird die fundamentale Bedeutung für die Wirkungsgeschichte von Texten erkennbar werden. Den meisten wirkungsgeschichtlichen Untersuchungen liegt immer noch ein, wie Mühlmann es formuliert

hat,[84] ›sozialdarwinistisches‹ Konzept zugrunde. Das Wertvollste, Beste setzt sich schon durch. Von den Eigengesetzlichkeiten literarischer Tradition als einer gesellschaftlichen Tradition ist man in der Methodik noch weit entfernt. Phänomene wie »Konselektion des Belanglosen«[85] sind praktisch noch nicht untersucht oder auch nur in der Theorie als Aufgabe für wirkungsgeschichtliche Forschung formuliert.
Rezeption von Literatur und damit Wirkungsgeschichte von Literatur ist ohne Tradition nicht denkbar und nicht erforschbar. Kein Leser geht ohne traditionale Vorprägung an einen Text heran. Sie gibt Hintergrund und Orientierung. Aber Tradition trägt auch, wie jede Autorität, jenes überschießende Moment der gesellschaftlichen Selbstsicherung und Stabilisierung in sich, das den einzelnen in seiner Individualität und Spontaneität begrenzt. »Denn was für Urtheile«, heißt es bei Schopenhauer, »würden über Plato und Kant, über Homer, Shakespeare und Goethe ergehn, wenn jeder nach dem urtheilte, was er wirklich an ihnen hat und genießt, und nicht vielmehr die zwingende Auktorität ihn sagen ließe was sich ziemt, so wenig es ihm auch vom Herzen gehn mag.«[86] Was sich ziemt, ist immer ein Jeweiliges. Es gibt keine literarische Tradition ›an sich‹, so wie es keinen Text ›an sich‹ gibt – insofern kann Tradition auch nicht, wie Gadamer es fordert, ›rehabilitiert‹ werden. Aber man kann sich die Geschichtlichkeit und die Gesellschaftlichkeit literarischer Traditionen durch historische und empirische Arbeit vergegenwärtigen. Und man kann sich der Irrwege und Sackgassen bisheriger Traditionsforschung bewußt werden. Vor allem sollten nicht weiterhin politische Vorurteile daran hindern, Tradition als fundamentale Bedingung für Literatur und ihre Wirkungsgeschichte in die Methodologie der Rezeptionsforschung einzubeziehen.

JOCHEN SCHULTE-SASSE

Autonomie als Wert. Zur historischen und rezeptionsästhetischen Kritik eines ideologisierten Begriffes

»Es gibt eine Reihe von Kriterien«, so behaupteten Edgar Mertner und Herbert Mainusch 1971 in einem amtlichen Gutachten, »die es ermöglichen, ein literarisches Kunstwerk vom Nichtkunstwerk zu unterscheiden. Zu diesen Kriterien gehört beispielsweise die dem Kunstwerk eigentümliche Autonomie, die es unmöglich macht, daß das Kunstwerk in den Dienst einer politischen oder weltanschaulichen Lehre tritt.«[1] Erstaunlich an diesem herkömmlichen Lehrsatz literarischer Wertungstheorien, dessen historisch unreflektierte und somit unkritische Tradierung personell und institutionell immer noch abgesichert ist, ist seine mangelnde Differenziertheit. Da wird aus einem offensichtlichen Merkmal ästhetischer Texte, nämlich aus ihrer fehlenden Diskursivität und formbestimmten Ausdrucksweise, der Schluß gezogen, daß Kunstwerke sich nicht nur direkt, sondern auch indirekt einer (im weiteren Sinne) politischen Indienstnahme entziehen. Da wird nur ungenau überprüft, ob im (nicht nur literarischen, sondern allgemein semiotischen) Anspielungshorizont seiner Entstehungszeit ein Text nicht über Sekundärbezüge, d. h. über Personenkonstellationen und Handlungsstrukturen, über Symbolketten usw., politische Relationen zu seinem Kontext erstellt, die dem ehrfurchtsvollen Blick einer bewahrenden Spätzeit entgehen oder unbewußt bleiben, weil sie inzwischen – ideologisch verzerrt – als quasi-ästhetische internalisiert worden sind.

Autonomieästhetische Wertungstheoretiker meinen aus ihrem Basissatz von der Zweckfreiheit der Kunst einen uneinholbaren Vorteil ziehen zu können: sie nehmen für sich in Anspruch, methodisch reiner und gegenstandsadäquater zu verfahren, indem sie alle außerästhetischen Gesichtspunkte beiseite zu schieben vorgeben, um sich allein auf ästhetische, auf medienspezifische zu konzentrieren. Einer möglichen rezeptions- bzw. kommunikationstheoretischen, d. h. die Autonomie sprachlicher Kunstwerke transzendierenden Begründung literarischer Wertung würden sie entgegenhalten, sie vermenge ästhetische und außerästhetische Aspekte und werde so der Eigenart des Ästhetischen nicht gerecht. Wollen wir die literarische Wertungstheorie wie -praxis auf eine neue Grundlage stellen, müssen wir uns dieser autonomieästhetischen Herausforderung stellen. Uns obliegt mithin der Nachweis, daß jener Ansatz sich ganz und gar nicht Außerästhetischem, insbesondere ideologisch motivierter Interessenverquickung, entzieht, sondern letztere mit seinem Anspruch lediglich verschleiert. Erst wenn dieser Nachweis glückt, sind autonomie- und rezeptionsästhetische Ansätze vergleichbar und Entscheidungen im Hinblick auf ihre historische wie methodische Praktikabilität und Legitimität möglich.

Ein solcher Nachweis ließe sich induktiv im Hinblick auf literarische Werke selbst denken. Man könnte im Anschluß an Behauptungen wie der von Mertner und Mainusch nachweisen, daß die sekundären, sich nicht diskursiv niederschlagenden, aber nichtsdestoweniger semiotisch wirksamen Verflechtungen zwischen Texten und (im weitesten Sinne politischen) Kontexten bis in die ästhetischen Herzregionen von Kunstwerken hineinreichen und somit aus einer ästhetischen Betrachtungsweise nicht ausblendbar sind. Ein solcher Nachweis läßt sich aber auch denken im Hinblick auf das ästhetische und poetologische *Reden* von Autonomie. Dieses Reden hat, bevor seine Anlässe ideologisch verdeckt und rezeptionsgeschichtlich verzerrt worden sind, aktuelle historische Beweggründe gehabt. Im folgenden wird versucht, die Spannung zwischen autonomie- und rezeptionsästhetischer Begründung literarischer Wertvorstellungen, zwischen vergangener und gegenwärtiger Aktualität dieser Ansätze als historische Spannung darzustellen. Als Ausgangspunkt bietet sich die Ästhetik jenes Denkers der deutschen Klassik an, der sich immer wieder bemüht hat, die spezifische Autonomie literarischer Werke und ihre geschichtsbildende Funktion zu bestimmen, die Ästhetik Schillers. Wir werden dabei nicht um einen längeren Exkurs zur politischen Motivation ästhetischer Denkweisen Schillers herumkommen.

I

Im sechsten seiner ästhetischen Briefe kommt Schiller auf ein historisches und gesellschaftspolitisches Phänomen zu sprechen, für das Marx später Begriff und Theorie der Entfremdung systematisch entwickelt hat. »Auch bei uns«, so beklagt Schiller die Folgen der Arbeitsteilung, »ist das Bild der Gattung in den Individuen vergrößert aus einander geworfen – aber in Bruchstücken, nicht in veränderten Mischungen, daß man von Individuum zu Individuum herumfragen muß, um die Totalität der Gattung zusammenzulesen. [...] wir sehen nicht bloß einzelne Subjekte, sondern ganze Klassen von Menschen nur einen Teil ihrer Anlagen entfalten, während daß die übrigen, wie bei verkrüppelten Gewächsen, kaum mit matter Spur angedeutet sind. [...] Ewig nur an ein einzelnes kleines Bruchstück des Ganzen gefesselt, bildet sich der Mensch selbst nur als Bruchstück aus; ewig nur das eintönige Geräusch des Rades, das er umtreibt, im Ohre, entwickelt er nie die Harmonie seines Wesens, und anstatt die Menschheit in seiner Natur auszuprägen, wird er bloß zu einem Abdruck seines Geschäfts, seiner Wissenschaft.«[2] Die von Schiller so vehement beklagte, durch die Entwicklung arbeitsteiliger Produktionsweisen hervorgerufene Entfremdung der Menschen von sich selbst, der er als Schriftsteller ja ebenfalls unterworfen war und die im Verlauf des 18. Jahrhunderts zur gesellschaftspolitischen Isolierung der Schriftsteller als für die Allgemeinheit nicht mehr repräsentativer Spezialisten führt, wird von einer Reihe sich vor allem als marxistisch verstehender Autoren als historische Ursache dafür angegeben, daß seit dem 18. Jahrhundert Dichter und Dichtungstheoretiker literarische Werke als »autonom« betrachten. Einer als entfremdet erlebten Wirklichkeit gegenüber, so heißt es, könne sich der Künstler nur als Genie, als Außenseiter der Gesellschaft definieren – könne er sein Werk nur als antinom begreifen, indem er der »formale[n] und ästhetische[n] Seite eine umso beherrschendere Rolle« zumesse[3] und der Kunst einen gesellschaftlichen Status zuweise, »der in der Negation von gesellschaftlichem Status selbst besteht«[4].
Die Geschichte des ästhetischen Autonomiebegriffs spiegelt so für viele Autoren die Geschichte sich verschärfender allgemeingesellschaftlicher Entfremdung. Kunst und Wirklichkeit seien in den vergangenen zwei Jahrhunderten zunehmend stärker auseinandergetreten, weil es Schriftstellern und Literaturtheoretikern immer weniger gelungen sei, ihren Gegensatz zu versöhnen; die objektiven Entfremdungsweisen *in*

der Gesellschaft sollen sich dialektisch in subjektiv-künstlerischen Entfremdungen *von* der Gesellschaft niedergeschlagen haben.
Schiller scheint für einen solchen historischen Erklärungsvorschlag die besten Belege zu liefern. Er leidet nachweislich unter dem, was wir heute als gesellschaftliche Entfremdung fassen, pocht eindringlich auf die Autonomie des Kunstwerks und stellt sich und sein Schaffen entschieden der gesellschaftlichen Realität entgegen. »Es ist im buchstäblichsten Sinne wahr«, so schreibt er am 3. August 1795 an den Komponisten Reichardt, »daß ich gar nicht in meinem Jahrhundert lebe; und ob ich gleich mir habe sagen lassen, daß in Frankreich eine Revolution vorgefallen, so ist dies ohngefähr das wichtigste was ich davon weiß.« Drei Monate später, am 4. November, heißt es in einem Brief an Herder: »Es läßt sich, wie ich denke, beweisen, daß unser Denken und Treiben, unser bürgerliches, politisches, religiöses, wissenschaftliches Leben und Wirken wie die Prosa der Poesie entgegengesetzt ist [...] Daher weiß ich für den poetischen Genius kein Heil, als daß er sich aus dem Gebiet der wirklichen Welt zurück zieht.« Diesen Brief Schillers an Herder als Kronzeugen aufrufend, meint Hans-Wolf Jäger auch und gerade im Hinblick auf Schiller von einer »a- oder antipolitischen Klassik« sprechen zu können[5] – eine Charakterisierung, in deren Gefolge, wenn sie zuträfe, auch das klassische Autonomiekonzept als apolitisches zu deuten wäre.
Um die ursprüngliche Politizität dieses Konzeptes detailliert und konkret nachweisen zu können, ist es nötig – anknüpfend an eine Äußerung des vorkantischen Schiller –, ein wenig auszuholen. In seinem Aufsatz *Die Schaubühne als eine moralische Anstalt betrachtet* (1784) zeichnet Schiller ein zumindest für seine Jünglingsjahre überraschend optimistisches Bild von den politischen Zuständen der feudalabsolutistischen Staaten seiner Zeit: »Menschlichkeit und Duldung fangen an, der herrschende Geist unserer Zeit zu werden; ihre Strahlen sind bis in die Gerichtssäle und noch weiter – in das Herz unsrer Fürsten gedrungen.« Der Feudalabsolutismus, so scheint Schillers politische Überzeugung dieses Aufsatzes zusammengefaßt werden zu können, wird durch eine bereits eingeleitete Vermenschlichung der Herrschenden reformiert. »Wie viel Anteil an diesem göttlichen Werk gehört unsern Bühnen?«, so Schillers rhetorische Frage, die er durch Hinweise auf die »wollüstigen Tränen« der Zuschauer und auf die »Menschlichkeit und Sanftmut«, die die Schaubühne durch jene »in unser Herz« pflanze, zu beantworten sucht.[6]
Schiller ist in diesen Zeilen traditionellen, nämlich aufklärerisch-empfindsamen Denkmodellen verpflichtet. Obwohl der empfindsamen Dramaturgie eine bewußte sozialpolitische Programmatik fast durchweg abgesprochen worden ist,[7] gilt diese Verpflichtung auch für die bei Schiller beobachtbare enge Verknüpfung von empfindsam-dramaturgischen und politischen Überlegungen. Für diese ästhetik- wie sozialgeschichtlich folgenschwere Behauptung seien kurz einige Belege angeführt. In einer 1765 in Karlsruhe erschienenen Schrift *Von der Zärtlichkeit* versucht ein anonymer Autor das Programm einer empfindsamen, auf »sympathetischen Neigungen« seiner Mitglieder aufbauenden Gemeinschaftskultur zu entwickeln. Er bezieht dabei ähnlich wie Schiller auch Regenten in sein Denkmodell einer durch allgemeinmenschliche Dispositionen fundierten Gemeinschaftsbildung ein und erblickt politische Wirkungen der zu begründenden empfindsamen Gemeinschaftskultur besonders darin, daß die Zärtlichkeit »den Höhern von seiner Höhe herunter[führt], aber nur so, daß neben der Ehrfurcht unsere Liebe ihn desto eher erreichen kan: sie erhöhet zugleich den

Stand des Niedrigen, und setzt ihn bey uns in einige Hochachtung«. Der Anonymus meint, die alle Stände umgreifende empfindsame Gemeinschaftskultur hebe die Standesunterschiede in moralischer Hinsicht auf und nur ein Fürst, dessen Herz vor »feinern Empfindungen verschlossen, und von aller Zärtlichkeit entfernt« sei, könne »eine Geissel der Nationen [...], ein Zerstörer der Länder« und ein »Tyrann« sein.[8] Hier drückt sich ein bürgerlich-emanzipatorisches Programm aus, das in der zweiten Hälfte des 18. Jahrhunderts das gesellschaftliche Bewußtsein der literarischen Intelligenz Deutschlands bestimmt hat und in den Augen seiner Verfechter geeignet war, ohne revolutionäre Aktion und durch bloße Moralisierung soziale Benachteiligungen aufzuheben.

Die Blütezeit dieser aufs Allgemeinmenschliche rekurrierenden, gegen soziale Privilegien gerichteten moralisierenden ›Unterwanderungsstrategie‹ liegt in den auslaufenden fünfziger und den sechziger Jahren. 1759 schreibt der erfolgreiche Staatsrechtler und Politiker Friedrich Carl Moser: »Es ist ein wesentlicher Unterschied zwischen einem Landes-Fürsten und Landes-Vater. Jenes wird man durch die Ordnung und Rechte der Geburt, dieses durch Tugend, und Ausübung seiner Pflichten. Jene seynd die Besitzer des Vermögens ihrer Unterthanen, diese die Fürsten ihrer Herzen.«[9] Der Fürst mit Herz, der wegen seiner moralischen Eigenschaften die Herzen seiner Untertanen besitzt und der auf Grund dieser Eigenschaften dem absolutistischen, moralisch ungebundenen Souverän entgegengesetzt ist – das ist nicht nur ein Wunsch- und Leitbild weltfremder Schriftsteller, sondern eine konkrete Forderung von im öffentlichen Leben stehenden Politikern, eine Forderung, deren politische Implikationen allerdings nicht als sozialrevolutionär im heutigen Sinne verstanden werden darf. Denn man dachte noch nicht in sozialen Klassen, sondern in Kategorien des Allgemeinmenschlichen und der Moral und war von der Aktualität und Praktikabilität des Humanisierungsprogramms auch und gerade für den politischen Bereich überzeugt, was zu einem politisch versöhnlichen, durch ständeübergreifende bzw. -aufhebende Moralisierungsstrategien zu verwirklichenden Gesellschaftsmodell führen mußte. Der Wiener Literaturkritiker Joseph von Sonnenfels beispielsweise, der, »wo andre den Großen, den Mächtigen, den Reichen sehen, nur den Menschen, nur ihn« sehen will, entwirft 1766 einen sozialutopischen Staat, »wo der Adel auf seine Würde eifersüchtig, sich von neuen Leuten nicht übertreffen lassen will, und gemeine Bürger durch selbstbesessene Eigenschaften die Würde des Adels zu verdunkeln suchen! Glückliches Volk, wo nichts edel ist als die Tugend, nichts Pöbel ist, als das Laster«.[10] Hinter dieser Sozialutopie steht der politische und historisch-konkrete Anspruch des moralischen Räsonnements einer literarischen Öffentlichkeit, sich die Politik, das politische Handeln zu unterwerfen. Sonnenfels und seine Zeitgenossen dachten nicht aus politischer Inkonsequenz, sondern mangels historischer Erfahrung bzw. Enttäuschung viel zu optimistisch, als daß sie gleich zu klassenantagonistischen Parolen gegriffen hätten. Ihr erster Entwurf einer Emanzipation unterprivilegierter Schichten sah zunächst mit typisch aufklärerischem Optimismus die Unterwanderung und gewaltlose Aufhebung sozialer Ungerechtigkeiten durch moralische Besserung herrschender Individuen und damit eine *indirekte*, d. h. moralische und nicht politische, im Laufe der Geschichte einzulösende Aufhebung ständischer Interessengegensätze vor. Daß die zu moralisierenden Individuen nicht aus gesellschaftlichen Zusammenhängen isolierbare Einheiten sind, sondern daß ihr

Handeln möglicherweise durch standesspezifische Interessenstrukturen bestimmt ist und somit eine Veränderung gesellschaftlicher Strukturen eventuell die *Voraussetzung* für die Veränderung der Individuen bildet, diese Einsicht lag offensichtlich außerhalb der durch den Entwicklungsstand der gesellschaftlichen Praxis eingeschränkten Denkmöglichkeiten der Zeit. So gingen die Zeitgenossen nicht von der Möglichkeit oder gar Notwendigkeit einer *kämpferischen* Umwandlung der bestehenden Verhältnisse aus; sie bauten vielmehr eine Opposition zweier Welten (Ideal und Wirklichkeit) als handlungsanleitende Denkform auf, aus der dann ein gegensatzversöhntes Zukunftsmodell als konkrete Utopie entsprang.

Den Hiatus zwischen Ideal und Wirklichkeit, zwischen harmonischer Zukunft und widersprüchlicher Gegenwart sollten die (nicht als destruktiv, sondern als produktiv verstandene) Kritik politischer Mißstände und die Wirkungen der Kunst überbrücken helfen. Im *ästhetischen* Bereich wuchs dem Trauerspiel eine besondere Aufgabe zu. Es sollte durch Gefühlswirkung, durch Mit-Empfindung, durch identifikationsstiftende Rührung im Rahmen des Theaters für wenige Stunden jeweils eine auf das bloße Menschsein reduzierte Gemeinschaft verwirklichen, die als *gesellschaftlich* konstitutive lediglich im Ideal antizipiert werden konnte. Nur auf dem Hintergrund dieser antizipatorischen, sozialutopischen Funktion nicht einzelner Stücke, sondern des *Mediums* Theater wird Schillers hymnische Lobpreisung dieses Mediums verständlich, mit der er seinen *Schaubühnen*-Aufsatz ausklingen läßt. Im Theater, so Schiller, werden »Menschen aus allen Kreisen und Zonen und Ständen [...] durch *eine* allwebende Sympathie verbrüdert, in *ein* Geschlecht wieder aufgelöst [...]. Jeder einzelne genießt die Entzückungen aller, die verstärkt und verschönert aus hundert Augen auf ihn zurückfallen, und seine Brust gibt jetzt nur *einer* Empfindung Raum – es ist diese: ein *Mensch* zu sein.«[11] Wie viele seiner Zeitgenossen sah Schiller die politische Bedeutung des Theaters darin, daß es »alle Stände und Klassen in sich vereinigt und den gebahntesten Weg zum Verstand und zum Herzen hat«[12] und dadurch jenes gesellschaftspolitische Humanisierungsprogramm unterstützt, das soziale Gegensätze durch moralische Aushöhlung dieser Gegensätze abbauen will.

Die politisch motivierten, wenn auch in ihrer Brisanz mitunter geschichtsphilosophisch abgeschwächten Überzeugungen des *Schaubühnen*-Aufsatzes halten sich auch in Schillers kantischer und nachkantischer Phase durch. In dieser Phase übernimmt er lediglich Begriffe und Denkweisen der dualistischen Anthropologie Kants und versucht mit Hilfe dieses Ansatzes, seine gesellschaftspolitischen Grundanschauungen präziser und differenzierter zu fassen. Als Ausgangspunkt dient ihm dabei die Zweiteilung menschlicher Vermögen, die Teilhabe des Menschen an zwei Welten, dem ›mundus intelligibilis‹ und dem ›mundus sensibilis‹. Zwischen diesen beiden Welten sind drei Verhältnisse denkbar: »Der Mensch unterdrückt entweder die Forderungen seiner sinnlichen Natur, um sich den höhern Forderungen seiner vernünftigen gemäß zu verhalten; oder er kehrt es um und ordnet den vernünftigen Teil seines Wesens dem sinnlichen unter und folgt also bloß dem Stoße, womit ihn die Naturnotwendigkeit gleich den andern Erscheinungen forttreibt; oder die Triebe des letztern setzen sich mit den Gesetzen des erstern in Harmonie, und der Mensch ist einig mit sich selbst.« Interessant ist nun an solchen anthropologischen bzw. ethischen Ausführungen, daß sie Schiller als Modell dienen, an dem er seine gesellschaftspolitischen Vorstellungen erläutert. Er tut dies selbst dort immer wieder, wo Gesell-

schaftspolitisches nicht eigens thematisch wird. In *Über Anmut und Würde* beispielsweise folgt den soeben zitierten Sätzen über die Verhältnisse menschlicher Vermögen untereinander: »Das erste dieser Verhältnisse zwischen beiden Naturen im Menschen erinnert an eine Monarchie, wo die strenge Aufsicht des Herrschers jede freie Regung im Zaum hält; das zweite an eine wilde Ochlokratie, wo der Bürger durch Aufkündigung des Gehorsams gegen den rechtmäßigen Oberherrn so wenig frei als die menschliche Bildung durch Unterdrückung der moralischen Selbsttätigkeit schön wird, vielmehr nur dem brutaleren Despotismus der untersten Klassen, wie hier die Form der Masse, anheimfällt.«[13] Die anzustrebende politische Freiheit dagegen liege »zwischen dem gesetzlichen Druck und der Anarchie mitten inne«.
Die dritte, von Schiller offensichtlich allen anderen vorgezogene und in dieser Textstelle etwas knapp abgehandelte Regierungsform hatte er wenige Seiten zuvor mit ausführlicheren Bemerkungen bedacht. Dort bittet er den Leser ohne jede sich aus dem thematischen Zusammenhang ergebende Notwendigkeit um Erlaubnis, seine ästhetischen Überlegungen »durch eine bildliche Vorstellung« erläutern zu dürfen: »Wenn ein monarchischer Staat auf eine solche Art verwaltet wird, daß, obgleich alles nach eines einzigen Willen geht, der einzelne Bürger sich doch überreden kann, daß er nach seinem eigenen Sinne lebe und bloß seiner Neigung gehorche, so nennt man dies eine liberale Regierung. Man würde aber großes Bedenken tragen, ihr diesen Namen zu geben, wenn entweder der Regent seinen Willen gegen die Neigung des Bürgers, oder der Bürger seine Neigung gegen den Willen des Regenten behauptete; denn in dem ersten Fall wäre die Regierung nicht *liberal,* in dem zweiten wäre sie gar nicht *Regierung.*«[14] Es wird deutlich, daß Schiller anthropologische und ethische Vorstellungen zum Modell nimmt, um seine gesellschaftspolitischen Überzeugungen gedanklich in den Griff zu bekommen. Wir müssen hier darauf verzichten, im einzelnen nachzuweisen, daß Schiller bei der Bestimmung seiner beiden ersten Regierungsformen vom aufgeklärten Absolutismus seiner Zeit und von der Schreckensherrschaft der Jakobiner ausging. Interessanter und wichtiger für unseren Zusammenhang ist es, der Frage nachzugehen, was genau Schiller unter einem liberalen oder, wie er ihn später nannte, ästhetischen Staat verstand und wie er sich seine politische Realisierung vorstellte. Zunächst muß erstaunen, daß er sich diesen Staat unverkennbar nicht als bürgerlichen, sondern als monarchischen Staat dachte. Ihm schwebte offensichtlich eine Gesellschaft vor, in der zwar monarchische Herrschaftsstrukturen erhalten bleiben, in der aber durch Moralisierung aller Staatsbürger der Wille der Beherrschten mit dem Willen der Herrschenden übereinstimmt. In idealistischem Gewande bricht hier jenes aufklärerische Humanisierungsprogramm durch, das ich oben skizziert habe und das nicht die *realen* Standesunterschiede aufheben, sondern diese durch den Erfolg des Moralisierungskampfes politisch zur Bedeutungslosigkeit herabstufen und damit entpolitisieren will. Daß die politische Verwirklichung einer solchen Staatsform, die zunächst ja lediglich als konkrete Utopie existiert, historisch möglich, ja notwendig ist, dafür meint Schiller logische Gründe und historische Mittel angeben zu können.
Die (anthropo-)logische Voraussetzung seines Geschichtskonzeptes bildet wiederum der menschliche Vermögensdualismus und die im einzelnen wie in der Gattung liegende Bestimmung, sich von einem sinnlichen zu einem vernünftigen Wesen zu veredeln, und zwar so, daß sich auf einem höheren Entwicklungsstand Sinnlichkeit

und Vernunft wechselseitig aufheben. Der erwachende »Trieb[] nach Wahrheit und Simplizität« liege »wie die moralische Anlage, aus welcher er fließet, unbestechlich und unaustilgbar in allen menschlichen Herzen«.[15] Aufgabe der einzelnen ist es nun, diesem Trieb zum Durchbruch zu verhelfen und damit, um einen bei Schiller immer wieder vorkommenden Ausdruck zu verwenden, ihr »Individuum zur Gattung zu steigern«[16]. Dieser Ausdruck bedarf einer Erläuterung: Schiller nennt die Sinnlichkeit des Menschen seinen subjektiven, die Vernunft seinen objektiven und generischen Teil. Letztere kann er deshalb als objektiv und generisch verstehen, weil er voraussetzt, daß es hinsichtlich der (theoretischen wie praktischen) Vernunft weder individuelle noch historische Unterschiede zwischen den Menschen gibt. Die Verschiedenheiten im Tun und Wollen der Subjekte resultieren für ihn allein aus ihrer *sinnlichen* Natur; politische Interessengegensätze sind demnach nicht Ausdruck gesellschaftlicher Zusammenhänge, sondern der individuellen Sinnlichkeit der Menschen. Sie sollten nicht durch politisches Handeln ausgetragen, sondern durch die Moralisierung der Individuen aufgehoben werden. Gelingt dies, so fallen, indem sich die Individuen zur Gattung steigern, alle politischen Interessengegensätze fort.
Es wird ersichtlich, wie Schiller auf diesem anthropologischen wie ethischen Hintergrund die politisch zu erstrebende Staatsform definieren muß: der positive Staat ist Repräsentant des Allgemeinmenschlichen, d. h. des objektiven und generischen Teils des Menschen, des vernunftgeleiteten Menschen. Da die moralische Läuterung, die Steigerung zur Gattung, Aufgabe jedes einzelnen Individuums selbst ist, kann Schiller folgern: »eben deswegen, weil der Staat eine Organisation sein soll, die sich durch sich selbst und für sich selbst bildet, so kann er auch nur insoferne wirklich werden, als sich die Teile [d. h. die einzelnen Staatsbürger] zur Idee des Ganzen [d. h. zum Vernunftmäßigen] hinauf gestimmt haben.«[17] Bemerkenswert an diesem gesellschaftspolitischen Konzept ist wiederum, daß Schiller nicht ernsthaft erwägt, ob nicht zunächst die gesellschaftlichen *Voraussetzungen* geschaffen werden müßten, auf Grund deren die Individuen ihre moralischen Anlagen entwickeln können. Zwar fragt er im neunten seiner ästhetischen Briefe: »Alle Verbesserung im Politischen soll von Veredlung des Charakters ausgehen – aber wie kann sich unter den Einflüssen einer barbarischen Staatsfassung der Charakter veredeln?«, aber in seiner Antwort diskutiert er nicht ernstlich gesellschaftlich geregelte Sozialisationsweisen und die Abhängigkeit gesellschaftlich relevanter Moralität und Humanität von diesen Sozialisationsformen. Bereits im siebten Brief hatte Schiller betont, daß »der Staat, wie ihn die Vernunft in der Idee sich aufgibt, anstatt diese bessere Menschheit begründen zu können, […] selbst erst darauf gegründet werden« müßte. Und bei dieser Überzeugung bleibt er durchweg: für ihn ist ausgemacht, daß jeder gesellschaftspolitische Fortschritt nur durch Humanisierung und Moralisierung von einzelnen zu erreichen ist und daß die quantitative Zunahme moralischer Individuen notwendigerweise in eine qualitative Veränderung von Staatsformen umschlagen wird. Daß eine klassen- oder schichtenspezifische Interessenverwurzelung der Herrschenden diesen qualitativen Umschlag zum Guten verhindern könnte, dieser Gedanke ist für Schiller offenbar noch nicht aktuell. Sein politisches Konzept bleibt mit dieser Grundüberzeugung voll im Banne aufklärerisch-emanzipatorischer Humanisierungsstrategien, wenn auch der ursprüngliche Optimismus dieses Konzeptes in einigen Einzelzügen gebrochen scheint. Denn Lessing, Sonnenfels, Moser und ihre Zeitgenossen gingen noch

von der Existenz einer politisch relevanten Zahl humaner Individuen aus, die – beispielsweise in der Gestalt der Freimaurerbünde – als Kristallisationskerne einer allgemeinen gesellschaftlichen Moralisierung wirken sollten, während Schiller den Gegensatz von Moral und Unmoral nicht *zwischen* Individuen sieht, sondern *in* die einzelnen Individuen *hineinlegt* und somit nicht einmal anzunehmen braucht, daß der Moralisierungsprozeß in sozial spürbarer Form bereits eingeleitet ist. Er kann dies tun, ohne daß sein geschichtsphilosophisch verankerter Zukunftsoptimismus dadurch angetastet würde, weil er in der praktischen Vernunft der Menschen eine allgemeine und unaufhebbare Bestimmung angelegt sieht, sich zu veredeln. Den gesellschaftlichen Entwicklungsstand und die moralische Kraft seiner Gegenwart konnte Schiller durch diesen Ansatz wesentlich pessimistischer einschätzen als seine Vorläufer. Daß er hierzu eine Notwendigkeit sah, kann sicher nicht nur seiner Enttäuschung an der Französischen Revolution zugeschrieben werden, sondern wird auch eine Folge der von Valjavec beschriebenen Ernüchterung sein, die das Verhalten einiger deutscher Fürsten schon vor 1789 bei deutschen Schriftstellern hervorgerufen hatte, ohne daß Schiller allerdings aus dieser Ernüchterung ähnlich radikale Konsequenzen gezogen hätte wie Georg Forster.

Der klassische Autonomiebegriff nun ordnet sich lückenlos in den skizzierten gesellschaftspolitischen Kontext ein. Er entstammt der Moralphilosophie und meint dort zunächst die Unabhängigkeit des menschlichen Willens von sinnlichen Bedürfnissen bei moralischen Handlungen. Der Wille ist autonom, wenn er sich selbst bestimmt, d. h., wenn er sich von sinnlicher Motivation unabhängig zeigt: Autonomie- und Freiheitsbegriff konvergieren. Schiller meint nun, Autonomie und Freiheit in *übertragenem* Sinne auch Natur- und Kunstgegenständen zusprechen zu könnnen. Denn: »Entdeckt nun die praktische Vernunft bei Betrachtung eines Naturwesens, daß es durch sich selbst bestimmt ist, so schreibt sie demselben [...] *Freiheitähnlichkeit* oder kurzweg *Freiheit* zu. Weil aber diese Freiheit dem Objekte von der Vernunft nur geliehen wird, *da nichts frei sein kann, als das Übersinnliche, und Freiheit selbst nie als solche in die Sinne fallen kann,* – kurz – da es hier bloß darauf ankommt, daß ein Gegenstand frei *erscheine,* nicht wirklich *ist:* so ist diese Analogie eines Gegenstandes mit der Form der pr(aktischen) Vernunft nicht Freiheit in der Tat, sondern bloß *Freiheit in der Erscheinung, Autonomie in der Erscheinung.*«[18] Schönheit nun ist für Schiller nichts anderes als Freiheit bzw. Autonomie in der Erscheinung. Ihr Prinzip ist zwar, wie Körner an Schiller schrieb, »bloß subjektiv; es beruht auf der Autonomie, welche zu der gegebenen Erscheinung *hinzugedacht* wird«.[19] In seinem Antwortbrief vom 18. Februar 1793 stimmt Schiller aber seinem Freunde darin zu, daß »in den Objekten selbst etwas angetroffen werden« müsse, was dieses Hinzudenken möglich macht. Wir können den Sachverhalt für unseren Zusammenhang verkürzen: Kunst ist eine Vergegenständlichung der moralischen Autonomie des Menschen. Als Freiheit in der Erscheinung, als vergegenständlichte Autonomie wirkt sie positiv auf die konkreten gesellschaftlichen Individuen zurück, indem sie diese läutert, d. h. ihre Sinnlichkeit und ihre Vernünftigkeit ästhetisch versöhnt und damit die Voraussetzung schafft für die Existenz eines liberalen Staates. Schiller denkt auf diese Weise die Autonomie der Kunst mit ihrer sozialen Funktion zusammen. Er bestimmt sie »als eine notwendige Bedingung der Menschheit«[20] auf ihrem politischen Weg zum liberalen Staat, in dem die sozialen Nachteile realer Herrschaftsstrukturen durch ästhetische Humanisierung der Staatsbürger unterlaufen bzw. in eine qualitative Veränderung der Gesellschaft umgeschlagen sein werden. Gleichzeitig *antizipiert* das vollkommene Kunstwerk den liberalen Staat. Es bringt – mit den Worten Körners im Brief vom 21. Oktober 1793 – als »objektive Einheit [...] die Erscheinung einer Welt im Kleinen hervor«. Diese Welt im Kleinen soll genau jene Versöhnung zwischen seinen Teilen und seiner Ganzheit aufweisen, wie sie im 18. Jahrhundert für den zu schaffenden liberalen republikanischen Staat zwischen den Staatsbürgern und den Herrschenden angestrebt wurde. Weil die autonome Kunst als (ihrem Anspruch nach in die politische Wirklichkeit hineinwirkendes) Modell eines autonomen Staates diente, verbinden sich in Schillers Schriften beide Bereiche bildlich und gedanklich. Selbst der unpolitischere Körner zeigt sich vom bürgerlich-emanzipatorischen Zusammenhang des ästhetischen Denkens infiziert: er meint im zitierten Brief, daß im Kunstwerk »das freie Spiel der einzelnen Kräfte zu einer Idee zusammenstimmt, wie der Wille der Bürger eines republikanischen Staats«. Solche Vergleiche sind nicht willkürlich; sie signalisieren, daß und warum Dichtung das prototypische Medium bürgerlichen Emanzipationswillens werden konnte und die klassische Ästhetik in mancher Hinsicht wie eine einzige Metapher für politische Denkweisen wirkt.

Von einer Negation des gesellschaftlichen Status der Kunst und der Entwicklung einer autonomen Kunst als linearer Widerspiegelung einer Entfremdung zwischen Kunst und Wirklichkeit kann deshalb im Hinblick auf das 18. Jahrhundert pauschal noch nicht die Rede sein. Kunst soll als autonome die Vergegenständlichung einer nicht-entfremdeten Ganzheit sein und als solche »das Hauptmittel, um die Zerreißung und Verzerrung des Menschen durch die kapitalistische Arbeitsteilung innerlich zu überwinden«.[21] Sie soll als nicht-entfremdete Ganzheit in die Wirklichkeit hineinwirken, indem sie historische Subjekte zur harmonischen Ausbildung ihrer Fähigkeiten anhält. Das ästhetische und gesellschaftspolitische Konzept der deutschen Klassik spiegelt hier affirmativ die bürgerliche Freiheitsideologie und den ökonomischen Liberalismus wider. Denn »bürgerliche Freiheitsideologie« meint ja im Prinzip nichts anderes als die Überschätzung der individuellen Spontaneität und der angeborenen Möglichkeiten des Menschen sowie die Mißachtung der verhaltensformenden Kraft gesellschaftlicher Zusammenhänge. Sie orientiert ihr Gesellschaftsverständnis am Modell des freien Marktes und übersieht als »bürgerliche Illusion von der Freiheit, die Freiheit und Individualismus – Determinismus und Gesellschaft entgegenstellt, die Tatsache, daß die Gesellschaft das Instrument ist, womit der Mensch, das unfreie Individuum, seine Freiheit in der Gemeinschaft verwirklicht, und daß die Voraussetzungen einer derartigen Gemeinschaft die Voraussetzungen der Freiheit sind«.[22]

Diese Zusammenhänge zwischen dem klassischen Autonomiebegriff, dem bürgerlichen Freiheitsbegriff und dem aufklärerisch-emanzipatorischen Humanisierungsdenken muß man sich vergegenwärtigen, wenn man Überzeugungen wie die von Mertner und Mainusch, die eingangs zitiert wurden, daß nämlich »die dem Kunstwerk eigentümliche Autonomie« eines der wichtigsten Kriterien literarischer Wertung sei, historisch orten und bewerten will. Für Schiller war der ästhetische Wert einer Dichtung nicht zu lösen von ihrer sozialen Funktion. Dies wird beispielsweise deutlich, wenn er in *Über naive und sentimentalische Dichtung* den Wert der Idyllendichtung diskutiert. Dieses Genre strebt nach der Definition Schillers nicht nur wie jede Dichtung die ästhetische Versöhnung von Sinnlichkeit und Vernunft, von Ideal und Wirklichkeit an, sie stellt sie auch *inhaltlich* als realisiert vor – allerdings als in der Vergangenheit realisiert. Schiller meint nun, daß eine solche Projektion von gesellschaftlicher Harmonie in die Vergangenheit nicht handlungsanleitend in die politische Gegenwart zurückwirken könne und dieser Umstand »den ästhetischen Wert [!] solcher Dichtungen um sehr viel vermindert«.[23] Der ästhetische Wert eines Genres erscheint hier an ein inhaltliches Moment gebunden. Die soziale Funktion autonomer Kunst freilich ist für das klassische Denken im allgemeinen nicht an inhaltliche, sondern an formale Momente gebunden – Momente, die besonders kompakt in folgender Textstelle aus Wilhelm von Humboldts *Über Goethes Hermann und Dorothea* vereinigt sind. Der wahre Dichter wird, so heißt es dort, »das Ganze und nicht bloss einzelne Theile schildern, den Gegenstand zeichnen, nicht die Empfindung erregen müssen. Zwar thut er diess letztere doch und will es auch thun, allein nur durch den Eindruck des Ganzen, nicht durch den Effect einzelner Theile, nur durch den Gegenstand selbst, nicht unmittelbar durch einzelne ihm abgewonnene Züge«. Der Dichter habe »seine Pflicht erfüllt, sobald er nur das Gemüth des Lesers in der Freiheit erhält, in der es an keinen einzelnen Gegenstand, nicht einmal an eine einzelne Classe derselben gebunden ist [...] Je höher wir uns über unsrem Gegenstand befinden, um ihn in seinem Ganzen zu übersehen, desto freier erhalten wir uns von seiner Herrschaft, aber desto inniger durchdringt uns das Gefühl seines Zusammenhanges und seiner Gesetzmäßigkeit«.[24] In diesen wenigen Zeilen sind die wichtigsten Kriterien traditioneller Wertungstheorien versammelt: die Geschlossenheit und damit die Autonomie ästhetischer Texte sowie die hiermit korrespondierende Freiheit und Distanz des idealen Rezipienten den Teilen der Dichtung gegenüber. Beide Kriterien sind u. a. ein Resultat ihrer sozialen Funktion: nur das geschlossene, ganzheitliche Kunstwerk kann ein Modell jenes liberalen Staates sein, in dem Herrschende und Beherrschte in gleicher Weise harmonieren wie das Ganze und seine Teile im Kunstwerk. Und nur für freie, gesellschaftsunabhängige Individuen kann dieses Modell eine soziale Funktion übernehmen.

Es wird auf dem Hintergrund dieser Prämissen auch deutlich, warum Schiller und seine Zeitgenossen jenen Rezipienten, die sich der genüßlichen, publikumswirksamen Trivialliteratur zuwandten, kein *soziales* Verständnis entgegenbringen konnten, sondern ihre Lektürewahl *moralisch* verurteilen mußten.[25] Denn orientiert sich das Verständnis ästhetischer Rezeptionsvorgänge am Modell des freien Marktes, dann sind Lektüreentscheidungen willentliche und freie Bekenntnisse autonomer Individuen zu ästhetischen Werten. Ästhetischer Genuß muß dann als moralische Leistung, Trivialliteratur und ihre Lektüre als »ästhetische Unsittlichkeit«[26] gedeutet werden. Schiller schwankt allerdings mehrfach in seiner Beurteilung des Publikums. Kompromißlose moralische Verurteilungen wechseln mit Einsichten in die Entfremdungssituation des Publikums und ihr legitimes Verlangen nach Unterhaltung. In solchen Schwankungen spiegeln sich Brüchigkeiten und Unzulänglichkeiten des ideologischen Entwurfes wider, die im Laufe ihrer Wirkungsgeschichte und in veränderten historischen Kontexten noch stärker hervortreten mußten – beispielsweise wenn auch heute noch Wertungstheorien in klassisch-romantischer Tradition ein ästhetisches Versagen individualisieren, das nur als Resultat eines kollektiven und sozialgeschichtlichen Prozesses adäquat begriffen werden kann.

Die historische Legitimität und Aktualität klassisch-romantischer Wertungskriterien ist eng verbunden mit der historischen Legitimität des bürgerlichen Humanisierungsdenkens. Schon im Hinblick auf die neunziger Jahre fragt es sich, ob die illusionär-idealistische Perspektive des traditionellen Moralisierungsdenkens nicht bereits historisch überholt war und zur offenen oder versteckten Affirmation politischer Zustände neigte. Der Historiker Fritz Valjavec weist darauf hin, daß die Kritik der literarischen Intelligenz am aufgeklärten Fürstentum schon seit den siebziger Jahren eine neue Qualität gewonnen hatte und nicht mehr nur produktiv und auf politische Harmonie angelegt war.[27] Schiller jedoch hält, als sich einige seiner Zeitgenossen die Einsicht erobern, daß politische Reform nicht *nur* durch Moralisierungsbemühungen zu erreichen ist, sondern daß allererst die gesellschaftlichen Voraussetzungen für die Entfaltung der moralischen Anlagen der Individuen geschaffen werden müssen,[28] unbeirrt an der Überzeugung fest, daß sich gesellschaftspolitische Bemühungen nur und ausschließlich auf *Individuen* zu richten haben. Er verliert jedoch, anders als seine späteren Adepten, nie das *kritische* Moment seiner Utopie eines liberalen Staates aus den Augen; das gesellschaftspolitische wie das ästhetische Ideal soll, zumindest seinem Anspruch nach, als radikales Postulat in die negative Wirklichkeit zurückwirken. Wenn Emanuel Geibel ein halbes Jahrhundert später die bei Schiller noch geschichtsphilosophisch aufgehobene Spannung zwischen Ideal und Wirklichkeit radikalisiert und das autonome Kunstwerk, das »sich selber genug« sei,[29] als wesensverschieden der Wirklichkeit gegenüberstellt und den Dichtern angesichts der 48er Revolution zuruft »Zur Tempelwacht seid ihr berufen, / Und auf den Höhn ist euer Stand. [...] / Rein sollt ihr sein an Herz und Händen, / Ihr seid ein priesterlich Geschlecht«, dann fragt es sich, ob, wenn Geibel sich in solchen Zusammenhängen auf Schiller zu berufen pflegt, ein bloßes Rezeptionsversagen vorliegt oder ob seine Flucht in den schönen Schein und die ästhetische Innerlichkeit nicht die historische Konsequenz eines überholten, aber wirkungsgeschichtlich immer mächtiger werdenden Ideologieentwurfes ist.

II

Am 10. November 1859 hält Jakob Grimm in einer feierlichen Sitzung der Königlichen Akademie der Wissenschaften eine *Rede auf Schiller*, die als die bemerkenswerteste Rede des Schillerjahres gilt. Er preist dort die geschichtliche Bedeutung der »Poesie als einen der mächtigsten Hebel zur Erhöhung des Menschengeschlechts, ja als wesentliches Erfordernis für dessen Aufschwung«; im Schöpfer der Poesie sieht er die »volle Natur des Volks, welchem er angehört«, ausgeprägt, weshalb die Nachwelt in ihm ihren Genius verehre.[30] Fragen der literarischen Wertung beginnen nicht erst mit der Wertschätzung der *einzelnen* Kunstwerke, sondern bereits mit der Wertbesetzung von *Medien.* Grimm teilt die hohe Wertschätzung der Poesie mit der kritischen Öffentlichkeit des späten 18. Jahrhunderts. Für diese war Poesie nicht nur ein Medium unter anderen, sondern *die* emanzipative Ausdrucksbewegung par excellence. Dichtung konnte diese zentrale Geltung erobern, weil die Emanzipationsvorstellung der literarischen Intelligenz des 18. Jahrhunderts in mehr oder weniger variierter Weise an ein nicht rational realisierbares Programm der Persönlichkeitsentfaltung gebunden war und allein Dichtung geeignet schien, die die Klassen transzendierende ästhetische und indirekt moralische bzw. soziale Wirkung zu erzielen. Die hohe Wertschätzung des Mediums Dichtung war historisch an das politische Harmoniedenken der literarischen Intelligenz und damit an einen Gegensatz von Kunst und Wirklichkeit gebunden, der aus sich heraus die zukünftige Aufhebung dieses Gegensatzes hervortreiben sollte. Kunst und Kritik schienen die Garanten einer zukünftigen Einlösung des politischen Programms einer Emanzipation aller.

Entscheidend an diesem Modell war die kritische Öffnung zur Zukunft, zur Utopie. In Grimms Rede jedoch hat die Poesie diese ihre dynamische, zukunftsgerichtete soziale Funktion eingebüßt. Grimm geht von etwas Statischem aus, von dem Vergangenheits- und Vorbildcharakter der Poesie, die die volle Natur eines Volkes verkörpere und an deren vorbildlicher Größe sich ein Volk geistig aufschwingen könne; Dichtung wird so zum bürgerlich-nationalen Selbstfindungsmedium, dem sein kritischer, über seine Zeit hinausdrängender Stachel gezogen ist. Ihr zugeordnet wird die Germanistik als Selbstfindungswissenschaft, die zwar Ehrfurcht vor der Vergangenheit lehrt, aber die kritische Dimension dieser Vergangenheit kappt.

Die formale Beibehaltung, aber ideologische Umpolung des für Schillers Geschichtsphilosophie so konstitutiven Gegensatzes von Kunst und Wirklichkeit bei Grimm macht deutlich, daß die Wirkungsgeschichte klassisch-ästhetischer Denkweisen nicht einfach dadurch umschrieben werden kann, daß »das klassische Kunstideal immer inhaltsärmer und konventioneller«[31] wurde. Nicht begriffliche Entleerung als Folge eines Bewußtseinsschwundes gesellschaftlicher Zusammenhänge ist für diese Wirkungsgeschichte symptomatisch, sondern ideologische Indienstnahme wirkungsmächtiger Denkformen. Dies wird etwa an folgendem Beispiel deutlich, das einer der vielen popularisierenden Poetiken des 19. Jahrhunderts entnommen ist. Viele Kunstwerke, so schreibt 1840 August Knüttell die klassische Ganzheits- und Einheitsforderung fort, »sind darum keine Kunstwerke, weil in ihnen keine *Einheit* festgehalten ist, indem sie [...] zwar eine Reihe von Begebenheiten darstellen, sie aber nicht durch ein geistiges Band unter einander verbinden und in eine gemeinschaftliche Hauptbeziehung bringen«. Die Abstraktheit dieses Wertkriteriums versucht Knüttell durch eine wertende Kurzinterpretation von Chamissos *Der Stein der Mutter, oder die Guahiba-Indianerin* aufzulösen: »Die Schönheit unterlag in diesem Gedichte der eisernen Wirklichkeit [...]. Es ist Lebenswahrheit in dieser Erzählung, denn so ist es in der Welt zugegangen und so geht es leider noch zu, aber die höhere Wahrheit, in welcher Schönheit ist, fehlt dieser poetischen Darstellung. Wenn einst jeder Schleier von unserm Auge genommen sein und das ganze Leben in seinem großen Zusammenhange aufgedeckt vor unsern Augen liegen wird: dann wird auch diese Begebenheit ihren versöhnenden Aufschluß erhalten. Für das Leben lehrt uns das der fromme Glaube, in der Kunst aber muß es dargestellt und gezeigt werden, und da dies in dem Gedichte nicht der Fall ist, so kann es kein Kunstwerk sein.«[32] Indem Knüttell den Gegensatz zwischen Kunst und Wirklichkeit nicht mehr geschichtsphilosophisch aufzuheben sucht, sondern radikalisiert, verleiht er ihm politisch affirmierende Züge. Er kann sich dabei u. a. auf Friedrich Rückert berufen, dessen Verse »Nur das ist Himmelskunst, die mich versöhnt! / Die mir die Welt, mich vor mir selbst verschönt« ihm als ästhetische Kronzeugen dienen.

Die Kappung der kritischen Zukunftsperspektive des klassischen Kunstidealismus blieb dauerhaft. Sie *mußte* es bleiben, da das kritische Potential des klassischen

Kunstideals an die historische Legitimität des bürgerlichen Harmoniedenkens gebunden war und somit die oben zwar nicht historisch, aber exemplarisch entwickelte Verkümmerung dieses Potentials kein geschichtlich zufälliges und aufhebbares Rezeptionsversagen war bzw. ist. Der Tradierung klassisch-ästhetischer Wertvorstellungen haftet aus eben diesem Grunde im 19. und 20. Jahrhundert nicht so sehr formale Konventionalität als vielmehr politische Affirmität an. Dies gilt insbesondere für die die autonomieästhetischen Wertungstheorien unseres Jahrhunderts charakterisierende Verbindung von Aussagen zur Geschlossenheit von Dichtung und ihrer sogenannten Lebenstiefe: »[...] der Wirklichkeitsbezug zeigt sich da [im Sprachkunstwerk] in Lebensfülle, die Verwesentlichung als das Offenbaren des Ewigen, des Seins, das Menschliche als das Tiefe und Ergreifende und die wirkende Gestalt als jene In-Sich-Geschlossenheit, die in höchster Vollendung alles in sich hat und nicht mehr nach außen«, sondern nur noch »in höhere Sphären« weist.[33] Die Aufgaben literarischer Wertung sind auf solchem ideologischen Hintergrund leicht zu definieren: Sie hat eine »Erziehung zur Kunst« zu leisten, die »den Menschen aus seiner Befangenheit in sich selbst« löst, »ihn zur Begegnung mit echtem Sein« befähigt und »mit solcher Begegnung freier und reicher und schöpferischer« macht.[34] Die Leichtigkeit, mit der hier zur kritischen Skepsis aufgerufenen Wissenschaftlern Begriffe wie ›ewig‹, ›menschlich‹ und ›echtes Sein‹ aus der Feder fließen, ist allein wirkungsgeschichtlich zu erklären. Das naturrechtlich abgestützte Pochen auf Gleichheit im 18. Jahrhundert mußte von dem die soziale wie menschliche Gleichheit begründenden Allgemeinmenschlichen reden und dies als ewig interpretieren. Es strebte, um die Mängel bestehender Gesellschaftssysteme zu überwinden, die Ausbildung harmonischer Persönlichkeiten an, die den Kristallisationskern einer gewaltlosen Staatsumwälzung bilden sollten. Dieser historische Hintergrund schlägt auch noch durch, wenn ein Volkspädagoge *unseres* Jahrhunderts die Wirkung der Dichtung in einer »Beglückung« sieht, »die sich aus der Weitung des geistigen Horizonts ins allgemein Menschliche und Welthafte« ergebe, und eine »Kulturaufgabe« darin erblickt, »dem Menschen ganz schlicht die Begegnung mit dem guten Schrifttum« zu vermitteln; denn alles andere bleibe »Schicksal, Fügung oder Gnade, sowohl das Bildungswerden, das sich an die Begegnung knüpft, wie ein negativer Ausgang solcher Bemühungen. Wir können diese Arbeit nur im Glauben an die guten Kräfte im Menschen und in der Hoffnung auf den glücklichen Gang der Dinge tun.«[35] Nur sollte man einem Autor *unserer* Zeit die Moralisierung und Individualisierung ästhetischen Verhaltens, die völlige Abstrahierung von Marktgesetzlichkeiten und den durch sie gestifteten Zusammenhängen und Abhängigkeiten sowie von sozial geregelten Verhaltensnormen nicht in gleicher Weise historisch nachsehen wie den individualisierenden Wertungstheorien des 18. Jahrhunderts, die ein historisch progressives, bürgerlich-emanzipatorisches Denken auf ihrer Seite hatten. Der von ökonomischen, politischen und soziokulturellen Zusammenhängen abstrahierende Volkspädagoge unseres Jahrhunderts praktiziert einen elitären Geistesaristokratismus, eine ins Kulturelle sublimierte ›Tellerwäscherideologie‹, die zur Beruhigung des sozialen Gewissens auf die dichotomische Anthropologie des deutschen Idealismus zurückgreift und das Pendant zum ökonomischen Mythos vom jederzeit möglichen sozialen Aufstieg abstrakter Individuen bildet. Da dieses Konzept offensichtlich eine Internalisierung wirkungsmächtiger und herrschaftsrelevanter Normen begünstigt, kann man von ihm auch nur jene Beschäftigung mit Trivialliteratur erwarten, die mit personalisierendem und moralisierendem Zeigefinger auf das »Schlechte« verweist und aus ihrem plakativen Widerwillen einen Aufschwung zum »Höheren« entwickelt: »Zeigen einige Hefte und Bücher schon in der Aufmachung, daß es ihnen um nichts als vordergründige Zerstreuung, um Ausmalen sentimental-kitschiger Gefühlsseligkeiten oder gar um Darstellung von Sexualitäten, Brutalitäten oder verzerrten Weltbildern geht, dann erübrigt sich jeder weitere Schritt einer Wertung durch eingehende Deutung.«[36] Eine die individualisierende Perspektive des 18. Jahrhunderts nicht einfach fortschreibende Literaturwissenschaft fordert freilich nicht eine Deutung im Sinne immanenter, gehaltvoll-elitärer Reflexion über Formen und Inhalte, die hier offenbar als einzige Alternative zur Nichtbeachtung vorschwebt und die sich im Hinblick auf Trivialliteratur tatsächlich noch weniger »lohnen« würde als im Hinblick auf wertmäßig anerkannte Literatur. Sie strebt eine Analyse anonymer Marktbedingungen sowie der Verstrickung von Rezipienten und ihrer Bedürfnisse in diese Bedingungen an.

Autonomieästhetische Wertungstheorien unterliegen einem Prozeß der Verdinglichung ästhetischer Werte, der zu einer Verschleierung des sozialen Vereinbarungscharakters dieser Werte führt. Für Herbert Seidler beispielsweise, der 1969 noch behaupten konnte, daß die Literaturwissenschaft eine »verhältnismäßige Klarheit [...] über die Begriffe im allgemeinen Bereich des Wertens« erreicht habe, ist der ästhetische Wert »eine Erfahrungsgewißheit, er ist etwas an sich; wir schaffen ihn nicht im Bewußtsein, wir erfassen oder verfehlen ihn. Der Wert ist immer schon da, bevor man ihn erlebt.«[37] Diese individualisierende Abstraktion von sozialgeschichtlichen Zusammenhängen ist für traditionelle Wertungstheorien charakteristisch, argumentieren diese nun im einzelnen völkisch-mythisierend (Petersen, Petsch), werkimmanent (Kayser), ontologisierend (Emrich) oder phänomenologisch (Hass, Wutz, Seidler). Sie unterliegen allesamt jenem Prozeß der Verdinglichung, den Herbert Marcuse treffend so beschrieben hat: »Die reine Abstraktheit, auf welche die Menschen in ihren gesellschaftlichen Beziehungen reduziert sind, erstreckt sich auch auf den Umgang mit den ideellen Gütern. [...] Wie jedes Individuum unmittelbar zum Markte ist (ohne daß seine persönlichen Eigenschaften und Bedürfnisse anders relevant werden als warenmäßig), so auch unmittelbar zu Gott, unmittelbar zu Schönheit, Güte und Wahrheit. Als abstrakte Wesen sollen alle Menschen an diesen Werten in gleicher Weise teilnehmen. Wie in der materiellen Praxis das Produkt von den Produzenten sich trennt und in der allgemeinen Dingform des ›Gutes‹ sich verselbständigt, so verfestigt sich in der kulturellen Praxis das Werk, sein Gehalt zu einem allgemeingültigen ›Werte‹. Die Wahrheit eines philosophischen Urteils, die Güte einer moralischen Handlung, die Schönheit eines Kunstwerks sollen ihrem Wesen nach jeden ansprechen, jeden betreffen, jeden verpflichten. Ohne Unterschied des Geschlechts und der Geburt, unbeschadet ihrer Stellung im Produktionsprozeß haben sich die Individuen den kulturellen Werten zu unterwerfen.«[38] In der verdinglichten Wertform der autonomieästhetischen Wertungstheorien spiegelt sich die Warenform als allgemeine Dingform des ›Gutes‹. Sie hat im ideologischen Bereich die Funktion, Normen von der absoluten Unmittelbarkeit und Chancengleichheit der Individuen zu internalisieren, eine Funktion, die nur scheinbar dem elitären Geistesaristokratismus der traditionellen Wertungstheoretiker widerspricht. Denn wenn beispielsweise

Seidler schreibt: »Ein consensus omnium als Instanz für Wertentscheidungen würde zu köstlichen Ergebnissen führen. Majorität hat in Sachen des Werterlebens nichts zu sagen«,[39] dann wird mit diesem wissenschaftlich wertlosen Rückzug ins geistige Elitentum auf die personale Verantwortung beim Aufstieg vom Schlechten zum Guten hingewiesen und der vorhandene Lektüre- und Rezeptionsunterschied nicht bildungs- und sozialgeschichtlich erklärt, sondern als historisch-konkret zu erklärender hinwegeskamotiert.

Die Literaturwissenschaft konnte sich den Einsichten der Sozialwissenschaften, daß nämlich Werte weder objektiv noch subjektiv, weder zeitlos gültige Wesenheiten noch allein subjektive Chimären, sondern durch Sozialisation internalisierte Sinnvorstellungen sind, die aus wertorientiertem Handeln hervorgehen und für historisch und soziologisch faßbare Gruppen intersubjektiv gelten, entziehen, weil sie ihrem Gegenstand seit je einen besonderen ontologischen Status zuschrieb und die Ideologiehaltigkeit und Historizität dieser Zuschreibung nicht durchschaute. Denn die ungeschichtliche Verdinglichung des Wertes ist nur die Kehrseite einer ebenso ungeschichtlichen Verdinglichung der Bedeutungsstruktur des Kunstwerkes. Das wertvolle Kunstwerk soll »eine von den Entstehungsbedingungen losgelöste, erlebnistranszendente Objektivation des Geistes« sein, die – so die auch schon vor der bekannten Diskussion zwischen Martin Heidegger und Emil Staiger beliebte Mörike-Formel – »selig in sich selbst« ruhe.[40] Recht deutlich formuliert Herbert Seidler in seinem Wertungsaufsatz die sprachwissenschaftlichen Voraussetzungen, die in eine solche Bestimmung des Kunstwerks einfließen: »In der Dichtung ist der Verweisungscharakter, den die Sprachgebilde, besonders die Worte kraft ihrer Bedeutung haben, ausgeklammert, d. h. die Sprachgebilde in einer Dichtung verweisen nicht auf etwas außerhalb, sondern bauen eine eigene, ganz auf den Kräften der Sprache ruhende Welt auf«.[41] Wir können hier nicht auf die linguistische Unmöglichkeit eines solchen Text- und Werkbegriffes und auf die Konsequenzen einer auf diese Weise ihren Gegenstand modellierenden Perspektive eingehen.[42] Hier soll lediglich festgehalten werden, daß dieser von allen linguistisch und semiotisch beschreibbaren Text-Kontext-Interferenzen abstrahierende Werkbegriff sozialgeschichtliche Konstellationen des 18. Jahrhunderts ins Methodologische sublimiert. Das Postulat einer autonomen Kunst war, wie wir oben gesehen haben, eine historisch besondere Antwort auf gesellschaftspolitische Konstellationen des 18. Jahrhunderts. Diese Antwort ist von der Germanistik, anknüpfend an sicher nicht leugbare Merkmale der Konsistenz und relativen Geschlossenheit von Dichtung, zum Wesen der Kunst verallgemeinert und damit ihrer historisch-konkreten Legitimation beraubt worden.

Analysen von Trivialliteratur zeigen, daß deren Helden Verkörperungen des bürgerlichen Ideologems von autonomen, von gesellschaftlichen Determinationen freien Individuen sind und daß in ihr originär gesellschaftliche Probleme personalisiert und individualisiert werden. Die sozialintegrative Funktion dieser Literatur liegt darin, daß sie Wertorientierungen verinnerlicht und Interpretationsschemata ausbildet, mit deren Hilfe sich Individuen einreden können, für das ihnen Widerfahrende in jeder Hinsicht selbst verantwortlich zu sein. Hieran wird deutlich, daß hohe Literatur und Trivialliteratur prinzipiell die gleiche Funktion für ihre Konsumentenkreise erfüllen können. Während jedoch die Trivialliteratur ihren Konsumenten die sozial relevanten Denk- und Handlungsmuster in direktem inhaltlichen Zugriff vermittelt, erreicht dies die hohe Literatur wesentlich subtiler, nämlich über – sich in den Wertungstheorien spiegelnde – Textverarbeitungsstrategien, die das »Hohe« als das Hehre hinstellen, das sich dem persönlich Würdigen erschließt. Die reflexive Verkümmerung dieser verinnerlichten Haltung kann man am Kulturbewußtsein des (von sich selbst entfremdeten) Kleinbürgertums beobachten, dem die volle Internalisierung der Wertorientierungen nicht mehr gelingt, das sie aber als aufstiegsorientierte Klasse aus Prestigegründen äußerlich übernimmt und nach jedem »Bildungserlebnis« und ohne Bezug zum Erlebten nur zu sagen weiß: »Das war Kunst; das hat sich gelohnt.« Mit der ideologiekritischen Sichtung und historischen Herleitung dieser Textverarbeitungsstrategien wird deutlich geworden sein, daß auch ästhetisches Verhalten Vorgang in einem System sozialen Handelns ist und autonomieästhetische Wertkriterien Resultat dieses Verhaltens sind.

Die autonomieästhetische Wertungstheorie verliert damit den von ihr selbst als uneinholbar eingeschätzten Vorteil, durch vorgebliche Abstraktion von allen außerästhetischen Gesichtspunkten methodisch reiner und gegenstandsadäquater zu verfahren. Zwar ist Seidler darin zuzustimmen, daß »die Wertungen in einer Wissenschaft [...] soweit wie möglich dem Bereich subjektiver Meinungen entzogen und strengen wissenschaftlichen Grundsätzen unterworfen werden« müssen,[43] aber dieses Ziel ist eben nicht, wie Seidler meint, in ahistorischer Subjekt-Objekt-Konfrontation von Interpret und zeitlos-gültigem Kunstwerk erreichbar. Der hier durchschlagende historische Objektivismus hat immer wieder dazu geführt, daß zeitgebundene Wertungen unbewußt in wissenschaftliches Arbeiten einfließen und so, indem die historisch-perspektivischen Voraussetzungen des eigenen Tuns nicht mit reflektiert werden, die angestrebte Objektivität gerade verhindert wird. Der methodisch einzig mögliche Ausweg aus diesem Zirkel ist nicht das Insistieren auf der Trennung von ästhetischen und außerästhetischen Wertungen, sondern die bis zur Bewußtwerdung fortgetriebene Radikalisierung des Subjektiven. Nur so kann, wenn überhaupt, die außerästhetische Motivation ästhetischer Wertungen einer reflexiven Kontrolle unterworfen werden.

Sozial- und damit auch Denk-, Sprach- und Wertstrukturen weisen häufig eine extreme Beharrungstendenz auf, und zwar selbst dann noch, wenn sie das Stadium ihrer historischen Legitimität und ihrer ursprünglichen Motivation überlebt haben. Diese Beharrungskraft ist nicht so sehr ein historisch zufälliges Resultat der eingefahrenen Konventionalität solcher Normen und der Unbeweglichkeit ihrer Träger als vielmehr ihrer Eignung, auch nach der Veränderung ihrer ursprünglichen Entstehungsbedingungen noch politisch relevante Interpretations- oder Rollenschemata zu internalisieren. Hier hat Rezeptionsgeschichte in der literarischen Wertung ihren methodischen Stellenwert. Sie ist diejenige Geschichte, die nicht einfach Wertungspositionen der Vergangenheit auf einen chronologischen Faden zieht, sondern, indem sie sich im Sinne von Jürgen Habermas mit der Kraft der Selbstreflexion verbindet, einen historisch-kritischen Dialog entfaltet, der herrschende Textverarbeitungsstrategien sozialgeschichtlich (erklärend) und ideologiekritisch (das Erklärte negierend) sichtet. Sie eröffnet durch dieses Verfahren die Chance, Wertungsstrategien als Resultat einer historischen Spannung zwischen ihrer Entstehungs- und Entwicklungsgeschichte zu sehen, sie an ihren historischen Ort zurückzubinden und sich dadurch von ihrem Herrschaftsanspruch zu befreien. – Indem die rezeptionsgeschichtliche Aufarbeitung traditioneller Wertungspositionen beispielsweise die Indienstnahme klassischer Wertkriterien für eine kulturelle, politisch affirmative ›Tellerwäscherideologie‹ nachzeichnet, diskutiert sie ihren Gegenstand im Zusammenhang einer Emanzipation von Herrschaft. Sie greift damit, wie oben deutlich geworden sein dürfte, den ursprünglichen Beweggrund klassischer, besonders Schillerscher Wertdiskussionen wieder auf.

Die Bedeutung der rezeptionsästhetischen Perspektive für die literarische Wertung erschöpft sich jedoch nicht in der ideologiekritischen Aufarbeitung der Wirkungsgeschichte klassisch-ästhetischer Wertkriterien bzw. der mit diesen korrespondierenden literarischen Leserrollen.[44] Ein konsequent rezeptionsästhetischer Ansatz geht auch von einem neuen, nämlich funktionalen Text- bzw. Werkbegriff aus. Er faßt Literatur nicht als objekt-, sondern als gebrauchsgebunden; er dynamisiert den traditionellen Werkbegriff und betrachtet literarische Werke als variable Kommunikationsmittel, als ›faits sociaux‹, deren Bedeutungsstruktur handelnde Subjekte allein im Rahmen ihrer geschichtlich variablen semantisch-semiotischen Möglichkeiten auffüllen können. Im Gegensatz zum traditionellen Werkbegriff, der seinen Gegenstand aus seinem jeweiligen historischen Kontext isoliert und ihn dadurch verdinglicht, faßt der rezeptionsästhetische Werkbegriff seinen Gegenstand nicht nur als Funktion der besonderen Beschaffenheit der Zeichenmaterialität des Werkes, sondern gleichermaßen als Funktion der konkreten kommunikativen Situation, in der er rezipiert wird. Es ist offensichtlich, daß dieser Werkbegriff Konsequenzen haben muß für Theorie und Praxis literarischer Wertung. Denn die traditionelle Wertungstheorie konnte literarische Werte ja nur deshalb als zeitlos betrachten, weil sie in ihnen anhängende Qualitäten einer gleichfalls zeitlos-identischen literarischen *Bedeutungs*struktur sah. Doch wenn – wie die Diskussion der letzten Jahre gezeigt hat – der Leser sich nicht in geschichtsenthobener Subjekt-Objekt-Distanz literarischen *Bedeutungen* zuwenden kann, dann vermag er dies auch nicht mit literarischen *Werten* zu tun. Mit anderen Worten: er wird nicht einfach geschichtsresistente ästhetische Werte *abrufen*, sondern von einem normbesetzten Kontext her ästhetischen Objekten in gleicher Weise Werte *zuschreiben*, wie er dies mit kontextuell normierten Bedeutungen tut. Jan Mukařovský, der wohl als erster auf diese Zusammenhänge aufmerksam gemacht hat, betont, daß sich diese »Wandelbarkeit des ästhetischen Werts« nicht »aus einer ›Unvollkommenheit‹ des künstlerischen Schaffens oder Wahrnehmens ergibt, aus der Unfähigkeit des Menschen, das Ideal zu erreichen«, sondern daß sie »zum Wesen des ästhetischen Werts« gehöre, »der Prozeß ist und nicht Stand, *energeia* und nicht *ergon*«.[45]

Freilich geschieht diese variable Wertzuweisung nicht in sklavischer Abhängigkeit von historisch-konkreten Kontexten, von in sich geschlossenen Sprachspielen; sie ist vielmehr bestimmt durch die wirkungsgeschichtliche Spannung zwischen vergangenen und gegenwärtigen Wertzuweisungen. Erst der Freiraum, den diese Spannung eröffnet, bietet die Chance, literarische Werte als Verfestigungen vergangener Geschichtskonstellationen, die in die Gegenwart fortleben, zu erkennen; erst dieser Freiraum bietet die Möglichkeit zu historischer Distanzierung der Werte, in deren Verlauf sie sowohl akzeptiert als auch verworfen werden können. Denn rezeptionsästhetische Wertung fragt in dialogischer Auseinandersetzung mit der Wertungsgeschichte eines Werkes auch nach dem ursprünglichen semantisch-axiologischen System, das den entstehungsgeschichtlichen Aspekt seines Wertes bestimmt, und nach denjenigen axiologischen Systemen, die seinen Wert wirkungsgeschichtlich variiert haben. Rezeptionsästhetisch fundierte Wertung ist geschichtlich aufgefächerte Wertung: sie wertet ihren Gegenstand im Hinblick auf seinen ursprünglichen politisch-sozialen wie ästhetischen Kontext und im Hinblick auf seine wertmäßige Funktion in allen nachfolgenden Kontexten. Sie analysiert die semantisch-axiologischen Systeme nicht als abgeschlossene Sprachspiele, sondern reflektiert die historischen Spannungen, die sich zwischen ihren entstehungs- und wirkungsgeschichtlichen Aspekten ergeben. Auf diese Weise versucht sie, nicht wie die ihren Gegenstand verdinglichende traditionelle Werttheorie die Last der historisch verzerrten, weil nur noch affirmativen Rede vom Harmonischen, Autonomen oder Ewigen mit sich herumzuschleppen, sondern diese Rede und Kunstwerke, auf die diese Rede anwendbar ist, an ihren historischen Ort zu stellen und sie im Koordinatensystem dieses Ortes zu werten. Norbert Mecklenburg hat in diesem Zusammenhang darauf hingewiesen, daß, solange die für Dichtung und ihre Bewertung »konstitutive Spannung von Geschichtlichkeit und Gegenwärtigkeit nicht zugunsten einer abstrakten Zeitlosigkeit aufgelöst wird«, die Frage nicht abzuweisen sei, »wie Dichtung sich zu Fortschritt verhalte«.[46] Er zieht daraus für die Literaturkritik die Konsequenz, daß sie »Fortschritt als Kriterium negativ« anwenden müsse: »Die Idee eines kritischen Kanons wäre am ehesten zu retten, wenn dieser als ein Kanon von ›Verboten‹ aufgefaßt würde. Der geschichtliche Rang eines Werkes bestimmt sich auf solche Weise nicht nach einem progressiven Literatur- oder Gesellschaftsprogramm, sondern zunächst nach dem, was geschichtlich nicht mehr möglich ist.« Er meint allerdings, daß die »Negation des unmöglich Gewordenen« nicht nur auf neue, sondern auch auf jene alten Werke zu beziehen sei, »die den gegenwärtigen Zustand [...] aufgrund veränderter Verhältnisse nicht mehr erreichen«.[47] So zustimmenswert Mecklenburgs Ansatz einer bestimmten Negation literarischer Bedeutungen und Werte generell ist: hier freilich schlägt m. E. ein falscher Aktualitätswille durch. Denn die alten Werke, die den gegenwärtigen Zustand nicht erreichen, werden ja allenfalls mit historisch falschem Bewußtsein als gegenwärtige rezipiert. Literarische Wertung hat die Aufgabe, sie als vergangene Werke und Werte, die in einer jeweils spezifischen Spannung ihrer Entstehungs- und Wirkungsgeschichte stehen, bewußtzumachen. Kritische Literaturwissenschaft abstrahiert niemals von dieser Spannung, kann also auch niemals eine *abstrakte*, plan auf die jeweilige Gegenwart hin angelegte »Negation des unmöglich Gewordenen« durchführen. Sie lehrt im Idealfall das Vergangene als ehemals Aktuelles und als fortwirkendes Zeugnis dieser Aktualität durchschauen.*

* Der in der Tradition der kritischen Hermeneutik formulierte Ansatz Mecklenburgs und der zuvor skizzierte semiotische Ansatz bleiben hier unvermittelt nebeneinander stehen. Die Semiotik interessiert sich zunächst ja nur für den sprachlichen Status von Kunstwerken, der ihr ohne Bezug auf den seinerseits semiotisch analysierbaren Kontext nicht zu bestimmen ist, während der kritisch-hermeneutische Ansatz Aussagen über den sozialphilosophischen Status von literarischen Werken und Kunst überhaupt impliziert, d. h. Kunst im Hinblick auf die in ihr sich ausdrückende kritische Wahrheit über Gesellschaft befragt. Die Chance zur Überwindung affirmativer Traditionsverfallenheit im oben analysierten Sinne scheinen mir beide Richtungen zu haben. Daraus folgt, daß beide Ansätze für rezeptionsästhetische Zwecke funktionalisierbar sind.

GOTTHART WUNBERG

Modell einer Rezeptionsanalyse kritischer Texte

Das Problem – Methodologische Vorüberlegung zum Modellentwurf – Modellentwurf für ein rezeptionsanalytisches Verfahren – Applikation des Modells

Das Problem

Für die Begründung der Notwendigkeit, von der Produktionsästhetik zu einer Wirkungs- und Rezeptionsästhetik zu kommen, können die Darlegungen von Hans Robert Jauß und die daran sich anschließende Diskussion genügen.[1] Für unseren Zusammenhang, für das Modell einer Rezeptionsanalyse, fängt das Problem aber erst dort an, wo Jauß aufhört; wo er, auf Karl Mannheim und Karl Popper rekurrierend, den Begriff des ›Erwartungshorizontes‹ in die Literaturgeschichte eingeführt und wo er seinen eigenen Begriff der ›ästhetischen Distanz‹ formuliert hat. Denn die Frage lautet, wo und woran beides zu konkretisieren ist. Es gibt in diesem Zusammenhang strenggenommen nur *zwei methodische Probleme*, die allerdings komplex genug sind; das *erste* lautet:
Wie heißt der Gegenstand der Rezeptionsanalyse. Den Leser gibt es zwar, aber man hat ihn nicht. Vollends der historische Leser steht nicht zur Verfügung; man hat nur, was er hinterläßt. Für den Rezeptionsanalytiker jedenfalls gibt es ihn nur, insofern er Folgen hat. Der Leser mit Folgen nun aber ist der, der sich geäußert hat. Dasjenige Medium, in dem sich die Rezeption am ehesten greifen läßt, ist die *Literaturkritik*. Sie stellt – als Text, d. h. als fixierte Rezeption – den zunächst einzigen, weil einzig objektivierbaren *Gegenstand der Rezeptionsanalyse* dar.
Der Verfasser solcher literaturkritischer Texte, der Literaturkritiker, unterscheidet sich von jedem anderen Rezipienten (z. B. jedem anderen Leser) zunächst dadurch, daß er den Vorgang der Rezeption in Produktion umsetzt. Für ihn muß notwendig alle Rezeption, will er Kritiker sein, in Produktion umschlagen, denn er will seinerseits als Kritiker wirken. Zustande kommt dieser Umschlag auf dem Umweg über eine, wie immer geartete, Analyse seines Rezeptionsgegenstandes.[2] Nur von diesem analytisch-produktiven Rezeptionstypus ist im folgenden die Rede.
Prinzipiell gibt es auf diesem Hintergrund vier Möglichkeiten von Rezeption, von denen lediglich der vierte Modus für unseren Zusammenhang interessant ist, die sich aber überschneiden, sobald es an die Anwendung geht und konkret wird: *erstens* eine rein rezeptive, also im Sinne von Textproduktion folgenlose, *zweitens* eine produktive, *drittens* eine analytische, *viertens* eine analytisch-produktive Möglichkeit.
Modus 1: Die erste Form der Rezeption, die rein *rezeptive*, die sozusagen in sich selber kreist, ist die häufigste. Sie findet sich überall dort, wo Literatur lediglich gelesen, gehört wird. Sie ist notwendigerweise und stärker als die übrigen drei Rezeptionsmodi in erster Linie vom Rezipienten abhängig; erst in zweiter Linie vom

Gegenstand, der rezipiert wird. Prinzipiell verfährt nach diesem Modus jeder Leser, der seine Aufgabe nicht darin sieht, über den Vorgang des Lesens hinaus selbst produktiv zu werden. – Das Ergebnis ist in der Regel nicht als Text zu fassen. Jedenfalls soll ein solcher Text (Privatbrief, Tagebuchaufzeichnung ohne die Intention nach Modus 2, 3 oder 4) im folgenden Modell außer acht gelassen werden.
Modus 2: Den Begriff einer *produktiven Rezeption* sollte man dem spezifischen Vorgang vorbehalten, den man innerhalb der Literaturwissenschaft unter der Überschrift ›Einflußforschung‹ zu behandeln pflegt. Er ist insbesondere an Autoren zu beobachten, die von einem bestimmten Werk angeregt werden und diesen Rezeptionsvorgang in eine eigene Produktion, die ihrerseits eines Rezipienten bedarf, gleichsam umfunktionieren. – Das Ergebnis sind wiederum fiktionale Texte.
Modus 3: Analytisch wird überall dort rezipiert, wo es sich um die (literatur-) wissenschaftliche Beschäftigung mit einem Text handelt. – Das Ergebnis sind argumentative Texte.
Modus 4: Die vierte Möglichkeit schließlich, die *analytisch-produktive,* ist der Rezeptionsmodus des Kritikers. Er rezipiert zunächst wie jeder andere Rezipient, schaltet dann jedoch seine Analyse des Textes ein. Da für ihn aber die Analyse des literarischen Textes keineswegs das letzte oder einzige Ziel ist, wird diese bei ihm in einem spezifischen Sinne – und im Gegensatz zur wissenschaftlichen Rezeption – zugleich in Produktion überführt. Der Punkt seiner Produktivität, in dem er sich vom (Literatur-)Wissenschaftler unterscheidet (Modus 3), hat paradigmatischen Charakter. Der Wissenschaftler, der analytisch verfährt, stellt Argumentationsketten auf. Der Kritiker konstituiert den Erwartungshorizont, indem er ihn in seinem kritischen Text mit neuen Daten dokumentiert und belegt. Er konstituiert mit dem Erwartungshorizont – bezogen auf den literarischen Text – ein *Sekundärsystem,* während es dem Literaturwissenschaftler – wenigstens bisher – mehr oder weniger immer um das Primärsystem geht.[3] Das Ergebnis sind expositorische Texte, die im folgenden als *kritische Texte* spezifiziert werden.
Jeder Text beruht letztlich auf Rezeption; aber nur für den *kritischen Text* ist Rezeption in spezifischem Sinne konstitutiv. Es gibt – mündliche (Text-)Tradition eingeschlossen – keinen neuen Text, der nicht auf dem Wege über die Rezeption alter Texte oder Textteile zustande käme. Die Beliebigkeit jedoch hört für den Kritiker auf; er muß sich auf einen bestimmten Gegenstand beziehen, d. h., er muß ihn rezipieren. Auch das Rezipieren ist für ihn nicht mehr beliebig; er muß eine bestimmte Form der Rezeption wählen: die Analyse. Nur in dem Maße, wie er analysiert, kann er produktiv, d. h. überhaupt kritisch werden. Konstitutiv im spezifischen Sinne ist für den kritischen Text der analytisch-produktive Akt des Rezipienten deshalb, weil er das Sekundärsystem konstituiert. Der Rezipient zielt als Kritiker von vornherein und ausschließlich auf dieses Sekundärsystem.
Das im Vorgang der Rezeption erstellte Sekundärsystem ist der erste Gegenstand der Rezeptionsanalyse. Mit solchen Sekundärsystemen befaßt sich das folgende Modell. Wenn der Gegenstand der Rezeptionsanalyse auch immer jenes Sekundärsystem ist, so hat sie doch stets zugleich das textuelle Primärsystem zu beachten, also die Dichtung, den literarischen Text selbst.
Hier genau liegt das *zweite methodische Problem.* Das erste hieß: Wie kommt der Rezeptionsanalytiker zu seinem Gegenstand; das zweite heißt: Wie kommt er wie-

der weg, d. h., was kann er tun, diesem Sekundärsystem nicht völlig zu erliegen, ohne sich gleichzeitig freilich wieder auf das Primärsystem verwiesen zu sehen.
Es geht – allgemein gesagt – darum, die in der Genese des literaturkritischen Sekundärsystems vorgegebene Bezugssituation jeweils mitzudenken, ohne sie zugleich zur Basis der Analyse zu machen. Das heißt in concreto: Die Rezeptionsanalyse des literaturkritischen Textes hat dessen spezifischen Referenzcharakter mit zu berücksichtigen. Dieser Referenzcharakter des Rezeptionstextes besteht entweder in dem direkten oder in dem indirekten Bezug, den er zu literarischen Texten, zu Primärsystemen eben, herstellt.[4] Es ist also wichtig festzuhalten, daß die Rezeptionsanalyse kritischer Texte es nicht mit fiktionalen, sondern mit expositorischen Texten zu tun hat. Die Sekundärsysteme werden grundsätzlich durch expositorische Texte, nicht durch fiktionale repräsentiert. Das enthebt den Rezeptionsanalytiker der Verpflichtung, die Fiktionalität von Texten als Problem sui generis mit zu reflektieren.[5]

Methodologische Vorüberlegung zum Modellentwurf

Die methodologische Vorüberlegung lautet: Mit den literaturkritischen Texten liegen Texte vor, die zunächst (wenigstens scheinbar) nicht-problematisch sind. Um sie zum Gegenstand wissenschaftlicher Erörterung machen zu können, müssen sie problematisiert werden. Das spezifische wissenschaftliche Interesse, das sie problematisiert, ist rezeptionsanalytischer Art. Die entscheidende Frage, die an diese Texte zu stellen ist, ist folglich die nach ihrer *kritischen Intention.* Diese (historische) Frage heißt also: Wie versteht der Rezipient den Text (das Primärsystem), den (das) er rezipiert. Sie ist zu vermitteln mit der Frage, wie der Rezeptionsanalytiker den Rezipienten versteht. Zu vermitteln ist also die kritische Intention des Rezipienten mit der kritischen Intentionalität des Rezeptionsanalytikers. Bleibt diese Fragestellung, dieser Vermittlungsversuch außer acht, dann unterscheidet sich die Rezeptionsanalyse in nichts (oder doch kaum) von geistes-, ideen- oder begriffsgeschichtlicher Methodik. Die Rezeptionsanalyse bringt den Analytiker selbst, die Position des Analytikers mit in die Analyse ein, indem sie versucht, die analytische Differenz zwischen dem Rezipienten und dem Rezeptionsanalytiker zu vermitteln.
Kritisch-theoretische Texte setzen sich, da sie Texte von Rezipienten des analytisch-produktiven Typus sind, aus verschiedenen rezipierten Daten zusammen. Die Elemente gehören einer Rezeptionssequenz an, sind also ihrerseits nicht erst Objekt des Rezipienten, sondern treten selbst als bereits rezipierte und folglich mit bestimmten Valenzen belegte Daten auf.
Die Daten, die in den kritischen Texten verwendet werden, sind für den Rezipienten historisch konditioniert, insofern sie als Primärvalenzen auftreten. Bereits als Sekundärvalenzen sind diese selben Daten nicht nur einfach historisch konditioniert, sondern auch durch eine Fülle von sozialen, politischen, philosophischen, ästhetischen Implikationen kausal bestimmt und zugleich auf sie hin ausgerichtet; was insgesamt ihre kritische Intention ausmacht. Die hermeneutische Schwierigkeit, die sich für den Rezeptionsanalytiker ergibt, ist folgende: Die Rezeptionsdaten sind zwar als Primärvalenzen in sich abgeschlossen und damit (historisch) lokalisierbar; aber bereits als Sekundärvalenzen, d. h. eben als rezipierte Daten, sind sie das nicht

mehr, sondern prinzipiell nach vorn offen. Die kritische Intention des Rezipienten ergibt sich aus der Kongruenz oder Inkongruenz zwischen Primärvalenz und Sekundärvalenz. Sie ist jedoch mit diesem Kongruenzschema nur genetisch beschrieben. Zur kritischen Intention von Texten gehört es aber per definitionem, außer Konditioniertheit und Genese, auch eine Finalität zu besitzen, die gerade erst bei dem Versuch, sie zur Deckung zu bringen, ablesbar wird. Für den historischen Rezipienten[6] entspricht die kritische Intention bestenfalls seinem Zukunftsentwurf von Literatur überhaupt. Für den Rezeptionsanalytiker dagegen liegt auch die kritische Intention des Rezipienten bereits in sich geschlossen vor. Das heißt: Zum Gegenstand wird für den Rezeptionsanalytiker *einmal* derselbe Gegenstand (und derselbe Vorgang), der auch für den Rezipienten Gegenstand der analytisch-produktiven Rezeption war; nämlich die in Primärvalenzen und Sekundärvalenzen aufgegliederten Rezeptionsdaten. Während aber der Rezipient mit Hilfe der so gewonnenen kritischen Intention sein Sekundärsystem nur entwerfen kann, liegt es für den analytisch vorgehenden Rezeptionsforscher *zum anderen* geschlossen, d. h. als gelungenes oder nicht gelungenes, als vollendetes oder nicht vollendetes, als erfolgreiches oder erfolgloses Unternehmen vor. Der Rezeptionsanalytiker muß folglich den Entwurf des Sekundärsystems mit dem erst bei ihm selbst zu einem vorläufigen Abschluß gekommenen System vermitteln.
Dieser Tatbestand bezeichnet die besondere hermeneutische Situation des Historikers, insofern er Literarhistoriker ist; genauer: des Literarhistorikers, insofern er Rezeptionsgeschichtler ist. Da auch der analytisch vorgehende Rezeptionsforscher immer einen Entwurf vorhat, da er sonst die Historie antiquarisch und archivalisch in sich selbst kreisend beschreiben müßte, stellt sich für ihn die hermeneutisch relevante Frage, was er mit der historisch fundierten und für ihn auch historisch finalisierten kritischen Intention des historischen Rezipienten anfangen kann; d. h.: mit diesem höchst komplizierten, eigentlich für ihn zu einer Art Primärsystem, zu einem System jedenfalls mit Primärvalenzen, avancierten Problem anfängt; und gegen welche Folie er die Ergebnisse dieses differenzierten, komplexen Gebildes abheben kann. Da es sich nicht darum handeln kann – er ist nicht analytisch-produktiver, sondern analytischer Rezipient –, die alten Operationen als ein neuer, weiterer Rezipient an den Objekten zu vollziehen, muß er sein hermeneutisches und damit auch soziologisches Daseinsrecht auf einer anderen Ebene begründen.[7] Er muß gleichwohl – das hat er im besseren Falle auch bereits getan – die Rezeptionssequenzen, die unabhängig von ihrer speziellen Realisierung in dem von ihm untersuchten konkreten Fall existieren, weiterverfolgen und damit die Sequenz nicht nur nach rückwärts bis zu ihrem möglichen Anfangspunkt und ihrer absoluten Primärvalenz zurückverfolgen, sondern auch nach vorwärts, d. h. bis zu sich hin, bis zu dem Punkt, wo er selbst zum Rezipienten allgemeinster Art wird. Jedoch steht er dem Faktum brutum, d. h. hier auch dem historischen Rezipienten immer als ein andersartiger Rezipient, d. h. niemals als analytisch-produktiver, sondern immer als rein analytischer Rezipient gegenüber.
Das Ergebnis seiner analytischen Bemühungen hat eine metakritische Position zu sein, zu der er aber nicht auf dem Wege über eine metaanalytische Methode gelangen kann; seine Methode selbst hat stets analytisch zu bleiben.
Der spezifische Aspekt, der innerhalb einer Literaturgeschichte als Rezeptions-

geschichte zur Diskussion steht – und um nichts anderes geht es letztlich –, heißt deshalb: *kritische Intentionalität*. Es geht um die Frage, ob und wie die kritische Intentionalität kritischer Texte zu ermitteln und exakt zu beschreiben ist. Sie ist dann und nur dann ermittelbar und beschreibbar, wenn zwei Voraussetzungen erfüllt sind: Wenn *erstens* wiederum die kritische Intention des jeweiligen Textes ermittelt, seine Abhängigkeit von der jeweiligen Rezeptionssequenz beschrieben ist; und wenn *zweitens* die jeweils vorläufig letzte Position einer Rezeptionssequenz, d. h. die des Rezeptionsanalytikers selbst bezeichnet ist. Erst dann kann kritische Intentionalität – als Vermittlung beider miteinander – beschrieben werden. Es geht also genau um das, was Walter Benjamin schon 1931 zum Thema Literaturgeschichtsschreibung gesagt hat: Der »gesamte Lebens- und Wirkungskreis« der Werke, schreibt er, »hat gleichberechtigt, ja vorwiegend neben ihre Entstehungsgeschichte zu treten; also ihr Schicksal, ihre Aufnahme durch die Zeitgenossen, ihre Übersetzungen, ihr Ruhm. Damit gestaltet sich das Werk im Inneren zu einem Mikrokosmos oder viel mehr: zu einem Mikroaeon. Denn es handelt sich ja nicht darum, die Werke des Schrifttums im Zusammenhang ihrer Zeit darzustellen, sondern in der Zeit, da sie entstanden, die Zeit, die sie erkennt – das ist die unsere – zur Darstellung zu bringen. Damit wird die Literatur ein Organon der Geschichte und sie dazu – nicht das Schrifttum zum Stoffgebiet der Historie – zu machen ist die Aufgabe der Literaturgeschichte.«[8]

Modellentwurf für ein rezeptionsanalytisches Verfahren

Das folgende Modell eines rezeptionsanalytischen Verfahrens stellt einen Lösungsvorschlag zu den oben dargelegten Problemen dar. Es ist an einem speziellen Gegenstand der Literaturgeschichte (der naturalistischen Literaturkritik) entwickelt worden, mag also hier oder da nur auf diesen anwendbar sein; aber es versucht doch, diese aus seiner Genese resultierenden Gefahren zu umgehen. Aber es ist ein Modell, das diskutiert und verbessert werden muß, keine Gebrauchsanweisung – sosehr die unten gegebene Applikation das auch nahelegen mag.

Es gliedert sich in drei Teile:

Teil A bringt die terminologische Definition von Gegenstand und Verfahren;

Teil B stellt das Modell (numerisch gegliedert) selbst dar. Es bringt darüber hinaus – nach rechts eingerückt und mit * bezeichnet – die nötigen Definitionen der verwendeten Termini.
Die in Klammern hinzugefügten Abkürzungen sind Vorschläge zur Notierung und sollen diese lediglich erleichtern und vereinheitlichen; sie haben keinerlei Zeichen- oder Symbolwert.[9]

Teil C eröffnet in Form eines Registers den Zugang zu Teil A und B, indem auf die Stellen des Modells verwiesen wird, wo die entsprechenden Termini definiert sind und wo sie zugleich ihre funktionale Stelle haben.

A *Terminologische Definition von Gegenstand und Verfahren*

1 *Gegenstand* der Rezeptionsanalyse (Ral) sind Rezeptionstexte (Rt).

2 *Rezeptionstexte* sind (hier) *expositorische* (kritische), nicht fiktionale oder argumentative Texte.

2. 1 Rezeptionstexte haben *Referenzcharakter*, d. h., sie beziehen sich *direkt* oder *indirekt* auf einen oder mehrere fiktionale Texte.

2.1.0.1 Bezieht sich ein Rezeptionstext *direkt* auf einen fiktionalen Text, so handelt es sich in der Regel um Rezensionen, Buch- oder Theaterbesprechungen, Reportagen o. ä. (Beispiel: Theodor Fontane: Hauptmann, *Vor Sonnenaufgang*, 1889.)[10]

2.1.0.2 Bezieht sich ein Rezeptionstext *indirekt* auf einen fiktionalen Text, so hat der Autor in der Regel mehrere mögliche (aber nicht einzeln durchgeführte) direkte rezeptorische Einzelansätze zu einem Gesamtproblem zusammengefaßt (abstrahiert). (Beispiel: Heinrich und Julius Hart, *Wozu, Wogegen, Wofür?*.) [11]

3 Der Verfasser von Rezeptionstexten heißt *Rezipient*.

4 Wer sich mit Rezeptionstexten beschäftigt, heißt *Rezeptionsanalytiker*.

5 Die Methode, die der Rezeptionsanalytiker entwickelt und anwendet, heißt *rezeptionsanalytische Methode*.

B Modell

1 Der Rezeptionstext präsentiert sich (dem Rezeptionsanalytiker) als Gewebe [Textur] von operationalisierten Daten.
Definition:

1.0.1 * *Daten* [d] sind alle vom Rezipienten verwendeten Begriffe, Bilder, Zitate, Eigennamen usw. [vgl. 2.1].

1.0.2 * *Operationalisierte Daten* sind Daten, die vom Rezipienten mit kritischer Intention [vgl. 7] verwendet werden.

2 Der Rezeptionsanalytiker macht diese Operationalisierung rückgängig,

2.0.1 * *Operationalisierung* [O] ist die Verwendung von Daten durch den Rezipienten mit kritischer Intention [vgl. 7.0.1].

2.1 indem er Daten selegiert:

2.1.1 nach Kriterien, die sich auf den Rezeptionstext selbst und auf Feldtexte beziehen; dabei setzt er eine noch nicht-kritische Intentionalität ein;

2.1.1.0.1 * *Feldtexte* [Ft] sind Texte, die – bezogen auf den jeweils vorliegenden Rezeptionstext – eine oder mehrere der folgenden Bedingungen erfüllen: a) vom selben Autor,

b) zum selben Problem, c) aus derselben Zeit; und die deshalb zur Abstützung der bei der Datenselegierung getroffenen Entscheidung herangezogen werden können.

2.1.1.0.2 * Die *nicht-kritische Intentionalität* [nkI] ist das Vorverständnis des Rezeptionsanalytikers, das die hermeneutische Schwierigkeit des Selegierungseinsatzes auffängt. Sie bedarf der Korrektur des Durchganges von [2] nach [12], um dort zur kritischen Intentionalität zu führen [vgl. 12 und 12.0.1].

2.1.1.1 nach Substantialität (Inhaltlichkeit),

2.1.1.2 nach Frequenz oder Singularität,

2.1.1.2.0.1 * *Frequenz* ist die Häufigkeit des Vorkommens (und die dadurch erreichte Hervorhebung) von Daten.

2.1.1.2.0.2 * *Singularität* ist das einmalige Vorkommen (und die dadurch erreichte Hervorhebung) von Daten.

2.1.1.3 nach (meist inhaltlicher) Exponiertheit.

3 *Ergebnis:* Daten mit Sekundärvalenz.

3.0.1 * Ein vom Rezipienten abhängiger und von ihm bestimmter Ort X des Datums a innerhalb der Rezeptionssequenz ist die *Primärvalenz* [Pv] von a. [vgl. 4.1.1].

3.0.2 * Die *Sekundärvalenz* [Sv] eines Datums ist eine durch den Rezipienten operationalisierte Primärvalenz [vgl. 6]; dieser Vorgang unterliegt bereits der kritischen Intention [ki] [vgl. 7]. Oder: Ein beliebiger, auf eine Primärvalenz des Datums a angewandter Operationalisierungsmodus führt zur Konstituierung der *Sekundärvalenz* des Datums a.

4 Die Sekundärvalenzen dieser Daten sind in Relation zu ihren Primärvalenzen zu setzen.

4.1 Aus der gesamten Rezeptionssequenz ist dasjenige Datum als relative Primärvalenz zu isolieren, das dem Rezipienten als Bezugspunkt bei der Operationalisierung gedient hat.

4.1.0.1 * *Rezeptionssequenz* [SQ] ist diejenige, zumeist diachronische Reihe von Daten, die durch die Relation von Primärvalenzen und Sekundärvalenzen bestimmt ist.

4.1.1 Die absolute Primärvalenz spielt dabei nur dann eine Rolle, wenn sie mit der relativen Primärvalenz zusammenfällt.

4.1.1.0.1 * Ein vom Rezipienten abhängiger und von ihm in der Operationalisierung bestimmter Ort X des Datums a innerhalb der Rezeptionssequenz ist die *relative Primärvalenz* [rPv] von a.

4.1.1.0.2 * Ein vom Rezipienten gekannter oder nicht gekannter erster Ort Y des Datums a innerhalb der Rezeptionssequenz ist die *absolute Primärvalenz* von a [aPv].

5 *Ergebnis:* die rezeptorische Differenz zwischen der relativen Primärvalenz und der Sekundärvalenz des Datums.

5.0.1 * Die *rezeptorische Differenz* [rzD] ergibt sich aus der Kongruenz oder Inkongruenz zwischen Primär- und Sekundärvalenz eines Datums.

6 An der rezeptorischen Differenz sind die Operationalisierungsmodi abzulesen.

6.0.1 * Unter *Operationalisierungsmodus* [Om] ist der spezifische Aspekt zu verstehen, unter dem der Rezipient die (dem Rezeptionsanalytiker) im Rezeptionstext vorliegende Sekundärvalenz gegen ihre relative Primärvalenz absetzt.

6.1 Dazu ist festzustellen, ob die relative Primärvalenz eines Datums und seine Sekundärvalenz kongruent sind.

6.2 Erweisen sich die relative Primärvalenz und die Sekundärvalenz als kongruent, so ist die Sekundärvalenz eine *konstante Primärvalenz.*

6.2.1 Der Operationalisierungsmodus heißt dann *kongruenter Operationalisierungsmodus.*

6.3 Erweisen sich die relative Primärvalenz und die Sekundärvalenz als inkongruent, so ist die Sekundärvalenz eine *variable relative Primärvalenz.*

6.3.1 Der Operationalisierungsmodus heißt dann *variierender Operationalisierungsmodus.*

6.3.1.1 Seine Funktion besteht in der Überführung einer relativen Primärvalenz in eine Sekundärvalenz;

6.3.1.2 er heißt deshalb *transferenter Operationalisierungsmodus.*

6.4 Es gibt verschiedene transferente Operationalisierungsmodi, nämlich u. a.:

6.4.1 inhaltlich:

6.4.1.1 Kanonisierung, Monumentalisierung,

6.4.1.2 Säkularisierung,

6.4.1.3 Desavouierung, Abwertung,

6.4.1.4 Aufwertung,

6.4.1.5 Aktualisierung;

6.4.2 formal:

6.4.2.1 Kombination,

6.4.2.2 Vergleich,

6.4.2.3 Konstrastierung,

6.4.2.4 Steigerung.

7 *Ergebnis:* die kritische Intention des Rezeptionsdatums (-textes), die aus dem kongruenten oder variierenden Operationalisierungsmodus (bzw. transferenten) ablesbar ist.

7.0.1 * Die *kritische Intention* [ki] ist die historisch fixierte und anhand der rezeptorischen Differenz objektivierbare Absicht des Rezipienten gegenüber seinem Gegenstand.

8 Die kritische Intention ist zu kategorisieren
8.1 argumentativ als:
8.1.1 ästhetisch,
8.1.2 historisch (realgeschichtlich),
8.1.3 literarhistorisch,
8.1.4 politisch,
8.1.5 sozial, sozialpolitisch;
8.2 motivierend u. a. als:
8.2.1 biographisch,
8.2.2 psychologisch.

9 *Ergebnis:* Es gibt spezifische (einfache oder zusammengesetzte; singuläre oder komplexe) argumentativ und/oder motivierend aufzufassende kritische Intentionen. Sie bestimmen die weitere Folge der Rezeptionssequenz.

10 Die kritische Intention ist für die Rezeptionsanalyse zu funktionalisieren.
10.1 Dazu ist die Relation zur analytischen Position des Rezeptionsanalytikers zu setzen.
10.1.0.1 * Die *analytische Position* [αP] des Rezeptionsanalytikers formuliert das jeweils vorläufig letzte Datum der Rezeptionssequenz, dessen Valenz deshalb
10.1.0.2 * *Limesvalenz* [Lv] heißt.
10.1.1 Das geschieht dadurch, daß beide – die kritische Intention und die analytische Position – in die Rezeptionssequenz zurückgeführt werden.
10.1.1.1 Die kritische Intention wird wieder an der inzwischen ermittelten Sekundärvalenz des vorliegenden Datums festgemacht.
10.1.1.2 Die analytische Position des Rezeptionsanalytikers befindet sich (als jeweils vorläufig letzte Position der nach vorne – d. h. zu ihm hin und über ihn hinaus – offenen Rezeptionssequenz) zu dieser als Sekundärvalenz ermittelten kritischen Intention in direkter Opposition.
10.2 Diese Opposition ist (analog zu 6) zu vermitteln durch die vorhandenen oder nicht vorhandenen Zwischendaten der Rezeptionssequenz.

11 *Ergebnis:* Qualität, Häufigkeit und Verschiedenheit der Zwischendaten definieren die analytische Differenz.
11.0.1 * Die *analytische Differenz* [αD] ergibt sich aus der Kongruenz oder Inkongruenz zwischen Sekundärvalenz und Limesvalenz.

12 Aus der analytischen Differenz ist – analog zur rezeptorischen Differenz (vgl. 5) – die kritische Intentionalität zu konstituieren.
12.0.1 * Die *kritische Intentionalität* [kI] des Rezeptionsanalytikers entspricht zwar der kritischen Intention des Rezipienten; sie bringt jedoch die analytische [αD] Differenz mit ein.

C *Begriffsregister*

Rezipient	A 3
Singularität	B 2.1.1.2.0.2
Sekundärvalenz	B 3.0.2
Substantialität	B 2.1.1.1
transferenter Operationalisierungsmodus	B 6.3.1.2
variable relative Primärvalenz	B 6.3
variierender Operationalisierungsmodus	B 6.3.1

Applikation des Modells

Die folgende Anwendung des Modells auf einen konkreten Fall ist bewußt schematisch gehalten, um als Erläuterung zum vorangehenden Teil durchsichtig und überschaubar zu bleiben. Sie sollte nicht mit einer Rezeptionsanalyse verwechselt werden, die selbstverständlich wesentlich detaillierter und komplexer ausfallen müßte, als das hier aus Raumgründen möglich ist.

Das Beispiel ist Theodor Fontanes Besprechung von Gerhart Hauptmanns Drama *Vor Sonnenaufgang*. Das Stück war am 20. Oktober 1889 in einer Matinée der Gesellschaft ›Freie Bühne‹ im Lessingtheater in Berlin uraufgeführt worden. Fontane, der es aus der Lektüre kannte und an Otto Brahm empfohlen hatte, besprach die Aufführung an den beiden darauffolgenden Tagen, am 21. und 22. Oktober 1889 in der *Vossischen Zeitung* (Nr. 492, 493).

Dort heißt es:

»Dies ist der Inhalt des Stücks, den ich in dieser Skizze, seinem Kern und Wesen nach, glaube richtig wiedergegeben zu haben. Aber was ich nicht wiedergegeben habe, weil es sich nicht wiedergeben läßt, das ist der *Ton*, in dem das Ganze gehalten. Und deshalb ist jede Wiedergabe derart immer unvollkommen und meist auch schädigend. Der Ton ist, bei Arbeiten wie diese, die viel von der Ballade haben, nahezu alles, denn er ist gleichbedeutend mit der Frage von Wahrheit oder Nicht-Wahrheit. Ergreift er mich, ist er so mächtig, daß er mich über Schwächen und Unvollkommenheiten, ja selbst über Ridikülismen hinwegsehen läßt, so hat ein Dichter zu mir gesprochen, ein wirklicher, der ohne Reinheit der Anschauung nicht bestehen kann und diese dadurch am besten bekundet, daß er den Wirklichkeiten ihr Recht und zugleich auch ihren rechten *Namen* gibt. Bleibt diese Wirkung aus, übt der Ton nicht seine heiligende, seine rettende Macht, verklärt er nicht das Häßliche, so hat der Dichter verspielt, entweder weil seine Gründe doch nicht rein genug waren und ihm die Lüge oder zum mindesten die Phrase im Herzen saß, oder weil ihn die Kraft im Stich ließ und ihn sein Werk in einem unglücklichen Momente beginnen ließ. Ist das letztere der Fall, so wird er's beim nächsten Male besser machen, ist es das erstere, so tut er gut, sich ›anderen Sphären reiner Tätigkeit‹ zuzuwenden. Gerhart Hauptmann aber darf aushalten auf dem Felde, das er gewählt, und er *wird* aushalten, denn er hat nicht bloß den rechten Ton, er hat auch den rechten Mut, und zu dem rechten Mute die rechte *Kunst*. Es ist töricht, in naturalistischen Derbheiten immer Kunstlosigkeit zu vermuten. Im Gegenteil, richtig angewandt (worüber dann freilich zu streiten bleibt) sind sie ein Beweis höchster Kunst.

Das ungefähr waren meine Betrachtungen, als ich das Stück G. Hauptmanns *gelesen.*

Er erschien mir einfach als die Erfüllung Ibsens. Alles, was ich an Ibsen seit Jahr und Tag bewundert hatte, das ›Greif' nur hinein ins volle Menschenleben‹, die Neuheit und Kühnheit der Probleme, die kunstvolle Schlichtheit der Sprache, die Gabe der Charakterisierung, dabei konsequenteste Durchführung der Handlung und Ausscheidung alles nicht zur Sache Gehörigen, – alles das fand ich bei Hauptmann wieder, und alles, was ich seit Jahr und Tag an Ibsen bekämpft hatte: das Spintisierende, das Mückenseigen, das Bestreben, das Zugespitzte noch immer spitzer zu machen, bis dann die Spitze zuletzt abbricht, dazu das Verlaufen ins Unbestimmte, das Orakeln und Rätselstellen, Rätsel, die zu lösen niemand trachtet, weil sie vorher schon langweilig geworden sind, alle diese Fehler fand ich bei G. Hauptmann *nicht.* Kein von philosophisch romantischen Marotten gelegentlich angekränkelter Realist, sondern ein stilvoller Realist, das heißt von Anfang bis Ende derselbe.«[12]

Dieser Text bezieht sich im Sinne von [A 2.1.0.1] direkt auf einen fiktionalen Text: auf Hauptmanns *Vor Sonnenaufgang.*[13] *Daten* [1.0.1] sind grundsätzlich zunächst alle hier verwendeten Begriffe, Bilder, Zitate, Eigennamen usw. Zumindest einige von ihnen erscheinen im Text bereits als *operationalisierte Daten* [1.0.2] – etwa die Daten »Ton«, »Ballade«, »Wahrheit oder Nicht-Wahrheit«, »die Erfüllung Ibsens«, »angekränkelter Realist/stilvoller Realist« –, die der Rezipient (Fontane) mit *kritischer Intention* [7.0.1] verwendet.

Der Rezeptionsanalytiker hat nun die Daten zu selegieren [2.1]. Die *Kriterien,* nach denen er verfährt [2.1.1], beziehen sich auf den Rezeptionstext und – soweit vorhanden – auf Feldtexte [2.1.1.0.1]. Als Feldtexte im Sinne von [2.1.1.0.1.a/b] können hier die Briefe Fontanes an Paul Ackermann, Gerhart Hauptmann, Martha Fontane (Tochter), Friedrich Stephany, Wilhelm Hertz aus der gleichen Zeit[14] gelten; als Feldtext im Sinne von [2.1.1.0.1.b]: Otto Brahms Aufsatz von 1909 über *Die Freie Bühne in Berlin*[15]; als Feldtexte im Sinne von [2.1.1.0.1.b/c]: Otto Brahm, *Gesellschaftsdrama und Soziales Drama*[16], Carl Bleibtreu, *Vor Sonnenaufgang*[17], schließlich Ernst von Wildenbruch, *Freie Bühne, Berlins Publikum und Presse über Hauptmanns ›Vor Sonnenaufgang‹*[18]; als Feldtext im Sinne von [2.1.1.0.1.c]: Otto Brahm, *Zum Beginn [der Zeitschrift ›Freie Bühne‹]*[19].

Das entscheidende Kriterium, nach dem selegiert wird, die *Substantialität* [2.1.1.1], ist zugleich das problematischste. Zunächst bedeutet es ziemlich lapidar, daß nicht jedes Wort, aber auch nicht einmal jedes Datum im engeren Sinne für eine Rezeptionsanalyse in Frage kommt, sondern lediglich solche, denen auf seiten des Rezeptionsanalytikers bereits eine Intentionalität entspricht. Die damit gegebene hermeneutische Schwierigkeit wird aufgefangen durch das für die Datenselegierung bewußte Einsetzen einer *Intentionalität* des Rezeptionsanalytikers, die noch keine kritische Intentionalität ist [2.1.1.0.2]. Sie bedarf der Korrektur des Durchganges, wie das Modell ihn in seinem cursus zwischen [2] und [12] beschreibt, um schließlich zur *kritischen Intentionalität* [12.0.1] zu führen. Im vorliegenden Text etwa könnten solche Daten, die nach dem Kriterium der Substantialität selegiert werden, der Begriff »Realist« oder der Eigenname »[Henrik] Ibsen« sein; Daten also, von denen der Rezeptionsanalytiker annehmen muß, daß sich ihre Relevanz innerhalb der Rezeptionssequenz [4.1.0.1] nach vorwärts und nach rückwärts genauer belegen läßt.

Die Kriterien *Frequenz oder Singularität* [2.1.1.2] lassen sich dagegen objektiv an-

wenden und bedürfen nicht dieses methodischen Einsatzes einer nicht-kritischen Intentionalität. So kann das Datum »Ton« des vorliegenden Textes als relevantes Datum deshalb selegiert werden, weil es *häufig* [2.1.1.2.0.1] (im übrigen aber auch an *exponierter* Stelle [2.1.1.3]) vorkommt. *Singularität* [2.1.1.2.0.2] kann dagegen – was im vorliegenden Rezeptionstext nicht der Fall ist – das Kriterium sein, wenn etwa der Rezeptionsgegenstand von vornherein (und womöglich ausschließlich) mit einem bestimmten anderen konfrontiert wird. So verfährt etwa Brahm in bezug auf dasselbe Drama Hauptmanns in seiner Rezension *Gesellschaftliches Drama und Soziales Drama,* wo er Hauptmanns Drama mit Paul Lindaus *Schatten* konfrontiert.[20] – Das Kriterium der (meist inhaltlichen) *Exponiertheit* nach [2.1.1.3] wäre im vorliegenden Text etwa in dem Satz »Er erschien mir einfach als die Erfüllung Ibsens« gegeben. Aus dem weiteren Kontext läßt sich die besonders exponierte Plazierung dieses Datums – was hier nicht weiter ausgeführt werden kann – evident machen.
Das Ergebnis solcher Selegierung ist nach [3] die *Sekundärvalenz* eines Datums [3.0.2]. Das heißt: Der Rezipient verwendet hier ein Datum, das für ihn und andere – manifest in anderen Texten – bereits einen bestimmten Bedeutungswert aufweist. Um die so realisierte (Sekundär-)Valenz genauer bestimmen zu können, muß die jeweils zugrundeliegende *Primärvalenz* [3.0.1] ermittelt werden. Das geschieht dadurch, daß [4.1] aus der gesamten *Rezeptionssequenz* [4.1.0.1] dasjenige Datum als *relative Primärvalenz* [4.1.1.0.1] isoliert wird, das dem Rezipienten als Bezugspunkt bei der Operationalisierung gedient hat. Wenn im vorliegenden Text etwa das Datum »[Hauptmann ist] die Erfüllung Ibsens« eine solche Sekundärvalenz ist, dann wäre folglich die Rezeptionssequenz »Ibsen« (bzw. »Erfüllung Ibsens«, vgl. unten) zu erstellen. In diesem Falle könnte die *absolute Primärvalenz* [4.1.1.0.2], nämlich Henrik Ibsen selbst, der mit seinen Dramen vor die Öffentlichkeit getreten ist, identisch sein mit der relativen Primärvalenz Ibsen, nämlich einem Ibsen, wie er sich dem Rezipienten Fontane darstellt.[21]
Das Ergebnis, das sich aus dem Vergleich zwischen der vorgefundenen Sekundärvalenz und der mit ihr kontrastierten Primärvalenz ergibt, ist die *rezeptorische Differenz* [5.0.1]. An ihr ist der *Operationalisierungsmodus* [6.0.1] abzulesen, nach dem der Rezipient verfahren ist [6]. Der Sinn, den Operationalisierungsmodus genauer zu bestimmen, läge für den vorliegenden Text darin, die *kritische Intention* [7.0.1] Fontanes bei der Verwendung des Datums »Ibsen« zur Beschreibung des naturalistischen Dramatikers Hauptmann genauer zu bestimmen. Das hieße, weil dazu eine relative Primärvalenz in eine Sekundärvalenz überführt worden ist, den hier spezifischen *transferenten Operationalisierungsmodus* [6.3.1.2] beschreiben. *Inhaltlich* [6.4.1] bedeutet das, etwa von *Kanonisierung* [6.4.1.1], aber zugleich auch von *Aktualisierung* [6.4.1.5] eines bekannten, aber noch nicht völlig durchgesetzten Dramenautors zu sprechen. *Formal* [6.4.2.] würde das bedeuten, daß Hauptmann nicht nur einfach neben Ibsen gestellt wird [6.4.2.1], daß er nicht nur einfach mit ihm verglichen [6.4.2.2] oder gar gegen ihn abgesetzt wird [6.4.2.3], sondern daß er in gewissem Sinne eine *Steigerung* Ibsens darstellt [6.4.2.4], daß Hauptmann eben »die Erfüllung Ibsens« ist. – In diesem Falle wäre es selbstverständlich mit einer Eruierung der bloßen Rezeptionssequenz Ibsen nicht getan, weil der Name Ibsen aus der Verklammerung des Datums »Erfüllung« nicht herauszulösen ist. Hier wäre eine eigene Rezeptionssequenz zu erstellen, die von den Naturalisten über die Jung-

deutschen zurück bis zum Sturm und Drang zu führen hätte[22] und die insbesondere die *Säkularisierung* [6.4.1.2] des »Erfüllungs«-Begriffes bedenken müßte.
Die *kritische Intention* [7.0.1] des Rezeptionsdatums ist zugleich das erste exakte Ergebnis für eine Rezeptionsanalyse, das nun jedoch näher zu spezifizieren ist [8]. Im Falle Henrik Ibsen wird diese Spezifizierung im wesentlichen *ästhetischer* Natur [8.1.1] sein. Die möglichst exakte Erfassung der kritischen Intention ist insofern besonders wichtig, als sie die weitere Folge der Rezeptionssequenz [9], d. h. letztlich die kritische Intentionalität [12.0.1] wesentlich mitbestimmt. Gerade an Ibsen ist das beispielhaft zu verfolgen, wo die gesamte sogenannte neuromantische Ibsen-Rezeption von der Kontrastfolie lebt, die die naturalistische ihr bot.[23]
Der nächste Schritt ist die *Funktionalisierung der kritischen Intention* für die Rezeptionsanalyse [10]. Der Rezeptionsanalytiker befindet oder bringt sich selbst in die jeweils vorläufig letzte Position innerhalb der Rezeptionssequenz, eben in die *analytische Position* [10.1.0.1], womit er den als *Limesvalenz* [10.1.0.2] bezeichneten Bedeutungswert des Datums formuliert. Die kritische Intention, die aus einer Relation (zwischen Sekundärvalenz und Primärvalenz) hervorgegangen ist, wird ihrerseits in eine Relation gebracht: in die Relation nämlich zur analytischen Position des Rezeptionsanalytikers [10.1.0.1]. Die damit entstandene *Opposition* [10.1.1.2] zwischen analytischer Position einerseits und kritischer Intention andererseits muß nunmehr analog zum Vorgang in [6] *vermittelt* werden [10.2]. Für den vorliegenden Text hieße das, die Ibsen-Rezeption vom Naturalismus über die sogenannte Neuromantik und den sogenannten Neoklassizismus bis zum Expressionismus und darüber hinaus über die vergleichsweise rezeptionsarmen zwanziger und dreißiger Jahre bis in die Gegenwart zu verfolgen.[24] Die so eruierten *Zwischendaten* [11] zwischen der kritischen Intention des Rezipienten und der analytischen Position des Rezeptionsanalytikers definieren die *analytische Differenz* [11.0.1], die – wie gerade im Falle Henrik Ibsen – keineswegs bruchlos diachron zu verlaufen braucht, sondern – was auch für die Rezeptionssequenz ante datum gilt – mannigfache Sprünge aufweisen kann.
Die so gewonnene analytische Differenz ermöglicht allererst die Konstituierung des rezeptionsanalytischen Spezifikums, nämlich die *kritische Intentionalität* [12.0.1]. Diese revidiert mit ihrer Konstituierung zugleich die methodisch notwendige, aus der spezifisch hermeneutischen Problematik hervorgegangene *nicht-kritische Intentionalität* [2.1.1.0.2].
Mit anderen Worten: Wenn Fontane Gerhart Hauptmann als die Erfüllung Ibsens versteht, so versteht eine Rezeptionsanalyse diesen Gedanken erst dann richtig, wenn sie die eigene Position in der Frage nach dem kritischen Sinn der Verwendung dieses Datums, d. h. eben ihre kritische Intentionalität mit einbringt. Täte sie das nicht, so bliebe sie bei der bloßen Beschreibung der kritischen Intention Fontanes gegenüber Hauptmann stehen. Beschriebe sie den kritischen Gebrauch des Datums »Henrik Ibsen« ausschließlich für Fontane, so bliebe sie punktuell-historisch und archivalisch. Es hat nur dann einen Sinn, den Satz »Hauptmann ist die Erfüllung Ibsens« auf seine kritische Intention hin zu befragen, wenn gleichzeitig alles das, oder doch das meiste von dem mitreflektiert wird, was seither zum Problem einer Normerfüllung der mit Ibsen aufgetretenen und zeitgenössisch weitgehend akzeptierten Ansprüche gesagt worden ist. Das hieße, daß nicht nur zu fragen wäre, ob es

so etwas wie eine Erfüllung, eine Vollendung des Ibsenschen Ansatzes gibt. Es könnte vielmehr an diesem konkreten Beispiel und für diesen konkreten Anlaß reflektiert werden die Frage der Verbindlichkeit einmal gesetzter ästhetischer Normen, ja noch mehr: die Frage der möglichen Setzbarkeit ästhetischer Verbindlichkeiten und deren Akzeptierung im Laufe der historisch verfolgbaren Rezeptionssequenzen überhaupt.

II

MANFRED GÜNTER SCHOLZ

Zur Hörerfiktion in der Literatur des Spätmittelalters und der frühen Neuzeit

I

Ferrara, am Hof des kunstliebenden Herzogs Ercole I. aus dem Geschlecht derer von Este, in den siebziger Jahren des 15. Jahrhunderts.
Der berühmteste der Grafen von Scandiano, Matteo Maria Boiardo, Politiker und Hofpoet, hat die erlauchte Hofgesellschaft um sich versammelt, ihr den ersten Gesang seines Rittergedichts vom verliebten Roland, des *Orlando Innamorato,* zu Gehör zu bringen. Man ist gespannt, das neue Werk aus des Dichters eigenem Munde zu vernehmen; man fragt sich und den Nachbarn, was der Günstling des Herzogs wohl Neues zu besingen wisse; der eine vermutet dies, der andere das – da versucht der dichtende Graf sich Gehör zu verschaffen:

> »Signori e cavalier che ve adunati
> Per odir cose dilettose e nove,
> Stati attenti e quïeti, et ascoltati«
> (I,1.1).[1]

Geschickt versteht es Boiardo, die Aufmerksamkeit der edlen Herren und Ritter zu erlangen. Gleich zu Beginn sehen sie sich persönlich angesprochen, und es schmeichelt ihnen, daß er diesen unmittelbaren Kontakt nie abreißen läßt: »Signor«, spricht er sie schon in der zweiten Oktave wieder an, und es gelingt ihm, ihre Neugier zu erwecken, indem er vorausweist auf das, was er später erzählen wird (»sentirete poi« I,1.8; »Come [...] poi ve avrò a contare« I,1.10); er erinnert sie an das, was sie schon gehört haben (»come ella dicìa« I,1.37; »che [...] aveti odito« I,1.42); er weiß sein Publikum der Wahrheit des Erzählten zu versichern, indem er sich auf Turpin, seine Quelle, beruft (»come il libro pone« I,1.14). Und wie er es zu Anfang des Gesangs versprochen, wunderbare Dinge zu berichten, sonderbare Taten, grimmige Kämpfe, so hält er es auch. Die Spannung ist auf dem Höhepunkt, zwei erlesene Helden stürmen im Zweikampf mit den Schwertern aufeinander ein – da entläßt der Dichter seine Zuhörerschaft:

> »Però un bel fatto potreti sentire,
> Se l'altro canto tornareti a odire«
> (I,1.91).

Wer wird nicht wiederkommen zum zweiten Gesang, wo ihm doch die Fortsetzung dieses erregenden Waffengangs versprochen ist! Und so geschieht es auch: Boiardo frischt kurz die Erinnerung der vollzählig erschienenen Hofgesellschaft auf: »Io vi cantai, Segnor [...]« (I,2.1) und fährt mit der Schilderung des Zweikampfes fort. Doch wie am Schlusse des ersten ergeht es den Zuhörern auch am Ende des zweiten Gesangs: Wieder steht ein Zweikampf bevor, schon haben die Gegner einander mit Drohreden und wüsten Beschimpfungen überschüttet, die Anspannung des Publikums ist nicht mehr zu überbieten – da konstatiert der Dichter:

> »Nell' altro canto ve averò contato,
> [...]
> Ch'odisti mai per voce, o per scrittura«
> (I,2.68).

Abermals kann er einer zahlreichen Hörergemeinde versichert sein, als er sich zum Vortrag des dritten Gesangs einfindet; und wieder bringt er sein Publikum kurz aufs laufende:

> »Segnor, nell' altro canto io ve lasciai« (I,3.1).

Immer von neuem verfährt Boiardo auf diese Weise. Meist bricht er einen Gesang auf dem Kulminationspunkt der Handlungsentwicklung ab und nimmt den Faden der Erzählung mit den ersten Versen des neuen Gesangs wieder auf. Dieser Kunstgriff garantiert ihm, daß die des Fortgangs begierigen höfischen Zuhörer zur Stelle sein werden, wann immer es ihm beliebt. Man sieht es ihm nach, läßt auf diese Weise mit sich spielen, denn man spürt ja, daß dieses Epos eine ritterliche Vergangenheit besingt, der man selbst in Gedanken oft nachhängt, Ideale, denen man sich auch jetzt noch verpflichtet weiß; und gern gibt man sich dem schönen Schein anheim, vermag er doch die zuweilen banale Realität durch seine Traumwelt zu überdecken. Eine Traumwelt, die der einzige Boiardo mit derartiger Kunst Gegenwart werden läßt, daß es einem fast die Sprache verschlägt, daß man nur selten sich in galante Plaudereien mit den Umsitzenden einläßt, was natürlich die gelinde Ermahnung des Dichters zur Folge hat:

> »Stative queti, se voleti odire« (II,10.57),
>
> »Or tacete, segnori« (II,23.17),
>
> »Segnori, attenti un poco« (II,30.11).

Naturgemäß hat es der höfische Sänger am Beginn seines jeweiligen Vortrags nicht leicht, Ruhe herzustellen, doch am Hof von Ferrara ist man gesittet, und Boiardo braucht die am Anfang des *Orlando* geäußerte Bitte kaum noch zu wiederholen:

> »Se con quïete attenti me ascoltati« (II,1.3),
>
> »Ma stati un poco quieti, et aspettati« (II,14.2).

Man bewundert die physische Leistung und die Gedächtniskraft des frei rezitierenden Dichters, dem es nur höchst selten widerfährt, daß er beim Memorieren Mühe hat, wie im folgenden Anfang eines Gesangs:

»Se non me inganna, Segnor, la memoria,
Seguir convene una zuffa grandissima,
Chè a l'altro canto abandonai la istoria«
(I,24.1).

Da kann es freilich passieren, daß die Schilderung eines harten Kampfes dem Vortragenden so viel Kraft abverlangt, daß er Ruhe braucht, bevor er mit dem folgenden Gesang fortfährt: »chiedo riposo« (I,5.83; vgl. I,7.22; II,30.63). Verständnis hat man auch dafür, daß durch den langen Vortrag die Stimme des Sängers ermüdet ist und er um eine Pause ersucht:

»Ma io già, bei Segnor, la voce ho spenta,
Ne ormai risponde al mio canto suave,
Onde convien far ponto in questo loco,
Poi cantarò, ch'io sia posato un poco«
(II,13.66).

Klug weiß der Dichter auch das eigene Ruhebedürfnis mit dem Gefallen, das sein Publikum an einer Pause finden wird, zu verbinden:

»Questo cantare è stato lungo tanto,
Che ormai ve increscerebbe il troppo dire,
Onde io prenderò possa e voi diletto;
Ne l'altro canto ad ascoltar vi expetto«
(II,23.78).

Und in der Tat sind auch die Hörer am Ende eines Gesangs froh über die Unterbrechung, wissen sie doch aus eigener Erfahrung:

»[...] ogni bel cantare
Sempre rincresce, quando troppo dura«
(II,4.86; vgl. I,6.69; II,10.61; II,11.58; II,29.65).

Häufig sind auch andere Umstände Veranlassung für Boiardo, einen Gesang zu beschließen. Er überblickt den Umfang der Handlung, die er erzählen will, und erkennt, daß die dafür notwendige Zeit den Rahmen dieses Gesangs sprengen würde:

»Più largo tempo vi farà mestiero,
Onde al canto presente faccio ponto« (II,16.57).

Seine Übersicht über die Materie erlaubt es ihm, auch mitten im Gesang einen Handlungsfaden loszulassen, sobald er gewahr wird, daß seine Erzählung in Konflikt mit der zur Verfügung stehenden Zeit geraten könnte:

»Or non vi è tempo racontar vi il tutto« (II,10.54).

Wieder ist es die Rücksicht auf sein Publikum, das er nicht bis zum Einbruch der Nacht aufhalten will (»per non vi tenire a notte scura« II,8.12), denn wenn er jeden der bei einem Zweikampf ausgeteilten mehr als tausend Hiebe wiedergeben wollte,

»Verrà la sera e il cel si farà bruno« (I,27.28).

Freilich spricht es sich in der illustren Hofgesellschaft mit der Zeit herum, daß Boiardos Gesänge nicht nur von rauhem Kampf und Waffenhandwerk handeln, sondern daß ihr eigentliches Thema und der ursprüngliche Titel des Ganzen »l'innamoramento« des Helden Roland ist, ein Gegenstand, der natürlich auch die Damenwelt zu interessieren beginnt. Doch es dauert bis zum 19. Gesang des ersten Buches, bis der Dichter auch die holde Weiblichkeit inmitten seiner Zuhörerschar begrüßen darf:

»Segnori e cavallieri inamorati,
Cortese damiselle e grazïose«
(I,19.1).

Bis zu diesem Zeitpunkt waren es immer nur die »Segnori e cavalier«, die er angeredet hat, und auch künftig – denn zu oft ist von blutigen Waffenhändeln und schrecklichen Ungeheuern die Rede – wird es eine außergewöhnliche Ehre für ihn bedeuten, unter seinen Hörern die »dame«, »damigielle«, »donne« und »donzelle« zu erblicken und sie willkommen heißen zu dürfen (im ganzen nur noch knapp ein dutzendmal: II,8.2; II,12.4; II,18.63; II,19.60; II,26.3; II,28.1; II,30.1; II,31.50; III,1.2; III,3.2; III,9.2). So bleibt die Anrede »Segnori« im ganzen *Orlando Innamorato* die vorherrschende.
Wenn Boiardo auch seine ungeduldige Zuhörerschaft bisweilen auf den nächsten Tag, auf morgen vertröstet (»io vi contarò questo altro giorno« I,19.65; »Se tornarete a questa altra giornata« II,12.62; »Doman la contarò: fati ritorno« II,14.68), so hat sich doch der Vortrag der 69 Gesänge des *Orlando Innamorato* über viele Jahre hinweg erstreckt. Die Jahreszeiten gehen ins Land, und das Erwachen der Natur beflügelt immer wieder auch den Gesang des Dichters:

»Quando la terra più verde è fiorita,
[...]
Così lieta stagione ora me invita
A seguitare il canto dilettoso,
E racontare [...]«
(II,8.1; vgl. II, 20.1).

Boiardo verweist selbst darauf, daß schon »molti giorni« mit seiner Erzählung dahingegangen sind (II,27.2), doch Staatsgeschäfte und die Sorge um sein von innen und außen bedrohtes Vaterland lassen ihm oft nicht die Muße, um an seinem Hauptwerk weiterzudichten:

»Sentendo Italia de lamenti piena,
Non che or io canti [...]«,

klagt er am Schluß des zweiten Buches angesichts der Feindseligkeiten zwischen Venedig und Ferrara (II,31.49).
Wir sind bereits im Jahre 1482 angelangt, und erst nach Ende der Kampfhandlungen kann er 1484 mit dem Vortrag des dritten Buches beginnen (vgl. III,1.2). Doch nur schleppend nimmt das Werk seinen Fortgang; als er es wegen des Eindringens der Franzosen unter Karl VIII. in Italien mitten im Gesang abbrechen muß (»Mentre che io canto« III,9.26), schreibt man gar schon das Jahr 1494. Es ist das letzte Mal, daß die Hofgesellschaft von Ferrara sich am Vortrag des Dichters Boiardo ergötzen darf; er hat diesen Tag nicht lange überlebt.

II

Scandiano, im Schloß der dortigen Grafen, in den siebziger Jahren des 15. Jahrhunderts.
Der dichtende Graf Matteo Maria Boiardo bewahrt dem Hof von Ferrara gegenüber einige Distanz. Nur wenn es unbedingt nötig ist – und am nötigsten ist es in den drei Jahren von 1476 bis 1478, als sein Dienst ihn zu gelegentlichem Erscheinen verpflichtet –, hält er sich dort auf. Ansonsten beliebt es ihm, wenn immer es sich ergibt, sich zurückzuziehen nach Scandiano, um dort nach einem ausführlich konzipierten Plan an seinem *Orlando Innamorato* zu arbeiten. Denn schließlich zieht auch der Hof seinen Nutzen aus dieser Arbeit, verfolgen doch der Herzog und seine Umgebung das Entstehen des Werkes mit größtem Interesse, sind sie es doch, die dem Autor seine eben fertiggestellten Gesänge förmlich aus der Hand reißen. Schreiber werden damit beauftragt, die Stanzen nach und nach zu kopieren, das Gedicht wird von Anfang an am Hof gelesen, im Entstehen aufgehascht gleichsam.[2]
Am 1. März 1479 richtet der Hofschreiber Andrea dalle Vieze eine Notiz an Ercole, in welcher der *Orlando* zum erstenmal erwähnt ist und die das große Interesse des Herzogs am Abschreiben der vollendeten Teile des Werkes bezeugt.[3]
Im Jahre 1486 schickt Francesco Gonzaga einen Boten an Boiardo mit der Bitte, ihm den Anfang des letzten Teils des *Orlando* zu übersenden.[4]
Am 9. August 1491 ersucht Isabella d'Este den Dichter in einem Brief, ihr die neuerdings verfaßten Teile des Gedichts zukommen zu lassen. Boiardo antwortet, er habe in letzter Zeit nicht mehr daran gearbeitet. Daraufhin bittet ihn Isabella, ihr eine Kopie dessen zu schicken, was sie bei ihrem letzten Besuch in Reggio schon gelesen habe, »acciò che un'altra volta la possiamo relegere«.[5]

Die ersten beiden Bücher des *Orlando Innamorato,* 60 der insgesamt fertiggestellten 69 Gesänge also, waren im Sommer oder Herbst des Jahres 1482 vollendet. Rasch verbreitete sich die Kunde davon am Hof zu Ferrara. Es lag zweifellos in Boiardos Intention, das Werk auch schon in dieser ›offenen Form‹ (wenngleich es formal gerundet war und seine letzte Oktave mit dem »Adio« an die »legiadri amanti e damigielle« eine gewisse Abschlußfunktion aufwies, vgl. II,31.50)[6] zum Druck zu bringen. Ob er selbst die Drucklegung in allen Einzelheiten überwachte oder nicht, fest steht: Ercole bemühte sich in einer für den Staat höchst bedrohlichen Situation, zu einer Zeit, da sein Ferrara mit der Republik Venedig im Krieg lag, persönlich um

den Druck von Boiardos Werk. Ende Februar 1483 muß es vorgelegen haben: Der Kriegskommissar von Reggio, Paolo Antonio Trotti, läßt dem Herzog die erste Kopie übersenden (»tri de quilli Libri de Orlando«, wie es in seinem Begleitschreiben heißt, meint nicht – so nahm die frühere Forschung an – drei Exemplare, sondern besagt, daß das Werk überraschenderweise und willkürlich, sei es vom Autor selbst oder vom Herausgeber, während des Druckes in drei Bücher aufgeteilt worden war[7]). Von dieser ersten Ausgabe, Reggio 1483, ist bis heute kein einziges Exemplar wieder aufgetaucht. Ein am 13. Mai 1484 zu Reggio notariell beglaubigter Buchhändlerschuldschein spricht von 228 Kopien; dabei handelt es sich aber wohl lediglich um den verbliebenen Rest der Edition, nicht um die Gesamtzahl der gedruckten Exemplare, die sich nach dem Usus der Zeit um 1000 herum bewegt haben dürfte.[8]
Die zweite bekanntgewordene Ausgabe des *Orlando Innamorato* wurde im Jahre 1487[9] zu Venedig aufgelegt. Auch sie enthält faktisch nur die ersten beiden Bücher, weist aber ebenso wie die Editio princeps und noch die folgende Ausgabe nach II,21 eine das dritte Buch ankündigende Überschrift auf. Ein Exemplar der Edition ist erhalten.[10]
Abermals zu Venedig erschien die nächste, erst vor knapp zwei Jahrzehnten entdeckte Ausgabe, fertiggestellt am 28. September 1491. Allem Anschein nach beruht sie auf derjenigen von 1487, konnte also in relativ kurzer Zeit zustande gebracht werden. Dies läßt die Vermutung zu, daß die Neuedition mit der Bitte Isabellas d'Este um Übersendung einer Kopie in Zusammenhang zu bringen ist.[11]
Wir haben also Kenntnis von drei Ausgaben, die zu Lebzeiten des Dichters erschienen sind, und dies innerhalb eines Zeitraums von acht Jahren.
Ein Jahr nach Boiardos Tod wurden 1495 zwei weitere Ausgaben veranstaltet: die eine, nur von Buch III, nochmals in Venedig;[12] die andere, die erste Gesamtausgabe des unvollendet gebliebenen Gedichts, in Scandiano selbst. Wie aus einem Dokument des gleichen Jahres hervorgeht, umfaßte sie 1250 Exemplare. Keines ist bis heute aufgetaucht.[13] Die später erschienenen Ausgaben des *Orlando Innamorato* und die im folgenden Jahrhundert vorgenommenen Bearbeitungen des Werkes sind für unsere Themenstellung nicht mehr relevant.

In den drei Ausgaben zwischen 1483 und 1491 – auch für die nicht erhaltene erste darf dieser Befund wohl gelten – begegnet eine Oktave, die zwischen II,31.48 und II,31.49 eingefügt ist. Sie enthält die Versicherung, daß es noch viel zu erzählen gäbe, wenn nicht das Werk jetzt zur Druckerei müßte. Doch wer auf die Fortsetzung neugierig sei, möge es sagen, dann werde auch diese bald zum Druck kommen. Die ältere Forschung hat – aus Gründen, auf die im Zusammenhang noch einzugehen ist – diese Strophe Boiardo einmütig abgesprochen; neuerdings hält man sie mitunter für echt.[14]

III

Die ersten beiden Abschnitte dieser Studie sprechen je eine andere Sprache. Im ersten wird rein werkimmanent vorgegangen, der zweite nennt historisch verifizierbare Fakten und zieht zeitgenössische Dokumente heran. In ihm wird das Werk als ein bei aller Unvollständigkeit fertiges Produkt vorgeführt, losgelöst von seinem

Autor; in jenem *ist* das Werk nicht, sondern es *entsteht,* es wird in seinem Vollzug vor einem Publikum gezeigt, in seiner Kontaktfunktion zwischen Dichter und Zuhörerschaft.

Die unterschiedliche Sprache beider Abschnitte will auch beim Wort genommen sein. Der erste versucht, Interpretationsansatz und Diktion einer Forschungstradition zu imitieren, die den poetischen Text als das nimmt, was er sagt, ihn nicht – wie man sich heutzutage wohl ausdrückt – hinterfragt. Der zweite versucht, sachlich und in nüchternen Worten einen faktenorientierten Überblick zu geben; auf den Text als Dichtung geht er nicht ein.

Der Gegensatz in Methode und Redeweise enthüllt einen Gegensatz im interpretatorischen Ertrag. Die in den Ausführungen beider Abschnitte implizierten Ergebnisse lassen sich nicht miteinander vereinbaren. Sie stehen derart im Widerspruch zueinander, daß fraglich wird, ob jeder Ansatz für sich genommen prinzipiell überhaupt jemals stringente Resultate nach sich ziehen kann. Da es uns hier zunächst um die vom Autor intendierte Rezeptionsart des Werkes geht, halten wir fest, was das in den beiden bisherigen Abschnitten vorgeführte Material darüber aussagt: Einmal wird uns der intime Kontakt zwischen vortragendem Dichter-Sänger und zuhörendem Publikum vor Augen geführt; später erfahren wir Einzelheiten über Schreiber, Drucker und Individualleser, lernen das starke Interesse einer bestimmten Gesellschaftsschicht an der Publikation des Werkes kennen. Die Beschränkung auf zwei wahlweise gebrauchte interpretatorische Ansätze kann das Dilemma offenbar nicht lösen. Hinzutreten muß eine historisch-vergleichende Betrachtungsweise, die, da es um eine akzeptable Interpretation eines poetischen Textes geht, sinnvollerweise von der Dichtung selbst ihren Ausgang zu nehmen hat. Zunächst handelt es sich also darum, im *Orlando Innamorato* Erzählsituationen ausfindig zu machen, die im Widerspruch stehen zu einer der bisher gesichteten Publikumskonstellationen. Danach ist ihr historischer Kontext und ihr Stellenwert in Boiardos Werk zu bestimmen.

Da ist erst einmal jene Schlußstrophe eines sehr langen Gesangs (I,12.90), in der der Dichter – wie üblich – die Erzählung vor einem Spannungshöhepunkt abbricht und dies – wie gleichfalls üblich – mit ebender langen Dauer des Gesangs motiviert:

»Or questo canto è stato lungo molto«.

Bis dahin hat die Strophe nichts Außergewöhnliches an sich. Was noch folgt freilich, das schließende Reimpaar, hat der Forschung manches Kopfzerbrechen bereitet:

»Ma a cui dispiace la sua quantitate,
Lasci una parte, e legga la mitate«.

Ein Scherz, gewiß, doch das Dilemma bleibt bestehen. Während die einen die Passage für einen vor der Veröffentlichung angebrachten späteren Zusatz halten,[15] meinen die andern, man müsse »einen Dichter nicht so w ö r t l i c h beim Worte nehmen«.[16] Beide Seiten verkennen dabei, daß die Empfehlung, nach Belieben nur den halben Gesang zu lesen, in paradoxer Situation, eben am Ende dieses Gesangs ausgesprochen ist und sich in keinem Fall an den realen Leser wenden kann. Vorerst wenigstens ist dies festzuhalten: Hier ist vom Leser die Rede.

Man wird nun aufmerksam auf die übrigen in diese Richtung weisenden recht zahlreichen Indizien. Mehrmals bezieht Boiardo sich auf die Bucheinteilung seines Werkes (z. B. II,1.15; II,31.42; II,31.48; II,31.50; III,4.11), bezeichnet den *Orlando* insgesamt als Buch (»libro« II,17.38), sieht ihn als Schriftwerk oder verweist auf seine Tätigkeit des Schreibens (II,24.7; II,31.50; III,5.48), kündigt Späteres an und lokalisiert es im Schriftwerk (»in altro loco« I,29.55; »in altra parte« III,7.56), greift auf bereits Erzähltes mit Hilfe von Ortsadverbien zurück (»sopra« z. B. I,1.42; I,9.49; I,19.2; »nel libro che è davante« III,4.11). Diese Rückbeziehungen nun stehen in Verbindung mit Verben des Sagens (Erzählens) und des Hörens. Auf den Dichter bezogen heißt es etwa:

»come ho sopra detto« (I,7.1).

Und mit Bezug auf das Publikum:

»che sopra aveti odito« (I,1.42).

Wir vermerken vorläufig den Widerspruch zwischen der Betonung des visuellen und der des auditiven Moments.
In gewisser Diskrepanz zu dem aus dem ersten Abschnitt gewonnenen Eindruck einer Erzählweise ad hoc, eines freien, den gegenwärtigen Augenblick einbeziehenden Rezitierens steht auch die Ankündigung am Ende eines etwas kürzeren Gesangs, daß der nächste um so länger werde (I,11.53). Und dieser nächste Gesang ist ebender, in dessen letzter Oktave den Rezipienten freigestellt wird, nur den halben zu lesen. Dies ist abermals ein Indiz für die Irrealität des Leserbezugs: der reale Leser weiß ja schon vorher, daß der Gesang sich ausdehnen wird.
Boiardo steht mit den hier und im ersten Abschnitt dieser Untersuchung vorgeführten Formen des Publikumskontakts nicht allein. Die italienischen Vertreter der ›Spielmannszunft‹, die ›rimatori popolari‹, ›cantambanchi‹, ›cantastorie‹, machen ausgiebigen Gebrauch davon. Daß Boiardo darin traditionsgebunden ist und was es in Wahrheit mit jenen ›Hinwendungen an die Hörer‹ auf sich hat, wurde schon sehr früh erkannt. Vor nahezu 100 Jahren schrieb Pio Rajna in seiner grundlegenden Quellenuntersuchung zu Ariosts *Orlando Furioso* über Boiardo: »Come i cantambanchi, egli immagina sempre di recitare a un uditorio; finge di smettere per bisogno di riposo, o per non tediare chi lo ascolta; annunzia la continuazione del canto, ed invita gli uditori ad assisterci«.[17] Die entscheidenden Vokabeln in diesem Satz sind »immaginare« und »fingere«. Vorgestellt und fingiert ist nicht nur jener oben behandelte Leserbezug, vorgestellt und fingiert sind die an das Publikum gerichteten Aufforderungen zur Aufmerksamkeit, die Bitten um eine Pause, die Verlautbarungen einer Gedächtnisschwäche, die Versicherungen des Zeitmangels, die Vertröstungen auf ›morgen‹, vorgestellt und fingiert ist das Publikum, dem da erzählt wird, ist der Erzähler selbst, ja die ganze Darbietungsform der Rezitation vor einer Hörerschaft. Der *Orlando Innamorato* gibt vor, für den Vortrag gedichtet zu sein, in Wahrheit wendet er sich an eine Leserschaft. Dem Leser wird ein Einverständnis mit den Regeln des fiktionalen Spiels abverlangt, und das setzt voraus, daß er mit diesen Regeln seit langem vertraut ist. Er kennt sie von Boiardos Vorläufern, von Luigi Pulci und den ›cantastorie‹, und wenn er in der ausländischen Literatur bewan-

dert ist, in der französischen oder spanischen etwa, sind sie ihm auch dort schon häufig begegnet. Sie haben eine vielhundertjährige Tradition, und ihre Funktionen haben sich in dieser langen Zeit gewandelt – doch davon ist später zu reden. Boiardo jedenfalls erwartet von seinen zeitgenössischen Lesern ein ausgebildetes Fiktionsbewußtsein, das es ihnen erlaubt, sein »subjektivistisches Formprinzip«[18] zu erkennen, seiner Rolle als »einer frei mit den Gegenständen seines Gesanges spielenden Erzählinstanz«[19] gewahr zu werden. Gleichzeitig müssen die Leser die Rolle akzeptieren, die ihnen selbst aufgezwungen wird, die Rolle einer edlen, andächtig lauschenden Hofgesellschaft, die, fern von jeder Realität, ein Produkt der Phantasie des Poeten ist.[20] Vielmehr: Sie sollten erkennen, daß ebenso wie der vorgestellte Erzähler auch das fiktive Publikum Teil der Intentionalität des Textes ist. Das bedeutet nicht eine Entmündigung des Lesers, der völlig der Allgewalt des Erzählers preisgegeben wäre, im Gegenteil: Der Freiheit des Erzählers, der über die fiktionalen Mittel nach Gutdünken verfügen kann, korrespondiert die Freiheit des Lesers, der sich nicht am Gängelband geführt zu sehen braucht – denn er, der reale Leser, ist ja nicht angesprochen –, sondern im fiktiven Hörer ein seine eigene Rezeptionsperspektive erweiterndes Formelement der Erzählung, einen Bestandteil des sich als Epos gebenden Romans sehen darf und der sich über die Direktiven des Erzählers – »nichts mehr für heute«, »begebt euch zur Ruhe« – jederzeit hinwegzusetzen vermag. Solchermaßen kann er auch die reizvolle Spannung zwischen der Fiktion des sagenden, singenden, erzählenden, schweigenden Dichters (»dire« I,3.19 u. ö.; »cantare« I,2.1 u. ö.; »contare« I,1.10 u. ö.; »tacere« II,21.23; daneben »ragionare«, »narrare«, »racontare«, »parlare«) und der Realität des schreibenden Autors und die zwischen dem fiktiven hörenden, lauschenden, vernehmenden Publikum (»odire« I,1.1 u. ö.; »ascoltare« I,1.1 u. ö.; »sentire« I,1.8 u. ö.; »intendere« I,11.34 u. ö.)[21] und seiner eigenen Aktivität als Leser eines Buches zur Genüge auskosten.
Wie am Beispiel Rajnas gezeigt, hat man das Wesen solcher Fiktion bisweilen erkannt. Oft jedoch wurde Boiardo beim Wort genommen, wurden die zahllosen Fiktionselemente seiner Dichtung als Indizien für ihren Vortragscharakter zusammengetragen. Statt, wie man annahm, den Intentionen des Autors dadurch auf die Spur gekommen zu sein, hat man sie gründlich verfehlt.[22] Im übrigen hält Boiardo, wie wir in diesem Abschnitt bereits gesehen haben, keineswegs strikt an der Fiktion eines sprechenden oder singenden Dichters und eines zuhörenden Publikums fest. Dies entspringt nicht einer – da so viele Fälle vorkommen, tadelnswerten – Unachtsamkeit des Verfassers, sondern ist Ausdruck seiner Beteiligung am Dechiffrieren der Erzähler- und der Publikumsrolle. Daß auch seine Leser mitzuspielen bereit waren, erweisen die drei zeit seines Lebens gedruckten Ausgaben. Der *Orlando Innamorato* war ein im 15. Jahrhundert begehrtes und vielgelesenes Werk.

IV

Rund anderthalb Jahrhunderte vor Boiardos *Orlando* entstand das *Libro de buen amor* des spanischen Erzpriesters Juan Ruiz. Hinsichtlich der Erzählhaltung beobachten wir große Ähnlichkeiten zwischen beiden Werken; einmal abgesehen davon, daß das *Libro* sich als Autobiographie gibt.
Es wendet sich ebenfalls an die, die das Buch hören (»los que lö oyeren« Str. 12),[23]

an die Damen (Str. 114), aber auch an die Herren (Str. 14); man soll die Ohren öffnen und hören (»Dueñas, abrit orejas, oít buena lición« Str. 892), soll das eine Mal wegen einer langen Erzählpassage das Essen etwas aufschieben (Str. 1266), das andere Mal nicht länger aufgehalten werden (Str. 1301). Auch dieser Erzähler bittet um Ruhe (»sossegadvos en paz« Str. 14), auch er »sagt« (Str. 46), doch auch er spricht vom Schreiben (Str. 949), von seinem Werk als Buch (Str. 986), weist zurück auf einen anderen Abschnitt (»la ötra conseja« Str. 162), voraus auf etwas unten Stehendes (»deyuso« Str. 80). Diejenigen, die er mit seinem Buch anspricht, sollen es ansehen (Str. 1021), in der Hand halten (Str. 996), wenn nötig, etwas verbessern oder hinzufügen (Str. 1629) und es ausleihen (Str. 1630). Wie bei Boiardo wechseln sich Hörer- und Leserintention ab, im *Libro de buen amor* sogar innerhalb ein und derselben Strophe: Der Erzähler redet vom Schreiben und läßt gleichzeitig die Andeutung einfließen, daß er einen Trunk verdiente, wenn ihm die Erzählung gelänge (Str. 1269). Die Art, wie man sein Werk rezipieren wird, bezeichnet er unmittelbar hintereinander als Lesen und als Hören (Str. 1627). Das Hinzufügen und Ausbessern soll einer übernehmen, der es ›hört‹ (Str. 1629).
Auch hier also entdecken wir auf den ersten Blick Vortragshinweise, die sich bei näherem Zusehen als Fiktion entpuppen. Auch dieses Werk ist für Leser verfaßt und spielt mit der Hörerfiktion. Das durchschlagendste Indiz dafür ist die Stelle, an der das Buch selbst zu Wort kommt (»yo, libro« Str. 70) und alle eingeladen werden, auf ihm, das sich als Instrument vorstellt, ihren Fähigkeiten gemäß zu spielen. Dies ist eine Rollenzuweisung, die sich beim mündlichen Vortrag vor einem Hörerpublikum nur schwer realisieren ließe.
Wenn ich nichts übersehen habe, hat Gybbon-Monypenny als erster anhand des *Libro de buen amor* auf die Diskrepanz zwischen direkten Anreden des Publikums und Anspielungen auf bestimmte Situationen einerseits und der Tatsache der Abfassung des Werkes ›am Schreibtisch‹ andererseits aufmerksam gemacht und seine Folgerungen daraus auch auf andere mittelalterliche Werke ausgedehnt.[24] Ein Teil der einschlägigen Stellen ist quellenabhängig, so Str. 1266 mit der Anregung zum Aufschub des Abendessens,[25] andere verraten in ihrer Diktion Formelhaftigkeit und konventionellen Gebrauch.[26] Gybbon-Monypenny erkennt den spezifischen Gattungscharakter derartiger Passagen und fragt sich, inwieweit die dabei gebrauchten Verben des Sagens oder Hörens in übertragener Bedeutung, »catachrestically«, verstanden werden dürften.[27] Daß er an mechanischen und unbedachten Gebrauch der Wendungen bei manchen mittelalterlichen Autoren denkt,[28] mindert freilich den Wert seiner Studie etwas. Das Spiel mit der Fiktion und die Erziehung des Lesepublikums zu höherem Fiktionsbewußtsein, das ist, wie bei Boiardo, wohl auch beim Verfasser des *Libro de buen amor* das für seine Erzählerbemerkungen entscheidende Moment.

V

Ein kurzer Ausblick auf die Hörerfiktion im deutschen Bereich sei mit dem Versuch verbunden, das Phänomen in seine Traditionszusammenhänge zu stellen. In der deutschen Literatur des ausgehenden 16. Jahrhunderts sind die Elemente unserer Fiktion nicht mehr so rein erhalten wie ehedem und haben ihren die faktisch intendierte Rezeptionsart verschleiernden Charakter (der noch im Falle des *Orlando Innamorato* Generationen von Forschern in die Irre zu leiten vermochte) weitgehend aufgegeben.

Dies läßt sich etwa an Johann Fischarts *Eulenspiegel* erkennen, dessen zweiter gereimter Prolog, die »Vorrede auff den Eulenspiegel«,[29] einige das akustische Moment betonende Wendungen enthält. Der Vorredner weiß, daß er die Rezipienten seines Werkes nicht erst mit »Rhetorisch Kunst« zu betören braucht, damit sie ihm »leyhen jr gehŏr« (V. 262–265). Beim Bekanntheitsgrad seines Helden ist es nicht schwer, ein Publikum zu finden:

> »[...] wann sie jn nur hŏren nennen,
> So spitzen sie die Ohren gleich
> Ist keiner, der von dannen weich.
> Sie wŏllen alle hŏren zu,
> Was man von jm guts sagen thu.
> Drumb hab ich mich bekůmmert nie,
> Wie ich bekomm zuhŏrer hie«
> (V. 273–279).

Die beiden Aufforderungen »Wers nicht mag sehen, gang darvan!« (V. 401) und »Es butz die Naaß, wers hŏren mag« (V. 439) scheinen zusammen mit der zitierten Passage dazu beizutragen, eine regelrechte Hörerfiktion erstehen zu lassen. Indes, diesem zweiten gereimten Prolog geht neben der prosaischen Vorrede ein erster (»Der Eulenspiegel zum Leser«) voraus, an dessen Ende die Aufforderung steht: »Versuchs vnd leß wer es begert« (V. 253). So ist die Hörerfiktion bei Fischart nur noch Relikt, das die Gattung signalisiert, und dient nicht mehr der Initiation des Publikums in das Spiel mit Fiktionen.

Noch durchsichtiger und funktionsloser sind die Elemente der Hörerfiktion in Georg Rollenhagens *Froschmeuseler* geworden.[30] Bereits die Überschrift des Anfangskapitels, »Kurze summa und inhalt des ganzen buchs«, deutet den faktisch intendierten Rezeptionsmodus an. Die Wiederholung des Terminus »buch« (I,1.4) und der wenig später formulierte Zweck des Werkes, die »jugend« solle »etwas weisheit / Allhie lesen in frölichkeit« (I,1.17–20), fixieren ihn vollends. Daran ändert auch das dann begegnende »zuhören« (I,1.30) nichts, ebensowenig wie die folgende, nach altem Brauch vorgenommene Ausmalung der hypothetischen Vortragssituation:

> »Die alten aber, die ihr ler
> Mit ernstem pochen machen schwer
> Und keine scherz mer leiden wollen,
> Dismal ihr urlaub haben sollen,
> Ein wenig treten überseit,
> Wollen sie hören ander zeit«
> (I,1.35–40).

Auch hier ist die Hörerfiktion nurmehr noch ein der Gattung anhaftendes konventionelles Element. Der Publikumsbezug ist bei Rollenhagen recht ausschließlich den Vorreden vorbehalten, nicht mehr wie bei Juan Ruiz und ganz dominierend bei

Boiardo durchgängig in den Erzählvorgang integriert. Des Versteckspiels ist diese Zeit müde geworden (die ganz auf die Lektüre abgestellte Vorrede zum zweiten Buch, »Inhalt des andern buchs«, läßt keinen Zweifel mehr an der ins Auge gefaßten Art und Weise des Rezipierens), durch die rigoros vertretene Belehrungsabsicht wird die Freiheit des Lesers im Zaum gehalten. Erst Wieland und Jean Paul werden sie ihm wieder geben.

In einem vor jeder Schriftlichkeit gelegenen Stadium der Literatur hatte das, was später zur Hörerfiktion transformiert wurde, seine prägnante konkrete Funktion. Der Rhapsode mußte zum Schweigen auffordern, bevor er seinen Sang anstimmen konnte; hatte ihn der Vortrag ermüdet oder bemerkte er Unruhe unter seinen Zuhörern, konnte er die Rezitation abbrechen und vertagen; verließ ihn seine Stimme, bat er um einen Trunk; um die Erzählung nicht auf dem Höhepunkt der Spannung beenden zu müssen, ersuchte er die Hörerschaft, ihre Abendmahlzeit noch etwas aufzuschieben.

Sobald der Literarisierungsprozeß einsetzte, und das heißt, sobald die Dichtung schriftlich fixiert wurde, begannen diese Vortragselemente ihrer aktuellen Bedeutung verlustig zu gehen. Einmal aufs Pergament gelangt, waren sie mit dem Werk integriert. Bisweilen im mündlichen Vortrag konnten sie noch ihre ursprüngliche Funktion wahrnehmen, wenn ihre Position im Werk dies erlaubte, wenn also beispielsweise die Schweigeforderung ganz am Anfang der Dichtung stand oder die Bitte um einen Trunk an einem deutlichen Erzähleinschnitt. Oft jedoch war dies nicht der Fall, und damit begann die Fiktionalisierung des Publikumskontakts. Sie konnte beim Vortrag realisiert werden, setzte das Einverständnis des Hörers voraus und formte zugleich sein Fiktionsbewußtsein. Sie mußte beim Lesen realisiert werden, und der erste Leser eines derartigen Werkes war der erste Rezipient, dem die radikale Erkenntnis der Hörerfiktion aufgegeben war. Für ihn gab es keine Berührungspunkte mehr mit der für einen Hörer ja noch konkret gegebenen Vortragssituation.

Erzähler- wie Hörerfiktion traten ihren eigentlichen Siegeszug an, als der Leser auf dem Plan erschien. Dies war im Hochmittelalter der Fall, und Dichter wie Wirnt von Grafenberg oder Rudolf von Ems setzen diese und andere Fiktionsmittel im Hinblick auf den lesenden Rezipienten ein.[31]

Die Hörerfiktion ist, das sollte die vorliegende Studie zeigen, ein internationales Phänomen. Sie ist zugleich eine überzeitliche Erscheinung, dem Versroman des Mittelalters und der folgenden Epoche wie auch dem Prosaroman der Neuzeit eigen. Das weist auf eine längere Kontinuität des abendländischen Romans hin, als sie ihm üblicherweise zugestanden wird.

Von zweierlei Rezeption war hier die Rede. Einmal von dem ersten Bekanntwerden eines Rezipienten mit einem poetischen Text, von der Rezeption durch das Ohr oder durch das Auge, von dem, was ich Rezeptionsart oder -modus benannt habe. Zum andern von der Rezeption eines ursprünglich dem realen Vortrag dienenden Mittels der Erzählung durch spätere Dichter und spätere Zeiten. Es hat sich im Lauf der Jahrhunderte transformiert, seine Funktion war der Veränderung unterworfen. Konnte es zunächst im Vortrag gelegentlich noch zur Belebung der Kommunikation zwischen Rezitator und Hörerschaft eingesetzt werden, war es bald auch zum Aufbau von Fiktionen geeignet, und dies bei gehörter und vorzüglich bei gelesener Literatur. Das erzähltechnische Mittel war aber mit der Zeit auch zu einem dem epischen Sujet zugehörigen Versatzstück geworden, das häufig (auch schon im Mittelalter) lediglich als Gattungssignalement erschien und von Autoren, deren Ehrgeiz nicht auf gesteigerte Fiktionalisierung ging, mit dem Stoff, mit der Gattung rezipiert und als Formel, als bloße Konvention eingesetzt wurde.

Um den jeweiligen Stellenwert der Hörerfiktion zu bestimmen, muß jedes einzelne Werk im besonderen daraufhin untersucht werden. Es wäre eine reizvolle Aufgabe, die mittelalterliche und frühneuzeitliche Literatur einmal unter diesem Aspekt zu betrachten. Hier konnte der Versuch nur punktuell unternommen werden. Doch schon dabei hat sich gezeigt, daß weder eine rein textimmanent vorgehende stilkritische Methode noch eine, die zeitgenössische Zeugnisse über die Rezeption des Textes befragt, zum eigentlichen Wesen der Hörerfiktion vorzudringen vermag. Beide müssen im Vorfeld haltmachen; die eine, indem sie die Vortragsintention, die andere, indem sie die faktische Rezeption durch Leser konstatiert. Erst die Kombination beider Methoden und zusätzlich die Berücksichtigung des Kontexts von Gattung, Epoche und literarischer Tradition verspricht einigen Erfolg. Das, wie es scheint, dabei zutage tretende Phänomen einer gewissen Kontinuität fiktionalen Erzählens könnte einen bescheidenen Beitrag zu der heute notwendigen Annäherung der Disziplinen Ältere und Neuere Literaturwissenschaft leisten.

GUNTER GRIMM

Lessings Stil. Zur Rezeption eines kanonischen Urteils

Lessings Stil: Theaterlogik oder Wahrheitssuche? – Einst und heute: das kanonische Muster – Kein Dichter zwar, doch der erste Prosaist – Das Absolute, das Soziale und das Nationale (Zwischen Romantik und Jungem Deutschland: Schlegel, Heine, Menzel) – Original deutsch (Auf der Suche nach der Nation: Vom Vormärz zum Kaiserreich) – Die Neutralisierung der Botschaft (Schule und protestantische Orthodoxie) – Typisch judengemäß (Die antisemitische Verketzerung Lessings) – Der nordische Stil (Die nationalsozialistische Vereinnahmung) – Klischee und immanenter Widerspruch (Ludwig Reiners' Stillehre) – Kanonische Urteile heute? (Rezeption und kanonisches Erbe in der Gegenwart)

Lessings Stil: Theaterlogik oder Wahrheitssuche?

»Ich kenne keinen blendenden Stil, der seinen Glanz nicht von der Wahrheit mehr oder weniger entlehnet. Wahrheit allein giebt echten Glanz [...] Also von *der,* von der Wahrheit lassen Sie uns sprechen, und nicht vom Stil.«[1]
Diese Antwort Lessings auf Goezes Vorwurf, er argumentiere mit »Äquivoken«, Wortspielen und Metaphern, sein Denken sei Theaterlogik, präsentiert Stil als Ausdruck des Gehaltes, und zwar den eigenen als Ausdruck der Wahrheit. Natürlichkeit im Sinn der unverstellten Sprechgewohnheit gilt Lessing schon seit dem Dorotheabrief als Ideal: »Schreibe wie Du redest, so schreibst Du schön.«[2] Man muß dieses Natürlichkeitsideal im Zusammenhang mit der Entwicklung der allgemeinen Stilprinzipien[3] und der Briefsteller[4] im besonderen sehen. Die alten Ideale der Zierlichkeit und des Rhetorischen wurden nach einer Übergangsphase »galanter Natürlichkeit« von den neuen Idealen der »schönen Natürlichkeit und der Lebhaftigkeit« verdrängt. Drei Briefsteller, alle 1751 erschienen, vollendeten die bereits früher angekündigten Reformbestrebungen:
1. Johann Christoph Stockhausens *Grundsätze wohleingerichteter Briefe,*
2. Christian Fürchtegott Gellerts *Briefe, nebst einer Praktischen Abhandlung von dem guten Geschmacke in Briefen,*
3. Johann Wilhelm Schauberts *Anweisung zur Regelmäsigen Abfassung Teutscher Briefe.*[5]

Bereits 1742 hatte Gellert in Form eines Briefes eine theoretische Arbeit verfaßt, *Gedanken von einem guten deutschen Briefe, an den Herrn F. H. v. W.,*[6] in der er sich für die ungezwungene und natürliche Schreibart aussprach und damit an verschiedenen Orten zum Vorschein kommenden Tendenzen den klarsten Ausdruck verlieh. So viel sei gewiß, schreibt Gellert, »daß wir in einem Briefe mit einem andern reden, und daß dasjenige, was ich einem auf ein Blatt schreibe, nichts anders ist, als was ich ihm mündlich sagen würde, wenn ich könnte oder wollte«. Statt der »mit aller Gewalt gekünstelten« Manier empfiehlt Gellert, »natürlich, deutlich, und nach der Absicht der Sache überzeugend« zu schreiben, wobei der Verfasser sich nicht von Schulregeln binden lassen müsse; denn wer gut schreiben wolle, müsse von einer Sache denken können, und wer seine Gedanken gut ausdrücken wolle, müsse »die Sprache in der Gewalt haben«. Mehr als Briefsteller würden hier eine »geübte Vernunft«, eine »lebhafte Vorstellungskraft« und eine »Kenntniß der Dinge« ausrichten. In seiner *Praktischen Abhandlung* führt Gellert als positive Stilkriterien folgende Begriffe auf: natürlich, schön, lebhaft, deutlich, leicht, fein, richtig, kurz, verständlich, frei, munter, und als negative Stilkriterien die Begriffe: unnatürlich, gezwungen, frostig, matt und undeutlich.[7] Diese »gebildete Natürlichkeit«[8] oder, wie Bruno Markwardt definiert, die »Als-Ob-Natürlichkeit«[9], meint »die Natürlichkeit einer stilisierten urbanen Umgangssprache humanistisch-literarisch Gebildeter«[10]. Lessing hat den Gellertschen und den Schaubertschen Briefsteller mehrmals rezensiert. Wie stellt er sich zu dem neuen Ideal der natürlichen Schreibweise? Die erste Rezension des Gellertschen Briefstellers stammt aus der *Berlinischen Privilegirten Zeitung* und ist vom 8. Mai 1751 datiert.[11] Lessing betrachtet die Gellertsche Abhandlung und die Musterbriefe als bedeutenden Schritt zur Verbreitung des guten Geschmacks, den auch er mit dem Begriff »Natur« in Verbindung setzt und mit verschiedenen »seltnen Eigenschaften« umschreibt: »gesunde Ordnung im Denken, lebhafter Wiz, Kenntniß der Welt, ein empfindliches Herze, Leichtigkeit des Ausdrucks«. Im Sinne der zuvor genannten »gebildeten Natürlichkeit« schränkt Lessing seinen Naturbegriff bei der Charakterisierung der Gellertschen Briefe ein: »Die schöne Natur herrscht überall, alle Zeilen sind mit dem süssesten Gefühle, mit den rühmlichsten Gesinnungen belebt [...].«

Die zweite, ausführlichere Besprechung stammt aus den *Critischen Nachrichten*, und zwar vom 18. und 25. Juni 1751.[12] Gellert erfülle die »beste Regel im Briefschreiben«, nämlich »daß man ohne Regeln schreibe«; überall finde man in den Musterbriefen »die Sprache der Natur und des Herzens« – ein guter Brief, sagt Lessings Formel, sei »ein Gespräch zwischen zwey Abwesenden«.

Weit weniger positiv bespricht Lessing Schauberts systematisches Anweisungsbuch.[13] Insgesamt steht Lessing diesen Tendenzen zur Auflockerung der Formelsprache und dem Trend zur urbanen Natürlichkeit freundlich gegenüber, wenn er selbst auch weniger Gellerts »edle Einfalt« bemüht, als »den Paroxysmus des Witzes« funkeln läßt.[14] Detlef Droese macht in seiner Untersuchung über Lessings Verhältnis zur Sprache auf die Auseinandersetzung zwischen Gottsched und Bodmer über das Problem der ›natürlichen Sprache‹ aufmerksam.[15] Es zeigt sich, daß Gellert mit seinen Stilidealen in Gottscheds Gefolgschaft steht; auch dieser zählt die bekannten Adjektive »deutlich, ordentlich, nachdrücklich, fließend und zierlich« zur Charakterisierung seines Stilideals auf[16] und erkennt im Begriff der ›Natürlichkeit‹ die von den Prinzipien der Vernunft gelenkte Natur. Allerdings verhält sich Gellert, und Lessing dann in verstärktem Maße, aufgeschlossen gegenüber der als kombinierender Scharfsinn verstandenen ›Einbildungskraft‹; die Folge ist größere Offenheit gegenüber Metaphern im einzelnen und der Bildhaftigkeit von Sprache im ganzen. Im pragmatischen Kontext wird sie als Erfordernis verständlich, wenn die Texte, in denen Bildhaftigkeit überwiegt oder auch nur zum Ausdruck kommt, und deren Stellung zum Publikum berücksichtigt werden. Bei Gellert sind es die Fabeln, bei Lessing ebenfalls die Fabeln und die Schauspiele, dann auch, von Goeze eifrig aufgegriffen, die theoretischen Abhandlungen.[17] Freilich überbietet Lessing den älteren Gellert bald durch »Schlagfertigkeit, Raschheit des Dialogs, freiere Laune« und »überraschende epigrammatische Pointen«, ohne allerdings, wie bereits Schmidt betonte, dessen populären Plauderton zu erreichen.[18] Auch in der Theaterpraxis verfolgt Lessing ein ähnliches Ziel, wenn er als Forderung an die Bühnensprache Naturwahrheit aufstellt: »Alle Personen der poetischen Nachahmung ohne Unterschied, sollen sprechen und handeln, nicht wie es ihnen einzig und allein zukommen könnte, sondern so, wie ein jeder von ihrer Beschaffenheit in den nehmlichen Umständen sprechen oder handeln würde und müßte.«[19]

Klarheit und Kürze[20] sind die Hauptrichtlinien, an denen der Prosaschriftsteller seinen Stil zu messen hat[21]; ihr Ergebnis ist die Deutlichkeit, als Ausdruck des exakt Gedachten[22] und zugleich als höchstes Stilideal – »die größte Deutlichkeit, war mir immer die größte Schönheit« bekennt Lessing in seiner theologischen Schrift *Das Testament Johannis*.[23] Betrachtet man den von Lessing entwickelten Stil, der sich der Elemente des Scharfsinns, des bel esprit[24] und der belebten Bildhaftigkeit bedient, so müssen zwei Namen unbedingt erwähnt werden: Cicero und Voltaire. In Gottscheds und Gellerts Nachfolge wendet sich auch Lessing gegen Ciceros komplizierte Perioden, hierin Voltaire verwandt, dessen geistsprühender, leichtbeweglicher Stil ihm vor allem in den Berliner Jahren als Vorbild gegolten hatte.[25] Der bewußten Haltung des Schriftstellers gegenüber dem Publikum entspricht das Bemühen, Stil und Ausdruck im Dienst der öffentlichen Aufgabe knapp, klar und schlagkräftig zu fassen, um so die größtmögliche Deutlichkeit zu erreichen. Von der breitausschwingenden Redeseligkeit in *Miss Sara Sampson* (1755) führt die von Goethe aufgewiesene Entwicklung zur knappen Sprache in *Minna von Barnhelm* (1767) und zur lakonischen in *Emilia Galotti* (1772).[26]

Bereits 1759 nennt Lessing bei einem Vergleich deutscher und französischer (Kanzel-) Beredsamkeit einige Vorzüge der französischen Sprache: »Die Franzosen, ohne Zweifel, haben eine blühendere Sprache; sie zeigen mehr Witz, mehr Einbildungskraft; der *Virtuose* spricht mehr aus ihnen.«[27]

Eine weitere Differenzierung des Lessingschen Stils ließe sich erzielen durch Herausziehen der Passagen im Fragmentenstreit, wo Lessing seinen eigenen Stil und dessen Methode charakterisiert[28] und die Verwendung von Metaphern in »den wirklichen Gesprächen des Umganges« feststellt, um sie und deren Übergänge vom Theater-Dialog herzuleiten, dem sie »Geschmeidigkeit und Wahrheit« verleihen würden.[29] Auch hier fällt wieder die Übereinstimmung zwischen den Prinzipien natürlicher und poetischer Schreibweise auf; die Wahrheit ist das verbindende Element. Indem Lessing seinen Stil gegenüber Goezes Einwürfen verteidigt, rechtfertigt er zugleich das zugrundeliegende, von Goeze mit dem Schmähwort »Theaterlogik« abgetane Prinzip methodischer Erkenntnissuche: »Die gute Logik ist immer die nehmliche, man mag sie anwenden, worauf man will.«[30] Lessings Stil ist Ausdruck seiner Logik, Ausdruck seines ›Prinzips Wahrheit‹, und die Entwicklung von Gefühlshaftigkeit und deklamatorischer Rhetorik zu immer größerer Knappheit, ja Abgehacktheit *(Miss Sara Sampson – Emilia Galotti)*, die Lessings Stil gerade in den Bühnenwerken mitmacht, kennzeichnet dieses Prinzip als ein evolutionistisches, ständig auf der Suche befindliches.[31]

Einst und heute: das kanonische Muster

Adolf Bach umschreibt Lessings Stil und Sprachbehandlung in seiner *Geschichte der deutschen Sprache*[32] in bewußter Absetzung von Klopstocks »sinn- und gefühlsschwerer, phantasiebeschwingter, erhabener, lyrisch-musikalischer, subjektiver« Sprache und von Wielands dem Französischen abgelauschten Stil voller »Anmut, Beweglichkeit und Frische« als edel und klar, aber »allzu verstandesmäßig«. Seine »kristallklare Sprache« sei »die Erfüllung« aufklärerischer Forderungen an Sprachgestaltung. »Klare Gegenständlichkeit, geistvolle Antithesen, lebhafte Rede und Gegenrede mit eingefügten Fragen und Ausrufen sind kennzeichnend für Lessing.«[33]

Karl S. Guthke zählt in seinem Forschungsbericht die stereotyp wiederkehrenden Charakterisierungen von Lessings Stil auf: »Klarheit, kühle Bewußtheit, Prägnanz und Präzision, logische Ordnung und Funktionalität der Teile, Sprache als Nachgestaltung des Denkprozesses, das zielstrebig Dialogisch-Dramatische und seine rhetorischen Mittel, schließlich die Bildlichkeit.«[34] Ein Blick auf einige Werke der Literaturgeschichtsschreibung erbringt dasselbe Ergebnis, den einhelligen Preis des großen prosaischen Schriftstellers.

Theodor Mundt nennt Lessing in seinem bekannten Buch *Die Kunst der deutschen Prosa* ein »eigenes Genie der Prosa« und ein »prosaisches Genie«.[35]

Kuno Fischer, der Verfasser des einst sehr beachteten Buches *Lessing als Reformator der deutschen Literatur* führt Herders epochenbegrenzte Etikettierung fort und zieht den Vergleich zu Voltaire, dem aufklärerischen Schriftsteller mit der breitesten Publikumsresonanz: »Was Goethe im Hinblick auf die *Franzosen* von Voltaire gesagt hat, er sei der denkbar höchste Schriftsteller seiner Nation, gilt für unser eigenes Volk von Lessing: *er ist der größte deutsche Schriftsteller.* In der Kraft seiner Schreibart, die vollkommen Natur ist und gar nichts Erkünsteltes hat, vereinigen sich alle Kräfte, über die er verfügt. Nur wer diese Mittel sämmtlich besaß, konnte im Stande sein, so zu schreiben, wie er. Hat ihm das magische Dunkel gefehlt, so waren ihm dafür alle Zauber der Klarheit verliehen, wie keinem zweiten.«[36]

Selbst ein hinsichtlich der Wertschätzung Lessings gewiß nicht unparteiischer Literarhistoriker wie Adolf Bartels, der in einer besonderen Untersuchung die Überschätzung Lessings als Folge der vom Judentum unterlaufenen Presse und Literaturgeschichtsschreibung darzustellen versuchte,[37] kann nicht umhin zu bekennen: »Lessings Prosa ist die beste ihrer Zeit, wenn auch nicht in allem mustergültig.«[38] Lediglich eine Einschränkung bringt er vor: »Auch als Dichter fehlte ihm, wie er selber wußte, das Geniale, doch hat er mit Hilfe seines scharfen Verstandes bei mancherlei schätzbaren Gaben Bedeutendes erreicht.«[39]

Abschließend noch eine populäre Darstellung: In seiner *Illustrierten Geschichte der Deutschen Literatur von den ältesten Zeiten bis zur Gegenwart* erklärt Anselm Salzer kurz und bündig: »Vollkommen Natur und fern von aller Künstelei ist auch Lessings Schreibart; er ist der größte deutsche Schriftsteller und der erste, der, wie Klopstock den Stand der Dichter, den der Schriftsteller geadelt hat.«[40]

Eine aktuelle, unmittelbar in die Gegenwart reichende Bestätigung finden diese Urteile auch in zahlreichen Rezensionen moderner Lessing-Inszenierungen. Wahlweise sei hier nur die bundesdeutsche Fernsehausstrahlung der *Emilia Galotti* aufgeführt,

die der Südwestfunk in der Inszenierung von Ludwig Cremer am 1. Januar 1970 gesendet hat. Die *Rheinzeitung* nennt das Stück »ein Muster dialektischen Raffinements in der Dialogführung«,[41] und der *Kölner Stadt-Anzeiger* betont »die männliche Direktheit und Klarheit der Sprache und des Denkens«, schränkt dann allerdings ein: »Goethe nannte diese Sprache ›lakonisch‹, und doch erscheint sie heute in ihrem drängenden sittlichen Ungestüm keineswegs schnörkellos.«[42] Das *Schwäbische Tagblatt* gar läßt am ganzen Trauerspiel nicht mehr als allein die Sprache gelten: »Mit dem Stück ist nicht viel Theater zu machen, Konflikt und Lösung sind gehörig überholt und nur noch historisch interessant. Dies freilich in hohem Maße: Die Abstufung gesellschaftlicher Klassen, die höfische Kritik und der schiefe Ausweg des Bürgers aus der gesellschaftspolitischen Zwickmühle sind aufschlußreich für Lessings Zeiten. Was heute bleibt, ist eigentlich nur der geschliffene Dialog.«[43]
Obwohl der *Miss Sara Sampson* bereits 1772 von Jakob Mauvillon »viel zu viel Declamation, zu viel Tiraden«[44] und 1809 von August Wilhelm Schlegel ein »schleppender und weinerlicher Predigerton«[45] vorgeworfen wurde, vermag doch auch heute noch ein Kritiker gerade dieser Sprache etwas abzugewinnen: »Das Stück ist fast völlig in Vergessenheit geraten; vom Inhalt her ist es für die heutige Zeit auch nicht sonderlich interessant, aber der Sprache Lessings zuzuhören, bleibt immer noch ein Genuß.«[46] Ergänzt werden das Guthkesche Kompendium treffsicher charakterisierender Formulierungen, die Zeugnisse der Literaturgeschichten und die Zeitungsmarginalien durch eine Feststellung Jürgen Schröders, die er seiner Untersuchung über Lessings *Sprache und Drama* voranstellt: »Eben dasjenige, worüber das Urteil der reichen und polyphonen Lessingliteratur am einhelligsten lautet, über seinen Stil und seine Sprache, wurde bisher am wenigsten untersucht. Beides hoch zu rühmen, ist in den letzten zweihundert Jahren zur Regel geworden. Nicht selten wurde Lessings Prosa gleich einem Phönix gefeiert, der noch aus der Asche seines Werks und seiner längst vergilbten Inhalte und Meinungen unzerstörbar emporsteigt. Aber auch ohne diese fragwürdige Trennung von Form und Inhalt ist sein Stil oft genug bewundert und treffend beschrieben worden. Von Herder und Garve über Friedrich Schlegel, Jean Paul, Heine, Hebbel, Otto Ludwig und Nietzsche zieht sich eine glänzende, an Einsicht und anregender Kraft kaum zu überbietende Reihe von kurzen Charakteristiken bis zu Dilthey, Hofmannsthal und Thomas Mann.« Diese Feststellung dient gewissermaßen als Folie und als Begründung der eigenen Absicht, nun eine Arbeit zu verfassen, die »Lessings Stil und Sprache im Gesamtzusammenhang seines Denkens und Dichtens und auf dem geistigen Hintergrund seiner Zeit untersucht«.[47] Freilich erhebt sich angesichts dieser das eigene Unternehmen ja erst legitimierenden Behauptung die Frage, ob Lessings Stil tatsächlich immer unangefochten als Vorbild im Sinn eines ›kanonischen Urteils‹ gegolten hat.

Kein Dichter zwar, doch der erste Prosaist

Das kanonische Urteil, Lessing sei der erste Prosaschriftsteller Deutschlands und sein Stil habe als unerreichbares Muster zu gelten, setzte sich bereits zu seinen Lebzeiten durch. Bis auf Detaileinwände war der Rang von Lessings Dichtertum unbestritten; als Dramatiker wurde er durchaus an die Spitze der aufklärerischen Theaterdichter gestellt.[48] Mit Auszeichnungen wie »sprechender, seelenvoller Dialog« (Johann Jakob Engel),[49] »keine langweilige Tiraden, keine frostige Sentenzen«,[50] »keine kalte oder romanhafte Deklamation« (Johann Joachim Eschenburg)[51] wurde bei der Aufnahme von *Emilia Galotti* nicht gegeizt; allerdings im Gegensatz zu Engels Charakterisierung steht eine Aussage Anton von Kleins, der zwar den »ganz meisterhaften Dialog« und die Theatersprache rühmt, es jedoch gleichzeitig bedauert, »daß es fast durchaus mehr Sprache des Witzes als der Empfindung« sei; es gehe »sogar ins Gezwungene« und rieche »gar sehr nach Affektation«, die »Glut mächtiger Empfindungen« werde nirgends sichtbar.[52] Der geistige Schlagabtausch in lebhaftem Konversationston, die rhetorischen Figuren, die Bewußtheit und Scharfzüngigkeit der Sprache, all dies, was älteren Beurteilern als Ausdruck eines Formprinzips ›Witz‹ und ›guter Geschmack‹ galt und insofern als Erfüllung der an die Behandlung von Bühnensprache gestellten Forderungen erschien, war den Vertretern einer Übergangsgeneration verdächtig. Klarheit, Deutlichkeit und Kürze, die Maßstäbe der Vernunft, hatten ihre unumschränkte Geltung als oberste Bewertungskategorien eingebüßt. Dezidiert meldeten Jakob Mauvillon und Ludwig Unzer in ihrem 1771 anonym veröffentlichten Briefwechsel *Über den Werth einiger Deutschen Dichter* ihre Zweifel an Lessings Dichtertum an.[53] Im Zuge ihrer Neubewertung Gellerts und Rabeners stellen sie eine Liste von »warhaftig großen Dichtern« auf und nennen hier Klopstock, Ramler, Geßner, Wieland und Gleim, »Männer, vor welchen die Gellerts und Rabners, wie die Sterne vor der Morgensonne verdunkelt werden«.[54] Dem Primat der Einbildungskraft neuer Ausprägung, wie es der sich ausbreitende Geniegedanke mit sich brachte, entspricht die Neueinschätzung Lessings (im übrigen neben Christian Felix Weiße) als eines Dichters, der »mit Fleiß, Studiren und Uebung« einen hohen Grad an Vollkommenheit erreicht habe, »ohne eben ein großes Genie zu haben«.[55] Der betreffende Passus lautet: »Lessing ist ohne Zweifel der gröste und vollkommenste Prosator in Deutschland, so wie er unser erster Kunstrichter ist. Das ächte Dichtergenie scheint ihm aber von der Natur versagt zu seyn. Minna von Barnhelm, sein schönstes Drama, ist allezeit mehr ein Werk des Witzes als des Genies, und seine Sara Sampson kan aus mehr als einer Ursache nicht unter die Werke gerechnet werden, welche ihm vorzügliche Ehre machen.«[56]

Im Jahre 1772, als *Emilia Galotti* erscheint, nimmt Mauvillon in einer sehr ausführlichen Rezension auch zu Lessings sprachlicher Ausprägung des Dialogs Stellung, dem er, wie erwähnt, Zerstückelung und Abgebrochenheit vorwirft.[57] Ganz ähnlich urteilen Johann Georg Sulzer (1774) und Johann Jakob Hottinger (1785 und 1789). Sulzer glaubt in Lessings Stücken »etwas Zwang und etwas Gesuchtes oder Studiertes in der Sprache der handelnden Personen zu entdecken«,[58] und Hottinger differenziert zwischen rezipierendem Kunstbewußtsein und Gefühl, wenn er bemerkt, die Kritik zwar könne »an manchem seiner Stücke scheitern«, doch würde darum das Gefühl nicht mit ihnen ausgesöhnt werden. »Alle haben das Gepräge des feinen Beobachters, des geistreichen, scharfsinnigen Kopfes, und keines von allen trägt den Stempel des eigentlichen Dichtergenies. Überall finde ich mehr Witz als Gefühl, mehr Glanz als Wärme, mehr Kunst als lebendiges Interesse [...]. Kurz, seine Dichtungskraft war mehr eine gelernte Rolle als Natur, und er besaß in höchstmöglichem Grade die Kunst, das Genie, wenn ich so reden darf, nachzumachen, ohne es selbst zu haben.«[59]

Die neuen Kriterien des Dichtertums, wie sie von den pietistischen Strömungen einerseits, von der Sturm-und-Drang-Bewegung andererseits hervorgehoben wurden, die Werte des Herzens, der wildgewachsenen Natur, der Spontaneität und des Irrationalen, des Erlebnishaften und Gefühlsbetonten eigneten sich wenig, um der Eigentümlichkeit von Lessings Dichten gerecht zu werden. Der oftmals vorgebrachte Vorwurf des ›nur Gedachten‹[60] erhält in Schillers abfälliger Bemerkung über *Nathan*, hier habe »die frostige Natur des Stoffs das ganze Kunstwerk erkältet«[61], und in Friedrich Schlegels Charakterisierung der *Emilia Galotti* als eines »großen Exempels der dramatischen Algebra«[62] seine spezifische Ausprägung. Lessing galt zu ausschließlich als Rationalist, als zu sehr an Theorie und Kritik orientiert, um in der Epoche des Sturms und Drangs, der Klassik und vor allem der Romantik als Dichter unvoreingenommen gewürdigt zu werden.

Die hier angedeutete Umwertung entthronte Lessing, den Dichter, um ihn desto höher als Schriftsteller und Kunstkritiker zu taxieren. Ausdruck dieser Tendenz ist die Vorbildsetzung seines *Prosastils* und seiner *Sprache*. In diesem Zusammenhang finden sich, worauf später noch ausführlicher einzugehen ist, erste Ansätze zu nationaler Etikettierung, die Lessings Stil als typisch deutsch ausgab. Friedrich von Blanckenburg (1774)[63], Herder (1781)[64], Christian Gottfried Schütz (1782)[65] und Leonhard Meister (1789)[66] seien hier nur als Kronzeugen genannt. Von den eigentlichen Nekrologen betonen zwar die meisten den unersetzlichen Verlust Lessings für Wissenschaft und Kunst, auch seinen Scharfsinn (›Witz‹) und Geschmack, nicht jedoch insbesondere seinen Stil.[67] Kein anderer Schriftsteller als *Herder* hebt in so dezidierter Weise Lessings Leistung für die Geschmacksbildung des Publikums hervor: »Kein neuerer Schriftsteller hat, dünkt mich, in Sachen des Geschmacks, des feinern, gründlichen Urtheils über litterarische Gegenstände, auf Teutschland mehr gewürkt, als Leßing.« Die Schweizer Bodmer und Breitinger und seine anderen Vorgänger habe er »in der Geschlankigkeit des Ausdrucks« übertroffen, »in den immer neuen glänzenden Wendungen seiner Einkleidung und Sprache, in dem wirklich philosophischen Scharfsinn, den er mit jedem Eigensinn seines immer muntern, immer dialogischen Styls zu verbinden, indem er die durchdachtesten Sachen mit Neckerey und Leichtigkeit gleichsam nur hinzuwerfen wußte.« Die preisende Charakterisierung gipfelt in einer Feststellung, auf die sich später eine bestimmte ›Vereinnahmungstendenz‹ immer wieder berufen sollte:

»So lange Teutsch geschrieben ist, hat, dünkt mich, niemand, wie Leßing, teutsch geschrieben; und komme man und sage, wo seine Wendungen, sein Eigensinn nicht Eigensinn der Sprache selbst wären. Seit Luther, hat niemand die Sprache, von dieser Seite so wohl gebraucht, so wohl verstanden. In beyden Schriftstellern hat sie nichts von der plumpen Art, von dem steifen Gange, den man ihr zum Nationaleigenthum machen will; und doch, wer schreibt ursprünglich teutscher als Luther oder Leßing?«[68]

Herder, der in seinem Nekrolog versucht, Lessings Werk in die Geschichte des deutschen Geschmacks einzuordnen und so Lessings Stellenwert im eigenen Konzept der organisch sich entwickelnden Nationalliteraturen zu bezeichnen, betrachtet auch Lessings sprachbildende Fähigkeit ganz unter dem Aspekt des Wachstums deutscher Kultur. Nach Musterung der einzelnen Leistungen kommt er zum Schluß, Lessings »Haupttalent« sei seine »philosophische Kritik«. Die von ihm gefällten Urteile habe die Zeit größtenteils als richtig erwiesen. Mit der prägnanten Formel, »an Umfang der Belesenheit, an Schärfe des Urteils und an vielseitigem männlichen Verstande« sei Lessing unstreitig »*der erste Kunstrichter Deutschlands*«,[69] wird das Fazit einer ersten Umwertung gezogen, die bereits zu Lessings Lebzeiten begann und in Friedrich Schlegels großem Lessing-Essay von 1797 ihre nicht ganz geradlinige Fortführung erlebte. Der Dichter Lessing wird abgewertet, der Kunstkritiker dagegen unverändert hoch geschätzt. Diese Bewertung gründet auf dem Wandel des Dichterbildes: Bei dessen Beschreibung weichen die aufklärerischen Geschmacks- und Vernunftprinzipien den neuen, von Klopstock und den Stürmern und Drängern zur Herrschaft gebrachten Genie-Prinzipien. Auf der anderen Seite war das alte aufklärerisch-rationalistische Ideal vom Literaturkritiker noch in Geltung: die Voraussetzung, über Kunst ein Urteil zu fällen, war Kunstkennerschaft und ein rational-analytischer Verstand. So leuchtet es auch in der gebotenen Abbreviatur ein, daß ein Lessing in der allgemeinen Vorstellung der Funktion des Kunstrichters in hohem Maß gerecht werden konnte – im Gegensatz zur geänderten Vorstellung vom Dichter, welcher sein Werk und seine Person nicht mehr vollauf entsprachen. Lessings Stil bildete auf dieser ersten Stufe der Umwertung den adäquaten Ausdruck des idealen Kritikers, nicht aber des Dichters.

Das Absolute, das Soziale und das Nationale (Zwischen Romantik und Jungem Deutschland: Schlegel, Heine, Menzel)

Der Zeitraum des ausgehenden 18. und fast der ersten Hälfte des 19. Jahrhunderts ist von zwei Haupttendenzen geprägt: der fraglosen Anerkennung des spätestens seit Herders Nekrolog kanonischen Urteils und einer daran anknüpfenden, weiterentwickelnden und ummodulierenden Umwertung, für die Friedrich Schlegels Lessing-Aufsätze den Anstoß gaben.

Friedrich Schlegel erblickte noch 1790 in Lessing das »Ideal der goldenen Mittelmäßigkeit«, einen ausschließlichen Vertreter des vernünftelnden Intellektualismus und des ausgeklügelt Verstandesmäßigen. Nach intensiver Auseinandersetzung mit Lessings Werk verfaßte er seinen Essay *Über Lessing* (1797)[70] mit der von ihm selbst ausgesprochenen Absicht, »den Namen des verehrten Mannes von der Schmach zu retten, daß er allen schlechten Subjekten zum Symbol ihrer Plattheit dienen sollte; und mit der tieferen, ihn wegzurücken von der Stelle, wohin ihn nur Unverstand und Mißverstand gestellt hatte, ihn aus der Poesie und poetischen Kritik ganz wegzuheben und hinüberzuführen in jene Sphäre, wohin ihn selbst die Tendenz seines Geistes immer mehr zog, in die Philosophie, und ihn dieser, die seines Salzes bedurfte, zu vindizieren«.

Um seine Umwertung zu legitimieren, ›konstruiert‹ Schlegel gleich zu Beginn seiner Abhandlung einen Erwartungshorizont, den das Publikum im allgemeinen gegenüber Lessing einnehme. Es ist tatsächlich eine Konstruktion, wenn Schlegel von dem »einmütigen Urteil aller« spricht, Lessing sei ein großer Dichter[71] – denn die im vorhergehenden Abschnitt erwähnten Einwände und Infragestellungen können dem literaturbeflissenen Kritiker Schlegel nicht unbekannt geblieben sein. Sie dient als Folie für die richtige Feststellung, Lessing gelte als »ein unübertrefflich einziger, ja

beinah vollkommener Kunstkenner der Poesie«, um auf Grund der leichteren Widerlegung der Konstruktion die noch unangefochtene Position des Kunstrichters mit einer gewissen immanenten Berechtigung angreifen zu können. Denn nach Schlegels Verständnis von Poesie konnte ein vollkommener, dem Individualcharakter des Kunstwerks gerecht werdender Kritiker nicht derjenige sein, dessen eigene Dichtungen dem romantischen Dichtungsbegriff widersprachen. Die andere Vorstellung vom Wesen des Dichterischen zog notwendigerweise eine gewandelte Vorstellung vom Kritiker nach sich. Während der erste, von 1797 stammende Teil des Lessing-Essays die Legende von Lessings Dichtertum widerlegt, versucht der 1801 hinzugefügte Schlußabschnitt, auch die Meinung, Lessing sei der vorbildliche Kunstrichter, als irrig zu erweisen. Die Hauptgründe leiten sich von der gewandelten Vorstellung her, welche Voraussetzungen für einen Kritiker unerläßlich seien und wie er sich in seiner Beurteilung dem Kunstwerk zu nähern habe: Lessing fehle es »an historischem Sinn und an historischer Kenntnis der Poesie«. »Und wie ist Einsicht auch bei kritischem Geiste in diesem Gebiete möglich, wenn es so ganz an Gefühl und Anschauung gebricht?« Lessing, da er nicht mehr dem Ideal des Kritikers entspricht, eben weil ihm Anschauung, Begriff der Historizität und Einfühlungsvermögen fehlen, wird in den Bereich der Philosophie überführt, wo ihm gerade die Eigenschaften, in denen Schlegel seine Haupttalente erkennt, zustatten kommen. Sie erst machen aus ihm die ganz individuelle »Mischung von Literatur, Polemik, Witz und Philosophie«, deren hauptsächlichen Äußerungsmomenten »Witz und Prosa« Schlegel zufolge noch nicht die gebührende Würdigung zuteil geworden sei. »Witz und Prosa sind Dinge, für die nur sehr wenige Menschen Sinn haben, ungleich weniger vielleicht als für kunstmäßige Vollendung und für Poesie. Daher ist denn auch von Lessings Witz und von Lessings Prosa gar wenig die Rede, ungeachtet doch sein Witz vorzugsweise klassisch genannt zu werden verdient, und eine pragmatische Theorie der deutschen Prosa wohl mit der Charakteristik seines Stils würde anfangen und endigen müssen.«
Die Abwertung seiner geschlossenen Kunstwerke und die Aufwertung vor allem seiner polemischen Schriften[72] verfolgt weiter die eingeschlagene Tendenz: wenigstens den *Fragmentisten* Lessing als Vorläufer des romantischen Poesie-Konzepts zu beanspruchen.[73] Ihr entspricht es auch völlig, wenn alle die genannten Talente gering veranschlagt werden angesichts der Größe von Lessings Individualität: »Er selbst war mehr wert, als alle seine Talente.«[74]
Die verschiedenen Einleitungen zu der 1804 zusammengestellten Chrestomathie modifizieren diese Gedankengänge und feiern Lessing als Initiator eines neuen, zwischen Historie und Philosophie gelegenen Typus von Kritik, der ›produktiven Kritik‹. Adäquate Form dieser Kritik ist Lessings Stil, dessen spezifisches Merkmal die dialogische, stets zum Selbstdenken anregende Art der Erörterung bildet,[75] die Schlegel als Ausdruck des letztlich auf Philosophie gegründeten kombinatorischen Geistes zu definieren sucht.[76]
Neben diesem imposanten Versuch Schlegels, den Stil in seinen Entwurf, »Lessings Geist im ganzen zu charakterisieren«, als dessen Ausdruck und, da Lessing für Schlegel das protestantische Prinzip unendlich und unaufhaltsam progressiver Polemik verkörperte, als Ausdruck des Protestantismus schlechthin zu interpretieren,[77] fallen die übrigen Äußerungen der Epoche, deren zustimmender und rühmender Charakter das Urteil über Lessings Stil konsolidierte, nicht ins Gewicht.

Wenn Karl Heinrich Jördens[78] im Jahre 1812 am Schluß seiner Charakterisierung von Lessing auf dessen Stil eingeht und ihn in dieser Hinsicht mit Samuel Johnson vergleicht, so zeugt sein Resümee: »Wir haben größere Philosophen, größere Dichter, aber keinen größeren Stilisten« zwar von der allgemeinen Hochschätzung der Lessingschen Prosa, ohne doch deren spezifischen Charakter in einem philosophischen System zu verankern. Dasselbe gilt für die rein äußerlichen Deskriptionen Franz Horns,[79] dessen Protestantismusbegriff sich als ganz äußerlich an die Kirchentradition gebunden erweist; ganz im Gegensatz zu Schlegel und Heine, die beide Lessing für einen ganz individuell und unkirchlich, ja als universales Freiheitsprinzip verstandenen Protestantismus in Anspruch nehmen. Heinrich Gustav Hotho[80] faßt Lessings Stil, den er »hell, genau, forteilend und gediegen, von männlich erstarkter und doch geschmeidiger Kraft« nennt, als adäquate Darstellungsweise seines inneren Wesens auf, des kritischen Kampfes für die Fortbildung des Menschengeschlechts.
Anita Liepert hat in einem tendenziösen Aufsatz auf einen Gegensatz zwischen Heine und Friedrich Schlegel aufmerksam gemacht.[81] Ihr zufolge spaltet sich die Lessingforschung in eine »eigentliche Forschung, deren Tradition die marxistische Literatur- und Philosophiegeschichte fortsetzt«, und eine »zur imperialistischen Apologetik werdende Deutung«, womit sie vor allem, wie früher schon Heinz Plavius,[82] gegen die Interpretationen Helmut Thielickes und Otto Manns zielt. Stammvater dieser vor allem von theologischer oder existenzphilosophischer Seite vorgetragenen Auslegungen sei Friedrich Schlegel mit seiner »symptomatischen Verkennung der Lessingschen Weltanschauung«. Von Schlegel, dem Lessing 1804 als »Verfechter und Verkünder der wahren Religion« gegolten habe, leite sich die nationalliberale und die geistesgeschichtliche Umdeutung und die moderne »Etikettierung als Irrationalist und existentieller Denker« ab. Heine dagegen stehe »am Beginn einer demokratischen, die Ideen der Aufklärung und Klassik fortführenden Lessingforschung«; Liepert rechnet die »nachklassisch-demokratische« Lessingforschung von Lachmann, Gervinus, Danzel, Jacoby, Hettner und Fischer zu Heines Nachfolge.
Wie Schlegel hielt auch Heine die theologischen und philosophischen Kämpfe Lessings für wichtiger als »seine Dramaturgie und seine Dramata«[83]; sie galten ihm als »Ausdruck einer zutiefst politischen Weltanschauung«.[84] Schlegels Begriff vom Protestantismus implizierte ja Lessings Stilisierung als eines Religionspropheten, der dem reformierten Christentum eine jahrtausendlange Dauer verkündet habe;[85] Heines Auffassung von protestantischem Wesen übergreift den kirchlich-religiösen Bereich, wenn er zwar Lessing als Fortsetzer Luthers apostrophiert, nicht jedoch im orthodox protestantischen Sinn, sondern auf dem Weg zur Befreiung des Geistes vom »tyrannischen Buchstaben«, wobei Lessing selbst den Geist als reinen Deismus verstanden habe.[86] Für Heine war Lessing auf dem Weg der Selbstbefreiung des Menschen der Kämpfer für soziale und geistige Emanzipation, für Sprengung gesellschaftlicher und geistiger Fesseln. Mittel dieser Bestrebungen seien die Kritik und die Polemik; deren Ausdruck sei Lessings von der Wahrheitsliebe geprägter Stil. »Das schöne Wort Buffons ›der Stil ist der Mensch selber!‹ ist auf niemand anwendbarer als auf Lessing. Seine Schreibart ist ganz wie sein Charakter, wahr, fest, schmucklos, schön und imposant durch die inwohnende Stärke. Sein Stil ist ganz der Stil der römischen Bauwerke: höchste Solidität bei der höchsten Einfachheit; gleich

Quadersteinen ruhen die Sätze aufeinander, und wie bei jenen das Gesetz der Schwere, so ist bei diesen die logische Schlußfolge das unsichtbare Bindemittel. Daher in der Lessingschen Prosa so wenig von jenen Füllwörtern und Wendungskünsten, die wir bei unserem Periodenbau gleichsam als Mörtel gebrauchen.«[87]
Mit seiner Einordnung Lessings in den geistigen Selbstbefreiungsprozeß der Menschheit macht Heine Lessing zum kritischen Schriftsteller par excellence; die Betonung des Kämpfertums hat zur Folge, daß die hinsichtlich des Stils bis zu diesem Zeitpunkt bereits vorgebrachten Differenzierungen und Beobachtungen simplifiziert werden. Denn die Monumentalität, die Heine Lessings Stil zuspricht, ist zwar teilweise bei Luther und Lessing anzutreffen, doch ist sie sogar für die polemischen Schriften Lessings keineswegs typisch.
Wenn Wolfgang Menzel, in der ersten Hälfte des 19. Jahrhunderts einer der betriebsamsten Literaturhistoriker und -kritiker, Lessing zum unbestrittenen Muster eines Schriftstellers erhob, so geschah dies zum wesentlichen Teil aus Opposition gegen die ältere Romantik der Brüder Schlegel und deren Vorbild Goethe, weniger in diesem Fall gegen Heine, den er im übrigen auch erbittert bekämpfte. »Wenn Lessing vom Einfluß fremder Schulen frei blieb, konnte er doch seine Landsleute nicht ebenso frei machen. Er sah und bekämpfte und verachtete die verschiedenen Manieren vor und während seiner Zeit und war glücklich genug, die spätere Manier der Manieren, die allgemeine Geschmacksmengerei, die Vermischung aller fremden Weisen nicht mehr mit anzusehen. Doch erlebte er noch die Anfänge der Sentimentalität, und gegen nichts äußerte er sich bitterer als gegen sie, in deren fauler Verweichlichung und eitler Affektation er den absoluten Gegensatz gegen die ihm selbst eigene Kraft und Natürlichkeit erkannte und verabscheute.«[88]
Deutlich wendet sich der zitierte Passus gegen Friedrich Schlegels Tendenzen einer progressiven Universalpoesie, deren erklärtes Ziel es ja war, »nicht bloß, alle getrennten Gattungen der Poesie wieder zu vereinigen und die Poesie mit der Philosophie und Rhetorik in Berührung zu setzen«, sondern auch »Poesie und Prosa, Genialität und Kritik, Kunstpoesie und Naturpoesie bald« zu »mischen«, »bald« zu »verschmelzen«.[89] Der einstige Burschenschafter Menzel fand, auf der Suche nach einem ›männlichen‹ Leitbild, den von ihm als Haudegen gegen den ausländischen Einfluß interpretierten Lessing. In seiner Charakterisierung des Literaturkritikers überbewertet Menzel freilich Lessings Kampf gegen die Sentimentalität, »die unter der Maske der edelsten und erhabensten Empfindungen nichts als gemeine Eitelkeit und Sinnlichkeit versteckte«.[90] Er stellt Goethe in eine Linie mit den ebenfalls befehdeten Romantikern – Lessing wird zum Kronzeugen von Menzels Aversion: er habe in seiner Ablehnung des *Werther* geahnt, »in welch weichen Kot Goethe die deutsche Literatur führen würde«. Als innerstes Prinzip des Lessingschen Dichtertums bezeichnet Menzel die Ehre, die er bewußt gegen die ›ehrlose‹ Sentimentalität und Weichlichkeit der Anhänger Goethes ausspielt. Hier kündigt sich bereits die Wendung vom Kosmopolitismus Goethes und vom Universalismus der Romantiker zur Nationalisierung an: Lessings Auseinandersetzung mit ausländischen Einflüssen wird zum Sieg über »Gallomanie, Gräkomanie und Anglomanie« umgedeutet. Ähnlich, wie vor ihm Schlegel die Legende von Lessings Dichterruhm, und ähnlich, wie später Franz Mehring die Legende vom Wegbereiter des preußischen Nationalstaates entlarvte, macht Menzel auf einen Widerspruch in der Rezeption des Kunst-

kritikers Lessing aufmerksam, wenn er feststellt, Lessing sei »in der folgenden Zeit immer als großer Kritiker verehrt« worden – gleichwohl habe man immer »seinem Urteil schnurstracks zuwidergehandelt«. »Auch hierin gibt sich die Unwürdigkeit und gewissermaßen politische Perfidie der folgenden Geschmacksoligarchen zu erkennen. Sie lobten den Mann, den sie eigentlich haßten, aber das Lob diente ihnen, den Unterschied, der zwischen ihm und ihnen bestand, zu vertuschen und gab ihnen das Ansehen, als ob sie eigentlich seine natürlichen Nachfolger und Erben wären.«
Wiederum wendet sich Menzel in fast blindem Haß gegen Goethe und simplifiziert die skeptische Haltung Lessings gegenüber dem *Werther* zu einem Wesensgegensatz zwischen dem männlichen und ehrenhaften Lessing und dem weichlichen und fürstendienernden Goethe. So steht seine Würdigung der *Nathan*-Verse ziemlich vereinzelt in der allgemeinen Bewertung ihrer metrischen und melodischen Qualitäten, wenn er sagt: »Doch hat kein Dichter den ersten Zauber des deutschen Jambus wieder erreicht, wie er in Lessings *Nathan* hold überredend, innig wunderbar das Gemüt ergreift. Goethe bildete nur den Wohlklang und äußern Glanz, Schiller nur die hinreißende Kraft dieses Verses aus, und beide entfernten sich, so wie ihre unzähligen Nachahmer, von der liebenswürdigen Natürlichkeit und anspruchslosen Einfachheit der Lessingschen Behandlung. Der dramatische Jambus ist zu lyrisch geworden, er war bei Lessing noch der Prosa näher und viel dramatischer.«
Mit der Abwertung der lyrischen Qualitäten geht Hand in Hand die Aufwertung des Dichters Lessing, der wie kein anderer die »Grazie der Männlichkeit« darzustellen gewußt habe. Offensichtlich dient Lessing Menzel als Aushängeschild, um seine Gegnerschaft gegen Goethe und die Romantiker abzusichern; doch fällt an seiner Charakterisierung bereits, und dies auch im Gegensatz zu Heines Interpretation, die Wendung zum Nationalen auf, wie sie kurz danach, wenn auch mit weniger bornierter Zielsetzung, bei Schlosser und bei Gervinus in nationalliberaler Version begegnen und schließlich in der preußisch-nationalen Betonung von Lessings Deutschheit gipfeln.

Original deutsch *(Auf der Suche nach der Nation: Vom Vormärz zum Kaiserreich)*

Hatte es in Zeiten minder guten französisch-deutschen Einvernehmens nahegelegen, Lessings Auseinandersetzung mit der französischen Kultur als Kampf um die nationale Eigenart und um die bewußte Schaffung einer deutschen Nationalliteratur[91] zu deuten, so erfuhr diese Tendenz auch auf einem scheinbar so neutralen Gebiet wie dem der Sprache und des Stils ihre eigene Variante. Ansätze, Lessings Stil als ›original deutsch‹ gegen am Ausland orientierte Bestrebungen auszuspielen, fanden sich ja bereits unter den Zeitgenossen.[92] Horst Steinmetz hat auf diese Entwicklung hingewiesen: daß Lessings Stil und Sprache »immer mehr zum endgültigen Beweis für sein Deutschtum« wurden.[93]
Es verwundert nicht, daß bei dem von Gottlob Egelhaaf als »politisch durch und durch deutsch gesinnt« charakterisierten Wolfgang Menzel[94] diese Interpretation der Absicht nach begegnet. Zum erklärten Ziel wurde sie bei den Historikern der sogenannten didaktischen Schule,[95] bei Friedrich Christoph Schlosser und dessen Schüler

Georg Gottfried Gervinus. Sie standen in bewußtem Gegensatz zu der »objektiven Manier«[96] der von Ranke angeführten historischen Schule in Berlin; als ihr Ideal erblickten sie eine an der Gegenwart orientierte, d. h. auf sie ausgerichtete Geschichtsschreibung mit aufklärerisch-erzieherischer Funktion. So faßt Schlosser in seiner populären *Geschichte des 18. Jahrhunderts und des neunzehnten*[97] Lessing ganz als Volkserzieher auf; nie habe er sich um der Geltung willen über das Volk erhoben, nie habe er nach Ämtern an Hof oder Universität gestrebt. Seine »Verdienste um unsere Sprache und Literatur«, begründet Schlosser, müßten um so eher gewürdigt werden, als Lessing eigentlich nie ein Volksschriftsteller habe werden wollen und »bei allen seinen Arbeiten nur den gründlich gebildeten Teil der Nation vor Augen« gehabt habe. Durch die Form seines Vortrags habe er sogar »gelehrte Gegenstände« und »schwere Materien« für ein weiteres Publikum »anziehend« gemacht. Als »Schöpfer einer neuen Sprache« mit dem erklärten Ziel, auf das Publikum zu wirken, habe er sich einer »einfachen, gediegenen, gedrungenen« Schreibweise befleißigt, ohne der Sprache jedoch Gewalt anzutun; auch habe er sich nicht von der »Sprache des Umgangs« ganz entfernt, sondern immer gezeigt, »wie man diese und mit ihr zugleich das teutsche servile Leben veredlen müsse«. Auf der einen Seite befehdet Schlosser zwar Hof und Adel, auf der anderen hält er auch dem servilen Bürgertum einen Spiegel vor, eben mit der Absicht, durch Aufklärung die politischen und sozialen Zustände zu bessern. Diesem ethisch-pädagogischen Zweck subsumiert er Lessings bewußt national verstandenes Wirken; das eigene Bestreben spiegelt sich im Tun des Vorgängers.

Schlossers mehr ›strafend-pathetisches‹ Werk setzte sein Schüler Georg Gottfried Gervinus fort, er jedoch nicht mit moralischen Vorhaltungen, sondern mit auf Aktivität drängenden, unmittelbar aufs Leben bezogenen Anweisungen und Maßstäben. Der verstärkten erzieherischen Tendenz des fortschrittsgläubigen liberalen Vormärzlers entsprach eine Geschichts- bzw. Literaturgeschichtsdarstellung, die nicht vergangene Epochen um ihrer selbst willen schilderte und analysierte, sondern die auf Politik zielte und das politische Gewissen wachrufen sollte.[98]

Anstelle rein ästhetischer Bewertungsmaßstäbe führt Gervinus politische und soziale ein; der Historiker als »Parteimann des Schicksals«, als »Vorfechter des Fortschritts und der Freiheit« erblickt in der Reform der Staatswirklichkeit das erste nationale Ziel.[99] Billigt Gervinus also der Politik den Vorrang gegenüber der Kunst zu, so hat er dennoch die angesprochenen Absichten zunächst in seiner Literaturgeschichte verwirklicht. Sie bot den Vorteil, ein geschlossenes Ganzes auf künstlerische Art zu behandeln – denn für Gervinus bedeutete 1832, Goethes Tod, den vorläufigen Abschluß der deutschen Dichtung. Gleichwohl verwundert bei dem so demokratisch gesinnten Historiker der Ruf nach dem starken Mann auf politischem Gebiet. Ihn, den er in Bismarck nicht anerkannte, projizierte er mit der Gestalt Lessings in die literarische Vergangenheit zurück. Nicht Klopstock oder Wieland, sondern Lessing, dem »freien Geist«[100], gehören die Sympathien von Gervinus, und was andere Beurteiler der Lessingschen Biographie als Zersplitterung und Zerstreuung empfanden, faßt er positiv auf: sein unruhiges Wanderleben sei im Grunde nur »die ewige Opposition gegen den faulen Schlendrian der deutschen Kleinmeisterei und die Armseligkeit des deutschen Gelehrtenlebens«,[101] wie sie diesem »eigentlichen Revolutionsgenie« anstehe. Es entspricht der gesetzten Aufgabe der Volkserziehung, wenn Gervinus stär-

ker die nationale als die sozialkritische Bedeutung Lessings würdigt. Diese Tendenz macht sich im ersten programmatischen Abschnitt seines Lessing-Kapitels besonders eindringlich bemerkbar. Klopstock und Wieland hätten der »deutschen Bildung und Aufklärung neue Ziele« gezeigt, indem sie sich in ihrer eigenen Produktion an englischem oder französischem Vorbild orientiert hätten. »Sie hatten sich an das Ausländische angeschlossen und unsere junge Literatur an fremder Ammen Brust genährt; ein Dritter kam, der sie an den mütterlichen Busen legte. Jene hatten uns in die Regionen der Seraphim, in die fernen Lande der Wunder geführt, Lessing führte uns zur Heimat zurück.« So habe bei Klopstock das lateinische, griechische und nordische Vorbild den Tonfall bestimmt, bei Wieland die angenehm-weiche »Geschmeidigkeit und Eleganz« des französischen Musters. Ganz anders bei Lessing! »Lessing schrieb deutsch; er nahm seine Rede aus dem Stock unserer eigenen Literatur und ging auf die Natursprache des Volks zurück; er schrieb, wie man sprach, und gab seinem Stile durch die dialogische Redeweise, durch die er ihn zu verderben meinte, einen Reiz, den kein deutscher Schriftsteller weiter gehabt hat.«
Schon ist Deutschheit in die gefährliche Nähe einer Errungenschaft gerückt; doch gilt sie Gervinus noch als idealer Ausdruck unsentimentaler Männlichkeit.[102]
Kritiklose Deutschtümelei signalisiert eine Rede des Hofrats Victor Ferdinand Lebrecht Petri, die er anläßlich der Enthüllung der Lessingstatue 1853 in Braunschweig gehalten hat.[103] Ihm gilt Lessing fast notwendig als Überwinder des französischen Einflusses; in Sprache und Schrift habe französisches Idiom geherrscht. »Da grub Lessing den unendlich tiefen, unendlich reichen Schacht unserer herrlichen Muttersprache auf, und ihre gediegene selbsteigene Urkraft ward zur ebenbürtigen Schwester der Hellenenzunge, die die Musen auf dem Helikon reden.«
Auf solchen in der breiteren Masse stets auf Resonanz stoßenden klischeehaften und ressentimentgeladenen Gedankengängen konnte freilich eine gezielte Tendenz aufbauen. Die preußische Historiographie und in deren Gefolge die Literaturwissenschaft haben ja systematisch versucht, die gesamte Entwicklung des deutschen Nationallebens im Staat Preußen und schließlich in der Reichsgründung gipfeln zu lassen. Wer immer in der Vergangenheit sich auf die Einheit der deutschen Nation berief, wurde zum Vorläufer des preußischen Nationalstaates deklariert. Franz Mehring hat in der *Lessing-Legende* diesen durch Hegels Geschichtsphilosophie inaugurierten Vorgang genügend beleuchtet; der Literaturwissenschaftler Erich Schmidt folgt hierin dem preußischen Historiographen Treitschke völlig linientreu; sein umfangreiches Kapitel über Lessings Sprache,[104] das »hoffnungslos im rein Stofflichen« steckenbleibt,[105] gipfelt in einer Apotheose: »Hier war ein ganzer deutscher Mann, sein Stil der vollendetste Ausdruck der deutschen Aufklärung, so daß ihm auch in den Jahren, wo neue Weisen durch unsre Litteratur und Gesellschaft tönten, von einem Stimmführer des jungen vorwärts drängenden Geschlechts der stolze Ehrenname des Prometheus der deutschen Prosa zuerkannt wurde. Früher hatte Herder, der mit seiner eigenthümlichen Mundart zwischen der Lessing-Klopstockschen Generation und der Geniezeit zu Worte kam, Lessings Deutsch als das ursprünglichste nach Luther, seinen Eigensinn als Eigensinn der Sprache selbst gerühmt. Mag unsre ruhige geschichtliche Betrachtung wirksamer Jugendlehrstunden bei den Franzosen gedenken, deren Enkel heut auf Lessings Prosa gern das Merkwort der netteté anwenden, so ist doch das Erlernte wahrhaft eingedeutscht worden, und die Hauptmacht liegt

in dem, was auf geistigem Gebiete durch Vererbung und Anpassung nicht erschöpft werden kann, im Reifen und Blühen des Individuellen.«[106]
Lessings Stil wird zum adäquaten Ausdruck deutschen Wesens erhoben.[107] Die Tendenz, Lessings Stil unter dem Etikett ›Le style c'est l'homme‹ gegen den französischen auszuspielen und damit einen typologisch begründeten Wesensgegensatz zu konstruieren, findet sich besonders in Reden der Weimarer Republik, wo der tapfere und männliche Lessing das von feindlichen Völkerschaften umgebene Deutschland symbolisiert. Was allerdings die preußische von der späteren faschistischen ›Vereinnahmung‹ unterscheidet, ist ihre eben auf Hegels Staatsphilosophie basierende Identifizierung des nationalen Elements mit dem Staat. Die rassisch-völkischen Gedanken sind noch verdeckt; als Ausdruck der Feindschaft zum Judentum brechen sie zwar schon im Kaiserreich ressentimenthaft hervor, gelangen aber zu voller Entfaltung ihrer von Gesellschaft und Geschichte abstrahierenden Typologie erst in dem Moment, da der Träger der bisherigen nationalen Idee, der preußische Staat, zerstört war.

Die Neutralisierung der Botschaft
(Schule und protestantische Orthodoxie)

In der Schule fand Lessing mit wachsender Bedeutung des Deutschunterrichts rasche Aufnahme; in Lesebüchern, in Anthologien und in Literaturgeschichten wurde sein Name stets als der eines vorbildhaften Schriftstellers genannt.
Johann Christoph Adelung erwähnt in seinem Lehrbuch *Über den deutschen Stil* (1785)[108] neben Gellert und Kant auch Lessing; im »didaktischen« und »philosophischen« Stil, der sich durch »Lebhaftigkeit«, »Reinigkeit« und »Klarheit« auszeichne, sei gerade Lessing »vorzüglich glücklich« gewesen. Heinrich Ludwig Meierotto (1794) rechnet Lessing bereits zu den »empfehlungswürdigen, classischen Schriftstellern« und nimmt eine umfangreiche Auswahl seiner Schriften und Auszüge seiner Dramen in die *Anleitung der Wohlredenheit* auf.[109]
In der ersten Hälfte des 19. Jahrhunderts stritten auf dem Felde der Schulpolitik drei Hauptrichtungen: die Neuhumanisten mit ihrem am Lateinunterricht orientierten Gelehrsamkeitsideal (Thiersch[110]), die national-deutsche Bewegung, die nach den Befreiungskriegen, der Romantik und den Anfängen einer germanistischen Wissenschaft einen erheblichen Aufschwung erhalten hatte (Niethammer[111]), und schließlich die christliche Schulbehörde, christlich im Sinne beider Konfessionen. Bei der national-deutschen Bewegung stand Lessing in hohem Kurs, unter Betonung seiner nationalen Verdienste; bei den Protestantisch-Orthodoxen galt sein Ansehen um so geringer: bei ihnen stand Lessing im Zwielicht zwischen Bewunderung seiner formalen Fertigkeiten und Ablehnung der von ihm verfochtenen Gesinnungen.
Die von der Presse im Fragmentistenstreit eingenommene Haltung setzte sich im gesamten 19. Jahrhundert fort. Der auf Goezes Seite stehende Altonaer *Reichs-Postreuter* hatte dem Pastor eine »anständige Schreibart« zugestanden – er begründe, wo Lessing nur »Machtsprüche statt Gründe« gebe.[112] Dem Ernst der sittlichen Anschauung entspreche auch der Stil: Goeze streite mit »Gründlichkeit, Einsicht, wahrer theologischer Gelehrsamkeit« und Vernunft gegen Lessings »Witzeleyen, Schein-

gründe und leere Exclamationen«.[113] Die *Hallischen Neuen Gelehrten Zeitungen*, die der Orthodoxie nahestanden, gaben sich den Anschein »geflissentlichster Unpartheylichkeit«; sie betonten bezeichnenderweise, da sie Lessings Position nicht billigen konnten, dessen stilistische Meisterschaft und anschauliche Darstellungskunst, mit der er freilich imstande wäre, auch Irrtümer als Wahrheit anzupreisen. Sein Trotz und sein verächtlicher Ton seien nicht angebracht. Besser hätte er sich eines der Ernsthaftigkeit des Gegenstandes angemessenen, »geraden und einfältigen« Tones bedient.[114]

Goezes Hausblatt, die *Freiwilligen Beiträge zu den Hamburgischen Nachrichten aus dem Reiche der Gelehrsamkeit* greifen Lessing am schärfsten an. Wie könne es der Herausgeber einer solchen Lästerschrift wie der Fragmente »in seinem Gewissen verantworten, daß er den wohlthätigen Einfluß, den die christliche Religion auf die Gemüthsruhe unzähliger Menschen bis hieher noch immer gehabt hat, durch die Ausgabe jener verabscheuungswürdigen Schrift zu schwächen«? Lessing strenge seinen »unregelmäßigen Witz« vergeblich an; wieviel er auch »schmähen und toben« werde, in den Augen »aller aufrichtigen Verehrer der christlichen Religion« werde das von ihm verursachte »Aergernis« ihn verächtlich und seine Gegner »verehrungswürdig« machen. Die Zeitung bescheinigt dem *Anti-Goeze*, daß dieses »Muster eines tumultuarischen Witzes«, das jetzt schon mit »Verachtung und Ekel« gelesen werde, erst recht bei den »nächsten Nachkommen noch mehr Verachtung und Ekel erwecken« werde.[115] Um Lessings Position von vornherein zu verunglimpfen, wird er ein »elender Dramatiste« genannt; der soziale Vorurteile aufrührende Vorwurf beweist schon allein in seiner sprachlichen Form die Tendenz, statt durch Argumente den Gegner durch autoritäre Kompetenzerwägungen mundtot zu machen: »Sollte wohl ein elender Dramatiste, die hierzu nöthige Erfordernisse, eben so gut, wie der im Christenthume erfahrene, in allen Stücken und auf allen Seiten geübte, von Gott selbst gelehrte und in seiner Schule erzogene Priester und Prophet Gottes kennen?«[116]

Natürlich gibt es im Goeze-Lessing-Streit auch zahlreiche Stimmen, die sich für Lessing aussprechen, ihm mehr Geist als dem Hauptpastor zubilligen und seine Verdienste auch ums Christentum zu würdigen wissen. Friedrich German Lüdke, ein Prediger an der Nicolai-Kirche in Berlin, nennt Goezes Vorgehen heuchlerisch und bezeichnet seinen Ton als den eines »elenden Kanzelschwätzers«: »Eine Gewissensrüge ist freylich leichter, als die Widerlegung eines Mannes, der so viel Gelehrsamkeit, Verstand, Scharfsinn und Witz hat, wie Herr Lessing.«[117]

Es erweist sich nun, daß die Position der Goeze-Anhänger eine direkte Nachfolge in den christlichen Schulmännern des 19. Jahrhunderts erhält. Die Fronten haben sich noch nicht aufgelöst; mit Bedauern konstatieren die Orthodoxen, welch schädlichen Einfluß ein Lessing, eben durch den Glanz seiner Schreibweise, auf unentschiedene Menschen auszuüben imstande sei. Die Argumentationen sind dieselben geblieben.

Friedrich Joachim Günther, ein Vertreter der Idee christlicher Erziehung, führt in diesem Sinne aus, zwar solle man Lessings Werk kennengelernt haben. Wenn auch *Nathan der Weise* für das Hauptwerk gelte, so sei doch die Folge der Lektüre, daß die Schüler »allerlei Zweifeln anheim fallen« und daß sie »für die ganze Zeit ihres Lebens von Christo und dem Glauben an seine Erlösung losgerissen werden« könn-

ten.[118] Dieselbe Meinung wie Carl Friedrich von Nägelsbach, der von einer Behandlung des *Nathan* abrät,[119] vertritt Köpke in seiner 1855 erschienenen Rezension einer Schulausgabe des *Nathan*[120] und Brugier in seiner »für Schule und Selbstbelehrung« bestimmten *Geschichte der deutschen National-Literatur*[121]. Brugier hebt von Lessings kritischen Werken den *Laokoon* und die *Hamburgische Dramaturgie* hervor und bedauert es gewissermaßen, daß Lessing durch »Sprache, Gelehrsamkeit und Witz seinen Gegnern überlegen« war, denn, begründet er, »so wurden viele mit ihm und durch ihn Zweifler«. Suspekt ist ihm der Rationalist von vornherein: »Überaus groß und scharf war der Verstand Lessings, außerordentlich gut sein Gedächtnis; aber spärlich waren ihm Gefühl und Phantasie zugeteilt. Darum konnte er auch bei weitem nicht so begeistert dichten wie ein Klopstock.«[122]
Neben solch intoleranten, von orthodox christlichem Standpunkt aus geäußerten Ansichten gibt es allerdings auch noch genügend Stimmen, die zu stärkerer Objektivität, zu weniger parteipolitisch orientierter Beurteilung mahnen.[123]
Zumindest zeichnen sich deutlich zwei Positionen ab. Die eine läßt sich in die Thesenform kleiden: »Wer Lessings Argumenten die Zustimmung versagt, anerkennt dennoch voll Bedauerns die Güte seines Stils.«
Die andere, gerade bei ausgesprochen orthodox christlichen Vertretern häufig anzutreffen, wäre etwa folgendermaßen zu umschreiben: »Wer sich mit der Gestalt Lessings, mit seinen Werken oder Ideen nicht anfreunden kann, jedoch Rücksicht auf eine communis opinio zu nehmen gewillt ist, zieht sich auf das neutrale Lob des Formalen zurück.«
Dieser Standpunkt ist mit einem anderen nah verwandt, der seine inhaltliche Inkompetenz durch Analyse des Formalen kaschiert: »Wem Lessing und sein Werk nichts zu sagen haben, oder wer über Lessing und sein Werk nichts zu sagen weiß, löst diese Verlegenheit, indem er die inhaltliche Auseinandersetzung umgeht und sich auf die ungefährliche Stilanalyse konzentriert.«
Alle vereint begegnen in der einstmals weit verbreiteten *Geschichte der deutschen National-Literatur* von A. F. C. Vilmar,[124] deren patriotische Überheblichkeit bereits Wilhelm Scherer gerügt hatte.[125] Scherer fällte auch das harte Urteil, Vilmar habe seinen Erfolg durch äußere Mittel, durch »geschickte Rhetorik des Vortrages«, und »warmen patriotischen Ton« erreicht: »Und so ist es gekommen, daß die Mehrzahl der Deutschen ihre Vorstellung von der Entwicklung unserer Litteratur aus der Hand eines der schlimmsten religiösen und politischen Reactionäre empfangen, der mit merkwürdiger Geschicklichkeit eine harmlose Maske vorzunehmen und ein sehr wirksames christlich-germanisches Agitationsmittel zu schaffen wußte.«[126]
Ein bezeichnendes Beispiel für den getadelten Ton: »Berufen zum Träger des Evangeliums, hat das deutsche Volk niemals in einseitiger Abgeschloßenheit, hochmütiger Selbstbespiegelung und *eigensinnigem Nationaldünkel* sich gefallen können, vielmehr willig und offen sich hingegeben und jedem fremden Eindrucke sich bloßgestellt, willig das Fremde anerkannt und aufgenommen, zuweilen bis zum Selbstvergeßen des eigenen Wertes: fähig, alle eigenen Ansprüche an das Object fahren zu laßen, und sich ganz in dasselbe zu versenken, ist das deutsche Volk durch diese erste und gröste Dichterfähigkeit das eigentliche Dichtervolk unter den Nationen der Erde.«[127]
Wie stellt sich nun Lessing im Spiegel dieser christlich-nationalen Weltanschauung

dar? Auf zwei Punkte ist besonders zu achten: auf Lessings Stellung gegenüber dem Ausland und auf Lessings Haltung gegenüber der Kirche, die Vilmar mit der Religion identifiziert. Vilmar betont denn auch, erst Lessing habe »die Abhängigkeit von unseren modernen Nachbarn, den Franzosen«, völlig gebrochen, er habe »der drohenden Unterordnung unter die Engländer eine Schranke gesetzt«, und schließlich, er habe »das strenge Maß und die durchsichtige Form der Antike zu unserem Maß und zu unserer Form« erhoben.[128] Mit dieser Aufzählung von Verdiensten steht die überaus hohe Wertschätzung der *Minna von Barnhelm* in Einklang, die Vilmar an die Spitze der dramatischen Produkte Lessings stellt. Mit Recht betrachte man es als »unser erstes Nationalbühnenstück«; und in gewisser Weise sei es zu bedauern, daß Lessing den mit *Minna* eingeschlagenen Weg nicht weiter verfolgt habe. An *Emilia Galotti* rühmt Vilmar die formale Gestaltung; vertrete das Lustspiel »die lebendigen, nationalen, begeisternden Stoffe des Dramas«, so vertrete *Emilia* dagegen »die strenge feste Regel, die undurchbrechlichen aber klaren und durchsichtigen Formen«. An ihr sei, in formaler Hinsicht, »weit mehr zu lernen« »als an allen Dramen Schillers zusammengenommen«.[129]

Dem Inhalt vermag Vilmar solch hohes Lob nicht zu spenden: auf dem Weg über die Darstellung von Privatschicksalen und Privatleiden, in der »immer nur einzelne Stände und besondere Verhältnisse geltend gemacht werden können«, werde freilich eine »Nationaltragödie« niemals »erzeugt« werden. Das Formale, losgelöst von seinem Inhalt, bleibt solcher Betrachtung allein übrig, aber sinnentleert, ohne Erkenntnis des in ihm zur Wirkung drängenden Prinzips.

Die theologischen Schriften Lessings, seine Auseinandersetzung mit Goeze bleiben unerwähnt. Auf die Besprechung der *Emilia* folgt unvermittelt der Satz: »Am Ende seiner Laufbahn schrieb Lessing noch den *Nathan*, ein Stück, in welchem weder von Seiten der Exposition noch der Action die Klarheit und Durchsichtigkeit der *Minna* oder *Emilie* erreicht wird [...].«

Der Rückzug aufs Formale findet im Nachsatz seine bestätigende Ergänzung: »[...] die Sprache aber naiver und belebter ist, als in der *Emilie*«. Allein der polemische Stoff setze den Kunstwert des *Nathan* »gegen die beiden andern Stücke Lessings in tiefen Schatten«. Diese scheinbar so unanfechtbare rein ästhetische Position verhüllt freilich nur die zugrundeliegende Tendenz, alle mißliebigen, vom christlich-orthodoxen Standpunkt abweichenden Ansichten von vornherein als entweder unkünstlerisch zu desavouieren oder sie einfach totzuschweigen. So gilt sein einziger nicht wertender Satz über den *Nathan* bezeichnenderweise der Tatsache, Lessing habe durch dieses Drama den fünffüßigen Jambus »zum stehenden Verse des Dramas für unsere ganze Blütezeit erhoben«.[130] Der Rückzug aufs Formale neutralisiert die Botschaft. Übrig bleibt die Leerform. Weitaus den größten Umfang seiner etwa siebenseitigen Würdigung Lessings nimmt die Deskription des Stils ein, freilich nur als wortreiche Aufzählung rein äußerlicher Merkmale.

»Wir hören in *Lessings Stil* ein geistreiches, belebtes Gespräch, in welchem gleichsam ein treffender Gedanke auf den andern wartet, einer den andern hervorlockt, einer von dem andern abgelöst, durch den andern berichtigt, gefördert, entwickelt und vollendet wird; Gedanke folgt auf Gedanke, Zug um Zug, im heitersten Spiele und dennoch mit unbegreiflicher, fast zauberhafter Gewalt auf uns eindringend, uns mit sich fortreißend, beredend, überzeugend, überwältigend: wir können uns der Teilnahme an dem Gespräche nicht entziehen, wir glauben selbst mitzureden, und zwar mit solcher Lebhaftigkeit, Klarheit, Bestimmtheit mitzureden, wie wir sonst noch niemals gesprochen haben; Einrede und Widerlegung, Zugeständnis und Beschränkung, Frage und Antwort, Zweifel und Erläuterung folgen aufeinander in ununterbrochener Abwechselung, bis alle Seiten des Gegenstandes nacheinander herausgekehrt und besprochen sind, ohne daß doch bei einer einzigen nur einen Augenblick länger verweilt würde, als zur vollständigen Darlegung derselben nötig ist: da ist kein müßiger Gedanke, kein ausschmückender Satz, kein überflüßiges Wort, nichts, was nur angedeutet, halb ausgesprochen, dem Besinnen und Erraten überlaßen wäre, der Gegenstand muß sich unserem Denken, unserer Anschauung ganz und gar hergeben: er wird vollständig durchdrungen, aufgelöst und in unser innerstes geistiges Leben hineingezogen, unserm Geiste im Ganzen und in allen seinen Teilen assimiliert.«[131]

Sein Stil, seine Darstellung mache selbst Gegenstände, die für die Gegenwart jedes Interesse verloren hätten, noch fesselnd, so daß die Lektüre Teilnahme errege und Genuß gewähre. Vilmars Schlußurteil hebt die formale Meisterschaft Lessings wieder auf den scheinbar objektiven Podest neutral-wissenschaftlicher Kategorisierung: »Es ist darum auch Lessings Prosa seit neunzig Jahren das unerreichte Muster desjenigen Stils, welcher das Gespräch, die Verhandlung über die Gegenstände darstellt.« Man könnte es bei dieser Konstatierung bewenden lassen. Es steckt aber eine Haltung dahinter, die auch dieses Lob zweifelhaft macht. Denn Lessings Stil in Vilmars Beschreibung ist lediglich Ausdruck der ihm zugeschriebenen Wesensart, die den Leser wohl kaum für Lessing einnimmt: »Lessings Leben und ein Teil seiner literarischen Tätigkeit pflegt auf Viele beim ersten Anblicke nicht den günstigsten Eindruck zu machen: es scheint ihn eine nie gestillte Unruhe hin und her zu treiben, eine fast planlose Vielgeschäftigkeit zu zerspalten und seine Kräfte vor der Zeit zu verzehren.«

Zur Erklärung dieser Lessingschen Eigenart, die sich in gewisser Hinsicht dann als Kriterium aller modernen Dichtung entpuppt, setzt Vilmar in einem großangelegten Exkurs an. Bei Lessing trete das deutsche gegenüber dem antiken Element zurück, am tiefsten in den Hintergrund gerückt sei allerdings das dritte der drei Hauptobjekte der neuen klassischen Poesie, das christliche Element. Diese Dissonanz erklärt Vilmar durch den »Zwiespalt zwischen dem überlieferten christlichen Leben und dem neuhinzugefügten antik-heidnischen Bewustsein«,[132] dessen Anfänge, beeinflußt durch die italienische Renaissance, im Deutschland des 16. Jahrhunderts in seinen Anfängen zu bemerken seien, der aber erst im 18. Jahrhundert unter dem Einfluß des englischen Deismus zum Ausbruch gekommen sei: »Die alte Befriedigung, der man gleichsam müde geworden war, verschwand; man trat willkürlich von dem Standpunkte des Habenden und Genießenden auf den des Suchenden und Zweifelnden zurück.«

Den alten, von Vilmar als naiv bezeichneten Standpunkt der Griechen und Römer habe der moderne Dichter nicht mehr einnehmen können, seinem Suchen hafte daher »etwas Unruhiges, Unstätes, Pikiertes, Gewaltsames, ja in manchen Fällen etwas Krankhaftes und Verzweifelndes« an, das sowohl zum »frischen Streben der Griechen« als auch zur »seligen Ruhe unserer älteren Zeit« den genauen Gegensatz bilde. Lessing wird zum Prototyp dieses modernen Geistes. »Von diesem Suchen und

Nicht-Finden ist unsere ganze neue Dichterzeit erfüllt, und nicht zu ihrem Vorteil. Der erste und bedeutendste Repräsentant dieser Suchenden und Nicht-Findenden ist Lessing.«[133]

Die für Lessings methodisches Prinzip so bezeichnende Formel von der Wahrheitssuche[134] wird konsequent umgedeutet, aus einem positiven NOCH-NICHT in ein negatives NICHT MEHR, aus einem methodischen Besitz in einen inhaltlichen Verlust: »Er war es, der das Suchen der Wahrheit höher stellte als den Besitz der Wahrheit, das Laufen nach dem vermeintlich niemals erreichbaren Ziel höher als das Ziel selbst. Eben darum aber ist in seinen Werken, in denen die tieferen menschlichen Fragen zur Sprache kommen, eben darum ist in den übrigen nach ihm kommenden Werken gleichen Inhalts teils etwas Unruhiges, etwas Polemisches, teils etwas wirklich Unbefriedigtes und Unbefriedigendes, etwas Unabgeschloßenes und Dissonierendes, welches den höchsten poetischen Genuß nicht zu erreichen verstattet.«[135] All dieses unbefriedigende Gefühl, dieses in allen modernen Dichtungen verborgene »Unaufgelöste«, dieses »geheime, im tiefsten Kern ungemilderte Weh«, dieser »stechende, krankhafte Schmerz« sei Folge des verlorenen, »Ziel und Ruhe« gebenden, »versöhnenden« christlichen Elementes, dessen sie sich »nur gewaltsam und zu ihrem Schaden« entschlagen hätten. Zwar macht Vilmar neben der religiösen Ungeborgenheit auch eine soziale und politische Unruhe verantwortlich, doch könne es nicht verkannt werden, daß die »soziale Unzufriedenheit doch nur in der religiösen« wurzle.

Die von Vilmar festgestellte Tendenz im literarisch-geistigen Entwicklungsprozeß soll gar nicht geleugnet werden; parteiisch verhält sich nur seine Wertung. Er stellt der gerade von Lessing propagierten kritischen Beschäftigung mit Tradition einen normativen Kanon-Begriff entgegen. Damit wird das von der Gegenwart des Rezipienten bestimmte kritische Bewußtsein ausgeschaltet, und der unbesehen übernommene Kanon verliert seine innere Berechtigung.

Typisch judengemäß
(Die antisemitische Verketzerung Lessings)

Die Angriffe der Antisemiten gegen Lessing sind auf dem Hintergrund der deutsch-jüdischen, höchst wechselvollen Beziehungen erst im vollen Ausmaß zu verstehen. Gerade das um Aufnahme in den deutschen Nationalstaat bzw. um Assimilation an das deutsche Volkstum bemühte Judentum erblickte in Lessing stets einen hervorragenden Förderer des jüdischen Emanzipationswillens. Davon zeugte nicht zuletzt seine Freundschaft mit Moses Mendelssohn, die fast regelmäßig zu einer Sympathie Lessings für das jüdische Volk umgedeutet wurde; meist an Feiertagen, zu hohen Anlässen, wann immer ein neues Zeichen auf dem Weg der Annäherung gesetzt werden sollte, fiel Lessings Name und der seines Schauspiels *Nathan der Weise*.

Ludwig Börne, der Lessing neben Voltaire als »Inhaltsverzeichnis der Zukunft« und über Goethe und Schiller als die »Register der Vergangenheit« stellt,[136] hält ausdrücklich Lessing für einen der wenigen deutschen Schriftsteller, die einen eigenen Stil entwickelt hätten.[137]

Im Lessing-Gedenkjahr 1929 vertrat der bekannte Theaterkritiker Julius Bab die Ansicht, in der Gestalt Nathans, in dessen Sprechweise, den Bildern, dem Tonfall, der ironischen Dialektik und dem Witz, sei der »rasseechte Jude« zu finden. Seine Worte könnten eigentlich nur im jüdischen Jargon gesprochen werden. Zu dieser sprachlichen Imitationsleistung sei Lessing darum befähigt gewesen, weil er im Umgang mit seinen jüdischen Freunden und Bekannten den spezifisch jüdischen Tonfall aufs genaueste habe kennenlernen können.[138] Die exakten Beweise bleibt Bab allerdings schuldig.

Der Ausbreitung kosmopolitisch und tolerant sich gebender, freilich von Eigennutz auch nicht stets freien Gedanken wirkte die historische Entwicklung zum Nationalstaat entgegen. Bereits im Gefolge von Herders Rückbesinnung auf die volksmäßigen Grundlagen der verschiedensten Literaturen vermengte sich Politik mit der ursprünglich von nationalistischen Tendenzen freien, auf Historizität und organisches Wachstum achtenden Betrachtungsweise. Die Romantik mit ihrer Versenkung in die nationale Vergangenheit gab die mythische Aureole, die Befreiungskriege gegen Napoleon brachten den unmittelbaren Anlaß, sich des eigenen ›Wesens‹ bewußt zu werden und dieses gegen alles Fremdländische, Verfälschende abzugrenzen.

Vor diesem Hintergrund spielt sich die spezifische Herausbildung des Judenhasses ab: gerade im 19. Jahrhundert erregte allgemeines Mißfallen die weitausgebreitete Tätigkeit von Juden in Presse und Kunstbetrieb, Neid dagegen die finanzstarken Positionen einiger zum Hochkapital aufgestiegenen jüdischen Bankiersfamilien. In die Judenhetze teilen sich zwei Richtungen: die sogenannte christliche Position – der bekannte Berliner Hofprediger Stoecker gehörte zu ihr – und die völkisch-nationale, der etwa Richard Wagner zuzurechnen ist, aber auch Heinrich von Treitschke, dessen Ausspruch »Die Juden sind unser Unglück« im sogenannten Berliner Antisemitismusstreit hohe Wellen schlug.[139]

Den Antisemiten verschiedenster Provenienz lag es demnach nahe, Lessings Bedeutung herabzumindern, ja sie vielfach als Folge jüdischer Pressereklame zu deklarieren. Die Hetzschriften eines Richard Mayr[140] oder eines Wilhelm Marr[141] sind symptomatisch für diese Tendenz; überboten aber hat an fanatischem Judenhaß alle ›Mitstreiter‹ Eugen Dühring, der ehemalige Privatdozent für Philosophie und Nationalökonomie in Berlin, in seinen Schriften *Die Überschätzung Lessings und dessen Anwaltschaft für die Juden* (1881) und *Die Judenfrage als Rassen-, Sitten- und Kulturfrage* (1881).[142] Bis zu welchen Verzerrungen dieser blinde Fanatismus ging, zeigt Dührings als Diffamierung gedachte Charakterisierung Lessings als eines typischen Juden selbst. Nicht allein sein Name weise auf jüdische Abstammung hin, auch seine Werke und seine Privathandlungen offenbarten dieses Faktum zur Genüge. In ihnen allen findet Dühring die typische Judenhaftigkeit, niedrige Sinnlichkeit, »Mangel an Gemütskraft« und an Leidenschaft, »starre Autoritätssucht«, Hinterhältigkeit und Spotttrieb, das Frostige und die »dürre Künstelei« in seinen Schauspielen. Die jüdische Blutmischung lasse sich an der »Geistesbeschaffenheit mindestens ebensogut erkennen wie am Leibe oder an Abstammungsurkunden«. Dem gehässigen Verdikt fällt konsequenterweise auch der Lessingsche Stil zum Opfer:

»Seine schriftstellerischen Manieren und seine geistigen Allüren sind jüdisch. Seine literarischen Erzeugnisse zeugen nach Form und Gehalt überall von der Judenhaftigkeit. Sogar das, was man seine Hauptschriften nennen könnte, ist Bruchstückwerk und zeigt die den Juden eigne Abgebrochenheit auch in Stil und Darstellung. Der *Laokoon* und die sogenannte *Dramaturgie* sind ohne eigentliche Komposition und bloße Fragmente, die wiederum aus der lockeren Aneinanderreihung abgerissener Erörterungen bestehen. Ja sogar innerhalb dieser einzelnen Erörterungen herrscht in der Ineinanderfügung der einzelnen Sätze das Stoßweise vor und ergibt einen Stil, der nicht natürlich ist und sich oft durch das entschiedenste Gegenteil ebenmäßiger Gedankenverbindung auszeichnet.«

Vor allem im Fragmentenstreit, der sich auf einem »sehr niedrigen Geistesniveau« bewege, werde man an die »jüdisch unschönen Manieren« und an das »Gepräge der Judenpolemik« erinnert. »Dort finden sich die Juden durch ihre Art und Weise am meisten angeheimelt; denn dort werden sie noch mehr als sonst an das Schnöde und Bissige oder, um gleich den Volksausdruck zu brauchen, an das Schnoddrige ihrer angestammten Auslassungsart erinnert. In der Form und im Äußeren der Schriftstellerei ist hienach Lessing überall judengemäß. Dies deutet schon auf den innersten Kern, und dieser findet sich denn auch der jüdischen Schale ganz entsprechend.« So töricht und ohne jegliche Beweiskraft diese Ausführungen sein mögen, das eifervolle Argument, Lessing schmähen heiße Deutschland schmähen,[143] widerlegt genausowenig, wie jene beweisen. Doch auf dieser Ebene sind rationale Argumentationen nur selten anzutreffen. Um so erstaunlicher, daß gerade an einem Lessing sich der gleichen Emotionen entzünden.

Adolf Bartels, der ja als ›Entlarver‹ der jüdisch ›verseuchten‹ Literaturwissenschaft und Presse in der Vorgeschichte des Nationalsozialismus eine bedeutsame Rolle gespielt hat, verweigert allerdings an diesem Punkt Dühring die Zustimmung. Mag Lessings Rang auch, eben infolge der jüdischen Reklame, überschätzt und ihm fast nur noch historische Bedeutung zubemessen werden, so leugnet Bartels doch nicht die »menschliche Wirkung«, die noch immer von ihm ausgehe, außerdem sei, »bis der deutsche Shakespeare da ist«, Lessings dauernde Wirkung als Bühnendichter vor allem der *Minna von Barnhelm* nicht abzustreiten. Er leugnet Dührings Anschauung, Lessing sei jüdischer Herkunft und durch und durch judenhaft. »Nein, Lessing war ein Deutscher und würde das für mich selbst dann noch bleiben, wenn nachgewiesen würde, daß er von mütterlicher oder großmütterlicher Seite her einen Zuschuß Judenblut gehabt – zum Donnerwetter, ein Achtel oder Sechzehntel Judenblut bringt das deutsche Wesen noch nicht um, wenn es es vielleicht auch schon etwas verändert.«[144]

So ganz sicher ist sich Bartels also doch nicht. Er stimmt Nadlers These von Lessings deutsch-slawischer Abstammung zu.[145] Schließlich vergleicht er ihn noch mit seinem obersächsischen Landsmann Nietzsche: Lessing sei im »aufsteigenden neuen Deutschland«, was Nietzsche im »sinkenden« gewesen sei: der alles anpackende und aufregende »Widersprüchler«, der zuletzt aber, als ausschließliche Verstandesfigur, das Positive verweigere. Nietzsche freilich sei im Unterschied zum gesunden [!] und echten Kämpfer Lessing ein vom Messiaswahn besessener Kranker gewesen. Aber, als Fazit gewissermaßen steht der Satz, »eine gewaltige Überschätzung« habe auch Lessing erfahren, »und wir wissen, warum«.[146]

Der nordische Stil
(Die nationalsozialistische Vereinnahmung)

Verschiedene im ersten Drittel des Jahrhunderts in den Geisteswissenschaften vorherrschende Tendenzen mit ihrer Hochschätzung des elitär-aristokratischen, an keine Regeln und gesellschaftlichen Zwänge gebundenen Individuums haben den ›sozialdarwinistischen‹ Trend gefördert, der in fast grotesker Einseitigkeit das Augenmerk nur auf die Momente der Vererbung lenkte und von daher die spezifischen Merkmale von Rassen und Völkern in ahistorischer Systematik zu einer Typologie ausbildete, die den Anspruch auf absolute Geltung erhob.

Josef Nadlers zum Zeitpunkt ihres Erscheinens so vielfach gerühmte Literaturgeschichte ist ganz auf diesem Prinzip aufgebaut, geistige Qualitäten aus genetischer und geographischer Herkunft abzuleiten; außer einigen anfechtbaren typologischen Zuordnungen war der Erkenntniszuwachs denkbar gering. Ob Lessings zuerst im Erzgebirge beurkundete »Sippe« tatsächlich hussitisch-tschechischen Ursprungs ist, wie Nadler seitenlang erörtert,[147] trägt zur Erhellung von Lessings individuellem Streben gewiß nicht mehr bei als die Feststellung: »Lessings Persönlichkeit hat nicht viel von Meißner Art«[148] oder eine im Vergleich zu Klopstock vorgenommene, tendenziös-verblasene Charakterisierung: »Klopstock, der Sachse, und Lessing, der Sproß einer eingedeutschten Slavensippe. Klopstock kam aus der Natur, Lessing von den Büchern. Klopstock traf mit dem ersten Speerwurf sein Ziel, Lessing mußte sich ihm langsam näher schwingen. Der eine in Sommernächten der Glaubensschwüle herangeblüht, Träger des sächsischen Gestaltungstriebes, der andere aus einem Geschlecht, das viel vergessen und viel verzichten gelernt hatte, aus einer Völkerfamilie, die ringsum im Deutschen zerfloß und nicht wußte, was Geschichte ist. [...] Klopstock, dem keiner von uralten heiligen Schätzen fehlte, weil sie alle sein Stamm gehütet, Volksart, Christentum und Antike; Lessing, der Mann ohne Volk und Völkerheimat, der nur das geerbt hatte, was völkerlos von Hand zu Hand rollte, die antiken Kleingüter.«[149] So gilt es Nadler durchaus als »bewußte Übertreibung«, wenn man im Hinblick auf *Minna von Barnhelm* »mit lauter Stimme seine preußische Gesinnung und sein Volksgefühl« beteuere – für ihn ist auf Grund seiner Völkertypologie ohnehin klar, daß Lessings ruheloses Leben, sein zersplittertes Werk, sein Mangel an historischem Empfinden aus dem slavischen Erbgut abzuleiten sind.

Die Charakterisierung des Lessingschen Werkes geht über die genetisch-rassische Klassifizierung des Autors nicht hinaus; individuelle Kraft und gesellschaftliche Bedingtheit werden nirgends erfahrbar. Die Vergangenheit: Stamm und Landschaft, determiniert die Gegenwart: das Individuum und dessen Werk.

Die Umdeutung Lessings im Nationalsozialismus setzt die im zweiten Kaiserreich vorgenommene Nationalisierung des Lessingbildes nicht unmittelbar fort. Ohne die Rassenideologie mit ihrer Glorifizierung des ›arischen Menschen‹ und ihrer Diffamierung der Juden ist die Wissenschafts- und Literaturpolitik des ›Dritten Reiches‹ nicht zu verstehen.[150]

Der Literaturunterricht sollte »die im deutschen Menschen keimhaft angelegten großen Leitbilder sichtbar« machen, indem er anhand des Schrifttums den sein »Volkstum wesenhaft« verkörpernden deutschen Menschen vorstellte. Zur Schulbehandlung waren nur Werke zugelassen, die »germanisch-deutschen Geist in höchster Ausprägung« zeigten.[151] Lessing begegnet im Stoffplan der siebten Klasse, in der das 17. und 18. Jahrhundert unter dem Motto »Die Selbstbefreiung des deutschen Geistes« behandelt werden sollte, und zwar mit einer Auswahl aus den kritischen Kampfschriften und den Briefen. Als Ganzschrift sollte das erste nationale Schauspiel, *Minna von Barnhelm,* gelesen werden; statt des totgeschwiegenen *Nathan* schlug der Lehrplan Shakespeares *Kaufmann von Venedig* vor; Shylock paßte besser als Nathan in die nationalsozialistische Judenpolitik.[152] Es muß in der nationalsozialistischen Haltung Lessing gegenüber ein gewisser Zwiespalt konstatiert werden: einerseits wurde er generell als Vertreter einer kritischen Humanität, speziell als Verfasser der *Erziehung des Menschengeschlechts* diskreditiert, andererseits erlebte er eine Aufwertung, die ihn in rassischer Hinsicht als typisch deutschen Menschen in Beschlag nahm und in eine Reihe stellte zu Luther und Hutten, den Befreiern vom römischen Joch, und zu Herder, Goethe und Schiller, zur Sturm- und Drang-Bewegung als den Befreiern vom französischen Regelwesen und zu den Patrioten Kleist, Arndt und Jahn.[153]

Im Zusammenhang mit der im ›Dritten Reich‹ verkündeten Rassentypologie ist die in den Jahren der Weimarer Republik in Schwang gekommene Gruppe stilgeschichtlicher und stilkritischer Untersuchungen bemerkenswert, da sie ebenfalls ein meist ahistorisches, mit Gegensatz-Typen in der Art ihres Musters Wölfflin[154] arbeitendes Klassifikationsschema an alle möglichen literarischen Gegenstände anlegten. Wilhelm Schneider hat in seiner Untersuchung *Ausdruckswerte der deutschen Sprache*[155], die mit solchen antithetisch zugeordneten Kategorien arbeitet, für Lessings Stil folgende Typologie erstellt (der Gegensatz wird in Klammer angegeben): er ist »knapp« (breit),[156] »klar« (dunkel),[157] »bestimmt« (flau),[158] »sachdienlich« (spielerisch),[159] »spannungsreich« (spannungsarm),[160] dialogisch »gesprochen« (monologisch, geschrieben),[161] »subjektiv« (objektiv).[162]

Diese Charakterisierung des Lessingschen Stils deckte sich auffallend mit den Kriterien der ›nordischen Haltung‹ und des nordischen Sprachstils. Die Rassenseelenkunde hatte für diesen als spezifische Kategorien die Attribute »knapp, herb und wortkarg«, »abstandhaltend, sachlich und klar, von verhaltener Kraft« herausgearbeitet. Lessing stand in einer Reihe mit Kleist und Hans Grimm.[163] Freilich ergaben sich Widersprüche, da Lessing und Kleist zwar vom Typ her als nordische Menschen galten, doch mit ihren Schachtelsatzkonstruktionen eigentlich einen unnordischen Stil pflegten. Die Unterstellung, Lessings Stil sei ausgesprochen nordisch, leitet sich ab von dem Güntherschen Klassifikationssystem der Rassen, das zwischen einer nordischen, fälischen, ostischen, dinarischen und westischen Rasse in Europa unterschied. Danach galt Lessing neben Hebbel, Hutten und Klopstock als nordisch.[164]

Mit der Bestimmung des Stils verband sich auch eine rassische Interpretation der von ihm ausgedrückten Inhalte und Zielsetzungen. Die nationalsozialistische Literaturgeschichtsdarstellung, die den historischen Prozeß als ›Kampf um germanisch-deutsches Wesen‹ verstand, griff daher mit Vorliebe auf solche Situationen zurück, wo ein nordischer Typ im Streit mit überfremdenden ausländischen Traditionen stand. »Nicht der Lessing der *Emilia* und des *Nathan* [...] gehört in unsere heutige Schule, sondern der Lessing, der ein zielklarer Erfasser und Vorkämpfer deutschen Wesens war, der die Franzosen in ihre Schranken wies und Shakespeare entdecken

half, der Lessing mit der kämpferischen Haltung als Lebensprinzip, der Lessing eines wesentlich nordisch geprägten Stils.«[165] Der 17. Literaturbrief konnte auf diese Weise ganz im Sinn einer rassischen Wesensverbundenheit zwischen deutscher und englischer ›Art‹ interpretiert, *Nathan* hingegen aus rassenpolitischen Gründen nicht toleriert werden.
Wo Lessings Werk in das nationalsozialistische Literaturgeschichtsbild integriert wurde, geschah es unter einseitiger Betonung nationaler Aspekte und unter Verschweigen des sozialen Kampfes um Aufklärung und Toleranz; die nordische Qualität des Stils wurde nur dort hervorgehoben, wo die Inhalte der Lessingschen Schriften der nationalsozialistischen Ideologie dienstbar gemacht werden konnten.

Klischee und immanenter Widerspruch (Ludwig Reiners' Stillehre)

Die *Stilkunst* von Ludwig Reiners mit dem Untertitel »Ein Lehrbuch deutscher Prosa«[166] wurde zwar im ›Dritten Reich‹ verfaßt, überdauerte es aber und erlebte ihren großen Erfolg als jahrelanger Bestseller in der Bundesrepublik. Schon von diesen Voraussetzungen her kann von ihr kein Neubeginn, keine Umwertung erwartet werden. Doch die Wirkung, die diese verbreitetste Stilkunde mit dem normativen Anspruch des Lehrbuchs ausgeübt hat, rechtfertigt eine Analyse, wie Reiners den Stil und das Stilideal Lessings charakterisiert und bewertet.[167]
Ein Überblick über die wichtigsten Charakterisierungen ergibt folgendes Bild. Da Beispiele »schönen« Stils aus den Werken »dichterischer Prosa« wenig nützen – denn Schönheit lehre nichts, sie verführe nur (»wenigstens in der Stilistik«), lasse der lehrbegierige Laie »solche Waffen, die für überirdische Gestalten« gedacht seien, »unberührt« stehen und greife lieber zu Lessings Fabeln, Hebels Schatzkästlein und Brehms Tierleben.[168] In diesen Werken finde sich das einzig Lehrbare: der knappe, schlichte und angemessene Ausdruck.
Eine ausführliche Charakterisierung von Lessings Stil findet sich im 20., »Leben« überschriebenen Kapitel. Nach dem üblichen, mit einem Erich-Schmidt-Zitat belegten Luthervergleich umschreibt Reiners das dialogische Prinzip: »Frage, Antwort, Ausruf, Einwand, Widerlegung, Anrede, alles Schlag auf Schlag, gleichsam mit lebhaftesten Gebärden: Lessings Prosaschriften gehen immer wieder in Gespräche über, in Streitgespräche versteht sich: denn Lessing würde mit sich selbst streiten, wenn er niemanden zum Streiten hätte.«
Eine Reihe von Beispielen aus dem Fragmentenstreit schließt sich an; das Fazit lautet, in gewissenhafter Trennung von Inhalt und Form: »Über was für langweilige Gegenstände hat Lessing oft geschrieben! [...] Aber wie lebendig hat er diese Gegenstände gemacht!« Dieses Phänomen sei nicht etwa dem Einstreuen äußerer Schmuckmittel zu verdanken, im Gegenteil, Lessing schreibe »ganz schmucklos«. Vielmehr leite sich die Lebendigkeit ab von der Tatsache, daß Lessing »das Menschliche, das Persönliche in den Vordergrund« stelle – »und nichts ist dem Menschen interessanter als der Mensch«. Zwei Ideale von Reiners scheinen durch – die schlichte Schmucklosigkeit (zugleich die Abneigung gegen das Rhetorische) und die Nicht-Sachbezogenheit, die auf Persönliches abhebt und ableitet: Wie immer das Verhältnis von

Sachbezug und Hinlenkung auf Persönliches gedeutet werden mag, daß Lessings Stil ›schmucklos‹, der Rhetorik fremd oder ihr gegenüber gar feindlich sich verhalte, ist unrichtig. Der Kampf gegen erstarrte Tradition impliziert nicht, wie Reiners Lessing ansinnt, deren völlige Negation im Überbordwerfen all dessen, was sich in verwandelter Form noch immer in den Dienst der Gegenwart zu stellen vermöchte.

Gegen Hegel mit Lessing bricht Reiners eine Lanze für die Deutlichkeit als »größte Schönheit«[169], ein ander Mal gefällt ihm Lessings »souveräner Kampfstil«[170]. Der »königlichen Geste des Hohenpriesters« Rudolf Borchardt und der »steingeschnittenen Sachlichkeit« Jakob Grimms wird Lessings »wohlmeinende Vertraulichkeit« gegenübergestellt.[171] Als charakteristisch für Lessings Stil erkennt Reiners die Formen der Antithese und Frage,[172] die zugleich Ausdruck einer Methode des »Erarbeitens« seien. Der Schreiber lasse die Lösung vor den Augen des Lesers erstehen, indem er ihn zur Mitarbeit zwinge. Statt Ergebnisse vorgesetzt zu erhalten, werde der Leser zur Teilnahme an der Diskussion genötigt. So gebe Lessing »nie das Ganze vor den Teilen, nie den Schluß vor den Voraussetzungen«, er baue den Satz in »kleinen Schritten« auf.[173] Gegenüber unentschiedenen und vor lauter Erörterungen zu keiner Entscheidung sich durchringenden Schriften wird als Vorzug die Bestimmtheit, die Kraft »klarer Entscheidung« gerühmt, wie sie Lessing so prononciert zu eigen sei.[174]

Hinsichtlich seines Gebrauchs von Fremdwörtern hebt Reiners lediglich hervor, Lessing sei für ihre Verdeutschung eingetreten; in seinen eigenen Werken habe er Fremdwörter »ausgemerzt« und »zahlreiche Neuwörter geschaffen oder durchgesetzt« – als Beleg wird nur die Kritik an Wielands extremer Fremdwortsucht aufgeführt,[175] andere, durchaus auch bei Lessing vorhandene Tendenzen bleiben unerwähnt. Des weiteren nennt Reiners als charakteristische Merkmale des Lessingschen Stils die Überraschung und das Paradox,[176] das Wortspiel,[177] die oftmals ironische Haltung[178], die dialogische Form auch seiner traktathaften Abhandlungen,[179] ferner die mit Witz gewürzte Polemik.[180] Die einzelnen Epitheta oder Paraphrasen zeigen, daß Reiners die Palette der Beurteilungskriterien durchaus nicht bereichert, er erschöpft sich vielmehr in der Aufzählung bekannter Charakterisierungen. Da die dargebotene Schablone jedoch harmlos aussieht, also unproblematisch und uninteressant zu sein scheint, zeichnet sich der »Fall Reiners« durch nichts als durch Effektivität aus: er verbreitet die Schablone besonders wirkungskräftig.

Was Reiners' *Stilkunst* gerade im Hinblick auf ihre Reproduzierung des Lessing-Klischees dennoch zu einem ›Fall‹ macht, ist der immanente Widerspruch, der zwischen dem Lob des Lessingschen Stils und Ludwig Reiners' eigenem Stilideal klafft. Reinhard M. G. Nickisch hat Reiners' Stillehrbücher analysiert.[181] Von den sechs Stilregeln, die Reiners in seinem noch der fünften Auflage des Stil-Dudens vorangestellten Essay *Vom deutschen Stil*[182] gibt, widerspricht keine ausdrücklich den für Lessings Stil charakteristischen Kriterien.

Die sechs Regeln lauten:

1. Bilde keine übermäßig langen Sätze.
2. Drücke Handlungen in Verben aus.
3. Vermeide das Papier- oder Kanzleideutsch.
4. Schreibe klar, aber knapp.

5. Wähle die richtige Tonart.
6. Suche immer das treffende Wort.[183]

Die ideologischen, zum Teil auf nationalsozialistischen Gedankengängen beruhenden Voraussetzungen der Reinersschen Stillehre müssen nicht noch einmal erörtert werden. Hier genüge der Hinweis auf einige offenkundige Verzeichnungen und Widersprüche. Lessing war in der Frage einer Eindeutschung von Fremdwörtern kein Purist;[184] nur das Übermaß fand seinen Tadel.

Nickisch kristallisiert als eigentliche Stilregeln neben den drei ersten der aufgeführten sechs noch zwei implizit gewonnene heraus:

1. Bemühe dich, eine fremdwortarme Sprache zu sprechen und zu schreiben.
2. Beachte die richtige Wortstellung [...].[185]

Den Fremdwörtern gilt Reiners' Abneigung: »Die Fremdwörter [...] sind – wie alles Fremde – mit keinem Gefühl belastet und daher meist unanschaulich. [...] Sie gehören niemals zu der obersten Stilschicht, denn die oberste Stilschicht muß zu unserem Herzen sprechen.«[186]

Lessing fand das primäre Movens von Sprache und Sprachwerdung in der Umsetzung des klar Gedachten. Der logische Gedankengang und dessen deutliche Form standen ihm über dem Ausdruck von Empfindung und Gefühl. Dies geht aus dem 49. Literaturbrief klar hervor (1759): »Die Sprache kann alles ausdrücken, was wir deutlich denken; daß sie aber alle *Nüancen* der Empfindung sollte ausdrücken können, das ist eben so unmöglich, als es unnöthig seyn würde.«[187]

Lessing warf Klopstock vor, »daß er das denken nennt, was andere ehrliche Leute empfinden heissen«.[188] Auch Reiners propagiert die höhere Bedeutung des Gefühls. »Kurzum, das Deutsche ist die Sprache der Deutschen, die Gott mit dem Hang zum Grenzenlosen gesegnet und geschlagen hat, für die der Weg mehr bedeutet als das Ziel und der Kampf mehr als die Vollendung.«[189]

Der Schluß des Satzes kommt in gefährliche Nähe Lessings. Suche sei mehr als Besitz, Weg mehr als Ziel; doch nur scheinbar, denn die Prämisse von Reiners ist im Unterschied zu der Lessings ein Vorurteil.

Ganz prinzipiell verstößt der normativ-autoritative Regelanweisungscharakter der *Stilkunst* gegen Lessings Geist des Selbstdenkens. Durch Sätze wie »Wenn ein großer Dichter diesen Sprachwandel einbürgern könnte, wäre es eine Verbesserung. Aber Sie dürfen damit nicht anfangen!«[190] werde, so konstatiert Nickisch zu Recht, »dem Schüler immer wieder eingetrichtert, wie unerheblich sein eigenes (vielleicht ja produktives) Nachdenken über Sprache und Stil ist«.[191] Statt zur Reflexion anzuregen, rekurriert Reiners fortwährend auf Autoritäten. An welchen Vorbildern orientiert er sich?

Die von Nickisch aufgeführte Namenreihe ist selber in tendenziöser Absicht ausgewählt;[192] doch mit der Liste der Reinersschen »Prosameister der Gegenwart« hat es schon seine Richtigkeit: Kolbenheyer, Binding, Hans Grimm, Wiechert, Carossa und Ruth Schaumann.[193] An der Spitze zumindest der quantitativen Aufzählung steht unter den neueren Schriftstellern Hugo von Hofmannsthal. Interessant ist es nun zu erfahren, wie dieser sich seinerseits zu Lessing verhält:

»Auch gegen die Sprache läßt sich alles sagen – hier ist nichts vom Hauchenden, Seelenhaften, das dann durch Goethe in die Sprache auch des Theaters kam, auch nichts vom finstern Naturlaut, den die Stürmer und Dränger aufbrachten; alle diese

Figuren reden in scharfen Antithesen, in pointierten Wendungen, wie wenn sie alle Denker wären, – für diese Sprache aber läßt sich nur das eine sagen: sie hat ein solches geistiges Leben in sich, daß sie aus dem Stück etwas Unverwesliches gemacht hat.«[194]
Das freilich, das Seelenhafte und Empfindsame, findet sich bei Lessing nicht – in Übereinstimmung mit der Einschätzung Hofmannsthals als vorbildlichen Stilisten steht dann Reiners' »Antipathie gegen die Schreibweise der Aufklärung«.[195] Der Widerspruch in der Einschätzung Lessings wird noch offenkundiger, betrachtet man das ›Reservoir der nachahmenswerten Stilmuster‹: Die Lutherzeit, die Klassik und das 19. Jahrhundert in einseitiger Beschränkung auf die konservative oder konservativliberale Tradition.[196] In entschiedenem Gegensatz zu Lessing steht Reiners, wenn er, zur Wahrung der Form, die Auffassung verficht, man müsse zwischen Sprech- und Schriftsprache »säuberlich« unterscheiden; beide hätten ihre eigenen Gesetze.[197]
Dagegen Lessing: »Schreibe wie Du redest, so schreibst Du schön.«[198] Reiners zufolge ist die deutsche Sprache »nie abgeschlossen«, sondern »stets im Aufbruch« befindlich. Sie sei nicht so prächtig wie die italienische, nicht so klar wie die französische und nicht so handlich wie die englische. »Aber das Raunende und Dämmernde, der Traum und die Ahnung, die große Kunst des Hintergrundes und das Geheimnis zweifelhafter Lichter, sie gewinnen im Deutschen Gestalt. Die Ruhe und das Behagen des wohlumfriedeten Hauses gewährt uns das Deutsche nur selten, stets reißt es die Fenster auf und gibt den Blick frei auf die Unendlichkeit, und der Zugwind eines ewigen Werdens läßt Papiere und Gedanken durcheinanderflattern.«[199] Woher ihm diese Wahrheit zuflog, hat Nickisch hinreichend analysiert.[200] Auch ohne weitere Belege ist deutlich erkennbar, daß die Reinerssche Gesinnung, wie sie in normativer Regelanweisung, in autoritativem Ton und nicht zuletzt in den Vorbildern und Mustern durchscheint, dem Geist und Ideal Lessings scharf widerspricht.
Nun erklärt sich auch das schablonenhafte Lob des Lessingschen Stils bei Reiners. Eine Opinio communis sieht in Lessing einen vorbildlichen Stilisten. Ihr zu widersprechen ist aus Gründen, die nicht zuletzt ideologischer Natur sind, wenig ratsam. Den Widerspruch aber, der zwischen dem eignen Stilideal und dem Erfordernis aufklafft, gilt es zu überbrücken. Dies gelingt Reiners: er rettet sich ins Klischee. Freilich hebt dieses den Widerspruch nicht auf; es verdeckt ihn bloß.[201]

Kanonische Urteile heute?
(Rezeption und kanonisches Erbe in der Gegenwart)

Mit Ludwig Reiners' *Stilkunst* hört die lange Reihe der Würdigungen, Charakterisierungen und Interpretationen des Lessingschen Stils nicht auf. Erst in neuerer Zeit sind zwei umfassende Untersuchungen über dieses Thema erschienen, Jürgen Schröders Analyse *Lessing, Sprache und Drama*[202] sowie kurz vorher Klaus Brieglebs Buch *Lessings Anfänge 1742–1746. Zur Grundlegung kritischer Sprachdemokratie*[203]. Schröders umfangreiche Stilcharakterisierung kann hier nicht Gegenstand einer ideologiekritischen Untersuchung sein, als sie sich einer Beurteilung zentraler Interpretationsstellen entzieht. Ihr Analyseverfahren ist nicht an einigen Kernstellen fixierbar und als ideologisch zu bestimmen. Dieses bisher hier geübte Verfahren läßt sich überhaupt weniger an wissenschaftlichen, intentional objektorientierten Auseinandersetzungen anwenden als vielmehr an der ›Handelsware‹, wie sie auf den ›Umschlagplätzen‹ Schule, Presse und Literaturgeschichte dem Lernenden und dem interessierten Laien dargeboten wird.

Brieglebs Buch dagegen bezieht Stil nur indirekt in die Stationen seiner methodisch überaus bewußt vorgehenden Analyse ein, als Ausdruck einer kritischen Methode, der sich Lessing bedient hat. Das Buch demonstriert sprachkritisches Verhalten an einer modellhaften Situation: ein freier Schriftsteller versucht Öffentlichkeit im Kontakt mit einem allerdings erst zu erziehenden Publikum herzustellen, indem er es zu ›Selbstdenken‹ anregt. Briegleb zielt auf Gegenwart, auf eine als Sozialphilologie sich verstehende Philologie, auf einen neuen sozialen Literaturbegriff, der demokratische und kritische Funktionen in der Öffentlichkeit übernehmen soll, auf die Ausbildung neuer Lehrer. Zweifellos liegt diesem auf Emanzipation insistierenden Ansatz ein ideologisches Modell zugrunde: Kompensatorischer Optimismus und Ahistorizität zumindest des Demokratiebegriffs sind die allgemeinen Einwände, die gegen Brieglebs Analyse zu erheben wären.[204]

Die Betrachtung verschiedener Stufen ideologischer Deutung und Vereinnahmung am Beispiel von Lessings Stil lenkt auf das allgemeine Problem hin, wie die Gegenwart sich zur Überlieferung verhalten solle. Kann die durchweg positive Charakterisierung von Lessings Stil noch heute als unangefochtenes kanonisches Urteil gelten, ist sein Stil noch heute unerreichbares oder auch nur anstrebenswertes Muster? Vordergründiger Betrachtung scheint es hier nur die Alternative ja oder nein zu geben.

Die positive Variante bringt neben den als verfehlt zu bezeichnenden Rekursen auf das rein Formale[205] beispielhaft ein 1931 veröffentlichtes Feuilleton Karl Wolfskehls; er schreibt: »Und dennoch: wer diese nach Sachverhalt und Umständen uns so entrückten Betrachtungen, Angriffe, Widerlegungen heute durchblättert, wieder und wieder entzückt ihn eine Kühnheit der Wendung, ein glänzender Vergleich, eine scharfe Charakteristik und vor allem eine Flüssigkeit in Darlegung und Durchführung der Gedanken, welche die Lessingsche Prosa zu einem der Muster deutschen Stiles erheben für alle Zeit. Ja, zum Muster!«[206]

Was bei Ferdinand Kürnberger und den anderen Formalisten im Preis der formalen Qualitäten enthalten war, erhebt Wolfskehl gar zum unumstößlichen Muster, und zwar »für alle Zeit«. Dieser Forderung liegt die Anschauung zugrunde, formale Qualitäten seien im Unterschied zu inhaltlichen Aussagen, stofflichen Voraussetzungen und kontextgegebenen Problemen der Zeit enthoben, sie überdauerten unverändert die Bedingungen ihrer Entstehung und ihrer verschiedenen Rezeptionen. Verständlich wird diese zunächst nicht einsehbare Trennung zwischen der Wirkungsweise des Inhaltlichen und des Formalen, wenn man die im Banne Georgescher Ästhetik befindliche Kunstanschauung Wolfskehls heranzieht. »Form ist Inhalt« lautet einer seiner Zentralsätze: Inhalt verwandelt sich zu Form in der dichterischen Aussage und überlebt in ihr als ein einmalig Geformtes.[207] Das Was wird zur sekundären Funktion des Wie.

Nun soll weniger die Fragwürdigkeit dieser funktionalen Beziehung zwischen Inhalt und Form diskutiert werden als vielmehr die Anschauung, Form (und damit formgewordener Inhalt) sei der Zeit und ihrer Einwirkung enthoben. Daß Inhalte veralten, leuchtet auf den ersten Blick ein; einer ahistorischen, in Typologien denkenden Kunstbetrachtung jedoch gilt Form als nicht zeitverhaftet. Zwar kann Form inhaltliche Tatbestände über ihre Zeitverhaftung hinausführen, doch bleibt die Bedingtheit der Entstehung als zeitspezifische Formulierung auch in der Form enthalten, so zeitentrückt und klassisch diese zunächst scheinen mag. Darum kann es in historischen Abläufen weder Muster substantieller noch formaler Qualität geben, die unverändert aus früheren in spätere Epochen könnten übernommen werden. Der Verschiebung und Umwandlung inhaltlicher Problematik hat eine ebensolche im formalen Bereich zu entsprechen, soll nicht Epigonentum die zwangsläufige Folge unangepaßter Veränderung sein: daß einer veränderten Problematik nämlich die hochgesteigerte Artifiziellität einst adäquater und nun veralteter Formen nicht mehr entspricht.

In welcher Weise kann also heute Lessings Stil noch Vorbild und Muster sein? Zweifellos nur auf indirekte, auf vermittelte Weise, indem nicht der vordergründige Stil, die Machart, zur Nachahmung empfohlen, sondern indem der Stil als Ausdruck einer Denkmethode erkannt und charakterisiert wird. Diese *Denkmethode* gilt es dann der Gegenwart anzupassen und in adäquater Form darzubieten. Lessings methodisches Vorgehen ist kritisch, es orientiert sich negativ am unverändert aus der Tradition Übernommenen, also der Nicht-Entsprechung von Inhalten und Formen, und positiv, was nur die Kehrseite dieses Negativverhältnisses ist, an der ›Wahrheit‹, die, als eine zeitlich gefaßte, nur im Relativen für den Menschen greifbar ist und die Entsprechung von Inhalten und Formen im zeitbedingten Verhältnis meint.[208]

Lessing bedient sich bei seinem methodischen Vorgehen eines Stils, der sich, wie Schlegel prägnant definiert hatte, durch eine »spezifische Kraft, das Selbstdenken zu erregen«, auszeichnet. Form und Stil tragen den Ansatz der Methode ins Publikum hinein mit dem Ziel, daß es den von Lessing ins Leben gerufenen, auf Emanzipation zielenden Dialog unendlich fortführe. Auch diese »unendliche Progression« in Lessings »protestantischem« Verfahren hat Schlegel erkannt, wenngleich er sie umgebogen hat von ihrer Zielgerichtetheit auf Realität zu einer auf Literatur und Religion.

Man mag zu den ideologischen Voraussetzungen Brieglebs stehen, wie man will; auf jeden Fall zeigt sein Versuch, daß trotz Erstarrungen im 19. Jahrhundert Lessings Methode und Stil noch heute Denkanstöße vermitteln können. Auch wenn man die ›Buchstaben‹-Deutung Brieglebs eventuell als überzogen ablehnt, so entspricht seine Deutung wohl doch Lessings Geist, als sie dessen Ziel, »zum Selbstdenken anzuregen«, für ihre Gegenwart produktiv realisiert. Briegleb überträgt das historische Modell auf die Gegenwart in einer ihr angepaßten Form. Unproduktive ›Buchstabenphilologie‹ wäre es, allein Lessings Intention und Realisation in seiner historischen Zeit zu erforschen, ohne irgendwelche Parallelen, analoge Möglichkeiten und vermittelte Konsequenzen für die Gegenwart daraus zu ziehen. Gedachte Wahrheit mit Hilfe des Schreibens in einen lebensbezogenen Gebrauchswert umzusetzen gilt als ein Ziel gerade des freien Schriftstellers Lessing; er fördert »die gesellschaftliche Kommunikation durch populäre Problemsprache«.[209]

»Nur ›*selbst* denken‹ *und* ›*selbst* schreiben‹ ruft Wahrheit des Lebens wach, denn erst

die ›Preisgabe‹ des Stils an ›alle Welt‹, wie Lessing es hier von seinem Schreiben sagt, schafft verantwortete und wahrnehmbare öffentliche Rede, und schriftstellerische Preisgabe bedeutet Artikulation der literarischen Teilhabe an der lebendigen Sprache dieser ›Welt‹ aller, bedeutet das Wissen, daß *literarisches*, d. i. sekundär vermitteltes Selbstdenken ›Mitsprechen mit allen‹ sein soll.«[210]
Über die Herstellung einer ›sozialen Literatur‹ mag dann ein offener, von Repressionen befreiter Dialog anvisiert werden. Lessings Deutung droht dort am wenigsten die Gefahr der Erstarrung, wo auch sein methodischer Ansatz in eine der gegenwärtigen Bedürfnislage angemessene Gebrauchsform umgewandelt wird. Es hat sich ja gezeigt, daß ein kanonisches Urteil gerade dort brüchig geworden ist, wo es sein Objekt nur als äußerliches Muster der Nachahmung verstanden hat.
Dort blieb das kanonische Urteil berechtigt, wo es mit dem adäquat vermittelten Sinninhalt gefüllt war, wo also Lessings Stil nicht als blindes Muster durch alle Normwandlungen hindurch unverändert Geltung besaß, sondern seinen Impuls zum Selbstdenken weitervermittelte. Wenn Lessings Vorbild Schule machte, so regte es den Rezipienten zur »produktiven Rezeption« an, zur Umsetzung seiner Erkenntnisse, zum Selbst-Formulieren, mit Wörtern, Ausdrücken und Wendungen, die der Gegenwart des Rezipienten *so* entsprachen, wie diejenigen Lessings seiner Zeit; nicht die Muster, aber die Wirkungen der von Lessing intendierten Schreibart sollten unverändert bleiben.
Nur durch die Umwandlung der Methode, des Stils und der Muster und durch deren Anpassung an die jeweiligen Gegebenheiten kann sich ein lebendiger Dialog entwickeln, der das eigentliche, hinter Lessings Wirken stehende Prinzip, das emanzipative und freiheitliche der *Wahrheitssuche*, zu verwirklichen anstrebt.
Lessings relativer Wahrheitsbegriff könnte gerade dem rezeptionsanalytischen Verfahren die ›ideologische‹ Grundlage geben. Annäherung an das ›Wesen‹ des Kunstwerks mit Hilfe rezeptionshistorischer Methoden ist insofern problematisch, als diese Anschauung letztlich doch auf der Gleichsetzung des Kunstwerks mit Substanz basiert. Substanz aber als unveränderliches Wesen von Kunstindividuationen widerspricht geschichtlichem Denken und rezeptionshistorischem Verstehen. Die Problematik kann auch von anderer Seite aufgewiesen werden. Historische Rezeptionen reduzieren weitgehend die angebliche Substanz auf die hineinprojizierte jeweilige Intention des perzipierenden Subjekts[211] und relativieren insofern das ›Wesen‹ auf die historische Bedingtheit des Subjekts, und zwar um so mehr, wie einschränkend hinzugefügt werden muß, je pauschaler ideologische Urteile reproduziert oder je unbekümmerter allgemeine Objekt-Aussagen gemacht werden.
Beispiele für das selbstherrliche Vorgehen von Interpreten, die ihrer Deutung das Kunstwerk unterwerfen, das ›Bild‹ nach ihrem Bilde formen, ließen sich leicht aufzählen, und zwar leichter dort, wo historische Erwägungen hinsichtlich der Bedingtheit des zu untersuchenden Objekts oder hinsichtlich der Bedingtheit des eigenen Standpunktes der Umdeutung nicht bindend in den Weg treten. Aus der Objekt-Interpretation scheint immer das Subjekt heraus; das Objekt bleibt faßbar immer nur auf dem Umweg über das deutende Subjekt. Für das gegenwärtige Subjekt bleiben demnach zwei Wege der Objekt-Deutung: einmal, sich diesem auf direktem Wege anzunähern, zum andern, die Annäherung über bereits vorliegende Interpretationen zu versuchen. Je mehr Vergleichsmöglichkeiten dem eigenen Versuch

(1. Weg) sich hinzugesellen und analysieren lassen, desto eher besteht die von Sötemann[212] angedeutete Chance, einer »adäquaten Konkretisation« näherzukommen. Allerdings nicht im Sinne einer Annäherung an eine ahistorische, absolut festliegende Wahrheit oder Substanz, sondern nur als *Konsens über zeitlich fixierte Fragestellungen* wie: das Kunstwerk in der Zeit seines Autors oder des Interpreten XY oder der gegenwärtigen Zeit.

Historische Fixierung des befragten Objekts wie der deutenden Subjekte bildet die Grundvoraussetzung rezeptionshistorischer Analyse, weil nur sie die Basis für den Vergleich schafft, dieser aber die einzige Methode bleibt, Objekt-Aussagen zu differenzieren in ideologische und relativ objekt-bezogene.

Die spezielle Aufarbeitung von Rezeptionen unter ideologiekritischem Aspekt dient, abgesehen von dem Nebenzweck, einer objektbezogenen Analyse vorzuarbeiten, insofern der Gegenwart, als sie unbefragte historische Positionen als an einmalige Epochen gebundene Realisationen erklärt, die ohne Vermittlung nicht mehr übernehmbar sind. Was für die ganzen Interpretationen gilt, gilt auch für deren einzelne Argumentationen. Herausgerissen aus ihrem (textimmanent) geistigen und (texttranszendent) sozio-ökonomischen Kontext, bleiben sie Versatzstück, beliebig verwendbare Formel.

Erst die historische Fixierung des Rezipienten macht dessen spezifische Interpretation verständlich. Sie wird erklärbar durch Aufweis ihrer Bedingtheiten und darum unübernehmbar; lediglich Teile aus historischen Interpretationen, nicht zufällig (meist) die objektbezogenen und nicht die ideologischen, lassen sich, wenn auch nur in vermittelter Weise, für gegenwärtige Interpretationen auswerten.

Es widerspräche gewiß der rezeptionshistorischen Methode, aus den vorgeführten Beispielen eine Art von Typologie abzuleiten oder Deduktionen vorzunehmen, wie sie in Logik und Naturwissenschaft statthaft sein mögen. Typologien sind statisch und selbst bei Begrenzung ihrer Geltung auf eine einzelne Epoche dem evolutionären Geschichtsverlauf nicht angemessen.

Ein Hinweis, stärker auf das Objekt und dessen immanente Qualitäten zu achten, wäre verfehlt. Denn Substanz gewinnt das Kunstwerk erst in der Auseinandersetzung mit einem Subjekt, und zwar stärker in einer Interpretation als einer bloßen Rezeption. Insofern kann es nicht das Ziel der rezeptionshistorischen Betrachtung sein, auf das Artefakt als letzten Rekurs zu verweisen – dieses Verfahren höbe vielmehr ihren eigenen methodischen Ansatz auf. Dieser erkennt in den verschiedenen Rezeptionen den historischen Prozeß abgespiegelt, dem das Kunstwerk wie dessen Interpreten unterworfen sind. Nicht nur die historische Bedingtheit der einzelnen Interpretationen erweist die Rezeptionsgeschichte; wenn sie sich als Geschichte der Interpretationen eines Kunstwerks versteht, erweist sie auch die Veränderbarkeit des ästhetischen Objekts in der verschiedenartigen Ausprägung seiner Deutungen.[213] Darum wäre es völlig widersinnig, mit Hilfe der rezeptionshistorischen Methode den ›objektiven‹ Sachverhalt festzustellen oder ein dem Objekt an sich adäquates Bild zu konstruieren. Nicht Addition oder arithmetisches Mittel aus Für und Wider ergibt die Wahrheit. Die rezeptionshistorische Analyse vertritt die Ansicht, und hier macht sie sich gewissermaßen Lessings berühmte Selbstcharakterisierung zum methodischen Prinzip, es sei besser, ein jeder einzelne Betrachter strebe nach der ihm zustehenden Wahrheit, ohne nach der reinen Wahrheit als dauerndem Besitz zu ver-

langen. Allerdings nicht, weil die Wahrheit als Besitz »ruhig, träge, stolz« mache, eher weil sie sich als unveränderlicher, als fixierter Besitz in Unwahrheit verkehrt. Die ›Wahrheit‹ über ein Objekt bleibt immer an die Perspektive des Betrachters gebunden; sie ändert sich also zwangsläufig mit der zeitlichen Entfernung zwischen Betrachter und Objekt. Die Historizität einer Subjekt-Objekt-Auseinandersetzung verbietet von vornherein eine Sicht sub specie aeternitatis.
Geschichtliche Wahrheit unterliegt mit der Veränderung der Gesprächspartner der Veränderung selbst. Das Kunstwerk als *Bedeutungsträger* ist nicht das fixierte, von jedem historischen Standort aus in gleicher Weise erreichbare Artefakt, sondern das ästhetische Objekt vergangener und gegenwärtiger Subjekte und insofern deren Perspektive unterworfen und von ihnen abhängig.
Erst durch ihr Ausgesetztsein gegenüber der Geschichte, und erst durch ihre Veränderung in dieser, wird die Wahrheit dem Prozeßcharakter des Erkenntnisvorgangs gerecht. Als Veränderung definiert sich die Wahrheit im historischen Prozeß; das Medium dieser Umwandlung ist dann die Kritik. Sie äußert sich allerdings nicht als Widerstand gegen die neutralisierende Zeit im Kunstwerk selbst,[214] sondern sie muß vom Rezipienten geübt werden. Das Vertrauen auf das Durchsetzungsvermögen der Kunstwerke abstrahiert von den Rezipienten; das Wissen um die Wehrlosigkeit der Texte, wie der mit Rezeptionsforschung verbundene Textbegriff es nahelegt, fordert gerade vom Leser ein hohes Maß an Verantwortung: er ist es, der für das Schicksal der Literatur haftbar zu machen ist.
Gerade in kanonischen Urteilen lebt, meist unbewußt und unterschwellig, die Tradition in unveränderter Weise fort. Hier müßte die Kritik das unbefragt Übernommene in reflektiert verwendbaren Besitz verwandeln.

GÜNTHER MAHAL

Der tausendjährige Faust. Rezeption als Anmaßung

Zum Klassiker zu avancieren bedeutet einen Aufstieg ambivalenter Art: wem die ›Heiligsprechung‹ zuteil wird, der gerät gleichzeitig unter die ›Räuber‹. Die verliehene Gloriole wird sogleich zum verlockendsten Diebesgut. Was wertender Diskussion endgültig enthoben scheint, läuft Gefahr, als Beuteobjekt verschlissen zu werden. Groß ist die Begehrlichkeit von Gruppen und Systemen, den Schmuck der fremden Federn sich selbst zugute zu halten, das vor allen Ausgezeichnete unter Exklusivvertrag zu nehmen. Der Streit der sieben Städte um die Ehre, Homer hervorgebracht zu haben, wiederholt sich immer wieder.
Ein Klassiker genannt zu werden signalisiert den superlativischen Abschluß kollektiver Rezeption, in die Wege geleitet freilich von einzelnen berufenen oder auch selbsternannten Meinungs-, Wertungsmultiplikatoren, dann aber akzeptiert von der gesamten Zunft, welche die Noten zur Literatur austeilt, und schließlich übernommen in das, was man Bildungskanon nennt.
In der 1973 erschienenen Festschrift für Gerhard Storz hat der Herausgeber des vorliegenden Bandes einen Beitrag *Rezeptionsforschung als Ideologiekritik* veröffentlicht und am Beispiel Lessings aufgezeigt, daß gerade autoritäre staatliche Systeme sich auf die Suche nach literarischen Aushängeschildern begeben und sich die erkürten Autoren so zurechtmodeln, daß sie systembegründend, -stabilisierend und -verherrlichend erscheinen: »Jedes nicht demokratische Regime sucht, mit der Absicht der Legitimation, sich geistige Ahnen.«[1] Vor allem der großen Namen hat man sich von Staats wegen zu versichern und der großen Werke: sie nämlich als »geistiges Eigentum der Nation« zu besitzen vermag den Eindruck von kultureller Kontinuität und devoter Traditionstreue zu erwecken, von Geschichtsbewußtsein, das organisch anknüpft an ästhetisch vorgegebene Humanität. Das literarische Surrogat, so ist die kaum zu verschleiernde Intention, soll verdecken helfen, daß Humanität in der Wirklichkeit nicht stattfindet. Das künstlerische Alibi wird gebraucht, um die tatsächliche Inhumanität vergessen zu machen.
Das ›Dritte Reich‹ – auch in der von Moeller van den Bruck übernommenen Namensgebung auf Anknüpfung bedacht, auf Fortführung großer Epochen deutscher Geschichte – gehorchte der aufgezeigten Gesetzlichkeit in der Usurpierung bedeutender Namen und klassischer Werke mit solcher Konsequenz, daß, abgesehen von schnell eliminierter ›entarteter‹ und ›verjudeter‹ Kunst, die gesamte nationale oder vielmehr völkische Kulturhistorie als final bezogen ausgegeben wurde auf das hin, was nun das ›Tausendjährige Reich‹ sich nannte – wiederum anknüpfend an Belege, die man aus der Zeit vor 1933 zusammentrug.
Derartige kulturelle Rückversicherung war in einer Ära auch weltanschaulicher ›Gleichschaltung‹ freilich auf Linientreue aus, und das bedeutete für die amtlich kontrollierte Darbietung manches sperrig Alten das Zurechtschleifen hin auf die mythische ›streamline‹ des 20. Jahrhunderts: ohne Vergewaltigung der berühmten Ahnen konnte die Eingemeindung in den nationalsozialistischen Olymp nicht abge-

hen. Wo es an leicht aufzutischenden Zitaten und einschlägigen Parolen gebrach, war Einbräunung des Materials geboten. Doch die neuen Herren, terribles simplificateurs in der Tat, fanden willfährige Skribenten genug, welche diese Einbräunung der ›Ahnen‹ besorgten, einen Prozeß, der durch die geistige Landflucht der Exilautoren und Emigranten um so dringlicher geworden war. – Die Zahl der so ›Erfaßten‹ und rasch ideologisch ›Gleichgeschalteten‹ ist bekanntermaßen Legion. Goethe durfte nicht fehlen dabei und nicht sein berühmtestes Werk, der *Faust*.

Ernst Beutler hat in einem seiner *Essays um Goethe* den ›Kampf um die Faustdichtung‹ beschrieben und das Faktum in Erinnerung gebracht, daß über die Mitte des 19. Jahrhunderts hinaus Goethes *Faust* keineswegs im Zentrum philologischen oder gar nationalliterarischen Interesses gestanden hatte. Vielmehr war von zahlreichen namhaften Kritikern der ›katholische‹ Schluß oft bissiger Kritik unterzogen worden, jener begnadigende Himmels-Schluß, der anscheinend so gar nicht in Einklang zu bringen war mit einem irdischen Sündenregister, an dessen Spitze man die Gretchen-Tragödie sah. Erst Bismarck, so betonte Beutler, hatte dem *Faust* mit dem militärischen Erfolg über den französischen Erz- und Erbfeind den »Bann gebrochen«.[2] Hans Schwertes Monographie *Faust und das Faustische* leistete dann, Beutlers Essay mit Belegen seit dem 17. Jahrhundert ergänzend, den lückenlosen Nachweis dafür, daß die Suffixbildung ›faustisch‹ einen grundlegenden Bedeutungswandel vom einstigen »Schimpfwort« zu einem »Geheimniswort humanen oder nationalen Auftrags« durchlaufen mußte,[3] bis es im späten 19. Jahrhundert als weltanschauliche Vokabel vogelfrei und damit für jegliche ideologische Besetzung anfällig wurde.
Zeitlich parallel und sich gegenseitig bedingend und steigernd wird nach 1870 aus der Negativvokabel ›faustisch‹ ein häufig und rühmend gebrauchtes »Hochwort«[4], und es entsteht eine Faustphilologie, welche nicht mehr kritisch fragt, sondern die Dichtung verkürzt auf eine Deutung optimistisch-perfektibilistischer Art: mit Hilfe sorgsam ausgewählter Selbstäußerungen Goethes zu seinem *Faust* – allen voran jene Briefstelle an Schubarth, welche die Entwicklung des Protagonisten als immer »edler, würdiger, höher« kennzeichnet[5] – erscheint der Faust der Gründerzeit immer mehr ent-schuldet und immer einseitiger als ein Held, der sich ständig läutert und so zur Selbsterlösung gelangt.[6]
Erfolgsberauschtes nationales Pathos und die Euphorie schneller wirtschaftlicher Expansion übertragen sich auf die Interpretation des Goetheschen *Faust*, dessen Titelfigur keineswegs mehr wie noch um die Jahrhundertmitte als Irrender und Scheiternder und der endgültigen ›Tragödie‹ Zueilender gesehen, sondern zur makellosen Idealfigur stilisiert wird. ›Faustisch‹ gerinnt in diesem Zusammenhang von Politik und Kunst, Geld und Geist zu einem Wertbegriff superlativischer Bonität von so gewaltiger Dimension, daß ein Oswald Spengler die gesamte abendländische Kulturentwicklung seit den Ottonen damit einfangen zu können meint.[7]
Meist aber verengt sich dieser Begriff auf die Beschreibung einer deutsch-nationalen, zuweilen auch schon arisch-rassischen Kulturmission, Geibels hybriden Spruch, daß am deutschen Wesen die Welt genesen möge, mit jenem Werk verknüpfend, das nach Jahrzehnten der Verachtung nun als »ein ächt germanischer Gesang«[8] und als Gipfelleistung der Weltliteratur rhapsodisch gefeiert wird.

In seiner *Spießer-Ideologie* faßt Hermann Glaser, auch schon die uns interessierende Ära einbeziehend, den aufgezeigten Prozeß nochmals zusammen: »Faust war ein Deutscher: er erschien im Wodansmantel, im Siegfriedgewand[9]; Faust war Arier, Bismarckgermane; Faust zog schließlich das Braunhemd an[10] – das waren Etappen dieser [...] Fehlentwicklung. Die Komplexität des Goethischen Werkes wurde über den nationalen Leisten geschlagen; die ideologische Vereinfachung ergab in Faust einen Mann, der mit zielbewußter Handlungsweise, nicht aufgehalten durch ›kleinliche moralische Bedenken‹, seinen Weg ging, der zur Urbarmachung von Boden und zu einer Art großdeutschem Reich führte. Der Zweifel, die Schuld, die Angst und die Blindheit des Dr. Faust sowie seine metaphysische Erlösung wurden als irrelevant oder als Zugeständnisse Goethes ans Publikum abgetan. Faust war ein Mann der deutschen Tat«.[11] – Für die Nazi-Zeit, das wird sich zeigen, bedarf der vorletzte Satz des Zitats der Präzisierung: die Frage der Schuld und die Frage der Erlösung erscheinen im ›Dritten Reich‹ in anderem Licht als zuvor.
Eine wichtige Schaltstelle innerhalb der von Glaser beschriebenen Chronik einer Verzerrung bildet Alfred Rosenbergs *Mythus des 20. Jahrhunderts*, 1930 erstmals erschienen und während des ›Dritten Reichs‹ zu über 200 Auflagen gelangt.[12] Mochte nämlich auch die ideologische Aufblähung des Begriffes ›faustisch‹ – wie Schwerte häufig betont – nach 1918 zu einem gewissen Ende gekommen sein,[13] so rief doch Rosenbergs nationalsozialistische Weltanschauungslehre, im Untertitel »Eine Wertung der seelisch-geistigen Gestaltenkämpfe unserer Zeit« genannt, all das wieder in Erinnerung, was sonst vielleicht in Vergessenheit geraten wäre. Hier wurden in der Betonung rassisch-germanischer Kulturleistungen die Positionen Spenglers[14] und Chamberlains, Lagardes und Gobineaus nochmals lebendig und amalgamierten sich unter dem Vorzeichen klarer Parteizuordnung zu einem scheinphilosophischen Gedankengebäude, welches die bevorstehende ›Machtergreifung‹ als »welthistorische Entscheidungssituation der europäischen Menschheit« gewertet wissen wollte.[15]
Gegen Ende des Ersten Buches (»Das Ringen der Werte«) findet sich im Kapitel »Sinn und Tat« die erste Goethes *Faust* betreffende Passage: »In immer neuer Form kann Goethe sich nicht genug tun, unermüdlich auf die belebende Tat hinzuweisen; selbst aufs bescheidene Handwerk. Der größte Hymnus auf menschliche Tätigkeit ist Faust. Nach Umschiffung und Durchdringung aller Wissenschaft, alles Liebens und Leidens wird Faust befreit durch die Tat. Dem immer ins Unendliche strebenden Geiste war die beschränkende Tat, das Abdämmen einer Wasserflut als Nutzdienst für den Menschen der Schlußstein des Lebens, die letzte Stufe zum Unbekannten.«[16] – Eine zweite Stelle ist im Dritten Buch (»Das kommende Reich«) zu finden, »Der Reichtum Goethes« überschrieben: »Goethe stellte in Faust das *Wesen* von uns dar, das Ewige, welches nach jedem Umguß unserer Seele in der neuen Form wohnt. Er ist dadurch Hüter und Bewahrer unserer *Anlage* geworden, wie unser Volk keinen zweiten besitzt.«[17]
Das »Wesen von uns« – was bei Geibel noch hybrid-utopisch sein mochte –, hier wurde es, zusammen mit der »Tat«, bald zu einem durchsetzbaren Anspruch, der nicht mehr bloß auf dem Papier stand, sondern ›in die Tat‹ umgesetzt wurde, skandiert von Soldatenstiefeln so lange, »bis alles in Scherben fällt«. – Kein Wunder auch, daß Adolf Hitler, dem in *Mein Kampf* nur ein einziges Mal eingefallen war, Goethe zum Zeugen zu rufen,[18] daß Adolf Hitler, der Goethe keineswegs liebte, die-

sem viel zu verzeihen sich bereit erklärte um der einen *Faust*-Stelle willen: »Im Anfang war die Tat«.[19]

Mit der Liebe zu Goethe war es während des ›Dritten Reiches‹ problematisch genug. Dieser Autor nämlich, den Thomas Mann[20] 1932 noch – im Jahr der Gedenkfeiern zum hundertsten Todestag mit seiner weltweiten Bücherschwemme in Sachen Goethe – treffend »einen kerndeutschen Unpatrioten« genannt und der ihm als »ein internationaler Patriot« gegolten hatte,[21] erwies sich für die gleichmacherischen Ideologisierungsbemühungen denn doch als zu sperrig: als zu urban, zu weltbürgerlich, zu vorurteilslos, zu differenziert. Das mußte ihn verdächtig erscheinen lassen in einem Kontext, der auf simpelste Vereinheitlichung abzielte, auf Arisierung auch der kulturellen Zeugnisse nationaler Vergangenheit. Andrerseits aber war Goethes *Faust* als renommiertester Aktivposten weltliterarischen Ansehens nicht so leicht abzutun, wie man es sich gern gewünscht hätte; »le nazisme ne pouvait se dispenser d'utiliser cette figure nationale qu'était devenu Faust.«[22] Und so entstand die Situation, daß Schmähungen und Ehrenrettungen gleichermaßen an der Tagesordnung waren, quer durch die weltanschaulichen Lager übrigens, verwirrend schon für die Zeitgenossen, mehr noch verwirrend für den heutigen Beurteiler, der unter Goethes Verteidigern Hans Carossa neben Baldur von Schirach entdeckt.[23] – Auch jene Elaborate sind wohl zu den Ehrenrettungsversuchen zu zählen, die Goethe trotz allem zum geistigen Ahnen der neuen Herren erklären wollten; es fiel vermutlich schon den ersten Lesern schwer zu entscheiden, ob solche Schriftchen nur gut gemeint oder das Ergebnis amtlich verkürzter Optik waren.[24]
Der *Faust* jedenfalls, vom ›Führer‹ höchstselbst ausgenommen vom allgemeinen Verdikt Goethes, blieb auch nach 1933 ein rühmend genannter Klassiker. Von ihm konnte unbeanstandet gesagt werden, »daß er nicht nur die größte Dichtung in deutscher Sprache sei, sondern zugleich auch unser entscheidendes Weltanschauungsbuch«.[25] Es blieb auch nach 1933 bei der »Anerkennung des Werkes, das heute schlechthin als die größte dichterische Leistung, ja auch als größte dichterische Selbstoffenbarung des deutschen Geistes gilt«.[26] »Unser entscheidendes Weltanschauungsbuch«, die »größte dichterische Selbstoffenbarung des deutschen Geistes« – das skizziert bereits knapp, was nun als stillschweigende Direktive reichseinheitlicher Interpretation die nationalsozialistische Wertung des *Faust* bestimmte. Alle unten angeführten Belege zum nationalsozialistischen *Faust*-Bild sind mehr oder weniger Ergänzung und Entfaltung des hier von keineswegs oberbardenhaften Forschern Ausgedrückten.[27]
Was nach 1933 ebenfalls blieb oder auch reaktiviert und auf die neue Parteilinie hin vereinseitigt wurde, war der Begriff des ›Faustischen‹. Ein Briefauszug Hermann Hesses, datiert vom 4. Februar 1933, nur wenige Tage also nach dem folgenschwersten Datum deutscher Geschichte, mag das verdeutlichen: »Der Abendländer, und besonders seine dümmste und wildeste, kriegerischste Form, der ›faustische Mensch‹ (das heißt: der Deutsche, der aus seinen Inferioritäten durch Maulaufreißen Tugenden gemacht hat) – also der Abendländer liebt und lobt das Kämpfen sehr, Raufen ist ihm Tugend, und das hat ja etwas infantil Hübsches und Rührendes. Solang Bauernsöhne aus Überfluß an Drang und Blut einander verhauen oder hie und da auch zu Tod hauen, ist es ein hübscher Kindersport. Aber schon wenn organisierte

Horden das gleiche tun (siehe Nazi), sieht es unangenehmer aus. Die schlimmste Form des ›Kämpfens‹ aber ist die staatlich organisierte, wie sie damals Anno 1914 losbrach, und die dazu gehörige Philosophie des Staates, des Kapitals, der Industrie und des faustischen Menschen, dessen Erfindung diese Dinge sind.«[28]
Das ›Faustische‹ als Kämpferisches, bald schon kriegerisch Aktivistisches – auch das sollte zu einem wesentlichen Grundzug der nationalsozialistischen *Faust*-Optik werden: die »Tat«-Stellen im *Faust* wurden zu den bevorzugtesten Perikopen der weltlichen Bibel der Deutschen.[29]
Zunächst kam es den braunen Usurpatoren des Goetheschen Werks darauf an, »Goethes Sendung im Dritten Reich«[30] zu beweisen: den Text also als einen Kommentar zur eigenen Zeit auszugeben. Ohne hermeneutische Skrupel wurde behauptet: »Kein Geschlecht seit Goethes Zeiten war mit so günstigen Voraussetzungen zum lebendigen Verständnis des ›Faust‹ ausgestattet wie das unsrige.«[31] Und: »Nachdem vollends in Anknüpfung an den Geist von 1914 die Zauberkraft des Führers und Reichskanzlers in unserem Volke das im Grunde seines Wesens liegende, in der Nachkriegszeit fast erloschene faustische Streben in ungeahnter Weise neu entfacht hat, tritt die nationale Bedeutung des hohen Werkes erst recht hervor. Entspricht doch der Inhalt desselben, die Weltanschauung, auf der es beruht, die Entwicklung des Helden vom Kranken zum Gesunden sowie der beglückte Ausblick des Greises in eine künftige Zeit neuen deutschen Volksdaseins ganz und gar den wesentlichen Gedanken des erneuerten Deutschland. Und im Dritten Reich erst hat deutsches Streben endlich seine eigentliche – die von Goethe im ›Faust‹ ihm gewiesene – Bahn gefunden und damit auch die durch den Dichter verheißene tatenfrohe Befriedigung in reichstem Maße gewonnen.«[32] Die »Wiederauferstehung des faustischen Menschen«[33] wurde auf den 30. Januar 1933 datiert; und was Goethes *Faust* anging, so hatte »heutiger Schau«[34] als Richtschnur zu dienen, »die geradezu erstaunlichen ›Entsprechungen‹ zwischen der Dichtung von ehedem und dem Weltgeschehen von heute so klar als möglich herauszustellen«.[35]
War das einmal geschehen, war man erst einmal so weit, die 1832 abgeschlossene Dichtung als Epochenkommentar der Zeit nach 1933 zu lesen, dann brauchte es freilich nicht lange, daß dem beflissenen Rezipienten des ›Dritten Reichs‹ manch »ein Licht« aufging[36], daß sich ihm Parallelen aufdrängten, daß das »inkommensurable« Opus, in das sein Autor wahrhaftig »viel hineingeheimnisset« hatte[37], als ein weltanschauliches Traktätlein erschien, geschrieben von einem Volksgenossen früherer Zeiten. Da wurde ein in aller Welt gerühmter Autor zum nationalistisch und propagandistisch ausbeutbaren Sanktionator einer Erbenschaft, deren er sich nicht mehr erwehren konnte.
Sein Stoßseufzer, den Eckermann am 6. Mai 1827 notiert hatte, verlor nun seine Gültigkeit: »Die Deutschen sind übrigens wunderliche Leute! – Sie machen sich durch ihre tiefen Gedanken und Ideen, die sie überall suchen und überall hineinlegen, das Leben schwerer, als billig.«[38] Denn die nationalsozialistisch-›heutige Schau‹ machte sich's leichter ›als billig‹: aus den »tiefen Gedanken und Ideen«, die vormals die Interpretation von Goethes »Hauptgeschäft«[39] gekennzeichnet haben mochten, wurden nun plakative Phrasen und handfeste Parolen. Was den Zeitgenossen Goethes und seinen späteren Interpreten nicht dechiffrierbare Dunkelheiten bedeutet hatte, erhielt nun seine Auflösung durch Wort und Tat des ›Größten Feldherrn aller Zei-

ten‹. »An dieser Verbindung von Genie und Wille erlebt heute eine ganze Welt, was faustisches Übermenschentum bedeutet.«[40]
Den nationalsozialistischen Apologeten blieb es vorbehalten, im Zeichen ›faustischen Übermenschentums‹ den Schritt zu tun von der allegorisierenden Selbstvergötzung im Bismarckreich, ebenso den Schritt von der imperialistischen Dünkelsucht eines expansiv-säbelrasselnden Teutschland Wilhelminischer Prägung, hin zu der bedenkenlosen Gleichsetzung des poetisch Ausgesagten mit der kontemporanen Politik, hin zu der brutalen Identifikation eines fiktionalen ›Helden‹ mit jenem Mann aus dem Innviertel. Was zuvor Projektion gewesen war und selbstfeiernde Perspektive, das wurde nun direktes Abbild und unmittelbares Beweismittel aus dem Munde »des deutschesten unserer Dichter«.[41] Den anderen nun üblichen Rückversicherungsanstrengungen aus der nationalen Geschichte: Hitler ein zweiter Luther, ein Nachfahr des Großen Friedrich, ein würdiger Erbe des Arminius – gesellte sich aus dem literarischen Bereich die schauerlich-groteske Unternehmung, Hitler als fleischgewordenen Faust zu sehen und seine Volksgenossen als ›faustische Menschen‹.[42]
»Es ist ein neuer Mann gekommen, tief aus dem Volke, er hat neue Thesen angeschlagen und neue Tafeln aufgestellt, und er hat ein neues Volk geschaffen, aus derselben Tiefe emporgeholt, woher die großen Gedichte stiegen: Von den Müttern her, von Blut und Boden her.«[43] Luther-Moses-Goethe-Hitler: zum Amalgam verschmolz der Ideologie, was auch dem bescheidensten historischen Bewußtsein getrennt bleiben mußte;[44] der Ruhm der von überall her zusammengetragenen fremden Federn sollte ersetzen, was an eigener Substanz mangelte – auch Thomas Mann hat das kritisch in seinen Tagebuchnotizen vermerkt: »Die bolschewistischen Strömungen in der deutschen Arbeiterschaft, denen man nicht gerade praktisch, aber symbolisch-ideologisch entgegenkommt. Millionenfache Ausgabe von Medaillen zum 1. Mai, die Goethe, den Reichsadler, das Hakenkreuz und – Sichel und Hammer zeigen! Der ganze betrügerische Wirrwarr des Nazitums drückt sich aus in diesem Symbol-Ragout.«[45]
Auch für die Rezeption von Goethes *Faust* gilt, was man bei vielerlei anderen Phänomenen dieser Epoche schon beobachtet hat: Originäres hatten die Nationalsozialisten und ihre trommelnden Barden wenig oder nichts aufzuweisen – originell war allenfalls, zumindest in ihrer Konsequenz, die Methode, mit der Bereitstehendes, Vorgeprägtes, Schon-Gedachtes und -Gesagtes nun verquirlt wurde in den blubbernden Eintopf, der sich Weltanschauung nannte und »Mythus des 20. Jahrhunderts«. Erschreckend alt, gründerzeitlich nämlich, Wilhelminisch oder republikanisch waren die vorgefundenen Ingredienzien – neu gerierte sich, in bornierter Regressivität, im Bemühen, End- und Höhepunkte ›geistiger‹ Traditionen vorzugaukeln, lediglich der Anspruch, jetzt, erst jetzt sei das goldene Menschheitszeitalter angebrochen, die Erfüllung des dichterisch-prophetisch Gekündeten.[46]
»Goethes Faust – und Deutschlands Lebensanspruch«,[47] ein so heterogen scheinendes Paar – jetzt, nach 1933, war es offenbar ohne weiteres synchronisierbar, unmittelbar beziehbar, das eine durch das andere erklärbar: »Zu alle dem schreibt die Weltgeschichte von heute einen Kommentar, der alle bisherigen Faust-Auslegungen in den Schatten stellt; und nur wer darin heimisch geworden ist, weiß die Welt, wie sie ist, richtig zu deuten, und umgekehrt Goethes ›Faust‹ als Mythus der Gegenwart zu erfassen«.[48] Als ›Mythus‹: wie gern benützte man doch diesen randunscharfen Terminus in den Tagen des ›Dritten Reiches‹! Mit ihm war es am ehesten möglich, die

Zweifel überprüfender Analytik mundtot zu machen und statt dessen dem letztlich nur gläubig zu akzeptierenden Geraune Wirkung zu verschaffen. Denn: »Goethes Faust mythologisch erklären, bedeutet, auf das Geheimnisvolle, auf die in ihm gestellten, aber nicht gelösten Probleme hinzuweisen. Noch schärfer zugespitzt, bedeutet ein mythologisches Verständnis des Faust: negativ auf seine verstandesmäßige Erklärung verzichten, positiv zu der seelischen Haltung zu führen, die Goethe verlangt: das Unerforschliche ruhig zu verehren. Zur wirklich inneren Verbindung mit Goethes Faust genügt nicht kritische Vernunft, sondern eine der Religiosität nahverwandte Einstellung, die in Ehrfurcht schauend, aber auch schaudernd, vor dem Mysterium sich beugt.«[49]

Formulierte man nur – der geforderten ›Einstellung‹ entsprechend – blumenreich genug, so ging schließlich die Nomenklatur der Dichtung in eins mit der Lingua Tertii Imperii, die Victor Klemperer beschrieben und dokumentiert hat,[50] jenem Vokabular, das sich mit der gespreizten Pathetik des Jargons der Eigentlichkeit verschwisterte und das einer (freilich von Amts wegen verordneten) ansteckenden Krankheit gleich den Ausdruck des gesprochenen und geschriebenen Worts ›erfaßte‹, der öffentlichen Rede wie des privaten Gesprächs, der akademischen Vorlesung wie der Biertisch-Unterhaltung: Goethes »Hauptwerk, der ›Faust‹, zeigt uns als höchstes Wunschbild faustischen Verlangens und als unerschöpfliche Aufgabe faustischen Schaffens ein freies, mächtiges Volk unter starker Führung, in härtestem Einsatz bei Arbeit und Kampf, mit einer reichen, blühenden Kultur als Preis der Mühen«.[51] – Was wurde da beschrieben: die Dichtung Goethes oder das Wunschbild des ›Dritten Reichs‹? Eine leichte Verschiebung der Akzente nur, ein teilweises Ersetzen des poetisch Ausgedrückten durch das braune Vokabular, und schon war ein nahtloser Übergang geschaffen, merkbar nur noch für den, der sich der Mühe genauer Faust-Lektüre unterziehen wollte: »Faust will sich vom Erkennen, Schauen und Genießen schließlich hindurchringen zum *Schaffen,* und zwar zum Schaffen von Lebensraum, Freiheit und Kultur für sein Volk.«[52] Hatte sich dann beim beschriebenen Verfahren erst einmal der ›Lebensraum‹ in die ›Interpretation‹ eingeschlichen, so war auch der ›Führer‹ Faust nicht weit: »vom 4. Akt des II. Teils an wird Faust [...] als Herrscher über Land und Volk zum Schöpfer von Lebenswirklichkeit: als der einem Volke Raum und Kultur schaffende Führer«.[53]

Und war dann der ›Führer‹ schon einmal im Spiel, jener barbarische »Schöpfer von Lebenswirklichkeit«, so leistete die skrupellose Verschmelzung von poetischem Text und biographischem Detail auch noch die Begründung für dessen stets hervorgehobene vegetarisch-asketische Lebenshaltung: »Genießen macht gemein«, hieß es im *Faust*-Text – der beziehungssüchtige Kommentar folgerte zwingend: »Also bedeutet wahres Führertum schroffe Absage allem Genießen.«[54] Besonders im Zweiten Teil des *Faust,* so wollte es die Idée fixe, über die Lachen immer weniger am Platz war, sei »die Gestalt des faustischen Führers von Goethe in einer Weise herausgearbeitet [...], daß man zuweilen geradezu betroffen steht, wenn man die Dichtung von einst und Wirklichkeit von heute miteinander vergleicht«.[55] Und man verglich: »Adolf Hitler ist nicht nur der Erneuerer echt friderizianischer Staatsführung, er ist auch der Erfüller des politischen Testaments des großen Universalgeistes Goethe. Goethe läßt am Ende seines gewaltigen Lebenswerkes Faust als Propheten der Bauern- und Siedlungspolitik erscheinen. Mehr noch: Goethe läßt durch den Verlust

des physischen Augenlichtes Faust geistig um so heller sehend werden. Auch Adolf Hitler ist nach zeitweiligem Verlust der körperlichen Sehkraft mit um so stärkerer Sehschärfe begnadet worden.«[56] Oder: »Wie oft haben wir sie in den vergangenen Jahrzehnten erlebt, diese schmachvolle Geschichte. Der faustische Mensch, vor allem auch der faustische Führer, von mephistophelischen Kreaturen, Kaffeehausliteraten und Journalisten satirischer Wochenzeitschriften verhöhnt und verspottet: wir erinnern uns der Zeiten noch recht wohl.«[57]
Wer wollte sich noch darüber wundern, daß bei derartigem Ausbeuten oder besser Ausschlachten des *Faust*-Textes auch noch der eine oder andere Paladin des ›Führers‹ sein Teil abbekam? Man höre und verzichte aufs Staunen: »Es gibt viele, die da sagen, Hermann Göring sei eitel. Es ist gut, auch an solche Dinge heranzugehen, nur bei ganz Kleinen darf man nicht daran rühren, weil sie sonst umfallen. Hermann Göring hält auf sein Äußeres. Hermann Göring ist eitel? Darauf antwortet Johann Wolfgang Goethe, der in den Paralipomena zum Faust 1788 sagt:

Wenn du von außen ausgestattet bist,
So wird sich alles zu dir drängen;
Ein Kerl, der nicht ein wenig eitel ist,
Der mag sich auf der Stelle hängen!

So kennt Hermann Göring keine Eitelkeit.«[58] Die Zitate, so meine ich, bedürfen keiner weiteren Kommentierung.
Man sieht: was vor 1933, besonders in den Jahrzehnten von der Reichsgründung bis zum Ende des Ersten Weltkriegs, als *Ganzes* den *nationalen* Wunschprojektionen angebiedert worden war, wurde nun – *in* sorgsam selektierten *Teilen* – synchronisiert, personalisiert und *nationalistisch* ›verwertet‹. Was vor 1933 – wenn auch leicht als ideologisch zu entlarvende – *Anverwandlung* gewesen sein mochte, denaturierte unter den Barden des Nationalsozialismus zur *Anmaßung*. Und das Maß dazu stammte längst nicht mehr von Goethe, dem jetzt internationalistisch Diskreditierten – das Maß bestimmte die krude Realität des Dritten, auf 1000 Jahre angesetzten Reiches.
Das dichterische Wort, geprägt, um die durch Gnade schließlich überholte ›Tragödie‹ eines vermessenen Individuums zu beschreiben, mußte dazu herhalten, appliziert auf eine Epoche vollendeter Inhumanität und konkretisiert in deren größenwahnsinnigen Protagonisten deren Taten zu begründen, zu beschönigen und zu verzeihen. Was nämlich dem einen, Goethes Faust, gnadenhaft zuteil geworden war, wurde ohne großes Federlesen usurpiert von den Schlächtern und Mördern der an die Macht gekommenen Vandalen.
Das »Durch-die-Welt-Rennen«, die Verstrickung in immer größere Schuld, in nicht wiedergutzumachende Greuel – es wurde zur beklatschten Lizenz faustischer Übermenschen, denen man Darwin und Nietzsche zu Kronzeugen herbeirief. Was im Goetheschen *Faust* Tragik konstituierte, was den Lebensweg der Titelfigur als ›Tragödie‹ erscheinen ließ, als eine Tragödie, die allein durch den Eingriff des Himmels beendet und sublimiert werden konnte – das erschien nun als legitime Ausprägung herrenmenschlicher Humanität, die keine Anklage zu fürchten brauchte: übrig blieb von der ›Tragödie‹ ein ›Drama‹ im eigentlichen Wortsinn, eine Handlung also, ein

»Tatensturm« außerhalb aller gewohnten ethischen und moralischen Bewertbarkeit.

Um so leichter fiel das Eingeständnis wiederholter Schuld, als am Ende des *Faust* Erlösung verheißen wurde: was da an Störendem, Verwirrendem bleiben mochte, an »Erdenresten, zu tragen peinlich«, das ging zu Lasten des »dunklen Dranges«, den »ein guter Mensch«, »des rechten Weges wohl bewußt«, völlig kompensieren half. Jenes beruhigende Schlußwort: »Den können wir erlösen« ließ sich ohne Mühe kontaminieren mit der oft berufenen ›Vorsehung‹, die den ›Führer‹ nicht allein am 20. Juli 1944 augenfällig schützte; es ließ sich zudem in seiner allesverzeihenden Güte anwenden auf alle Mitwisser und Mittäter: eine Generalabsolution von vollkommener Strapazierfähigkeit, eine himmlische Verzeihung für jedes irdische Verbrechen.[59]

»Nur wer sich zu amoralischer Betrachtungsweise aufzuschwingen vermag, kommt hier weiter«[60] – eine solche Maxime machte es freilich möglich, jegliche moralische Unfaßbarkeit sowohl im Text des Goetheschen *Faust* wie auch in der Realität des ›Dritten Reiches‹ abzublenden, unsichtbar zu machen, als Bagatelle erscheinen zu lassen oder gar als notwendiges Übel, welches »faustisches Übermenschentum«[61] nun eben im Gefolge habe. War die Legitimität und Positivität derart amoralischer Betrachtungsweise erst einmal postuliert, dann konnte jegliche Monstrosität als löbliche Tat deklariert werden, jegliches Verbrechen als förderliches Unternehmen eines ›Führers‹ und seines Volkes im Schutz der gepachteten ›Vorsehung‹.

Was als Interpretation auftrat, war in Wirklichkeit ein durchsichtiges Täuschungsmanöver. Goethes *Faust,* in seiner Wertung ausgestattet mit weltweit gültigen Superlativen, wurde vor den nationalistischen Karren gespannt, als Entlastungsinstanz für Verbrochenes, als Entschuldigung für Geschehendes, als ›Persilschein‹ für Künftiges. Wie jener »Unmensch ohne Rast und Ruh« »vom Bösen« »errettet« werden konnte, so erhoffte man es – wohl oft wider besseres Wissen – für sich selber auch: »[...] auf solche liebevolle Anteilnahme und Beurteilung hat auch das deutsche Volk, dessen Vertreter Faust ist, seine Geschichte und seine kulturelle Leistung Anspruch, wenn es wie Faust seiner Wesensart nicht untreu wird und immer im kraftvollen Streben nach dem Ideal seines Völkerdaseins beharrt. Dann wird es auch vor seinem Schöpfer bestehen.«[62] So wichtig wurde die Betonung der Erlösung am Ende eines schuldhaften Wegs, daß sie zum ideologischen Prüfstein erklärt werden konnte: »[...] die Frage, ob und wieweit einer der Erlösungsidee zugänglich ist, läßt einen weitreichenden Rückschluß darauf zu, ob er sich von der intellektualistisch-materialistischen, also jüdischen Weltanschauung, hat einfangen lassen oder nicht.«[63]

Wer sich nicht hatte einfangen lassen, wer faustisch-idealistischer und mithin arischrassischer Weltanschauung war, der wollte und mußte vergessen, daß es sich in Goethes *Faust* um eine auch wohlwollenden Kritikern und Interpreten nur schwer nachvollziehbare ›Entelechie‹ der exemplarisch-individuellen ›Monade‹ Faust handelte, um einen unerhört-rätselhaften Sonderfall, der von seinem Ausgang her, von Fausts Himmelfahrt, alle irdische Plausibilität Lügen strafte und zudem die Tradition des Faust-Stoffs auf den Kopf stellte, jene Tradition, die dem Teufelsbündler ein Ende mit Schrecken verhieß. – Bei Goethe freilich war es anders: da war ein Titelheld, der sich weit tiefer als alle seine Vorgänger – im Volksbuch, bei Marlowe oder bei Klinger – in Schuld verstrickte; ein Titelheld, der nicht mehr für sich in Anspruch nehmen konnte, Selbsthelfer zu sein in einer orthodox-verknöcherten Zeit oder prometheisch Aufbegehrender oder moralisierender Sittenrichter; vielmehr ein Titelheld, der bewußt die Brücken »nach drüben« abbrechen wollte, einer, der jede »Aussicht«, »drüben« »gerettet« zu werden, als inexistent ansah – und der dennoch in den Himmel fuhr, dem dennoch Gnade zuteil wurde, dessen ›Tragödie‹ annulliert wurde wider alles Erwarten!

»Fausts Aufnahme in den Himmel ist die erhabenste Rechtfertigung des faustischen Menschen«[64] – so oder mit noch gravitätischerem Wortbombast konnte man's nun behaupten. Und man zierte sich nicht, den »faustischen Menschen«[65] – oft auch unter Berufung auf die fatal mißverständliche Stelle von den zwei Seelen in der Brust – von der nationalsozialistischen Gegenwart her zu porträtieren: »[...] hier, im faustischen Menschen lebt der aus Urtiefen aufsteigende leidenschaftliche *Wille*, der zur Lösung der zahlreichen Aufgaben, die er sich vom Leben gestellt weiß, vor keinem Mittel zurückschreckt«;[66] »Der faustische Mensch ist durchaus kein Tugendbold. Er kann tief fallen. Er kann auf dem Grund aufstoßen. Aber dann setzt alsbald die Gegenbewegung ein.«[67] »Der faustische Mensch – es kann nicht oft genug betont werden – ist nichts weniger als ein Tugendmuster.«[68] »Fausts Leben ist nicht ohne Fehl gewesen [...] Gewiß ist Faust der Verzeihung dringend bedürftig, ihm ist (wie jedem Manne der Tat) vieles nachzusehen«.[69] »Alle Kräfte des Persönlichen, auch die niederen, müssen mit eingesetzt werden, will man als historischer Gestalter zur Auswirkung seines inneren Zieles gelangen. Wer da glaubt, ohne diese Kräfte geschichtlich-politisch etwas erreichen zu können, der befindet sich in einem Wahn. Der große Staatsmann, Politiker und Heerführer muß diese Kräfte in Rechnung stellen.«[70]

Wie oben schon angedeutet: ›faustisch‹ – das war vor Goethe (und nach ihm wiederum) eine deskriptive Kategorie, beinhaltend, daß die Lebenskurve des Teufelspaktierers ihr Ende in der Hölle finden würde, und mochte auch noch so viel Rechtschaffenheit und subjektive Redlichkeit den jeweiligen Faust auszeichnen; ›faustisch‹ – das wurde bei und durch Goethe (freilich erst in den Interpretamenten nach 1870) eine Kategorie ganz neuer Art, eine Kategorie, in der aus Bösem Gutes resultierte, eine Kategorie schließlich, die sich nicht mehr auf die Deskription eines bekannten Vorgangs beschränkte, sondern darüber hinausging in Richtung auf Projektionen vielfältigster Art, auf weltanschauliche Archetypisierungen und national gefärbte Mystifizierungen. An diesen Begriff des ›Faustischen‹ konnten die Nationalsozialisten anknüpfen; da brauchte kaum mehr etwas geleistet werden an selbständigem Denkaufwand; da genügte es bereits, das Vorliegende gleichsam zu redigieren, dem neuen Sprachgebrauch und den neuen Realitäten anzupassen. Der Begriff des ›Faustischen‹, vor 1933 längst zerschlissen und mißbraucht von Gruppierungen verschiedenster Couleur, erwies sich in seiner emotionalen Nebulosität als elastisch genug, nun auch noch den Machthabern des ›Dritten Reichs‹ Dienste zu tun, Dienste propagandistischer Art: jene nämlich eines völkisch-nationalistisch zuständigen Ablaßzettels, ausgestellt von einem in aller Welt hochgeschätzten Autor, der sich solcher Indienstnahme nicht mehr wehren konnte.

»Der faustische Übermensch gibt es nie und nimmer auf, in seinem Fühlen, Denken und Wollen die Grenzen des Menschlichen und Möglichen zu sprengen und ins Unendliche zu stürmen [...] Ist doch Fausts Maßlosigkeit im Grunde *tragische Treue zum Unmaß*, und ist diese doch ein wesentlicher Teil seiner Treue zu sich selbst und damit ein Grundzug des faustischen Wesens.«[71] Hier wie allenthalben bei den gegebenen Zitaten: trotz der gesuchten Töne und der gewählten Schattierungen merkt man die Absicht, erkennt die Verlogenheit, sieht die Methode: die dichterische Parabel nämlich hinzubiegen auf die zeitgenössische Realität, auf die Grausamkeiten, die verschleiert sein wollen, um erträglich zu scheinen, auf die Verbrechen, die man erblickt und die doch Verbrechen nicht genannt werden dürfen – euphemistisches Zurechtrücken also der bösen Wirklichkeit mit Hilfe eines klassisch-›heiliggesprochenen‹ Textes.

Goethes ›Tragödie‹, deren Gesamtdeutung Sache der beamteten Philologen bleiben mochte, wurde von den propagandistischen Stichwortlieferanten der Reichsschrifttumskammer abgeklopft auf momentan brauchbare Einzelheiten, auf eingängig-›passende‹ Zitate, auf analogisierbare Szenen. »Cette rhétorique officielle s'en tient à quelques vers, qu'on répète sans se lasser, au ›dynamisme‹ et au germanisme du héros, ignorant cordialement le reste du drame.«[72] Manches, vieles sogar, war schlichtweg »unbrauchbar«, unvereinbar mit der herrschenden Doktrin, die Gretchen-Tragödie etwa, deren Protagonistin allzu gut ins Bild vom blonden deutschen Mädel paßte, als daß nicht ihr trauriges Ende am Schluß von *Faust I* eine gewisse Peinlichkeit erbracht hätte, über die man nur äußerst mühsam hinwegzukommen strebte: »Man hat getadelt, daß Faust ohne weiteres Gnade findet, Gretchen jedoch erst als Büßerin und auf Fürsprache. Sie ist aber nun einmal zur Kindesmörderin geworden, während Faust Valentin in Notwehr getötet und Philemon und Baucis' Tod fahrlässig verschuldet hat, vor allem aber durch das Spiel Gottes und des Teufels mit ihm entschuldigt ist. Faust ist in dieser Beziehung der normale Mensch, Gretchens Tat anormal.«[73] Oder: »Faust muß zerstören, was er persönlich in Liebe berührt; denn seine Liebe kann nicht in der Person verharren, sie dringt über die Person hinaus, weiter zum Wesenhaften vor. Die Person wird, auch die eigene, nur Mittel, Durchgang, Episode. Diesem Schicksal verfällt auch das schöne, unschuldige Gretchen, weil es nicht mit ihm weiter hinauf und vorwärts kann.«[74]

Wenn für den nationalsozialistischen Beurteiler in der Nordischen Walpurgisnacht »die sittliche Größe des vielgeschmähten Heidentums im Gegensatz zur Angstreligion des Christentums in hellstem Licht«[75] erschien, dann wird deutlich, daß auch die Himmelspassagen zu Anfang und zu Ende von Goethes Werk sich nicht gerade höchster Beliebtheit erfreuten: das war allzu katholisch, allzu eindeutig christlich, und da war Schweigen eher am Platz als der aussichtsarme Versuch, diese Werkteile interpretatorisch ›heimzuholen‹ ins mythische 20. Jahrhundert.[76]

Doch blieben ja Stellen genug, die sich anboten, sich förmlich aufdrängten, wenn man es nur aufgegeben hatte, die Dichtung als Dichtung zu sehen, wenn man einmal damit begonnen hatte, den *Faust*-Text als Steinbruch auszubeuten, der ästhetisches Dekorationsmaterial lieferte. »Auf freiem Grund mit freiem Volke stehn« etwa – das ließ sich so schwierigkeitslos korrelieren mit Hans Grimms *Volk ohne Raum*, mit dem ›Lebensraum‹, den man bis zu den russischen Energiequellen hin zu schaffen sich anschickte. Faust, so wollte man es sehen, erkannte in seinem Schlußmonolog kurz vor dem Tod nicht etwa sein individuelles Schicksal, sondern ganz präzise jenes seiner selbsternannten Erben: »Die Lebensbedingungen verlangen von den deutschen Volksgenossen nicht nur stetige heroische Anspannungen ihrer Kräfte, sondern sie

führen sie auch einst dazu, zur Sicherung ihres Daseins einander brüderlich zu helfen, einer für den andern einzustehen in gemeinsamer Abwehr äußerer und innerer Not, gemeinsame Arbeit im Dienste des Ganzen zu leisten; denn nur so ist das Leben und die Freiheit, aber auch das Glück der Nation gewährleistet [...] Und nur unter diesen Voraussetzungen verwirklicht sich erst die eigentliche Volkwerdung, indem solchermaßen die Volksgenossen zu ganz neuem politischen und sozialen Verständnis emporwachsen und nunmehr der bedeutendste Mann, der überragende *Führer*, ›auf freiem Grund mit freiem Volke stehn‹ kann.«[77] Abgesichert wurde solche ›Interpretation‹ vom berühmtesten aller möglichen Gehilfen: »Der Führer erklärte am 29. 8. 1935 bei der Einweihung des Adolf-Hitler-Koogs in Süddithmarschen (des ersten fertigen Werkes der großen Landgewinnungsarbeiten des Dritten Reiches), das deutsche Volk dürfe nie die Erkenntnis vergessen, ›daß zu allen Zeiten niemals das Leben dem Menschen als Geschenk gegeben ist, sondern *daß es stets schwer erkämpft und durch Arbeit errungen werden mußte* [...] So wie hier jeder Quadratmeter dem Meere abgerungen und mit tapferer Hingabe beschirmt werden mußte, so muß alles, was die Gesamtnation schafft und baut, von allen deutschen Volksgenossen ebenso beschirmt werden. Niemand darf vergessen, daß *unser Reich auch nur ein Koog am Weltmeer ist, und daß es nur Bestand haben kann, wenn seine Deiche stark sind und stark erhalten werden.*‹«[78]
Der ›Führer‹ als aktueller Kommentator des *Faust* – Goethes Werk als ästhetische Claque und absolvierende Instanz: so schloß sich der Kreis für die Gleichschalter des Unvereinbaren. Skrupel fielen aus, wo eine mit Gewalt durchsetzbare Ideologie totalitärer Observanz das Erkennen durchs Bekennen vertauschte.[79] Mochte auch das Vergewaltigen künstlerischer Produkte in einem Regime, das es gegen Menschen noch weiter trieb, vergleichsweise als marginal erscheinen, ein Zusammenhang zwischen beidem bestand doch allemal. Exemplarisch zeigt dies die ›Rezeption‹ der Philemon-und-Baucis-Episode, die in keiner nationalsozialistischen *Faust*-Deutung fehlen durfte: allzu leicht war da eine Kongruenz zwischen dem dichterisch Vorgestellten und der »Lebenswirklichkeit«[80] des ›Dritten Reichs‹ zu konstruieren. Hier lag, kurz vor der Schlußrede Fausts vom »freien Grund«, kurz auch vor seiner Erlösung, nochmals ein Fall vor, der allen hergebrachten Moralvorstellungen nach schwerste Schuld bedeutete, Schuld, auf deren Feststellung es den Rezipienten des ›Dritten Reichs‹ ankam, Schuld, die für sie aber wegdiskutiert werden konnte, weil am Ende die Gnade verheißen war. Die Frage von Schuld und Erlösung – sie wurde von den nationalsozialistischen *Faust*-Usurpatoren anders gelöst als vor 1870 und danach: bis zu diesem Termin hatte die Betonung der Schuld die Ablehnung des Werkes begründet; seit der Gründerzeit war sie perfektibilistisch fortinterpretiert worden; nun, nach 1933, brachte man sie erneut ins Spiel, freilich gleichsam nur akademisch, da man ja den triumphalen Ausgang der ›Tragödie‹ kannte und ein gleichermaßen glückliches Ende für sich selber erhoffte.
Fausts ›Schreibtischtat‹ an den beiden Alten unter der Linde, ausgelöst durch das Glöckchengebimmel – Glockenklang, so ist zu erinnern, hatte Faust einst vom Suizid abgehalten – und ausgeführt durch befehlsempfangende Schergen, sie wurde zur verklärten Leistung einer schönrednerisch ›Euthanasie‹ genannten Gesundheitspolitik: ›lebensunwertes Leben‹ wurde da ›ausgemerzt‹, nicht mehr. Die Kommentare können weitgehend für sich sprechen: »Das letzte Plätzchen, das ihm noch nicht gehört,

erregt ihm äußerstes Mißbehagen. So müssen Philemon und Baucis fallen [...] Indem Faust von diesem letzten seiner Umwelt, dem Gütchen der beiden Alten, Besitz ergreift, vollendet er sich selbst zu einer Totalität von Welt.«[81] – »Seine jetzige Stellung birgt die Gefahr der Überhebung, des tyrannischen Stolzes in sich, und Faust unterliegt ihr [...] Gewiß, sein Wunsch ist begreiflich: daß ihn das zuviele Läuten stört, ist natürlich [...] Und ihm, dem Manne des Denkens und der Pläne, wäre der schöne, schattige Platz in der Nähe seines neu entstehenden Palastes zur Erholung gewiß zu gönnen, und auch daß er dort einer völligen Einsamkeit und Ungestörtheit gewiß sein möchte, verstehen wir [...] auch der Gedanke, die Linden als Aussichtspunkt einzurichten [...], ist eine begreifliche schöne Laune [...] Er beschwichtigt sich mit dem Gedanken, daß im Interesse des Ganzen jeder, auch die beiden Alten, sich gefallen lassen müßten, als Kolonisten verwendet zu werden [...] und – schließlich ist es nun einmal in der Welt so, daß, wer die Macht hat, auch das Recht hat – mag es immerhin ein Unrecht sein [...] man glaubt es als der Stärkere doch als ein unberechtigtes Reizen und Herausfordern empfinden zu dürfen, wenn der beschränktere Kleinere so halsstarrig auf seinem Recht besteht, und möchte darin eine Art Entschuldigung des Unrechts sehen: warum hat der andere nicht nachgegeben! [...] Auf alle Fälle aber bleibt es ein Unrecht, und ein Reuegefühl bleibt störend zurück.«[82] Wie sich das windet! »Am Rande des Ewigen baut sich der schöpferische Mensch ein unerschütterliches Eigentum auf, etwas, was als innerster Besitz nicht untergehen kann. Aber auch in diesem Streben wird er wieder schuldig: er muß manches Altgewordene beseitigen. Doch diese Schuld ist schöpfungsnotwendig und hat deshalb ihre Sühne bereits durch die schöpferische Tat selbst gefunden [...] So läßt es sich nicht vermeiden, will man aus ewigem Schöpfungstrieb heraus ein Höheres schaffen, das traditionell Erstarrte und deshalb Hindernde zu beseitigen [...] Der Widerstand dieser altgewordenen, im Absinken begriffenen Welt muß überwunden werden, auch gegen das Gefühl althergebrachter Rechtsauffassung. Das Recht des Schöpferischen hat hier in den Vordergrund zu treten, das Recht des Wichtigeren verdrängt das alte Recht des unwichtig Gewordenen.«[83] – »Noch kurz vor seinem Tod wird er den beiden Alten, Philemon und Baucis, zum Vernichter ihres Altersglückes. Engstirnig-gesetzliche Denkart sieht darin nichts anderes als Unrecht. Nur wer sich zu amoralischer Betrachtungsweise aufzuschwingen vermag, kommt hier weiter.«[84] – »Man möchte sagen: Sie sind wie Vögel, die unentwegt Nahrung zum Neste tragen, obwohl gar keine Brut mehr vorhanden ist [...] So hat also die gesunde Denkungsart nichts dagegen, daß gegen die alte Zeit eine neue sich durchsetzt.«[85] – »Philemon und Baucis wie auch der junge Wanderer müssen sterben, damit sie« [die neue »Volkheit«] »sich ausbreiten kann. Es ist die letzte magische Tat Fausts, und sie fällt in seine volle Verantwortlichkeit, wenn sie auch durch Mephistopheles und seine Helfershelfer ausgeführt wird. Gewalttat begleitet also den Weg der Formwerdung. Faust muß schuldig werden. Er konnte nicht neuen Wein in alte Schläuche gießen. Die ganze Radikalität und Brutalität dieser Tat ergibt sich aus der *tragischen Situation des Kolonisators, Neugründers und Willensmenschen* [...] Der Typ des großen Menschen, des Herrenmenschen, ist auch hier, wie im Beispiel der Helena, durch den Charakter des Dienstes bestimmt, des Dienstes am Leben. Und es kann zu diesem Dienst gehören und gehört eigentlich immer zu ihm: *für andere schuldig zu werden.*«[86] – »Nach mächtig ›durchgestürmtem‹ Leben« ist Faust »ein harter Herrscher,

ein bedenkenloser Täter, der Tausende opfert [...], um ›Räume vielen Millionen zu eröffnen‹, ist er mit seiner tyrannischen Selbstsucht, wie alle die Großen der Geschichte, nur ein gewaltiges Werkzeug für die ›List der Vernunft‹. Und die, das heißt der Weltgeist, kann ihn nicht verleugnen.«[87] – »In einem besonderen Falle freilich kommt es zu einem harten Zusammenstoß zwischen seinem ihn selbst beschämenden Gelüst auf ungesetzliche weitere Ausdehnung seines Herrensitzes und dem angestammten Bürgerrechte einzelner Bürger (Philemon und Baucis). Faust überwindet den Widerstreit dadurch, daß sein triebstarkes Besitzverlangen jene Rechtsansprüche mehr und mehr überstrahlt und sich schließlich über sie hinwegsetzt [...] Dieser Übergriff Fausts ist zwar sehr bedeutsam für seinen Charakter, ist jedoch nur ein geringfügiger Vorgang innerhalb seines mächtigen Kulturschaffens.«[88]
Es ist der Mühe wert, Zitate wie das letzte wiederholt zu lesen: um so deutlicher vermag sich das dreist operierende Verfahren zu enthüllen, welches mit sophistischer Rabulistik eben festgestelltes Unrecht (»ungesetzliche weitere Ausdehnung«) synästhetisch verbrämt (»mehr und mehr überstrahlt«) und bagatellisiert (»nur ein geringfügiger Vorgang«). Deutlich wird in allen Belegen: man wendet dieselben Beschönigungsformeln, dieselben Verdeckungsbemühungen an, ob nun die nationalsozialistische Propaganda die ›Volksgenossen‹ in expansiv-aggressiver Euphorie hält oder ob die Philemon-und-Baucis-Szenenfolge als dichterische Rechtfertigung tausendjähriger ›Wirklichkeitsschöpfung‹ herangezogen wird. Beide Male versucht man die Umdeutung von objektivem Unrecht ins subjektive Recht eines ›höheren‹ Zwecks, versucht man also die Vertuschung von schlechter Realität durch schönere Idealität, die als Maßstab absolut gesetzt wird; als Maßstab, der über allen ›normalen‹ Kategorien ethischer und moralischer Art rangiert, als Maßstab, der als so dominierend postuliert wird, daß der Rekurs auf jene ›normalen‹ Kategorien kleinlich-besserwisserisch erscheinen müßte. In der Tat: »man begreift Hitlers sonderliches Wohlgefallen an Faust II,5 ...«.[89]
Was in der Goetheschen *Faust*-Rezeption während des ›Dritten Reichs‹ im Großen feststellbar ist, zeigt sich hier im Detail: eine monströse Schizophrenie, die sich organologisch verkleidet, ein euphemisches Zukleistern der Unterschiede, ein vergewaltigendes Mißbrauchen von Goethes Text – gewandt auf die Interpreten: eine Philologie hündischer Unterwürfigkeit, die nach dem Mund der Mächtigen redet, die sich als Wissenschaft aufgibt und degeneriert zur Horde von Akklamierern. Bei solcher ›Methode‹ erfährt der alte machiavellistische Satz, daß der Zweck die Mittel heilige, aus dem Bereich der Dichtung wie jenem der Realität blutige Bestätigung, und das auf Goethe zurückgeführte ›Faustische‹ hilft als poetisches Trostpflaster verdecken, was an Wunden geschlagen wird: weil am Ende Erlösung als Sicherheit winkt, darf für den Weg zum Ziel das ›pecca fortiter‹ gelten.

Dichtung geht in einer Rezeption der Anmaßung aller provokativen oder irritativen Qualitäten verlustig. Dichtung ist nicht mehr um ihrer selbst willen von Interesse, sondern lediglich als Markenartikel von sanktionierter Bedeutung, als Markenartikel, dessen Warencharakter Gebrauch wie Mißbrauch gestattet. Der Name des Werks wie seines Dichters werden reduziert auf die Funktion eines bloß dekorativen Ornaments, mit dem man sich zu drapieren sucht und das man als schmückendes Eigentum usurpiert. Diesem Usurpieren entspricht es, das dichterische Werk zu zer-

gliedern, es abzuklopfen auf Zitate und Passagen, die sich der außerdichterischen Realität anbequemen lassen: das Ganze genau zu lesen und auf die hermeneutischen Bedingungen oder die Intentionen seines Autors hin zu befragen wird völlig aufgegeben zugunsten einer Selektion, die alles ›Unpassende‹ ausscheidet und nur zuläßt, was propagandistisch ›verwertbar‹, was politisch opportun erscheint.
Im nuancenreichen Beziehungsgeflecht zwischen Geist und Macht, Kunst und Politik zeigt sich hier eine Variante rabiater Einseitigkeit: politische Interessen dominieren in einem Maß, daß etwa ein literarisches Werk[90] herabgewürdigt wird zur Affirmierung dessen, was außerliterarisch mächtig sich behauptet, herabgewürdigt zu einem künstlerischen Feigenblatt – im Grunde zu noch Geringerem, da politischen Monstrositäten wie dem Faschismus Scham abgeht. Unpathetischer: zur Feier eigener Größe wird auch aus der Kulturhistorie eine Claque rekrutiert. Um so willkommener ist eine solche Claque – und auch: um so unumgänglicher ist ihre Rekrutierung –, je größer ihr national- oder gar weltkultureller Ruhm ist. Und wenn zudem der ›Glücksfall‹ eintritt, daß derartigen Werken bescheinigt wird, in ihnen würde der Charakter eines Volkes positiv aufscheinen, dann führt kein Weg an ihnen vorbei.
Goethes *Faust* war für das nationalsozialistische Reich ein solcher ›Glücksfall‹: ein dichterisches Werk, hochgepriesen in aller Welt als das dichterische Werk deutscher Zunge schlechthin, dessen ›Durchdringung, Verstehen und Aneignung‹ im Ausland sein Autor noch vor Erscheinen von *Faust II* befriedigt feststellen konnte[91] – ein Werk zudem, das den deutschen Nationalcharakter so trefflich einzufangen schien und dessen Ende, die Himmelfahrt Fausts, so gern in eine nationale Erlösungsverheißung umgemünzt wurde; ein Werk auch, das häufig von der »Tat« sprach, angefangen von der Neufassung des Johanneischen Proto-Evangeliums bis hin zum »Durchstoß zur sozialen Tat« am Ende.[92]
So wenig überraschend heutiger Sicht sein Avancement zur nationalsozialistischen Staatsdichtung seiner exkulpierenden Fabel wegen sich auch darstellen mag, so bedenkenswert dürfte doch die Erinnerung daran sein.

PAUL MOG

Aspekte der ›Gemüterregungskunst‹ Joseph von Eichendorffs. Zur Appellstruktur und Appellsubstanz affektiver Texte

Die affektive Wirkung der Dichtung Joseph von Eichendorffs wurde bislang mit Begriffen wie ›Stimmung‹, ›Gemüt‹, ›Empfindung‹, ›Gefühl‹, ›Musik‹ eher registriert als definiert und weckte auch vereinzelt Zweifel an des Autors Gestaltungskraft[1] und Wirklichkeitssinn[2]. Neu ist jedoch die in einer Reihe von wichtigen Forschungsbeiträgen wiederholte Versicherung, eine affektive Dimension, Wirkung und Wirkungsabsicht sei überhaupt nicht vorhanden. Richard Alewyn kann bei Eichendorff »kaum Gefühle« entdecken, billigt ihm allerdings »Seelentöne« zu.[3] Keineswegs handle es sich, so heißt es in seinem Aufsatz über die Eichendorffsche Naturdarstellung, dabei um »›subjektive‹ Landschaften, die bestimmt seien, die Gefühle der Personen oder des Verfassers widerzuspiegeln«.[4] Nicht »Stimmungszauber und hypnotischer Gefühlsreiz« seien diese Landschaft, so schreibt Oskar Seidlin, »sondern ein Kryptogramm, das es zu entziffern gilt«.[5] Alexander von Bormann ist noch kategorischer: »Wo immer die Formeln Eichendorffs als auf Erregung einer Stimmung zielend gedacht werden, ist sein Dichtungsprinzip nicht begriffen.«[6]
Eine solche emotionale Abstinenz ist begreiflich. In neuerer Zeit ist die erstaunlich konsequente poetische Organisation der Werke Eichendorffs immer mehr ans Licht getreten. Die Dichte ihres Verweisungs- und Bedeutungszusammenhangs, ihre Modernität, die antibürgerlichen Tendenzen ihrer Zeitkritik wurden entdeckt. Nach all dem muß die Anerkennung eines wie auch immer gearteten affektiven Faktors wie eine unzulässige Trübung der Aussagekraft und Wachheit dieser Dichtung erscheinen. Die Rezeptionsgeschichte des ›Volksdichters‹, so, wie sie Eberhard Lämmert belegt, kommt freilich zu anderen Ergebnissen. Die angeblich ›gefühllose‹ Dichtung Eichendorffs, so zeigt sich, ist gerade wegen ihrer gemüthaften Wirkung populär geworden wie kaum eine andere, freilich um den Preis fataler Verfälschung und Trivialisierung, zu deren wohl nicht mehr ausrottbaren Endprodukten das Klischee vom einfältig-frommen Sänger des deutschen Waldes gehört. Bei Lämmert steht viel Einleuchtendes über die spezifisch deutschen Rezeptionsvoraussetzungen Eichendorffs, wenig jedoch über die ihnen wiederum zugrundeliegenden affektiven Wirkungsbedingungen literarischer Texte überhaupt. »Wunschformeln zum Nachempfinden«,[7] »Namenszeichen«, die wegen ihrer Allgemeingültigkeit als »Hohlgefäße« fungieren, scheinen für Lämmert im wesentlichen diese Wirkung zu erklären, insofern sie »jeder Hörer oder Leser [...] nach seinem Bedarf füllen kann«[8]. Während auf der einen Seite der sinnbildliche, eine affektive Wirkung ausschließende Bedeutungsanspruch der Werke Eichendorffs herausgehoben wird, ist ihre emotionale Wirkung andererseits bezeugt: sie scheinen zur beliebigen subjektiven Projektion einzuladen. Dieser Widerspruch ist nicht der Eichendorff-Forschung allein anzulasten: er spiegelt die Schwierigkeit der Literaturwissenschaft insgesamt im Umgang mit Erscheinungen wie Stimmung, Gefühl, Gemüt wider. Sie werden nicht dadurch aus der Welt ge-

schafft, daß man sie leugnet; sie sind nicht zuletzt deshalb vage und verschwommen, weil man von ihnen diffuse Vorstellungen hat. Die Eichendorffsche ›Gemüterregungskunst‹[9] widerlegt die landläufige Gleichsetzung von Gefühl und formloser Vagheit, privater Beliebigkeit und behauptet einen mit der sinnbildlichen Verschlüsselung vermittelbaren eigenen Bedeutungsanspruch.

In Eichendorffs Roman *Ahnung und Gegenwart* sind die Helden wieder einmal auf einem Berggipfel angelangt, der den Blick auf »ein unübersehbar weites Tal im Morgenschimmer unter ihnen« freigibt (II,40). Die unabnutzbare Begeisterung über diesen Anblick mündet dieses Mal in ein Streitgespräch über das Reisen. »Das Reisen«, sagt Faber, der Berufsdichter, »ist dem Leben vergleichbar. Das Leben der meisten ist eine immerwährende Geschäftsreise vom Buttermarkt zum Käsemarkt; das Leben der Poetischen dagegen ein freies, unendliches Reisen nach dem Himmelreich.« Die Antwort des spöttischen Leontin wagt eine radikale Desillusionierung dieser Interpretation und erinnert an die irdische Schwerkraft auch des poetischen Lebens. Die »reisenden Poetischen« werden von ihm mit Paradiesvögeln verglichen, »von denen man fälschlich glaubt, daß sie keine Füße haben«. »Alles ist Einbildung«, schließt Leontin. Darauf entgegnet Friedrich, der treuherzig-fromme Musterheld des Romans, nicht ohne programmatische Feierlichkeit:
»Wenn wir von einer inneren Freudigkeit erfüllt sind, welche, wie die Morgensonne, die Welt überscheint und alle Begebenheiten, Verhältnisse und Kreaturen zur eigentümlichen Bedeutung erhebt, so ist dieses freudige Licht vielmehr die wahre göttliche Gnade, in der allein alle Tugenden und großen Gedanken gedeihen, und die Welt ist wirklich so bedeutsam, jung und schön, wie sie unser Gemüt in sich selber anschaut. Der Mißmut aber, die träge Niedergeschlagenheit und alle diese Entzauberungen, das ist die wahre Einbildung, [...] denn diese verdirbt die ursprüngliche Schönheit der Welt« (II,41).
Obwohl man keineswegs immer von einer Identität der Auffassung Friedrichs und des Autors ausgehen kann,[10] wird hier offensichtlich eine zentrale, an einer anderen Stelle[11] variierte und bekräftigte Überzeugung Eichendorffs ausgesprochen. Nichts Geringeres als der Wirklichkeitscharakter der poetischen Weltansicht wird wechselnden Gemütszuständen überantwortet. Das Gemüt als Organ der Weltauslegung erscheint in einem Kontext, der ein subjektiv beliebiges Sich-Fühlen in der Freude und Begeisterung ausschließt. Freude ist ›Gnade‹ und somit von transzendenter Verbürgtheit, sie ist Bedingung der Möglichkeit ›eigentümlicher Bedeutung‹, Nährboden der ›Tugenden und großen Gedanken‹.
Man mag Eichendorffs Überzeugung von einer nur durch Freude und Begeisterung erfahrbaren ursprünglichen Wirklichkeit und Schönheit bezweifeln, unbestreitbar ist, daß sie als programmatisches Prinzip die Darstellung der fiktionalen Welt des Romans bestimmt. Aufdringlich belegt wird dies durch die Häufigkeit, mit der die mit der inneren Freude verglichene Morgensonne aufgehen muß, um immer wieder die ursprüngliche Schönheit der Welt aufleuchten zu lassen. Dies ist jedoch nur ein isoliertes Ingrediens einer gemüthaft poetischen Weltsicht, die sich in der Tat so darstellt, wie den Eichendorffschen Helden zumute ist. In diesem Zusammenhang interessiert zunächst die Eichendorffsche Morgenlandschaft, der Alewyn seine bekannte Studie gewidmet hat. Eins ihrer wichtigsten Ergebnisse: die drei entscheidenden Ele-

mente der Morgenlandschaft sind Licht, Bewegung und Raum. Zu den wichtigsten Raumbestimmungen gehört die Höhe, von der aus Weite und Raumtiefe erfahrbar werden.[12] Ein Beispiel für viele:

»So hatten sie nach und nach den Gipfel des Berges erreicht. Freudig überrascht standen sie beide still; denn eine überschwängliche Aussicht über Städte, Ströme und Wälder, soweit die Blicke in das fröhlich-bunte Reich hinauslangten, lag unermeßlich unter ihnen. Da erinnerte sich Friedrich auf einmal; ›das ist ja meine Heimat!‹ rief er, mit ganzer Seele in die Aussicht versenkt« (II,250).

Solche geradezu systematisch wiederholten ›Höhe‹punkte des Erlebens in ihrer unverwechselbaren Stimmungshaftigkeit sind schon so etwas wie ein Erkennungszeichen des Volksdichters geworden. Wer jedoch mit Hilfe neuer wirkungsästhetischer Theorieansätze die Stimmungswirkung einer solchen Textstelle erklären will, sieht sich in Verlegenheit gebracht. Die Eigenschaft der Sprache, »Leerhorizonte (Rahmen) zu entwerfen«, ist für Erwin Leibfried die Bedingung für die Möglichkeit stimmungshafter Wirkung literarischer Texte. »Vermöge dessen, daß ich nicht genau weiß, was ich denken soll, vermöge dessen, daß Leerstellen vorhanden sind, die ich von mir her ausfülle, können Stimmungen sich bilden.«[13] Nichts anderes meinte Lämmert, wenn er die affektive Wirkung Eichendorffs als subjektive Projektion in sprachliche ›Hohlgefäße‹ beschreibt.[14] Der Verdacht drängt sich auf, daß die Leerstellen weniger in den literarischen Texten als in der theoretischen Fundierung der Wirkungsästhetik zu suchen sind. Die ›überschwengliche Aussicht‹ ist nicht durch Leere, sondern durch Fülle gekennzeichnet. Korrelat des mit ›ganzer Seele‹ versunkenen Helden, der Fülle des Herzens ist eine Landschaft, die aller empirischen Wahrscheinlichkeit spottend, sogar Städte und Ströme aufbietet, um überschwellende Weite und Tiefe zu evozieren. Wolfgang Isers Arbeit über die *Appellstruktur literarischer Texte*, die freilich das Problem affektiver Wirkung nicht eigens thematisiert, scheint einen differenzierteren Ansatz zu bieten. Nicht Leer-, sondern Unbestimmtheitsstellen sind es vor allem, die nach Iser den »Spielraum der Aktualisierungsmöglichkeiten« eröffnen und den Leser zur Ausfüllung und Konkretisierung des Nichtgesagten anregen.[15] Die funktionalistische »Abwendung von der Frage, was ein Text sagt, zu der alleinigen Frage, wie er gemacht ist«,[16] klammert jedoch eine inhaltliche Ausfüllung und Bestimmung der Appellstruktur aus. Man sieht, welche Aufgabe einer über die bisherigen Ansätze hinausführenden Wirkungsästhetik gestellt ist. Näher zu bestimmen ist ein in den vermeintlichen Leer- und Unbestimmtheitsstellen vorhandenes inhaltliches Appellpotential, eine – im weitesten Sinne genommen – anthropologische Wirkungssubstanz. Eine genauere Analyse von Herz und Raum in der Eichendorffschen Stimmungslandschaft verspricht näher an dieses Ziel heranzuführen.

Diese Landschaft strukturiert ein im Grunde sehr schlichter, durch die Sprache vorgegebener Bauplan. »Die Sprache ist kein Produkt der Natur, sondern ein Abdruck des menschlichen Geistes, der darin die Entstehung und Verwandtschaft seiner Vorstellungen und den ganzen Mechanismus seiner Operationen niederlegt. Es wird also in der Poesie schon Gebildetes wieder gebildet [...]« (A. W. Schlegel[17]). In unserem Zusammenhang interessieren die sprachlichen Operationen im Bereich des Ausdrucks von Gemütsbewegungen. Sie greifen auf Raumvorstellungen zurück, um physische Zustände und Vorgänge sinnfällig zu machen.[18] Die Veränderung des Normalbewußtseins bezeichnen z. B. Raumwerte wie ›hoch‹, ›tief‹, ›weit‹, man spricht von ›Hochgefühlen‹, ›tiefen Gefühlen‹, man ist ›hochbeglückt‹, ›tiefbewegt‹, man hat ein ›weites‹ oder ›offenes Herz‹. Der Begriff des Raumwerts ist zudem wörtlich zu nehmen, da sich damit symbolische und wertende Vorstellungen verbinden. Der Ort der Transzendenz ist die Höhe, Gott ist der Allerhöchste, die arg strapazierte Tiefe der Gedanken und Gefühle wird z. B. in Deutschland von vielen überwiegend dem deutschen Gemüt zugeschrieben.

Eichendorff hat nun offensichtlich ›schon Gebildetes wieder gebildet‹, indem er die metaphorischen Kennzeichen von Gemütsbewegungen beim Wort nimmt und aus ihnen die entsprechende Raumgestalt seiner Landschaften konstituiert. Der religiöse Höhepunkt des Erlebens, die freudige Begeisterung ist die auf der Höhe sich eröffnende Aussicht auf eine Welt, die so ist, wie dem Helden zumute ist. Der Tiefe, Fülle und Weite eines Fühlens mit ganzer Seele entspricht eine Gemütswelt, deren Raumwerte sie zugleich in einen Wertraum verwandeln, der die Mustergültigkeit der frommen Begeisterung und der durch sie erschlossenen Welt evoziert. So etwa im folgenden Beispiel:

»[Julie] tat dabei unbewußt mit einzelnen, abgerissenen, ihr ganz eigenen Worten oft Äußerungen, die eine solche Tiefe und Fülle des Gemütes aufdeckten, und so seltsam weit über den beschränkten Kreis ihres Lebens hinausreichten, daß Friedrich oft erstaunt vor ihr stand und durch ihre großen, blauen Augen in ein Wunderreich hinunterzublicken glaubte« (II,77).

Der so oft der Vagheit bezichtigte Begriff der Stimmung läßt sich nun genauer definieren. Er bezeichnet das bei Eichendorff dargestellte ganzheitliche Erleben, in dem sich die »Einheit von Mensch und Welt«[19] einstellt, Ich- und Weltgefühl identisch sind. Das Gefühl findet auch außerhalb seiner selbst sich wieder in einem Korrelat, für das Ludwig Binswanger den Begriff des ›Stimmungsraums‹ einführte. Die Welt der Lebenspraxis verwandelt sich in einen Raum, »wo es sich nicht mehr um praktische und logische Ziele und Zwecke handelt, sondern um ein [...] zweckloses, aber nichtsdestoweniger reiches und tiefes Dasein, das den Menschen erst zum Menschen macht«.[20]

Die Appellkraft solch stimmungshafter Raumbilder ist nicht zu unterschätzen, da sie gleichsam Volumen und Kontur ihrer Konkretisierung durch den Leser ›vorempfinden‹. Ein entscheidendes Movens der Umsetzung poetischer Stimmung in die Gestimmtheit des Lesers ist jedoch noch nicht berücksichtigt worden. Gemeint ist die Bewegung der Eichendorffschen Landschaft, die Alewyn als »körperloses Gebilde aus reiner Bewegung« bezeichnen konnte[21]. Man erinnert sich, daß in der Rhetorik der Begriff des ›movere‹ die zentrale Wirkungsintention der Gemüterregungskunst bezeichnet. Kunstvoll geäußerte Gemütsbewegung soll den Leser oder Hörer rühren und bewegen und durch das Medium des ›motus animi‹ im Sinne einer bestimmten Überredungskunst günstig beeinflussen. Auch Eichendorffs Gemüterregungskunst ist Gemütbewegungskunst und läßt sich dabei wieder von sprachlich Vorgeprägtem leiten. Affektive Bewegtheit setzt sich bei Eichendorff in Bewegung um. Die Gleichung von Gemüt und Raum wird erweitert durch die Analogie von emotionaler Bewegtheit und Bewegung im Raum. Ein verdeutlichendes Beispiel: Auf dem Landgut des Herrn von A. blicken Friedrich und Leontin nachts aus dem Fenster. »Eine geheimnisvolle Aussicht eröffnete sich dort über den Garten weg in ein weites Tal, das in stiller, nächtlicher Runde vor ihnen lag. In einiger Ferne schien ein Strom zu gehen, Nachtigallen schlugen überall aus den Tälern herauf. ›Das muß hier eine schöne Gegend sein‹, sagte Leontin, indem er sich aus dem Fenster hinauslehnte« (II,73). Hier ist allein die Bewegungsbahn eines Klangs, das Heraufschlagen der Nachtigallen wichtig. Es handelt sich um die bei Eichendorff dominierende Bewegung aus der Ferne und Tiefe in die Höhe, die auch Alewyns Aufmerksamkeit auf sich gezogen hat. In der subtilen Analyse des Satzes »Während von fern aus den Tälern die Morgenglocken über den Garten heraufklangen« schreibt Alewyn über die Wirkung der Aufwärtsbewegung: »Bei aufmerksamer Beobachtung wird man bemerken, daß in dem Augenblick, in dem man liest *aus den Tälern*, etwas Merkwürdiges geschieht. Man findet sich unvermutet physisch gehoben.«[22] Die Vorentscheidung des Interpreten, die Landschaft nicht als Seelenlandschaft zu betrachten, läßt ihn beim Physischen stehenbleiben. Der Ausdruckscharakter der Bewegung als Außenseite innerer Bewegtheit bleibt unberücksichtigt. Ein solcher Verzicht versperrt den Weg zum Verständnis einer ganzen Reihe von Bewegungsphänomenen in Eichendorffs Dichtung. Nicht nur Licht und Schall werden mobilisiert, seine Helden selbst sind ja in ständiger Bewegung. Immer wieder gelangen sie in jene Höhenlagen, von denen aus die aufsteigenden Signale aus der fernen Tiefe sie erreichen. Scheinbar antigrav und mühelos ersteigen sie Bäume, allen voran der Taugenichts, der mehrfach in den Bildbereich des Vogels gerückt wird[23]. »Der Baum ist eine wahre Jakobsleiter«, sagt Leontin in *Ahnung und Gegenwart*, »und war im Augenblicke droben« (II,63). Wenig später ruft er aus: »Ich möchte den Baum schütteln, daß er bis in die Wurzeln vor Freude beben sollte [...], ich möchte wie ein Vogel von dem Baume fliegen über Berge und Wälder!« (II,65). Ungehemmt ist hier Bewegtheit Wunschbewegung, doch wird auch hinter der unwillkürlichen Bewegung die Vertikale sichtbar, nach der sich die Seele richtet. Der Baum als ›Jakobsleiter‹ weist nach oben auf die Höhe als symbolischen Ort der Transzendenz. Diese selbst bleibt freilich auf Erden unerreichbar, Berg, Baum, die steigende Bewegung zu ihnen hinauf und über sie hinaus zeigen nur die Richtung, denn »kein Dichter gibt einen fertigen Himmel; er stellt nur die Himmelsleiter auf von der schönen Erde« (II,99). Der gebrochene Aufschwung folgt der gleichsam durch irdische Schwerkraft zur Horizontalen umgebogenen Vertikalen, die das Himmelreich von der Höhe in die gleichfalls unerreichbare Ferne verlegt.

Ausgerechnet die wirkungsästhetischen Reflexionen Friedrich Schillers sind geeignet, unsere bisherige Analyse der Eichendorffschen Gemüterregungskunst zu stützen und weiterzutreiben. Gemeint ist die 1794 veröffentlichte Rezension *Über Matthissons Gedichte*, deren erster, allgemeiner Teil sich an vielen Stellen – ein tatsächlicher Einfluß wird nicht unterstellt – wie die theoretische Grundlage der poetischen Verfahrensweisen des Romantikers lesen läßt. An der landschaftlichen Natur vermißt Schiller jene Notwendigkeit und Würde, die ihm allein in der menschlichen Natur zu liegen scheint. Der die Landschaft darstellende Künstler versuche daher, »sie durch eine symbolische Operation in die menschliche zu verwandeln«. Auf zweifache Weise könne dies geschehen: »entweder als Darstellung von Empfindungen oder als Darstellung von Ideen«. Die Darstellung von Empfindungen bedingt eine Annäherung an die Musik, denn nur »insofern also die Landschaftsmalerei oder Landschaftspoesie musikalisch wirkt, ist sie Darstellung des Empfindungsvermögens, mithin

Nachahmung menschlicher Natur. [...] Wir unterscheiden in jeder Dichtung die Gedankeneinheit von der Empfindungseinheit, die musikalische Haltung von der logischen, kurz, wir verlangen, daß jede poetische Komposition neben dem, was ihr Inhalt ausdrückt, zugleich durch ihre Form Nachahmung und Ausdruck von Empfindungen sei und als Musik auf uns wirke.«[24] Der »ganze Effekt der Musik« besteht für Schiller darin, »die innern Bewegungen des Gemüts durch analogische äußere zu begleiten und zu versinnlichen«.[25]

Die Übereinstimmung der Gemütbewegungskunst Eichendorffs mit dem Schillerschen Kompositions- und Wirkungsmodell der Musik ist nicht ganz überraschend. So deutet bereits die Herkunft des Wortes ›Stimmung‹ auf deren latente Musikalität.[26] »Das Wort Stimmung«, schreibt Novalis, »deutet auf musikalische Seelenverhältnisse – Die Akustik der Seele ist noch ein dunkles, vielleicht aber sehr wichtiges Feld. Harmonische – und disharmonische Schwingungen.«[27] Die Verbindung von Stimmung und Harmonie ist, wie Leo Spitzer gezeigt hat, uralt.[28] Sie erinnert an pythagoräische Vorstellungen von einer ›harmonia mundi‹, die dem christlichen Mittelalter vor allem durch Platon, Ptolemäus und Cicero vermittelt worden sind.[29] In Eichendorffs Roman spricht Friedrich von einer »eigentümliche[n] Grundmelodie [...], die jedem in tiefster Seele mitgegeben ist« (II,64). Auf ihre religiöse Bedeutung verweist Faber, wenn er sagt: »[...] es ist, als hörte die Seele in der Ferne unaufhörlich eine große, himmlische Melodie, wie von einem unbekannten Strome, der durch die Welt zieht, und so werden am Ende auch die Worte unwillkürlich melodisch, als wollten sie jenen wunderbaren Strom erreichen und mitziehen« (II,296). Eine solche Musikmetaphorik steht in der Tradition der bereits in der zweiten Hälfte des 18. Jahrhunderts intensiv geführten Debatte über das Verhältnis von Tonausdruck und Sprachausdruck,[30] die eine seelen- und formgeschichtliche Entwicklung begleitet, in deren Verlauf sich die Dichtung immer mehr vom Prinzip des ›ut pictura poesis‹ abwendet und sich als unmittelbarer Gefühlsausdruck, »Musik der Seele«,[31] versteht. Das komplizierte Problem der Sprachmusikalität bei Eichendorff kann hier nicht ausgiebig diskutiert werden. So viel scheint sicher: auch Eichendorffs Gemüterregungkunst ist ›Musik der Seele‹, die als Stimmung, musikalisierter Einklang von Gemüt und Welt, am reinsten die Hoffnung auf eine himmlische Harmonie zum Klingen bringt. Der Rekurs auf die Musik erlaubt es, bestimmte Darstellungsformen Eichendorffs als Konsequenz musikalischer Wirkungsabsicht genauer zu erfassen. Musik ist keine nachahmende Kunst, sondern autonom, sofern sie nicht wie das sprachliche Zeichensystem als Mittel zum Zweck über sich hinausweist. In der oft konstatierten und getadelten Gleichgültigkeit Eichendorffs gegenüber der empirischen Realität, den Regeln der Wahrscheinlichkeit, in der Abstraktheit seiner Landschaften setzt sich die a-mimetische Tendenz der Musik durch; die beständige Repetition einer beschränkten Anzahl von Formeln und Bildern folgt den Kompositionsgesetzen musikalischer motivischer Arbeit. So gesehen ist Eichendorffs Darstellungsweise primär Darstellung psychischer Wirklichkeit, ist, mit Schiller zu reden, als ›Nachahmung menschlicher Natur‹ bewegende Darstellung psychischer Bewegtheit. Was sich jedoch in der Eichendorff-Forschung zur scheinbar unversöhnlichen Antithese ›Stimmungsdichtung‹ versus ›Sinnbilddichtung‹ verfestigt hat, wird bei Schiller vermittelt. Die Verbindung der ›Empfindungseinheit‹ mit der ›Gedankeneinheit‹ gilt ihm als Vorzug, geht es ihm doch um die Frage, wie man durch das Unbestimmte »*bestimmt* auf das Herz zu wirken« vermag.[32] »Der Dichter hingegen hat noch einen Vorteil mehr: er kann jenen Empfindungen einen Text unterlegen, er kann jene Symbolik der Einbildungskraft zugleich durch den Inhalt unterstützen und ihr eine bestimmtere Richtung geben.«[33] Eben dies kennzeichnet die Verfahrensweise Eichendorffs, dessen Gemüterregungskunst in einen sinnbildlichen Verweisungszusammenhang eingebunden ist[34] und die dem ›motus animi‹ – man denke an die aufsteigende Gemütsbewegung – eine bestimmte Richtung gibt.

Die gleichsam vorprogrammierte Freude und Begeisterung in den Werken Eichendorffs wird immer wieder durchbrochen durch eine rätselhafte Bangigkeit und lähmende Starre, die die Helden meist zur Mittagszeit oder an schwülen Nachmittagen zu überfallen pflegt. Die ausführlichste Darstellung dieses Zustandes in *Ahnung und Gegenwart* lautet:

»An einem schwülen Nachmittage saß Leontin im Garten an dem Abhange, der in das Land hinausging. Kein Mensch war draußen, alle Vögel hielten sich im dichtesten Laube versteckt, es war so still und einsam auf den Gängen und in der ganzen Gegend umher, als ob die Natur ihren Atem an sich hielte. Er versuchte einzuschlummern. Aber wie über ihm die Gräser zwischen dem unaufhörlichen, einförmigen Gesumme der Bienen sich hin und wieder neigten, und rings am fernen Horizonte schwere Gewitterwolken gleich phantastischen Gebirgen mit großen, einsamen Seen und himmelhohen Felsenzacken die ganze Welt enge und immer enger einzuschließen schienen, preßte eine solche Bangigkeit sein Herz zusammen, daß er schnell wieder aufsprang. Er bestieg einen hohen, am Abhange stehenden Baum, in dessen schwanken Wipfel er sich in das schwüle Tal hinauswiegte, um nur die fürchterliche Stille in und um sich loszuwerden« (II,101–102).

Leontin sitzt und liegt im Grase, eine bei Eichendorff oft alarmierende Lage. Die sonst aus distanzierender Höhe wahrgenommene Natur ist ganz nahe an den Helden herangerückt. In deutlicher Entsprechung von Innen und Außen ist von einer ›fürchterlichen Stille in und um sich‹ die Rede. Stille meint nicht nur das Verstummen der Landschaft, sondern Stillstand. Die Bewegung der sich hin und wieder neigenden Gräser kommt nicht vom Fleck, an den Boden gebunden ist sie ohne bestimmte Richtung, eintönige Wiederkehr des Gleichen wie das Gesumme der Bienen. Der auffälligste Vorgang ist die Verengung von Herz und Raum. Binswanger illustriert seine These von einem »anthropologisch-phänomenologischen Wesensverhältnis« von Ich und Welt im Stimmungsraum durch ein Zitat aus Goethes *Die natürliche Tochter*, das diese Erfahrung ausdrücklich benennt:

> »O Gott, wie schränkt sich Welt und Himmel ein,
> Wenn unser Herz in seinen Schranken banget« (II. Akt, 2. Szene).

Auch hier »*besteht* eben gerade das, was wir Bangen des Herzens nennen, auch in einer Einschränkung von Welt und Himmel, und besteht umgekehrt die Einschränkung von Welt und Himmel im Bangen unseres Herzens«.[35] Leontins Starre und Beklemmung löst sich im Aufspringen und Besteigen eines hohen Baumes. Steigend gewinnt er wieder die Bewegtheit und mit der Rückkehr in den Wertraum die Distanz zur Natur zurück. Ein Hinweis auf die Bedeutung dieser Bangigkeit scheint im Handlungszusammenhang zu liegen. Leontin soll verheiratet werden, und das hieße »Heiraten und fett werden, mit der Schlafmütze auf dem Kopf hinaussehen, wie draußen Aurora scheint, Wälder und Ströme noch immer ohne Ruhe fortrauschen müssen« (II,103). Das für die Romantik zentrale Thema philiströser Daseinsenge ist freilich nicht der einzige Zugang zum Verständnis der Bangigkeit Leontins. Seidlins Vermutung, diese Szene könne eine »direkte Zurückweisung von Werthers Selbstaufgabe in der Natur« sein – gemeint ist vor allem der Brief vom 10. Mai –, ist bedenkenswert.[36] Ungewöhnlich scharf hat Eichendorff später Goethes Roman attackiert. Werther wird »ein moderner Narziß« genannt, »der beständig im Bach sich selbst spiegelt«; in der »Gefühlsfreiheit, die nur sich selbst genießt«, argwöhnt der streitbare Katholik eine heidnische Verfallenheit an die irdische Sinnlichkeit, die »Vergötterung des Dämonischen im Menschen«.[37] Leontins Flucht vor der Natur in die rettende Distanz der Höhe wird vor dem Hintergrund der Werther-Existenz verständlicher. Werthers Rückkehr in die Natur, der Jubel über den Freilauf der Gefühle im vermeintlichen Freiraum der Natur am Rande der Gesellschaft schlägt um in die »Krankheit zum Tode« (Brief vom 12. August). »Dein [sc. der Natur] Sohn, dein Freund, dein Geliebter« hat sich mit der Preisgabe rationaler Herrschaft über sich selbst einer naturgesetzlichen Macht überantwortet,[38] deren Opfer er am Ende wird. Auch für Werther wird die Natur »starr [...] wie ein lackiertes Bildchen« (Brief vom 3. November), Raumbild des Verlusts seelischer Bewegung, die die Fülle seines Herzens und seinen Selbstgenuß verbürgte. Was Eichendorff das ›Dämonische im Menschen‹ nennt, kann man als Werthers ›Natürlichkeit‹ bezeichnen. Es handelt sich dabei um den Ausbruch aus dem im Zuge der Entwicklung der bürgerlichen Wirtschaftsgesellschaft verschärft geforderten Triebverzicht, es ist die Flucht aus zivilisatorischer Selbstbeherrschung und Affektkontrolle in ein dem Unbewußten sich öffnendes affektives Bewußtsein. Symptom dieser Entwicklung ist in der Ästhetik der Zeit die Theorie der Naturbestimmtheit des Genies. Es ist »Dollmetscher der Natur«[39], »ein Günstling der Natur«[40], »die angeborene Gemütsanlage (ingenium), durch welche die Natur der Kunst die Regeln gibt«[41]. Die Tatsache, daß der Mensch aus seinem Naturzustande herausgetreten ist, verbannt das Natürliche ins Unbewußte: »die Natur ›ist nicht‹, nämlich nicht ›bewußt‹; aber die Natur ›ist doch‹, nämlich ›unbewußt‹«.[42] Diese ›Natürlichkeit‹ »aber ist faktisch eine Regression. Unmittelbare Natur: das ist in der geschichtlichen Welt ein Anachronismus. Sie heilt nicht, sie gefährdet.«[43] Nicht erst der umstrittene Todestrieb Freuds oder die Charakteristik der Natur durch Chaos-Attribute bei Schelling und Schopenhauer bezeugt die Triftigkeit dieser These.[44] Goethes Werther ist dafür ein frühes Beispiel und in seiner Nachfolge – unter freilich veränderten Vorzeichen – auch Eichendorff. Leontins Bangigkeit stellt sich in dieser Perspektive dar als vorübergehende Verfallenheit an die eigene Natur, an ein lähmendes Brüten und narzißtisches Sich-Fühlen.

Nicht nur als Lähmung, sondern als Lockung und Verführung ist die Macht des Unbewußten in Eichendorffs Werken immer wieder wirksam. Ausgesetzt sind ihr vor allem die wandernden Sänger und Poeten, die aus der philiströsen Lebenssicherung ausgebrochen sind und jenseits des Realitätsprinzips ihr Glück suchen. Der »in der buhlenden Wogen / Farbig klingenden Schlund«[45] herabziehende Gesang der Sirenen kommt aus einem »Grund«[46] unterhalb der frommen Tiefe des Gemüts; die raumsymbolische Vertikale verweist nicht nur auf die Höhe der Transzendenz, sondern reicht auch in den ›Abgrund‹ der menschlichen Triebnatur. Die Sirenen, Nixen und Venusgestalten in Eichendorffs Werk sind Bilder des Gestaltlosen, der aus der Verdrängung und Triebunterdrückung zerstörerisch wiederkehrenden Sexualität. Längst sind die bildungsmäßigen Voraussetzungen dahin, die es jedem Leser erlauben, ohne gelehrten Kommentar zu entziffern, in welche komplexen Bedeutungskonstellationen Eichendorff seine Venusgestalt in der Erzählung *Das Marmorbild* eingesetzt hat. Aber auch ohne Kenntnis der religiös-geschichtsphilosophischen[47], mythologischen[48] und literarhistorischen[49] Zusammenhänge bleibt nicht nichts zurück. Es bleibt ein durch »Grundbestände unserer Welterfahrung«[50], wie z. B. den Tageszeitenrhythmus, die Polarität von Hell und Dunkel, versinnlichtes psychisches Spannungs- und Bedeutungsmuster von modellhafter Allgemeinheit. Schauplatz des ›Psychodramas‹ ist nicht Lucca, sondern die Seele Florios; Protagonisten sind die einander widerstreitenden Funktionen der menschlichen Psyche überhaupt: Venus und Donati als Projektionen der Triebnatur, Bianca und Fortunato als Verkörperungen des Wach- und Ich-Bewußtseins. Den Handlungsverlauf kennzeichnet – in Freuds Sprache – die Formel: Wo ES eingebrochen war, muß wieder ICH werden. Florios Ausruf »Herr Gott, laß mich nicht verloren gehen in der Welt!« (II,338) löst den Zauber, Venus versinkt in die »grüne Einsamkeit ihres verfallenen Hauses« (II,344), und die Abgründigkeit der Natur deckt am Ende eine Morgenlandschaft von triumphalem Glanz wieder zu. Keineswegs immer behauptet sich in Eichendorffs Werken der Wille zur Selbstbewahrung. »Absage ans Herrschaftliche, an die Herrschaft des eigenen Ichs über die Seele« hat Theodor W. Adorno dem Romantiker bescheinigt.[51] Von Adorno stammt auch die eindringlichste Beschreibung der zutiefst antizivilisatorischen Verlockung zur Preisgabe dieser Selbstbeherrschung. In der *Dialektik der Aufklärung* ist die Fahrt vorbei an den Sirenen im 12. Gesang der *Odyssee* Anlaß einer weit ausholenden Reflexion:

»Furchtbares hat die Menschheit sich antun müssen, bis das Selbst, der identische, zweckgerichtete, männliche Charakter des Menschen geschaffen war [...]. Die Anstrengung, das Ich zusammenzuhalten, haftet dem Ich auf allen Stufen an, und stets war die Lockung, es zu verlieren, mit der blinden Entschlossenheit zu seiner Erhaltung gepaart [...]. Die Angst, das Selbst zu verlieren, und mit dem Selbst die Grenze zwischen sich und anderem Leben aufzuheben, die Scheu vor Tod und Destruktion, ist einem Glücksversprechen verschwistert, von dem in jedem Augenblick die Zivilisation bedroht war.«[52]

Der ›Gesang der Sirenen‹ gehört zur ›Musik der Seele‹ in Eichendorffs Werk, aber die fromme Straffheit, die aus dem Vers »Hüte dich, bleib wach und munter!«[53] spricht, sorgt dafür, daß er nicht übermächtig wird. Es ist eine prekäre Balance: vor der Geschichte und Zivilisation rettet den Freiherrn die Natur, und vor dieser wiederum rettet die Positivität katholischer Gläubigkeit.

Die Rezeptionsgeschichte Eichendorffs zeigt, daß das sinnbildliche Bedeutungspotential seines Werks weitgehend nicht angeeignet wurde. Nicht nur die mangelnden bildungsmäßigen Voraussetzungen, auch das Schrumpfen einer bereits in den ersten Jahrzehnten des 19. Jahrhunderts nicht mehr selbstverständlichen Religiosität lassen den gedanklichen Bezugsrahmen des Werks kaum in Kraft treten. Ein gut Teil der Deutbarkeit und Aktualisierbarkeit seiner Intentionen ist damit verlorengegangen. Um so mehr muß sich die Aufmerksamkeit auf die verbleibende, von der Eichendorffschen Gemüterregungskunst vorgezeichnete Leserrolle konzentrieren. Angesichts des unbestreitbar weiten subjektiven Spielraums affektiver Wirkung scheint die nähere Bestimmung eines solchen ›impliziten Lesers‹ von vornherein zum Scheitern verurteilt zu sein. Hilfreich ist jedoch auch hier wieder Schillers Matthisson-Rezension. Schiller sucht nach einer überindividuellen Konstante der menschlichen Subjektivität, die es ermöglicht, »*bestimmt* auf das Herz zu wirken«. Diese Konstante ist für ihn der »Charakter der Gattung; der Dichter kann also nur insofern unsere Empfindungen bestimmen, als er sie der Gattung in uns, nicht unserm spezifisch verschiedenen Selbst, abfodert«. Um dies zu erreichen, »muß er selbst zuvor das Individuum in sich ausgelöscht und zur Gattung gesteigert haben«. Nur »wenn er *als Mensch überhaupt* empfindet, ist er gewiß, daß die ganze Gattung ihm nachempfinden werde«.[54] Ohne die Differenz zwischen Schiller und Eichendorff übersehen zu wollen, ist dies doch der Schlüssel zum Verständnis der Gemüterregungskunst des Romantikers. Das Auslöschen des ›Individuums in sich‹ ist der wohl dominierendste Grundzug Eichendorffs, dessen gesamtes Werk, so Seidlin, gelesen werden kann »als ein Protest gegen die Innerlichkeit – das Wort verstanden im weitesten Sinne, im Physischen als der abgeschlossene und abschließende Raum, im Seelischen als der Rückzug ins eigene Herz, die Abkapselung im Innern«.[55] Das hektische Zerreden der Gefühle, wie man es beispielsweise in Ludwig Tiecks *Franz Sternbalds Wanderungen* oder Clemens Brentanos *Godwi* findet, vermeidet Eichendorff. Wie seinen Helden zumute ist, erfährt der Leser kaum von diesen selbst. Signalisiert wird es durch die ›symbolische Operation‹, die Stimmung im Stimmungsraum, Bewegtheit durch analoge Bewegung abbildet. Die fromm-begeisterten Stimmungen, die Anfechtungen bei Eichendorff entbehren jeder subjektiven Besonderheit. Es sind Grundsituationen von ›klassischer Allgemeinheit‹, die allein wegen ihrer beharrlichen Wiederholung keine Einmaligkeit beanspruchen können. Als ›Mensch überhaupt‹ hat Eichendorff empfunden, indem er auf den naturwüchsigen »elementaren Kategorien unserer Welterfahrung seine poetische Welt aufbaute«.[56] Intersubjektiv verständlich ist das Verfahren, ›schon Gebildetes wieder zu bilden‹, das sich nicht allein auf das Wörtlichnehmen sprachlicher Metaphorik beschränkt, sondern auch sein Verhältnis zur sprachlichen und literarischen Tradition insgesamt charakterisiert.

Der Rückschluß liegt nahe: der implizite Leser einer Gemüterregungskunst von solch allgemeiner, vorindividueller Menschlichkeit ist die ›Gattung in uns‹, der ›Mensch überhaupt‹, Formeln, die im Hinblick auf die bei Eichendorff beobachtete Präsenz der ursprünglichen Menschennatur inhaltlich ausfüllbar und beschreibbar sind. Die Poetisierung der Wirklichkeit im Medium einer gemüthaften Weltaneignung ist die lustvolle Aufhebung jener zivilisatorischen Zweckrationalität und Nüchternheit, die Robert Musil den »gewöhnlichen Zustand« nannte und als »eingeengt, zielstrebig« beschrieb; »eine magere Linie verbindet den Menschen mit seinem Gegenstand und heftet sich an diesen wie an ihn bloß in einem Punkt, während das ganze andere Wesen unberührt davon bleibt«.[57] Musil verbindet mit Eichendorff nicht nur die ausgeprägte raummetaphorische Versinnlichung des Psychischen, sein ›anderer Zustand‹ ist – ohne religiösen Fluchtpunkt – wie Eichendorffs stimmungshafter Einklang von Ich und Welt Rückkehr in das ›ganze andere Wesen‹. Das Unbehagen in der Zivilisation, die Selbsterfahrung des Eingeengtseins prägt auch eine andere Metapher: die der Innerlichkeit. Der in Norbert Elias' Pionierwerk dargestellte »Prozeß der Zivilisation« erklärt ihre Voraussetzungen:

»Die festere, allseitigere und ebenmäßigere Zurückhaltung der Affekte [...], die verstärkten Selbstzwänge, die unausweichlicher als zuvor alle spontaneren Impulse daran hindern, sich direkt, ohne Dazwischentreten von Kontrollapparaturen, motorisch in Handlungen auszuleben, sind das, was als Kapsel, als unsichtbare Mauer erlebt wird, die die ›Innenwelt‹ des Individuums von der ›Außenwelt‹ [...] trennt, und das ›Abgekapselte‹ sind die zurückgehaltenen [...] Trieb- und Affektimpulse des Menschen.«[58]

Eichendorffs ›Protest gegen die Innerlichkeit‹, die Klaustrophobie seiner Helden, die sie, sofern sie sich überhaupt einmal in geschlossenen Räumen aufhalten, immer wieder ans Fenster treten läßt, rückt damit in eine neue Beleuchtung. Mit dem Blick durchs Fenster tritt der Eichendorffsche Held gleichnishaft aus der engen Kapsel der Innenwelt heraus und taucht wieder ein in die ungehemmte Bewegungsfreiheit, Fülle und Ganzheit eines ursprünglicheren Erlebens. In dieser Rückkehr *in die* menschliche Natur und der riskanteren Rückkehr *der* Natur im ›Gesang der Sirenen‹ steckt der verlockendste Triebwert, das eigentlich libidinöse Appellpotential der Eichendorffschen Gemüterregungskunst.

Die ›Gattung in uns‹, der ›Mensch überhaupt‹, bedeutet bei Eichendorff jene vor- und antizivilisatorische Natürlichkeit; mit ihr ist die fundamentale anthropologische Appellsubstanz der Gemüterregungskunst gefaßt. Sie ist – vereinfacht gesagt – ihr Sender und Empfänger zugleich. Als Bestätigung dieser These ist zu werten, daß gerade der Taugenichts, Eichendorffs reinste und vollendetste Gestaltung des natürlichen Menschen, die nachhaltigste Breitenwirkung erreichte.[59] Bezeichnend sind die Worte Thomas Manns: »Er ist Mensch, und er ist es so sehr, daß er überhaupt nichts außerdem sein will und kann: eben deshalb ist er der Taugenichts.«[60] Mit seiner Namenlosigkeit, in seiner märchenhaften Unschuld und Naivität, für die Reflexion in der Tat ein ›état contre nature‹ (Rousseau) wäre, ist der Taugenichts hinter die problematische Innerlichkeit des bürgerlichen Romans zurückgetreten. Seine Jugendlichkeit ist kein zufälliges Lebensalter, sondern verweist auf einen »Zustand *vor* den Bedingungen der Entfremdung«.[61] Darin nur eine Regression zu sehen verwehrt der offenkundig sentimentalische Charakter der Erzählung, die im Sinne von Schillers feiner Unterscheidung nicht vorgibt, natürlich zu empfinden, sondern das Natürliche empfinden läßt[62]. Die Regression ist zugleich Opposition, Widerstand gegen die Wirtschaftsgesellschaft, deren Profitinteresse und Rechenhaftigkeit den Taugenichts auch während der ihm beziehungsreich-ironisch zugedachten Tätigkeit als Einnehmer nicht korrumpieren können. Taugenichts, dieser ihm vom Vater als dem Repräsentanten der Arbeitswelt gegebene Name, bezeichnet genau die ärgerniserregende Unbrauchbarkeit eines Menschen, der die »bürgerliche Ethik und Anthropologie, die in der Inthronisation des Leistungsprinzips gipfelt, noch nicht in sein Gewissen und in sein Unbewußtes aufgenommen hat«.[63] Der knappe Hinweis auf die Taugenichts-Gestalt kann den ambivalenten gesellschaftlichen Stellenwert der Eichendorffschen Gemüterregungskunst verdeutlichen. Die Flucht in die Natur ist zugleich eine Fluchtutopie, deren kritischer Gehalt nicht unterschlagen werden darf. Es genügt, in diesem Zusammenhang an Rousseaus historisch zwar nicht nachweisbaren, aber methodisch vorausgesetzten Naturbegriff zu erinnern, der unter freilich anderen poli-

tischen Bedingungen als denen der deutschen Misere seine emanzipatorische Sprengkraft bewiesen hat.[64] Ungleich ohnmächtiger und unpolitischer bewahrt jedoch auch Eichendorffs Gemüterregungskunst die Ahnung eines besseren anderen Zustandes. Ohnmächtig auch deshalb, weil sie die Zweideutigkeit dieser vorrationalen Natur, ihre begeisternde und destruktive Macht gestaltet hat und in der sympathetischen Harmonie von Gemüt und Welt auch den Gesang der Sirenen vernehmbar macht. Daß diese Fluchtutopie nur halbiert, nämlich als imaginäre Entrückung, Illusion des Freilaufs der Gefühle rezipiert wurde, ist nicht verwunderlich. Was Bormann über die den Oppositionscharakter der Taugenichts-Figur gänzlich entschärfende Rezeption der Erzählung durch das deutsche Bürgertum schreibt, trifft die Eichendorffsche Gemüterregungskunst insgesamt: »Ein Dasein, das sich unter den Bedingungen des bürgerlichen Erwerbslebens, unter dem Druck der Arbeitswelt findet, kann eine Kritik, die von diesen Bedingungen absieht, nur als *Fata Morgana* ansehen.«[65]
Der Verzicht auf Polemik sollte nicht darüber hinwegtäuschen, daß in diesem Beitrag zentralen Thesen der Eichendorff-Forschung die Grundlage entzogen wird. Neu zu diskutieren wäre, ob nicht die hier herausgestellte menschliche ›Natürlichkeit‹ beredter ist als der emblematische Tiefsinn, den Bormann in seinem Buch *Natura loquitur* den Eichendorffschen Naturformeln mühsam abringt. Die Verdrängung und pauschale Disqualifizierung des emotionalen Faktors ist so wenig berechtigt wie die kopfschüttelnde Herablassung, mit der die zünftige Literaturwissenschaft die volkstümliche Rezeption Eichendorffs zu kommentieren pflegt. Immerhin hat diese insofern recht, als sie – wenn auch nicht adäquat – auf das wirkungsästhetische Potential einer Gemüterregungskunst antwortet, zu deren Erhellung und richtigem Verständnis die Eichendorff-Forschung kaum etwas beigetragen hat. Statt dessen beschäftigt sie sich mit Vorliebe mit der zum alleinigen Bedeutungsträger verabsolutierten Sinnbildlichkeit dieses Werks. Die hochspezialisierte Debatte über die Frage, ob es sich dabei um Symbole, Allegorien, Chiffren, Embleme oder noch etwas anderes handelt, befriedigt vielleicht den germanistischen Scharfsinn, nicht aber das breite Lesepublikum, auf das sich die Eichendorffsche Gemüterregungskunst in ihrer ›gattungshaften‹ Allgemeinheit bezieht. – Es ist nicht sicher, ob diese idealtypische Allgemeinheit auch ihrer Analyse zur Würde eines methodischen Modells verholfen hat. Der unabgeschlossene, auf Ergänzung und Weiterentwicklung hin angelegte Charakter des hier versuchten methodischen Ansatzes entspricht dem Stand der Forschung. Die Tragfähigkeit des Einbezugs psychologischer, phänomenologischer und psychoanalytischer Forschungsansätze wird davon abhängen, ob einige fundamentale Probleme gelöst werden können. So fehlt eine mit der Geistesgeschichte auch nur annähernd vergleichbare historische Psychologie, auf deren Grundlage das Affektpotential literarischer Texte und der Affekthaushalt des Lesers in ihrer Wandlung und Wechselbeziehung genauer zu beschreiben wären. In diesem Zusammenhang hätte sich auch die oft postulierte und selten verwirklichte Verschränkung von soziologischer und psychoanalytischer Betrachtung zu bewähren und könnte mit der psychischen Dimension in literarischen Texten und ihrer Wirkung eine bislang in ihrer Bedeutung kaum erkannte Vermittlungsinstanz zwischen Werk und Gesellschaft fassen.

HORST TURK

Das politische Drama des »Danton«. Geschichte einer Rezeption

Methodische Vorbemerkung – Politische oder soziale Revolution. Die Weltanschauungskrise des »Danton« – Geschichte als die Geschichte einer Rezeption. Der ›sprachliche Realismus‹ Büchners – Literarische Kommunikation. Philologische Kritik eines unhistorischen Verhältnisses

Methodische Vorbemerkung

Die Rezeptions- oder Wirkungsgeschichte poetischer Texte steht vor der Schwierigkeit, weder die philologische Situation in ein historisches Verhältnis[1] noch das historische Verhältnis in eine philologische Situation auflösen zu können[2]. Als ›Applikation‹[3] oder ›Konkretisation‹[4] ist das Verstehen, auch wenn es dem Text als seine Wirkung zugerechnet wird,[5] eine Handlung des Lesers. Als ›Ereignis‹ des ›Horizontwandels‹[6] oder ›Einrücken in ein Überlieferungsgeschehen‹[7] ist diese Handlung eine Wirkung des Textes. Die Rezeptionsästhetik definiert das Werk als die ›Totalität‹ seiner Verwirklichung durch den Leser.[8] Sie unterscheidet sich dadurch von der Wirkungsästhetik, die die Totalität einer Verwirklichung des Lesers durch den Text ermöglicht denkt.[9] Der folgende Beitrag ist eine Untersuchung zur Rezeptionsgeschichte des *Danton.* Er interpretiert die Ästhetisierung eines historischen Ereignisses, auf das sich der Text durch eine ›ursprüngliche Negativität‹[10] bezieht. Was wäre die Negation dieser Negativität, durch die sich der Leser wiederum auf das Ereignis bezöge?[11]

Politische oder soziale Revolution. Die Weltanschauungskrise des »Danton«

Der Gesichtspunkt, unter dem eine Rezeptionskritik des Büchnerschen *Danton* anzusetzen hätte, ist der Gesichtspunkt einer Erkenntnis durch Darstellung. Über seine politische Abwendung von dem historischen Vorbild der Revolution schreibt Büchner im März 1834 an seine Braut: »Ich studirte die Geschichte der Revolution. Ich fühlte mich wie zernichtet unter dem gräßlichen Fatalismus der Geschichte. Ich finde in der Menschennatur eine entsetzliche Gleichheit, in den menschlichen Verhältnissen eine unabwendbare Gewalt, Allen und Keinem verliehen. Der Einzelne nur Schaum auf der Welle, die Größe ein bloßer Zufall, die Herrschaft des Genies ein Puppenspiel, ein lächerliches Ringen gegen ein ehernes Gesetz, es zu erkennen das Höchste, es zu beherrschen unmöglich. Es fällt mir nicht mehr ein, vor den Paradegäulen und Eckstehern der Geschichte mich zu bücken. Ich gewöhnte mein Auge ans Blut. Aber ich bin kein Guillotinenmesser. Das *muß* ist eins von den Verdammungsworten, womit der Mensch getauft worden. Der Ausspruch: es muß ja Aergerniß kommen, aber wehe dem, durch den es kommt, – ist schauderhaft. Was ist das, was in uns lügt, mordet, stiehlt? Ich mag dem Gedanken nicht weiter nachgehen« (II,425 f.). Büchner ist dem Gedanken weiter nachgegangen. Man kann die dramatische Darstellung der Französischen Revolution als den Versuch einer Erkenntnis der Revolution auffassen. Der Dichter erkennt dadurch, daß er darstellt. Die Mittel, durch die er darstellt, Gedanke, Charakter, Szenerie und Rede, sind Mittel seiner Erkenntnis. Der Text ist das Ganze einer Erkenntnis der Revolution. Die Erkenntnis bestimmt sich in ihm durch die Mittel der Darstellung. Sie nimmt die Form eines geschichtlichen Hervorgangs, einer ›Krise‹ an. In diesem Sinn interpretiert Georg Lukács den *Danton* aus der Einheit einer ›Weltanschauungskrise‹: »Die dramatisch-tragische Zentralstellung Dantons hängt damit zusammen, daß Büchner mit einer außerordentlichen dichterischen Tiefe nicht nur die politisch soziale Krise der revolutionären Bestrebungen des 18. Jahrhunderts am Wendepunkt der Französischen Revolution gestaltet, sondern zugleich, mit dieser Frage untrennbar verbunden, die *Weltanschauungskrise* dieses Übergangs, die Krise des alten mechanischen Materialismus als Weltanschauung der bürgerlichen Revolution.«[12] Lukács, dessen Interpretation in diesem Punkt maßgeblich durch Hegel beeinflußt ist, versteht die Einheit des *Danton* jedoch nur bedingt objektiv-dialektisch. Einerseits gilt für sie, daß sie das Ganze der sich entscheidenden dramatisch-tragischen Kollision ist. »Büchner zeigt sich hier als geborener Dramatiker, indem er den großen gesellschaftlichen Widerspruch, der auch als unlösbarer Widerspruch in seinen eigenen Gefühlen und Gedanken lebt, in zwei historischen Gestalten – jede mit ihrer notwendigen Größe und mit ihrer notwendigen Borniertheit – verkörpert.«[13] Andererseits gilt für den historischen und für den poetischen Danton, daß die dialektisch eingesehene Entscheidung durch ein politisch fortgeschrittenes Handeln widerlegbar ist. Robespierre und nicht Danton ist Repräsentant der sozialen, proletarischen Revolution. Lukács sieht zwar den Rousseauschen Idealismus in der Haltung des Büchnerschen Robespierre – »Robespierre und Saint-Just haben *demgegenüber,* da sie die plebejische Revolution wollen, einen Maßstab des Handelns; freilich auf Grund einer Ablehnung des philosophischen Materialismus, auf Grund eines Rousseauschen Idealismus, den Danton – an sich, abgetrennt von der politischen Lage des gegenwärtigen Handelns – besonders auf dem Gebiet der Moral spielend, ironisch und geistig überlegen bekämpfen kann.«[14] – Dieser kann jedoch nicht als Ursache oder als geschichtlich notwendiges Pendant zu Dantons Materialismus gelten. Ausschlaggebend für die Beurteilung des historischen wie des Büchnerschen Danton ist die Frage des politischen Standorts: »Da aber das politische Handeln die Aufgabe des Tages ist, nützt Danton diese philosophische Überlegenheit des Materialismus gar nichts. Er hat als Politiker, als Denker, als Mensch die Richtung verloren.«[15] Nun ist aber gerade aus materialistischer Sicht gegen diese Auffassung einzuwenden, daß der *Danton* als Erkenntnis der Geschichte, »wie sie sich wirklich begeben« (II,443), sehr genau die ›entsetzliche Gleichheit‹ der zu Ende geführten politischen Revolution wiedergibt, die Marx in seiner Wendung gegen den Rousseauschen und den Hegelschen Idealismus als das ›Verdienst‹ der Franzosen ansieht. »Da in der modernen Zeit die Staatsidee nicht anders als in der *Abstraktion* des ›*nur* politischen‹ Staates oder der *Abstraktion der bürgerlichen Gesellschaft von sich selbst,* von ihrem wirklichen Zustande, erscheinen konnte, so ist es ein Verdienst der Franzosen, diese *abstrakte Wirklichkeit* festgehalten, produziert und damit das *politische* Prinzip selbst produziert zu haben.«[16] Unter dem Gesichtspunkt der bloß politischen Freiheit kommt die abstrakte Gleichheit der Französischen Revolution mit der abstrakten Ich-Identität des deutschen Idealismus überein: »Die *Gleichheit* ist nichts anderes als das deutsche Ich gleich Ich, in französische, d. h. politische Form übersetzt. Die Gleichheit als *Grund* des Kommunismus ist eine *politische* Begründung und ist dasselbe, als wenn der Deutsche ihn sich dadurch begründet, daß er den Menschen als *allgemeines Selbstbewußtsein* faßt.«[17] Idealismus und Materialismus sind nach Marx in der Französischen Revolution historisch notwendig aufeinander bezogen: »Allein die Vollendung des Idealismus des Staats war zugleich die Vollendung des Materialismus der bürgerlichen Gesellschaft.«[18] Büchners Darstellung der Revolution führt zu einer analogen Einsicht. Im Verhältnis Dantons zu Robespierre ist die politische Gleichheit in ihrer Negativität als abstrakte Gleichheit erkannt. Der Unterschied zu Marx bestünde nicht, wie man mit Lukács annehmen müßte, im Unterschied zwischen poetisch oder wissenschaftlich antizipierter ›Perspektive‹,[19] sondern er wäre der Unterschied zwischen dargestellter und sich darstellender Wirklichkeit,[20] wobei nur die zuletzt genannte Form des Erkennens, die dialektische, das Vermögen zu einer Lösung besitzt.

Lukács interpretiert den *Danton* vom Standpunkt eines politisch verstandenen Marxismus aus, für den das Prinzip der Parteinahme höher steht als das Prinzip der Kritik. Insoweit entspricht diese Interpretation der Herausforderung, auf die sie antwortet,[21] der ebenfalls politisch sich verstehenden *Danton*-Interpretation von Karl Viëtor. Viëtor geht wie Lukács biographisch und historisch von einer Weltanschauungskrise aus, nur daß er, entschiedener biographisch orientiert, diese nicht so sehr nach dem historischen Stoff, als Krise des bürgerlichen Materialismus, sondern mehr nach den Zeitumständen Büchners, als Krise des deutschen Idealismus, bestimmt. Diese Krise wird als Gegenschlag des Nihilismus zwar an Schopenhauer zeitgeschichtlich exemplifiziert, der heroische Charakter, den der Pessimismus bei Viëtor annimmt, läßt aber deutlich spätere, auf Nietzsche und Heidegger zurückgehende Einflüsse erkennen. Der Kern der Viëtorschen Interpretation ist jedoch eine bestimmte Auffassung des politischen Handelns, für die das Krisenbewußtsein des heroischen Nihilismus lediglich eine ›religiöse‹ Legitimation beisteuert. Viëtors Interpretation wendet sich zugleich gegen den Materialismus und den Moralismus der historischen Revolution. Beides sichert ihr einen bestimmten Platz in der Geschichte des politischen Denkens, das mit Reinhard Koselleck[22] auf die Anfänge der bürgerlichen Gesellschaft in der Aufklärung zurückzubeziehen wäre. Gegen eine materialistische Auffassung der Revolution und des Stücks führt Viëtor vor allem drei Argumente ins Feld: den Pragmatismus, den Individualismus und den Machiavellismus des politischen Handelns. Robespierres Entscheidung für eine Fortsetzung der Revolution ist nicht historisch notwendig oder wahr, sondern sie entspringt – pragmatisch – einer Klugheitsregel des politischen Handelns. Schon Dantons Grundsatz, wo die Notwehr aufhöre, fange der Mord an, wird unter diesem Gesichtspunkt beurteilt: »Das ist, scheint es, moralisch richtig und am Ende auch politisch klug. Aber hat nicht doch Robespierre politisch recht, wenn er dagegen die Behauptung stellt, die soziale Revolution sei noch nicht fertig, ›die gute Gesellschaft‹, die Aristokratie noch nicht tot? ›Wer eine Revolution zur Hälfte verändert, gräbt sich selbst sein Grab‹ – das Wort ist geschichtlich. Ein kluges Wort, ein richtiger Lehrsatz der politischen Theorie.«[23] Der Pragmatismus in der Erklärung des politischen Kalküls erübrigt die Annahme einer historischen Notwendigkeit. Sie erübrigt sich abermals, wenn gegen den Pragmatismus, ihn einschränkend, als seine Grundlage ein dezisionistischer Individualismus aufgerichtet wird: »Aber einer von diesen einfachen Lehrsätzen, die an der politischen Wirklichkeit mit ihren verwickelten Verhältnissen vorbeitreffen. Was heißt das, eine Revolution ›vollenden‹? Wann ist eine Revolution fertig? Das ist kein objektiv angebbarer Zustand, dies Fertigsein; eine Revolution ist dann vollendet, wenn ein Zustand erreicht ist, der die Grundforderung der revolutionären Führer erfüllt. [...] Von solchen individuellen Entscheidungen in kritischen Stunden hängt der Gang der Ereignisse am Ende ab.« Von den geschaffenen Voraussetzungen aus fällt es Viëtor nicht schwer, die objektive Erklärung aus einer geschichtlichen Notwendigkeit abzutun: »Robespierre ist naiv genug zu glauben, die Revolution gehe allein darum, dem Volk bessere Verhältnisse zu schaffen.« Die genaue Stoßrichtung seiner Interpretation wird jedoch erst deutlich, wenn man die dritte Komponente der zugrundeliegenden politischen Doktrin, den Machiavellismus, ins Auge faßt. Er lenkt unsere Aufmerksamkeit zugleich von dem Weltanschauungsstreit der Interpreten weg auf die Bedingung für eine solche Kontroverse im Text.

Nur scheinbar spricht Viëtor mit seiner Einschränkung des Pragmatismus einem Individualismus das Wort. Das Stück zielt nach Viëtor auf mehr als nur auf eine Darstellung der Geschichte durch Individuen. Es zielt auf eine Typik des politischen Denkens und Handelns. »Aber Danton und Robespierre sind hier nicht nur Sprachrohr der politischen Spekulation des Dichters. Sie haben die volle Wirklichkeit personhaften Lebens; doch so, daß ihre Meinungen über die Sphäre des Individuellen hinausreichen in die der Typik des politischen Geschehens und der politischen Denkweisen.« Diese Typik wird von Viëtor als Gegensatz zwischen ›empfindsam-moralischer‹ und ›realistisch-dynamischer‹, Rousseauistischer und moderner Geschichts- und Handlungsauffassung gedacht. »Ein letzter Gegensatz des modernen politischen Denkens ist hier auf die grundsätzlichste Formel gebracht: der Gegensatz zwischen empfindsam-moralischer und zwischen realistisch-dynamischer Geschichtsauffassung – ein Gegensatz, der sich zugleich als einer des politischen Handelns auswirkt.« Nun läßt sich streiten, ob die dem *Danton* zugedachte Position einer ›realistisch-dynamischen Geschichtsauffassung‹ schon die Position Büchners, seines oder auch des historischen Danton ist. Eine Position des politischen Denkens aus der Zeit Viëtors ist sie zweifellos. Der ›neue Geist eines skeptischen Realismus‹, den Viëtor für Danton gegen Robespierre in Anspruch nimmt, ist der Geist eines politischen Voluntarismus, der sich gegen seine moralistische Einsetzung in der Staatstheorie der Aufklärung wendet. »Die politisch-geschichtliche Doktrin Rousseaus, von Robespierre in platterer und gröberer Fassung vertreten, wird hier von dem neuen Geist eines skeptischen Realismus erledigt.« Konstitutiv für diese neue Wirklichkeitssicht ist der Amoralismus sowohl des ›Lebens‹ als auch der Politik. »Robespierre ist blind für die amoralisch-dynamische Beschaffenheit des Lebens und blind für die höchst unidealen Beweggründe seines eigenen politischen Handelns [...].« Vom Standpunkt der Politik aus gilt, daß die Moralität nicht im Widerspruch zur Politik zu denken ist, sonder als ein Moment der Politik. Die Moralität ist ein Machtfaktor. »Danton versteht nicht, daß das Moralische und das Idealische die andern Mächte im Menschen und im Leben sind, ebenso ursprünglich, so natürlich in ihm, – versteht nicht, daß darum das Moralische auch eine politische Macht ist.« Nun ist aber von einer politischen Macht des Moralischen im Stück nur auf der Seite Robespierres etwas zu spüren. Dies widerspricht indessen keineswegs der Interpretation Viëtors, sondern ist sozusagen das Hauptstück ihrer Lehre, nämlich der Unterweisung in einen Willen, der jenseits der moralischen Entscheidung steht. Dieser Wille gewinnt als politische Kraft erst Gestalt, wenn er die persönliche, individuelle oder moralische Kompetenz zu urteilen überschreitet. »Aber nur wo die individuelle Auffassung als objektiver Lehrsatz, als absolutes Dogma sich auszusprechen und durchzusetzen weiß, kann sie zur politischen Macht werden.« Nun läßt sich eine solche Auffassung von Politik und politischem Handeln zwar ›religiös‹ legitimieren, indem ihrem Scheitern der Sinn einer Einsicht in die ›Gebrechlichkeit des Seins‹ zugedacht wird: »Wem es geschehen ist, daß die unlösbare Gebrechlichkeit des Seins, die unaufhebbare Natur und Schicksalsgebundenheit des Menschen sich ihm unter den Erfahrungen des revolutionären Handelns offenbart hat, dem muß mit dem politischen Glauben der Wille vergehen.« Es bleibt jedoch fraglich, ob dies der Sinn des Nicht-Mehr-Handelns in Büchners *Danton* ist, ob diese ›Kehre‹ im Mysterium der ›volonté générale‹ eintritt, die, sobald sich der politische Voluntarismus der moralistischen Fesseln seines Einsetzungsaktes entledigt, nicht erst einer späteren Zeit angehört. In welchem Sinn wäre dann aber die Moralismuskritik im Stück, die intellektuelle Vernichtung Robespierres durch Danton, zu verstehen?

Geschichte als die Geschichte einer Rezeption. Der ›sprachliche Realismus‹[24] Büchners

Eine Untersuchung, die die Geschichte nicht im Text, sondern den Text in der Geschichte aufgehoben denkt, wird die genannten Aktualisierungen nicht dem Werk, sondern den Lesern zuschreiben. Was ist dann aber die Bedeutung des Werks in der Geschichte? Um diese Frage zu beantworten, wenden wir uns einem weiteren Kapitel der *Danton*-Rezeption zu: der Korrektur sowohl des materialistischen als auch des machiavellistischen *Danton*-Verständnisses in der Interpretation von Wolfgang Martens.[25] Robespierre und nicht Danton ist nach Martens der Exponent einer Krise im *Danton*. Die Krise ist nicht eine Krise der Erkenntnis, der im politischen Handeln widerlegten Weltanschauung, sondern eine Krise des Handelns, der in der Erkenntnis widerlegten politischen Aktion. Martens geht in seiner Interpretation von einem Utopiebegriff der Ideologie aus.[26] Ideologisch ist die Weltanschauung als politische Doktrin: »Das Wesen der Ideologie als politischer Heilskonzeption ist [...] von Büchner hellsichtig erfaßt: In ihr ist eine absolute Instanz etabliert, vor der die alten ethischen Ordnungen versinken, ja die eine persönliche Entscheidung und Verantwortung gar nicht mehr zuläßt. Das persönliche Gewissen – darin besteht zu einem guten Teil die ›befreiende‹ Funktion der Ideologie – ist in Zukunft im sinngebenden politischen Glauben aufgehoben. (Robespierre: Mein Gewissen ist rein). Der Gläubige ist erwähltes Werkzeug. Sein fürchterlichstes Tun im politischen Glaubensdienst noch ist sanktioniert.«[27] Martens kann sich in seiner Interpretation auf die menschliche Zwiespältigkeit Robespierres beziehen. Diese tritt heraus, nachdem Danton dem ›Unbestechlichen‹ die ›Absätze von den Schuhen‹ getreten hat

(I,15 und 28). Danton erschüttert die Tugendhaftigkeit Robespierres und bewirkt damit, daß die politische Praxis vor die Entscheidung des Denkens gerät. »Robespierre (allein). Geh nur! Er will die Rosse der Revolution am Bordel halten machen, wie ein Kutscher seine dressirten Gäule; sie werden Kraft genug haben, ihn zum Revolutionsplatz zu schleifen. Mir die Absätze von den Schuhen treten! Um bey deinen Begriffen zu bleiben! – Halt! Halt! Ist's das eigentlich? – Sie werden sagen seine gigantische Gestalt hätte zu viel Schatten auf mich geworfen, ich hätte ihn deßwegen aus der Sonne gehen heißen. – Und wenn sie recht hätten? – Ist's denn so nothwendig? Ja, ja! die Republik! Er muß weg. Es ist lächerlich wie meine Gedanken einander beaufsichtigen. – Er muß weg. Wer in einer Masse, die vorwärts drängt, stehen bleibt, leistet so gut Widerstand als trät' er ihr entgegen; er wird zertreten« (I,28). Wie Robespierre sich auch dreht und stellt, die einmal in Gang gesetzte Überlegung läßt ihn nicht zur Ruhe kommen. »Keine Tugend! Die Tugend ein Absatz meiner Schuhe! Bey meinen Begriffen! – Wie das immer wieder kommt. – Warum kann ich den Gedanken nicht loswerden? Er deutet mit blutigem Finger immer da, da hin! Ich mag so viel Lappen darum wickeln als ich will, das Blut schlägt immer durch. – (nach einer Pause.) Ich weiß nicht, was in mir das Andere belügt« (I,28). Unmittelbar darauf wird Robespierre ein Pamphlet des Camille zugetragen: »Dießer Blutmessias Robespierre auf seinem Kalvarienberge zwischen den beyden Schächern Couthon und Collot, auf dem er opfert und nicht geopfert wird« (I,30). Diese Anfechtung, die auf den Messianismus in seiner politischen Haltung geht, trifft Robespierre deshalb besonders empfindlich, weil ihm die Person Camille Desmoulins nahegeht. Robespierre faßt sich dem Vorwurf gegenüber blasphemisch: »Robespierre (allein). Ja wohl, Blutmessias, der opfert und nicht geopfert wird. – Er hat sie mit seinem Blut erlöst und ich erlöse sie mit ihrem eignen. Er hat sie sündigen gemacht und ich nehme die Sünde auf mich. Er hat die Wollust des Schmerzes und ich habe die Quaal des Henkers. Wer hat sich mehr verleugnet, Ich oder er? –« (I,30). Die Erlöserreligion des Ideologen Robespierre enthüllt sich als eine Religion der Sünde, der Opferung und der Verleugnung. Nicht die Krise einer Weltanschauung wird zwischen Danton und Robespierre ausgetragen, sondern die Krise einer politischen Doktrin. Robespierres Handeln wird durch die Einwendungen Dantons und Camilles im Wort vor die Entscheidung des Denkens gebracht. Bewahrheitet sich dadurch das Wort?

Nach Martens bedeutet die religiöse Motivation eine Widerlegung des politischen Handelns. »Das Mittel aber zur Durchsetzung des politischen Evangeliums ist notwendig die Gewalt.«[28] Das Handeln kritisiert sich immanent durch die Vorstellungen, an denen es sich orientiert. Welches sind aber diese Vorstellungen? Nach Martens vollendet sich das Gericht der Idee über die Wirklichkeit in einer ›gleichsam pfingstlichen‹ Auslegung, die Saint-Just dem politischen Messianismus gibt: »Die Idee der Revolution vereinigt, so will es Saint-Just, in diesem Augenblick die Gleichgesinnten aller Länder gleichsam pfingstlich zu einer großen mystischen Communio. Die Weltzeit hat geschlagen. Der ›erhabene Augenblick‹ der Fleischwerdung des revolutionären Geistes ist da, da der Gedanke Entschluß wird und im blutigen Vollzuge zur Verwirklichung der Menschheitserneuerung schreitet.«[29] Dies widerspricht nun nicht nur dem Text, denn Saint-Just denkt die ›Fleischwerdung des revolutionären Geistes‹ ganz und gar unpfingstlich nach dem Vorbild des Pelias-Mythos

(I,46), sondern es widerspricht auch der Annahme eines ›messianischen Erlösungsdenkens‹, vor dessen Hintergrund Büchner nach Martens' Auffassung die politische Fortschrittsideologie der Aufklärung kritisiert. »Auch der totale Anspruch, die – auch für den historischen Rousseau-Jünger Robespierre zutreffende – Verquickung von moralischer und politischer Forderung erhält bei Büchner vor dem Hintergrund eines messianischen Erlösungsdenkens erst ihren rechten Platz.«[30] Büchner kritisiert den politischen Messianismus Robespierres. Doch er kritisiert ihn nicht vom Standpunkt einer bereits erlösten Wirklichkeit aus. Nicht nur in der Rede Saint-Justs, sondern auch im Verhältnis Robespierres zu den Abgeurteilten besteht eine Inkarnationsbeziehung. Deren Irreligiosität beruht aber weniger auf dem Anspruch einer Erlösung vom Leid als auf der Art, wie dieser Anspruch durchgesetzt wird: durch eine Unempfindlichkeit gegen das Leid. »Robespierre. [...] Die Sünde ist im Gedanken. Ob der Gedanke That wird, ob ihn der Körper nachspielt, das ist Zufall« (I,29). Auf der Seite der Abgeurteilten, im Gespräch auf dem ›Korridor‹, heißt es: »Mercier. Nicht wahr, Lacroix? Die Gleichheit schwingt ihre Sichel über allen Häuptern, die Lava der Revolution fließt, die Guillotine republicanisirt! Da klatschen die Gallerien und die Römer reiben sich die Hände, aber sie hören nicht, daß jedes dießer Worte das Röcheln eines Opfers ist. Geht einmal euren Phrasen nach bis zu dem Punkt wo sie verkörpert werden. Blickt um euch, das Alles habt ihr gesprochen, es ist eine mimische Uebersetzung eurer Worte. Dieße Elenden, ihre Henker und die Guillotine sind eure lebendig gewordnen Reden« (I,51 f.). Das ›Nachspielen‹ in der Körperwelt bringt die Unwahrheit der ›Phrasen‹ an den Tag. Was heißt dann aber, die Sünde sei im Gedanken? Heißt es, die Sünde sei in der Anwendung des Gedankens? Oder heißt es, in direkter Umkehrung der Entlastungsfunktion, die der Gedanke für Robespierre hat, die Sünde sei im Gedanken, die Anwendung wäre aber die Erlösung von dieser Sünde?

Auf diese Wahrheit stößt Robespierre, als er der Realität seiner Identifikation mit dem ›Einen‹ inne wird. Die ›Phrase‹ in den Worten Merciers war die selbst-, nicht die fremdgesprochene Phrase. An den Punkt einer Anwendung auf sich gelangt auch Robespierre: »Und doch ist was von Narrheit in dem Gedanken. – Was sehen wir nur immer nach dem Einen? Wahrlich, des Menschensohn wird in uns Allen gekreuzigt, wir ringen Alle im Gethsemanegarten im blutigen Schweiß, aber es erlöst Keiner den andern mit seinen Wunden. Mein Camille! – Sie gehen Alle von mir – es ist alles wüst und leer – ich bin allein« (I,30 f.). Der Satz, die Sünde sei im Gedanken, gilt nicht nur *auch* im Blick auf eine Fremd- oder Vorgesprochenheit, sondern *gerade* im Blick auf eine Fremd- oder Vorgesprochenheit der Gedanken. Das Selbstsprechen wäre der erste Schritt einer sie erlösenden Einkörperung, das Selbsttun und Selbstleiden die letzte Bewahrheitung des Worts. Diese Deutung legt Danton nahe, wenn er sich in einer analogen Szene der Gewissensergründung, jedoch aus einer anderen Lage als Robespierre, mit dem historischen Jesus vergleicht. In Danton bewahrheitet sich der politische Messianismus. »Der Mann am Kreuze hat sich's bequem gemacht: es muß ja Aergerniß kommen, doch wehe dem, durch welchen Aergerniß kommt. Es muß, das war dieß Muß. Wer will der Hand fluchen, auf die der Fluch des Muß gefallen? Wer hat das Muß gesprochen, wer? Was ist das, was in uns hurt, lügt, stiehlt und mordet?« (I,41).[31] Das Muß, mit dem der historische Jesus, die anderen betreffend, sich aus der Affäre zog, schließt die Konsequenz einer Verkörperung alles des durch ihn Geredeten für diese anderen ein. Es ergibt sich also das genaue Gegenteil zu dem, was Martens aus den theologischen Motiven für das politische Handeln folgert, als Sinn des bei Büchner realistisch gewendeten Inkarnationsmotivs.[32] Nicht die Anwendung macht an sich wahre Gedanken oder Reden sündig. Sie sind – als Gedanken oder Reden des ›Einen‹ – sündig, solange ihnen in der geschichtlichen Wirklichkeit ihre Anwendung fehlt. Diese Anwendung kann jedoch nicht – wie das Beispiel Robespierres zeigt – als eine Übernahme *und* Verkehrung des Opfergedankens geschehen. Es bleibt die ›Scheußlichkeit‹ für die anderen, zu sein oder doch sein zu müssen, was dieser Gedanke mit Bezug auf sie bedeutet. Die religiöse Interpretation des *Danton* führt durch die Wort- oder Redethematik, deren sie sich bedient, aus den Voraussetzungen des Textes an den Punkt einer systematischen Erörterung des rezeptionsgeschichtlichen Ansatzes. Was bedeutet der *Danton* unter dem Aspekt seines ›sprachlichen Realismus‹? Mit der redetheoretischen Erörterung des Verhältnisses von Wort und Wirklichkeit im *Danton* ist die Frage der Rezeption als Frage der Applikation oder Konkretisation im Text selbst aufgeworfen.

Büchner verwahrt sich ausdrücklich gegen das Ansinnen, nach Art der ›sogenannten Idealdichter‹ seinen *Danton* verantworten zu sollen. Die ›Idealdichter‹ zeigen »die Welt nicht [...] wie sie ist, sondern wie sie sein solle« (II,443). Die Unterscheidung von ›Sein‹ und ›Sollen‹ in diesem Zusammenhang reicht in der Poetiktradition bis auf Aristoteles zurück.[33] Büchner verwendet sie jedoch in dem Sinn, daß er in ihr mit einem traditionellen Anspruch bricht. Er kündigt dem Anspruch der Tragödie, ›philosophischer‹ als die Geschichte oder die Geschichtsschreibung zu sein.[34] Kündigt er damit nicht auch dem Anspruch auf eine ideengeschichtliche Deutung? »[...] der dramatische Dichter ist in meinen Augen nichts, als ein Geschichtsschreiber, steht aber *über* Letzterem dadurch, daß er uns die Geschichte zum zweiten Mal erschafft und uns gleich unmittelbar, statt eine trockne Erzählung zu geben, in das Leben einer Zeit hinein versetzt, uns statt Charakteristiken Charaktere, und statt Beschreibungen Gestalten gibt. Seine höchste Aufgabe ist, der Geschichte, wie sie sich wirklich begeben, so nahe als möglich zu kommen« (II,443). Der Ideengehalt der darzustellenden Begebenheit gehört der Geschichte an, ebenso wie der pragmatische Zusammenhang des Geschehens, der Teil, der nach der traditionellen Auffassung vom Geschichtsdrama vor allem der poetischen Lizenz unterliegt.[35] Wenn schließlich aber auch die Sitten und Motive, wie Büchner in seiner Rechtfertigung des *Danton* betont, unter das Gebot der Geschichtstreue fallen (II,443 f.), was bleibt dann für jenes ›Mehr‹, durch das der Dramatiker *über* dem Geschichtsschreiber steht?

Nach Helmut Krapp ist dieses ›Mehr‹ in der Rede*form,* nicht im Inhalt der poetischen Rede zu suchen; darin, daß der Dramatiker Büchner seine Gestalten *selbst* und nur *selbst redend* auftreten läßt. »Die Figur ist mehr als nur die Sprache, die sie spricht.«[36] Büchner bewahrheitet – anders als die ›sogenannten Idealdichter‹ – die Redeform des Dramas. Sein Realismus ist ein ›sprachlicher Realismus‹, der ›lyrische‹ Realismus einer Beglaubigung des Worts durch die Gestalt.[37] Der Äußerungscharakter der Rede steht für die Wirklichkeit des Gesprochenen ein: »[...] die Gestalten sprechen nicht mehr. Sie äußern sich – sie ›treten aus sich heraus‹.«[38] Die Wirklichkeit wird nicht in der Form der Vergangenheit *episch* oder in der Form der Erwartung *dramatisch,* sondern in der Form vollkommener Gegenwärtigkeit *lyrisch* erfahren: »[...] so gibt es nichts, das sich in den Gestalten hier vorausentwirft. Ihr Schicksal liegt weder in der Dimension der Zeit, noch in der Spannung zu einer Transzendenz außerhalb ihres gegenwärtigen Seins, darin es sich erst zu erfüllen hätte. Befreit von der Aufgabe, sich zu verwirklichen, weil sie schon wirklich sind, haben sie nichts, woran sich ihr Gelingen oder ihr Versagen ausweisen könnte und in dessen Erwartung sie existierten, um die Gloriose oder den Untergang zu erfahren.«[39] Krapp folgt in seiner Interpretation dem stiltheoretischen Ansatz Erich Auerbachs[40], den er, um der lyrischen Ausdrucksqualitäten willen, gattungstheoretisch in der Linie der Staigerschen ›Grundbegriffe‹ weiterbildet.[41] Für die Realismusauffassung ergibt sich daraus, daß der Realismus Büchners sich existentiell begründet: aus dem Verhalten des Sprechers zu seiner Sprache, die er spricht. Das Problem des *Danton* ist ein ›ästhetisches Problem‹, das »Problem der Selbstdarstellung dramatischer Personen durch den Dialog«.[42] Die politischen, philosophischen und sozialen Inhalte, die in diese ›Konzeption‹ eingehen, sind durch ein verändertes Verhalten der Personen zur Sprache bestimmt. Der Dialog, der das gesprochene Wort als Mitteilung versteht, ist gemeinsame Rede, weil er die Sprache auf ihren abstrakten Aussagecharakter reduziert, das Wort nicht durch den existierenden Sprecher, sondern den Sprecher durch das – als Sache – existierende Wort beglaubigt.[43] Unter diesem Gesichtspunkt kritisiert Krapp nicht nur den idealistischen Dialog, der dem Realismus Büchners widerspricht, sondern auch die politische Rhetorik, die ein Teil dieses Realismus ist.[44] Um die Bedeutung dieses Schrittes einsehen zu können, müssen wir auf die historische Realismusauffassung zurückgehen, die Krapp bei Auerbach vorfand.

Auerbach erklärt die Entstehung des ›modernen Realismus‹[45] aus der Säkularisation eines ursprünglich theologischen Wortverständnisses. Grundlegend ist für ihn die »Geschichtlichkeit« und »soziale Bewegtheit«[46] einer Sprache, die »das Sinnlich-Anschauliche, welches hier erscheint«, nicht durch »bewußte Nachahmung« darstellt, sondern »in den Gesten und Worten der innerlich bewegten Menschen offenbart«[47]. An die Stelle eines absichtsvoll ordnenden Geistes, der die Rede und die Geschichte überschaut, tritt die innere Ordnung der Rede, die in sich bereits geschichtlich ist. Die Rede ist ›figural‹ im Sinn einer historischen Erwartungsstruktur der Sprache. Auerbach beschreibt den ›figuralen Realismus‹, der aus der christlichen Offenbarungslehre hervorgegangen ist, als eine »Struktur«, die »ihren beiden Polen, der Figur wie der Erfüllung, den konkreten, geschichtlichen Wirklichkeitscharakter beläßt [...]; so daß sich Figur und Erfüllung zwar gegenseitig ›bedeuten‹, daß aber ihr Bedeutungsgehalt keineswegs ihre Wirklichkeit ausschließt«.[48] Diese Geschichtlichkeit der Rede, die – theologisch – durch das Ereignis der Inkarnation verbürgt ist, widerstreitet einem statischen Wirklichkeitsverständnis, das sich – auf der Ebene der Stillehre – in der antiken Rhetorik bekundet.[49] Auf der Ebene des Stils zeigt sich der Gegensatz zwischen Geschichtlichkeit und Ungeschichtlichkeit der Rede als Gegensatz zwischen ›Stilmischung‹ und ›Stiltrennung‹,[50] durch die poetische Einbildungskraft offenbart er sich als ein Gegensatz in der geschichtlich bewegten Rede selbst. Denn die Kraft einer solchen Bewegtheit bezeugt sich erst in dem Augenblick unwidersprechlich, in dem sie die Ordnung, der sie ihr Selbstverständnis verdankt, vernichtet. In der poetischen Imagination sprengt eine »Übermacht der Bilder« den »figuralen Rahmen«, der ihre Wirklichkeit verbürgt. »Man denke an frühere figurale

Kunst, an die Mysterien, an die kirchliche Plastik, die sich gar nicht oder doch nur ganz zaghaft über das von der biblischen Geschichte unmittelbar Gegebene herauswagten; die Wirklichkeit und Individuum nur für die Belebung biblischen Geschehens nachzuahmen begannen; und halte daneben Dante, der die ganze geschichtliche Welt, und innerhalb derselben grundsätzlich jeden Menschen, der ihm in den Wurf kommt, in dem figuralen Rahmen lebendig werden läßt! Das ist zwar nur die Forderung der jüdisch-christlichen Geschehensdeutung von Anfang an; sie beansprucht universale Geltung; aber die Fülle des in die Deutung eingebauten Lebens ist so reich und stark, daß seine Erscheinungen auch unabhängig von aller Deutung sich ihren Platz in der Seele des Hörers erobern. [...] Und in dieser unmittelbaren und bewundernden Teilnahme am Menschen wendet sich die in der göttlichen Ordnung gegründete Unzerstörbarkeit des ganzen, geschichtlichen und individuellen Menschen *gegen* die göttliche Ordnung; sie macht sie sich dienstbar und verdunkelt sie; das Bild des Menschen tritt vor das Bild Gottes. Dantes Werk verwirklichte das christlich-figurale Wesen des Menschen und zerstörte es in der Verwirklichung selbst; der gewaltige Rahmen zerbrach durch die Übermacht der Bilder, die er umspannte.«[51]
An die Stelle eines theologischen Geschichtsverständnisses, nach dem das geoffenbarte Wort die Gestalt beglaubigte, tritt das verweltlichte Geschichtsverständnis, nach dem die Gestalt das geoffenbarte Wort beglaubigt. Die Rolle der Poesie für diese Entwicklung ist deutlich: sie bestätigt, indem sie die theologische Offenbarungsordnung leugnet, die darin nur unvollkommen repräsentierte göttliche Kraft. Undeutlich ist – in der Realismusauffassung Auerbachs – der Status dieser ›göttlichen‹ Kraft. Sie figuriert nicht mehr *in* der Erwartungsstruktur der Rede und verliert darüber sowohl ihre theologische als auch ihre historische Auslegung. Sie figuriert – als poetische und politische Imagination – *die* Erwartungsstruktur der Rede.
Der Realismus, den Krapp bei Auerbach vorfand, ist ein historischer Realismus. Er widerspricht dem politischen Realismus Büchners, der von Krapp jedoch existentiell aufgefaßt wird. Krapp interpretiert die politische Rhetorik des *Danton* aus einer Analogie zum idealistischen Pathos. Der Standpunkt, von dem aus ein politisches Verständnis des Büchnerschen Realismus wiederzugewinnen wäre, ist der Standpunkt eines rhetorischen Realismus. Die Rhetorik unterscheidet in ihrer Stillehre drei ›genera dicendi‹: das ›genus humile‹, das ›genus medium‹ und das ›genus sublime‹.[52] Dem ›genus medium‹ entspricht auf der Seite der zu erregenden und zu zeigenden Gemütslage das ›ethos‹, dem ›genus sublime‹ auf der Seite der zu erregenden und zu zeigenden Gemütslage das ›pathos‹. Beide ›genera‹ sind unterschieden nach entgegengesetzten Situationen des Handelns. Situationen, die innerhalb der Grenzen der Menschheit liegen, verlangen eine ›ethische‹, Situationen, die den Handelnden über diese Grenze hinausdrängen, die ihn ›entsetzen‹, eine ›pathetische‹ Präsentation.[53] So jedenfalls liegen die Verhältnisse bei Schiller, auf dessen ›pathos‹-Begriff sich Krapp als Beispiel für die klassische Rhetorik beruft. In *Über Anmut und Würde* heißt es: »Überhaupt gilt hier das Gesetz, daß der Mensch alles mit Anmut tun müsse, was er innerhalb seiner Menschheit verrichten kann, und alles mit Würde, welches zu verrichten er über seine Menschheit hinausgehen muß.«[54] Schiller betont am ›pathos‹ das Widerstehungsvermögen der Würde. Dies ändert jedoch nichts an der Tatsache, daß die Würde sich durch einen unaufgelösten Widerspruch in Leidsituationen zeigt: »Würde wird daher mehr im Leiden (pathos), Anmut mehr

im Betragen (ethos) gefordert und gezeigt.«[55] Die Theorie des ›sprachlichen Realismus‹ verwendet die Begriffe der Rhetorik nicht, wie sie sie vorfindet, als Begriffe der Wirkung nach Regeln der ›Angemessenheit‹ an die Situation,[56] sondern sie verwendet sie inhaltstheoretisch, als Begriffe der Wirklichkeit, in denen sich eine bestimmte Wirklichkeitsauffassung offenbart.[57] Das ›pathos‹, das wie das ›ethos‹ die Rede pragmatisch, durch Situationen des Handelns vermittelt zeigt, wird ihr zu einem Fall der objektiven Beglaubigung des Worts durch die Idee: »Mit anderen Worten formuliert: die harmonische Totalität der Welt des Idealismus ist beglaubigt durch die objektiv gegebene Idee; der Sinn kann zwar dem Menschen entrückt werden, doch nie auf immer verloren gehen.«[58] Nun gibt es zwar nach der Stillehre der Rhetorik den Fall einer Beglaubigung des Worts durch die Idee. Dies ist jedoch nicht der Fall des ›genus sublime‹, dem die Erschütterung obliegt (›movere‹), sondern der Fall des ›genus humile‹, dem das Beweisen und Belehren obliegt (›probare‹, ›docere‹). Für die idealistische Rhetorik gilt, daß sie eine autonome Beglaubigung des Worts – als Beglaubigung durch die Gestalt – nur in der Form einer wechselseitigen Beglaubigung, als Beglaubigung der Anmut durch die Würde und der Würde durch die Anmut[59] denken kann. Sie *muß* die Möglichkeit einer autonomen Beglaubigung entwickeln, wenn die Rede, die sich, um zu wirken, an Situationen des Handelns orientiert, diese im Unterschied zur antiken Rhetorik als geschichtlich veränderbar auffassen will. Was wäre dann aber der Sinn einer realistischen Auffassung des ›pathos‹ in Büchners *Danton*? Büchner behandelt das Verhältnis von ›ethos‹ und ›pathos‹ im *Danton* nicht moralisch wie Schiller, mit dem Ziel einer ›ästhetischen‹ Aussöhnung des Widerspruchs,[60] sondern historisch, als Wiedergabe der politischen Redewirklichkeit der Revolution. Rhetorik und existentieller Redegebrauch schließen einander nicht aus. Es sind dies die beiden Seiten des *einen* ›sprachlichen Realismus‹, der bei Büchner durchaus politisch gesehen ist. Ihre Bestätigung findet diese Auffassung durch eine kommunikationstheoretische Interpretation des Dialogs.

Literarische Kommunikation. Philologische Kritik eines unhistorischen Verhältnisses

Die Rezeptionsästhetik denkt das ›Werk‹ durch ein System der Erwartungserwartung vermittelt, innerhalb dessen der Autor auf ›Fragen‹ ›antwortet‹, die der Leser als solche ausfindig zu machen hat.[61] Indem sich der Leser in den Standpunkt der Frage stellt, kehrt sich für ihn das Verhältnis einer Herausforderung durch den Text um.[62] Der Leser bleibt unter der Prädisposition des Textes, indem er die Frage, auf die er den Text antworten läßt, durch eine ›Selektion‹ aus dem Text gewinnt.[63] Er geht über die Prädisposition des Textes hinaus, weil diese ›Selektion‹ als Verhältnis von Frage und Antwort die Bedeutung eines historischen Verhältnisses besitzt.[64] Damit ergibt sich nicht nur eine gewisse Analogie zur oben erörterten figuralen Auslegung – die Geschichte ›figuriert‹ wiederum in einem Verhältnis der Rede –, sondern es ergibt sich auch eine ungleich stärkere Abschirmung gegen die Geschichte, indem die Geschichte nur noch – als Frage-Antwort-Verhältnis – in einem Leser-Text-Verhältnis ›figuriert‹. Die Erwartungsstruktur der Geschichte ist nicht mehr die Erwartungsstruktur des geschichtlichen Handelns. Sie ist die Erwartungsstruktur einer Kommunikation *über* das geschichtliche Handeln, das die Form eines Frage-Antwort-Verhältnisses erhält. Die Rezeptionsästhetik folgt in ihrer Auffassung der Rezeption einer systemtheoretischen Auffassung der Geschichte.[65] So, wie jene das Zugleich von Komplexitätsreduktion und Komplexitätskonstitution durch die ›bewußte‹ Selektionsleistung in der Sinnkonstituierung gegeben denkt,[66] denkt die Rezeptionsästhetik »den Werkcharakter als Konvergenz von Text und Rezeption, mithin [!] als eine dynamische, im historischen Wandel ihrer Konkretisationen faßbare Struktur«, als »dialogische Konstitution von Sinn«.[67] Es läßt sich fragen, ob nicht das Bewußtsein der Sinnkonstitution, um zugleich Komplexität zu erzeugen und zu reduzieren, der ästhetischen Prädisposition bedarf. Die Rezeptionsästhetik stellt diese Frage nicht, sondern sie denkt gerade den Schritt über die ästhetische Erfahrung hinaus in der Form einer solchen Sinnkonstitution. Sie verfehlt damit sowohl den Sinn des phänomenologischen Systemrationalismus[68] als auch den Sinn der ästhetischen Erfahrung. Grundlegend für das ›sinnkonstituierende Erleben‹ ist der ›funktionelle Primat der Negation‹.[69] Deckt sich dieser ›funktionelle Primat‹ mit der ›ursprünglichen Negativität des Werks‹?

Der Erörterung dieser Frage nach der Bedingung der Möglichkeit der sinnkonstituierenden, ›negierbaren‹ Negation[70] soll der letzte Abschnitt der Rezeptionsgeschichte des *Danton* gelten. Er behandelt die Voraussetzungen, unter denen – selbst ein Akt der Rezeption – die Geschichte einer Rezeption geschrieben wurde. Poetische Bedeutungen sind negierte Bedeutungen, deren Negation selbst wieder negierbar ist.[71] Ihre pragmatische Funktion im Zusammenhang der sprachlichen Kommunikation beruht darauf, daß sie, als ›gemachte‹ Bedeutungen, die Möglichkeit einer folgenlos negierbaren Negation eröffnen.[72] Alle anderen Fälle der Negation in der Sprache wie im Handeln unterliegen der Einschränkung, daß nie das genau Gleiche in der Negation der Negation wiedergeholt werden kann.[73] Allein die ›gemachte‹ Bedeutung ist in dem gedachten Sinn in der Zeit festgestellte Bedeutung. Sie erlangt diese ›produktive‹ Stellung in der sprachlichen Kommunikation, indem sie durch eine Begründung in sich die folgenlose, negierbare Negation aus einer bestimmten, nicht folgenlosen Negation hervorgehen läßt. Der *Danton* ist die Tragödie der politischen, nicht der poetischen Einbildungskraft. Er thematisiert den politischen Einsetzungsakt der ›neueuropäischen‹ Gesellschaft, indem er ihn – vor allem am Schluß des Dramas – zur Kommunikationsstruktur in Beziehung setzt. Büchner vertraut die moralische Lösung des Konflikts nicht der Gestalt, sondern der sozialen Beziehung an.[74] Julie ermöglicht Danton den Tod, indem sie ihn nicht allein sterben läßt: »Da, bring ihm das und sag' ihm er würde nicht allein gehn. Er versteht mich schon [...]« (I,64). Sie entspricht damit einer Erwartung Dantons, die sie kennt, weil sie ihn kennt: »Ich werde nicht allein gehn, ich danke dir Julie. Doch hätte ich anders sterben mögen, so ganz mühelos, so wie ein Stern fällt, wie ein Ton sich selbst aushaucht, sich mit den eignen Lippen todtküßt, wie ein Lichtstrahl in klaren Fluthen sich begräbt« (I,67). Das Drama führt uns von sich aus auf eine Auffassung von Gesellschaft als Kommunikation.[75] Der Schluß widerspricht dem Beginn, wenn Danton in der Eingangsszene feststellt: »Danton. Nein Julie, ich liebe dich wie das Grab. Julie (sich abwendend). Oh! Danton. Nein, höre! Die Leute sagen im Grab sey Ruhe und Grab und Ruhe seyen eins. Wenn das ist, lieg' ich in deinem Schooß schon unter der Erde. Du süßes Grab, deine Lippen sind Todtenglocken, deine Stimme ist mein Grabgeläute, deine Brust mein Grabhügel und dein Herz mein Sarg. –« (I,9). Danton nimmt in diesem Ausspruch die spätere Lösung mit einer bezeichnenden Sinnverkehrung vorweg. Nicht weil »Grab und Ruhe [...] eins« sind, liegt er in Julies »Schooß schon unter der Erde«, sondern weil er in Julies »Schooß [...] unter der Erde« liegen wird, wird für ihn »im Grab [...] Ruhe« sein. Der Sinnverkehrung im inhaltlichen Resultat des Dialogs entspricht eine Sinnverkehrung in der Form, durch die der Inhalt zustande kommt. Der Dialog beginnt auf der ›Beziehungsebene‹ der Kommunikation.[76] Danton entspricht nicht der Erwartung, die Julie an ihn richtet. Er bestreitet die Möglichkeit, einander zu ›kennen‹. »Julie. Glaubst du an mich? Danton. Was weiß ich! Wir wissen wenig voneinander. Wir sind Dickhäuter, wir strecken die Hände nacheinander aus, aber es ist vergebliche Mühe, wir reiben nur das grobe Leder aneinander ab, – wir sind sehr einsam« (I,9). Man kann nicht sagen, daß Danton und Julie einander verstünden. Gleichwohl kommunizieren sie miteinander. Sie kommunizieren miteinander über ihre Kommunikation.[77] Danton setzt einseitig, indem er sich auf den Standpunkt der Einsamkeit stellt, ihre Beziehung zueinander neu fest. »Julie. Du kennst mich, Danton. Danton. Ja, was man so kennen heißt. Du hast dunkle Augen und lockiges Haar und einen feinen Teint und sagst immer zu mir: lieb Georg. Aber (er deutet ihr auf Stirn und Augen) da da, was liegt hinter dem? Geh, wir haben grobe Sinne. Einander kennen? Wir müßten uns die Schädeldecken aufbrechen und die Gedanken einander aus den Hirnfasern zerren. –« (I,9). An Danton selbst wird sich das Wort vom Aufbrechen der Schädeldecken bewahrheiten; jedoch anders, als er mit Bezug auf Julie meint: am Ende sind es die ›groben Sinne‹, durch die er Julie ›kennen‹ wird, aus denen ihm seine ihn befreiende Erwartung kommt. Am Ende dieses Dialogs schließt sich Danton gegen jede wirklich intersubjektive Erwartung ab. Nicht nur, daß er nicht die Erwartung des anderen erwartet, sondern gegen diese Erwartung spricht:[78] er unterwirft seine Beziehung zu Julie einem abschließenden Urteil, das allein von seinen Voraussetzungen aus gefällt ist. Danton löst sich aus der Beziehung zu Julie. Er steht bereits in der Einsamkeit dessen, der das Pathos der Revolution auf sich herabbeschwor.[79]

Büchner thematisiert das Elend der Revolution als ein Pathos der Revolution. Das Problem Dantons, das sich von der ersten Szene an abzeichnet, ist das Problem, nicht sterben zu können. Warum erscheint es zunächst in der eigentümlich sinnverkehrten Form einer einsamen Entschiedenheit zum Tod? Die Äußerungen in der Kommunikation – hier und an fast allen späteren Stellen – sind vorgeschobene Äußerungen, Versuche sich zu fassen.[80] Insoweit bewährt sich die existentielle Interpretation: die Weltanschauungspositionen, die bei Lukács, Viëtor oder Martens den Grund des Ganzen offenlegen, entspringen nicht einem ›Pathos‹ der Idee[81], sondern sind Beschwichtigungsversuche, vergebliche Vergewisserungen derer, die sich von der Revolution »in Ruhe« gesetzt sehen. »Danton. [...] die Revolution sezt mich in Ruhe, aber auf andere Weise, als ich dachte« (I,32). Das Pathos des Todes, von dem Danton umgetrieben wird, ist das Pathos der Revolution.[82] Es kommt zur ›Ruhe‹, als – im Mißlingen der Inkarnation – die Schöpfung das Leid in der absolut gewordenen Unvollkommenheit als ihr Leben einbekennt.

Büchner führt den Beweis für das ›Durch-sich-selbst-Sein‹ der Schöpfung aus dem Scheitern der Nihilismusthese. Die Gleichung, die Ruhe in Gott sei die Ruhe im Nichts, stößt auf die Schwierigkeit, daß »etwas [...] nicht zu nichts werden« kann.

»Philippeau. Was willst du denn? Danton. Ruhe. Philippeau. Die ist in Gott. Danton. Im Nichts. Versenke dich in was Ruhigers, als das Nichts, und wenn die höchste Ruhe Gott ist, ist nicht das Nichts Gott? Aber ich bin ein Atheist. Der verfluchte Satz: etwas kann nicht zu nichts werden! Und ich bin etwas, das ist der Jammer!« (I,61). Wenn die Negativität, das Leid, der ›Fels des Atheismus‹ ist,[83] so zeigt sich jetzt, daß das Etwas, das leidet, den Schluß auf das Nichts zunichte macht. – »Die Schöpfung hat sich so breitgemacht, da ist nichts leer, Alles voll Gewimmels. Das Nichts hat sich ermordet, die Schöpfung ist seine Wunde, wir sind seine Blutstropfen, die Welt ist das Grab worin es fault. – Das lautet verrückt, es ist aber doch was Wahres daran« (I,61). Der weitere Verlauf des Dialogs legt die Vermutung nahe, daß hier nicht der logische Schluß das Sein, sondern das Sein den logischen Schluß bedingt. Camille spricht die Situation aus. Er nennt jenes »nicht sterben *können*«, das die physische Bedingung der Unmöglichkeit mit voller Klarheit heraustreten läßt: »Die Welt ist der ewige Jude, das Nichts ist der Tod, aber er ist unmöglich. Oh nicht sterben können, nicht sterben können, wie es im Lied heißt« (I,61). Vollzogen, in einem Sprechakt, der die Wahrheit widerstrebend einbekennt, tritt die physische Bedingung der Unmöglichkeit daraufhin bei Danton zutage. Danton bleibt bei seiner Auffassung der Situation. Das Leben *ist* bereits der Tod, eine »verwickeltere, organisirtere Fäulniß«, ein Sterben. Gerade dies läßt ihn an einer Vernichtung im Tod zweifeln. »Wir sind Alle lebendig begraben und wie Könige in drei- oder vierfachen Särgen beygesetzt, unter dem Himmel, in unsern Häusern, in unsern Röcken und Hemden. – Wir kratzen fünfzig Jahre lang am Sargdeckel. Ja wer an Vernichtung glauben könnte! dem wäre geholfen. – Da ist keine Hoffnung im Tod, er ist nur eine einfachere, das Leben eine verwickeltere, organisirtere Fäulniß, das ist der ganze Unterschied!« (I,61). Der Sinn, in dem diese Äußerung getan ist, wird jedoch durch den Schluß, auf den er führt, in sein Gegenteil verkehrt.

Danton spricht bereits nicht mehr aus der Lage dessen, der den Glauben an eine Vernichtung im Tod sucht. Der Nachsatz, der adversativ an den mit Nachdruck vorgetragenen Protest anschließt, ist bereits aus dem Standpunkt des Lebens gesprochen: »– Aber ich bin gerad einmal an diese Art des Faulens gewöhnt; der Teufel weiß, wie ich mit einer anderen zurechtkomme« (I,61). Danton kommt mit der anderen Art des Faulens nicht zurecht. Die einzige Möglichkeit, daß der Tod gestorben werden könnte, wäre, daß er die Gestalt des Lebens annähme; nicht eines ›ewigen Lebens‹, das die Theologie als Antwort auf diese Frage denkt, sondern eines sich durch ihn hindurch fortsetzenden kreatürlichen Lebens. Dies ist der Sinn jener abschließenden Hinwendung zu Julie, mit der Danton eine Erwartung, die erwartet wird, ausspricht: »O Julie! Wenn ich *allein* ginge! Wenn sie mich einsam ließe! – Und wenn ich ganz zerfiele, mich ganz auflöste, – ich wäre eine Handvoll gemarterten Staubes, jedes meiner Atome könnte nur Ruhe finden bei ihr. – Ich kann nicht sterben, nein, ich kann nicht sterben. Wir müssen schreien, sie müssen mir jeden Lebenstropfen aus den Gliedern reißen« (I,61). Dies ist die vorletzte Position im Wechsel der Haltungen oder Gemütslagen bei Danton. Nicht der Tod zwingt das Leben, ihn anzuerkennen, sondern das Leben erzwingt seine Anerkennung durch den Tod. Dem wird, wie wir sahen, durch Julie entsprochen, weil sie, ohne eine Mitteilung von Danton empfangen zu haben, seine Erwartung, sie betreffend, erwartet. Sie ›kennt‹

ihn, wie er – in diesem Augenblick – sie ›kennt‹: aus dem Leid oder der Unvollkommenheit der Kreatur. Die letzte Position, die auf Grund dieser Gewißheit möglich wird, ist die *Geburt* des Nichts aus der Schöpfung. Der Gang der Begründung ist umkehrbar. Nicht vom Nichts oder von Gott aus wäre die Welt zu begründen, sondern die Welt hat das Nichts als ihre Begründung aus sich hervorzubringen. Danton kann als Erwartung, die durch eine Gegenwart verbürgt ist, aussprechen, was sich bis dahin dem Wort wie dem Sein versagte. »Die Welt ist das Chaos. Das Nichts ist der zu gebärende Weltgott« (I,72). Warum ist das ›Durch-sich-selbst-Sein‹ der Welt nur als Erwartung ausgesprochen, die sich – in ihrer gerundivischen Form unmißverständlich – als *historische* Erwartung versteht?
Die Frage, auf die uns die Interpretation des *Danton*-Schlusses führt, ist nicht nur für die *Danton*-Interpretation von Belang (zur Klärung des Verhältnisses von kommunikativer und politischer Handlung in diesem Drama) sondern sie spielt auch für unser Verständnis des Verhältnisses von kommunikativer und poetischer Rede eine Rolle: indem sie unterschiedliche Realitätsgrade der Negativität am Text zu unterscheiden lehrt. Und sie erzwingt schließlich eine Entscheidung in der Auffassung der politischen Handlungswirklichkeit: indem der Text – negativ zu der gewesenen politischen Praxis – den Leser in eine gerundivische Erwartung entläßt. Die Revolution wird von Büchner auf der Bedeutungsebene der Sprache – im kommunikativen Handlungszug zwischen Julie und Danton – als ›Resurrektion der Natur‹ interpretiert.[84] Diese Interpretation widerspricht der Wirklichkeit des politischen Geschehens. Sie ist wahrer als diese Wirklichkeit. Sie ist aber auch weniger wirklich. Genau besehen, beruht ihre Wirklichkeit, ohne daß dadurch die Kritik ihre Bedeutung verlöre, auf der Wirklichkeit des Negierten. Die Negation, auf Grund deren die Kommunikation *über* eine Sache über diese Sache hinausweist, ist die Negation einer Kommunikation *über* Sachverhalte überhaupt: die Negation einer zugleich mitgegebenen oder -vollzogenen Existenz.[85] Der *Danton* negiert diese Negation, oder er gibt sie doch zumindest als negierte – gerundivisch, in der Form der historischen Erwartung – an das Lese- oder Zuschauerverhältnis weiter. Eine Rezeptionsgeschichte, die *mit dem Text* zwischen historischer und kommunikativer Erwartung unterscheidet, schließt die Kritik eines unhistorischen Verständnisses der Kommunikation ein. Sie kritisiert – als Geschichte – das genuin ästhetische Verhältnis der ›Kontingenz‹.[86] Sie ist, was die Philologie seit ihren Anfängen immer war oder doch sein sollte: der Ausgang aus einer selbstverschuldeten Unmündigkeit im Umgang mit Texten.

HORST STEINMETZ

Die Rolle des Lesers in Otto Ludwigs Konzeption des ›Poetischen Realismus‹

Daß ein literarischer Text nicht nur bedeute, was er wörtlich sagt, daß er unterschiedlich konkretisiert bzw. aktualisiert werden könne, daß also der (einzelne) Leser als ›Verwirklichender‹ des Textes gewissermaßen Bestandteil des Textes sei, daß darum auch für den literarischen Text eine Kommunikationssituation konstitutiv sei – diese Erkenntnis gehört seit den letzten Jahren zum festen Besitz der Literaturwissenschaft. Nach langen Jahrzehnten literaturwissenschaftlicher Arbeit, die Wesen und innere wie äußere Gesetze eines selbstgenügsamen, seinen Wert in sich selbst findenden Textes eruieren wollte, und wenn nicht dieses, so doch dazu neigte, eine immanente Intention des Textes oder die Intention des Autors zum Maßstab ihrer Untersuchung zu machen, schlägt das Pendel jetzt in die andere Richtung aus: Zahlreiche in jüngster Zeit erschienene Publikationen bezeugen die Tendenz, literarische Texte vom Leser und seiner Reaktion her zu begreifen. Rezeptions- oder Wirkungsästhetik sind seit 1969/70 Schlüsselbegriffe geworden. Die kommunikative Interaktion zwischen Text und Leser wird mehr und mehr zum Ausgangspunkt literarischer Analysen. Der ›Erwartungshorizont‹ des Lesers lenkt mehr Aufmerksamkeit auf sich als die Intention des Autors. Rezeptionsgeschichtliche Darstellung gewinnt den Vorrang vor dem, was bisher Literaturgeschichte genannt wurde.

Dieser allenthalben zu beobachtende Umschlag von der Produktionsästhetik zur Rezeptionsästhetik hat seine nicht zu bezweifelnde Berechtigung. Erst seitdem er eingetreten ist, wird Literatur vollends als soziales Phänomen sichtbar, wird auch literarisches Leben darstellbar, das zu einem großen Teil von der Art und Weise des ›Gebrauchs‹ von Literatur bestimmt wird. Erst heute beginnen wir eine Ahnung davon zu bekommen, wie Literatur ›funktioniert‹, erst heute sind wir auf dem Wege, das Maß der Freiheit oder Unfreiheit des Lesers als etwas das literarische Werk (Mit-)Bestimmendes zu berücksichtigen. Die Ergebnisse rezeptionsästhetischer und -geschichtlicher Forschung verweisen vielfach auf eine so gut wie unbegrenzte Macht und Möglichkeit des Lesers, literarische Texte ausschließlich aus seiner eigenen Perspektive zu aktualisieren, sie mit der eigenen Lebenswelt, notfalls ›gewaltsam‹, d. h. auch gegen die Intentionen des Autors, in Übereinstimmung zu bringen.

Die auf diese Weise in den Blick gerückte Allmacht des Lesers, die z. B. die frühere Allmacht des Erzählers gleichsam abgelöst zu haben scheint, darf jedoch nicht zu der Meinung verführen, die Autoren hätten nicht immer um sie gewußt und mit ihr gerechnet. Von alters her hat man vielmehr versucht, diese Allmacht oder Willkür des Lesers zu steuern, auf jeden Fall aber so klein wie möglich zu halten. Die Skala dieser Versuche reicht von autoritärer Lesermanipulation bis zur scheinbar gewährten, ja bisweilen ausdrücklich bekundeten Interesselosigkeit an Leserreaktionen. Nur selten allerdings haben die Autoren offen von den Kunstgriffen der Leserlenkung gesprochen, zumal sich im Laufe des 19. Jahrhunderts die Auffassung von der Autonomie des literarischen Werkes einer stets wachsenden Zustimmung erfreuen durfte. In früheren Jahrhunderten war man im allgemeinen weniger skrupulös, auch wenn man die ›Strategien‹ der Leserlenkung nicht im einzelnen aufdeckte. Immerhin bestand ein allgemeiner Konsensus darüber, daß Literatur einer bestimmten Erziehung zu dienen habe, daß ihre Wirkung von ausschlaggebender Bedeutung sei. Literatur stand im Dienste höherer Mächte und Ziele, der Religion, des Hofes, der Aufklärung.

Einer von den weniger verschwiegenen Autoren war Otto Ludwig. Seine Einschätzung der Rolle des Lesers ist nicht allein deswegen interessant, weil sie sozusagen einen Blick hinter die Kulissen der Leserlenkung gestattet, sondern weil Ludwigs theoretische Schriften zu Drama und Roman die mitschöpferische Kraft des Lesers einkalkulieren und zu nutzen suchen. Otto Ludwig ist einer der wenigen Autoren des 19. Jahrhunderts, der ausführlich auf den Zusammenhang zwischen Text und Leser eingeht und dessen Beurteilung der Leserrolle auf moderne Erkenntnisse vorausweist. Im Gegensatz zum heute gängigen Ansatz werden Funktion und Rolle des Lesers von ihm jedoch aus der Sicht des Autors beschrieben. Gerade deshalb aber kann eine Analyse seiner Einsichten die heutige Diskussion um eine Perspektive bereichern. Darüber hinaus sind die von Ludwig gewonnenen Resultate um so interessanter, als er sie im Zusammenhang mit der Suche nach den Prinzipien realistischer Literatur entwickelt hat.

Ausgangspunkt und Grundlage aller Reflexionen Ludwigs ist die Überzeugung, daß Literatur mit dem Leben, mit der Wirklichkeit eng verbunden sein müsse. Grundanschauungen aus der Poetik des 18. Jahrhunderts wiederaufnehmend, sieht er in der Dichtung ganz konkret ein Mittel zur Lebenshilfe; sie habe »abzuhärten gegen die möglichen Reaktionen des Lebens, mit einem Worte: praktische Lebensweisheit zu lehren« (VI,170). Es gilt, »Lebenskunst zu lehren; Selbstkenntnis durch Menschenkenntnis, Kenntnis des Lebens, d. i. des Weltlaufes« (VI,20). Eine solche Bestimmung der Kunst hat zwei fundamentale Voraussetzungen. Erstens muß der Autor eines literarischen Werkes, das Lebenskunst und -weisheit lehren soll bzw. lehren kann, wissen, welche Gesetze das Leben ordnen, er muß den Sinn des Lebens kennen, den Gang des »Weltlaufes«. Zweitens muß das Werk realistischen Ansprüchen genügen, d. h., es muß in Übereinstimmung sein mit der Wirklichkeit, die außerhalb der Fiktion anzutreffen ist, mit der Lebenswirklichkeit des Lesers. Diese beiden Aspekte werden denn auch in Ludwigs umfangreichen Aufzeichnungen immer wieder diskutiert, wobei zahlreiche Wiederholungen, gelegentlich auch kleinere Widersprüche die Studien durchziehen.

Im ganzen kann man feststellen, daß einer der Angelpunkte in Ludwigs Denken darin liegt, daß er in und hinter allen zeitgebundenen, historischen, gesellschaftlichen Erscheinungen ein ›Ewig-Menschliches‹ erkennt, ein gleichbleibendes Grundgesetz im Wechsel der Zeiten und Ereignisse: »Die Kunst soll uns eben, was uns in der schlechten Wirklichkeit verwirrt, entfernen und uns durch den Schein der wirklichen Erscheinung hindurch die innre Wahrheit ihres Gegenstandes zeigen, den einheitlichen Geist, wie er unter der mannigfaltigen Decke der Natur verborgen liegt; sie soll uns in dem Körper des einzelnen Falles das allgemeine Gesetz als Seele lebendig zeigen« (V,396). Ludwig glaubt also an bestimmte unveränderbare Gesetze und

Mächte des Lebens, die alle historische Faktizität durchwalten und als solche erkennbar seien. Und der Dichter wird darum auf eine Art, heute gewiß manchen naiv anmutenden, Objektivismus verpflichtet. Er darf sich durch die Vielfalt der Gegenwart und Vergangenheit nicht »verwirren« lassen, er muß »bloß das festhalten, was dem Menschen zu allen Zeiten eignet, seine wesentliche Natur« (V,411). Besonders im Hinblick auf die Tragödie konkretisiert sich dieser Objektivismus zu einer objektivistischen Anthropologie, für die Shakespeares Dramen vorbildlich sind, weil sie »das allgemeine Menschenschicksal im besondern« darstellen (V,483). Künstlerisch darstellbar wird das ›Wahre‹, das ›Bleibende‹ mit Hilfe des »Typischen«. Das den Dichter leitende »Ideal« hat das Typische zu sein. Es ist ein Ideal, das völlig anderer Natur ist, als es etwa Schillers Ideale sind, die nach Ludwig nicht auf Grund einer Auseinandersetzung mit dem »Weltlauf« entstehen, sondern das Produkt einer »philosophischen Abstraktion« sind (V,37). Ludwigs Postulat der typischen Darstellung wendet sich sowohl gegen eine naturalistische Kunst, der »es mehr um die Mannigfaltigkeit zu tun sei« (V,459), als auch gegen eine idealistische, die letztlich lediglich einer »dichterisch eingekleideten philosophischen Absicht« gleichzusetzen sei (V,39): »Die Darstellung muß darauf ausgehn, uns ihre völlige typische Wirklichkeit zu geben, eine vom Zufall befreite, geschloßne, stilisierte; eine poetische, höhere Wirklichkeit, nicht ein mit dem Scheine von Wirklichkeit umkleidetes Phantasieding, ein Produkt von Schwärmerei oder platonischem oder sonstigem Phantasierausche von Weltverbessrer- oder Weltschmerzträumereien und Überspanntheiten. Es gilt nicht darzustellen, was nur selten geschieht, sondern in dem Geschehenden und in dessen Art und Weise eben das, was wir jeden Tag sehen, nur in der gemeinen Wirklichkeit mit tausenderlei Zufälligem, dem Typus gleichgiltigen vermischt« (V,535).

Der Inhalt der Forderung nach typischer Darstellung ist zu einem guten Teil identisch mit dem der Forderung nach realistischer Kunst. Realistisch dichten heißt bei Ludwig, »von der greifbaren Wirklichkeit«, nicht aber von abstrakten Idealen ausgehen (V,35). Doch darf das Resultat »nicht gemeine Wirklichkeit sein« (V,264). Kennzeichen der realistischen Dichtung ist es, daß sie »selbst nicht aus dem flüchtigen Tage, sondern aus dem Großen und Ganzen unsers wirklichen Lebens organisch hervorgegangen ist« (V,43). Die sich möglicherweise widersprechenden Kräfte, welche die Erscheinungswelt der Wirklichkeit, unter Umständen unsichtbar, bestimmen, müssen der eigentliche Gegenstand des Kunstwerkes sein. Hier nun erweist sich, daß die objektiven Lebensgesetze, trotz ihres unveränderbaren Grundcharakters, in den verschiedenen Epochen der Geschichte doch verschiedenen Ausformungen unterliegen. Zwar bleibt durch eine objektivistisch verstandene Psychologie der Zugang zu ihnen immer gewahrt, dennoch konkretisieren sie sich zu durchaus unterscheidbaren »Zeitidealen«. »Shakespeare ist der Spiegel [...] seiner Zeit« (V,53).[1] Er vermittelt die »Ideale«, d. h. die bestimmenden Mächte und Kräfte seines Jahrhunderts, die durch historisch bestimmte Form und Ausprägung als zeitbedingt erkennbar, gleichzeitig aber durch Typisierung von aller Zufälligkeit und irritierender Individualität gereinigt sind und deshalb doch wieder als ›objektive‹ und damit auch jederzeit nachvollziehbare Identifikationen des Menschlichen und Gesetzhaften gültig bleiben. Aufgabe des realistischen Dichters des 19. Jahrhunderts ist es nun, die Ideale seiner Zeit zur Darstellung zu bringen: »Ein Glück für uns, daß unsre Zeit schon [...] so viel eigne Geschichte gehabt hat, daß in ihr sich neue Ideale soweit vorbilden konnten, daß sie sich bereits der Gestaltung des Dichters bieten, d. h. daß ihnen nichts fehlt als Gestaltung. Nur darf der Dichter sich nicht von den Wahnbildern der Zeit täuschen lassen, deren Menge aber eben das Bedürfnis eines Ideales beweist. Es gilt jetzt nicht, in absichtlicher Opposition gegen allen Realismus zu stehen; es gilt vielmehr *realistische Ideale* darzustellen, d. h. *die Ideale unsrer Zeit«* (VI,16).

Der Rang eines Dichters ergibt sich aus seiner Fähigkeit, die »realistischen Ideale« als solche zu erkennen und zum Gegenstand seines Schaffens zu machen. Seine Objektivität bewährt sich darin, daß er in den Kampf der »realistischen Ideale« untereinander nicht eingreift, daß er nie einseitig Partei nimmt, vielmehr für die »Beleuchtung des Gewöhnlichsten im Leben mit dem Lichte der Idee [sorgt], die nie aber ein Parteistandpunkt, sondern stets über den Parteien schwebend sein muß« (VI,75).[2] In Ludwigs Auffassung ist letztlich kein Raum für die Annahme, zwischen Idee und Wirklichkeit könne ein ernsthafter Widerspruch klaffen. Die Übereinstimmung zwischen beiden zu zeigen ist gerade eine der Aufgaben der Kunst. Es kann höchstens darum gehen, ›falsche Ideale‹ zu eliminieren. Auf keinen Fall ist der Dichter berechtigt, ein nicht aus der Wirklichkeit hergeleitetes »Ideal an der schlechten Wirklichkeit [zu] rächen« (V,54). Die Wirklichkeit im literarischen Werk ist eine stilisierte, gereinigte, verdichtete. Ludwig spricht vom »stilisierten gemeinen Weltlauf« (V,170). Darum ist der Realismus der Kunst ein »poetischer« Realismus. Er beruht zwar auf den bestimmenden »Idealen unserer Zeit«, die jedoch »poetisiert« werden. Poetisch wird dieser Realismus auch dadurch, daß die Welt des literarischen Werkes im Vergleich mit der unübersichtlichen, »verwirrenden« tatsächlichen Wirklichkeit als organische Ganzheit, Einheit, Totalität erscheint. Diese Totalität ist wesentlich das Ergebnis der Typisierung, die ihrerseits wiederum die »poetische Wahrheit« begründet: »Mit der reintypischen Behandlung ist die Geschlossenheit, Ganzheit, Einheit, Vollständigkeit, Übereinstimmung und Notwendigkeit, d. i. die *poetische Wahrheit* gesetzt« (V,68). Die künstlerische Phantasie »schafft die Welt noch einmal, [...] eine, in der der Zusammenhang sichtbarer ist als in der wirklichen, nicht ein Stück Welt, sondern eine ganze, geschloßne, die alle ihre Bedingungen, alle ihre Folgen in sich selbst hat« (V,458). Dadurch auch kann die Kunst die »Vernünftigkeit der Weltordnung« demonstrieren (V,80). Sie ist es, die »in ein Stück Wirklichkeit die Gesetze der ganzen Wirklichkeit legt und sozusagen dem endlichen Geiste eine Welt schafft, für diesen so übersehbar, als das Ganze der großen Welt in Raum und Zeit einem Ewigen sein mag« (V,168).[3]

Aus diesem Grunde ist der poetische Realismus besonders gut geeignet, den Menschen ›aufzuklären‹, ihn zur richtigen und erhellenden Erkenntnis des »innersten Gesetzes des Weltlaufes« zu führen (V,170). In Ludwigs Konzeption realistischer Literatur muß der Dichter zwei Ansprüchen gerecht werden. Zum einen ist er gegenüber der Wahrheit verantwortlich, wie sie sich in den »realistischen Idealen« manifestiert: »Sein höchstes Gesetz ist poetische Wahrheit« (V,411). Zum anderen gehört es zu seinem Auftrag, die Aufgabe eines Lehrers zu übernehmen. Er hat dem Leser Einsicht in die Wirklichkeit zu vermitteln. Kunst wird nicht um ihrer selbst willen geschaffen, sondern eben für Rezipienten. Das Drama ist »um einer Versammlung von Zuschauern und Hörern willen da« (V,541), der Roman richtet sich an Leser.

Da der Literatur so ein didaktischer Auftrag zukommt, darf sie sich bereits deswegen nicht als einfache Nachahmung oder gar Imitation (historischer) Wirklichkeit erschöpfen. Der didaktische Effekt ginge dann verloren. Sie muß dem Rezipienten stets als Gemachtes, als »illusorische Wirklichkeit« (V,162) bewußt bleiben. Wie sie das Resultat der Phantasie des Künstlers ist, so wendet sie sich an die Phantasie des Aufnehmenden. Auch die realistische Literatur ist daher »symbolischer Natur«, darf nie »gemeine, wirkliche Illusion, wirkliche Täuschung« anstreben (V,272). Ludwig betont immer wieder die unumgängliche Notwendigkeit, alle »falsche Illusion« (V,264) zu vermeiden: »Die Kunst ist, auf der einen Seite die größtmöglichste künstlerische Täuschung hervorzubringen, auf der andern Seite immer vorzusehen, daß diese künstlerische Täuschung nicht in die falsche Illusion übergehe, die nichts mit der Kunst zu thun hat, sondern der ›unfreiwillige Irrtum‹ ist, daß das, was der Phantasie zum Spiele hingereicht wird, bare, blanke Wirklichkeit sei, wirkliche, nicht von der Kunst frei reproduzierte« (VI, 188).[4] Nur so wird einerseits der »Genuß der Freiheit des Betrachters« (VI,200) garantiert, andererseits die Bedingung für die Wirkung des Werkes geschaffen. Denn als Phantasieprodukt, das als solches eine Stilisierung und »Simplifikation« (V,229) zur Voraussetzung hat, bleibt das Werk unvollkommen, »Skizze« (V,132), angewiesen auf die Ergänzung und Vollendung durch die Phantasie des Rezipienten.

Der Autor des literarischen Werkes muß also die mitschaffende Tätigkeit des Rezipienten bei der Konstituierung des Werkes berücksichtigen, kann darüber hinaus aber selbst dafür sorgen, daß diese Tätigkeit in der ›richtigen‹, d. h. dem Werk und der Intention des Werkes angemessenen Weise ausgeübt wird. Beides muß in den Konstitutionsvorgang des Werkes gleichermaßen eingebracht werden. Ausgangspunkt ist die Tatsache, daß der Rezipient am Zustandekommen des Werkes wesentlich teilhat. Diese Tatsache nimmt Ludwig sehr ernst:

> »Ein Bild wird erst durch den Beschauer fertig.
> So ists mit Büchern auch. Ein Buch ist schlecht,
> Wenns nicht den rechten Leser findet, der
> Im Lesen erst es fertig macht. Es liest
> Kein Leser mehr heraus, als er hinein liest.
> Dem andern ist dasselbe Buch ein anders« (III,168).

»Im Innern des Zuschauers erst entsteht während der Aufführung durch des Dichters, des Schauspielers und sein eignes Zuthun das Kunstwerk« (V,158). – »Der Othello hat das eigne, daß er dem Leser oder Zuschauer erst hintennach wahr wird. Der Zuschauer muß dabei eine größere Thätigkeit entwickeln, als dem Dichter die Grenzen seiner Kunst vergönnen. Er (der Zuschauer) muß aus seiner Kenntnis der Leidenschaft überall die Winke des Dichters ergänzen [...]« (V,225).

Ludwig kennt auch die im Grunde unbegrenzte Macht des Rezipienten, das Werk allein in seinem Sinne, von seinen Voraussetzungen her zu begreifen: »Die Worte sind Heuchler und Schmeichler; sie wechseln mit der Laune des Lesers.«[5] Eine solche Freiheit ist analog der Freiheit des Menschen dem Leben und der von ihm erlebten Wirklichkeit gegenüber: »Das ganze Leben ist ein Verschlingen und Umschmelzen der Dinge in unser eignes Metall.«[6]

Die Konstituierung des literarischen Werkes und der Lebenswirklichkeit zeigt Parallelen: die Mittätigkeit des Subjekts ist beim Zustandekommen und für den Charakter des Ergebnisses ein grundlegender Faktor.
Doch akzeptiert Ludwig eine an Willkür grenzende Freiheit weder dem Leben noch der Kunst gegenüber. Seine Lebens- und seine Kunstanschauung basieren ja gerade auf der Überzeugung, daß bestimmte innere Gesetze die Wirklichkeit beherrschen, die von der Oberflächenvielfalt der historischen Situation verdeckt sein können, darum aber gerade von der Kunst zur Anschauung gebracht und damit ins Bewußtsein gehoben werden müssen. Die Mittätigkeit des Rezipienten beim Zustandekommen des Werkes muß darum genutzt werden, zum Zwecke der Erkenntnis der inneren Gesetze genutzt werden. Die mitgestaltende Tätigkeit des Lesers soll darum nicht nur als etwas Gegebenes hingenommen, sondern stimuliert werden, denn »durch diese Mitthätigkeit [wird er] um so tiefer interessiert« (V,539). Und nicht nur das. Indem das Ganze des literarischen Werkes erst auf Grund der mitschaffenden Aktivität des Lesers entsteht, ist dieser geneigt, das Entstandene zu glauben, für ›wahr‹ zu halten. Es gilt also den Leseranteil so zu lenken, daß er dazu beiträgt, das vom Autor Intendierte zu ›verwirklichen‹. Am Ende müssen sich objektive und subjektive Wahrheit decken.
Das aber wiederum kann nur dann gelingen, wenn das Werk in der vom Autor vorgelegten Form dem Realitäts- und Lebensgefühl des Rezipienten entgegenkommt, wenn es ihm die Möglichkeit bietet, seine eigene Wirklichkeit in der des Werkes wenigstens partiell wiederzuerkennen. Dazu sind bestimmte Kunstgriffe des Autors erforderlich. Doch münden solche Kunstgriffe keineswegs in eine fragwürdige Lesermanipulation; denn Ludwig unterstellt dem Leser die »Sehnsucht« nach Aufklärung bzw. nach der Erkenntnis der »Ideale« seiner Zeit. Der Dichter bringt mit seiner ›Manipulation‹ lediglich zur Ausführung, was als geheimer Wunsch des Lesers bereits existiert, er hilft ihm, ist deshalb auch in der Anwendung der Kunstgriffe völlig gerechtfertigt: »[...] ist es die Aufgabe, den Idealen, die noch gestaltlos, als bloße Sehnsucht in den Herzen und Köpfen der neustrebenden Gegenwart zittern, die Gestalt zu geben, in der sogleich jeder Zeitgenosse das erkennt, was er hegte, aber nicht gestalten, d. h. nicht anschauen konnte. So lehrt der wahre Dichter seiner Zeit, wonach sie sich sehnt, die ideale Form der Menschheit, wie seine Zeit sie fordert, er lehrt ihr ihr Bedürfnis und giebt ihrem Denken und Gehaben das Muster« (VI, 16).
Im ganzen läuft Ludwigs Konzeption darauf hinaus, daß die Wirklichkeit, die Aussage des realistischen Werkes, durch den Rezipienten beglaubigt werden müsse. Diese Beglaubigung ist vor allem gerade dadurch erreichbar, daß der Rezipient mitverantwortlich für die Entstehung des Werkes ist.
Das realistische literarische Werk konstituiert sich nach Ludwig also aus zwei Komponenten, die sich gegenseitig ergänzen und stützen. Realistisch im Sinne objektiver Wahrheit kann das Werk nur werden, wenn es mit den »realistischen Idealen« übereinstimmt und sie zur Darstellung bzw. zur Wirkung bringt. Gleichzeitig bedarf es als realistisches Werk der Bestätigung durch den Aufnehmenden. Diese Bestätigung hängt nun nicht von dem Urteil über das fertige Werk ab, sondern wird über die Mitbeteiligung des Rezipienten gewonnen, der den Realismus konstituieren hilft und deswegen anerkennt. Den Prozeß der Gesamtkonstitution des realistischen Werkes könnte man ungefähr folgendermaßen schematisierend beschreiben: Der Autor

will Realität darstellen und vermitteln, die umfassender ist als die Alltagswelt des Lesers. Um diesen dazu zu bewegen, die gemeinte Realität auch als die für ihn gültige zu akzeptieren, bietet ihm der Autor Wirklichkeitspartikel an, die mit seiner Realitätsvorstellung und -erfahrung übereinstimmen. Dadurch ist der Leser geneigt, auch ihm nicht sofort Geläufiges in das als realistisch Erfahrene einzufügen. Dazu ist er um so eher bereit, als er selbst an Entstehung und Entfaltung der Welt des Werkes beteiligt wird. Am Ende ist durch diesen Prozeß das verworrene und vordergründige Wirklichkeitsbild des Rezipienten durch die Konfrontation mit »realistischen Idealen« und durch seine eigene Aktivität gereinigt, zu Vorstellungen geläutert, die mit den Realitätseinsichten des Autors korrespondieren. Das bewirkt eine neuerliche Anerkennung. Und mit ihr ist zugleich die didaktische Aufgabe der Kunst erfüllt: Die Realitätsvorstellung des Lesers umgreift mehr als seine vordergründige Erfahrungswelt.

Weil der vom Autor gewollte Realismus auf die Bekräftigung durch den Aufnehmenden angewiesen ist, ist eine ganz konkrete Technik des literarischen Werkes nötig, damit der notwendige Konstitutionsprozeß in Gang gesetzt und sein Ergebnis gesichert werden kann. Stoff, Menschendarstellung und Struktur des Werkes müssen den Bedingungen des Zustandekommens realistischer Literatur Rechnung tragen.

Dabei muß zwischen den Techniken des Romans und des Dramas unterschieden werden. Beide richten sich zwar an die Phantasie des Zuschauers bzw. des Lesers, verlangen seine Mitarbeit. Doch wird beim Drama ein Teil dieser Mitarbeit vom Schauspieler übernommen. Während im Roman die Konfrontation zwischen Werk und Leser direkt stattfindet, also auf eine Zweiheit beschränkt ist, ist die Realisation des Dramas von drei Faktoren abhängig: »Diese Faktoren sind eben Dichter, Schauspieler, Publikum. Aus ihrem gegenseitigen Verhältnisse die Technik des Dramas zu entwickeln, ist die Aufgabe dieser Untersuchungen« (V,59).

Für die Praxis bedeutet dies, daß der Schauspieler das im Drama Angelegte »konkret machen muß« (V,493): »Er findet überall nur fertig zu machen, auszuführen« (V,131). Das Drama muß dem Schauspieler Gelegenheit geben, seine Kunst zu entfalten, die darin besteht zu vollenden, was durch Anlage und Organisation des Werkes vorgegeben ist. Nach Ludwigs Meinung haben Shakespeares Dramen hierin wiederum Vorbildliches geleistet, während Schiller und Goethe nichts Vergleichbares gelungen sei: »Darum wirkt so vieles von Goethe auf der Bühne gar nicht. Die seelenvollen Goethischen Verse haben schon die Melodie, die sie haben können; was der Schauspieler hinzuthun kann, ist dasselbe, was der Dichter schon hinzuthat; er ist überflüssig, er kann die ätherische Musik nur vergrößern [...]. In der That sind die Shakespearischen Stücke, wie nach Schillers Meinung Schauspiele eigentlich sein sollen, nur treffende, geistreiche Skizzen, nur Anlagen [...]. Indem Schiller und Goethe den Schauspielern die zweite Arbeit an ihren Stücken nicht gönnten und selbst die Haut dazu thaten, mußten sie es an ihren Knochengerüsten und Muskellagen, an dem, was sie eigentlich als Dichter zu liefern hatten, fehlen lassen« (V,131 f.).

Da der Schauspieler einen Teil der Arbeit des Zuschauers übernimmt, muß seine Konkretisierung im Sinne des Zuschauers erfolgen. Seine Aufgabe erschöpft sich nicht darin, die Direktiven des Autors bzw. des Werkes auszuführen, er muß gleichzeitig

Projektion des vom Zuschauer Gewollten sein. Und dadurch wiederum wird der Dichter durch ihn zu »realistischen Motiven gedrängt, [...] zu einem weit höhern Grade der Naturtreue gezwungen« (V,535). Diese Naturtreue verstärkt andererseits nochmals die vom Schauspieler gebildete Brücke zur Welt des Zuschauers. Die durch den Schauspieler zu ›Leben‹ gewordene Rolle bildet dasjenige Phänomen im Drama, das dem Zuschauer die Möglichkeit einräumt, das Werk als realistisches Werk zu beglaubigen. Das Ganze des Dramas, seine Wahrheit, seine Bedeutung, wird über die Rollen als realistische Wahrheit vermittelt. Die Wirkung des Stückes steht und fällt daher mit der vom Dichter geschaffenen und vom Schauspieler ausgeführten »Illusion der Person« (V,490). Die Handlung, d. h. die Bedeutung, wird dem Zuschauer allein durch die Gestalten zugänglich und einsichtig. Sie ist im Drama – im Gegensatz zum Roman, in dem sie »erzählt« werden kann – etwas Abgeleitetes (V,488). Die »Illudiermittel« des Dramas (V,486) sind darum von denen des Romans grundsätzlich unterschieden, da sie allein auf die dramatischen Personen gerichtet sind. Eines dieser »Illudiermittel« ist auch jetzt wieder die Typisierung. Sie erlaubt dem Zuschauer, allgemeine wie eigene Erwartungen mit dem Angeschauten zu verbinden: »Der Zuschauer braucht in das Theater nicht einen besondern Maßstab mitzubringen; denn der Vorgang auf den Brettern ist nach dem Maße gebaut, das er im Leben, in der Wirklichkeit anwendet, so oft er über Handlungen urteilt. ›Solches Thun, solche Menschen nehmen kein gutes Ende‹« (V,171). Die dramatischen Charaktere treten auf »in typischen Szenen des gewöhnlichen Lebens, in denen sich viele andre ähnlich benommen haben würden; hier sind sie nicht bloß nach ihren individuell-charakteristischen, sondern auch nach den generellen Zügen, ja mehr nach diesen dargestellt« (V,66).

Autor und Schauspieler müssen dabei allerdings ein Hindernis überwinden. Gestalten wie Othello oder Richard III. stellen im Vergleich zu denjenigen, denen der Zuschauer »im Leben, in der Wirklichkeit« begegnet, extreme, außerordentliche Charaktere dar, nicht zuletzt gerade weil sie typisierte Gestalten sind. Sie bereiten dem Zuschauer »Schwierigkeiten« (V,439). Darum verlangt Ludwig vom Theaterbesucher, daß er dem Autor »wie auf dem Billard – einen oder einige Points vorgebe« (ebd). Man müsse als Zuschauer zunächst »etwas von dem Unsern aufgeben«, mit dem Ziel, »uns zu objektivieren« (ebd.). Der Dichter werde die Vorgabe später »mit Zinsen« zurückerstatten. Schließlich würden Maß der dramatischen Figur und Beurteilungsmaßstab des Zuschauers dann auch dadurch wieder zur Übereinstimmung gebracht, daß Leidenschaft die tragende Basis der dramatischen Gestalten sei: »Was den Charakter, der sich als ein eigner uns selbständig gegenüberstellt, uns wieder näher bringt, ist die Leidenschaft. Leidenschaftslos ist kein Mensch, er hat den Keim zu allen Leidenschaften stärker oder schwächer in sich, und da alle Leidenschaften gleiches Grundgesetz der Entstehung, des Wachsthumes, des Verhaltens zu den übrigen Gemütskräften, den sinnlichen wie den geistigen, besitzen, so tragen wir in dem eignen Begehrungsvermögen den Maßstab auch für die Leidenschaften, die in uns nicht ausgebildet sind« (V,440).

Auf Grund der wegen ihrer »Naturtreue« sowohl nach der Autor- als auch nach der Zuschauerseite hin wirksamen Mittlerfunktion des Schauspielers und der Rolle wird der produktive Mitvollzug des Werkes durch den Zuschauer allerdings beträchtlich reduziert. Das aufgeführte Drama läßt seiner Phantasie nur geringen Spielraum.

Die Zusammenarbeit von Autor und Schauspieler, die Ludwig mit vielen Worten immer wieder postuliert, drängt den Rezipienten fast völlig aus der Dreiheit von Dichter, Schauspieler und Zuschauer heraus.[7] Obwohl Ludwig es nicht wörtlich ausspricht, hat er diesen Sachverhalt doch wohl erkannt und ist sogar bereit, daraus die Konsequenzen zu ziehen. Allerdings macht er aus der Not eine Tugend und fordert z. B. eine dramatische Motivierung, die »nirgends eine Erwartung im Zuschauer erregt, die nicht erfüllt werde« (V,413), nach der »das Spiel der Gefühle im Zuschauer notwendig vor sich gehen muß« (V,265). Er sieht außerdem die Gefahr, die drohen muß, wenn – wie im Drama seiner Meinung nach nicht anders möglich – die Beglaubigung durch den Rezipienten allein aus der Wirklichkeitswirkung der Rollenkonzeption, der »Illusion der Person«, hergeleitet werden kann. Da dadurch die mitschaffende Phantasie des Zuschauers nur ein sehr eng begrenztes Betätigungsfeld findet, droht sie leicht in eine bloße Bereitwilligkeit zur Identifikation umzuschlagen. Ludwig versucht zwar, dieser Gefahr zu begegnen, indem er dem Dramatiker vorschreibt, »sich immer direkt an unsre Phantasie zu wenden, alles zu thun, sie ins Spiel zu bringen und darinnen zu erhalten, nie unmittelbar an ein andres Gemütsvermögen zu appellieren« (VI,188), damit eine unerwünschte Identifikation unterbleibe, doch andere Mittel als diesen Appell weiß er nicht anzubieten. Was ihm außerdem übrigbleibt, ist der in dieselbe Richtung gehende und ständig wiederholte Hinweis auf den generellen Illusionscharakter der Literatur. Ja, schließlich nimmt er zu einer Konstruktion seine Zuflucht, die den Zuschauer auch expressis verbis aus dem Prozeß des Mitvollzuges herausnimmt und dem fertigen Werk gegenüberstellt. Die Verführung zur Identifikation ist dann behoben, wenn der Zuschauer das Werk als etwas nicht ihm Zugehöriges, nicht von ihm Gemachtes, als etwas Fremdes beurteilt. Darum weist Ludwig dem Zuschauer die Aufgabe des Richters zu. Das Theater wird zum Gerichtssaal, in dem die Zuschauer die Rolle der Geschworenen übernehmen müssen: »Das Publikum ist [...] berufene Jury. Der ganze Fall wird von den Geschworenen vernommen, die ganze Handlung ereignet sich vor ihren Augen; [...] nichts wird beschönigt, nichts halb gezeigt, um das Urteil der Geschworenen zu irren« (V,53). An anderer Stelle heißt es: »Der Realist giebt seine Menschen dem Urteile hin: sehet selbst, wie und was sie sind, beurteilt sie nach den Gesetzen, nach denen ihr im Leben die wirklichen Menschen beurteilt« (V,525). Auf diese Weise hat Ludwig einen Großteil seiner Konzeption der mitschaffenden Phantasie des Rezipienten hinsichtlich des Dramas wieder aufgegeben. Dazu wurde er gezwungen, weil seine überwiegend anthropologisch orientierte Definition des Dramas sich mit dieser Konzeption letztlich als unvereinbar erwies.[8]

Im Gegensatz zum Drama kennt der Roman die vermittelnde Gestalt des Schauspielers nicht. Die Begegnung von Werk und Leser ist deshalb beim Roman eine unmittelbare. Das Romangeschehen konstituiert sich nicht wie das Dramengeschehen in einer von Wirklichkeitsgesetzen bestimmten oder doch von ihnen weitgehend abhängigen konkretisierenden Aufführung, sondern verbleibt immer im Bereich der Phantasie. An die Stelle des »äußeren Auges« des Theaterbesuchers tritt das »innre« des Lesers (VI,203). Das räumt auch dem Erzähler größere Freiheit ein als dem Dramatiker, er kann und darf »kühner« sein (ebd.). Er braucht keine ihn bei seinem dichterischen Entwurf einengende Rücksicht auf die Wirklichkeitsillusion der Gestalt bzw. der Rolle zu nehmen. Der Roman hat dem Drama voraus, »daß der Autor

keiner Mittelsperson und keiner äußern Anstalten und Apparate bedarf. Er baut sich sein Theater, er malt sich seine Dekorationen, er bläst seine Blitze selbst, er ist sein eigner Theatermeister, und keine Schwierigkeit legt ihm ungefüges reales Baumaterial in den Weg [...]« (VI,204).
Ist der Romanautor hinsichtlich der Schöpfung seiner Phantasiewelt freier als der Dramatiker, so kommt diese Freiheit auch dem Romanleser zugute. Denn da die im Drama unumgängliche Konfrontation mit einer als real sich präsentierenden ›Bühnenwirklichkeit‹ entfällt, wird auch dem Leser ein größerer Spielraum gewährt, das Werk in seiner Phantasie mitzugestalten. Zwar wird auch er »zu einer Art Zuschauer und Zuhörer«, der, vor allem bei szenischer Darstellung, »Gestalten sieht und ihre Reden hört – aber mittelst des innern Sinnes« (ebd.). Und das bedeutet nichts anderes, als daß der Leser entschieden mehr als der Zuschauer von seinen eigenen Erfahrungen in das Gesamt des Werkes einbringen kann.
Um diesen Prozeß überhaupt anlaufen lassen zu können, muß auch der Erzähler seinem Leser eine Möglichkeit offerieren, eine initiierende Verbindung zwischen Romanwelt und eigenem Bezugsrahmen herzustellen. Da dies nicht über die »Illusion der Person« erfolgen kann, auch nicht über anthropologisch objektivierte Gattungstypen, greift der Romanautor zu einem anderen »Kunstmittel«. Der Roman soll »erst das Reich der Alltäglichkeit in seiner Unbestrittenheit zeigen und uns darin heimisch machen« (VI,96). Obwohl aus Ludwigs Ausführungen nicht deutlich hervorgeht, wie es im einzelnen zu der Akzeptierung der geschilderten Welt kommt, denn auch das »Reich der Alltäglichkeit« verlangt ja den Mitvollzug durch den Leser, steht es außer Zweifel, daß er im Roman die Brücke zum Leser mit Hilfe einer Illusion der Handlung schlagen will. Der Erzähler »kann nicht Menschen erzählen, sondern nur die Geschichte der Menschen, d. h. die Handlung« (V,487). Das Wesen des Epischen besteht nach Ludwig in seiner »begebenheitlichen Natur« (VI,112). Die erzählten Begebenheiten bilden daher den Existenzgrund für die in der Romanwelt auftretenden Figuren: »Der Epiker [...] bewegt uns, die Gestalten, die er nicht erzählen kann, zu der Handlung, die er erzählt, hinzuzudenken« (V,487). Deshalb hat die Verknüpfung zwischen Romanwirklichkeit und Lebenswirklichkeit des Lesers von der erzählten Handlung her zu geschehen. An ihr kommt das Verifizierungsbestreben des Lesers zur Anwendung. Darf das Drama, weil es die notwendige Realitätsrelation über die »Illusion der Person« schafft, in der Behandlung von Raum und Zeit »ideal« sein (V,449 u. ö.),[9] der Roman »soll auf einem wirklichen Raume in dieser Welt und in einer wirklichen Zeit derselben spielen« (VI,84). Er ist darum immer »historisch« (ebd. u. ö.). »Individuelle, historische Agentien« (VI,84 u. ö.) prägen Situation und Fortgang der Erzählung. Auf Grund des von ihnen ausgelösten Wiedererkennungserlebnisses beglaubigt der Leser die Handlung. Und da die Romangestalten wiederum von der Handlung her verifizierbar sind, werden sie ebenfalls dem eigenen Bezugsrahmen integrierbar.
Doch hat die Dependenz der Person von der Begebenheit nicht nur hinsichtlich der Rezeption ihre Geltung, sondern beherrscht auch die Regeln der Konstituierung der Gestalten innerhalb der Romanhandlung. Sie müssen als »Abgeleitetes« erscheinen, als »Produkt« (VI,145 u. ö.). »Habituelle Züge« (VI,88 u. ö.) überlagern anthropologische Grundstrukturen. Die Romanfiguren sind »Gesellschaftstypen« (VI,87): »[...] wir haben es mehr mit dem Bürger, dem Anhänger einer Konfession oder

Partei, dem Geschäftsmann, dem Stande, der Beschäftigung, den individuellen Gewohnheiten als mit dem Menschen selbst und seinen Leidenschaften, mehr mit dem Sein als mit dem Vermögen desselben zu thun« (VI,87f.). So wird im Roman das »Elementare« (ebd.) durch das Individuelle, das Detail, das historisch und gesellschaftlich Bedingte zurückgedrängt.

Der Zweck dieser Romanstruktur aber erfüllt sich erst dadurch, daß der Leser doch schließlich über die Romangestalten den eigentlichen Zugang findet und über sie an der Vollendung des Werkes in der Phantasie beteiligt wird. Haben die Gestalten auch ihre Wurzeln in der historisch akzentuierten Handlung, das Interesse an dieser kann, jedenfalls für die gesamte Dauer des Romans, allein über die Personen wachgehalten werden. Deshalb muß dem Leser eine bestimmte ›personale‹ Perspektive geboten werden, die er zu seiner eigenen machen, aus der er endlich auch die ganze erzählte Geschichte beglaubigen kann. Das hat überdies den Vorteil, daß ein »so großes Tier wie ein Roman« (VI,63) eine Art Leitfaden erhält, an dem der Leser – von ihm selbst natürlich nicht bemerkt – durch die Erzählung geführt zu werden vermag. Und das wiederum schließt den Vorzug ein, daß der Leser über diesen Leitfaden zu der auch ihm zu vermittelnden Einsicht in die »realistischen Ideale« seiner Zeit gelangt. In biographischen Romanen kann die Geschichte des Helden ein solches »Rückgrat« (ebd.) bilden. Allerdings muß er dann ein »Typus der mittelschlägigen Menschheit« sein (VI,163), ein »mittlerer Durchschnitt« (VI,115 u. ö.). In anderen als biographischen Romanen können mehrere Personen die Funktion dieser Perspektivierung übernehmen. Weil sie einerseits »abgeleitete« Gestalten und andererseits solche des »mittleren Durchschnitts« sind, ›glaubt‹ der Leser ihnen, ist bereit, ihnen zu vertrauen, ja, sich mit ihnen zu identifizieren (VI,116). Der Autor schafft dem Leser auf diese Weise ein Medium, durch das hindurch er mit den extremen, den nicht durchschnittlichen Personen und Ereignissen in Kontakt tritt. Mit diesen Vertretern des »mittleren Durchschnitts« reproduziert er schließlich das ganze Romangeschehen (VI,121), denn sie »haben eine Phantasievorneigung, wie die Leser selbst, in ihnen erlebt der Leser den Roman« (ebd.). Weil sie zu Projektionen seiner Phantasievorstellungen werden, fungieren sie als »Organ des Lesers« (VI,118), rücken sie in die Rolle eines »Stellvertreters« ein (VI,123).

Von einer derartigen Romankonstruktion erhofft sich Ludwig die Wirkung, daß »jeder ein Analogon seiner eignen Geschichte« liest (VI,186). Das erscheint ihm um so eher möglich, als diese Konstruktion eine indirekte, eine mittelbare Darstellung impliziert (VI,157). Das Außergewöhnliche, das Extreme, »Elementare«, den Leser in seinen durchschnittlichen Erwartungen Irritierende erscheint nie unmittelbar, sondern wird von vornherein durch die Perspektive der »Stellvertreter« gebrochen, gefiltert. Und nicht allein der Blickpunkt des Durchschnittshelden ordnet das Ungewöhnliche bereits in den Erfahrungsrahmen auch des Lesers ein, sondern ihm werden zugleich auch Kommentare, Urteile, Deutungen angeboten, die Maßstäben und Kriterien entsprechen, die seinen eignen gleichartig sind. Die aus all dem sich ergebende Mittelbarkeit, die dadurch noch verstärkt wird, daß alles »durch das Medium des Erzählers geht« (ebd.), trägt nach Ludwigs Überzeugung wesentlich zur Erzeugung des nötigen ›Leerraums‹ bei, in dem sich die kreative Leseraktivität entfalten kann.

Daneben entwickelt Ludwig eine ganze Reihe von erzähltechnischen oder erzählökonomischen Kunstgriffen, die die Leseraktivität steigern sollen. Einer von ihnen

besteht in der bewußten Erregung von Spannung, die den Leser in einen Zustand zwischen Ungewißheit und Antizipation versetzt.[10] In ihm neigt er nur allzu leicht dazu, dem Fortgang der Handlung vorzugreifen, d. h. für noch offene Fragen und Probleme aus eigener Sicht und unter Verwendung des bereits Gelesenen Lösungen zu suchen und zu entwerfen. Auch wenn diese Lösungen später durch das Geschehen selbst wieder annulliert werden mögen, wird doch durch diesen Kunstgriff die Lektüre und die damit verbundene produktive Mitarbeit des Lesers intensiviert.
Die erzeugte Spannung erregt ihrerseits wiederum »Erwartungen« (VI,101 u. ö.). Und der Roman braucht sie – anders als das Drama – nicht geradlinig zu erfüllen. Zwar muß der Ausgang des Romans alle erregten Erwartungen mehr oder weniger eindeutig erfüllen, soll alle Spannung am Ende des Werkes in »Befriedigung« (VI, 130) gelöst sein, doch der Weg zu diesem Ziel darf, ja muß vielerlei Abschweifungen, Unterbrechungen, Retardationen einschließen: »Eine Hauptkunst des Romanschreibers ist ferner das Arrangement, das Verschweigen von Dingen, die man gern wissen möchte, das Zeigen von Personen und Dingen, deren Verhältnis zum Ganzen noch unbekannt, das Abbrechen, das Verschlingen, das Verbergen des Innern hinter Äußerm, der Absichten der Personen« (VI,64). Das »Täuschen der Erwartung« (VI, 184) ist ein dem Romanautor ausdrücklich vorgeschriebenes Mittel. Das »Arrangement« im weitesten Sinne provoziert des Lesers Tätigkeit und hält zugleich die von Ludwig für notwendig erachtete »Divination des Lesers« frei (VI,78). Es zwingt ihn z. B., verschiedene Handlungsstränge, abgebrochene Schilderungen, zunächst nur bruchstückhaft erzählte Ereignisse selbst in einen ihm wahrscheinlich dünkenden Zusammenhang zu bringen. Aus der Kombination von »Arrangement« und indirekter Darstellung erwächst eine Erzähltechnik, mit deren Hilfe alle ›unmittelbare‹, d. h. unrealistisch sich präsentierende Erzählung zu umgehen möglich ist. Der »Begebenheitskern« eines Romans erscheint lediglich mittels seiner Reflektionen in bestimmten Ketten der Handlung und in den Reaktionen der Romangestalten. Dem Leser bleibt nichts anderes übrig, als die Einzelteile, die er ja bereits in einer gewissen Verzerrung kennenlernt, selbst zu deuten, miteinander in eine Ordnung zu bringen und zu einem Ganzen zusammenzusetzen: »So wäre denn die Erzählung stellenweise – sie kann es ganz sein – mehr eine Reihe modifizierter und entstellter Spiegelbilder des Begebenheitskernes, die dieser in die Seelen der Mitspieler wirft. Wir sehen die Sache erst, wie sie andern sichtbar wird und nach ihrer Natur ihnen erscheint, als wie sie wirklich ist. Der Leser müßte sich die Momente berichtigend nach seiner Meinung zusammensetzen« (VI,78).

Ludwigs literaturtheoretische Studien erörtern die Bedingungen eines realistischen Kunstwerkes. Dieses Kunstwerk muß gleichsam in mehrfacher Hinsicht realistisch sein. Zum einen hat es die vom Dichter erkannten »realistischen Ideale« dem Rezipienten erkennbar und zugänglich zu machen, sie ihm als die Ideale seiner Zeit zu vermitteln. Zum anderen muß es so angelegt sein, daß der Rezipient den dargestellten Realismus als Realismus erfährt und anerkennt; erfolgt die Anerkennung nicht, ist das Werk als realistisches Werk mißlungen. Außerdem muß der Autor von der besonderen Beschaffenheit des literarischen Werkes Gebrauch machen, da es als ein Gebilde der Phantasie, das außerliterarische Wirklichkeit nicht kopiert, sondern höchstens als deren illusionäre Nachahmung existiert, auf die Mitgestaltung und

Vollendung durch den Rezipienten angewiesen ist. Insbesondere der realistische Roman muß sich der Mitarbeit des Rezipienten versichern, da er im Gegensatz zum Drama ausschließlich in der Phantasie des Lesers zu einem Ganzen wird.

Doch selbst dann, wenn alle beschriebenen Erzähltechniken optimal zur Anwendung gebracht werden, sieht Ludwig das Ziel des realistischen Romans noch nicht gewährleistet. In seiner Eigenschaft als Kunstwerk nämlich kann dieses trotz aller Kunstgriffe der Verwirklichung seiner immanenten Intentionen im Wege stehen. Denn wie perfekt auch immer der Einsatz aller Darstellungsmittel und Techniken der Leserlenkung erfolgen mag, das entstandene Endprodukt enthält immer eine stilisierte Realität, die, weil sie unter keiner Bedingung zu einer echten Realität werden kann, ihre direkte Integration in die Lebenswirklichkeit des Lesers nicht ermöglicht. Auch wenn man davon ausgeht, daß »die Phantasie das gläubigste Vermögen im Menschen ist« (VI,272), droht die Gefahr, daß der Leser den entscheidenden Schritt, zu dem ihn der Autor bewegen will, nicht zu tun in der Lage ist. Die Stilisierung der Realität des literarischen Werkes wird auch dann nicht aufgehoben, wenn der Leser die »schematischen Ansichten«[11] des Erzählten zu einem konkreteren Ganzen gerundet, wenn der je einzelne Leser sie ›individualisiert‹ hat. Der Graben zwischen der Lebens- und Erfahrungswirklichkeit des Lesers und der illusionären Wirklichkeit des in der Phantasie des Lesers konkretisierten Kunstwerkes ist unüberbrückbar. Gerade weil der Roman die Imitation von Wirklichkeit vermeiden soll, ist er gezwungen, die Vielfalt des Tatsächlichen zu ordnen, aus der Fülle der Erscheinungswelt auszuwählen, mit Verkürzungen der Zeitverhältnisse zu arbeiten, die Beziehungen zwischen Ursache und Wirkung in unrealistischer Weise zu profilieren, kurz, eine Transparenz des ›Lebens‹ zu offerieren und zu suggerieren, wie sie nur literarisch erreichbar ist und darum den Leser schließlich doch skeptisch werden lassen kann gegenüber dem von ihm selbst miterzeugten ›Realismus‹. Ludwig versucht der stets möglichen Gefahr einer Abkehr des Lesers vom Werk aus diesen Gründen dadurch entgegenzuwirken, daß er die Aufmerksamkeit nachdrücklich auf den Gleichnischarakter der Kunst, auf ihre Funktion als »Metapher« lenkt. Er verlangt vom Rezipienten die Anstrengung, das im Gleichnis Erkannte auf seine Lebenswelt anzuwenden.

Aber auch dieses Postulat impliziert natürlich nicht seine notwendige Befolgung. Deshalb sucht Ludwig nach einer zusätzlichen Möglichkeit, dem literarischen Werk Qualitäten zu geben, die seine Integration in die Lebenswelt des Rezipienten erleichtern. Solche Qualitäten würden eine neuerliche Verbindung zwischen Literatur und Leben stiften, die auf der Seite des Kunstwerkes dessen Realismus und auf der Seite des Rezipienten dessen unbezweifelte Realitätserfahrung bestätigte. Beide, Realismus des Werkes und Realitätserfahrung des Rezipienten, vermögen sich gegenseitig zu stützen und wechselseitig zu dokumentieren, wenn sie gleichartiger Struktur sind, d. h., wenn sich die Wirklichkeitsrezeption in ihnen auf analoge Weise vollzieht. Und Ludwig glaubt, in der menschlichen Erinnerung eine Instanz gefunden zu haben, die ähnlich wie ein Roman Wirklichkeit ›verarbeitet‹. Auch die Erinnerung selektiert aus der (vergangenen) Wirklichkeit, konturiert Entwicklungen einseitig, ordnet die Vielfalt nach überschaubaren Linien und in gegliederte Komplexe. Darum meint Ludwig gerade im Hinblick auf das realistische Kunstwerk fordern zu dürfen, daß die Poesie »nach den Gesetzen der Erinnerung« verfahren solle (VI,42). Was als allgemeine Forderung für alle Dichtung Geltung hat, findet seine Zuspitzung in der Definition des Wesens der Erzählung: »Das Gesetz der Erzählung ist die Phantasie in der Gestalt der Erinnerung« (VI,100). Folgt die Anlage des Romans den Strukturgesetzen der Erinnerung, dann reproduziert der Roman als Ganzes eine Verfahrensweise menschlicher Wirklichkeitsbewältigung. Die Analogie zwischen Erinnerungs- und Werkstruktur vermag zur Konstituierung des realistischen Romans gerade aus der Perspektive des Lesers entscheidend beizutragen. Die Verknüpfung des Romans mit der Lebenswelt, die Anerkennung des Realismus des Erzählten, wird dem Leser um so leichter abgezwungen, als er die erzählte Wirklichkeit sich nach Regeln konstituieren sieht – wobei er ja mithilft, daß sie sich überhaupt konstituiert –, die ihm aus seiner Erfahrung geläufig sind. Die Stilisierung des vollendeten Kunstwerkes ist jetzt kein Hindernis mehr, da auch die Erinnerung stilisierte, gereinigte Wirklichkeit enthält, ohne daß die Tatsächlichkeit, die ›Realität‹ dieser Wirklichkeit in Zweifel gezogen werden könnte. Erinnerung ›poetisiert‹ Gewesenes. Poesie ›erinnert‹ Geschehenes. Ludwig meint daher die Verfahrensweise epischer Darstellung beschrieben zu haben, wenn er die Verfahrensweise der Erinnerung beschreibt:

»Wie geht die Erinnerung zu Werke? Einer denkt z. B. an Jugendliebe und ihr Schicksal; dann wird die Erinnerung eine dichterische Abstraktion vornehmen, alles Vorher und Nachher, alles, was zugleich mitspielte, aber nicht eingriff, weglassen; die Personen, die mit in den Handel selbst verflochten waren, werden von der Erinnerung nur an *der* Seite erhellt sein, die mittätig den beiden Helden zugewandt war; das volle Licht der Aufmerksamkeit wird auf die beiden Hauptpersonen, auf den sich Erinnernden und seine damalige Geliebte fallen. Wie die Erinnerung nun vom gleichgiltigen Neben der Gruppe, so wird sie auch von den Zeitspatien zwischen den einzelnen Szenen abstrahieren, sie wird stetig von Ursache zur Wirkung gehen, seien sie auch in der Zeit noch so weit auseinander, hier schließen sie eine Kette; wie die einzelnen Szenen interessanter für die Erinnerung sind, um so länger wird sie verhältnismäßig bei ihnen verweilen und sie ausmalen, je weniger interessant, desto schneller wird sie darüber hinwegeilen; sie wird dem besonders Anziehenden zueilen, vor dem Abstoßenden zurückweichend zögern. Die Beziehungen, die der darin lebende übersah, vom Moment hingerissen, werden ihm nun heraustreten, Rat und Lehre sich daran knüpfen, da das Ganze übersehbar ist und zugleich vor ihm liegt, der damals ein bewußtloser Raub des Augenblickes war. Seinem moralischen Gefühle wird der Punkt sich einprägen, aus dem das Schicksal wie aus einem Keime hervorwuchs, von derselben Leidenschaft begossen, aus der der Punkt entsprungen war. Was ihn damals in den Himmel erhob, was ihn vernichtete, ist nun durch die Fassung der Zeit, durch die Übersicht des Ganzen gemildert und verklärt. Im Anfange des durch die Erinnerung neuheraufgerufnen ist das Ende, das Gefühl des Ausganges, am Ende der Anfang – die Schuld – ideal gegenwärtig. Er wird nun in die andern Charaktere und ihre Motive hineinsehen, die ihn damals irrten, oder für die er keinen Blick hatte in der Blendung und Verdunklung des geistigen Auges durch die gegenwärtige Leidenschaft, die er nun als eine vergangne in ihren Wendungen vor sich sieht, mit Anfang und Ende, erkennend, was er damals nicht erkannte, wo sie ihn zum Schaden forttrieb, wo sie ihn zum Heile zurückhielt. Auch der Haß ist milder, und die damals Gehaßten und halb absichtlich oder noch schlimmer Verkannten stehen nun in ihrer wahren Gestalt vor ihm. Er begreift alles, so fremd es seinem jetzigen Menschen ist« (VI,39 f.).

Die von Ludwig unterstellte und für seine Zwecke fruchtbar gemachte Beziehung zwischen Erinnerungsstruktur und Romanstruktur wirft für das Problem des realistischen Romans eine Reihe grundsätzlicher Probleme auf, die an dieser Stelle nicht diskutiert werden können.[12] So viel ist jedoch auch nun deutlich, daß Ludwig in diesem Falle wiederum von bestimmten anthropologischen Prämissen ausgeht, die er als Konstanten versteht. Er setzt voraus, daß menschliche Erinnerung bei jedem einzelnen und zu allen Zeiten nach Regeln verfährt, wie er sie dargelegt hat. Er stellt sich dabei jedoch nicht die Frage, ob nicht Erinnerung, ganz gewiß in der von ihm beschriebenen Form, ein nachträglich Sinn stiftendes Vermögen sein könnte, mit dessen Hilfe Wirklichkeit, Leben, dem Menschen verständlich und beherrschbar gemacht werde. Und weil er diese Frage nicht stellt, ergibt sich die daraus folgende nicht, die geeignet wäre, seine Realismuskonzeption in ihren Fundamenten zu erschüttern. Die Frage nämlich, ob nicht gerade derjenige Roman realistisch genannt werden müßte, dessen Struktur eben nicht die Erinnerungsstruktur reproduzierte, sondern sie bewußt negierend oder gar gegen sie verstoßend, die mit der Erinnerung verbundene menschliche Sinngebung und Wirklichkeitsordnung als ein die Realität veränderndes Muster zurückwiese.[13]

Immerhin ist sich auch Ludwig der Tatsache bewußt, daß Erinnerung harmonisiert, daß sie dazu neigt, positiv zu verklären: »Je älter die Erinnerung, desto schöner sieht sie aus. Die Sterne winken uns so golden, weil sie so weit von uns sind«.[14] Für Ludwig stellt jedoch diese verzeichnende, verklärende Kraft der Erinnerung im Zusammenhang seiner Realismusauffassung kein Argument gegen sie dar, sondern wird in seinen Augen im Gegenteil eines, das seine Überzeugung vom Wesen der Wirklichkeit bekräftigt. Denn letztlich basiert seine Kunstanschauung auf der weltanschaulichen Überzeugung, daß die Wirklichkeit in sich Vernunft berge, daß der »Weltlauf« einem sinnvollen Gesetz folge. Wenn es also der Kunst unter Ausnutzung der harmonisierenden Wirkung der Erinnerung gelingt, das »innere Gesetz« der Welt sichtbar zu machen, dann ist das ein von Ludwig nur um so mehr begrüßter Effekt. Und es ist völlig in Übereinstimmung mit der von ihm dem Leser zuerkannten Bedeutung, wenn Vagheit und Verklärung der Erinnerung auf diese Weise schließlich in die objektivistischen Zielvorstellungen seiner Kunsttheorie eingebracht werden können.[15]

Diese objektivistischen Zielvorstellungen sind es, deren Verwirklichung die Konzeption des poetischen Realismus zu dienen hat. Ludwig gelangt zu dieser Konzeption nicht nur auf Grund seines Bestrebens, Wesen und Funktion der Literatur zu bestimmen, sondern auch in Opposition zur herrschenden zeitgenössischen Dichtung der Jungdeutschen. In ihrer Dichtung meinte er eine einseitige, verfälschende Darstellung der Wirklichkeit feststellen zu müssen. Er wandte sich gegen die Tendenz, »die Wirklichkeit als einen endlosen Herodischen Kindermord des Schicksals an dem Schönen zu betrachten« (V,55). Wirklichkeit und Schönheit sind nach Ludwig keine Gegensätze. Wenn die Literatur dennoch einen solchen Gegensatz zum Ausgangspunkt nimmt, dann tut sie dadurch seiner Überzeugung nach nicht nur der Wahrheit Abbruch, sondern betreibt unverantwortliche, gelegentlich demagogische Irreführung der Leser und im weitesten Sinne der Menschen seiner Zeit. Darum fühlt er sich berechtigt, die für die Konstitution von literarischen Werken notwendige Mitarbeit des Rezipienten zum Zwecke der Korrektur herrschender Vorurteile und Einseitigkeiten einsetzen zu dürfen. Das führt teilweise zu Techniken besonders des Romans, die dem Rezipienten nur eine scheinbare Freiheit schöpferischer Beteiligung einräumen. Das »Arrangement« zum Beispiel schafft ›Leerräume‹, die nicht wirklich vom Leser aufgefüllt werden müssen, wenn das Werk zu einem Ganzen vollendet werden soll. Es handelt sich in den meisten Fällen nicht um »Unbestimmtheiten« im Sinne Roman Ingardens oder Wolfgang Isers. In der Regel gibt der Roman selbst an späterer Stelle die nötige Auffüllung. Diese Leerräume sind eher Reize oder Provokationen, die den Leser einerseits ganz pragmatisch zum Weiterlesen zwingen sollen und andererseits die Aktivität für die Auffüllung echter Unbestimmtheit stimulieren. Sie sind gewissermaßen Utilisierungen eines ontologischen Sachverhaltes, den jeder Autor eines literarischen Werkes zu berücksichtigen hat. Kein Text vermag sich ohne Beteiligung des Rezipienten zu konstituieren. Die explizite Reflexion dieses Sachverhaltes und der sich aus ihm ergebenden Konsequenzen für den Charakter des Kunstwerks in Ludwigs literaturtheoretischen Studien verleihen diesen gerade im Zusammenhang mit der heute geführten Diskussion über Rezeption und Leserrolle neue Aktualität.

Auch und gerade Ludwigs Realismuskonzeption ist von der Leserfunktion mitbestimmt. Denn trotz aller objektivistischen Verpflichtung der Kunst auf dasjenige, was nach Ludwigs Überzeugung auch unabhängig von aller menschlichen Einsicht als Realität existiere und Gegenstand der Kunst zu sein habe, ist es unerläßlich, daß der Rezipient den Realismus als solchen ausdrücklich beglaubigt. Die Wahrheit, die allein der Dichter kennt und die vom Publikum nicht anerkannt wird, darf den Anspruch nicht erheben, die Wahrheit für alle zu sein. Mag Ludwig grundsätzlich auch darauf vertrauen, daß die Wahrheitsvermittlung dem Dichter auf die Dauer gelingen muß, weil die Wahrheit latent auch im Rezipienten und im Stoff des Werkes vorhanden ist, für das einzelne literarische Werk bedeutet das nicht, daß es in seinem Wahrheits-, d. h. Realitätsanspruch auf die Beglaubigung des Rezipienten verzichten könnte. Und das wiederum hat zur Folge, daß der Literatur Monopol und Privileg vorenthalten werden, Wahrheit vom Standpunkt des Besserwissens aus einseitig, möglicherweise autoritär zu verkünden.

Ludwigs Konzeption von Literatur und von realistischer Literatur im besonderen ist nun nicht allein von seinem Bestreben geprägt, Wesen und Gesetz von Dichtung zu erkennen und in eine Art Poetik zu übersetzen, sondern gleichzeitig auch von der Überzeugung, eine ehemals vorhandene Einheit des Lebens sei verlorengegangen. Unter dem Einfluß der Philosophie und auf Grund gesellschaftlicher Entwicklungen hat sich der Mensch vom »inneren Gesetz« des Lebens und der Wirklichkeit entfernt. Ludwigs Lebens- und Kunstanschauung ist unschwer historisch fixierbar. Vielleicht darf man sogar seine Gleichsetzung von Erinnerungs- und Romanstruktur als Ausdruck des empfundenen Verlustes einer Einheit, die früher bestanden hat, und als Versuch ihrer Rückgewinnung verstehen. Gewiß aber verweist seine Lehre von der Typisierung auf eine konkrete historische und gesellschaftliche Situation. Es ist die einer weit fortgeschrittenen Individualisierung, die das Gemeinsame der einzelnen Individuen nur noch über die abstrahierende Verallgemeinerung des Typus zu erkennen erlaubt.

Wie immer man die Abhängigkeit Ludwigs von seiner historischen Situation beurteilen mag, auf jeden Fall stellt er der Kunst die Aufgabe, zur Wiederherstellung der ursprünglichen Einheit und Ganzheit beizutragen. Ludwigs Verhältnis zu seiner Zeit kann man im Sinne Schillers als ›sentimentalisch‹ bezeichnen. Dessen ist er sich bewußt. Und in deutlicher Anlehnung an Schillers Definition und Terminologie plädiert er für eine ›naive‹ Kunst, eine Kunst, die die sentimentalische Gebrochenheit überwindet. Es braucht keines ausführlichen Nachweises, daß Ludwigs Scheitern als Dichter, das er selbst übrigens sehr wohl bemerkt und zugegeben hat, nicht zuletzt dadurch verursacht wurde, daß er als ›sentimentalischer‹ Autor ›naive‹ Dichtung schaffen wollte. Wie überhaupt die Diskrepanz zwischen Theorie und Praxis bei ihm augenscheinlich ist. Dennoch bleibt sein in der Theorie formulierter Versuch, ›Naivität‹ über die Kunst zurückzugewinnen, eine Bemühung, der man Respekt nicht zu versagen braucht. Um so weniger, als er Schwierigkeit und Relativität seines Unternehmens durchaus erkannt hat. Die »höchste Wirkung aller Kunst« besteht darin, »fortwährend die Gesamtheit der menschlichen Kräfte in ein lebendiges Spiel« zu versetzen (V,60). Doch macht sich Ludwig keine Illusionen darüber, daß dieses Ziel nur sehr partiell und höchstens vorübergehend zu erreichen ist: Das Kunstwerk stellt »in dem einzelnen Zuschauer, wie sehr besondere Lebensstellung, Erziehung, Lebenserfahrungen, besondere tägliche Berufsarbeit ihn auch zerstückelten und unter höchstmöglicher Ausbildung einzelner Bruchteile seines Wesens die andern in Übungslosigkeit verkümmern ließen, wenigstens für die kurze Zeit der vollen Kraft seines Zaubers *die ursprüngliche Ganzheit* des Menschen wieder her« (V,61).
Das Wort »wenigstens« in diesen Sätzen zeugt nicht allein von Ludwigs resignativer, sondern auch von seiner kritischen Einstellung gegenüber der von ihm selbst entwickelten Konzeption. Doch weder das eine noch das andere, noch beide zusammen, machen den Wert dieser Sätze aus. Die entscheidende Nuance, in der sich diese Kunstauffassung von zahllosen zeitgenössischen und früheren unterscheidet, liegt darin, daß das Kunstwerk die »ursprüngliche Ganzheit des Menschen« nicht vorführt, dem Betrachter nicht als fertiges Produkt entgegenhält, sondern daß diese »ursprüngliche Ganzheit« durch das Werk im Rezipienten erzeugt werden soll.[16]

NACHTRAG. Nach Abschluß des Manuskripts erschien die Arbeit von Hermann Kinder: *Poesie als Synthese. Ausbreitung eines deutschen Realismus-Verständnisses in der Mitte des 19. Jahrhunderts.* Frankfurt a. M. 1973. (*Ars poetica, Studien.* Bd. 15.) Ihre Ergebnisse – obwohl Kinder Ludwig ausdrücklich aus seinen Analysen ausgeklammert hat – und die dieses Aufsatzes ergänzen sich in mehrfacher Hinsicht. Kinders an Friedrich Theodor Vischer, Berthold Auerbach, Julian Schmidt, Gustav Freytag, Gottfried Keller und Hermann Hettner gewonnenen Resultate zeigen deutlich, daß Otto Ludwigs Realismusauffassung mit derjenigen seiner Zeitgenossen durchaus übereinstimmt. Andererseits belegen Kinders Untersuchungen indirekt auch die hier dargelegte These, nach der Ludwigs Konzeption insofern von der seiner Zeitgenossen abweicht, als ihre Verwirklichung nicht primär im literarischen Werk selbst, sondern in der Konkretisation des Rezipienten erfolgen soll.

ARBEITSGRUPPE

Böll in Reutlingen. Eine demoskopische Untersuchung zur Verbreitung eines erfolgreichen Autors[1]

Heinrich Böll. Bestsellerautor und öffentliche Institution – Die literaturkritischen Institutionen - ratlos – Rezeptionsforschung in der Studierstube – Umfrage zur Rezeption Heinrich Bölls. Projektbeschreibung – Arbeitsbericht – Ergebnisse – Resümee

Heinrich Böll. Bestsellerautor und öffentliche Institution

I

> Ich schreibe ein Buch, ich will natürlich, daß die Leute es lesen, ich schreibe es ja nicht für mich.
>
> Heinrich Böll in einem Gespräch mit Dieter E. Zimmer[2]

Bölls Wille, kurz nach dem Erscheinen der »Summe seines bisherigen Schaffens«: *Gruppenbild mit Dame*[3] kundgetan, wurde von »den Leuten« nicht nur für dieses Buch befolgt. Damals im August 1971 – noch ohne PEN-Präsidentenwürde, noch nicht vom popularitätsträchtigen Haß der (Nicht-)Spiegelleser wegen seiner Äußerungen zur Affäre Baader-Meinhof verfolgt, noch bevor er Wahl-Initiative zeigte und sich zur Situation der sowjetischen Schriftsteller äußerte, und erst recht vor der Nobelpreisverleihung – galt er bereits als der erfolgreichste deutsche Schriftsteller der Nachkriegszeit. Zu dieser Zeit meldete Willem P. Engel in einem dpa-Brief, daß Bölls Werk »in insgesamt sieben Millionen Exemplaren – davon zwei Millionen allein in der Sowjetunion – verbreitet sei«.[4]
Inzwischen sind sicher auch vom *Gruppenbild* mehr als die Ende 1972 ermittelten 258 000 Exemplare verkauft worden,[5] die oben genannten Ereignisse dürften die Nachfrage nach älteren Werken des Schriftstellers aufs neue angeregt haben, und Bölls Hausverlag Kiepenheuer & Witsch versteht diesem Bedürfnis mangels neuer »Schöpfungen« mit Buchbindersynthesen abzuhelfen.[6]
Auch das Ausland wird nicht zurückstehen, und die Hessische Landes- und Hochschulbibliothek Darmstadt hätte vermutlich wesentlich mehr als 207 Böll-Titel in vierunddreißig Sprachen in ihre Vitrinen zu legen, wollte sie nochmals eine Ausstellung »Das Werk Heinrich Bölls in Übersetzungen« veranstalten.[7] Auch die Länder Schwarz-Afrikas werden nun die Werke des Nobelpreisträgers lesen wollen, nachdem diese bereits in Telugu, Gudscharati, Malaylam und Farsi vorliegen. Heinrich Böll scheint die Münze zu prägen, die überall in der Welt gehandelt wird.

II

Den Einfluß auf den literarischen Markt haben längst – oder schon immer? – außerhalb des kulturellen Sektors liegende Mechanismen übernommen. Es sind dies vor allem die Propagandamaschinerie mit all ihren mehr oder weniger aufdringlichen Reklamemitteln,[8] ferner die Wirkungen der aus verschiedenen Motiven »geschmackserhaltenden Kräfte«, die zu »Geschmacksträgertypen« disponieren: Schule, Leihbibliotheken, Buchklubs, Buchhändler;[9] nicht zu vergessen der gesellschaftliche Mechanismus des Im-Gespräch-Seins, denn nicht nur auf Werbung und »geschmackserhaltenden Kräften«, sondern auch auf dem Erscheinen und Erwähntwerden in den Massenmedien beruht (verkaufs-)erfolgsfördernde Popularität, und hier lohnt sich gewiß ein Engagement auf anderem – z. B. politischem – Gebiet.
Auch Böll wird ja nicht nur gelesen; der Reklameaufwand seines Verlages für das jeweils neueste Buch ist beträchtlich, er gehört zu den meistabgedruckten Schulautoren,[10] in den Vorlesungsverzeichnissen ist er auch bereits vereinzelt zu finden, kein Buchklub, der ihn nicht in seinem Katalog aufgeführt, und keine Buchhandlung und Leihbibliothek, die nicht zu jeder Zeit seine Bände vorrätig hätte.[11]
Aber Bölls Leben findet nicht mehr ausschließlich in der »künstlerischen Dimension« statt: Längst ist er zu einer öffentlichen Institution geworden, die sich offiziell oder inoffiziell zu politischen Tagesfragen, zu allgemeinen und speziellen gesellschaftlichen Problemen, zu Kirchlichem und noch zu verschiedenem anderen gefragt oder ungebeten äußert.
Böll schreibt Briefe *an einen jungen Katholiken, an einen jungen Nichtkatholiken, an einen Freund jenseits der Grenze* und *aus dem Rheinland,* und diese werden prompt in der Presse abgedruckt, er erhebt gemeinsam mit Grass *Bedenken gegen die Griechenlandreise Scheels,* und er schickt (unter Verwendung von Großbuchstaben) eine Grußbotschaft an den Kleinschreib-Kongreß *vernünftiger schreiben;* Böll wird zur Person des Nobelpreisträgers 1973 interviewt und sagt bei der Gelegenheit seine Meinung über den Wert dieser Auszeichnung allgemein.

Die literaturkritischen Institutionen – ratlos

I

Den Leser bundesdeutscher *Literaturkritik* müßte Bölls Erfolg zumindest in Erstaunen versetzen. Kaum einer der bekannten Kunstrichter der großen Zeitungen, der nicht etwa das *Gruppenbild mit Dame* aus irgendeinem – meist allerdings jeweils einem anderen – Grund entweder als mißlungen erachtete oder wenigstens Teilen oder Teilaspekten die Zustimmung nicht geben wollte – und trotzdem erwies es sich als »Bestseller des Jahres«[12]. Obwohl sich die sonst orientierungslose literarische Kritik darauf geeinigt zu haben scheint, daß Böll zwar Kurzgeschichten schreiben kann, nicht aber Romane,[13] waren und sind auch diese Verkaufserfolge. Die Kritik als Lektüreempfehlung (bzw. Nicht-Empfehlung) wird in diesem und in anderen Fällen vom Publikum offensichtlich nicht akzeptiert; das belanglose Geschäft nimmt immer mehr selbstgenügsame Züge an.

II

Die *Literaturwissenschaft*, der es weniger um Empfehlungen als um das »Rühmen« und »Nachrühmen« geht, tut sich schwer mit Heinrich Böll. Bei der Einschätzung und Wertung steht sie vor dem Problem, wie sie mit einem Schriftsteller fertig werden soll, dessen Bücher einerseits bei den Lesern großen Erfolg haben, den man aber andererseits nicht in dieselbe Kategorie wie z. B. einen Simmel stecken kann. Wenn überhaupt, so beschäftigt man sich bevorzugt mit Einzelaspekten – *Die Werbeslogans in dem Roman »Und sagte kein einziges Wort«, Die roten Fliesen im »Tal der donnernden Hufe«, Die Zahnpastatube in »Ansichten eines Clowns«*[14] –, die Beobachtung und Funktionsbeschreibung des Details dispensiert von Kommentaren zum Gesamtzusammenhang. Wenn sich die Literaturwissenschaft gar um eine klare Beantwortung von Lieblingsfragen drückt, die ansonsten für sie ausschlaggebend für die Qualität eines Werkes sind, oder diese nur pauschal erledigt, so dürfte das weniger an ihr, die sie ja gutwillig ist, als an ihrem Gegenstand liegen.
So weicht beispielsweise Roy Pascal dem Problem, ob nicht eine Diskrepanz zwischen »monologischer Erzählform« und der schließlich vorhandenen »Familiensolidarität« der Fähmels in *Billard um halbzehn* festzustellen sei, offensichtlich aus: »*Man könnte also meinen*, daß hier ein ungelöster Konflikt zwischen Form und Inhalt besteht. *Vielleicht* hat Böll in diesem Widerspruch [...]«.[15] Karl Ludwig Schneider entledigt sich einer ähnlichen Entscheidung lieber gleich zu Anfang seiner Untersuchung: »Heinrich Bölls Roman *Und sagte kein einziges Wort* (1953) hat manchen Leser wahrscheinlich besonders durch die herbe, fast kunstlose Erzählweise beeindruckt, die den dargestellten Erlebnissen der beiden Hauptgestalten vollkommen angemessen ist und *die geglückte Einheit von Form und Gehalt verbürgt*«.[16]
Ein »Klassiker« wäre so einfach nicht davongekommen.
Die vorschnelle, weil wenig fundierte Zustimmung nützt niemandem:
- nicht der Literaturwissenschaft, die so ihren Auftrag, das Phänomen Heinrich Böll zu analysieren, nicht adäquat erfüllt,
- nicht Böll selbst, der sich weiterhin einer oft wenig fundierten Kritik ausgesetzt sieht,
- nicht dem Böll-Leser ... aber den erreicht sie sowieso nur in den seltensten Fällen.

Rezeptionsforschung in der Studierstube

I

Nicht allein ihre Wirkungslosigkeit, sondern auch die Art und Weise, wie sie gerade in letzter Zeit den Leser in den literarischen Analyseprozeß zu integrieren sucht, kennzeichnet die relative Gesellschaftsferne bestimmter Richtungen der Literaturwissenschaft. So empfiehlt Harald Weinrich, der nachdrücklich *Für eine Literaturgeschichte des Lesers* plädiert, als das dem Literaturwissenschaftler – so muß man seinen Gedankengang deuten – adäquate Verfahren, »mit den Methoden der literarischen Interpretation jene Leserrolle zu beschreiben, die in dem Werk selber enthalten ist«.[17]

Es wird evident – und Weinrich spricht es ja auch wörtlich aus –, daß er etwas ganz anderes beabsichtigt, als Titel und einige Bemerkungen in seinem Aufsatz vermuten lassen (sollen?): nicht eine *Literaturgeschichte des Lesers*, sondern eine der *Leserrolle* skizziert er hier, und zwar die *einer vom Autor konzipierten Leserrolle.* Er fördert so, was er zu beseitigen gedachte: daß weiterhin »diese Werke mit Vorliebe nicht aus der Perspektive des Lesers, sondern aus der des Autors«[18] gesehen werden. Weinrichs Neuerung stellt doch lediglich eine neue Dimension der Analyse von literarischen Texten dar, deren Gültigkeit sich, nimmt man des Verfassers Ausführungen ernst, auf eine kurze Zeitgenossenschaft beschränkt: Wenn wirklich die Autoren »für eine bestimmte Leserschaft«[19] schreiben, dann kann das »Bild des Lesers«, das »jedes literarische Werk«[20] angeblich beinhaltet, nur das eines abstrahierten Zeitgenossen sein; oder soll man ihn ernst nehmen, wenn er weiter unten doch den überzeitlichen Leser zu meinen scheint: »Es kann also sein, daß ein Leser des Jahres 1955 größere Chancen hat, die in der Erzählung *Schwere Stunde* angelegte Leserrolle zu erfüllen, als ein Leser des Jahres 1905. Dies nur als Hinweis darauf, daß der adäquate Leser nicht notwendig der Zeitgenosse ist.«[21]

Weinrichs Balanceakt zwischen Realität und Fiktion verdeutlicht, mit welcher Vehemenz sich theoretisch ausgerichtete (»privilegierte«) Disziplinen gegen empirische (»handwerkliche«, »unterprivilegierte«) Forschung abschirmen, auch wenn diese sich – so jedenfalls muß der Eindruck nach dem ersten Teil von Weinrichs Arbeit sein – förmlich aufdrängt.

Aber Weinrich nennt sie wenigstens, die von der »traditionellen« Germanistik mit Haßliebe betrachteten »empirischen Methoden der Literatursoziologie«, die es für die Erarbeitung einer ›Literaturgeschichte des Lesers‹ heranzuziehen gälte. Der Weinrichsche Ansatz kann eine wichtige Hilfe für die empirische Rezeptionsforschung sein, dann nämlich, wenn man ihn für die Hypothesenbildung heranzieht. Aber Weinrichs Beispiel (»[...] hohe und zarte Stirn, das rote Haar, die große gebogene Nase, der chronische Katarrh, die fliegende Röte in seinem Gesicht,«[22] Tratschke fragt: wer war's?) bringt uns hier nicht weiter. Nicht in Quizmanier ermittelte Leserrollen, sondern erst die reale Einbeziehung integriert den gegenwärtigen – und nur diesen natürlich – Leser als ›Dialogpartner‹ in den literarischen Kommunikationsvorgang.

Weinrichs Feststellung aber in bezug auf die Empirie trifft gewiß zu: »Hier bleibt noch viel zu tun übrig.«[23]

II

Ein großangelegter Versuch in dieser Richtung ist die an Paul Celans Gedicht *Fadensonnen* durchgeführte Untersuchung einer Freiburger Gruppe. Ziel dieses Unternehmens ist »eine literarische Wirkungsanalyse [...], die sich als Beitrag zur Theorie und Praxis der Rezeptionsforschung versteht. Unter Wirkungsanalyse wird hier die in Form einer schriftlichen Befragung durchgeführte Analyse der Direktwirkung eines zeitgenössischen literarischen Textes auf kontrastierende Lesergruppen verstanden. Sie zielt ab auf einen synchronen Schnitt der durch zeitgenössische Leser erfolgten Rezeption.«[24]

Daß die literatursoziologischen Methoden, und hier speziell die Leserbefragung, »mehr den Leser als das Buch, mehr die Gesellschaft als die Literatur« betreffen, wie Erwin Wolff erklärt,[25] muß bei entsprechender Verwendung – z. B. der Befragung – nicht zutreffen. Stimmt man Valérys Verdikt »Die Ausführung des Gedichts ist das Gedicht« in der Tendenz zu, so können auf diese Weise Werkaktualisierungen außerhalb der eingefahrenen durch die professionellen Institutionen eruiert werden. Die Befragung »entzieht sich [...] den methodischen Möglichkeiten der Literaturwissenschaft«[26] damit *nicht*, sondern bedeutet höchstens eine Erweiterung: Wenn die Befragten zu ähnlichen Problemen Stellung nehmen, wie sie auch die Literaturwissenschaft behandelt, dann ›betrifft‹ das ermittelte Spektrum der ›Ausführungen‹ auf keinen Fall ›mehr den Leser‹.

Wenn dann noch die *reale Leserschaft* eines Autors oder eines Werks interviewt wird, könnte bei entsprechender Breite der Stichprobe die *Breite der zeitgenössischen Realisationen* erfaßt werden. Dies allerdings scheint nicht die Intention der Untersuchung von Bauer u. a. gewesen zu sein: Die weitgehende Beschränkung des Probandenkreises auf Schüler und Studenten hat jedenfalls zur Folge, daß zwar ›zeitgenössische Leser‹, nicht aber *zeitgenössische Celan-Leser* befragt werden. Harald Weinrich bemerkt zu diesem Zusammenhang richtig: »Ein literarisches Werk setzt nicht einen beliebigen Leser voraus, und ein Mensch, des Lesens kundig, liest nicht jedes beliebige Buch.«[27] Die Freiburger Analyse bekommt durch die willkürliche Probandenauswahl einen gewissen Testcharakter und zielt nicht auf die *reale Celan-Rezeption*, sondern auf *alle nur möglichen Celan-Rezeptionen*.[28] Diesen Testcharakter betont auch die starke Führung der Probanden durch den standardisierten Fragebogen: Der Befragte wird in Richtungen gelenkt, die er nie eingeschlagen hätte, er wird auf Möglichkeiten hingewiesen, die ihm nie eingefallen wären. Die dabei gewonnenen Ergebnisse führen nur das Funktionieren des komplizierten analytischen Instrumentariums vor Augen, nicht aber das eines individuellen Leseprozesses; der Leser ist ausschließlich Teil dieses Instrumentariums, hinter dem auch der Text fast verschwindet.

Heinz Hillmann vermeidet bei seinem ungleich weniger aufwendigen Versuch *Rezeption – empirisch* diese Gängelung weitgehend: Im Anschluß an die Lektüre von Brechts Keuner-Geschichte *Das Wiedersehen* bittet er ebenfalls vornehmlich Schüler und Studenten um schriftliche Äußerungen zum Text.[29] Die freie Expressionsmöglichkeit nähert zwar an eine reale Lesesituation an, aber es wird wieder nicht der spezielle Werk- bzw. Autor-Leser erfaßt. Die Beziehung von Autor und Leser, auf die des letzteren Verständnis, Erwartungen und die Tatsache einer eventuellen wiederholten Lektüre des Werks sich gründen – und damit die Erfolgsursachen einzelner Autoren –, kommen nicht in den Griff.

Das ist eben nur mit Hilfe des *realen Lesers* möglich. Um auch die sozialen Komponenten adäquat zu berücksichtigen, ist es nötig, daß in einer *repräsentativen Umfrage* Leser und Nichtleser gesondert werden. Die Disposition bzw. Opposition zum Schriftsteller ist darüber hinaus *objektiv* vor allem am sonstigen kulturellen Konsum und *subjektiv* durch direkte Befragung zu ermitteln. Erst hieraus ergibt sich ein spezieller Erwartungshorizont, der als Folie für eine textzentrierte Wirkungsanalyse dienen kann. Wenn diese auf eine *wirkliche Leserschaft* ausgerichtet ist, sollte sie sich mehr an Hillmann als an der Freiburger Untersuchung orientieren.

Umfrage zur Rezeption Heinrich Bölls. Projektbeschreibung

I

Um auf reale – und nicht künstlich erzeugte – Leser in genügender Anzahl zurückgreifen zu können, bedarf es eines Autors, der entsprechend verbreitet ist. Nach den eingangs getroffenen Feststellungen darf angenommen werden, daß die Leserschaft Heinrich Bölls so groß ist, daß zumindest tendenziell gültige Aussagen über sie gemacht werden können. Die nachstehend dargestellte Rezeptionsanalyse wurde deshalb auf diesen Schriftsteller ausgerichtet.

1. Basis des gesamten Unternehmens ist eine auf Repräsentativität zielende Umfrage im Stadtgebiet Reutlingens (ohne die erst kürzlich eingemeindeten Ortschaften mehr ländlichen Charakters). Sie soll ermitteln, welchen Anteil Böll-Leser und diejenigen, die Böll nur dem Namen nach oder von Abbildungen her kennen, an der Gesamtbevölkerung ausmachen. Deren Schichtenzugehörigkeit ist festzustellen sowie die Ereignisse, mit denen ihn die Probanden in Verbindung bringen. Von gleichem Gewicht ist die Ermittlung des Kulturkonsums der Befragten, der in dieser Richtung den Rahmen abstecken soll, in dem der Autor rezipiert wird.
2. Der zweite Teil des Projekts wendet sich ausschließlich an die (in der ersten Phase ermittelten) Böll-Leser. Sie werden über die subjektiven Gründe ihres Böll-Konsums befragt, über ihre persönliche Einstellung zu seiner Themenwahl, Figurenzeichnung, über ihre Meinung zu Sprache und Stil des Autors.
3. Die dritte Phase richtet sich wieder an Böll-Leser und Nicht-Böll-Leser. Beiden Gruppen sollen Böll-Texte vorgelegt werden, um an ihnen die verschiedenen Rezeptionsweisen eines Textes zu konstatieren, vor allem im Hinblick darauf, ob es Unterschiede zwischen Lesern und Nichtlesern gibt.

Während die Basisumfrage nur von der Hypothese ausgeht, daß Böll-Leser und Nicht-Böll-Leser sich nicht nur schichtenspezifisch, sondern auch in ihrem kulturellen Konsum voneinander unterscheiden, werden den Phasen zwei und drei unter anderem Ergebnisse eben dieser Untersuchung zugrunde liegen, die es zu bestätigen, zu falsifizieren und vor allem zu ergänzen gilt. Im folgenden wird ausschließlich über die repräsentative Umfrage berichtet, die bereits durchgeführt wurde und deren Ergebnisse vorliegen.

II

Eine solche Untersuchung verhilft nicht nur der Literaturwissenschaft zu etwas mehr Praxisbezug, sie hat darüber hinaus auch einen individuellen Nutzen für die an der Umfrage Beteiligten.
Abgesehen von den Erfahrungen, die im Umgang mit demoskopischer Technik gesammelt werden und die darüber hinaus auch eine fundiertere Beurteilung von Umfrageresultaten ermöglichen, scheinen der Kontakt von Literaturwissenschafts- und Deutschlehrer-Studenten mit »der Bevölkerung« sowie die sich bei und aus diesem Kontakt ergebenden Informationen der primäre individuelle Gewinn zu sein –

und somit auch ein gewichtiger Aspekt dieser innerhalb eines Seminars und mit Seminarteilnehmern durchgeführten Umfrage.
Dem Gewinn der Interviewten soll nicht zuviel Bedeutung unterlegt werden: Ganz gewiß kann nicht davon die Rede sein, daß durch die 240 zustande gekommenen Interviews Reutlingens Bevölkerung von der sinnvollen, wissenschaftlichen Arbeit ›der‹ Studenten überzeugt worden sei – sicher aber war die Umfrage für einen Großteil der Interviewten der erste Kontakt mit einem Seminar einer Universität, für eine kleinere Gruppe der erste persönliche Kontakt mit Studenten überhaupt.

III

Die Erfahrungen, die die Interviewer sammeln, sind vielfältig. Für einen Teil von ihnen stellt die Befragung wahrscheinlich auch ein erstes Zusammentreffen mit »unteren« sozialen Schichten, vor allem mit deren häuslichen Verhältnissen dar. So leben z. B. in der Reutlinger Nordstadt fast ausschließlich Arbeiter und kleine Angestellte in Reihen- und Hochhäusern, der Wohnform also, die sich der zwischenmenschlichen Kommunikation in großem Maße erschwerend entgegenstellt. Dementsprechend reagieren die Bewohner auf Fremde im ersten Augenblick mit Mißtrauen, ja aggressiv. Die Innenausstattungen der Wohnungen sind ebenso gleichförmig und farblos wie die Fassaden – Kindern, die in solchen Umgebungen groß werden, fehlen weitgehend die kommunikativen und kulturellen Stimulanzien. Durch die ›Bittsteller‹-Situation entsteht besonders für die Angehörigen höherer gesellschaftlicher Gruppen – und das sind unter den Studenten immer noch die weitaus meisten – die Notwendigkeit, ihr Anliegen so zu formulieren, daß es verstanden und bewilligt wird; die sehr differierenden Erfolge der einzelnen Interviewer können in nicht geringem Maße auf die unterschiedliche Bewältigung dieser Schwierigkeit zurückgeführt werden. Der zukünftige Deutschlehrer kommt auf diese Weise nicht nur mit den häuslichen, sondern auch mit den sprachlichen Problemen eines Teils seiner zukünftigen Schüler in Berührung und lernt, sie in die Kommunikation mit einzubeziehen.
Auch wurden die Interviewer so mit den literarischen und allgemein-kulturellen Kenntnissen der Eltern konfrontiert, lernten deren Interessen auf diesem Gebiet kennen und können von daher vielleicht genauer beurteilen, welche Voraussetzungen und Hilfestellungen der Eltern sie bei den Kindern der einzelnen Schichten erwarten dürfen. Diese Informationen sind bei einer individuellen Förderung von sozial benachteiligten Schülern von großer Bedeutung.
Jede Befragung zu literarischen Gegenständen macht mit dem Kulturkonsum der Befragten bekannt. Für Literaturwissenschaftler und Deutschlehrer gleichermaßen aufklärend ist mit Sicherheit der Vergleich dieses Freizeit-Kulturprogramms mit Universitäts- und Schullehrplänen – wobei an dieser Stelle nichts über die Richtung der Aufklärung gesagt werden soll. Nach den allgemeinen Aussagen anläßlich eines nach Abschluß der Interviewaktion durchgeführten unwissenschaftlichen »Interviewertreffens« führte diese Synopse von häuslichen Verhältnissen und Kulturkonsum einerseits und andererseits den Stoffen, die in den Bildungsanstalten im Fach Germanistik bzw. Deutsch gelehrt werden und wurden, zu den nachhaltigsten Ein-

drücken. Man war zwar durch Statistiken und andere entsprechende Veröffentlichungen auf die wirklichen Zustände vorbereitet, ihnen aber persönlich nach gelehrtem Uni-Alltag gegenüberzutreten war etwas ganz anderes und vermittelte ein Bildungserlebnis eigener Art.

Zu den Vorzügen, die eine demoskopische Umfrage für eine Rezeptionsanalyse literarischer Texte bietet, gesellen sich noch diese hochschuldidaktisch vorteilhaften Momente; es muß vielleicht betont werden, daß dieser Aspekt zwar von Anfang der Arbeit an ins Auge gefaßt worden war, daß er aber mit Beobachtung des Unternehmensverlaufs immer mehr an Bedeutung gewann und schließlich zumindest gleichgewichtig neben den fachwissenschaftlich-methodischen trat.

Das wachsende Engagement eines Teils der Interviewer rechtfertigt an dieser Stelle einige selbstkritische Überlegungen zur anfänglichen Reserviertheit der Seminarteilnehmer. Natürlich hatte dies *auch* seinen Grund in der zu befürchtenden Arbeitsmehrbelastung wie auch in den Hemmungen gegenüber der bereits angedeuteten ›Bittsteller-‹, oder besser noch ›Hausierersituation‹. Diese durchaus verständliche Abneigung wurde aber gewiß noch durch den Modus der Arbeitsorganisation verstärkt: Ohne eigene Beteiligung an der Erstellung des Fragebogens (außer einem mehr passiven Mitwirken an der Probeumfrage) mußten sich die Interviewer wie »Wasserträger« der Vorbereitungsgruppe fühlen, zumal im laufenden Semester mit der Auswertung, geschweige denn mit einer Bekanntgabe der Ergebnisse, nicht mehr zu rechnen war, somit auch ein sinnvoller Abschluß fehlte. Dieser Zustand ›entfremdeter Arbeit‹ kann zumindest teilweise behoben werden – und so soll es in dem Seminar, das die zweite und dritte Phase des Unternehmens durchführt, auch praktiziert werden –, indem tatsächlich alle künftigen Interviewer an der Gestaltung und Auswertung des Fragebogens mitwirken. Damit wird darüber hinaus der Eigeninitiative Raum gegeben, die standardisiertes Interview und weitgehende »Verplanung« größtenteils ausschließen.

IV

Empirische Literaturwissenschaft – hier verstanden als demoskopische Untersuchung zu aktuellen Gegenständen der Literatur – als Ergänzung oder Berichtigung spekulativ gewonnener Rezeptionsdaten: Das soll nicht heißen, daß in jedem Semester eine größere Anzahl von Seminaren Umfragen über beliebige Gegenstände veranstaltet; das kann aber heißen, daß jeder Deutschlehrer-Student im Lauf seines Studiums einmal an einer Befragung teilnimmt. Auf diese Weise läßt sich zwar keine ›Literaturgeschichte des Lesers‹, aber doch in Ansätzen – bei entsprechender Kommunikation der Gruppen untereinander – eine Darstellung der Literatur der Gegenwart unter Einbeziehung der jeweiligen Leserschaft schreiben.

Um eventuell in dieser Richtung einen Anstoß zu geben und weil Anleitungen mit Hinweisen zur Praxis der demoskopischen Umfrage nicht nur auf literaturwissenschaftlichem Sektor nicht existieren, wird die Planung, Organisation, Durchführung und Auswertung der Interviews bei unserem Unternehmen ausführlicher geschildert, ohne daß ihm natürlich irgendein Vorbildcharakter zugemessen zu werden braucht; eher soll es als Ausgangsbasis begriffen werden, die es zu verbreitern und zu verbessern gilt. Die Gruppe ist für Anregungen in dieser Richtung dankbar, sie ist auch bereit, bei Anfragen an die in Anm. 1 genannte Adresse, detailliertere als die hier gegebenen Auskünfte zu erteilen.*

Arbeitsbericht

I

Die Arbeitsgruppe ›Böll-Umfrage‹ konstituierte sich im Anschluß an das Wintersemester 1972/73 und begann ihre Arbeit mit einer ›Einlesephase‹, in die sowohl Bölls Werke als auch die einschlägige Literatur zu Theorie und Technik von Umfragen einbezogen wurden. Die wichtigsten – und unserer Meinung nach zur Einarbeitung geeignetsten – sollen hier genannt werden:

1. Peter Atteslander: *Methoden der empirischen Sozialforschung.* Berlin u. New York 1971. (Bes. Teil III: »Die Befragung«, S. 74–121, und Teil IX: »Die Auswertung der erhobenen Daten: Aufbereitung, Analyse und Interpretation«, S. 243 bis 266; sehr gründliche und auch den Nicht-Soziologen verständliche Einführung.)
2. Eberhard Erbslöh: *Interview.* Stuttgart 1972. (Studienskripten zur Soziologie 31, Technik der Datensammlung 1.) (Weniger eine eigene Darstellung der Materie als ausführliche Wiedergabe der neuesten Ergebnisse; notwendige Ergänzung zu 1. 3. 4.)
3. René König [Hrsg.]: *Praktische Sozialforschung I. Das Interview.* Köln u. Berlin 1965. (Eines der grundlegenden Werke zur deutschen empirischen Sozialforschung; in einigen Punkten allerdings nicht mehr auf dem neuesten Stand.)
4. Elisabeth Noelle: *Umfragen in der Massengesellschaft.* Reinbek bei Hamburg 1963. (Wertvoll vor allem wegen der vielen praktischen Hinweise, die in den anderen Darstellungen fast völlig fehlen.)

Zu Beginn einer zweiten Phase stand eine auf diesen Kenntnissen basierende Grundsatzdiskussion über Sinn und Erfolgsaussichten einer demoskopischen Untersuchung überhaupt, für literarische Gegenstände im allgemeinen und für Heinrich Böll im besonderen. Die Vorbehalte gegenüber dem demoskopischen Instrumentarium sind bekannt (s. hierzu u. a. die »Einleitung« von Noelle) und werden durch naiv durchgeführte Umfragen immer wieder genährt (ein Vorwurf, der auch der bereits erwähnten Befragung von Bauer u. a. zu machen ist: dort wird z. B. alles, was die Probanden zu Papier brachten, für bare Münze genommen und entsprechend vertrauensvoll ausgewertet – als gäbe es die inzwischen Bände füllende Kritik an einzelnen Interviewarten und Umfrageformen nicht). Unser Ergebnis in bezug auf den Sinn einer Befragung zu literarischen Gegenständen ist bereits im allgemeinen Teil verdeutlicht worden, und über die Erfolgsaussichten einigten wir uns dahingehend, daß es bei Ausnutzung der einschlägigen Techniken gelingen müsse, zumindest brauchbare Ergebnisse zu erzielen. Über die Beschränktheit unserer Mittel waren

* Der Ergebnisteil beginnt auf S. 258; wer nur daran, nicht aber an der Durchführung des Projekts interessiert ist, kann die folgenden Seiten überschlagen.

wir uns durchaus im klaren: Wir hatten mit geringem finanziellem Aufwand und mit weitgehend ungeschulten Interviewern zu arbeiten. Zusammen mit dem Problem einer möglichst ehrlichen Beantwortung galt es, diese Schwierigkeiten bei der Wahl der *Interviewart* und der *Fragebogenform* zu berücksichtigen.

II

Die Befragung soll in erster Linie »quantitative und informative Ergebnisse«[30] bringen, die imstande sind, aufgestellte Hypothesen zu überprüfen und zu erhärten. Technisch rationell und demoskopisch zweckmäßig wird dieser Ansatz aber nur, wenn ein *standardisiertes Interview* als Grundlage dient.
Dieses erst erlaubt für ein derartiges Projekt eine Vergleichsmöglichkeit bezüglich »Ausmaß und Art der Abweichung von vorherrschendem (Leseverhalten)«[31] und der »Analyse von Untergruppen der Bevölkerung«[32], die wesentliche Merkmale dieses Leseverhaltens, ob als aktive Leser oder als Nichtleser, zeigen. Es gewährleistet aber auch den einheitlichen Gebrauch von Wortlaut und Reihenfolge der vorgesehenen Fragen nebst aufgeführter Antwortkategorien für jeden Befragten.
Diese »vollständige Standardisierung«[33] ermöglicht für die verschiedenen sozialen Schichten und Gruppen einen gleichen Bezugsrahmen im Verständnis von Fragen und garantiert damit wesentlich die erwünschte Genauigkeit und Vergleichbarkeit der gewonnenen Ergebnisse. Sie drängt förmlich nach einem formal und thematisch durchstrukturierten Fragebogen, der die programmatisch erfaßten Intentionen der Projektgruppe beinhaltet. In diese ›Strategie der genauen Ergebnisse‹ muß sich der Interviewer einordnen, indem er in strenger Bindung an das vorgegebene Befragungsziel sich fest an die Anweisungen im Fragebogen hält.

III

Dem Interviewer fällt aus der Reihe der am Projekt Beteiligten aus den zuvor angeführten Gründen ein hohes Maß an Verantwortung zu, nicht zuletzt deshalb wird ihm in der gängigen Literatur zu Methoden der empirischen Sozialwissenschaft und Demoskopie immer wieder die Rolle eines der größten Risikofaktoren angelastet. Noelle sieht in ihm und dem Befragten »die schwächsten Glieder in der Kette«, weil sie als einzige »keine Spezialisten des Fachs sind«.[34]
Die Projektgruppe glaubt aber solchen Überlegungen und Bedenken mit einer den zu erwartenden Schwierigkeiten angemessenen ›Interviewereinweisung‹ (vgl. S. 253 ff.) begegnet zu sein. Auf Grund der im Seminar vorhandenen Möglichkeiten empfahl sich die Form des ›standardisierten Interviews‹, durchgeführt als ›persönliche Einzelbefragung‹; anders als bei einer postalischen Umfrage, bei der der Fragebogen mit den entsprechenden Erklärungen zugeschickt wird, der Befragte jedoch dem Einflußbereich des Interviewers entzogen ist, kann der Interviewer hier die besondere Gesprächssituation steuern und das Gesprächsklima vorteilhaft gestalten. Es fällt ihm bei der Kontaktaufnahme z. B. leichter, Vorbehalte des Befragten mit rhetorischem Geschick auszuräumen, indem er versucht, mit dem Hinweis auf die Wichtig-

keit und Bedeutung der Umfrage für die Wissenschaft im allgemeinen und den Literaturbetrieb an Schulen im besonderen »moralischen« Druck auszuüben. Er spielt dem Befragten in gewisser Weise ein Motiv zu, das Bereitschaft wecken kann. Wohl nicht zuletzt deshalb wirkte sich der von vielen Seminarteilnehmern befürchtete ›Hausiererstatus‹ des Interviewers auf die Ausbeute verwertbarer Interviews weit weniger negativ als erwartet aus.

IV

Ein weiterer Vorteil der persönlichen Befragung gegenüber der postalischen wird in der einschlägigen Literatur zur empirischen Sozialforschung immer wieder hervorgehoben: Unerwartete Hausbesuche erzielen durch ihren Überraschungseffekt ›ehrlichere‹ Interviews, was ganz einfach bedeutet, daß die Unvoreingenommenheit der Befragten ganz besonders dann, wenn sie keinerlei Erfahrungen mit Umfragen besitzen, zu ›richtigeren‹ Ergebnissen (Antworten) führt. Zwar scheinen sich derartige Vorgänge im Bereich psychologischer Hypothesen abzuspielen, doch geben erst Antworten der Befragten einen ›wahren‹ Sachverhalt wieder, wenn diese ohne weitere Vorbereitung und ohne fremde Hilfe gleichsam spontan auf unerwartete Fragen erfolgen. Der Interviewer hat außerdem die Gewähr, daß die im durchorganisierten Fragebogen festgelegte Reihenfolge der Fragen strikt eingehalten wird.
Wird die Glaubwürdigkeit von Befragtenaussagen auch wesentlich von der Technik und vom Thema der Frage her bestimmt, so gibt es doch eine Reihe weiterer Punkte, deren Einfluß auf das ›Antwortverhalten‹ des Befragten von Bedeutung ist. Die praktische Interviewertätigkeit hat immer wieder gezeigt, wie wichtig es für den Interviewer ist, in entscheidenden Momenten (Gefahr der Verweigerung) richtig zu reagieren. Es hängt viel von seinem vertrauenerweckenden Auftreten als Persönlichkeit nicht nur in der Kontaktaufnahme, sondern auch im konkreten Interviewgespräch ab. So ist das Nichtbeantworten von Fragen für Erbslöh »nur der sichtbare Teil eines Kontinuums von Fehlreaktionen«,[35] die abzubauen der Interviewer ständig gewärtig sein sollte.

V

Der Wert von Umfrageergebnissen ist nicht zuletzt auch abhängig vom *Umfrageort* und der *Auswahlmethode* des Sample (der Stichprobe). Tübingen selbst kam z. B. nicht in Frage, weil der Ort nicht nur durch eine Überrepräsentanz von Studenten und Universitätsangehörigen gekennzeichnet ist, sondern darüber hinaus das gesamte soziale Gefüge vom »hochschulischen Leben« geprägt und beeinflußt wird.
Dagegen zeigt sich die Nachbarstadt Reutlingen (Entfernung: 13 km) als außerordentlich geeignet: Die in ihrem Kern 80000 Einwohner zählende Stadt kann als repräsentativ für einen mittelgroßen Industrieort in ländlicher Umgebung angesehen werden; daß die statistische Verteilung in vielen Punkten dem Bundesdurchschnitt entspricht, darf man als ein weiteres Positivum werten, das allerdings immer in Relation zur Gemeindegröße zu betrachten ist.

Die *Probandenauswahl* entpuppte sich als eine der diffizilsten Phasen. Da zu Anfang eines solchen Unternehmens immer größerer Optimismus herrscht als hinterher, glaubten wir mit einem Resultat von 400 Interviews rechnen zu dürfen. Die Ausbeute muß sich in diesem Bereich bewegen, will man nach dem *Random-(Zufalls-) Verfahren* aus der Gesamtheit der Reutlinger Bürger eine Stichprobe entnehmen, in der die einzelnen Bevölkerungsmerkmale (Geschlecht, Alter, Schicht, Bildung, Religion usw.) repräsentativ vertreten sind.

Aus der Einwohner-Plattei (nach Straßen geordnete Sammlung von Druckplatten mit Namen, Adressen und einigen verschlüsselten Sozialdaten der Reutlinger Bürger) des Einwohnermeldeamtes, an die wir nach beiderseits unverschuldetem Mißverständnis mit einem Monat Verspätung herandurften,[36] zogen wir so lange alle 38 cm (ein willkürlich gewählter Abstand) Adressen von über 16jährigen deutschen Einwohnern, bis wir die erforderliche Anzahl erreicht hatten; nach dem gleichen Verfahren erstellten wir eine Ersatzadressensammlung.

Es muß aber festgestellt werden, daß die Random-Methode sich für Unternehmungen mit begrenztem Budget, begrenzter Interviewerzahl und begrenztem zur Verfügung stehendem Zeitraum (Sommersemester) nicht als die geeignetste erwies; die Anzahl der nicht angetroffenen Probanden übertraf die der befürchteten Verweigerungen um ein Vielfaches und hätte nur durch fortwährend wiederholte Besuche entscheidend gesenkt werden können.

Nach Ablauf der vorgesehenen Zeitspanne lagen zwar etwa 200 durchgeführte Interviews vor, es zeigte sich aber, daß Frauen zwischen 30 und 50 Jahren und Angehörige höherer Schichten überrepräsentiert waren; die einen, weil sie als Hausfrauen in der Interviewzeit (zwischen 16 und 19.30 Uhr) eher anzutreffen waren, bei den anderen spielte sicher der von Erbslöh vermutete Zusammenhang zwischen »besserer Schulbildung« und »größerem Interesse« an der Sache[37] eine Rolle und auch die Tatsache, daß Angehörige niederer Schichten abends nach getaner (körperlicher) Arbeit kaum noch zur Beantwortung zahlreicher Fragen geneigt und fähig sind.

Die einseitig soziale Ausbeute wurde von uns korrigiert, indem wir nach Art des *Quoten-Auswahlverfahrens*[38] das Sample ergänzten: Den Interviewern wurden von nun an genau die Quoten der von ihnen aus verschiedenen Schichten und Gruppen zu befragenden Personen vorgeschrieben. Diese ›Sondereinsätze‹ führten wir im ›Fischzug-Verfahren‹, d. h. von Haustür zu Haustür, vor allem an Wochenenden durch und erreichten so eine weitgehend einwandfreie Auswahl.

Eine Kombination von Quoten- und Fischzug-Verfahren empfiehlt sich für alle ähnlichen Unternehmungen: Sie erspart die umständliche und zeitraubende Aufstellung von Sample und Adressenlisten, hier können vom einzelnen Interviewer in kürzerer Zeit und rationeller (kein Leerlauf durch weitabliegende Adressen und wiederholte Besuche) mehr erfolgreiche Interviews zusammengetragen werden. Zwar besteht nach Atteslander »grundsätzlich [...] eine systematische Fehlergefahr immer dann, wenn bei der Auswahl des Sample nicht das Zufallsprinzip angewendet wird«,[39] die Besuche von Tür zu Tür gewährleisten aber, daß z. B. nicht nur Bücherleser angetroffen werden, wie es passieren könnte, wenn sich die Interviewer vor Büchereien und Bibliotheken postierten.

Die demoskopische Methode als Mittel der Literaturwissenschaft und des literaturwissenschaftlichen Unterrichts gerät auf diese Weise so handlich, daß sie von jedem Seminar durchgeführt werden kann.

VI

Im folgenden Zeitabschnitt stand die Ausarbeitung eines *vorläufigen Fragebogens* im Mittelpunkt; vorläufig deshalb, weil in ihn alle uns wichtig erscheinenden Fragenkomplexe aufgenommen wurden, die dann durch *gruppeninterne Kritik*, durch *Kritik des Seminars* auf Grund einer *Probeumfrage* und nach einer ›Expertenbeurteilung‹ auf ein praktikables Maß zu reduzieren waren.
Die Gesamtgruppe steckte die Bereiche ab, über die Informationen eingeholt werden sollten; arbeitsteilig in Kleingruppen- und Einzelarbeit erfolgte die Formulierung in einer adäquaten Frageform, über die dann wieder alle Gruppenmitglieder die letztgültige Entscheidung trafen.
In diese Phase fiel auch die Aufteilung in drei Untergruppen, die sich anhand spezieller Literatur in Problemkreise einzuarbeiten hatten, die im weiteren Projektverlauf anfielen: Die Arbeitsgruppe ›Repräsentativer Querschnitt‹ wurde damit beauftragt, die Möglichkeiten einer Stichprobenherstellung auf ihre Brauchbarkeit für unsere Zwecke hin zu überprüfen; die Arbeitsgruppe ›Interviewerschulung‹ übernahm die Einführung der Seminarteilnehmer in die Interviewertechnik; die Gruppe ›Auswertung‹ sollte sich nicht nur auf die spätere Auswertung der Ergebnisse spezialisieren, sie hatte sich auch vor allem mit dem Einfluß der verschiedenen Auswertungsmethoden auf die Form des Fragebogens zu befassen. Eine vierte Untergruppe ›Organisation‹, die die rationelle Durchführung der Interviewertätigkeit in die Hand nahm, konstituierte sich zu Beginn des Sommersemesters.
Neben der Beanstandung einzelner Formulierungen ergab die Seminar- und Expertenbefragung (das Expertengremium setzte sich aus je einem Vertreter des Soziologischen Seminars, des Instituts für empirische Kulturwissenschaft, des Zentrums für Hochschuldidaktik und einem umfrageerfahrenen früheren Mitglied des Deutschen Seminars zusammen)[40] vor allem die folgenden beiden Kritikpunkte gravierender Art:

a. Der Vorfragebogen wurde erwartungsgemäß als zu lang empfunden; das hatte seinen Grund nicht in der vorläufigen Form allein, sondern auch darin, daß die Gruppe zu dieser Zeit noch der Meinung war, sie könne die geplanten Phasen I (repräsentative Bevölkerungsumfrage) und II (spezielle Befragung der Böll-Leser) in einem Arbeitsgang erledigen.
b. Die Mengen innerhalb der einzelnen zu erwartenden Gruppierungen (Böll-Leser, Nicht-Böll-Leser u. ä.) würden so gering ausfallen, daß über sie keine gültigen Aussagen gemacht werden könnten.

Die Gruppe beschloß daraufhin, die Projektabschnitte I und II zu trennen und die Interviewdauer auf 20 bis 30 Minuten zu beschränken.
In bezug auf den zweiten Kritikpunkt sah sich die Gruppe gezwungen, den Vorwurf der Nichtrepräsentativität auf sich zu nehmen. Unter den Bedingungen einer

Hochschulveranstaltung war es unumgänglich, als Ziel der Untersuchung nicht durch hohe Interviewzahlen untermauerte »gültige« Ergebnisse anzustreben, sondern sich mit – allerdings eindeutigen – Tendenzen zu begnügen.

VII

Nachdem der Fragebogen so um den Teil erleichtert worden war, der sich speziell mit der Art und den Motiven des Böll-Konsums befaßte, und wir überflüssige Komplexe gestrichen bzw. vereinfacht hatten, blieben im großen und ganzen drei Teilbereiche stehen:[41]

1. Fragen zum Kulturkonsum
2. Fragen zur Kenntnis von Heinrich Böll und seinem Werk
3. Statistische Fragen zur Person.

Eine wesentliche Entscheidung der Vorbereitungsgruppe war, den Komplex ›Kulturkonsum‹ dem Komplex ›Böll‹ voranzustellen und die Umfrage vor den Befragten nicht als Umfrage zum Schriftsteller Heinrich Böll, sondern als eine zum allgemeinen Kulturverbrauch zu deklarieren. Mit dieser Maßnahme sollten drei eventuell auftretende verfälschende Mechanismen unterbunden werden: Einmal konnte so eine vielleicht vorhandene Aversion gegen den ›linken‹ Schriftsteller Böll nicht das ganze restliche Interview beeinflussen (bzw. gar verhindern), zum zweiten wurde durch die auf Fragen nach dem Zeitungskonsum, der Fernsehintensität u. ä. *positiven* Beantwortungsmöglichkeiten ein gewisser Frustrationseffekt vermieden, und zum dritten hatte der Fragebogen so die von Erbslöh geforderte »›Spannungskurve‹, d. h. die Aufmerksamkeit, die der Befragte« aufzubringen hat, soll »am Anfang flach, in der Mitte steiler und zum Ende des Interviews wiederum flach« sein; deshalb sind »die wichtigsten Programmpunkte in der Mitte des Interviews anzusiedeln, schwierige und heikle Themen nicht an den Anfang zu stellen und Angaben, die geringe Motivation erfordern, ganz am Ende des Interviews zu bringen«.[42]
So erfolgte nach einer Vorrede, die den Sinn der Umfrage darlegte und dem einzelnen Anonymität zusicherte, der Einstieg ins Interview in einer allmählichen Annäherung an die eigentlichen *Gegenstände:* Die Frage »Läßt Ihnen Ihr Beruf genügend Zeit für eine entspannende Freizeitbeschäftigung (Hobby)?« bereitete gesprächsartig die (meist positiv zu beantwortenden) Fragen nach *Zeitungs-, Zeitschriften- und Illustriertenlektüre,* nach *Fernsehkonsum* und *Kinobesuch* vor. Die nachstehenden Erkundigungen nach *Heftroman- und Comiclektüre* waren insofern problematisch, als hier sicher ein Teil der Probanden in den Konflikt zwischen einer gewissen Verpflichtung zur Wahrheit und dem Einfluß des gesellschaftlich diffamierten Bereichs Trivialliteratur geriet.
Ein leichtes Ansteigen der ›Spannungskurve‹ (und ob der zu erwartenden oft negativen Antworten: der Frustrationskurve) bedeuteten die Fragen nach *Buchklub-Mitgliedschaft, Bibliotheksbenutzung, Buchhandlungsbesuch, quantitativer Buchlektüre* und *Bücherkauf.* Noch mehr Aufmerksamkeit erforderten die Auskünfte über die Art des literarischen Konsums: über *Lieblingsschriftsteller,* über *die im letzten halben Jahr gelesenen Autoren* und über die *bevorzugten Stoffe und Gattungen.*

Zwei Fragen – nach der Stellung gegenüber Kirche und Religion und der Meinung über die Aufgaben des modernen Schriftstellers –, die eventuell Rückschlüsse auf die Böll-Leserschaft versprachen, schirmten den ›wichtigsten Programmpunkt‹, die steilste Stelle der ›Spannungskurve‹, gegen die vorherigen Erkundigungen zum Kulturkonsum ab.
Um zu demonstrieren, in welcher Weise wir versucht haben, die verschiedenen Grade der Böll-›Kenntnis‹ zu erfassen, aber auch, um die Gestaltung des Fragebogens einmal exemplarisch darzustellen, soll diese Passage hier vollständig abgedruckt werden:

Sp. 37 30. (FOTOS DER SCHRIFTSTELLER [Anlage 8] VORLEGEN!)
»Wenn Sie eine oder mehrere der auf diesen Fotos abgebildeten Personen erkennen, dann nennen Sie doch bitte den jeweiligen Namen.«

1. niemand (1) (WEITER BEI FRAGE 31)
2. Bachmann (2)
3. Grass (3)
4. Eich (4)
5. Schmidt (5)
6. Handke (6)
7. Sachs (7)
8. Böll (8)
9. Brecht (9)

(WENN HEINRICH BÖLL [Nr. 8] ERKANNT WURDE, DANN WEITER BEI FRAGE 32!)
(WENN HEINRICH BÖLL *NICHT* ERKANNT WURDE, DANN WEITER BEI FRAGE 31.)

Sp. 38 31. »Dies ist der Schriftsteller Heinrich Böll. Kennen Sie ihn?« (DABEI AUF HEINRICH BÖLL, Nr. 8, DEUTEN!)

ja (1)
nein (2)

(BEI NEIN WEITER MIT *STATISTISCHEM FRAGEBOGEN!)*

Sp. 39 32. »Woher kennen Sie Heinrich Böll? Es sind mehrere Antworten möglich.

1. aus Berichten in der Zeitung (1)
2. aus Berichten im Fernsehen (2)
3. aus Berichten im Rundfunk (3)
4. aus Unterhaltungen mit Freunden und Bekannten (4)
5. aus dem Deutschunterricht (5)
6. aus dem Deutschunterricht meiner Kinder (6)
7. durch das Lesen seiner Werke (7)
8. durch seine Fernseh- und Hörspiele (8)
9. Sonstiges (9)

welches: . . . .

33. »Können Sie sich an das Ereignis erinnern, bei dem Sie zum *ersten Mal* von Heinrich Böll hörten?
Würden Sie es uns bitte nennen?« . . . .
. . . .

34. »Erinnern Sie sich an weitere Ereignisse, bei denen Heinrich Böll eine Rolle spielte?« . . . .
. . . .

Sp. 40 35. (ANLAGE 9 ÜBERREICHEN)
»Was haben Sie von Heinrich Böll gelesen? Würden Sie es auf dieser Liste bitte ankreuzen?«

ANLAGE 9

1. Kurzgeschichten	(1)
2. Hörspiele	(2)
3. Kritiken	(3)
4. Romane	(4)
5. Übersetzungen	(5)
6. Seine Memoiren	(6)
7. Politische Schriften	(7)
8. Gedichte	(8)
9. Drehbücher für Filme und Fernsehen	(9)

Wenn Sie einen oder mehrere *Romane* von Heinrich Böll gelesen haben, können Sie sich an die Titel erinnern?
. . . .

Insgesamt wurden 12 Anlagen mit den verschiedenen Auswahlmöglichkeiten verwendet, die vor allem bei komplizierten oder umfangreichen Fragen die Verständigung erleichterten; indem der Befragte selbst die Ankreuzungen vornahm, bezogen sie ihn darüber hinaus stärker in den Interviewvorgang ein, der dadurch abwechslungsreicher wurde; weiterhin nahmen sich manche in dieser Weise erledigten Erkundigungen subjektiv weniger ›heikel‹ aus, weil die Antworten dem Interviewer nicht mündlich gegeben werden mußten.
Der Böll-Komplex zeigt deutlich die Kombination der verschiedenen Fragearten: Die beiden Abschirmungsfragen kann man als *Pufferfragen* bezeichnen, die Probanden wurden mit Hilfe von *Filterfragen* in verschiedene Untergruppen aufgeteilt (in solche, die ihn vom Bild her, nur dem Namen nach, gar nicht kennen), *geschlossene* und *offene Fragen* ergänzten einander (z. B. Frage 32 u. 33), wobei die geschlossenen Fragen als ›multiple choice‹ (Auswahl mehrerer Antwortmöglichkeiten, z. B. Frage 32) und als *dichotomische Fragen* (Alternativauswahl, z. B. 31) auftraten.
Der statistische Teil, ein an sich nicht unproblematischer Bereich (Fragen u. a. zu Alter, Schulbildung, Verdienst, parteipolitischer Sympathie), verlor in seiner Stellung am Ende des Fragebogens viel von seinem Schrecken: Bereits die einleitende Bemerkung »Nun abschließend noch einige Fragen für unsere Statistik« signalisierte

die relative Unwichtigkeit dieser Daten; das »abschließend« verhieß eine nur noch kurze Anstrengung bis zum Ende des Interviews und die Bezeichnung »unsere Statistik« belegte gewissermaßen das Verschwinden in der Anonymität.
Darüber hinaus konnte hier der möglicherweise für längere Zeit unterbrochene positive Antwortrhythmus wiederaufgenommen werden – eine, wie auch unsere Erfahrung gezeigt hat, nicht zu unterschätzende Motivation zur Beantwortung weiterer Fragen. Da die Interviewer dazu angehalten worden waren, bei den Erkundigungen nach Verdienst und Parteisympathien nicht auf Auskünfte zu drängen, gab es in diesem Teil kaum Antwortverweigerungen.

VIII

Es ist klar, daß in einem Seminar, das sich zum größten Teil mit anderen Formen der Böll-Rezeption befaßt, keine umfassende *Interviewerausbildung* geleistet werden kann. Die standardisierte Form des Fragebogens gewährleistet aber gesicherte Ergebnisse auch dann, wenn die Befragenden über die Problematik des Interviewens nur in Grundzügen informiert sind,[43] den Aufbau ihres Fragebogens und dessen Handhabung müssen sie allerdings ›blind‹ beherrschen.
Für diesen Zweck waren von der Teilgruppe ›Interviewerschulung‹ zwei Papers angefertigt worden: eines zur demoskopischen Umfrage allgemein und zur Rolle des Interviewers im besonderen (unter Zuhilfenahme der entsprechenden Passagen bei Noelle und Erbslöh), das andere mit speziellen Hinweisen zum Gebrauch *unseres* Fragebogens. Als detaillierte Einführung diente der Test im Seminar, der über die Erprobung und ein erstes Kennenlernen hinaus noch Gelegenheit bot, bei Unklarheiten nachzufragen, Mißverständnisse auszuräumen und Verbesserungsvorschläge einzubringen.

IX

Um den Zeitaufwand der einzelnen Interviewer in Grenzen zu halten, besonders aber auch, weil die weitaus meisten von ihnen nicht mit den Örtlichkeiten Reutlingens vertraut waren, wurden immer 10–15 beieinanderliegende Adressen zu Teilgebieten zusammengeschlossen, die dann jeweils ein Interviewer zu bearbeiten hatte; jeder bekam eine Xerokopie des Stadtplanausschnitts seines Gebiets, auf dem die Adressen eingetragen waren, so daß er imstande war, die kürzesten Wege zu den nächsten Probanden zu wählen. Eine *Ersatzadressenliste,* die bei mehrmaligem Nichtantreffen heranzuziehen war, eine Mappe mit den nötigen Interviewbögen und ein Ausweis mit Seminarstempel und der Unterschrift des Seminarleiters vervollständigten die Ausrüstung. Der Ausweis tat besonders dann seine Dienste, wenn durch XY-Zimmermann gewitzigte Bürger irgend etwas Amtliches zu sehen wünschten.

X

Wie bereits gesagt, war die Anzahl der Verweigerungen längst nicht so hoch wie die der nicht angetroffenen Probanden. Schwierigkeiten entstanden meist nur bei der Kontaktaufnahme. Hier war oft Hartnäckigkeit im Kampf gegen Vorurteile, Mißtrauen und Unlust vonnöten.
Unterschiedliche Interviewausbeuten zwischen männlichen und weiblichen Interviewern waren ebensowenig festzustellen wie zwischen langhaarigen und »ordentlichen« Studenten; dagegen hatten »echte« Schwaben einen deutlichen Bonus gegenüber »Zugereisten«.
Hinter der Türschwelle warteten häufig weitere Hindernisse: mißtrauische Ehepartner, besorgte Mütter und schreiende Kinder, die unter Umständen den reibungslosen Verlauf des Interviews erschweren konnten. Fragen nach Politik sowie Gehalt und Lohn, die ohnehin oft nur zögernd beantwortet wurden, provozierten nicht selten den Protest der durch die offene Tür Lauschenden: »Do sagscht du nix!« Wenn diese Anfangsschwierigkeiten überwunden waren, stand der weiteren Fortdauer des Interviews nichts mehr im Wege. Die meisten der Interviewer bekamen mit der Zeit sogar Spaß an der Sache, einige engagierten sich weit über das Pflichtpensum hinaus. Am Ende gab es nur wenige Beschwerden über zu große Belastung oder Unfreundlichkeiten seitens der Befragten. Daß ein Interviewer zweimal mit einem Hund von demselben Grundstück vertrieben wurde, war sowohl die Ausnahme von der Regel als auch ein Zeichen für die Zähigkeit der Umfrager.

XI

Die *Auswertung* erfolgte mit Hilfe des Tübinger Zentrums für Datenverarbeitung. Nicht zuletzt die Notwendigkeit, einige (vor allem die ›freien‹) Antworten ›per Hand‹ auszählen zu müssen, brachte uns zu Bewußtsein, welche Arbeitserleichterung diese Unterstützung bedeutete.[44]
Dieser Bereich war uns am schwersten zugänglich und in der zur Verfügung stehenden Zeit kaum erschöpfend zu erarbeiten. So stellte sich bei den ersten Kontakten mit dem Zentrum heraus, daß trotz der Vorarbeit der Gruppe ›Auswertung‹ die ermittelten Daten zwar durchaus brauchbar, aber nicht von unserem Fragebogen auf Lochkarten zu übertragen waren; erst nach einem zusätzlichen Arbeitsgang, der die Daten mittels eines ›Kodierungsplans‹ entsprechend aufbereitete, konnte die Auswertung per elektronischer Verarbeitung beginnen.
Weder ist hier Raum dafür, noch maßen wir uns die Kompetenz an, über die EDV-gerechte Erstellung von Fragebögen Auskunft geben zu können; es scheint uns auch kaum vertretbar zu sein, daß Mitglieder eines literaturwissenschaftlichen Seminars – außer es liegt ein persönliches Interesse vor – sich in dieses fachfremde Gebiet intensiv einarbeiten. Wir können eigentlich nur empfehlen, frühzeitig (das ist nach Aussage eines Mitarbeiters des Rechnungszentrums »etwa zwei Monate, bevor man glaube, es sei noch genügend Zeit«; wir meinen: spätestens, wenn die ersten Entwürfe des Fragebogens fertig sind) mit den Beratungsstellen der datenverarbeitenden Institute in Verbindung zu treten. Diese Maßnahme wird durch die Möglichkeit,

die Ergebnisse direkt vom Fragebogen auf die Karten abzulochen, durch die Einsparung zusätzlicher Rechengänge und nicht zuletzt durch die Schonung von Nervenkraft mehrfach belohnt, die dann der eventuellen Abfassung eines *Arbeitsberichts* zugute kommen kann; sie ist sicher vonnöten, wenn auch dieser in Gruppenarbeit verfaßt werden soll. Gemeinsames Erarbeiten eines Gesamtkonzepts, arbeitsteiliges Ausführen der einzelnen Kapitel und wiederholtes Durchdiskutieren verschiedener Teile verlangen nach über halbjähriger enger Zusammenarbeit einige Standfestigkeit – gewiß auch ein durchaus erstrebenswertes Lernziel dieser Arbeitsform.

Ergebnisse

Ein Bericht über eine Umfrage läßt Mengen von absoluten und Prozentzahlen, Zahlenkolonnen, Tabellen, Statistiken und Graphiken befürchten. Wollten wir an dieser Stelle alle gewonnenen Daten präsentieren, so wäre solcher Nachteil unumgänglich. Es scheint uns aber sinnvoller, nur die uns am interessantesten erscheinenden Aspekte herauszugreifen und diese einer eingehenden Betrachtung zu unterziehen.
Dieses Verfahren soll einmal vor allem davor bewahren, hinter einer Fülle von Fakten die Problematik einer Fragebogenaktion zu verbergen, zum andern soll es aufzeigen, in welcher Weise eventuell problematische Komplexe zu analysieren sind, damit doch noch brauchbare Ergebnisse herauskommen.
Die relativen Zahlen (Prozentzahlen) wurden vom Rechenzentrum bis auf zwei Stellen nach dem Komma ermittelt, im Bericht sind sie jeweils zu ganzen Zahlen auf- oder abgerundet, so daß die Gesamtsumme häufig nicht genau 100 % ergibt.

Der Auswertungsteil gliedert sich in drei Abschnitte:

I. Quantitatives Ergebnis der Umfrage
II. Gesamtauswertung
III. Spezielle Auswertung nach Gruppen, die Böll *lesen*, die ihn nur *kennen*, die ihn *nicht kennen*.

I

Von den ursprünglich etwa 240 zusammengetragenen Interviews konnten nur 184 zur Auswertung herangezogen werden. Die bereits erwähnten fehlerhaften Fragebogen und die Überrepräsentanz von Frauen und Angehörigen höherer Schichten machten diese Reduzierung notwendig.
Die 184 setzten sich zusammen aus: 100 Frauen (= 54,35 %; Anteil der weiblichen Bevölkerung an der Gesamtpopulation Reutlingens: 54,32 %), 84 Männer (= 45,65 %; Reutlingen 45,68 %).
Es wurden 95 Angehörige der Arbeiterschaft interviewt (= 51,6 %; Reutlingen 49,3 %), 75 Angehörige der Gruppe ›Angestellte/Beamte‹ (= 40,6 %; Reutlingen 40,75 %) und 14 ›Selbständige‹ (= 7,6 %; Reutlingen 7,2 %). Die Vorbereitungsgruppe glaubt vertreten zu können, daß Schüler (die Einschränkung »ab 16 Jahren« bewirkte ja, daß nur Real- und Oberschüler in Betracht kamen) und Studenten der

Gruppe der Beamten/Angestellten zugeordnet wurden; über eine so kleine Anzahl (11) wären ohnehin keine gültigen Aussagen zu machen gewesen.
Da für Reutlingen ausschließlich Angaben über Altersgruppen von unterschiedlichem Umfang vorlagen, können hier keine Vergleichszahlen geliefert werden. Wir interviewten:

7,1 %	16–20jährige
13,6 %	21–30jährige
27,2 %	31–40jährige
18,5 %	41–50jährige
13,6 %	51–60jährige
14,7 %	61–70jährige
4,4 %	über 70jährige

In bezug auf die Konfessionszugehörigkeit lagen die Werte unseres Samples durchaus noch innerhalb der Fehlertoleranz. Dies ist im übrigen der einzige Bereich von Bedeutung, in dem die Reutlinger Zahlen erheblich vom Bundesdurchschnitt abweichen:

Protestanten	67,9 %	(Reutlingen 64,6 %, BRD 51,1 %)
Katholiken	23,4 %	(Reutlingen 25,4 %, BRD 44,1 %)
Sonstige	5,4 %	
Konfessionslose	3,3 %	

II

Bei der Umfrage stand die Relation des Kulturkonsums zum Böll-Konsum im Vordergrund, die allgemeinen Ergebnisse sollen deshalb nur kurz gestreift werden.
90 % der Befragten gaben an, mehrmals in der Woche eine Tageszeitung zu lesen, bevorzugt wurde das Lokalblatt. Illustrierte und Wochenzeitungen erreichten 64 % bzw. 40 % der von uns Interviewten. Der Bereich ›Politik‹ in den Presseorganen wurde mehr von Männern als von Frauen gelesen. Umgekehrt war das Verhältnis bei den Bereichen ›Unterhaltung‹ und ›Berichte über Unfälle, Katastrophen und Verbrechen‹.
Neben der Lektüre von Zeitungen und Illustrierten blieb Zeit für den Fernsehkonsum, denn 50 % der Interviewten sahen nach eigenen Angaben täglich fern. 20 % schalteten nur bestimmte Sendungen ein. Ins Kino gingen 21 % der von uns befragten Reutlinger.
Laut eigener Aussage ergänzten 15 % der Befragten ihr Bildungs- und Unterhaltungsbedürfnis mit der Lektüre von Romanheften. 22 % der Interviewten waren Mitglied in einem Buchklub oder einer Bücherei. In Buchhandlungen sahen sich 38 % ab und zu um. Inwieweit von diesen Mitgliedschaften und Aktivitäten Impulse ausgingen, verdeutlicht die Tatsache, daß 41 % der Befragten kein Buch und 42 % zwei bis zehn Bücher pro Jahr kauften. 23 % lasen in einem halben Jahr kein Buch, 26 % eines, 37 % zwei bis fünf und die restlichen mehr als sechs. Vor allem wurden Biographien (38 %), Berichte über Forschungsreisen (30 %) und Reise-

erzählungen (27 %) konsumiert. 26 % der Befragten lasen gesellschaftskritische Romane.
Der statistische Fragebogen lieferte tendenziell die Ergebnisse über Einkommen, Schulbildung und politische Einstellung, die von größeren Umfragen her bereits vorliegen.
Zu dem Teil unseres Fragebogens, der sich ganz konkret mit Heinrich Böll und seinen Werken befaßt, leiteten wir durch Vorzeigen einer Anlage über, auf der Bilder von folgenden Personen zu sehen waren: Ingeborg Bachmann, Günter Grass, Günter Eich, Arno Schmidt, Peter Handke, Nelly Sachs, Heinrich Böll und Bertolt Brecht. Ohne den Interviewten zu sagen, daß es sich hier um Fotos von Schriftstellern handelt, wollten wir in Erfahrung bringen, wen sie darauf erkennen, bzw. ob sie überhaupt jemanden erkennen würden. Über die Hälfte (52 %) der Befragten erkannten keinen der Abgebildeten, und zwar 44 % der Männer und 59 % der Frauen bzw. 39 % der Angestellten und Beamten und 64 % der Arbeiter. Erkannt wurden am meisten:

		Gesamt	Männer	Frauen
Günter Grass		39 %	49 %	30 %
Heinrich Böll	von	24 %	30 %	19 %
Bertolt Brecht		16 %	20 %	13 %

Von den Angestellten und Beamten wurde Heinrich Böll dreimal so oft erkannt wie von den Arbeitern (39 % : 13 %). Die restlichen fünf Autoren wurden nur noch sehr selten identifiziert: Bachmann von 3 %, Handke von 2 %, Eich von 1 %, Sachs von 0,5 % und der jetzige Goethepreisträger Arno Schmidt erfreute sich gar völliger Anonymität (ein Befragter glaubte, daß es ein »dicker Erich Kästner« sei).
Über 3/4 der Interviewten (76 %) erkannten also Böll auf dem Bild nicht. Auf die Frage: »Dies ist Heinrich Böll. Kennen Sie ihn?« antworteten 2/3 (67 %) von diesen mit »ja«. Somit war über 1/4, nämlich 28 % (51) aller Befragten Heinrich Böll weder auf dem Foto noch nach Nennung seines Namens bekannt. Oder positiv ausgedrückt: 72 % (133) sagten, daß sie Böll kennten.
Die Antworten auf die Frage: »Woher kennen Sie Heinrich Böll?« ergaben folgendes Bild (hierbei ist zu beachten, daß mehrere Antworten möglich waren):

Ich kenne Heinrich Böll	Gesamt	Männer	Frauen
aus Berichten in der Zeitung	53 %	57 %	49 %
aus Berichten im Fernsehen	70 %	76 %	64 %
aus Berichten im Rundfunk	20 %	14 %	24 %
aus Unterhaltung mit Freunden und Bekannten	15 %	18 %	13 %
aus dem Deutschunterricht	11 %	10 %	11 %
aus dem Deutschunterricht meiner Kinder	5 %	2 %	9 %
durch das Lesen seiner Werke	30 %	32 %	29 %
durch seine Fernseh- und Hörspiele	20 %	16 %	23 %

Aufschlußreich ist die schichtenspezifische Auswertung des Punktes »durch das Lesen seiner Werke«: über dreimal soviel Angestellte und Beamte (33 %) wie Arbeiter (10 %) gaben sich als Böll-Leser zu erkennen.

Uns interessierte nun das Ereignis, bei dem die Befragten zum *ersten Mal* von Böll hörten. Wie in jenen Tagen nicht anders zu erwarten, standen die Verleihung des Nobelpreises für Literatur und die damit verbundenen Ereignisse an erster Stelle der Antworten (14 %). Durch das Lesen seiner Werke und durch das Betrachten seiner verfilmten Werke lernten ihn 10 % kennen. Einige weitere nannten in diesem Zusammenhang die Bundestagswahl (2 %), Zeitungskritiken (2 %) und sein Sich-Einsetzen für sowjetische Schriftsteller (1 %). Es verwundert, daß hier niemand mit »die Affäre um Böll und Baader-Meinhof-Gruppe« geantwortet hat. Von diesen Zahlen läßt sich klar ablesen, daß der weitaus größte Teil der Leute, die angaben, Böll zu kennen, sich nicht mehr an das Ereignis erinnern konnte, bei dem er zum ersten Mal von ihm hörte. Die Liste »weiterer Ereignisse, bei denen Heinrich Böll eine Rolle spielte« und an die sich die Befragten erinnern konnten, ist bedeutend länger als die eben aufgeführte; hier sind die Antworten weggelassen, die von 2 % und weniger der Befragten gegeben wurden:

Nobelpreis (Verleihung, Rede zur Verleihung usw.)	28 %
PEN-Club (Präsident, Mitglied, Tagungen)	8 %
Baader-Meinhof-Gruppe	8 %
Politische Äußerungen	7 %
Einsetzen für sowjetische Schriftsteller	6 %
Bundestagswahl	6 %
(Rede zur) Woche der Brüderlichkeit	3 %

Ein Befragter erinnerte sich undeutlich daran, daß Böll einen »Orden in Schweden bekommen« habe.

Mit den bisherigen Fragen des »Böll-Teils« unseres Fragebogens versuchten wir, sowohl die Leute zu erfassen, die Böll überhaupt nicht kennen, als auch diejenigen, welche Böll zwar kennen, aber nichts von ihm gelesen oder im Fernsehen gesehen haben. Der folgende Teil befaßt sich nun mit den Böll-Lesern.

Von allen, die angaben, Heinrich Böll zu kennen, sind nur 30 % auch Böll-Leser. Die Prozentzahlen der nachstehenden Tabelle beziehen sich auf die Gesamtheit dieser Böll-Leser; von diesen lasen:

	Gesamt	Männer	Frauen
Romane	88 %	80 %	95 %
Kurzgeschichten	60 %	45 %	75 %
Hörspiele	23 %	5 %	40 %
Kritiken	20 %	25 %	15 %
Drehbücher für Film und Fernsehen	15 %	30 %	0 %
Politische Schriften	13 %	15 %	10 %
Gedichte	10 %	5 %	15 %
Übersetzungen	5 %	10 %	0 %

An dieser Stelle war von uns noch die Antwortmöglichkeit »seine Memoiren« vorgegeben worden, um bei diesem relativ wichtigen Punkt die Ehrlichkeit der Interviewten zu prüfen. Erstaunlicherweise fiel niemand auf diese ›Kontrollfrage‹ herein.

Bei den Probanden, die hinter »Romane« ein Kreuz gemacht hatten, fragten wir nach, ob sie sich noch an die Titel der von ihnen gelesenen Bücher erinnerten. Die Antworten ergaben folgende Tabelle:

	Gesamt	Männer	Frauen
Ansichten eines Clowns	28 %	15 %	40 %
Billard um halbzehn	18 %	15 %	20 %
Ende einer Dienstfahrt	15 %	10 %	20 %
Gruppenbild mit Dame	13 %	15 %	10 %
Das Brot der frühen Jahre	13 %	5 %	20 %
Haus ohne Hüter	10 %	5 %	15 %
Und sagte kein einziges Wort	3 %	0 %	5 %
Irisches Tagebuch	3 %	0 %	5 %
Entfernung von der Truppe	3 %	0 %	5 %

III.1

Von den 184 Befragten kannten 133 Heinrich Böll zumindest dem Namen nach; 51 konnten ihn weder anhand des Bildes identifizieren, noch hatten sie jemals von ihm gehört (im folgenden werden diese letzteren mit dem in den Gruppen-Jargon eingegangenen Terminus *Ignoranten* bezeichnet). Von den 133, die Böll in irgendeiner Weise kannten, gaben 45 an, wenigstens eines seiner Werke gelesen zu haben.[45]
Für die spezielle Auswertung nach Böll-Lesern und denjenigen, die nur von ihm gehört hatten, ohne ihn gelesen zu haben (im folgenden: *Kenner*), akzeptierten wir als Angehörige der ersten Gruppe nur die, die gelesene Werke oder zumindest die Gattung nennen konnten, die sie gelesen hatten; als Vertreter der zweiten Gruppe galt nur, wer Ereignisse nennen konnte, in deren Zusammenhang ihm Böll begegnet war, oder wer zumindest das Medium angeben konnte, das ihn mit dem Schriftsteller konfrontiert hatte.
Auf diese Weise erhielten wir 40 mit größerer Wahrscheinlichkeit als ›Leser‹ und 76 mit größerer Wahrscheinlichkeit als Nur-›Kenner‹ zu bezeichnende Personen, die von uns nun unter drei Aspekten miteinander und mit den 51 ›Ignoranten‹ in Beziehung gesetzt werden sollen: Uns interessierten besonders die *Sozialdaten* der Gruppen, ihr *Kulturkonsum* und ihr *Informationsbedürfnis in bezug auf das aktuelle gesellschaftliche und politische Geschehen.*
Die Kriterien, nach denen die Auswahl der drei Gruppen erfolgte, mögen problematisch erscheinen, man kann aber von jemandem, der Böll irgendwann einmal gelesen hat – unter vielem anderen, vielleicht ohne spezielles Interesse für diesen Schriftsteller –, nicht erwarten, daß er noch die oder den Titel des Werkes nennen kann. Ebensowenig müssen jemandem, der Böll nur dem Namen nach kennt, auch noch die Ereignisse präsent sein, die er einmal mit dem Namen verbunden hatte. Eher kann man erwarten, daß die gelesene Gattung bzw. das vermittelnde Medium im Gedächtnis haften. Da ›Leser‹ und ›Kenner‹ im gleichen Fragenkomplex mit vorgegebenen Fragen voneinander geschieden wurden, die Befragten aber nicht wußten, wie detailliert im weiteren ihre Antworten überprüft werden (es hätten ja

durchaus Einzelheiten der gelesenen Bücher eruiert werden können), kommt dieser Zuordnung unserer Ansicht nach eine verhältnismäßig hohe Richtigkeit zu. Die Zuordnung zu den ›Lesern‹ zumindest bestätigt ein Vergleich des Prozentsatzes derjenigen, die Böll bereits vom Bild her erkannten: bei den ›Lesern‹ waren es 21 von 40 (= 53 %), bei den ›Kennern‹ 21 von 76 (= 28 %).
Darf schon die Anzahl von 184 Befragten keinen Anspruch darauf erheben, repräsentativ für Reutlingen zu stehen, so dürfen es 40 Böll-Leser für die gesamte Leserschaft, 76 ›Kenner‹ für alle, die von Böll ausschließlich gehört haben, und 51 ›Ignoranten‹ für dic, die von Böll nichts wissen, erst recht nicht. Mit Hilfe dieser kleinen Mengen lassen sich lediglich Tendenzen innnerhalb der Gruppen und in ihrem Verhältnis zueinander aufzeigen. Mehr kann – und will – unsere Umfrage und unser Bericht nicht leisten. Diese Tendenzen allerdings weisen in oft so eindeutige Richtungen, daß auch größere Samples höchstens Modifizierungen, nicht aber konträre Ergebnisse bringen können.

2

Eindeutig sind z. B. die Tendenzen, was die *Schichtenverteilung* innerhalb der einzelnen Gruppen betrifft. Bei den ›Ignoranten‹ dominieren mit 67 % klar die Arbeiter gegenüber 27 % Beamten und Angestellten und 6 % Selbständigen. Auch in der Gruppe der ›Kenner‹ bilden die Arbeiter den größten Block (57 %; Angestellte und Beamte 33 %, Selbständige 10 %), während ihr Anteil an der Böll-Leserschaft nur noch 23 % beträgt, der der Angestellten und Beamten dagegen 72 % (Selbständige 5 %); in den beiden Hauptschichten haben sich also innerhalb der Extremgruppen ›Leser‹ und ›Ignoranten‹ die Verhältnisse fast genau umgekehrt.
Noch augenfälliger stellen sich die Relationen in bezug auf die *Schulbildung* dar: ›Ignoranten‹ haben zu 94 % Volksschul- und zu 6 % Realschulabschluß (oder sind noch Realschüler); positiv formuliert: jeder Oberschüler liest oder kennt zumindest den Schriftsteller Heinrich Böll – ein Hinweis auch auf seine Rolle als Schulautor.[46]
Wesentlich weniger Volksschulabsolventen sind es bereits bei den ›Kennern‹: ihr Anteil vermindert sich um 17 % auf 77 %; dafür steigt der der Realschüler auf 11 %, und noch 1 % mehr haben hier Oberschüler bzw. Oberschulabsolventen. Zwar bilden die ›Volksschüler‹ auch bei den ›Lesern‹ die umfangreichste Gruppe (48 %), aber mit 40 % liegt hier das weitaus größte Oberschüler-Kontingent vor, und auch der Realschüler-Anteil hat sich noch einmal erhöht (auf 13 %). 25 % der ›Leser‹ sind Universitätsabsolventen gegenüber nur 1 % der ›Kenner‹.
Sicher spricht eine gehörige Portion Bildungshochmut aus der Bemerkung, daß der Anteil der Personen mit Volksschulabschluß unter den Böll-Lesern erstaunlich hoch sei. Ist Böll also vielleicht doch so etwas wie ein ›Volksschriftsteller‹, für alle verständlich und von allen gelesen? Selbst wenn man die Daten zur Schichtenzugehörigkeit relativierend in die Betrachtung mit einbezieht, ist diese Vermutung nicht ganz von der Hand zu weisen. Klarheit können in diesem Fall nur Umfragen zu anderen zeitgenössischen Autoren bringen, deren Leserschaft ebenso zu analysieren und mit den Böll-Ergebnissen zu vergleichen wäre. Ob die Böll-Leserschaft eher mit

der Simmels oder mit der Arno Schmidts korreliert – wir würden in bezug darauf keinen Tip abzugeben wagen.
Während sich *männliche* und *weibliche* ›Leser‹ und ›Kenner‹ die Waage halten (53 % – 47 %), ist das Verhältnis bei den ›Ignoranten‹ 39 % – 61 %, d. h. 22 % mehr Frauen als Männern ist Böll unbekannt; ein Tatbestand, der sicher mit dem allgemein geringeren Literaturkonsum von Frauen »niederer« Schichten zu erklären wäre.
In welchem Maße die drei Kategorien an den einzelnen Altersgruppen partizipieren, kann an der folgenden Tabelle abgelesen werden. Auffällig ist, daß in den jüngeren und älteren Jahrgängen die verhältnismäßig meisten ›Leser‹ zu finden sind, während die ›Kenner‹ gerade in den mittleren Jahrgängen dominieren. Die hohe Quote der Jüngeren ist sicher eine Folge von Bölls Präferenz als Schulautor; die Nächstälteren übertragen diese partielle Übergewichtung dann auch auf ihren privaten Lektürebereich. Die (bewußte? s. u. Religionszugehörigkeit und Parteisympathie) Distanz der 40–60jährigen ist vielleicht mit einer wachsenden konservativen Gesinnung zu erklären, während es sich bei den über 60jährigen wahrscheinlich um ›Leser der ersten Stunde‹ handelt, die gleich nach dem Krieg unseren Autor konsumierten.

Altersgruppe	Leser	Kenner	Ignoranten
16–20	36 %	43 %	21 %
21–30	33 %	33 %	33 %
31–40	28 %	44 %	28 %
41–50	11 %	59 %	30 %
51–60	13 %	63 %	25 %
61–70	26 %	35 %	39 %
über 70	25 %	25 %	50 %

Die *Konfessionszugehörigkeit* gewinnt im Fall Böll natürlich eine besondere Bedeutung. 75 % der ›Leser‹ sind Protestanten, 13 % Katholiken, während das Verhältnis bei den ›Kennern‹ 58 % zu 32 % beträgt. Die Böll-Kenntnis eines Teils der katholischen ›Kenner‹ scheint gewissermaßen eine negative: man weiß von Böll als kritisch-katholischem ›Steuerzahler‹ und – als bewußte oder unbewußte Sanktion – liest darum seine Werke nicht. So erklärt sich auch wieder der relativ hohe protestantische ›Ignoranten‹-Anteil (75 %–22 %).[47]
In ähnlicher Weise kann man die parteipolitische Verteilung interpretieren: auf die Frage, welche Partei im Augenblick am besten ihre Interessen vertrete, meinten 28 % der ›Leser‹, dies sei die CDU, 48 % waren eher für die SPD und 21 % für die FDP. Von den ›Ignoranten‹ votierten 40 % für die CDU, 45 % für die SPD und 10 % für die FDP. Der höchste CDU-Anteil war bei den ›Kennern‹ mit 44 % festzustellen (gegenüber 48 % SPD und 7 % FDP). Auch hier kann man vermuten, daß die nichtgleichgesinnten CDU-Sympathisanten von Böll und seiner politischen Gegenrichtung zwar gehört haben, aus demselben Grund seine Bücher aber auch nicht lesen.[48]
Durchaus bemerkenswert ist noch, daß 92 % der Böll-›Ignoranten‹ verheiratet waren, gegenüber nur 78 % der Böll-Leser. Die Ehe hält aber gewiß nicht nur von der Böll-Lektüre ab, sondern sicher vom im Grund a-sozialen Literaturkonsum überhaupt.

3

Die wohl deutlichsten Differenzen zwischen den drei Gruppen zeigen sich im kulturellen Bereich, und hier ganz besonders auf dem Sektor des literarischen Konsums. So lasen in einem halben Jahr neunmal mehr ›Ignoranten‹ als ›Leser‹ ›durchschnittlich‹ *kein einziges Buch* (45 % – 5 %, Fachbücher waren hier ausgenommen); die ›Kenner‹ bewegten sich mit etwa 22 % in der Mitte. Immer noch 3,5mal mehr ›Ignoranten‹ als Böll-Leser nahmen sich nur *ein Buch* vor (35 % – 10 %; ›Kenner‹ 25 %), und erst bei einem Konsum von 2–5 Büchern im halben Jahr wandelt sich das Bild: hier führen die ›Kenner‹ mit 45 % gegenüber 40 % der ›Leser‹ und nur noch 16 % der ›Ignoranten‹. Bei 6–14 Büchern wiesen die ›Leser‹ mit 23 % bereits ein 5,5mal größeres Kontingent auf als die ›Ignoranten‹ und ein 3mal größeres als die ›Kenner‹ (I 4 % – K 7 %). Die 7 ›Leser‹ (= 18 %), die sich 15–25 Bücher in sechs Monaten zu Gemüte führten, waren bereits allein auf weiter Flur, und bei den ausgesprochenen Viellesern (über 25 Bücher) stand 1 ›Kenner‹ 2 ›Lesern‹ gegenüber; diesen ›Kenner‹ nach den Gründen seiner Böll-Abstinenz zu fragen wäre sicher nicht uninteressant gewesen. Durchschnittlich konsumieren die ›Leser‹ in einem halben Jahr 2,52 Bücher, die ›Kenner‹ 1,40 und die ›Ignoranten‹ 0,78 – nicht viel eigentlich für ein Volk der Dichter und Denker.

Ganz ähnlich sind die Verhältnisse beim Bücherkauf. Die Werte, die sich aus der Frage: »Wie viele Bücher kaufen Sie ungefähr im Jahr für sich selbst?« ergaben, können der folgenden Tabelle entnommen werden:

Bücher	Ignoranten	Kenner	Leser
0	2 %	3 %	0 %
1	67 %	33 %	18 %
2–10	12 %	11 %	0 %
11–30	20 %	50 %	53 %
mehr als 30	0 %	4 %	30 %
Mittelwert	1,49	2,20	3,03

Die 67 % der ›Ignoranten‹, die in einem Jahr nur ein Buch im Laden erstehen (und auch das dürfte oft nicht ganz der Wahrheit entsprechen), reden eine allzudeutliche Sprache, wenn man sie den 53 % der ›Leser‹ gegenüberstellt, die 11–30 Bücher im selben Zeitraum kaufen, sowie den 30 %, bei denen es sogar mehr als 30 Bücher sind.

Natürlich sind solche Angaben, die ein überdurchschnittliches Erinnerungsvermögen voraussetzen sowie Ehrlichkeit in einem Fall, in dem leicht ein Prestigegewinn zu erzielen ist, mit Vorsicht zu genießen; aber in unserem Fall ist nicht wichtig, ob die ›Leser‹ und ›Kenner‹ 5 % oder gar 10 % Prestige- oder Irrtums-Exemplare ihrer wirklichen Einkaufs- oder Lesemenge hinzuzählen – von Bedeutung sind vielmehr die krassen Differenzen zwischen den einzelnen Gruppen; diese treten auch bei den zugegebenermaßen »subjektiven« Aussagen eindrucksvoll hervor. Bereits hier wird deutlich, daß Böll kaum neue eigene Leserschichten anspricht, sondern daß ihn die vor allem lesen, die auch sonst den literarischen Markt aufkaufen.

Der geringe Bücherkauf vor allem der ›Ignoranten‹ resultiert gewiß zu einem Groß-

teil aus der gerade vor *Bücherläden* auftretenden ›Schwellenangst‹: 6mal weniger gehen ab und zu in einen Buchladen und orientieren sich über Neuerscheinungen (12 % – 75 %; ›Kenner‹ 29 %). Dieses Ergebnis wird bestätigt anhand eines Tests mit der ›Spiegel-Bestseller-Liste‹ der Befragungswoche: fast 3mal mehr Böll-Leser als ›Ignoranten‹ hatten Titel der Belletristik- und der Sachbuchliste gelesen (28 bzw. 23 % zu 10 bzw. 8 %; ›Kenner‹ 18 bzw. 20 %).
Aber auch die anderen Institutionen, die mit Lesestoff versorgen, werden von ›Ignoranten‹ wesentlich weniger frequentiert: sie sind – trotz der oft zudringlichen Werbemaßnahmen – nur etwa halb so oft wie ›Leser‹ Mitglieder von *Buchklubs* (14 % – 27 %; ›Kenner‹ 23 %), und öffentliche und gewerbliche *Büchereien* benutzen sie gar 5mal weniger (11 % – 54 %); auffallend niedrig hier auch der Anteil der ›Kenner‹ mit 16 %.
Aufschlüsse über das ›Weshalb‹ und das ›Weshalb-nicht‹ der Böll-Lektüre versprechen detaillierte Informationen über die Beschaffenheit des sonstigen literarischen Konsums der verschiedenen Gruppen.
Die Problematik einer Umfrage im Umfeld von Prestigekomplexen offenbart sich bei der Frage nach Bildungsbürgers liebsten Kindern: den *›Klassikern‹;* obwohl 3,5mal mehr ›Leser‹ als ›Ignoranten‹ behaupteten, im letzten Jahr einen der von uns vorgegebenen acht ›Klassiker‹ gelesen zu haben (70 % – 22 %; ›Kenner‹ 33 %), 10mal mehr sogar mehrere von ihnen, gaben nur 23 % an, im gleichen Zeitraum auch nach Werken von anderen als den auf unserer Liste willkürlich zusammengestellten gegriffen zu haben; man könnte wohl auch annehmen, die restlichen kannten keine anderen und die von ihnen angekreuzten Namen bezeugten höchstens ihr bildungsbürgerliches Pflichtbewußtsein.
Hier sind vielleicht nicht so sehr Relationen und Prozentzahlen bemerkenswert als vielmehr die deutliche Orientierung am Bildungskanon auf seiten der ›Leser‹: man liest Klassiker – oder man behauptet, sie gelesen zu haben –, weil Konventionen dies verlangen; es ist zumindest in Erwägung zu ziehen, daß ähnliche Mechanismen auch die Böll-Lektüre in dieser Gruppe bestimmen (eine gültige Klärung kann allerdings erst die geplante spezielle Befragung der ›Leser‹ erbringen).
Besonders kraß wird der Unterschied bei den Angaben zur Lektüre von *ausländischen Schriftstellern:* die ›Leser‹ hatten 17mal mehr wenigstens einen von ihnen im letzten Jahr gelesen als die ›Ignoranten‹ und immerhin noch fast 3mal öfter als die ›Kenner‹ (68 % – 4 % – 25 %). Namen konnten allerdings nur 66 % angeben, wobei Hemingway, Pearl S. Buck und John Knittel am häufigsten genannt wurden.
›Klassiker‹, ausländische Schriftsteller und Neuerscheinungen auf dem seriösen Buchmarkt stecken das Feld des literarischen Interesses gewissermaßen nach »oben« ab. Auf jeden Fall ist eine nicht zu übersehende Affinität zwischen den Lesern der ›gehobenen‹ bis ›höchsten‹ Literaturschichten und den Böll-Lesern zu konstatieren, ebenso eine Korrelation der Abstinenz von beiden.
Fragen nach *Heftroman-*, *Comic-* und *Fortsetzungsromanlektüre* sollen die eventuellen Beziehungen zu »unteren« Regionen erkunden. Aber mehr noch als der Prestige- erweist sich dieser offensichtliche Tabubereich als problematisch. Die etwa gleich niederen Angaben zum Heftromankonsum (L 19 %, K 18 %, I 11 %; nach Gerhard Schmidtchen[49] sind jedoch 37 % der Bundesdeutschen Heftromanleser!) resultieren sicher einerseits aus einem intellektuellen Selbstbewußtsein der ›Leser‹ und

›Kenner‹ (»Ich kann es mir leisten, so etwas zu lesen.«), andererseits aus der Furcht der ›Ignoranten‹ vor Diffamierung bei Bekanntwerden ihrer Lektüre. Der ebenfalls geringe Comic-Konsum mit leichtem Abfall zu den ›Nicht-Kennern‹ hin (L 15 %, K 14 %, I 11 %) signalisiert eine ähnliche Sachlage. Bei den durchaus nicht anders gearteten Fortsetzungsromanen, die nicht so dezidiert mit einem kulturellen Tabu belegt sind, ist dagegen ein leichter Aufwärtstrend in dieselbe Richtung zu beobachten: L 10 %, K 12 % und I 18 %.
Während eine Korrelation zwischen Böll- und »höherem« Literaturkonsum nicht zu übersehen ist, darf sie für Böll-Lektüre und »untere« Region als nicht vorhanden gelten. Tiefergehende Aufklärung über die speziellen Leseinteressen, die von den Konsumenten möglicherweise auch an den Autor Böll herangetragen werden, verheißen Fragen nach den einzelnen bevorzugten Literatursparten. Die Anzahl der Markierungen auf einer Liste von 16 vorgegebenen fiktionalen Literaturgenres belegte noch einmal deutlich das unterschiedliche literarische Interesse überhaupt: 40 ›Leser‹ nahmen insgesamt 190 Ankreuzungen vor (also durchschnittlich 4,75), 76 ›Kenner‹ 265 (rund 3,5) und 51 ›Nicht-Kenner‹ nur 111 (rund 2,2).
Äußerst beliebt – und Ausdruck eines anscheinend tiefsitzenden ›Großer-Mann-Mythos‹ – sind bei allen drei Gruppen *Lebensgeschichten berühmter Leute* (L 55 %, K 36 %, I 22 %). Mit Fug und Recht kann man behaupten, daß Böll zu dieser Sparte keinen Beitrag geleistet hat (außer vielleicht zur Etablierung eines ›Mythos‹ der eigenen Person). Aufs Zentrum des Böll-Interesses weist aber sicher die bei den ›Lesern‹ mit Abstand zweitbeliebteste Kategorie: 53 % von ihnen zählen *gesellschaftskritische Romane* zu ihrer favorisierten Lektüre; ›Kenner‹ schätzen sie nur zu 24 % und ›Ignoranten‹ gar nur zu 8 %. Weniger, aber noch immer evident, scheint die Vorliebe für *Kurzgeschichten* zu Böll zu führen: 33 % der ›Leser‹ bevorzugen diese prosaische Kurzform gegenüber 28 % der ›Kenner‹ und nur 16 % der ›Ignoranten‹. Dagegen sind keine Anknüpfungspunkte mit Stoffen zu erkennen, die auch in Bölls Werk durchaus eine Rolle spielen: *Religiöse Romane* gehören ausschließsich bei 13 %, *Liebesgeschichten* bei 8 % und *Kriegsgeschichten* bei 15 % der ›Leser‹ zum begünstigten Kanon. Hinweise – aber wirklich nur Hinweise – können den bevorzugten Stoffen der ›Kenner‹ abgewonnen werden. Bei ihnen sind zwei Gruppierungen der Interessenschwerpunkte festzustellen: Neben den bereits erwähnten Biographien (36 %) waren es in dieser Reihenfolge die *Reiseerzählungen* (32 %), *Landschafts- und Naturbeschreibungen* (30 %), *Berichte von Forschungsreisenden* (29 %) und *historische Romane* (21 %) einerseits, zum andern waren es Schriften, die man dem Abenteuer-Genre zuordnen könnte: *Kriminalgeschichten* (29 %), *Kriegsgeschichten* (19 %), *Zukunfts-* und *Wildwestromane* (17 %). Man darf annehmen, daß die ansonsten ja nicht unbelesenen ›Kenner‹ bei Böll nicht finden, was sie von ihrer Lektüre im allgemeinen erwarten. Auch ein Grund, unseren Schriftsteller nicht zu lesen.
Die Angaben auf die Frage nach den *Lieblingsschriftstellern* (die gestellt wurde, bevor die Probanden wußten, daß Böll das eigentliche Untersuchungsobjekt sei) zeigen, daß in diesem Bereich nicht Bekanntheit die Wahl bestimmt: zwar wurde Grass auf unseren Fotos wesentlich öfter identifiziert als Böll – unser Autor steht aber mit 6 Nennungen an der dritten Stelle der Beliebtheitsliste (von zwei weiteren Probanden wurde er darüber hinaus noch unter die ›Klassiker‹ eingereiht), während Grass

mit 2 Nennungen nur unter ›ferner liefen‹ rangiert. Die Spitze halten Simmel (10 Nennungen) und Hemingway (7; diese Stellung verdankt er, so läßt sich vermuten, seinem häufigen Auftauchen in den Buchklubkatalogen), nach Böll kommen Pearl S. Buck und Ganghofer (je 5) und Frisch (4); der Rest verteilt sich auf über 50 Autoren, von denen die meisten nur einmal erwähnt wurden.
Während Böll und Hemingway fast reine ›Männerautoren‹ sind (jeweils nur eine Leserin), wird Pearl S. Buck von den Frauen bevorzugt (1 männlicher Leser). Erstaunlich eindeutig sind die Tendenzen in bezug auf die Vorlieben der drei Gruppen: in der Leserkategorie finden sich alle Frisch-Anteile, 3 von Hemingway, je 2 von P. S. Buck und Simmel und einer von Ganghofer; bei den ›Kennern‹ dominiert mit 6 Anteilen Simmel vor Hemingway (4) und P. S. Buck (2), während Ganghofer (4) vor Simmel (2) und P. S. Buck bei den ›Ignoranten‹ führt.
Der von uns weiterhin erfragte ›Kulturkonsum‹ kann den folgenden Tabellen entnommen werden.

	Leser	Kenner	Ignoranten
Tageszeitungen	95 %	95 %	80 %
Wochenzeitungen	59 %	43 %	28 %
Illustrierte	44 %	75 %	68 %
Kino			
Kinogänger	28 %	23 %	18 %
Häufigkeit:			
einmal und mehr pro Woche	9 %	0 %	13 %
einmal und mehr im Monat	27 %	13 %	37 %
mehrmals im Jahr	63 %	87 %	50 %

4

Schlüsse auf die – wenn auch passive – Teilnahme am aktuellen Geschehen läßt durchaus das Interesse an den Berichten der verschiedenen Medienbereiche zu. Dabei kommt dem Zeitungssektor unbestritten größere Bedeutung zu, weil Zeitungs-, Zeitschriften- und Illustriertenlektüre einer gewissen Freiwilligkeit wesentlich mehr Spielraum lassen als z. B. der Fernsehkonsum. Die ersten Seiten der Tageszeitung können mühelos überschlagen werden, wenn man nur die Sportseite zu lesen wünscht; die ›Tagesschau‹ ist nicht so einfach zu umgehen, will man zwischen Regional- und Abendprogramm im Sessel sitzenbleiben.
Unübersehbar stechen die Differenzen vor allem zwischen den ›Böll-Lesern‹ und ›Nicht-Kennern‹ beim Ausmaß der Lektüre von *politischen Seiten* in den Periodika hervor: 90 % der ›Leser‹, aber nur 43 % der ›Ignoranten‹ – also nicht einmal die Hälfte – gaben an, sich regelmäßig über Politik zu informieren; bemerkenswert hoch der Anteil der ›Kenner‹ mit 78 %. In den *Kulturteil* (den wir in der Frage noch um die ›Besprechungen von Büchern‹ ergänzten) nehmen 3mal mehr ›Leser‹ (58 %) als ›Nicht-Leser‹ (18 %) Einblick; mit 26 % liegt der Anteil der ›Kenner‹ hier bemerkenswert niedrig. Auch dem *Wirtschaftsteil* und erstaunlicherweise auch den Sportberichten bringen ›Leser‹ und ›Kenner‹ wesentlich mehr Interesse entgegen (Sport: L 51 %, K 43 %, I 24 %; Wirtschaft: L 50 %, K 47 %, I 27 %).

Diese Ergebnisse wären weniger beachtenswert, wenn nicht Bereiche existierten, die die ›Ignoranten‹ mehr interessieren als die ›Leser‹. So schlagen sie weitaus öfter die Seiten mit *Berichten über Unfälle, Verbrechen und Katastrophen* auf (I 67 %, L 52 %), und knapp führend sind sie in ihrer Vorliebe für *Unterhaltung* (38 % – 37 %). In der Rubrik *Anzeigen und Leserbriefe* (65 % – 53 %) behaupten sie sogar die absolute Spitze.

Die Angaben zum *Fernsehkonsum* scheinen die zur Zeitungslektüre auf den ersten Blick nicht in allen Punkten zu bestätigen: so haben nur 68 % der ›Leser‹ aber 86 % der ›Kenner‹ und 76 % der ›Ignoranten‹ ihr Gerät bei *Nachrichtensendungen* wie ›Tagesschau‹ und ›Heute‹ eingeschaltet; die Sehbeteiligung bei *Politischen Magazinen* rückt die Verhältnisse allerdings einigermaßen wieder zurecht: die Form der politischen Information, die ein spezielleres Interesse voraussetzt, gucken sich 68 % der ›Leser‹ (ebenso viele wie Nachrichten!), 61 % der ›Kenner‹ und 39 % der ›Ignoranten‹ an. Das verhältnismäßig geringe ›Leserinteresse‹ an den Nachrichtensendungen ist vielleicht mit der hohen Zeitungsinformation zu erklären; eventuell kommt der große ›Tagesschau-‹ und ›Heute‹-Konsum der ›Kenner‹ und ›Ignoranten‹ auch dadurch zustande, daß sie das Gerät, wie schon gesagt, in der Pause zwischen Werbe- und Abendprogramm eingeschaltet lassen; auf diese Tatsache deutet die dreimal höhere Einschaltquote der ›Ignoranten‹ beim *Werbefernsehen* gegenüber den ›Lesern‹ hin (57 % – 18 %).

Die Bequemlichkeit der Zuschauer scheint auch bei anderen Sendungen die interessebedingten Differenzen einzuebnen bzw. umzukehren: Kultursendungen sehen nicht einmal doppelt soviel Böll-›Leser‹ wie ›Ignoranten‹ (47 % – 24 %; auf dem Zeitungssektor: über 3mal soviel); und bei ›Sportschau‹ und ›Aktuellem Sportstudio‹ liegen mit einemmal die ›Ignoranten‹ vorn: sie verfolgen zu 41 % die *Sportsendungen,* die ›Kenner‹ zu 39 % und ›Leser‹ nur noch zu 32 % angucken; es scheint so, als machten sich die Sport-*Seher* nicht mehr die Mühe, was sie am Vortag mit eigenen Augen mehrmals beobachten konnten, in Presseberichten auch noch nachzulesen.

Vor allem das gesteigerte politische Interesse der Böll-Leser legt nahe, daß nicht zuletzt hier der Kontakt mit dem Autor gepflegt wird. Es ist auf jeden Fall nicht die (passive) Teilnahme am kulturellen Leben allein, die zur Böll-Lektüre disponiert, sondern eben vor allem die Beobachtung des politischen. Dafür sprachen ja auch bereits die Antworten auf die Fragen nach den Medien der Böll-Kenntnis (s. S. 260): aus Zeitungen (53 %), Fernsehen (70 %) und Rundfunk (20 %, gesamt: 143 %; nach seinen Hörspielen und den Fernsehfassungen einzelner Prosastücke war gesondert gefragt worden!) kannten ihn weit über doppelt soviel ›Leser‹ und ›Kenner‹ als aus Unterhaltungen, Deutschunterricht und Werkkonsum (gesamt: 61 %).

Und in den Medien, so wurde bereits in der Einleitung festgestellt, hatte Heinrich Böll in letzter Zeit wesentlich öfter Gelegenheit zu tagespolitischen und -kulturpolitischen Ereignissen Stellung zu nehmen als zu Fragen seines Werks.

Um es noch einmal deutlich zu sagen: mit den Massenmedien allgegenwärtig zu sein zahlt sich für einen Schriftsteller gewiß aus. Zugegeben: oft schon hat diese Verwechslung von Popularität und Kompetenz dazu beigetragen, gewissen ›progressiven‹ – was immer man darunter verstehen mag – Bewegungen Stimmen zu sichern; das ›fortschrittliche‹ Moment wird aber mindestens neutralisiert, wenn dadurch eventuell ein Werk Anklang findet, das der öffentlich geäußerten Progressivität nicht entspricht oder nicht als solche verstanden wird. Allein die Tatsache der immensen Verbreitung mag darauf hindeuten, daß hier auch bei Böll eine Diskrepanz nicht auszuschließen ist.

Resümee

An dieser Stelle tritt noch einmal die Notwendigkeit der realen Einbeziehung des realen Lesers in die literaturwissenschaftliche Betrachtung zutage: Will sie nicht in der Immanenz verharren, sondern dagegen den gesellschaftlichen Kontext mit berücksichtigen, so kann sie nicht allein von zeitgenössischen professionellen Interpretationen ausgehen, kann sich auch nicht auf Spekulationen in bezug auf ein eventuelles Leserverständnis verlassen, sondern muß auch auf die Masse derer zurückgreifen, in denen sich erst ein kollektives Verständnis, eine kollektive Rezeption manifestiert. Um ein bekanntes Beispiel zu zitieren: Nichts bedeutet es für Lessings politische Wirkung, wenn Franz Mehring konstatiert: »Die Fabel der ›Minna‹ ist nämlich nichts anderes als eine schneidende Satire auf das friderizianische Regiment«[50], wenn niemand seiner Zeitgenossen sie als solche begriff.
Für Böll ist ebendieses spezielle Verständnis nur mit Hilfe einer textorientierten, empirischen Rezeptionsanalyse zu erfassen.[51]
Die repräsentative Umfrage, über die hier berichtet wurde, stellte jedoch die unbedingt erforderliche Basis für dieses Unternehmen dar: einmal, um rein pragmatisch die Böll-Leser zu ermitteln, die es später zu befragen galt, zum andern, um diese ›Leser‹ – aber auch kontrastiv die ›Nicht-Leser‹ – in bezug auf ihre Schichten-, Geschlechts-, Alters- und Konfessionszugehörigkeit, auf ihre (Schul-)Bildung und ihre Parteisympathien zu erfassen und ihren sonstigen Kulturkonsum festzustellen. Die Ergebnisse sind nicht zuletzt für die Hypothesenbildung zur textorientierten Rezeptionsanalyse unerläßlich; so wird man hier, um nur ein Beispiel zu nennen, der Beziehung zwischen dem Interesse an gesellschaftspolitischer Literatur und Böll-Lektüre nachgehen müssen, indem man Auskünfte darüber einholt, was jeweils überhaupt unter Gesellschaftskritik verstanden wird und wie die betreffenden Leser gesellschaftskritische Passagen in Böll-Texten rezipieren.
Aber die gewonnenen Resultate sind an sich schon informativ genug. Daß Böll-Leser kulturell und politisch sehr interessiert, daß sie häufiger unter Angestellten und Beamten als unter Arbeitern zu finden sind und daß sie im Durchschnitt eine höhere Schulbildung besitzen, deutet darauf hin, daß man Böll wohl doch hauptsächlich dort liest, wo man ohnehin interessierter am aktuellen gesellschaftlichen Leben, eben auch am literarischen, teilnimmt; dazu gehören dann auch vermehrter Bücherkauf und häufiger Buchladenbesuch, Bibliotheks- und eventuell Buchklubmitgliedschaft. Ob sich die Verhältnisse für andere moderne Schriftsteller anders darstellen, müßten – wie gesagt – entsprechende weitere Umfragen zu ermitteln suchen.
Daß Böll-Leser eher protestantisch als katholisch und eher SPD- als CDU-Sympathisanten sind – ›Kenner‹ dagegen wesentlich weniger häufig –, wirft ein bezeichnendes Licht – besonders im speziellen Fall dieses Autors – auf den Einfluß von Kirche und Politik auf die ›Beliebtheit‹ eines Schriftstellers. Daß die meisten Probanden Heinrich Böll aus den verschiedenen Massenmedien kannten, ließ ein wenig die

Mechanismen der Kulturindustrie sichtbar werden. Aber dem Glauben, daß große Verbreitung allein die Folge von literarischer Qualität sei, hängt heute wohl niemand mehr an.

Das krasse Gegenbild zum ›Leser‹ bieten die ›Ignoranten‹. Ihre Böll-Unkenntnis ist kein Zufallsprodukt: Es wäre geradezu ein Wunder, wenn ausgerechnet er in diesen Bannkreis allgemeinen Desinteresses einzudringen vermocht hätte. An der Beseitigung dieses Walles müßte jeder Staat von ›mündigen Bürgern‹ eigentlich interessiert sein. Die Ansatzpunkte einer solchen Bemühung sind jedenfalls genau auszumachen: ›Ignoranten‹ (als der Ausdruck in den Arbeitsgruppen-Jargon einging, konnte noch niemand wissen, wie sehr er die Gesamtlage dieser Gruppe bezeichnet) kommen vor allem aus der Arbeiterschaft und haben zum überwiegenden Teil Volksschulbildung.

Die ›Kenner‹ sind differenzierter zu betrachten. Einmal finden sich hier die wenigen, die sich bewußt von Böll distanzieren, zum andern ist die Böll-Abstinenz dieser Gruppe mehr oder weniger zufällig. Bemerkenswert an diesen ›Zaungästen der Kultur‹ ist ihre oft rege Teilnahme an gewissen Dingen des öffentlichen Lebens, auffällig ist aber auch, daß diese Teilnahme sofort abnimmt, wenn Eigeninitiative und Eigeninformation verlangt werden; ihre Leihbibliotheksabneigung ist ebenso kennzeichnend für sie wie ihre offensichtliche Abhängigkeit von kirchlichen und politischen Ansichten. Es ist eine gewisse Unmündigkeit, die sie auszeichnet. Diese zu beseitigen ist nicht zuletzt Heinrich Böll ausgezogen. Die Frage ist, ob er Angehörige dieser Gruppe je erreicht, und wenn, ob er auch so verstanden wird.

HARTMUT EGGERT, HANS CHRISTOPH BERG, MICHAEL RUTSCHKY

Die im Text versteckten Schüler. Probleme einer Rezeptionsforschung in praktischer Absicht

I

Wir entwickeln unsere Überlegungen zum Rezeptionsbegriff in einem praktischen Zusammenhang: dem des Literaturunterrichts in der Schule.[1] Es sind Überlegungen, die zum theoretischen Rahmen eines Schulforschungsprojekts gehören, über dieses aber hinausgehen. Unser Ausgangspunkt sind Interpretationen literarischer Texte, die Oberschüler Westberliner Gymnasien in Einzelinterviews[2] gegeben haben. Diese Interpretationen sind als Rezeptionen aufzufassen, und wir wollen anhand ihrer die Punkte bezeichnen, die u. E. von einer Rezeptionsforschung beachtet werden müssen, die sich an praktischen Absichten orientiert. Aus dieser Zielsetzung ergibt sich in diesem Beitrag der Wechsel zwischen der Diskussion von Fallmaterial und systematischer Entfaltung theoretischer Argumentationen.
Daß die Rezeptionsforschung sich an praktischen Absichten orientieren möchte, bezeugt Hans Robert Jauß, wenn er mit der »Frage, ob und wie heute der Kunst die fast verlorene kommunikative Funktion zurückgewonnen werden kann«[3], das Erkenntnisinteresse der von ihm vorgeschlagenen Rezeptionsästhetik angibt. Dabei müßte aber vordringlich untersucht werden, welche Voraussetzungen gegeben sein müssen, damit ›ästhetische Erfahrungen‹ überhaupt gemacht werden können, und welche Bedeutung, welchen Sinn diese im Zusammenhang der individuellen und kollektiven Bildungsgeschichte erhalten, insgesamt also, wie Rezeptionsprozesse organisiert werden müssen. Bisher hat die Literaturwissenschaft dieses Feld fast ausschließlich der objektneutralen Massenkommunikationsforschung überlassen, nach deren Ergebnissen weitgehend die Produkte und der Markt der Kulturindustrie organisiert werden. Gerade ihre Arbeitsweise und ihre Methoden können aber deutlich machen, daß es nicht genügt, den Rezeptionsbegriff im Regelkreis von Sender und Empfänger, von Frage und Antwort zu definieren. Es muß für eine ernsthaft an ihrem Gegenstand, der Literatur, interessierte Rezeptionsforschung ja gerade eine Frage bleiben, ob die Werke überhaupt adäquat, in einem unverkürzten Spiel von Frage und Antwort, rezipiert werden.
Ein in diesem Punkt fruchtbarer Ansatz, wie ihn Ivor Armstrong Richards in seinem Buch *Practical Criticism* (1929)[4] vorschlug und durchführte, der freilich in manchem ergänzt, erweitert und ausgearbeitet werden muß, blieb dagegen auch im Rahmen der Literaturwissenschaft leider folgenlos. An ihm läßt sich studieren, wie Rezeptionen literarischer Werke empirisch erhoben und analysiert werden können, ohne daß schon systematisch der praktische Zusammenhang mit den Bildungsprozessen der Leser zerschnitten und ohne daß literaturwissenschaftliche und sozialwissenschaftliche Analyse – tendenziell: hie Literaturgeschichte, da Lesergeschichte – getrennt wird. Gerade die selbstverordnete Abstinenz in der Erforschung der psychischen und

sozialen Prozesse bei der Rezeption literarischer Werke hat gegenwärtig fatale Konsequenzen. Möglicherweise manifestiert sich in dieser Abstinenz eine späte Reaktion auf einen Verstehensbegriff, der im innerlich nachvollziehenden Erleben die wesentliche Rezeptionsvoraussetzung und -leistung sah. Aber die mit dem Terminus Psychologismus kritisierte subjektivistische Reduktion von Phänomenen und Problemen ist nicht mehr die herrschende Lehre der Psychologie. (Vgl. Jauß' Warnung vor dem »drohenden Psychologismus«.[5]) Charakteristisch für diese Psychologie sind vielmehr ahistorische, objektivistische und mechanistische – seit neuem nicht mehr passivistische – Voreinstellungen und Paradigmata, die sie an ihre Themen heranträgt. Konsequenterweise müßte man daher abweichend von der traditionellen Psychologismus-Kritik deren Schwierigkeiten bei der Rekonstruktion historischer Subjekte hervorheben.

Auf Grund der fehlenden sozialwissenschaftlichen Kenntnisse treten an deren Stelle bei der Beschreibung und Analyse von Lektüreprozessen Leerformeln wie ›Identifikation‹ oder ›kritische Distanz‹, was die Probleme eher verdunkelt als aufhellt. Schwerwiegender noch, diese Unkenntnis führt dazu, daß sich die Rezeptionsforschung dort, wo sie dokumentierte Rezeptionen analysiert, über die tatsächlichen Wirkungen häufig täuscht[6] oder dort, wo Lektüreprozesse angeleitet und geplant werden – wie in der Schule –, man auf Grund bestimmter Erwartungshaltungen mit den literarischen Werken »durch die Köpfe hindurchmarschiert«, ohne sich über die Konsequenzen oder auch unbeabsichtigten Nebenfolgen im klaren zu sein, geschweige sich darüber Rechenschaft geben zu können. Die gegenwärtig herrschende Lehre und Praxis der ›Lernzielkontrolle‹, die ihre Maßstäbe und Evaluierungen an den vorher aufgestellten Lehr- und Lernzielen orientiert, trägt dazu bei, daß derartige Probleme nicht wahrgenommen werden. (Angemessener wäre eine ›Folgenkontrolle und -diagnose‹; dazu wären eigene Verfahren zu entwickeln.)

Es gilt also, den Rezeptionsbegriff im Umfeld von Theorien sozialen Handelns, von Sozialisation und Enkulturation und deren konkreter historischer Analyse zu entfalten, wozu in der bisherigen Debatte um sozialwissenschaftlich aufgeklärte Hermeneutik in der Literaturwissenschaft einige Ansätze herausgearbeitet worden sind. Wenn man dabei auch eine gute Strecke auf der Ebene methodologischer Reflexion vorwärts gelangen kann, so muß man sich doch immer wieder der empirischen Basis versichern, damit die praktischen Fragen, zu deren Lösung die Ausarbeitung der theoretischen Konzepte beitragen soll, nicht aus dem Blick geraten. Darin liegt auch der Sinn der Darbietung und Analyse unseres Fallmaterials in diesem Beitrag.

II. 1

Die erste These, die uns unser Material nahelegt, muß zunächst trivial erscheinen: die Textinterpretationen der Schüler bilden nicht ihre Rezeption gleichsam im Naturzustand ab, sondern sind von der sozialen Situation des Interviews geprägt. Wie ›ernst‹ beispielsweise dem Schüler Helmut seine Auffassung von Kafkas *Auf der Galerie*[7] als einer Parabel auf Showbusiness und die Verstrickungen des Artisten ist,[8] ob seine veröffentlichte eine andere bewußt oder unbewußt kaschiert (etwa den erotischen Gehalt der »kleinen Erzählung«, der dem Schüler Günter wichtig ist) –

das können wir nach dem Abschluß des Interviews nicht ohne weiteres feststellen. Allgemein aber muß man sagen, daß sich in der Interviewsituation der Schüler nicht als der für Jauß paradigmatische einsame Privatleser[9] darstellt, sondern in seiner sozialen Rolle als Schüler.

Nicht daß die jeweiligen »Konkretisationen« eines Textes (wie Jauß und Iser im Anschluß an Roman Ingarden sagen[10]) auch sozial geprägt sind und nicht nur vor dem Hintergrund eines aus anderen literarischen Erfahrungen gebildeten »Erwartungshorizonts« gelesen werden dürfen[11], ist hier der soziologische Einwand; sondern: daß das dem Rezeptionsforscher zur Verfügung stehende Material Mechanismen der Veröffentlichung unterworfen worden ist, was nicht durch die Konstruktion einer idealen Lektüre verdeckt werden darf; und umgekehrt: was es verbietet, rekonstruierbare oder ausformulierte Rezeptionen als ideale Lektüren aufzufassen.

Den historischen Fall, in dem private und veröffentlichte Lektüre tendenziell identisch sind, hat Jürgen Habermas als die bürgerliche literarische Öffentlichkeit des 17. und 18. Jahrhunderts analysiert. – Diese Identität erklärt sich aus dem Status der Literatur als Medium eines »Räsonnements«, das die Erfahrungen der Kleinfamilie und der sich in ihr bildenden spezifischen Subjektivität zum Gegenstand hat. Diese Familie »ist der geschichtliche Ursprungsort von Privatheit, im modernen Sinne gesättigter und freier Innerlichkeit«,[12] aber gegen die eigentliche Sphäre der Öffentlichkeit nicht strikt abgegrenzt, sondern – eben durch das Räsonnement – mit ihr verbunden: die Bürger diskutieren öffentlich als Privatleute.

Am Beispiel des englischen Kaffeehauspublikums und seiner Zeitschriften verdeutlicht Habermas den strikt medialen Charakter der Texte: »Die Zeitungsartikel werden vom Kaffeehauspublikum nicht nur zum Gegenstand ihrer Diskussionen gemacht, sondern als deren Bestandteil begriffen; das zeigt die Flut von Zuschriften, aus der die Herausgeber wöchentlich eine Auswahl abdrucken. Die Leserbriefe erhalten, als der *Spectator* vom *Guardian* abgelöst wird, eine eigene Institution: an der Westseite von Button's Kaffeehaus wird ein Löwenkopf angebracht, durch dessen Rachen der Leser seine Briefe einwirft. (Seitdem erscheinen die Zuschriften wöchentlich als ›Roaring of the Lion‹). Auch die Dialogform, die manche der Artikel beibehalten, bezeugt die Nähe zum gesprochenen Wort. Dieselbe Diskussion wird, in ein anderes Medium übertragen, fortgesetzt, um über die Lektüre wieder ins ursprüngliche Medium der Konversation einzugehen.«[13]

Nicht nur, daß diese Texte sich noch nicht zu Werken verhärtet haben, die einem Publikum gegenübertreten: für sie lassen sich auch die Rollen von Rezipient und Produzent kaum genau unterscheiden, wie schon das Beispiel der Wochenschriften zeigt, aber noch deutlicher der psychologische Roman (in dem Tagebuch und Briefwechsel kulminieren), bei dem rückhaltlose Offenbarung der privaten Erfahrung Prinzip ist und die Intimität der Lektüre ermöglicht: »Die Beziehungen zwischen Autor, Opus und Publikum verändern sich: sie werden zu intimen Beziehungen der psychologisch am ›Menschlichen‹, an Selbsterkenntnis ebenso wie an Einfühlung interessierten Privatleute untereinander.«[14]

Dabei garantiert »Fiktion«, die »Realität als Illusion«, diesen permanenten Rollentausch und zugleich dessen praktische Relevanz: »Einerseits wiederholt der sich einfühlende Leser die in der Literatur vorgezeichneten privaten Beziehungen; er erfüllt die fingierte Intimität aus der Erfahrung der realen, und erprobt sich an jener für

diese. Andererseits ist die von Anfang an literarisch vermittelte Intimität, ist die literaturfähige Subjektivität tatsächlich zur Literatur eines breiten Lesepublikums geworden; die zum Publikum zusammentretenden Privatleute räsonnieren auch öffentlich über das Gelesene und bringen es in den gemeinsam vorangetriebenen Prozeß der Aufklärung ein.«[15]
In der bürgerlichen literarischen Öffentlichkeit ist der Fall realisiert, »in dem die Fiktionen der Kunst praktische Relevanz für die Präformation und Motivation gesellschaftlichen Verhaltens gewinnen«[16] – und Jauß scheint diesen historischen Fall schon in seiner Fragestellung verewigen zu wollen.[17] Zugleich bietet dieser Fall das Beispiel einer nicht in Produktion und Rezeption unterscheidbaren literarischen Aktivität;[18] und im Zusammenhang unserer Argumentation das andere: daß die veröffentlichten Konkretisationen der Texte mit privaten identisch sind.
Die – etwa ideologiekritische oder politökonomische – Destruktion der bürgerlichen literarischen wie politischen Öffentlichkeit brauchen wir nicht zu propagieren: das Bürgertum hat sie praktisch vollzogen, wie Habermas zeigt. Dies ist wohl das zentrale Problem im Verhältnis zur bürgerlichen Tradition. Es ist deshalb nicht ganz einsichtig, wie Gert Mattenklott und Klaus Schulte für das von ihnen vertretene »Anamnese«-Modell einer materialistischen Literaturgeschichtsschreibung, die auch »die Dimension der Rezeptionsgeschichte einbezieht«, behaupten können: »Die literarhistorische Analyse des sozialen Gehalts von Werken aus der heroischen Zeit der Bourgeoisie trifft daher auf vieles in statu nascendi, was gegenwärtig bei einer bedeutenden Anzahl besonders von Angehörigen der aus dem Bürgertum stammenden Intelligenz – und mit diesen hat es gegenwärtig eine literaturgeschichtliche Ausbildung an der Universität primär zu tun – für eine Fixierung an Klassenziele sorgt, die längst nicht mehr die ihren sind.«[19] Die materialistische Literaturgeschichtsschreibung folgt hier eher dem Schema des bürgerlichen Desillusionsromans; mit keinem Argument können Mattenklott und Schulte begründen, warum der über die Literatur Desillusionierte nun in den Kampf für eine von der Bourgeoisie emanzipierte Gesellschaft eintreten soll. Die »Kulturindustrie« als Erbe dessen, was im bürgerlichen ›Heroenzeitalter‹ Literatur hieß, betreibt nach Horkheimer und Adorno »Aufklärung als Massenbetrug«[20]: sie ist als tendenzielle Integration des Überbaus in die kapitalistische Basis zu begreifen.[21]

2

Die soziologische Konstruktion einer von der öffentlichen abweichenden, vielleicht sogar regelmäßig mit ihr konfligierenden Privatlektüre wird durch die Entdeckungen der Psychoanalyse legitimiert. In jenem Fall der bürgerlichen Öffentlichkeit, die sich zugleich mit einer gleichwohl auf sie bezogenen Privatsphäre ausbildet, konstituiert sich ja nicht nur eine aus den Erfahrungen der Kleinfamilie gespeiste Subjektivität, die sich im literarischen Diskurs zugleich ausdrückt und reflektiert, sondern auch ›das Unbewußte‹ als Inbegriff aller jener Triebwünsche, deren Ausdruck und Befriedigung in der bürgerlichen Familie verboten ist – das Unbewußte, das Alfred Lorenzer[22] und Jürgen Habermas[23] in einer sprachtheoretischen Rekonstruktion von Freuds Metapsychologie als Produkt einer Exkommunikation begriffen haben. Die Kulturindustrie beutet das Unbewußte aus, indem sie auch die für das bürger-

liche Heroenzeitalter konstitutive Dialektik zwischen Privatheit und Öffentlichkeit einebnet.[24]
Es gibt – soweit wir sehen – keine Geschichte der Lesegewohnheiten, die die Form der einsamen Privatlektüre plausibel mit einer ›Geschichte des Unbewußten‹ – die es ebenfalls nicht gibt[25] – zu verknüpfen erlaubte. Immerhin ist die nächtliche Lektüre von Jugendlichen unter der Bettdecke vielleicht nicht nur legendär.
Eine überzeugende literarische Beschreibung der Privatlektüre bietet Marcel Proust. Seinen Essay *Tage des Lesens,* der die Bedeutung der Lektüre für die Erziehung des Schriftstellers diskutiert, leitet Proust mit einer Darstellung der Situationen ein, in die sich der jugendliche, zugegeben großbürgerliche Leser zurückzieht: »Wer erinnert sich nicht, wie ich, des Lesens während der Ferien, das man nacheinander in all jenen Stunden des Tages barg, die hinreichend friedlich und unverletzlich waren, um ihm Asyl zu gewähren.«[26] Erste Bedingung der idealen Lektüre ist, daß die Schule den Jugendlichen für die Dauer der Ferien freigegeben hat. Aber auch die Familienmitglieder müssen fort, »alle zu einem Spaziergang aufgebrochen« sein, so daß das Eßzimmer als Leseplatz dienen kann; freilich nur bis »zum Mittagessen, das leider dem Lesen ein Ende setzen würde«.[27] Aber schon bei dieser Lektüre kann »man« unterbrochen werden, wenn etwa die Köchin den Tisch deckt: »sie [...] glaubte sagen zu müssen: ›Sie sitzen nicht bequem; soll ich Ihnen einen Tisch heranrücken?‹ und nur, um ›Nein, vielen Dank!‹ zu antworten, mußte man plötzlich innehalten und von weither seine Stimme holen, die hinter den Lippen geräuschlos eilig alle Wörter nachsprach, die die Augen gelesen hatten; man mußte sie anhalten, sie hervortreten lassen und, damit sie höflich ›Nein, vielen Dank!‹ sage, ihr den Anschein von gewöhnlichem Leben und den Tonfall einer Antwort geben, den sie verloren hatte.«[28] (In den Lektürebiographien, die wir die Lehrer zu schreiben bitten, mit denen wir kooperieren, kommt die Anekdote vor, daß der lesende Jugendliche von einer Ohrfeige ›geweckt‹ wird: er hatte andauernd überhört, daß ihn seine Mutter zum Mittagessen rief.) Für die private Konkretisation – so könnte man sagen – behauptet Proust, daß sie quasi in einem anderen als dem aktuellen Raum vollzogen wird und den Leser dort seiner hier gebrauchten Sprache entfremdet; die private Lektüre scheint monologisch.
Hier sieht es so aus, als würde der Text lesend nur zitiert, als bestünde die Konkretisation nur in einer Entfremdung der Stimme; wobei im übrigen die Dynamik der Konkretisation, nach welcher der Leser sich aktiv einen Text anverwandelt,[29] umgedreht zu sein scheint. Proust gibt auch das Beispiel einer Konkretisation, die der Leser selbst nicht versteht: ein Satz aus Théophile Gautiers Roman *Kapitän Fracasse* versetzte das Kind »in eine wahre Trunkenheit«.[30] Der Satz kommt freilich in der erinnerten Form[31] in Gautiers Buch nicht vor: »Ich denke mit Bedauern, daß die Verzückung, mit der ich den Satz aus dem *Kapitän Fracasse* den Schwertlilien und dem sich am Ufer des Flusses neigenden Immergrün wiederholte, während ich mit den Füßen auf den Kies des Weges stampfte, noch köstlicher gewesen wäre, wenn ich in einem einzigen Satz Gautiers so viele seiner Reize hätte finden können, wie sie mein eigener Kunstgriff heute vereinigt, ohne daß es ihm allerdings gelänge, mir irgendein Vergnügen zu verschaffen.«[32] Das Entzücken ist unverständlich. Man kann den Satz als Element einer »pseudo-kommunikativen Privatsprache« des Kindes auffassen. Sie wäre der Extremfall der privaten Konkretisation.[33]

Die Naturszene als Kulisse der Lektüre muß aber erst erkämpft werden. Die Gewohnheiten der Familie erlauben es dem Kind, sich nach dem Mittagessen in sein Zimmer zurückzuziehen, wo es weiterlesen kann. Aber dort darf es nicht lange bleiben, es muß in den Park, um mit anderen zu spielen und dann im Gras eine Mahlzeit einzunehmen, »dort, wo auch das Buch lag, das wieder zu nehmen verboten war«.[34] Danach hilft nur noch die physische Entfernung, das Kind versteckt sich: »In dieser Hagedornhecke herrschte tiefe Stille, und die Gefahr, entdeckt zu werden, war sehr klein; die Sicherheit wurde noch süßer durch die fernen Stimmen derer, die von unten vergeblich nach mir riefen [...].«[35] – Schließlich bleibt auch noch die Zeit abends vor dem Einschlafen, die für das Lesen verwandt wird: »Trotz der Gefahr einer Strafe, wenn ich entdeckt würde, und trotz der Schlaflosigkeit, die sich nach Beendigung des Buches vielleicht über die ganze Nacht hinziehen würde [...].«[36]

Wir verkennen nicht, daß sich Prousts Beispiel nicht in allen Zügen verallgemeinern läßt, abgesehen davon, daß er selbst einige Elemente deutlich als persönliche herausstellt. Für unsere Argumentation wichtig ist vor allem die entschiedene Privatisierung der Lektüre, die mit den Anforderungen des bürgerlichen Familienlebens in Konflikt gerät. Diese Privatisierung macht das Lesen dem Phantasieren des Erwachsenen ähnlich; Proust unterscheidet das Lesen deutlich vom Spiel, zu dem das Kind hier angehalten werden muß. Er drückt einen Sachverhalt aus, den Freud so formuliert hat: »Das Kind spielt zwar auch allein oder es bildet mit anderen Kindern ein geschlossenes psychisches System zum Zwecke des Spieles, aber wenn es auch den Erwachsenen nichts vorspielt, so verbirgt es doch sein Spielen nicht vor ihnen. Der Erwachsene aber schämt sich seiner Phantasien und versteckt sie vor anderen, er hegt sie als seine eigensten Intimitäten, er würde in der Regel lieber seine Vergehungen eingestehen als seine Phantasien mitteilen.«[37]

Zwar verbirgt bei Proust das Kind (das älter ist als das, welches Freud meint) seine Lektüre nicht schlechthin vor allen, aber es tendiert dahin. Sie ist ihm von den Eltern ja auch nicht verboten worden; immerhin aber ist es schwierig, »sich einzugestehen, in welchem Maße man sie [die Romanfiguren] liebte, und sogar, wenn unsere Eltern uns beim Lesen antrafen und es so aussah, als ob sie unsere Erregung belächelten, mit betonter Gleichgültigkeit oder gespielter Langeweile das Buch schließend [...]«.[38] Hält man sich nur an die von Freud gegebenen formalen Merkmale, so empfindet hier der Jugendliche seine leidenschaftliche Lektüre als eine Phantasie, die sich in dem Buch objektiviert hat und die er vor der Veröffentlichung schützen muß, noch mehr: das Lesen selbst muß beinahe geheim bleiben.

Das Verhältnis zwischen der privaten Lektüre und dem Phantasieren werden wir noch diskutieren. Hier kam es uns darauf an, den Fall einer Rezeption zu demonstrieren, deren Veröffentlichung notwendig ausgeschlossen ist, und damit einer Rezeptionsforschung zu widersprechen, für die die Zugänglichkeit ihres Materials nur ein forschungstechnisches Problem ist und die deshalb ihre gesellschaftlichen Implikationen nicht begreifen wird.

III

Daß zwischen veröffentlichter und privater Interpretation eine Differenz herrscht, die private sogar notwendig von einer Veröffentlichung ausgeschlossen sein kann, soll nun nicht heißen, daß die Textinterpretationen unserer Interviewees als veröffentlichte schlechterdings unzuverlässig wären. Sie müssen in jedem Einzelfall auf den sozialen Prozeß hin betrachtet werden, in dem sie entstanden. Erst daraus lassen sich Aufschlüsse über den Status und die Verläßlichkeit des Materials gewinnen. Dispensiert man diese Frage, so läuft man Gefahr, weitreichenden Fehleinschätzungen zu unterliegen. (Sie ist eben nicht mit der nach dem sozialen Hintergrund zu verwechseln, der das Textverständnis vorstrukturiert.[39])
Im Falle unserer Interviews zeigte sich, daß die einzelnen Schüler das von ihnen geäußerte Textverständnis sehr unterschiedlich einschätzten; in der Mehrzahl betonten sie dessen Vorläufigkeit oder Unzulänglichkeit und waren über die Interviewsituation hinaus, angeregt durch die Anstrengung dieser Situation, daran interessiert, die Richtigkeit ihrer Auffassung zu überprüfen oder einen Konsens mit dem Interviewer als einem Dialogpartner darüber herzustellen. – Der Schüler Konrad kam mit Kleists Paradoxe *Von der Überlegung*[40] überhaupt nicht zurecht. Ihm war das selbst bewußt: er äußerte wiederholt, daß er einzelne Textpassagen nicht zu einem zusammenhängenden Sinn integrieren könne. Er fühlte sich in seinem Bemühen, den Textsinn zu erfassen, durch die offen asymmetrische Kommunikationsform ›Interview‹[41], behindert, er versuchte, aus der ihm zugesprochenen Rolle auszubrechen. Neben offenen Versuchen (»Darf ich mal Fragen stellen?«) drückte sich dieser Vorgang darin aus, daß er das Thema des Textes auf seine eigene gegenwärtige Situation anwendete und teilweise mit Kleists Argumentation seinen Veränderungswunsch durchzusetzen versuchte: »Es geht mir vielleicht ähnlich so in einer Diskussion; man weiß es gar nicht jetzt, man weiß seinen Standpunkt noch gar nicht richtig, und in einer Diskussion wird er einem klar, und nachher macht man sich erst bewußt, wie man dorthin kam.« Obwohl er mit dieser Aussage anzeigte, daß er zumindest partiell den Textsinn – entgegen seiner expliziten Selbstaussage – erfaßt hatte, blockierte die Interviewsituation eine weitere Ausarbeitung der Interpretation. Er begriff wohl die Interviewsituation nicht nur als ein unverbindliches Rollenspiel, er sah Legitimationsprobleme im Spiel und erwartete Bestätigung, Anerkennung, Korrekturen von seiten des Interviewers. (Darin bestand im übrigen für die meisten Interviewees ein Unterschied zur Normalform von Interviews oder Umfragen, wo ja die Legitimation der geäußerten Meinung selten abgefordert wird.) Anregungen des Interviewers, die Frage nach der Richtigkeit seines Textverständnisses zunächst einmal hintanzustellen zugunsten erster Annäherungsversuche, erschienen ihm ein unbefriedigendes Unterfangen.
Einen anderen Fall, in dem eher die Interviewsituation selbst als der Text (Kafkas *Auf der Galerie*) das Thema war, bot der Schüler Ernst. Ihm gelang es, seine Interviewerin zur Aufgabe ihrer Zurückhaltung zu bringen: das für einen, der nicht dabei war, fast unverständliche Tonbandprotokoll zeigt die beiden angestrengt damit beschäftigt, über jede Äußerung möglichst schnell Konsens herzustellen. So unterbrach Ernst sich andauernd selbst, wenn ein zustimmendes Signal von seiten der Interviewerin ausblieb, und fing einen neuen Satz an; er unterbrach die Interviewe-

rin, um ihr ein schon erreichtes Verständnis vorzutragen; sie unterbrach ihn, um ihm zuzustimmen oder seine Interpretation so zu formulieren, daß sie ihr zustimmen konnte, manchmal freilich auch, weil ihr ihre eigentliche Aufgabe einfiel, die sie aber nicht verfolgen konnte. Gegen Ende zeigten sich beide zufrieden (ganz im Unterschied zu den anderen Interviews). Sie waren so mit der Herstellung von Übereinstimmung beschäftigt, daß sie *Des Teufels General* für ein Stück von Hauptmann und *Antigone* für eines von Sokrates halten konnten. In ihrer gemeinsam erarbeiteten Textinterpretation präsentieren sie sich als dem Galeriebesucher überlegen: sie würden angesichts irgendeines Ereignisses nicht nur unbewußt realisieren (»weinte, ohne es zu wissen«), daß hinter dem Schleier des schönen Scheins – wie im zweiten Abschnitt dargestellt – eine Realität des Leidens verborgen ist, wie im ersten Abschnitt dargestellt; sie ›blicken durch‹, lassen aber offen, ob sie das »Halt!« rufen würden.

Die am weitesten ausgearbeitete Interpretation lag dagegen in einem Interview vor, in dem der Schüler (Dietrich) die asymmetrische Kommunikationsform voll akzeptiert hatte und strikt durchhielt. Er stellte seinerseits erst nach dem erklärten Abschluß des Interviews Fragen. Er verwendete die Fragen des Interviewers dazu, seine erste vorläufige Interpretation zu korrigieren, zu präzisieren und zu erweitern: Der Galeriebesucher weint, weil der Zirkus ihm Routine und nicht das Schauspiel von Freiheit und Spontaneität bietet, das er – dessen eigenes Leben »programmiert« ist, wie Dietrich interpoliert – sich erträumt hat; dagegen erträume er sich im ersten Absatz eine Situation, in der er sein eigenes routiniertes Verhalten durchbrechen und »Halt!« rufen würde. Dietrich ließ erkennen, daß ihn das interpolierte Thema als »Vorprogrammiertheit des Lebens« beschäftigte: im Zusammenhang mit Fragen der Berufswahl, die auch Folgen für die Lebensperspektive überhaupt haben würde.

An diesen Beobachtungen ist unter systematischen Gesichtspunkten wichtig: über dem ersten deskriptiven Interesse festzuhalten, wie einzelne Leser mit einem Text umgehen, welchen Sinn sie ihm unterlegen usw., muß sich die Rezeptionsforschung ihre darüber hinausgehenden Zielsetzungen klarmachen und bewußthalten. Sie verliert sich in einem heillosen Relativismus, wenn sie z. B. die Frage nach der kommunikativen Funktion abkoppelt von der Frage nach dem Erkenntnisgewinn und der Wahrheitsfrage.[42] Sie folgte gleichsam Ernsts Urteil, alle Texte seien gut, die »zum Nachdenken anregen«; und alle Texte in den Interviews erfüllten in der Tat eine kommunikative Funktion. Die bloße Konstatierung der Pluralität von Leseerlebnissen auf Grund unterschiedlicher Kompetenz und Vorerfahrungen der Leser[43] ist deshalb so unbefriedigend, weil es auf dieser Grundlage unmöglich wird, zwischen unverbindlichen Sprachspielen und ernstgemeinten, engagierten Auseinandersetzungen zu unterscheiden. Dafür fehlen dann Indizien und Kriterien, sie können eben nur aus der genauen Analyse des sozialen Prozesses gewonnen werden, in dem die Rezeptionen entstanden. (Man kann sich vorstellen, was dabei herauskommen würde, wenn man in den oben angeführten Beispielen nur die inhaltlichen Interpretationsvarianten berücksichtigen würde, ohne die Momente des Sozialprozesses in die Analyse mit einzubeziehen.)

Andererseits ruft eine Formulierung wie ›Unzulänglichkeit der Interpretation‹ in der Regel spontanen Widerspruch hervor, da hier das Dogma eines statischen, ›eigentlichen‹ Textsinnes, der vom Leser mit autoritativer Gebärde nachvollziehende Erkenntnis fordere, wiederaufgerichtet werde, wovon wir uns gerade durch die »Wiedergewinnung des hermeneutischen Grundproblems«[44] befreit hätten. Die Widerstände richten sich dabei nicht nur gegen die mitgedachte Möglichkeit adäquater Interpretation, sondern – wie der Verlauf der Hermeneutik-Debatte zeigt[45] – gegen eine angenommene Instanz, die den Anspruch auf adäquate Interpretation aufrechterhält und von der zugleich unterstellt wird, sie sei bereits im Besitz derselben und müsse sie nur noch durchsetzen. In diesem Widerstand ist vermutlich die Erfahrung aufgehoben, daß Interpretationsversuche vielfach eben nicht im freiwilligen, gleichrangigen Diskurs, sondern in solchen historisch ausgebildeten, institutionalisierten Situationen unternommen werden, die geprägt sind von Herrschaft und mit ihr verbundenen Sanktionen. Wenn gerade Schüler im Klassenverband häufig auf dem Prinzip der Beliebigkeit von Interpretationen bestehen, so ist die Insistenz, mit der sie diesen Anspruch vertreten, eher als Moment der Sozialdynamik im Schüler-Lehrer-Verhältnis denn als sachliches Argument zu deuten. Aber auch dort, wo die Situation nicht so offen als restringiert erkennbar ist, zeigen die defizienten Interpretationen eben Momente, die vorrangig der sozialen Situation zuzurechnen sind und nicht etwa ›inneren‹, d. h. lebensgeschichtlich begründeten Widerständen.

In der Hermeneutik-Debatte über das Verhältnis zur Tradition ist dem Problem der Autorität besondere Aufmerksamkeit gewidmet und die Möglichkeit eines kommunikativ erzwungenen Konsenses in der Aneignung der Tradition herausgestellt worden.[46] In dem auffälligen Widerstand gegen das Postulat einer adäquaten Interpretation werden diffus die Ansprüche einer Tradition auf Anerkennung und Fortführung abgewiesen, er kann den Traditionsbruch anzeigen. Aber man kann weder die herrschaftsbedingten Verzerrungen in der Auseinandersetzung über den Textsinn aufspüren noch mehr als ein blindes Verhältnis zu den Zeugnissen der Tradition erreichen, wenn man sowohl auf die Analyse der sozialen Situation verzichtet, in der die Interpretationen entstanden, als auch das Postulat einer angemessenen Interpretation dispensiert. Karl-Otto Apel hat zu Recht darauf hingewiesen, daß »das Ziel der unbegrenzten Verständigung die Beseitigung der Verständigungshindernisse nicht nur auf seiten der Interpreten«[47] verlangt; Verständnishindernisse können institutionalisiert – wie die politische Zensur zeigt: ›Verständnis‹ kann überhaupt verboten sein. Apel hat hervorgehoben, daß es im Interesse einer »applikationsbewußten Interpretationsmethode liege, die aktuelle Applikation unter Umständen schwer zu machen«.[48] Die Härte von kommunikationsverzerrenden Faktoren wird erst im Insistieren auf Textverständnis – nicht um seiner selbst willen und nicht unbedingt von seiten des die Situation Dominierenden – deutlich hervortreten. So brachte der immer wieder zögernde Schüler Konrad, als der Interviewer es schon aufgegeben hatte, ins Spiel, daß er Kleists Text immer noch nicht verstanden habe, obwohl er ihn auf die hinreichende Formel: ›erst aus Schaden wird man klug‹ abgezogen hatte. Konrad hat vor allem Schwierigkeiten mit Kleists Satz: »Wenn sie [die Überlegung] vorher [vor der Tat] ins Spiel tritt: so scheint sie nur die zum Handeln nötige Kraft, die aus dem herrlichen Gefühl quillt, zu verwirren, zu hemmen und zu unterdrükken [...].« Konrad bringt die »Überlegung« mit dem »herrlichen Gefühl« in Zusammenhang: das »herrliche Gefühl« kommt aus der Überlegung; der Überlegung nämlich, die zur Tat führt; er faßt »Überlegung« im Sinn von Vorsatz, Plan, Absicht: »Ich kann nicht verstehen, wie sich das Vorher und Nachher auf die Überlegung *überhaupt* bezieht.« Die Überlegung, d. h. der Vorsatz kann ein »herrliches Gefühl« erzeugen; nachdem Konrad, vom Interviewer angeleitet, verstanden hat, übersetzt er es mit »Eifer«.

Hätte sich der Interviewer hier als Rezeptionsforscher mit der Konstatierung eines ›Leseerlebnisses‹ begnügt, wäre er nicht auf Konrads Forderung nach Verständnishilfe eingegangen, dann hätte er ein durchaus falsches Leseerlebnis konstatiert. Einen ähnlichen Fall stellt die Schülerin Anita dar. Ihre Vorlage war Kleists Anekdote *Tagesbegebenheit*[49]. Im Interview kam sie nicht über den ersten Satz hinaus: »Dem Kapitän v. Bürger, vom ehemaligen Regiment Tauentzien, sagte der, auf der neuen Promenade erschlagene Arbeitsmann Brietz [...]«. Anita sah sich außerstande zu klären, wer wem was gesagt hat, der Kapitän dem Arbeitsmann, oder umgekehrt, zumal von dem Arbeitsmann gesagt wird, er sei »erschlagen«: also könne er nichts mehr sagen. Sie entschied sich aber nicht und hielt das Problem offen. Hier wäre überhaupt kein ›Leseerlebnis‹ zu konstatieren.

Eine Reihe von Einwänden läßt sich ausräumen, wenn man die Ebene und die Reichweite bedenkt, für die das Postulat des angemessenen Verständnisses gilt. Durch die Einbettung der Hermeneutik-Debatte in allgemeine Erkenntnistheorie entsteht die Gefahr, daß das Kontinuum möglicher Divergenzen im Textverständnis auf die – systematisch wichtigen – Grenzfälle subtiler Sinndifferenzen eingeschränkt wird. Demgegenüber kann eine Forschung, die sich unbefangen ihrer empirischen Basis versichert, in der Rezeption ein breites Spektrum von feinsinnigen Auslegungsdifferenzen über plane Lesefehler bis hin zur systematischen Textverfälschung beobachten. Dies wird aber nur durch Konfrontation der Interpretationen mit dem Text sichtbar, ein Prinzip, das gerade Konrad und Anita – aber auch die anderen Interviewees – anwenden. Peter Szondi hat es eindrucksvoll als das zentrale Prinzip der »philologischen Erkenntnis« demonstriert.[50] – Das Beispiel einer Textverfälschung, die jedenfalls innerhalb des Interviews nicht mehr korrigiert werden konnte, bietet Clemens. Seine Vorlage war Walter Benjamins *Verstecktes Kind*[51]. Eine eher subtile Verfälschung begeht er, indem er die geschilderte Erfahrung des Kindes – beim Sich-Verstecken das Selbst an das Inventar der großbürgerlichen Wohnung zu verlieren – aus dem Präsens in eine einmalig abrollende Szene überführt. Die schwerwiegende Verfälschung nimmt er dagegen vor, wenn er den Schlußsatz des Textes: »Das Kind entzaubert als ihr Ingenieur die düstere Elternwohnung und sucht Ostereier« (was nur »einmal jährlich« geschieht) nicht als Widerspruch zur magischen Erfahrung deutet, sondern als deren Fortsetzung; ein Mißverständnis, das seine Vorstellung, der Text schildere, wie ein Kind »sich seine eigene Welt baut«, determiniert hat: dann war das Kind von vornherein »Ingenieur«. (Clemens will Architekt oder Jurist werden.)

Gerade die Interviews mit Anita und Clemens können auf die Gefahren einer Rezeptionsforschung, die sich von ihrer hermeneutischen Verantwortung dispensiert, aufmerksam machen. Beide stammen aus eher proletarischem Milieu, und es läge nahe, ihre Verständnisschwierigkeiten aus soziolinguistischen Befunden abzuleiten: Anita bezeugt die Unverständlichkeit des ›elaborierten Code‹ – speziell: komplizierter syntaktischer Strukturen – für die Unterschicht; Clemens, wenn er sich eine einmalig abrollende Szene vorstellt und den Bruch in Benjamins Darstellung nicht realisiert, deren mangelnde ›Ambiguitätstoleranz‹. Hier läge deutlich ein von dem

unseren divergierender ›Erwartungshorizont‹ vor, dessen soziale Determinanten zu erforschen wären, der aber praktisch-hermeneutisch mit dem unseren nicht ›verschmelzen‹ kann.
Wir wollen nicht bezweifeln, daß soziale und biographische Determinanten eine Textinterpretation bestimmen; Jauß hat gewiß Unrecht, wenn er sich weigert, von Determinanten zu sprechen, »da sich [...] Interessen und Bedürfnisse in *Erwartungen* gesellschaftlicher Subjekte zu artikulieren pflegen«[52]: es ist ja durchaus die Frage, ob Klassenschranken hermeneutisch überwunden werden können. Aber es wäre gewiß auch unmöglich, etwa Anita ihre Verständnishemmung durch den Hinweis auf deren soziale Determination aufzulösen. Hier gilt analog, was Freud witzig zu einem therapeutischen Verfahren bemerkt hat, das Neurotiker durch die bloße Mitteilung ihres Krankheitsbildes und seiner Ursachen heilen will: »Diese Maßnahmen haben aber ebensoviel Einfluß auf die nervösen Leidenssymptome wie die Verteilung von Menukarten zur Zeit einer Hungersnot auf den Hunger.«[53]
Wegen dieser Unmöglichkeit, gesellschaftlich bedingte und institutionell befestigte Textmißverständnisse im direkten Zugriff aufzulösen, muß die Rezeptionsforschung erhebliches Gewicht auf die Analyse des institutionalisierten Rahmens, auf die Organisationsform, legen, in der die Auseinandersetzung mit den Texten stattfindet. Sie kann die Dokumente unzulänglicher Rezeption nur in der praktischen Absicht analysieren, eine zulängliche zu organisieren und sich nicht mit der Konstatierung einer Pluralität von Leseerlebnissen oder dem Aufweis ihrer Determinanten beruhigen.

IV

Der soziale Prozeß, in dem die Auseinandersetzung mit dem Text stattfindet, gewinnt also über die Fragen nach Status und Verläßlichkeit des erhobenen Materials hinaus konkrete Bedeutung für das spezifische Textverständnis. So war in unseren Interviews deutlich zu beobachten, daß die einzelnen Äußerungen nicht nur auf den vorgegebenen Text bezogen waren – etwa im Sinne der Paraphrase, der abstrahierenden Zusammenfassung, der assoziativen oder auch systematischen Erweiterung, der Stellungnahme –, sondern sie waren kaum weniger deutlich beeinflußt durch die explizite oder auch angenommene soziale Situation, in der dem Text eine bestimmte Rolle zukam.
In unserem Fall wurde er zumeist zur Schulaufgabe (obwohl sich die Interviewer bemühten, Ähnlichkeiten mit schulischen Situationen – insbesondere jede Ähnlichkeit mit einer Prüfung – zu vermeiden). Dies kann man daran beobachten, daß einige der Jugendlichen – meist völlig zusammenhanglos oder abweichend von ihrem sonstigen Approach – meinten, auf Probleme des Sprachstils, der Syntax oder des formalen Aufbaus eingehen zu müssen: als Ausdruck eines ›adäquaten öffentlichen Umgangs‹ mit dem literarischen Text; oft formulierten sie derartige Probleme als noch zu leistende Aufgaben, vor allem dann, wenn das Gespräch zu versiegen drohte; aber der Sinn dieser Aufgabenstellung blieb im Kontext ihrer Interpretationen vielfach dunkel. Neben der impliziten Reproduktion von Schulverhalten erläuterten einige Schüler sogar, wie dieser Text in der Schule behandelt würde. Die Schülerin

Anita fragte zu Beginn des Interviews, ob sie so vorgehen solle, »wie wenn wir ihn jetzt in der Schule lesen würden«. – Zum anderen war oft klar, daß sich die Interviewees in einer Prüfungssituation erlebten, obwohl alle formellen Voraussetzungen dafür fehlten. Die Reihe der Indizien reichte dabei vom verkrampften Bemühen, sich an einst in der Schule Gehörtes oder Gelerntes zu erinnern, über das zögernde Abschätzen der Reaktionen des Interviewers oder die direkte Frage, ob man jetzt etwas ›Falsches‹ oder ›Dummes‹ gesagt habe, bis hin zur direkten Blockade. Aber auch wiederholte Selbstkorrektur, wenn der Eindruck sich einstellte, Äußerungen seien zu salopp formuliert gewesen, der angenommenen Situation unangemessen, zu impressionistisch – nicht hinreichend begründet, zeigte den Prüfungscharakter an. Es bedurfte häufig erheblicher Anstrengungen seitens des Interviewers, um eine etwas unbefangenere Atmosphäre herzustellen; offenbar enthielt die Situation aber Momente, die den einzelnen Schüler doch unter einen schulähnlichen Leistungsdruck setzten.

Dieser Sachverhalt ist für die Rezeptionsforschung deshalb folgenreich, weil er nachhaltig auf die Präsenz von Rollenmustern aufmerksam macht, durch die der Text bestimmte Eigenschaften bekommt. Es ist nicht möglich, von dem konkreten veröffentlichten Textverständnis ausgehend und den Einfluß von Rollenmustern gleichsam subtrahierend, gewissermaßen präsoziale Rezeptionen zu extrapolieren, etwa zum Vergleich von Dokumenten unterschiedlicher Herkunft, denn die spezifische Interpretation und das Lektüreverhalten sind bereits institutionell mitgeprägt, was eben als Einschränkung der Kommunikation zwischen Text und Leser analysiert werden muß.[54] – Bei den veröffentlichten Rezeptionen handelt es sich vielfach um festgefügte, eingeschliffene, zuweilen ritualisierte Rollenmuster, die in dem geschichtlichen Prozeß, in dem die Beschäftigung mit literarischen Werken – bei gleichzeitig zunehmender Professionalisierung – ausgebildet und institutionalisiert wurden. Ihre Dominanz und Resistenz erkennt man u. a. daran, wie z. B. private und veröffentlichte Rezeption gegeneinander abgedichtet sind, so daß ein und dieselbe Person unterschiedliche Verhaltensweisen zeigt, methodische Prozeduren, Standards anwendet und Akzentuierungen setzt, je nachdem, was als aktuell relevant angesehen wird (Privatlektüre, Deutschunterricht, Literaturwissenschaft, Literaturkritik usw.). In einem Gespräch vor dem Prüfungszimmer während einer Wartezeit äußerte sich eine Studentin über ihre Lektüreerfahrungen mit einem Roman gegenüber dem Prüfer ganz anders als in der Prüfungssituation selbst. Auf die auffällige Differenz angesprochen, erklärte sie, das seien doch zwei gänzlich verschiedene Bereiche; das Verfahren der Wissenschaft zeitige ganz andere Ergebnisse; sie sei nicht in der Lage, ihre ›privaten‹ Lektüreeindrücke mit diesen zu vermitteln. – In den institutionalisierten Rollenmustern ist ein Arsenal von Verhaltensweisen, Methoden und Begriffen bereitgestellt, das sowohl eine Auseinandersetzung mit den literarischen Werken anleiten kann als auch eine intensive Auseinandersetzung vorzutäuschen erlaubt; zwischen diesen Polen liegt ein breites Spektrum von Realisierungsmöglichkeiten.

In der 150jährigen Geschichte des gymnasialen Literaturunterrichts ist wiederholt versucht worden – mit unterschiedlichen, zum Teil hochproblematischen Begründungen und Zielsetzungen –, die Kluft zwischen schulischem Lektüreverhalten und Privatlektüre zu schließen bzw. durch jenes auf diese Einfluß zu nehmen. So wurde in einer der ersten didaktischen Schriften zum Literaturunterricht – Hieckes *Der deut-*

sche Unterricht auf deutschen Gymnasien[55] – gefordert, durch eine systematische analytische Behandlung der deutschen Literatur im Unterricht die Privatlektüre zu verbessern und deren Bildungswert zu steigern. Während bis dahin die Ansicht und Praxis vorherrschte: »[...] die deutsche Lektüre gehört in die Erholungsstunden des Schülers. Die eigentliche Arbeit bildet das Studium der alten Classiker« (Deinhardt, 1837),[56] betonte Hiecke, es sei zu befürchten, »daß der Schüler, wenn er deutsche Schriften nur in seinen Erholungsstunden liest, sie auch nur zur Erholung, also ohne Sorgfalt und Nachdenken, lesen werde. Das niederträchtige Theegeschwätz aber über Goethe und Schiller, woher anders rührt es denn, als daß man ihre Lektüre nur als eine Sache der Erholung, der Unterhaltung, nicht als eine Sache der Anstrengung und der Arbeit betrieben hat?«[57] Hiecke entwickelt zu diesem Zweck eine textanalytische Methode, die in ihrer Grundstruktur – Verständigung über den »Hauptinhalt«, Eingehen auf Verständnisschwierigkeiten im einzelnen, Herausarbeitung des Aufbaus wie »ausdrückliche Auffassung der Gliederung«,[58] Erörterung des Formproblems, abstrahierende Zusammenfassung der Grundgedanken – gegen vielfach entgegengesetzte Bestrebungen verbreitetes methodisches Prinzip bis in den gegenwärtigen Literaturunterricht geblieben ist. (Wir vernachlässigen hier alle diejenigen Momente, bei denen sich Anregungen aus der Praxis der ›Erlebnispädagogik‹ mit der textanalytischen Methode vermengt haben.)

Bei Hiecke ist noch deutlich, daß seine didaktischen Überlegungen auf Anleitung und Formalisierung eines Reflexionsprozesses im Rahmen allgemeiner Bildungs- und Enkulturationsprozesse Jugendlicher zielen.[59] Aber wegen der Erstarrung seiner flexibel gedachten Methode in einem rigiden Schematismus haben in der Folgezeit den Deutschunterricht zahlreiche Schüler- und Pädagogenklagen begleitet, die formalisierte Methode verhindere Bildungsprozesse im Medium der Literatur. Seltener wurde dagegen wahrgenommen, daß die spezifische Form, in der die literarischen Werke im Unterricht ›durchgenommen‹ werden mußten, dem Schüler im Extremfall auch Schutz bieten konnte vor dem tendenziell totalen Zugriff der gesellschaftlichen Institution Schule auf seine Subjektivität. Denn bei der Veröffentlichung der von der Lektüre mobilisierten persönlichen Erfahrungen würden diese einer nach Leistungskriterien orientierten Bewertung im Zensurensystem und anderen Sanktionen unterworfen. Die über lange Zeit praktizierte und gleichsam im Alltagsbewußtsein von Lehrern und Schülern sedimentierte Form des schulischen literarischen Diskurses erlaubt es, in einer Weise über die Lektüreerfahrungen zu sprechen, in der die subjektiven Momente nur noch sehr vermittelt und häufig abgedrängt thematisch werden. Gleichzeitig sichert aber die angebotene Form der Textbehandlung den Schülern die Möglichkeit, voll den Anforderungen der Institution Schule nachzukommen, selbst wenn persönliche Wirkungen der Lektüre dazu im Konflikt stehen, es aber Gründe gibt, diese nicht öffentlich zu machen. Die immer wieder zu beobachtende ›Doppelsprachigkeit‹ der Schüler in bezug auf ihre Schullektüre[60] ist Ausdruck dieser Situation. Zumeist scheiterten Versuche der Vermittlung, die auf Veränderung der eingeschliffenen Rollenmuster zielten, daran, daß einige Voraussetzungen, die konstitutiv für deren Herausbildung waren (Zwangsverband Schule auf Grund allgemeiner Schulpflicht, Zensurensystem, spezifische Fassung der Lehrer- und Schülerrolle usw.), nicht geändert worden sind oder werden konnten.[61]

Es muß einleuchten, daß aus diesen Gründen z. B. Schulaufsätze als dokumentierte

Rezeptionen nur analysiert werden können, wenn die Analyse den historisch ausgebildeten Rahmen der Lektüre einbezieht. Man würde aber in einer anderen Richtung fehlgreifen, wollte man auf Grund der gegebenen Beispiele schließen, die Formen der Beschäftigung mit literarischen Werken dienten in ihren eingeschliffenen Mustern nur dazu, eine Auseinandersetzung, ein Bemühen um Textverständnis vorzuspiegeln. Sie sind ja ausgebildet worden, das Textverständnis zu fördern, und vielfach, wenn sie nicht pervertiert sind, tragen sie auch dazu bei und bieten den Rahmen, in dem es sich artikulieren kann. Nur: als bestimmte Methodisierungen tendieren sie dahin, sich zu verselbständigen, und fungieren nicht mehr als Hilfsmittel,[62] sondern als Einschränkung der Kommunikation zwischen Text und Leser. – Die Dominanz und Resistenz des schulischen Rollenmusters zeigt sich auch darin, daß es in eine andere Situation, nämlich die des Interviews außerhalb der Schule, transponiert wurde und dort die Beschäftigung mit Texten bestimmte; es bildet dasjenige Lektüreverhalten, welches für einen öffentlichen, institutionalisierten literarischen Diskurs den Schülern vertraut war. Daß die Jugendlichen zuweilen aus ihm ausbrachen, deutet darauf hin, daß sie sich von dieser Form distanzieren konnten, was deren Charakteristik als »Rollenmuster« stützt.[63] Eine Analyse dieses Zusammenhangs muß genau herausstellen, wie der institutionelle Rahmen eine Aneignung der Werke fördert oder behindert, wieweit er eine Einschränkung der Kommunikation[64] mit ihnen darstellt. Erst dann sind Aussagen über die Relevanz von Literatur als Medium von Bildungsprozessen sinnvoll. (Diejenigen Schüler, die ›ihre‹ Interpretationen mit Hilfe der legendären *König's Erläuterungen* oder den *Handreichungen* für die Lehrer bastelten, haben in gewisser Weise das ›Rollenmuster‹ voll erfüllt und zugleich ad absurdum geführt.)

Die historischem Wandel unterworfenen, institutionalisierten und letztlich gesamtgesellschaftlich determinierten Rollenmuster der Schule legen fest, in welcher Relation die veröffentlichten und die privaten Konkretisationen literarischer Werke stehen, und damit zugleich, welche Bildungsprozesse sich im literarischen Medium in der Schule entfalten können. Es ist leicht einzusehen, daß die am Ziel einer zwanglosen Aneignung der Werke orientierte Rezeptionsforschung hier notwendig zur Rezeptionskritik werden und dabei die von Jauß verfochtene Partialität der rezeptionsästhetischen Methode tendenziell in Richtung auf eine kritische Theorie der Gesamtgesellschaft transzendieren muß. Dabei kann sie sich auf ihren Gegenstand, die Literatur, berufen. Denn der Widerstand, den diese unmittelbarem Verstehen entgegensetzt, ihre Interpretationsbedürftigkeit, ist das Agens für das intersubjektive Bemühen um Verständnis und in seinem Gefolge die Ausbildung von Verständigungsformen, -prozeduren und Begriffen. Gerade insoweit die Literatur durch ihre Eigenart Reflexionsprozesse des Lesers anzuregen und anzuleiten vermag, stellt sich diese Aufgabe immer wieder neu, worauf Peter Szondi am »Extremfall des hermetischen Gedichts« hingewiesen hat.[65] Das Problem wäre erledigt, wenn die Literatur selbst den Forderungen nach Eingängigkeit und unmittelbarer Evidenz unterworfen würde, die für die Produkte der Kulturindustrie weithin gelten. Dann hätte die Rezeptionsforschung nur noch festzustellen, ob die Werke diesen Kriterien genügen; gegebenenfalls müßten sie umgearbeitet werden. Der Prozeß zwischen Produkt und Rezipient wäre kurzgeschlossen.

V. 1

Uns hat bisher die schulische Literaturrezeption als Paradigma gedient, aber das von Jauß formulierte Interesse an der »gesellschaftsbildenden Kraft« der Werke impliziert, daß die Literaturrezeption überhaupt in Zusammenhang mit Bildungsprozessen gebracht werden muß. Insofern die Literaturrezeption – schließlich auch als Privatlektüre – gesellschaftlich institutionalisiert ist, können wir unsere für die schulische Rezeption aufgestellte These verallgemeinern: der literarische Text bekommt in verschiedenen sozialen Situationen Eigenschaften, die die Aufgabe des Verständnisses strukturieren. Jauß' Bemerkungen zum Prozeß um Flauberts *Madame Bovary* setzen voraus, daß der Roman für das Gericht (und gewiß nicht nur für es) ein moralisches Exempel bot, über das als solches befunden werden mußte; deshalb ist für Jauß die Figur des Staatsanwalts die interessanteste: »In ihnen [seinen Fragen] kommt [...] die ungeahnte Wirkung einer neuen Kunstform zur Sprache, die den Leser der *Madame Bovary* durch eine neue *manière de voir les choses* aus der Selbstverständlichkeit seines moralischen Urteils herauszustoßen vermochte und eine vorentschiedene Frage der öffentlichen Moral wieder zu einem offenen Problem machte.«[66]

Immerhin reagiert Jauß selbst auf Flauberts Roman nicht als auf ein moralisches Exempel (das Gegenteil wäre absurd); für ihn tritt an dem Text die Impassibilität des Erzählers als dasjenige Kunstmittel hervor, welches ihn als skandalöses moralisches Exempel überhaupt erst konstituierte, weil es mit einer gegenüber dem Ehebruch indifferenten Haltung gekoppelt zu sein schien. Gleichwohl kann man für Jauß' Rezeption sagen, daß in ihr – nach Jan Mukařovskýs Terminologie – die praktische und die ästhetische Funktion des Textes auseinandergetreten sind; und es läge nahe, einen Bildungsprozeß zu konzipieren, der als Ziel die Erkenntnis setzt: »daß in der Kunst die ästhetische Funktion die dominierende ist«.[67] Zwar bietet der Staatsanwalt im Prozeß um *Madame Bovary* ein prägnantes Beispiel dafür, daß eine ästhetische Innovation zur Erschütterung eines gesellschaftlichen Normengefüges beitragen kann, aber die Wirkungsgeschichte des Werks kulminiert in der Erkenntnis des Kunstmittels, welches diese Wirkung hervorgebracht hat, die dabei zugleich nicht mehr auftritt. Die Literaturwissenschaft wäre dann diejenige gesellschaftliche Institution, in der die Texte unter ihrem ästhetischen Aspekt realisiert würden, und in sie wären Schüler zu enkulturieren,[68] wobei die Texte für sie nacheinander alle anderen Eigenschaften, außer der, Kunst zu sein, abzustreifen hätten.

Ihre radikale soziologische Ausformulierung hat diese Position in Pierre Bourdieus Überlegungen zu einer soziologischen Theorie der Kunstwahrnehmung gefunden, die sich zu diesem Punkt heranziehen lassen, obwohl sie an französischen Verhältnissen, an bildender Kunst und an der Institution des Museums gewonnen sind.[69] – Bourdieu begreift die Kunst als ein eigenes Symbolsystem, das sich vom Alltagsbewußtsein abhebt und zu dem nur Zugang hat, wer es als eigenes anerkennt, was im Gebrauch spezifischer Codes bei der Kunstrezeption zum Ausdruck kommt.[70] Diese Codes sind von der bürgerlichen Klasse monopolisiert, nur sie kann von ihnen habituell Gebrauch machen, adäquat rezipieren; während es den unteren Klassen schon mißlingt, das ästhetische Symbolsystem als solches wahrzunehmen: sie übertragen Kategorien des Alltagsbewußtseins auf die Kunstwerke, mißverstehen diese dadurch und sind

– auf Grund der »charismatischen Ideologie«[71] (das Postulat des unmittelbaren Verständnisses, das scheinbar nicht das Produkt eines Lernprozesses ist) – von der »Appropriation des Bildungskapitals«[72] ausgeschlossen. »Das Museum überläßt allen als öffentliche Erbschaft die Monumente einer vergangenen Pracht, Instrumente der verschwenderischen Glorifizierung der Großen von einst. Diese Liberalität aber ist erheuchelt, da der freie Eintritt auch ein fakultativer Eintritt ist, nämlich denjenigen vorbehalten, die die Fähigkeit besitzen, sich die Werke zu appropriieren, und damit zugleich über das Privileg verfügen, von dieser Freiheit Gebrauch zu machen.«[73]
Aus Bourdieus Überlegungen, die man einer – deutlich in Analogie zur Soziolinguistik gebildeten – ›Sozioästhetik‹ zuordnen könnte, ließen sich Konsequenzen für eine Art kompensatorischer Kunsterziehung, aber auch für jede Literaturdidaktik ziehen, die auf eine Enthabitualisierung der Rezeption hinausliefen und damit die »charismatische Ideologie« destruierten: die Benachteiligten wie die in die Literatur Einzuführenden wären mit einem Repertoire analytischer Kategorien auszustatten, das ihnen jedes Werk nach seinen Kunstmitteln (die wiederum an Autorennamen, -gruppen, Epochen usw. geknüpft sein müssen) auseinanderzulegen erlaubt. – Tatsächlich wäre Jauß' Indifferenz gegen das moralisch Skandalöse der *Madame Bovary*, seine Aufmerksamkeit für die Impassibilität des Erzählers das Ziel einer solchen Kunst- und Literaturerziehung.
Daß unsere Interviewees Kafkas *Auf der Galerie* als Parabel aufgefaßt und die Botschaft zu entschlüsseln versucht haben, würde in diesem Zusammenhang bedeuten: sie sind auf dem richtigen Weg. Was die Schüler noch nicht begriffen hätten: daß es sich bei Kafkas Literatur um eine Parabolik handelt, »zu der der Schlüssel entwendet ward«: »Jeder Satz spricht: deute mich, und keiner will es dulden.«[74] – Kafkas Parabel ist eine Meta-Parabel und gehört zur Kunst der Moderne, deren Rezeption nach Bourdieu eine spezifische Fähigkeit erfordert: »[...] die Fähigkeit, alle verfügbaren Codes aufzugeben, um sich dem Werk selbst in seiner zunächst unerhörten Befremdlichkeit zu überlassen, setzt die völlige Beherrschung des prinzipiellen Codes aller Codes voraus, der die angemessene Applikation der verschiedenen sozialen Codes regelt, wie sie die Gesamtheit der zu einem bestimmten Zeitpunkt verfügbaren Werke erfordert«.[75] Was die Interviewees für eine adäquate Rezeption von Kafkas Parabel benötigten, wäre eine Poetik der Parabel, die ihnen den Text eben als eine Meta-Parabel zu verdeutlichen hätte.
Nun besteht aber zwischen der Rezeption eines Typus, den unsere Interviewees repräsentieren, und der eines anderen, den Bourdieu charakterisiert und Jauß repräsentiert, ein zentraler Unterschied, für dessen Charakteristik sich heranziehen läßt, was Habermas für den Unterschied zwischen philosophischer Hermeneutik und Linguistik formuliert hat: »Die rationale *Nachkonstruktion* eines sprachlichen Regelsystems [die poetologische Analyse der Gattung Parabel] dient der Erklärung linguistischer Kompetenz [der »Kunstkompetenz«[76] im Sinne Bourdieus]. Sie macht Regeln explizit, die der eingeborene Sprecher implizit beherrscht [die unsere Interviewees insofern noch unvollkommen beherrschen, als sie in Kafkas Werk und die Literatur noch nicht ›eingeboren‹ sind]; aber sie bringt nicht eigentlich dem Subjekt unbewußte Voraussetzungen zu Bewußtsein. Die Subjektivität des Sprechers, in deren Horizont die Erfahrung der Reflexion allein möglich ist, bleibt grundsätzlich ausgespart.«[77] Was unsere Interviewees formulieren, ist gerade das Material für Re-

flexion. Der Schüler Konrad praktiziert sie, wenn auch wiederum unbewußt, indem er seine Verblüffung darüber ausdrückte, daß der Terminus ›Krieg‹ in Kleists Text sich nicht auf den Zweiten Weltkrieg bezog: für ihn war dieser der Inbegriff von Krieg, davor gab es allenfalls die »Schlacht bei Zama«.
Die literarischen Texte sind aber nicht einfach normale Bestandteile »natürlicher Sprachen« – die Gegenstand der Hermeneutik wie der Linguistik sind –, sondern sie stehen zu diesen in einem eigentümlichen Verhältnis der Opposition und des Konflikts. Die russischen Formalisten haben ihre Forschungen darauf begründet, daß die literarischen Werke – durchaus historisch konkret – sich durch eine »Verfremdung« des Alltagsbewußtseins[78], durch eine »Deformation« der natürlichen Sprache und der natürlich gewordenen, d. h. habitualisierten Literatursprache[79] konstituieren. Wenn Habermas als Spezifikum der hermeneutischen Erfahrung hervorhebt: »die Intersubjektivität umgangssprachlicher Verständigung ist prinzipiell ebenso unbegrenzt wie gebrochen. Unbegrenzt: denn sie kann beliebig ausgedehnt, und gebrochen: denn sie kann niemals vollständig hergestellt werden«,[80] dann haben die Formalisten die Literatur gerade als dasjenige aufgefaßt, was die Gebrochenheit der umgangssprachlichen Kommunikation tendenziell verabsolutiert; später hat Mukařovský das Kunstwerk als »autonomes Zeichen« beschrieben, das *auch* eine »kommunikative Funktion« hat; zwischen beiden Funktionen herrscht jedoch in der Entwicklung der Kunst eine »Antinomie«.[81]
Unzweifelhaft ist hier die Kunst der Moderne das Paradigma, in der die »normbrechende Funktion« dominiert; sogar die Norm der Kommunikabilität wird gebrochen. Dieser Funktion lassen sich nicht, wie Jauß vorschlägt, eine »normerfüllende« und eine »normbildende« – die eben andere Literaturen und Literaturen in anderen Epochen hatten – beiordnen.[82] Vielmehr muß gelten, was Adorno für seine *Ästhetische Theorie* erklärt hat: »Methodisches Prinzip ist, daß von den jüngsten Phänomenen her Licht fallen soll auf alle Kunst anstatt umgekehrt, nach dem Usus von Historismus und Philologie, die bürgerlichen Geistes zuinnerst nicht möchten, daß etwas sich ändere.«[83]
Für die russischen Formalisten ist charakteristisch, daß sie die ästhetische Erfahrung nicht zum Gegenstand der Reflexion gemacht, sondern – in gleichsam technologischer Absicht – die Erfahrung als Wirkung bestimmter Strategien zu erforschen versucht haben, so daß Šklovskijs Auffassung von der Kunst als dem Mittel, »die Algebraisierung, die Automatisierung der Dinge« rückgängig, »die Dinge fühlbar, den Stein steinig«[84] zu machen, schließlich – objektiv ironisch – zu einer ›algebraisierenden‹ Literaturwissenschaft geführt hat.
Dieselbe Struktur zeigt noch das kanonische Werk des für die Bundesrepublik folgenreichsten ›Formalisten‹ Wolfgang Kayser. In der Einleitung zu *Das sprachliche Kunstwerk* erläutert er am Beispiel einer Lenau-Zeile: »Trübe Wolken, Herbsteslufl«, indem er sie hypothetisch in ein Alltagsgespräch einfügt, die Differenz zwischen literarischer und Umgangssprache, um dann zu einer wie auch immer sensiblen Technologie der Poesie fortzuschreiten. In Lenaus Gedicht »beziehen sich die Bedeutungen nicht mehr auf reale Sachverhalte. Die Sachverhalte haben vielmehr ein seltsam irreales, auf jeden Fall ein durchaus eigenes Sein, das von dem der Realität grundsätzlich unterschieden ist. Die Sachverhalte, oder, wie wir auch sagen wollen, die Gegenständlichkeit (die natürlich auch Menschen, Gefühle, Vorgänge umfaßt) ist

nur als Gegenständlichkeit dieser dichterischen Sätze da. Und umgekehrt: die Sätze der Dichtung schaffen sich ihre eigene Gegenständlichkeit.«[85] – Es ist nicht zu übersehen, daß Kayser den für Šklovskij wesentlichen Konflikt von Kunst- und Umgangssprache zu einem geschlichteten Nebeneinander verharmlost. Was die Formalisten nicht ausgebildet oder nicht auszubilden geholfen haben, ist die für die Rezeptionsforschung hier zentrale Reflexion darauf, was es bedeutet, sich in einer fiktiven Sprache zu bewegen, in der der Signifikant das Signifikat dominiert. Auch Ingardens umfangreiche phänomenologische Untersuchungen tragen zu einer solchen Reflexion eigentlich wenig bei.

Die Aufstellung eines einfachen Nebeneinanders, eines konfliktlos vom Alltagsbewußtsein abgehobenen Symbolsystems Kunst – nicht unähnlich der Schematisierung Arbeit–Freizeit –, das eine Technologie der Signifikantenanordnung legitimierte, ist aber nicht nur für die Hermeneutik unbefriedigend, die davon ausgeht, »daß die Mittel einer natürlichen Sprache prinzipiell ausreichen, um den Sinn beliebiger symbolischer Zusammenhänge, so fremd und unzugänglich sie zunächst sein mögen, aufzuklären«.[86] Gerade die Kunst der Moderne hat immer wieder gegen eine unproblematische Autonomie rebelliert, eine Rebellion, in der sich das Programm einer radikalen Funktionalisierung der Literatur[87] mit einer diesem Programm sonst gänzlich entgegengesetzten Bewegung wie dem Surrealismus einig ist.[88] Freilich ist der Surrealismus ›gescheitert‹ und auch das Programm einer radikalen Funktionalisierung noch nirgendwo realisiert.

(Das Problem einer solchen Literatur – zu der eine jede wird, indem sie nach Art der modernen gelesen werden will, was unumgänglich ist, weil diese Lesart nicht literarisch, sondern gesellschaftlich determiniert ist – das Problem einer solchen Literatur ist: einerseits radikal die alltägliche Kommunikation zu stören, andererseits auf Übersetzung in die alltägliche Kommunikation zu drängen.[89] Roland Barthes hat dies Problem in einem Interview mit Tel Quel so formuliert: »Ich glaube, man könnte sagen, die Literatur ist Orpheus, der aus der Unterwelt zurückkehrt. Solange sie geradeaus geht, allerdings *wissend, daß sie jemand führt*, lebt, atmet, geht das Wirkliche, das hinter ihr ist und das von ihr allmählich aus dem Ungesagten gezogen wird, und bewegt sich auf die Klarheit eines Sinns zu. Sobald sie sich jedoch umwendet zu dem, was sie liebt, bleibt nichts anderes in ihren Händen als ein benannter, das heißt ein toter Sinn.«[90] Es ist die Pointe des Mythos, daß Orpheus sich umwendet.)

Die Textinterpretationen unserer Interviewees erbrachten oftmals genau dies: einen »toten Sinn«, der sich darüber hinaus oft kaum auf den Text beziehen ließ. Wir haben zu demonstrieren versucht, daß zu diesem Ergebnis das von der Interviewsituation (die uns als Paradigma veröffentlichter Rezeption diente) erforderte Rollenspiel (das das Rollenspiel von Schulsituationen fortsetzte) beigetragen hat. Dem steht Prousts Exempel einer Privatlektüre gegenüber, das im Entzücken über einen Satz kulminiert, dessen Sinn sich freilich gerade nicht als dies Entzücken aufklären läßt. Dabei ähnelt Prousts Rezeptionsweise durchaus noch der eines Lesers von Trivialliteratur, eines Fernsehzuschauers, eines Kinogängers, im Unterschied zu der unserer Interviewees, von denen man aber ohne weiteres annehmen kann, daß sie jene Rollen in ihrer Freizeit spielen. Der Schüler Konrad erzählt: »Ich habe früher sehr wenig gelesen, muß ich sagen, aber in der letzten Zeit – doch, da hole ich das so ein bißchen nach. Das kommt aber wahrscheinlich durch die Massenmedien. Ich habe früher immer sehr viel ferngesehen und zu wenig Bücher gelesen und das dadurch auch mehr an mich herangetragen und nicht so sehr verarbeitet, aber das ist mir jetzt bewußt geworden, daß ich das machen muß.« Er schien schuldbewußt. Man kann sagen, daß er mit dem Wechsel der Medien (vom Fernsehen zur Literatur) zugleich auch die Rezeptionsweise wechseln möchte: vom privaten Konsum zur schulkonformen Verarbeitung. Die Trennung schien ihm selber nicht leichtzufallen; danach gefragt, was er denn jetzt lese, nannte er nach längerem Zögern als »ganz privat«: Lampedusas *Der Leopard*.

2

Der Konflikt von Kunst- und Umgangssprache läßt sich dem von öffentlicher und privater Rezeption analogisieren. So, wie es hermeneutisch unbefriedigend ist, jenen Konflikt zu einem einfachen Nebeneinander zu schlichten, so ist es auch unbefriedigend, öffentliche und private Rezeption einfach verschiedenen Institutionen zuzuweisen: der Bildungsprozeß, der sich im Medium der Literatur vollziehen kann, wird gerade eine Übersetzung der literarischen Werke ins Alltagsbewußtsein – die sie freilich nicht deformieren darf – und zugleich einen institutionellen Rahmen erfordern, der den Konflikt zwischen öffentlicher und privater Rezeption auszutragen erlaubt; im Beispiel Prousts: das Kind müßte doch irgendwann einmal begreifen können, wieso sein Entzücken der Sinn jenes Satzes ist, der Erwachsene nicht einfach Sinnlosigkeit konstatieren müssen.
Wir haben oben bereits angedeutet, daß uns die Psychoanalyse die Konzepte zu bieten scheint, nach denen sich die privaten Konkretisationen rekonstruieren lassen.[91] Sie kann unseres Erachtens auch am meisten zur Klärung der Frage beitragen, was es bedeutet, sich in einer fiktiven Sprache zu bewegen – was jeder Leser eines Romans tut –, und wie sich eine Übersetzung aus dieser in die alltägliche vorstellen läßt.
Freud hat in seinem, in diesem Punkt kanonischen Artikel *Der Dichter und das Phantasieren* die literarische Produktion aus individuellen Tagträumen, Phantasien hergeleitet. Dort ist auch bereits angedeutet, daß die Rezeption, vor allem der »anspruchsloseren Erzähler von Romanen, Novellen und Geschichten«, ein Phantasieren des Lesers erfordert: »Wenn [...] der Dichter uns seine Spiele vorspielt oder uns das erzählt, was wir für seine persönlichen Tagträume zu erklären geneigt sind, so empfinden wir hohe, wahrscheinlich aus vielen Quellen zusammenfließende Lust.«[92] Der Ansatz bei der Rezeption ist von Analytikern wie Otto Rank und Hanns Sachs weiter ausgearbeitet, aber, soweit wir sehen, erst von Norman N. Holland methodisiert worden.[93] – In der psychoanalytischen Literaturinterpretation – auch derjenigen Freuds – wird allerdings der Begriff der Phantasie sehr viel radikaler gebraucht, als Freuds Rede von den Tagträumen zunächst anzeigt. Der Begriff meint zunächst bewußte Phantasien, die »entweder ehrgeizige Wünsche, welche der Erhöhung der Persönlichkeit dienen, oder erotische«[94] befriedigen, während die psychoanalytische Lehre auch von unbewußten Phantasien spricht, deren Ausläufer die bewußten in der Regel sind.[95] Prousts Lesart des Gautier-Satzes läßt auch keineswegs erkennen, welche Phantasie das Kind darin realisiert hat, obwohl das Entzücken genau jene Lust anzeigt, von der Freud spricht.[96]

Nun werden aber die Phantasien der Leser durch den Text nicht einfach befriedigt. Jene befinden sich diesem gegenüber – nach Hanns Sachs – gleichsam in einem anderen Aggregatzustand: »[...] der Tagtraum kennt, von seltenen Ausnahmen abgesehen, nur einen einzigen Helden, den Tagträumer selbst. Er ist der Mittelpunkt, um den sich alles dreht, die anderen Personen sind bloße Staffagen, Nebenfiguren, die nicht um ihrer selbst willen da sind, sondern um dem Helden die herbeigesehnte Situation zu gewähren. Tagträume sind ferner formlos; es gibt unter ihnen zwar eine ganze Stufenleiter, die von dem flüchtigen, zusammenhanglosen Fragment bis zur völlig ausgearbeiteten Erzählung, dem ›Privatroman‹ hinaufführt. Aber so verschieden sie untereinander sind, dem Kunstwerk gegenübergestellt eint sie die Abwesenheit innerer und äußerer Formgestaltung: Über die Einleitung huschen sie flüchtig hinweg, vernachlässigen den Aufbau und die Motivierung und hängen alle Lebendigkeit, alle Affektstärke an einige Szenen, die mit geringen Varianten bis ins Unendliche wiederholt werden. Noch weniger bedacht ist der Tagtraum auf die Wahrung von Stil, Reim und Rhythmus. Er hat es nicht einmal nötig, bis zum Satzbau fortzuschreiten, sondern darf sich getrost einer Vermischung von Wortvorstellungen und Bildern hingeben. Er soll eben nur für den Schöpfer verständlich und genießbar sein, seine Privatangelegenheit im vollsten Sinn des Wortes bleiben.«[97]

Nach Sachs könnte man den Prozeß der Rezeption, bei dem im Idealfall die Rezipienten ihre Phantasien in die Texte einarbeiten, als einen der Formung begreifen. Das gilt erst recht, wenn es sich nicht um bewußtes, sondern um unbewußtes Phantasiematerial handelt: »Literature transforms our primitive wishes and fears into significance and coherence, and this transformation gives us pleasure.«[98] Man kann diese Transformation – ebenfalls nach Sachs' Argumentation – zugleich als eine Vergesellschaftung begreifen, bei der die abgedrängten Bedürfnisse ein öffentliches Medium erhalten, ohne daß sie gesellschaftlichen Sanktionen ausgeliefert würden.[99] Bei einer solchen Rezeption gelten die Werke im strengen Sinn als gegenwärtig, in überraschender Übereinstimmung mit Szondis für die Philologie aufgestellter These über die »unverminderte Gegenwärtigkeit auch noch der ältesten Texte«.[100] Gadamer bezeichnet dies als den Ausgangspunkt seiner Hermeneutik: »Die Erfahrung der Kunst entgegnet ja der historischen Verfremdung der Geisteswissenschaften mit dem siegreichen Anspruch auf Gleichzeitigkeit, der ihr eignet.«[101] Freud hat eines seiner zentralen Theoreme, das über den Ödipuskomplex, geradezu anläßlich der Gegenwärtigkeit von Sophokles' Drama eingeführt.[102]

Es zeichnet noch die fortgeschrittenste psychoanalytische Literaturinterpretation aus, daß sie selbst nicht psychoanalytisch legitimiert werden kann: sie muß den »gemeinsamen Tagtraum«, der Autor, Werk und Publikum – auch über historische Abstände hinweg – im Idealfall vereint, notwendig *stören,* indem sie gerade die Wünsche benennt, die in ihm, durch das Werk larviert, befriedigt werden. Man könnte daraus folgern, daß die psychoanalytische Literaturtheorie und -interpretation eigentlich nur das Funktionieren derjenigen Kultur beschreibt (und nur implizit auch kritisiert), die Herbert Marcuse als die »affirmative Kultur« der bürgerlichen Gesellschaft analysiert hat[103]. Dazu paßt, daß die Psychoanalytiker der Literatur der Moderne in der Regel indifferent, sogar feindlich gegenüberstanden,[104] obwohl diese Literatur tendenziell dasselbe tut wie sie, wenn sie literarische Werke interpretieren: nämlich

den problemlosen Konsum scheinbar autonomer Werke stören und dabei zugleich gesellschaftliche Normen kritisieren. Darauf hat Jean Frois-Wittmann hingewiesen, ohne daß sein Beitrag allerdings Folgen gehabt hätte.[105]
Immerhin läßt sich der psychoanalytischen Literaturtheorie und -interpretation ein Modell entnehmen, das die Rezeption literarischer Werke als literarischer, das die ästhetische Erfahrung klären könnte. Wenn die Werke individuelle Phantasien ausformulieren und zugleich kollektivieren, ohne sie als solche kenntlich zu machen, dann läßt sich von hier aus ein individueller wie kollektiver Bildungsprozeß konzipieren, in dem die Rezeption immer wieder mit dem Versuch verknüpft sein muß, die im Medium der Literatur formulierten Bedürfnisse aus dieser herauszulösen und zu überprüfen, ob sie als reale anerkannt und befriedigt werden können. (Diesen Aspekt vernachlässigen u. E. die im übrigen dieselbe Linie verfolgenden Überlegungen von Dieter Wellershoff.[106])

VI

Habermas hat den von Freud eher beiläufig eingeführten Begriff der ›Illusion‹[107] behutsam zu erweitern versucht und dabei Freuds Kulturtheorie wiederaufgenommen: die Illusion als kollektive Bildung enthält (wie die individuelle Phantasie) mit einem Stand der gesellschaftlichen Unterdrückung[108] (bzw. der individuellen Verdrängung) zugleich auch die Wünsche, die erfüllt sein wollen, die aber in den von der kulturellen Tradition überlieferten Illusionen (wie in der individuellen Phantasie, sofern sie nicht pathogen ist) auf eigentümliche Weise stillgestellt sind: »In ihr [der kulturellen Überlieferung] haben sich die projektiven Gehalte der Wunschphantasien, die abgewehrte Intentionen zum Ausdruck bringen, niedergeschlagen. Sie können als Sublimierungen aufgefaßt werden, die virtuelle Befriedigungen darstellen und eine öffentlich lizensierte Entschädigung für den aufgenötigten Kulturverzicht gewähren.«[109] Dies beschreibt auch das Funktionieren der ›affirmativen Kultur‹: den konfliktlosen, befriedigenden Umgang mit Fiktionen, der darüber hinaus noch der herrschenden Klasse vorbehalten sein kann. Auch am privilegierten Konsum von ›Kulturgütern‹ hat sich der Klassenkampf entzündet: Arbeiterbildungsvereine waren bekanntlich eine der ersten Organisationsformen der Arbeiterbewegung. Das Konzept, den Benachteiligten Zugang zu ›Kulturgütern‹ zu verschaffen, wirkt noch in Bourdieus Argumentation nach.
Aber der historische Prozeß kann »zunehmend Teile der kulturellen Überlieferung, die zunächst projektiven Gehalt haben, in Realität verwandeln; nämlich virtuelle Befriedigung in institutionell anerkannte umsetzen«.[110] Dies läßt sich auch auf die individuelle Biographie anwenden: die zentrale Wunschphantasie des Kindes, ›groß‹ und ›erwachsen‹ wie die Eltern zu sein, enthält auch Elemente, die im Fall gelingender Sozialisation und Enkulturation realisiert werden.
Vielleicht wird in diesem Prozeß nicht das Symbolsystem der Kunst überhaupt aufgehoben. Habermas hat sich zu diesem Punkt widersprüchlich geäußert: »[...] das Sprachsystem der Kunst verändert sich nur immanent, und zwar so, daß die Intentionen der alten Sprache in die neue eingehen«,[111] heißt es gegen eine als »Kulturstürmerei« auftretende Kulturrevolution. Dagegen faßt er später den Surrealismus

als »den geschichtlichen Augenblick, da die moderne Kunst programmatisch die Hüllen des nicht mehr schönen Scheins zerstört, um entsublimiert ins Leben zu treten«, was mit den »neuen Techniken der Massenproduktion und Massenrezeption« zusammengedacht werden muß: »Dieser Vorgang ist ambivalent. Er kann ebensowohl die Degeneration der Kunst zu propagandistischer Massenkunst oder kommerzialisierter Massenkultur wie andererseits auch die Umsetzung in eine subversive Gegenkultur bedeuten.«[112] Als Widerspruch gegen diese Bewegung gilt ihm hier das »formalistische Kunstwerk«, das sich ihr aber vielleicht nicht entgegenstellen läßt: Elisabeth Lenk hat nachgewiesen, wie sich Bretons Surrealismus aus seiner Aneignung Mallarmés, Lautréamonts und Valérys entwickelt hat;[113] Rimbaud war einer seiner Kronzeugen.[114]

Gewiß wird keine individuelle Rezeption oder die partikularer Gruppen das Symbolsystem der Kunst aufheben, aber die Rezeption der Werke könnte als ein Funktionswandel ihrer Elemente rekonstruiert werden. Dabei wäre historisch konkret zu klären, wie diese Elemente ihre ästhetische Funktion verlieren und eine praktische annehmen, wie aus der Literatursprache in die der historischen Situation übersetzt wird. Ob diese Übersetzung auch einen Fortschritt in Richtung auf neue Chancen der Bedürfnisbefriedigung, die Aufhebung von Repressionen bedeutet, ist freilich keineswegs ausgemacht. Gerade deshalb wird man an einer Idee des ›vollkommenen Verstehens‹ der Werke festhalten und jene Elemente der Werke im Bewußtsein behalten müssen, bei denen die Übersetzung aktuell unmöglich erscheint.

Wir können das Problem der Übersetzbarkeit nicht an unserem Interviewmaterial demonstrieren, weil die Übersetzungsversuche der Schüler noch relativ statisch blieben und vielfach auch zu deutlich den Text verfehlten. Auch in diesen Abweichungen setzten sich vielfach Phantasmen durch, sie unterschieden sich aber zu sehr von den vom Text angebotenen. So interpretierte der Schüler Dietrich Kafkas *Auf der Galerie* als Parabel auf das »vorprogrammierte Leben«: der Galeriebesucher weint am Ende, weil er erkennen muß, daß auch in der Zirkusveranstaltung als einer ästhetischen Gegenwelt nicht Spontaneität und Freiheit herrschen. – Es mag sein, daß sich der Sechzehnjährige ›realistisch‹ mit Fragen der Berufswahl beschäftigte, speziell der Frage, ob er wie sein Vater Chemiker werden, also sich »vorprogrammieren« lassen solle. Je lückenloser er seine Interpretation ausarbeitete, um so mehr phantasierte er sich aber auch in die Rolle des Vaters hinein: »Einer, der also vielleicht zehn Jahre den gleichen Beruf hat, der hat vielleicht das letztemal vor zehn Jahren frei entschieden, daß er zu dieser Firma gehen wollte. Da hat er sich mehr tragen lassen oder ist getragen worden, zwei bis drei Stufen höher geklettert, hat geheiratet, weil es eben... weil er die Frau ganz gern mochte, und weil es außerdem langsam fällig wurde.« (Das Stocken verdiente in diesem Zusammenhang eine eigene Interpretation.)

Wir haben anderswo am Beispiel von Eichendorffs *Aus dem Leben eines Taugenichts* demonstriert, wie eine 12. Klasse (Gymnasium) aus eher proletarischem Milieu den Text als eine Evasionsphantasie auffaßte, die aber inzwischen auf ein anderes Medium übergegangen ist: die Tourismusindustrie. Im Unterschied zum Taugenichts formulierte eine Schülerin immerhin deutlich, daß die evasorische Bewegung – das ›Gammeln‹ – ziellos und eigentlich enttäuschend ist.[115] Man kann annehmen, daß es überhaupt die Produkte der Unterhaltungsindustrie auszeichnet, Phantasien zu formulieren, die bewußtseinsfähig sind und deshalb leicht als solche erkannt und entwertet werden können, was ihre Kraft freilich nicht aufhebt.[116] Für diese Produkte gilt nicht, was Simon O. Lesser für die Lektüre von ›fiction‹ behauptet hat: »We turn to fiction [...] not so much to satisfy already known needs as to find out what our needs are.«[117]

Unter diesen Umständen wird eine Rezeptionsforschung, die jene, allerdings jeweils historisch zu überprüfenden, »Illusionen der Aufklärung« teilt,[118] gerade an dem ästhetischen Charakter der Werke festhalten und sich für die ›unverständlichen‹ interessieren müssen, deren »kommunikative Funktion« problematisch ist; will sie nicht in dem Phantasma, eine rational organisierte Gesellschaft sei schon erreicht oder stehe doch unmittelbar bevor, durch eine dezisionistische Parforcetour eine retrospektive Liquidierung der literarischen Tradition betreiben: als wäre Aufklärung gar nicht mehr nötig.

ROLF KELLNER

Schlachtfeld Heftroman. Der Abenteuer- und Kriminalroman als Beispiel zielgerichteter Aggression

I. 1

Kriminal-, Wildwest- und Science-fiction-Romanen ist ein auffallend hoher Anteil an Gewalthandlungen gemeinsam – für die Heftversionen dieser Sparten darf man sagen, daß solche Aktionen *das* konstitutive Element darstellen: Wortgefechte, Prügeleien, Mord und Totschlag sind nicht einfach nur ins Geschehen des Abenteuerromans integriert, sondern stehen an Höhepunkten einzelner Szenen wie der gesamten Handlung – meistens *sind* sie diese Höhepunkte.
Es ist darüber hinaus zu beobachten, daß viele der aggressiven Taten ohne innere Notwendigkeit eingefügt wurden, oft scheint es, als sei eine gewaltsame einer friedlichen Lösung vorgezogen worden.
Bisher ist nur pauschal auf den Umstand eingegangen worden, daß hier Aktionen zur Beliebtheit eines ganzen Genres beitragen, die in der gesellschaftlichen Realität als von der Norm abweichend gelten und von denen die Sozietät einige mit Höchststrafen belegt. Der Abenteuerroman sucht bewußt und intensiv ein Milieu auf, das der Bürger sonst entschieden meidet und zwischen dem und seiner eigenen Sphäre er in der Wirklichkeit eine unüberwindliche Trennwand gezogen wissen möchte; die Welt des Verbrechens, in der Gewalt vornehmlich stattfindet, dient ja nicht nur den Kriminalromanen, sondern, in entsprechend gewandelter Form, auch den Science-fiction- und den Wildwest-Heftromanen als Ort der Handlung.
Die aktuelle Diskussion, die vor allem um die *Brutalität im Fernsehen* entbrannt ist, befaßt sich vornehmlich mit der *Wirkung* der dargestellten Gewalt und versucht – meist empirisch – Effekte verschiedenster Art nachzuweisen: die Ergebnisse der entsprechenden Untersuchungen zeigen »eine fatale Eigenschaft«, wie Hansjörg Bessler nicht ohne Sarkasmus anmerkt: »Die Hypothesen haben sich alle – obwohl sie doch untereinander nicht kompatibel sind – mehr (z. B. Stimulationsthese) oder weniger (z. B. Katharsisthese) bestätigt, und zwar in dem Sinne, daß sich in Laborexperimenten (und auch in Felduntersuchungen) immer wieder empirische Evidenz für solche Zusammenhänge ergab.« [1]
So liegen zwar über die Auswirkungen von Gewaltdarstellungen eine Fülle von Arbeiten vor, über die Qualität von fiktionaler Aggressivität aber fehlen genauere Untersuchungen. Man kann sich des Eindrucks nicht erwehren, daß hier der zweite Schritt vor dem ersten getan wird: ohne die Ursachen in ihren Einzelheiten zu kennen, möchte man deren Folgen ergründen.
Die vorliegende Untersuchung am Abenteuerheftroman stellt einen ersten fragmentarischen Versuch dar, diesen Ursachen nachzugehen. Wenn man als Prämisse akzeptiert, daß Lektüre und Lebenswirklichkeit des Lesers in einem Zusammenhang stehen, so gilt es dabei zwei Richtungen zu verfolgen: Einmal müssen die Wurzeln

dieser Bedürfnisse nach fiktionaler Gewalt aufgedeckt werden, zum anderen ist es nötig, den Verlauf der aggressiven Strebungen im Roman zu analysieren. Erst ein Vergleich der Entstehungsbedingungen des Bedürfnisses nach Aggression mit den Formen seiner Befriedigung kann dann eventuell Aufschlüsse über die Wirkungen von Gewaltdarstellungen geben.

2

Nach Gerhard Schmidtchen lesen in der Bundesrepublik Deutschland 37 % der Frauen und 36 % der Männer über 16 Jahren Heftromane – 49 % der 16–29jährigen, 38 % der 30–44jährigen, 30 % der noch Älteren;[2] 13–15jährige Schüler der Haupt-, Mittel- und Oberschule konsumieren sie nach einer Untersuchung von Bernd Lehmann zu fast durchweg 80 %[3]. Über zwei Drittel der über Sechzehnjährigen lesen ein Heft und mehr im Monat, 11 % fünf bis neun Hefte, 8 % zehn und mehr. Auf jeden Heftromanleser kommen im Jahr durchschnittlich 32,9 Hefte, etwa zwei Stück in drei Wochen.
Entsprechend hoch fällt die Produktion aus: obwohl kaum ein Exemplar von nur einer Person in die Hand genommen wird, werfen die Verlagshäuser 320 Millionen Hefte pro Jahr auf den Markt;[4] einzelne Serien haben Wochenauflagen, die mancher Schriftsteller sich für sein Lebenswerk wünscht: G-man Jerry Cotton vom Bastei-Verlag erreicht in 250 000facher Ausfertigung 1,4 Millionen Anhänger,[5] space-heroe Perry Rhodan von Moewig wird wöchentlich 200 000mal verkauft;[6] dazu kommen häufig noch zweite und dritte Auflagen der alten Hefte sowie Taschenbuchausgaben. Solche Zahlen lassen sich natürlich nur bei festen Leserkreisen mit eingefahrenen Lesegewohnheiten erreichen.
Viele Leser begnügen sich auch nicht mit den Heften nur eines Genres: Die von Schmidtchen ermittelten Korrelationen des Leseinteresses zeigen deutliche Beziehungen zwischen Soldaten- und Kriegsromanen, Kriminalromanen, Zukunftsromanen und Tatsachenromanen (was immer darunter verstanden wird). Das ganze Ausmaß des Verlangens nach ›harter Unterhaltung‹ aber tritt erst zutage, wenn man die entsprechenden Produkte der anderen (Massen-)Medien mit in die Betrachtung einbezieht.
Die Tatsache des immensen Konsums muß um so verwunderlicher erscheinen, als die einzelnen Sparten dem Leser regelmäßig nichts Neues bieten; die Anzahl der Grundmuster, die immer wieder variiert werden, ist verhältnismäßig gering, Personenkonstellation und Handlungsverlauf stehen von vornherein fest, und der (für den Helden) positive Schluß ist ausgemachte Sache. Im Gegensatz zum nicht serienmäßig erscheinenden Buch wird das Neue, Andersartige aber wohl auch gar nicht angestrebt. Layout, Serien- und Hefttitel, der Vorspann, der Autorenname (meist ein Pseudonym, unter dem mehrere schreiben) und die Signale des entsprechend aufbereiteten Eingangskapitels sind die Gewähr dafür, daß den Leser Gewohntes erwartet.
Wenn man die verbreitete Diskriminierung berücksichtigt, der Lesestoff und Konsumenten ausgesetzt sind, erstaunt die Intensität der Lektüre eigentlich noch mehr. Zu dieser Erscheinung haben Volksbibliothekare, Pfarrer, Lehrer, Juristen, Kritiker

und ›bessere‹ Schriftsteller beigetragen, und die Gründe für ihre ablehnende Haltung waren vielfältig: entsprechend ihrem jeweiligen Metier sahen sie Gefahren für Geschmack, Seelenheil, Lebenstüchtigkeit, individuelle und öffentliche Moral und die eigenen Auflagenziffern.
Die Literaturwissenschaft hat hier ebenfalls nicht zurückgestanden: die allgemein verwendete Terminologie und das oft immer noch übliche dichotomische Literaturmodell sind ein so beredtes Zeugnis für die Diffamierung der Lektüre, wie es die herablassenden Bezeichnungen ›der einfache‹ oder ›der ungebildete Leser‹ für die Konsumenten sind; Begriffe, die sich nur graduell von Hermann Brochs »Kitsch-Menschen«[7] und Walther Killys »Kitschpublikum«[8] unterscheiden.
Die pejorative Beurteilung der Trivialliteratur ist nicht nur unter aufgeklärten Nichtlesern gängig, sie erreicht auch die Konsumenten und wird von ihnen weitgehend akzeptiert: »Objektiv nehmen Romanhefte sowohl im Vergleich zur Presse, wie im Vergleich zur Buchkultur eine Zwischenstellung ein, der ihre »Exkommunikation« aus der Öffentlichkeit entspricht. Subjektiv wiederholt sich dieser Sachverhalt beim Leser als erlebtes Kulturtabu, Schuldgefühl gegenüber der eigenen Lektüre [...]«;[9] so massiv wirkt dieses ›erlebte Kulturtabu‹, daß eine Umfrage der Münchner ›Arbeitsgruppe Massenliteratur‹ daran scheiterte: »Nach erheblichem Arbeitsaufwand erzielten wir (10 Teilnehmer der Gruppe) insgesamt 11 Interviews ... Die Reaktionen der Befragten: befangen bis abweisend bis aggressiv die Lektüre dementierend.«[10]
Im Gegensatz zu Zeitung und Fernsehsendung kommt der Heftroman nicht regelmäßig und anonym ins Haus, sondern muß am Kiosk oder in der Bahnhofsbuchhandlung, im Papierladen oder am Zeitschriftenstand des Kaufhauses erstanden werden. Jede Neuerwerbung provoziert die Kritik der anderen und weckt neue ›Schuldgefühle‹.[11]
Wenn Heftromane trotz ihrer Uniformität, trotz der Bekämpfung durch Autoritäten und der niederen Einstufung durch die Literaturwissenschaft gelesen werden und wenn dies geschieht, obwohl die Konsumtion am liebsten vor der Öffentlichkeit verborgen und bei direkter Befragung sogar abgeleugnet wird, dann müssen hier Bedürfnisse vorliegen, die jenseits von Unterhaltungs- und Zerstreuungsbestrebungen zu suchen sind. Nicht zu Unrecht ist diesem zwanghaften Lesen suchtartiger Charakter attestiert worden,[12] der durch die Verlage mit Hilfe einer flexiblen Anpassung des Konzepts an die jeweiligen Kundenwünsche perpetuiert werden kann.

3

Die Produzenten von Romanheften überlassen bei der Herstellung ihrer Waren so wenig wie möglich dem Zufall: Instrumente verschiedenster Art wie Umfragen, Testleser und Leserbriefaktionen tasten die Konsumentenvorstellungen ab, die in Form von Anweisungen an die Autoren weitergereicht werden.[13] Die »Verschmelzung zwischen des Autors Intention und des Lesers Rezeption«, die nach Norbert Groeben »das wirksame – ästhetisch rezipierte – literarische Werk ist«,[14] braucht so beim Heftroman kaum stattzufinden. Des ›Autors Intention‹ ist vor allem die Vorstellung des Lesers und damit weitgehend mit seiner Rezeption identisch.

Da »die Autoren« hier wirklich »schon für eine bestimmte Leserschaft« schreiben,[15] die sie genau kennen, besteht in diesem Bereich tatsächlich ein Zusammenhang zwischen dem »Bild seines Lesers«, das »jedes literarische Werk enthält«,[16] und dem realen Leser als Rezeptionssubjekt; ein weitaus engerer jedenfalls als der, den Harald Weinrich für die Werke der ›hohen‹ Literatur anzunehmen scheint.
Deshalb ist auch der von den Autoren »intendierte Leser«[17] nicht nur eine ›Leserrolle‹, sondern eine Funktion des Lesers selbst. Als eine von deren auffälligsten Komponenten muß das enorme Maß an Aggression angesehen werden, auf das hin die Texte konzipiert sind.
Der Kreis mutet geschlossen an: Was der Käufer verlangt, produziert der Verlag mit Hilfe seiner Autoren, die sich nach den Bedürfnissen richten, die der Verlag eruiert hat. Aber er ist es nur dem oberflächlichen Blick: Weshalb die profitorientierten Verlage produzieren, ist unschwer zu erkennen – daß aber, wie der Science-fiction-Autor Stanislaw Lem behauptet, Markt- und Werbungsmechanismen auch für den Wiederholungszwang der Leser verantwortlich sein sollen, muß bezweifelt werden: »Es ist damit ganz wie mit den Kühlschränken oder Kraftwagen: bekanntlich müssen die neuen Modelle keineswegs technisch besser sein als die vorjährigen. Aber die Produktionsmaschinerie muß, um in Gang zu bleiben, einfach immer neue und neue Modelle auf den Markt werfen. Die Werbung übt einen Druck auf den Verbraucher aus [...]«.[18] Ohne ein intensives Bedürfnis kann ein Wirtschaftszweig von solchen Ausmaßen gewiß nicht existieren, und die Reklame für Abenteuerromane z. B. ist außerhalb der Hefte selbst bemerkenswert zurückhaltend, sowohl was ihren Umfang als auch was ihre Aufdringlichkeit betrifft; es wird darin auch weniger die ›Neuheit der Modelle‹ als vielmehr höchstens die Steigerung der an den alten geschätzten Eigenschaften ins Feld geführt: »Die Jagd auf Ronco ist von beispielloser Härte und Spannung.«[19]
Walther Killy erklärt die ›Sucht‹ immanent literarisch: »Der Kitschautor gewann die Überzeugungskraft seiner Produkte nicht zuletzt aus der Häufung der Reize [...]. Mit dem Buch ist der Reiz dahin und das Bedürfnis stellt sich neu. Es drängt nach Wiederholung und neuer Bewahrheitung in endlosen Variationen: die Trivialliteratur wird zur Konsumware, der Leser zum Konsumenten, und eine ganze Industrie sucht das geweckte und erkannte Bedürfnis zu unterhalten«;[20] beim Kunstwerk sei das ganz anders: »Die Unendlichkeit eines Werkes von Rang fordert zu immer erneuter Betrachtung auf, welche sich als um so unerschöpflicher erweisen wird, je höher jener Rang, je verständiger der Leser ist. Die Endlichkeit des Trivialen hingegen läßt mit dem Buch auch das Interesse schwinden.«[21]
Immerhin entdeckt Killy noch einen vagen Zusammenhang zwischen Triviallektüre und Leben: Der Konsument liest »vielleicht nicht allein um des Genusses willen, sondern auch in der unbewußt bleibenden Hoffnung, es möchte hinter dem bunten Kaleidoskop aus Märchenbausteinen nochmals ein Blick sich eröffnen auf den Zusammenhang der Dinge«.[22]
Realitätsnäher sind die Erklärungsversuche, die von anderer Seite unternommen wurden: Alfred Franz sieht in seinem Aufsatz *Lesen als Lebensersatz* »einen Mangel an Betätigungsmöglichkeiten in der modernen zivilisatorischen Situation«[23] als Grund für den Konsum von Unterhaltungsliteratur. Ähnlich urteilt auch Hans Harald Breddin: »In einer total bürokratisierten, gelenkten und verplanten Welt

ohne die Möglichkeit des Lebensabenteuers wird das Phantasieabenteuer gesucht.«[24]
Diese und ähnliche Vermutungen setzen eine wohl im Psychischen verankerte menschliche Eigenschaft voraus, in der Ernst Schultze bereits vor 50 Jahren in seinem Buch *Die Schundliteratur, ihr Wesen, ihre Bekämpfung* den Anlaß zur Triviallektüre sah: eine »Sucht des menschlichen Geistes nach Aufregung und nach Abenteuern« [25] liefert die Leser dem ›Schund‹ aus.
All diese Deutungen übersehen geflissentlich die ausgeprägt aggressive Komponente der ›Abenteuer‹ und das kriminelle Milieu, in dem der überwiegende Teil sich abspielt. Sie drücken sich um die Beantwortung der Frage, weswegen ein so großer Teil der deutschen Bevölkerung ein immenses Interesse an dieser in Heftform verbreiteten Sphäre bekundet. Es ist ja nicht nur der Verbrecher, der im Abenteuerroman seinen Aggressionen freien Lauf läßt; auch der Held, sei er nun Kriminalbeamter, Western-Sheriff oder ein Mitglied einer interplanetarischen Streitmacht, zeigt sich in ähnlicher Weise aggressiv. Der Zug zur Gewalt ist mit der »Faszination [...], die das Böse ausstrahlt«[26], sicher nicht hinreichend zu erklären. Da die Leser es sind, die aktiv durch die Bekanntgabe ihrer speziellen Wünsche und passiv durch ihren fortgesetzten Konsum entscheidend an der Gestaltung des Abenteuerromans mitwirken, sind die Ursachen weniger beim Produzenten als bei ihnen selbst zu suchen.

4

Es muß bezweifelt werden, daß, wie Urs Jaeggi behauptet, zwei kategorial verschiedene Lesertypen existieren, die auf je verschiedene Weise Trivialliteratur rezipieren: »Die einen kennen nur den trivialen Genuß, die anderen haben Spaß an der Trivialität.« Jaeggi konzediert aber der ›Kunstliteratur‹, die vor allem von denen gelesen wird, die seiner Meinung nach ›Spaß an der Trivialliteratur haben‹, daß sie von dieser auf ihre Weise profitiere: »Die Verwendung nicht nur trivialer Inhalte, sondern auch trivialer Formen macht heute auch die ›hohe‹ Literatur weltläufiger;« das, so folgert er richtig, ermöglicht allerdings keine »klassenlose Rezeption«[27] dieser mit trivialen Elementen angereicherten Texte – deutet nicht aber diese Tatsache auf eine einheitliche Verarbeitung der Partikel in den verschiedenen Rezipientenschichten, wobei auf diese Weise die auch dort vorhandenen ›niederen‹ Bedürfnisse legalisiert werden?
Nicht ganz ohne Berechtigung verkündet einer der auf diesem Sektor führenden Produzenten, der Bastei-Verlag, in seiner Werbung, daß sich seine Leserschaft nachweislich aus allen Schichten und Bildungsstufen rekrutiert: »Das Institut für Demoskopie bestätigte den Bastei-Leuten [...], daß die soziale Gliederung ihrer Leserschaft dem Bevölkerungsdurchschnitt entspricht: 17 Prozent der Leser gehören der Oberschicht und der gehobenen Mittelschicht an, 73 Prozent gehören zur breiten Mittelschicht.«[28] Mag man auch mit dem hier verwendeten euphemistischen Schichtenmodell nicht einverstanden sein, so fällt es doch schwer, die Berechtigung des von einigen Verlegern beanspruchten Etiketts ›Volksliteratur‹[29] zu widerlegen.
Immerhin hat auch Gerhard Schmidtchen in seiner Studie *Lesekultur in Deutschland*[30] konstatiert, daß 19 % der leitenden Angestellten und Beamten des gehobenen

und höheren Dienstes, 23 % der selbständigen Geschäftsleute und 8 % der Freiberuflichen Heftromane lesen; wenn 13 % der Westdeutschen mit Abitur und 26 % mit mittlerer Reife zu den Konsumenten zählen, so sind das Mengen, die bei einer Analyse der Konsumgründe nicht einfach vernachlässigt werden dürfen.
Zwar sind – ebenfalls nach Schmidtchens Recherchen – die Anteile bei den niederen Schichten wesentlich höher: 31 % der Landwirte, 45 % der Angelernten und Hilfsarbeiter, 45 % der Facharbeiter und 35 % der einfachen Angestellten und Beamten des einfachen und mittleren Dienstes greifen mehr oder weniger oft zum Heftchen. Und wenn mit 41 % der Volksschulabsolventen doppelt soviele als solche der weiterführenden Schulen diese Lektüre bevorzugen, so ist sicher Peter Nussers Feststellung berechtigt, daß »Groschenromane [...] in erster Linie von der sozialen Unterschicht konsumiert und für sie geschrieben werden« – aber ist die bemerkenswert hohe Anteilnahme höherer Schichten wirklich allein mit einer – im übrigen wohl sehr optimistisch veranschlagten – »Durchlässigkeit zwischen den sozialen Schichten zu erklären«[31]?
Die These verliert ihre Plausibilität, wenn man den Heftromankonsum von Schülern ins Auge faßt. Nach der bereits genannten Untersuchung von Bernd Lehmann an Ludwigsburger Volks-, Mittel- und Oberschulen,[32] bei Angehörigen aller Schichten also, lasen nur die 13- und die 15jährigen Volksschüler zu weniger als 80 % Romanhefte; die 14jährigen Mittelschüler erreichten sogar eine Quote von 98 %. Dabei überwog bei weitem das Abenteuer- gegenüber dem Liebes- und Heimatgenre.
Solch hohe Prozentzahlen lassen sich sicher nicht allein mit einem (noch) unausgebildeten Geschmack erklären; ebensowenig die Hartnäckigkeit, mit der die Heftchen allen Angriffen von seiten der Schule wie Verboten, apriorisch diffamierender Behandlung oder mit ›guter‹ Literatur vergleichender Betrachtung widerstanden haben. »An dem Faktum des Trivialliteratur-Konsums kann die Schule unmittelbar nichts ändern«,[33] resümieren Ulrich Hain und Jörg Schilling dieses Scheitern. Nur wenige Schüler wenden sich von der ›schlechten‹ Lektüre ab und der ›guten‹ zu. »Die restlichen Leser werden mit je schlechterem Gewissen, je stärker die abschreckende oder ablenkende Wirkung des Unterrichts war, *doch* zum gehobenen Unterhaltungsroman und Intellektuellen-Comic, zum Kriminalroman oder zum Frauen- oder Landserheft greifen müssen – gemäß den Arbeitsbedingungen und dem allgemeinen Streß.«[34]
Von besonderer Wichtigkeit ist hier die Auffassung der Autoren, daß die gemeinsame *Schulsituation* das Ausmaß des Trivialverbrauchs entscheidend bestimmt. Zur Charakterisierung dieser Schulsituation seien an dieser Stelle nur einige Gedanken des Kapitels ›Die aggressive Schule‹ aus Josef Rattners Buch *Aggression und menschliche Natur* zitiert:
»Seit Menschengedenken ähnelt der Schulunterricht einer Aggression, welche die ältere Generation an der jüngeren verübt [...] Die Lebendigkeit des Kindes erfährt in der Zwangsschule eine massive Drosselung. Das stundenlange Stillsitzen und das passive Entgegennehmen des Lernstoffes sind erste Anleitungen zur Produktion des Zwangscharakters [...] Das um seine Lebendigkeit durch den Erziehungszwang betrogene Kind wird zum innerlich unfreien, dysphorischen, ressentimentgeladenen Menschentypus, der sich selbst und andere Menschen negiert. Blockierte Motorik

wird tiefenpsychologisch als eine der Quellen der Aggressionsstimmung betrachtet [...] Aber die gehemmte Lebendigkeit muß zu tiefen Verstimmungen und Selbstentfremdung führen. Sie speist die allgemeine Frustrationsempfindung, die bei leisesten Anlässen in Aggression umschlagen kann. Auch die Autorität des Lehrers gibt aggressiven Gefühlen weiten Raum. Zunächst sind die Kinder Aggressionsempfänger; sie sind Opfer der Lehrerlaunen, einer straffen und oft unmenschlichen Disziplin unterworfen [...] Der allgemeine Wettbewerbsgeist unserer Schulen fügt ein weiteres hinzu [...] So entsteht eine Kampfstimmung zwischen den Kindern, die um die Gunst der Lehrer und Eltern durch Leistungen buhlen [...] Die zwanghafte Leistungsschule verhärtet die Gemüter. Auch muß man, um nicht mit dieser Schule in Konflikt zu kommen, allen Regungen der Selbständigkeit und Autonomie absagen [...] So werden die Kinder auf Grund von Examensängsten, Notendruck, Disziplin und Disziplinarstrafen im Laufe der Jahre in eine Autoritätsangst versetzt, die ihnen zeit ihres Lebens inhärent bleiben wird.«[35]

Rattner zeichnet hier zugegebenermaßen ein einseitiges Bild; die Schule hat auch einige erfreulichere Seiten. Das darf aber nicht darüber hinwegtäuschen, daß die von ihm aufgezeigten aggressiven und aggressionsstimulierenden Züge einen Großteil der *Schüler*wirklichkeit ausmachen und nicht einfach durch positive Erlebnisse zu kompensieren sind; nur wer sich an die bedrückende Lernatmosphäre nicht mehr erinnert, wird dem Autor nicht wenigstens teilweise zustimmen.

Rattner geht es, wenn er hier eingehend die Repressalien des Schulalltags schildert, hauptsächlich um die Darstellung einer ›Erziehung zur Aggression‹ in unserer Gesellschaft; in dem so überschriebenen Teil seiner Arbeit macht er neben der Schule auch Elternhaus, Spiel und Sport und das Militär für diese Fehlentwicklung verantwortlich. Ihr Nach- und Nebeneinanderwirken erzeugt seiner Meinung nach den zur Aggression disponierten erwachsenen Menschen. Nur am Rande wird angesprochen, daß auch die täglichen Frustrationen der unmittelbaren Abfuhr bedürfen.

5

Bei den beiden nach Schmidtchen umfangreichsten Leserschaften unter den Erwachsenen kann ebenfalls angenommen werden, daß gemeinsame, innerhalb der Gruppe weitgehend identische Bedingungen einen Einfluß auf das Ausmaß des Abenteuerroman-Konsums ausüben; bei den Arbeitern und kleinen Angestellten allerdings werden diese Bedingungen – im Gegensatz zu den Schülern – in entscheidendem Maße von der sozialen Position bestimmt (was nicht zu der Annahme verleiten darf, daß sie die Bedingung *ist*). Die unteren sozialen Schichten sind den ›Quellen‹, die Herbert Marcuse vornehmlich für die ›Aggressivität in der gegenwärtigen Gesellschaft‹ verantwortlich macht, am intensivsten ausgesetzt: einmal der »Enthumanisierung des Produktions- und Konsumprozesses« und zum andern dem »Zustand der Überfüllung, des Lärms und des unfreiwilligen Zusammenseins [in der] Massengesellschaft«.[36]

Wie sich vor allem der ›enthumanisierte Produktionsprozeß‹ für die Betroffenen darstellt, hat Urs Jaeggi in seiner Studie *Macht und Herrschaft in der Bundesrepublik* in aller Schärfe herausgestellt:

»Der Arbeitnehmer – ursprünglich vor allem der Arbeiter, jetzt in einem nicht geringen Ausmaß auch der Angestellte – ist einem straffen System der Abhängigkeit unterworfen. Der moderne Betrieb hat durch Arbeitsteilung und Arbeitszerlegung dem Arbeitnehmer den »Blick auf den Zusammenhang und das Ergebnis der Produktion verstellt und seine Arbeit ihres Sinnes entleert«: Der Unternehmer hat durch die Zentralisierung der Konstruktion, Planung und Überwachung der Tätigkeit des einzelnen Arbeitnehmers diesem jede selbständige Verantwortung genommen und ihn weitgehend zum Instrument in den Händen der Betriebsleitung gemacht. Er steht so als ›atomisiertes‹ Individuum im Produktionsprozeß den Anforderungen der Maschinen, Apparate und Anlagen gegenüber, die er nicht beeinflussen kann; er hat sich einem bestimmten System der Arbeitsbewertung, des Leistungsanreizes und der Lohnabfindung zu unterwerfen, die er ebenfalls nur geringfügig bestimmen kann; er untersteht, im Arbeitsvollzug und in seiner sozialen Stellung, den Weisungen direkter Vorgesetzter, die er blind auszuführen hat [...]
Die demokratischen Rechte hören an der Schwelle der Betriebe auf; sobald man durch ein Werktor geht, tritt man in eine autoritäre und absolutistische Gesellschaft ein, die so repressiv und starr von oben nach unten organisiert ist wie die Armee. Am Werktor enden die bürgerlichen Rechte – enden Versammlungsfreiheit, Redefreiheit, Pressefreiheit.«[37]

Es ist nicht von ungefähr, daß man sich augenblicklich nicht nur in Gewerkschafts-, sondern auch in Unternehmer- und Managerkreisen über eine Humanisierung der Arbeit Gedanken macht; denn, so *Der Spiegel* in einem ›Manchmal schlage ich irgendwas kaputt‹ überschriebenen Artikel: »Attacken gegen Vorgesetzte, Sabotage, Schlamperei, Go-slow-Aktionen und wilde Streiks« sind die Reaktionen, die die arbeitsplatzbedingte »aggressive Gereiztheit«[38] hervorruft.

Die verantwortungslose, untergeordnete Stellung hat nicht nur äußere, sehr reale Folgen – schlechte Bezahlung und die damit in engem Zusammenhang stehende Einordnung in niedere soziale Schichten –, sie bewirkt auch eine spezifische Vorstellung von der Gesellschaft, die für den Betreffenden selbst nur eine bestimmte Position bereithält: »Die Fixierung am Fuß der betrieblichen Autoritätspyramide, das Fehlen von Aufstiegsmöglichkeiten, die Situation der totalen Abhängigkeit, der individuellen Entbehrlichkeit und Austauschbarkeit, die permanente Überwachung und die hochgradig belastenden Arbeitsbedingungen sind so tiefgehend prägende Faktoren, daß nahezu alle Arbeiter, die sich überhaupt ein Bild von der Gesellschaft machen, in der sie leben, dieses Bild an der Struktur des Industriebetriebes orientieren, wie sie sich ihnen von ihrem Arbeitsplatz aus darstellt. Daß dies kaum eine ideologische Verzerrung, sondern durchaus ›realitätsgerecht‹ ist, hat die ebenfalls im vorigen Kapitel angestellte Betrachtung der ökonomischen Situation der Arbeiter erwiesen: Wenn die von Popitz u. a. befragten Hüttenarbeiter in der Mehrzahl ein dichotomisch auseinanderfallendes Gesellschaftsbild hatten, in dem ›die anderen‹ oben, sie selbst aber unten standen, so spiegelt sich darin sicher primär ihre betriebliche, nicht zuletzt aber auch ihre gesellschaftliche Situation. Das Bewußtsein der Arbeiter registriert, obwohl es nicht mehr Klassenbewußtsein im strengen Sinn ist, die nach wie vor bestehende Klassenlage recht präzis.«[39]

Abhängigkeit, fehlender Blick auf den Zusammenhang des eigenen Tuns, mangelnde Eigenverantwortung und -initiative, Fremdbewertung, unbedingter Gehorsam,

Kontrolle und Leistungsdruck sind nur einige der frustrativen Kategorien, die Schul- und Arbeitsplatzsituation gemeinsam betreffen. Aber auch das ›dichotomisch auseinanderfallende Gesellschaftsbild‹ ist beiden Personengruppen eigen: beim Schüler orientiert es sich allerdings entsprechend am Gegensatz Lehrer – Schüler, der ihm die Überlegenheit der Erwachsenen- über die Kinder- und Jugendlichenwelt am eindrucksvollsten vor Augen führt. Wie jedoch auch der Arbeiter und kleine Angestellte vermag er die Ursprünge des Drucks von oben nicht zu lokalisieren; der Schüler lernt nur die letzten Vermittler kennen, an denen er ausschließlich einen geringen Teil der durch sie mitverursachten Aggressionen abreagieren kann, will er nicht mit Gesetzen und Bestimmungen in Konflikt kommen. Denn das ist ja die Paradoxie des Untergebenendaseins: daß die als frustrativ empfundenen Verhältnisse von der Gesellschaft legitimiert, ja gefördert werden, weil man sie – die Betroffenen meist nicht ausgeschlossen – als Garant der herrschenden Lebensform begreift.[40]

Die größten Lesergruppen haben also nicht nur ähnlich strukturierte Entstehungsbedingungen aggressiver Strebungen, ihnen ist auch gemeinsam, daß die ›Schuldigen‹ als Objekte zur Abreaktion nicht (an-)greifbar sind. Das sich täglich regenerierende Maß an Frustration, das aus diesen Verhältnissen resultiert, drängt natürlich auf befreiende Erledigung. Die anfallenden Mengen der zumindest triebähnlichen Energien sind nicht mehr allein durch *Sublimierung* (Ausrichtung auf sozial wertvolle Bereiche) oder *Verdrängung* ins Unterbewußte abzubauen, sondern suchen in aggressiven Akten Entladung. Die gemäße Abreaktion, die am frustrierenden Agens, zeigt sich jedoch verstellt. Das Aggressionspotential muß verschoben, d. h. auf Ersatzobjekte gelenkt werden, an deren Schicksal, so wird am Abenteuerheftroman zu zeigen sein, durchaus noch die ursprünglichen Strebungen zu erkennen sind.

›Gewichtigere‹ Tätigkeit und höhere hierarchische Position können im übrigen subjektiv als ähnlich repressiv empfunden werden; auch hier können die Arbeitsbedingungen so frustrierend wirken, daß Verdrängung und Sublimierung als Erledigungsmechanismen nicht mehr in Frage kommen.

6

Bevor die besondere Eignung des Abenteuerromans für die Abreaktion – und damit aller mehr oder weniger ähnlichen Produkte der verschiedenen Medien an einem Beispiel vorgeführt werden soll, sind noch die für diesen speziellen Zusammenhang relevanten Aspekte der psychologischen Aggressionstheorien kurz in Erinnerung zu bringen. Dies scheint um so nötiger, als die öffentliche Meinung im Augenblick noch weitgehend von den herausragenden Vertretern einzelner Richtungen beeinflußt wird, die die Existenz aggressiver Strebungen beim Menschen meist als die Folge einer einzigen Ursache zu erklären suchen.

»Seit einiger Zeit mehren sich die Stimmen, die sich für eine *multikausale*, pluralistische Erklärung der Aggression einsetzen« faßt Eduard Naegeli die jüngste Entwicklung zusammen. »Dies geschieht aus der Überzeugung heraus, daß einseitige Erklärungsmodelle für den Forschungsprozeß zwar unumgänglich sind – nicht zuletzt angesichts der verwirrenden Komplexität des Aggressionsphänomens –, daß aber andererseits eine erfolgreiche Auseinandersetzung mit der Aggression differenziert zu erfolgen hat. Je nach Situation ist einem der verschiedenen möglichen Aspekte [...] der Vorrang einzuräumen oder eben darauf Bedacht zu nehmen, daß meistens verschiedene Faktoren an ein und demselben Aggressionsverhalten beteiligt sind, wobei allerdings [...] die einzelnen Faktoren sich nur mit großen methodischen Schwierigkeiten ›isoliert herausarbeiten‹ lassen.«[41] Der Zusammenhang des ›Aggressionsverhaltens Heftromanlektüre‹ mit der frustrativen Umwelt seiner Leser sowie die Häufigkeit dieses Verhaltens legen nahe, hier *vorrangig* einen ›Reaktions‹-Vorgang von Frustration und Aggression anzunehmen.

Die Hypothese: »Aggression ist immer die Folge einer Frustration« hatten die Yale-Forscher Dollard, Doob, Miller, Mowrer und Sears bereits 1939 aufgestellt und mit zahlreichen Beispielen belegt.[42] Dieser Kernpunkt der Theorie ist bis heute unwiderlegt, einige ihrer weiterführenden Thesen allerdings erwiesen sich später als revisionsbedürftig. So mußten Dollard u. a. selbst die von ihnen behauptete Folgerung, daß »die Existenz einer Frustration immer zu irgendeiner Form von Aggression« führt,[43] dahingehend abändern, daß Aggression eine von mehreren Reaktionen auf Frustration sein könne; ferner nötigte sie das Vorkommen von divergierenden aggressiven Entladungen bei verschiedenen Personen auf identische Frustrationsmengen, verschiedene Aggressionstypen anzusetzen. Diese unterschiedliche Disposition zu aggressivem Verhalten kann inzwischen mit anderen aggressionsstimulierenden Mechanismen plausibel gemacht werden: u. a. mit mehr oder weniger häufigen frühkindlichen Frustrationserlebnissen (›Langzeitmodell‹)[44] oder verschieden intensiv erlerntem aggressivem Habitus (›Lerntheorie‹)[45]; der in letzter Zeit vor allem von Konrad Lorenz[46] proklamierte und popularisierte ›Aggressionstrieb‹ verliert in der Wissenschaft immer mehr an Fürsprache.

Auch die von den Yale-Forschern zugrundegelegte Definition einer Frustration (»Zustand, der eintritt, wenn eine Zielreaktion eine Interferenz erleidet«[47]) reicht zur Deutung einzelner reaktiver Handlungen nicht mehr aus und mußte auf »praktisch jedes unliebsame Ereignis, jede[n] Mangelzustand«[48] erweitert werden.

Die modifizierte Reaktionstheorie läßt die Zurückführung bestimmter aggressiver Symptome auf ihren Ursprung zu; die individuelle Stärke der Aggression allerdings regelt daneben die von den anderen Quellen abhängige Prädisposition. Für die Analyse der Gewaltdarstellungen des Abenteuerromans als aggressive Akte ist der letztere Aspekt insofern nicht von Bedeutung, als die Aggressionen hier gewissermaßen als Fertigprodukte vorliegen.

Die ›befriedigendste‹ Methode der Erledigung wurde bereits erwähnt: »Die stärkste Instigation, die eine Frustration hervorruft, haben Aggressionshandlungen, die sich gegen das Agens richten, das als Ursache der Frustration wahrgenommen wird; fortschreitend weniger direkte Aggressionshandlungen haben fortschreitend schwächere Instigationen.«[49] Der direkte Angriff auf die Frustrationserzeuger war den Heftlesern jedoch aus zwei Gründen versagt: Einmal gelten die frustrativen Bedingungen als legal, und eine Wendung gegen die Initiatoren hat Sanktionen zur Folge, zum anderen sind diese Initiatoren für die Betroffenen nicht zu identifizieren, weil vom Fuße der betrieblichen und schulischen Pyramide die herrschenden Machtstrukturen unübersichtlich erscheinen. Vor allem die Sanktionsdrohung hat spezielle Auswirkungen. Nach Dollard u. a. »läßt sich sagen, daß bei konstanter Stärke der Frustration das Auftreten einer Aggressionshandlung desto unwahrscheinlicher wird, je mehr Bestrafung für diese Handlung antizipiert wird«.[50] Die offene Aggression wird ›gehemmt‹: »Die Hemmung direkter Aggressionshandlungen stellt eine zusätzliche Frustration dar, die zur Aggression gegen das Agens instigiert, das als verantwortlich für diese Hemmung wahrgenommen wird, und die Instigation zu anderen Aggressionsformen erhöht«;[51] eine solche ›andere Aggressionsform‹ ist eben der Heftroman.

II. 1

Daß der Heftroman eine Gegenwelt zur alltäglichen darstelle, ist fast ein Topos der Trivialliteraturforschung geworden. Dabei wird übersehen, daß zumindest im Abenteuerroman die Dienstsphäre immer gegenwärtig bleibt: Der Cowboy und der Revolverheld reiten und duellieren sich durchweg im Auftrag von irgendwem, der Detektiv steht entweder in staatlichen oder privaten Diensten und die ›space-heroes‹ fühlen sich, wenn nicht einer bestimmten Institution, dann doch dem ›Solaren Imperium‹ oder unserer ganzen Galaxis verpflichtet; selbst bei so unbestimmbaren Gebilden wie ›Recht‹ und ›Gerechtigkeit‹ konnotiert der Leser die Instanzen, die sie im öffentlichen Leben vertreten. Dieser Zug wird noch von einem entsprechenden Vokabular unterstützt: ›Pflicht‹ und ›Verantwortung‹, ›sich die Nacht um die Ohren schlagen‹ und ›mühsam vorankommen‹, ›sorgfältig arbeiten‹ und ›streng nach Vorschrift vorgehen‹ sorgen dafür, daß auch der Leser seine Pflichten und Verantwortungen nicht vergißt.

In James R. Burcettes *Ein Millionär im Fadenkreuz*, Nr. 723 der ›Fledermaus-Kriminal-Roman‹-Reihe des Pabel-Verlags,[52] wird der Versuch einer Flucht in die Gegenwelt sogar thematisiert. Wie ein Glücksspielgewinn mutet die unerwartet vom Himmel fallende Reise des Helden Anthony Quinn und seiner Frau Carol an.

»Sie befanden sich auf Einladung von Esteban Maroto in Guatemala, der einer der reichsten Männer des Landes war« (6). Der war mit Quinns Vater befreundet, und anläßlich einer Reise »hatte er Anthony und Carol nach Guatemala eingeladen. Sie hatten höflichkeitshalber zugesagt, aber weiter nicht mehr an diese Einladung gedacht – bis vor zwei Wochen. Da hatte Carol in der Post einen Brief von Esteban Maroto mit zwei Flugtickets nach Guatemala City gefunden. Und da im Augenblick nichts Wichtiges vorlag, das nicht auch ihre beiden Mitarbeiter erledigen konnten, hatten sie sich entschlossen, die Einladung anzunehmen« (6).

Urlaubsstimmung klingt aber nur an: Anthony radebrecht ein wenig Spanisch und wird deswegen von seiner Frau geneckt, Carol findet »Land und Leute faszinierend« (6), und in einem kurzen Abschnitt werden im Lexikonstil die Sehenswürdigkeiten der Hauptstadt erledigt: »Carol war besonders vom Parque Minerva entzückt gewesen, der sich am Ende der Simeon Canas befindet. Inmitten des Parkes gab es die sehr sehenswerte Mapa de Relieve de Guatemala, eine 1905 angefertigte Nachbildung des ganzen Landes. Sie hatten die Kirchen San Francisco, Santa Domingo und die Kapelle Cerro del Carmen besichtigt [...]« (6 f.). (Auf ähnliche Weise lernen sie später auch die Nationalgerichte kennen.) Aber bereits während der Fahrt zu

den Besitzungen Marotos »im schneeweißen Cadillac des Millionärs« (7) wird die fragmentarische Urlaubsidylle gestört: Jemand verübt einen Anschlag auf Esteban Maroto, und als sich dann wenig später noch herausstellt, daß dessen Sohn und Schwiegertochter ermordet wurden, bittet er Quinn um Unterstützung: »Marotos Lippen zitterten. ›Helfen Sie mir, Mr. Quinn‹, stieß er schließlich hervor. ›Mit der hiesigen Polizei ist nichts anzufangen. Ich habe kein Vertrauen zu ihr. Bitte, übernehmen Sie die Aufklärung des Falles‹« (16).
Es ist kein Wunder, daß Quinn nicht sofort zustimmt, bedeutet dies doch das vorläufige Ende aller Erholungspläne: »Quinn zögerte. Dann schüttelte er den Kopf. ›Mr. Maroto, ich würde Ihnen gern helfen, aber ich sehe nicht, wie ich Ihnen von Nutzen sein kann. Ich kenne Land und Leute zu wenig, und mit meinem Spanisch komme ich nicht weiter‹« (16).
Aber Maroto bleibt hartnäckig: »›Das spielt keine Rolle‹, sagte der Millionär und winkte ab. ›Ich bitte Sie nochmals, helfen Sie mir!‹ – Quinn nickte. ›Gut, ich helfe Ihnen‹« (16).
Auch seine Frau ist nicht erbaut von der Entwicklung; als Anthony ihr erzählt: »Ich habe den Fall übernommen«, reagiert sie entsprechend: »Carol seufzte. ›Das dachte ich mir‹, sagte sie und lächelte schwach« (17).
Aber nicht nur Erholung versprach sich das Ehepaar Quinn in Mittelamerika. Die folgende Szene im Schlafzimmer der beiden läßt unzweideutig den Zusammenhang von Arbeit und sexueller Potenz durchscheinen:
»Sie öffnete die Tür, und Anthony nahm sie in seine Arme. Er küßte sie zärtlich. ›Das ist ein richtig verpatzter Urlaub, Liebling‹, sagte er und küßte sie nochmals. ›Ich hoffte, endlich einmal mit dir ganz ungestört zu sein, so eine Art zweiter Flitterwochen zu erleben, und jetzt sind wir in einen Mordfall verwickelt. Wir ziehen das Verbrechen magisch an‹« (26).
»Er trat einen Schritt zurück und sah sie an. Sie sah verführerisch aus. Das dünne Nachthemd betonte ihre schlanke Figur. Sie hatte ihr blondes Haar gebürstet.
Anthony fand seine Frau noch immer so begehrenswert wie am ersten Tag, als er sie kennengelernt hatte« (26).
Die Aufklärungsarbeit verhindert die ›zweiten Flitterwochen‹, und es ist nur konsequent, wenn Anthony Quinn nicht tut, was seine vorherigen Überlegungen eigentlich erwarten lassen, sondern anschließend gleich das Badezimmer betritt, um dort festzustellen, als er sich im Spiegel betrachtet: »Ich sehe müde aus, dachte er. Verdammt müde. Und er sah nicht nur so aus, er war es auch« (27).
Sowohl was die Erholungs-, als auch was die damit gekoppelte Liebesbereitschaft der Quinns anbetrifft, erfolgt eine Frustration, die im vollen Umfang die Definition von Dollard u. a. erfüllt: Die ›Zielreaktionen‹ erleiden eine abrupte ›Interferenz‹; der Leser in der Identifikation mit dem Helden und durch die deutlichen Anklänge an den eigenen Alltag vollzieht die Frustration nach – und befindet sich in der Situation, vor der er täglich steht. Mit dem Unterschied allerdings, daß ihm hier die ›Schuldigen‹ nicht unangreifbar und verborgen bleiben und daß er sie bestrafen kann. Jeder Kriminalroman verspricht ja die Ergreifung und Bestrafung des Täters, und nur der ganz anderen Leserkreisen zugängliche Detektivroman kann es sich leisten, auf das erstere mehr Gewicht zu legen als auf letzteres. Die von Verpflichtungen freien Helden haben sich aus Dankespflicht in Arbeitnehmer und der groß-

zügige Gast- in einen diese Abhängigkeit ausnutzenden Arbeitgeber verwandelt. Genaugenommen sind somit zwei Parteien für die Frustration der Quinns verantwortlich: der Millionär Maroto und die noch unbekannten Verbrecher. Und faktisch werden auch beide im weiteren dafür zur Rechenschaft gezogen; genauer gesagt: Der gesamte Roman schildert in seinen entscheidenden Phasen nichts anderes als die ›Bestrafung‹ dieser ›Schuldigen‹ mit Hilfe brutaler Gewalt.

2

Die Gegenwelt des Kriminalromans sei nicht nur durch Dispens von der Arbeit – was, wie festzustellen war, in diesem Sinne nicht zutrifft – und durch eine die Alltagsleere beseitigende Abenteuerlichkeit – wie z. B. Hans Harald Breddin behauptete[53] – charakterisiert, sondern auch durch *Reichtum.* Für Peter Nusser, der annimmt, daß der Heftroman bzw. »die in den Romanen dargestellten Gegenstände Vehikel für die Fluchtträume der Rezipienten sein können«, »arbeitet der Groschenheftkrimi mit mehr Reizsituationen im einzelnen als jede andere Gattung: Die Oberschicht erscheint hier nicht geschlossen als Milieu (wie im Frauenroman), vielmehr verteilen sich die Akzidentien ihres Reichtums (das Luxusappartement im Wolkenkratzer New Yorks, der Rennwagen, der Schmuck usw.) splitterhaft im Roman und geben dem Leser, weil nicht ganz aus dem Bereich seiner eigenen Zielsetzung fallend, um so größere Hoffnung, am Wohlstand zu partizipieren [...]«.[54]
Die Illusion des Reichtums für den ›Unterschicht‹-Konsumenten als Grund dafür, daß nur in wenigen Heftkrimis die oberen Chargen der Kriminellen und ihre Opfer nicht aus den ›besseren‹ Kreisen stammen? Das scheint nur auf den ersten Blick plausibel. Zuerst einmal ist doch zu konstatieren, daß die Helden der meisten Serien nicht der ›Oberschicht‹ angehören: Jerry Cottons roter Jaguar kann nicht darüber hinwegtäuschen, daß er das Gehalt eines staatlichen Angestellten bezieht,[55] und der Lebensstil des Chicagoer Rechtsanwalts Quinn ist, wenn er nicht gerade in Guatemala bei einem Millionär weilt, durchaus als gehoben bürgerlich zu bezeichnen.
Die Identifikationsobjekte ›partizipieren also nicht am Wohlstand‹, und für *Ein Millionär im Fadenkreuz* wie für die meisten der in der Oberschicht angesiedelten Romane muß bezweifelt werden, daß die Milieuzeichnung solche ›Hoffnungen‹ provoziert, sie provozieren soll. Die Beschreibung des Maroto-Clans beweist jedenfalls eher das Gegenteil.
Die Eingangsszene, die wie der ›klassische‹ Detektivroman den (Mord-)Fall präsentiert, macht das deshalb besonders deutlich, weil sie den Leser noch voraussetzungslos mit dem Geschehen konfrontiert.
José und Anabel Maroto – wie sich erst später herausstellen wird, der Sohn und die Schwiegertochter von Esteban – werden auf einer schmalen und kurvenreichen Straße an der Steilküste Guatemalas von einem unbeleuchteten Wagen verfolgt und aus ihm beschossen. Als José bei seiner wilden Fahrt einem quer über die Fahrbahn gelegten Baumstamm ausweichen will, durchbricht sein Wagen die Begrenzungsmauer und stürzt auf die Klippen. Am Tod der Insassen kann kein Zweifel bestehen.
Ein Vorgang, der im Grunde Mitleid mit den Opfern hervorrufen müßte, zumal der Anschlag unerwartet und besonders heimtückisch erfolgt. Aber Mitleid ist, ähn-

lich wie Aggression, nur über ein gewisses Maß an Identifikation möglich. Diese wird durch die spezielle Art der Personenschilderung weitgehend verstellt. Bereits der südländische Name, der dem Leser als erstes Wort entgegentritt, ist mit negativ gefärbten Konnotationen aufgeladen. So, wie der schlitzäugige Chinese im modernen Agentenroman zur Chiffre für den Kommunismus geworden ist, steht der Südländer für latentes Verbrechertum im allgemeinen und organisierte Unterwelt – die Mafia nimmt hier eine herausragende Stellung ein – im besonderen; die Süd- und Mittelamerikaner dürften dabei noch ein gutes Stück vor den anderen rangieren. Schon die Courths-Mahler rekrutierte, wie Gertrud Willenborg bemerkt, einen Teil ihrer Negativ-Figuren aus diesen Gefilden: »In vier Romanen, die in Südamerika spielen, kommen insgesamt sieben Argentinier und Brasilianer in einigermaßen tragenden Nebenrollen vor. Das Bild dieser Menschen ist denkbar schlecht. Alle sieben sind dargestellt als faule, unintelligente, hinterlistig schlaue Menschen.«[56] Die besondere Arbeitsmarktsituation im heutigen Deutschland hat dieses von Vorurteilen belastete Bild sicher nicht ändern können. »Die vornehmlich aus südlichen Ländern stammenden Gastarbeiter in der BRD lassen den Arbeiter um seinen Arbeitsplatz fürchten; dadurch wird die negative Einstellung gegen Südländer verstärkt. Mit diesen latenten Aggressionen rechnen die Diffamierungen der Abenteuerhefte.«[57]
Der unabdingbare schwarze schmale Oberlippenbart wird zwar erst bei der Untersuchung der Leiche beschrieben, aber der ›geübte‹ Leser hatte ihn sicher bereits eingangs assoziiert.
Außer seiner Rasse hat José Maroto noch eine weitere für dieses Genre unverträgliche Eigenschaft: Er ist ängstlich. »Der Wagen hinter ihm irritierte ihn« (4), »sein Hemd war verschwitzt« (4) – eine Folge der Aufregung –, er ›schreit‹, als die Schüsse fallen. Schlimmer noch:
»›Sie haben es auf uns abgesehen‹, sagte José Maroto ängstlich. Sein braungebranntes Gesicht war bleich geworden. Nervös fuhr er sich mit der Zunge über die Lippen. Er beschleunigte und schnitt brutal die Kurven. Dabei betete er, daß ihm kein Wagen entgegenkäme [...]« (4).
Josés Frau Anabel zeigt Furcht bereits vor der eigentlich gefährlichen Situation: »›Fahr bitte vorsichtig‹, sagte seine Frau, die immer Angst hatte, wenn sie diese Straße entlangfuhren« (3).
Mancher Leser kann sich hier eine seinen aggressiven Fahrstil kritisierende Beifahrerin in Erinnerung rufen und damit auch die Gefühle, die eine solche Hemmung der männlichen Ersatzpotenz wecken. Als die Gefährlichkeit der Situation zutage tritt, reagiert Anabel zuerst hysterisch (»›Fahr rascher!‹ rief Anabel voller Angst« [4]), danach ergibt sie sich willenlos ihrem Schicksal: »Die Felsen flogen an ihnen vorbei. Anabel hatte sich angstvoll in ihren Sitz gedrückt und die Augen geschlossen. Ihre Lippen bebten, und die Hände hatte sie zusammengekrampft« (5).
Ebenso aufschlußreich wie dieses äußere Bild der Angst ist das aus der täglichen Verkehrsunfallberichterstattung übernommene Vokabular und seine Anwendung auf Josés Fahrverhalten:
»Der Wagen hinter ihm kam rasch näher. Er trat aufs Gaspedal, und der schwarze Buik *raste rascher* die gut ausgebaute Straße entlang« (3).
»Er beschleunigte und *schnitt brutal* die Kurven« (4). »*Rücksichtslos* stieg er aufs Gas« (5).

»Wieder kam eine Kurve. José trat das Gaspedal durch und *raste* die nun gerade Straße entlang« (5; Hervorhebungen vom Verf.).
Obwohl die Situation eine riskante Fahrweise rechtfertigt, wird ihr doch – und damit dem Fahrer selbst – durch die Wortwahl negative Qualität unterlegt.
Die Partikel, die für die beiden Opfer Reichtum signalisieren, sind zwar dünn gesät, aber unübersehbar: »der schwarze Buik« (3), dessen »Klimaanlage ausgefallen war« (4), weswegen José »sich nach einem Bad« sehnte (4); Anabel wird als Josés »schöne Frau« (3) vorgestellt – alles Errungenschaften, die sich ein guatemaltekischer Landarbeiter nicht leisten kann. Bevor die Verbindung zum reichen Esteban Maroto geknüpft ist, sind dies bereits Hinweise auf den Wohlstand, der vollends zur Gewißheit wird, als zum Schluß der Szene die Täter von der Straße aus ihr Werk betrachten: »›Das waren die ersten‹, sagte der Mann böse. ›Bald sind alle tot. Dann gehört uns alles‹« (5).
Die Eingangsszene erfüllt mehrere Funktionen: Einmal bringt sie ein Gewaltverbrechen, das die Suche nach den Tätern, vor allem aber deren gemäße Bestrafung verspricht; sie teilt auch gleich das ›Motiv‹ mit (Geldgier), ein Aspekt, der zur Charakterisierung von Roman-Kriminellen unerläßlich ist;[58] die Zeichnung der Opfer fällt so negativ aus, daß der Leser nicht versucht ist, sich mit ihnen zu identifizieren – er erspart sich so ein Mitleiden und ein frustratives Erlebnis bei ihrem Tod; ja, es fragt sich, ob hier nicht noch eine gewisse Genugtuung aufkommt, wenn die als wohlhabend gekennzeichneten ›Hasenfüße‹ den Tod finden.

3

Im engeren Umkreis der Familie Maroto nimmt der Wohlstand ausladendere Formen an: Der »schneeweiße Cadillac« hatte die immensen Besitztümer des Millionärs schon annonciert, aber erst im weiteren Verlauf der Handlung läßt sich das Ausmaß seines kleinen Imperiums abschätzen. Immer wieder finden sich Hinweise auf den herrschenden Überfluß in den Text eingestreut:
»Sie erreichten dann den kleinen Ort Choluteck, von dem der Millionär Bürgermeister und Polizeichef war. Es war ein verschlafener Ort mit kaum fünfzig Häusern [...]« (10 f.).
»Und dann tauchte das Haus auf. Es war im Kolonialstil erbaut, ein gewaltiger Bau, der immer vergrößert worden war. Die Wände waren gekalkt und leuchteten in strahlendem Weiß. Um das Haus standen einige Palmen und Jacarandabäume« (11).
»Bedienstete liefen auf den Hof, und der Millionär erteilte einige Befehle« (11).
»Sie traten ins Haus, wo angenehme Kühle sie empfing. Die Räume, durch die sie kamen, waren großzügig eingerichtet. Harmonisch fügten sich alte Möbel zu modernen Einrichtungsgegenständen und bildeten eine geschmackvolle Einheit. Und überall standen kostbare Kunstgegenstände, bei deren Anblick mancher Museumsdirektor glasige Augen bekommen hätte« (11).
Der Eindruck, den die Quinns von der Familie selbst bekommen, ist anfangs neutral. Die Begrüßung der weitangereisten Gäste läßt jede südländische Begeisterung vermissen und muß auf den Leser ausgesprochen frostig wirken:

»Und dann wurde den Quinns die Familie des Millionärs vorgestellt. Die Frau des Hausherrn hieß Isabel und war Mitte Vierzig, eine noch immer außergewöhnlich schöne Frau, deren Haut sehr weiß war.
Der Alte hatte vier Söhne, die alle, mit Ausnahme des jüngsten, Rafael, verheiratet waren. Seine drei Töchter waren ebenfalls verheiratet.
Und dann gab es noch sechs Enkelkinder« (11).
Alle weiteren persönlichen Kontakte bleiben so unverbindlich; auf diese Weise entstehen für die weitere Entwicklung hemmende Sympathien gar nicht erst. Spätestens nach der Erteilung des Aufklärungsauftrags müssen die Quinns nach und nach erkennen, in was für eine Gesellschaft sie da geraten sind.

4

Erste Auskünfte erhalten sie von Rafael, dem jüngsten Sohn der Marotos. Dieser, von Quinn selbst als ein »guter Beobachter« (18) eingeschätzt, charakterisiert auf Verlangen des Rechtsanwalts die einzelnen Familienmitglieder. Er beschreibt den ermordeten José so, wie ihn der Leser nach der Eingangsszene taxiert hatte (und bestätigt auf diese Weise dessen Urteil): als unentschlossenen Schwächling:
»Und er versuchte sein ganzes Leben so zu sein wie Vater. Aber er war nur eine schwache Kopie, er hatte nicht die Kraft und die Ausstrahlung meines Vaters [...] Er wußte, daß er einmal den Besitz meines Vaters verwalten mußte, und diese Aufgabe war einfach zuviel für ihn« (18).
Auch Anabel erhält noch einen Seitenhieb:
»Er [José] heiratete eine ehrgeizige Frau, die ihn eine Zeitlang mitriß« (18).
Überhaupt kommen die Frauen der Maroto-Brüder nicht gut weg:
»Ernesto ist Arzt, das wissen Sie ja [...] Leider heiratete er die falsche Frau, so wie Felix. Es sind gutaussehende Frauen, doch sie erwarteten von der Ehe etwas völlig Falsches. Berta und Lupe sind lebenslustig. Sie wollten die Welt sehen, wollten Vergnügungen, und die bekamen sie nicht, und deshalb sind sie jetzt ziemlich unglücklich. Felix ist ein Schwächling, mit dem Lupe macht, was sie will« (18).
Aber auch für seine Schwestern und deren Männer hat Rafael wenig übrig:
»›Mit denen ist nicht viel los‹, sagte Rafael verächtlich. ›Dumme Gänschen. Und ihre Männer sind nicht viel besser. Ramon de la Fuenta ist Anwalt – ein ziemlich schlechter Anwalt, würde ich sagen. Er ist glücklich, daß er Constanza heiraten konnte. Jetzt hat er einen guten Posten, braucht nicht viel zu arbeiten und kann es sich gutgehen lassen. Domingo Santos ist ein unglaublich dummer Mensch. Er ist für die Kaffeeplantagen zuständig. Nun, er kann mit den Arbeitern gut umgehen. Und Carlos Serrano ist für den Einkauf zuständig. Er ist ein netter Kerl, hat ein sonniges Gemüt und ist immer für einen Scherz zu haben‹« (19).
Daß nach diesem Gespräch der ›Nestbeschmutzer‹ Rafael beim Leser ebenfalls keine großen Sympathien genießt, darf angenommen werden; er vervollständigt das düstere Familiengemälde, das er selbst zeichnete. Im Verlauf der Handlung bestätigen die einzelnen nicht nur die Beurteilungen, sie fügen ihnen meist noch einige unsympathische Züge hinzu.
Als weitere Verbrechen passieren und sich Verdachtsmomente dafür ergeben, daß

ein oder mehrere Familienmitglieder der oder die Täter sind, zeigen alle ihre ›wahren Gesichter‹.

»Die Atmosphäre im Haus war deprimierend. Jeder verdächtigte jeden, auch wenn es nicht offen ausgesprochen wurde [...] Die Trauer um die Toten war in den Hintergrund getreten. Die Angst ums eigene Leben trat immer mehr in den Vordergrund. Die Spannung wuchs« (36).

Rafaels Enthüllungen, die gegenseitigen Verdächtigungen und die mangelnde Trauer um Angehörige offenbarten schon wenig Familiensolidarität; daß diese nun völlig zerbricht, wird an einigen heftigen Rededuellen und Anschuldigungskampagnen demonstriert:

»Domingo Santos und Carlos Serrano brüllten einander über den Tisch hinweg an.
›Was starrst du mich dauernd an?‹ rief Santos. ›Habe ich Aussatz, oder weshalb glotzt du so dumm?‹
›Von dir lasse ich mir nicht vorschreiben, wo ich hinsehen darf!‹ rief Serrano wütend zurück.
›Du hältst mich wohl für den Mörder?‹ fragte Santos lauernd und beugte sich vor.
›Zutrauen würde ich es dir schon‹, knurrte Serrano.
›Das nimmst du zurück!‹ schrie Santos und sprang auf. Die Kaffeetasse fiel um, und der Kaffee floß über das Tischtuch.
›Hört sofort auf!‹ schrie der Millionär mit hochrotem Gesicht. ›Sofort aufhören!‹« (36f.).

Nicht nur Spannungen innerhalb der Gesamtfamilie, sondern – auch dies nahmen Rafaels Andeutungen vorweg – innerhalb der einzelnen Ehen treten nun offen zutage; nur die Esteban Marotos scheint davon verschont.

»›Ich will fort‹, sagte Felix. ›Möglichst weit fort. Lupe hat Angst, und das ist nur zu verständlich. Sie will ...‹
›Rede nicht so viel von mir‹, sagte Lupe. ›Du hast mehr Angst als ich. Du zitterst am ganzen Leib.‹ Die junge schwarzhaarige Frau mit dem runden Indiogesicht verzog verächtlich den Mund« (37).

Die Entwicklung der Figur des ursprünglich vorbildlichen Gastgebers Esteban Maroto ist merkwürdig zwiespältig. Auf der einen Seite geht sie völlig konform mit der der anderen Familienmitglieder: Der Millionär wirkt mit wachsender Seitenzahl zusehends abstoßender. Dieser Zug war in seiner ersten Beschreibung bereits angelegt (»ein mittelgroßer Mann mit einem harten Gesicht, das voller Falten war« [6]), er wurde aber durch die Schilderung seiner höflichen Zuvorkommenheit gegenüber den Quinns wieder zugedeckt. Erste Differenzen zeichnen sich ab, als Maroto Anthony bittet, den auf ihn verübten Anschlag geheimzuhalten: »›Wie Sie wünschen‹, sagte Quinn. Er fand es aber unklug. Es wäre sicherlich besser gewesen, den Familienangehörigen Bescheid zu sagen. Doch er war Gast und wollte sich nicht in die Angelegenheiten des Millionärs einmischen« (9).

Mit dem Anwachsen von Estebans Reichtum vor den Augen des Lesers nehmen auch die Hinweise auf seinen autoritären Charakter zu; seine Untergebenen behandelt er in ausgesprochener Vorgesetztenmanier und mit seinen erwachsenen Söhnen verkehrt er nur im Imperativ: »Setz dich« (24), »Klopf an« (31) und »Laß mich« (31) sind neben dem oben zitierten »Hört sofort auf« (36) nur einige Beispiele seiner verbalen Machtentfaltung. Auch der Held Quinn erhält, allerdings in milderer

Form, ähnliche Anweisungen und wird so an seine Abhängigkeit gemahnt: »›Bitte kommen Sie mit mir, Mr. Quinn‹, sagte er. ›Und du auch, Ernesto‹« (21).
Die ihn falsch dünkende Schlußfolgerung, daß ein Familienangehöriger unter den Tätern sei, quittiert er Quinn gegenüber mit einem ungehaltenen »Unsinn« (23), das er kurze Zeit später ebenso ungehalten seinem ungeliebten Schwiegersohn Ramon de la Fuenta an den Kopf wirft (24). Daß er diesen Mann seiner Lieblingstochter nicht gemocht und seine Fähigkeiten nicht hoch eingeschätzt hat, gibt er pietätvoll nach dessen gewaltsamem Tod bekannt – und zeigt sich damit nur als würdiges Oberhaupt seiner Familie (30).
Nicht allein der Leser – der es wohl im Grunde nie war –, sondern auch dessen Identifikationsobjekt Quinn ist längst nicht mehr auf Marotos Seite. Das Verhältnis, das sich seit der Ankunft kaum mehr auf gastfreundlicher Basis gestaltete, ist jetzt sichtlich noch distanzierter. »Die Quinns hatten schweigend zugehört und sich zu keiner Bemerkung hinreißen lassen, obwohl Anthony sich gern eingeschaltet hätte. Der herrische Ton des Alten schien ihm fehl am Platz« (37).
Auf der anderen Seite wird Esteban Maroto – oft unmittelbar danebenstehend – als ein unter Schicksalsschlägen zusammenbrechender Mann geschildert. Nun sind diese auch zahlreich und heftig genug: was das als Untertitel gesetzte Kurzresümee versprach (»Die ganze Sippe stand auf der Abschußliste, und der Mörder begann eiskalt, Namen für Namen abzuhaken [...]«), läuft vor den Augen des Lesers ab. Außer José und Anabel sterben der Schwiegersohn Ramon de la Fuenta und dessen Frau Constanza, der Sohn Ernesto und die Schwiegertochter Berta; dem Attentat auf den Millionär folgen ein Giftanschlag auf die gesamte Familie, zwei weitere auf die Quinns, bevor zuletzt Giftgas gegen die verbleibenden Sippenangehörigen verwendet wird.
Der eingehend beschriebene körperliche Verfall des Millionärs steigert sich von Schicksalsschlag zu Schicksalsschlag: Nachdem er anfangs selbst knapp dem Tod entgangen ist, zeigen sich nur unwesentliche Veränderungen: »Sein Gesicht war bleich, und der schmale Oberlippenbart war gesträubt« (8).
Anläßlich Josés und Anabels Tod »wird er grau im Gesicht«, »seine Lippen zittern«, als er Anthony um Hilfe bittet (16), und kurze Zeit später schöpft Anthony Quinn die zur Auftragserfüllung nötige Energie aus einem Blick »in das gramerfüllte Gesicht des Millionärs« (17). Der Giftanschlag läßt ihn wieder »bleich« werden (21), die Vermutung, daß der Mörder wahrscheinlich im Familienkreis zu suchen sei, hat sichtbarere Wirkung:
»Der Alte sah wie ein Gespenst aus. Seine Lippen zitterten, und Schweißtropfen standen auf der Stirn« (23).
»Das Gesicht des Millionärs war eingefallen, die Haut grau, und die Augen glänzten trübe« (23).
»Der Alte verfiel zusehends. Er schüttelte immer wieder den Kopf, und sein Gesicht war eine starre Maske« (23).
Nach dem dritten Mord kündigt sich der Kollaps an:
»Der Alte sah aus, als würde er jeden Augenblick zusammenbrechen« (30).
»Esteban Maroto bettete den Kopf zwischen die Hände. Er schluchzte leise« (30).
»Der Mann war innerhalb weniger Stunden um viele Jahre gealtert. Er ging wie ein uralter Mann und stützte sich auf seinen Sohn« (30).

Der Tod seiner Lieblingstochter Constanza hat einen Ohnmachtsanfall zur Folge (32), und die Ermordung von Ernesto und Berta gibt ihm den Rest; kurze Zeit, nachdem er mit »herrischem Ton« (37) und unter Aufbietung seiner ganzen Autorität als Familienoberhaupt wider jede Vernunft Söhne, Töchter und deren Ehepartner zum Ausharren im Unglückshaus gezwungen hat, wird er als beherrschende Persönlichkeit ausgelöscht; im weiteren spielt er nur noch eine untergeordnete Rolle. »Der Millionär stand unsicher auf und blieb stehen. Sein Körper zitterte. Quinn war sicher, daß sich der Mann von den Aufregungen nie mehr erholen würde. Der Alte war gebrochen« (43 f.).

5

Das Nebeneinander von negativen Eigenschaften – die von vornherein jede Identifikation verhindern – und Angst bzw. Leiden, das bei der Schilderung Esteban Marotos am deutlichsten hervortritt, kennzeichnet die Position, die der Leser dem Geschehen gegenüber einnimmt. »Das Erlebnis der Angst im ›Besiegten‹ und seine immer größer werdende Bereitschaft zur Flucht, sobald der Aggressor auftritt, erhöht das Lustgefühl in diesem. Der Machthunger wird stärker und wächst wie der Wunsch, immer öfter diese Macht zu demonstrieren und zu verkosten.«[59] Folgt man Hubert Gundolf, so weist des Millionärs detailliert wiedergegebene Leidensgeschichte bei gleichzeitig wachsender gefühlsmäßiger Distanz auf eine genießende Haltung des Lesers hin, die eindeutig der Perspektive des Aggressors nahekommt, sich auf jeden Fall weitgehend mit den Ergebnissen von dessen Tun identifiziert.
Maroto büßt hier dafür, daß er Merkmale des gesellschaftlichen ›Oben‹ auf sich vereinigt, die der Leser seiner Realität, vor allem seiner beruflichen, entnimmt. Nicht nur, daß er explizit als sehr wohlhabend – in der Hälfte aller Erwähnungen wird er mit »der Millionär« bezeichnet – und als Großunternehmer mit der entsprechenden Machtfülle und dem entsprechenden Habitus dargestellt wird, darüber hinaus aktualisiert das durch Abhängigkeit gekennzeichnete Arbeitsverhältnis, das Maroto dem Helden aufdrängt, die berufliche Situation des Konsumenten. Die Millionärsfigur eignet sich so zum idealen Ersatzobjekt für die hier aufgestauten Aggressionen, weil in ihr personifiziert und damit sicht- und angreifbar wird, was vor allem den Arbeitnehmern ›am Fuß der betrieblichen Pyramide‹, aber auch den anderen Lesergruppen, undefinierbar und durch Legitimität entzogen bleibt: Der Druck von oben ist in ihr als Kristallisationspunkt genau zu lokalisieren. Allerdings geben ihn nicht die in der Realität wie in der Fiktion den Druck verursachenden Arbeits- und Abhängigkeitsverhältnisse, sondern erst seine unsympathische Beschreibung zur Bestrafung frei.
Auf die Diskrepanz zwischen der erzählten Handlung – ein leidgeprüfter Familienvater muß die Ermordung eines Teils seiner Angehörigen miterleben – und den psychischen Vorgängen, die Elemente der Handlung unterschwellig in Gang setzen, brauchte im Grunde nicht erst noch hingewiesen zu werden. Die breite Untermauerung durch den Text läßt keinen Zweifel daran, daß das unerläßliche Vorspiel zu einer Demonstration von Recht und Ordnung eine weitere Funktion hat: es bietet bereits Gelegenheit zu voyeurhaftem Genuß an extremer Gewaltanwendung gegen eine in den meisten Abenteuerromanen als Aggressionsobjekte bevorzugte Menschengruppe.

Exkurs I

Die Widerstände gegen den Gedanken, daß jedermann Mordabsichten gegen seine Mitmenschen, ja gegen nächste Verwandte und Freunde hege, sind zumindest so alt wie Sigmund Freuds 1899 erschienene *Traumdeutung*. Seine These, daß »Träume, in denen der Tod einer geliebten verwandten Person vorgestellt und dabei schmerzlicher Affekt verspürt wird«, genau das »bedeuten, was ihr Inhalt besagt, den Wunsch, daß die betreffende Person sterben möge [...]«,[60] begründet Freud in dieser Schrift vornehmlich mit der Existenz von ins Unterbewußtsein verdrängten entsprechenden Kindheitswünschen. Seiner Meinung nach greift das Kind zu diesem äußersten Mittel, weil »die Vorstellung des Kindes von ›Totsein‹ mit der unsrigen das Wort und dann nur noch wenig anderes gemein hat [...] Gestorben sein heißt für das Kind, welchem ja überdies die Szenen des Leidens vor dem Tode zu sehen erspart wird, so viel als ›fort sein‹, die Überlebenden nicht mehr stören«.[61]
Das Kampfgeschehen des Ersten Weltkrieges ließ Freud die Todeswünsche weniger von der Realität abgelöst und nicht allein auf Träume beschränkt sehen. Er interpretierte sie nun als archaisches Relikt der menschlichen Natur: »Andererseits anerkennen wir den Tod für Freunde und Feinde und verhängen ihn über sie ebenso bereitwillig und unbedenklich wie der Urmensch. Hier zeigt sich freilich ein Unterschied, den man in der Wirklichkeit für entscheidend erklären wird. Unser Unbewußtes führt die Tötung nicht aus, es denkt und wünscht sie bloß.« Und er warnt davor, »diese *psychische* Realität im Vergleiche zur *faktischen* so ganz zu unterschätzen. Sie ist bedeutsam und folgenschwer genug«. Denn: »Wir beseitigen in unseren unbewußten Regungen täglich und stündlich alle, die uns im Wege stehen, die uns beleidigt und geschädigt haben. Das ›Hol' ihn der Teufel‹, das sich so häufig in scherzendem Unmute über unsere Lippen drängt, und das eigentlich sagen will: ›Hol' ihn der Tod‹, in unserem Unbewußten ist es ernsthafter, kraftvoller Todeswunsch. Ja, unser Unbewußtes mordet selbst für Kleinigkeiten; wie die alte athenische Gesetzgebung des *Drakon* kennt es für Verbrechen keine andere Strafe als den Tod, und dies mit einer gewissen Konsequenz, denn jede Schädigung unseres allmächtigen und selbstherrlichen Ichs ist im Grunde ein *crimen laesae majestatis.*«[62]
Die große Anzahl an fiktiven Tötungsdelikten im Heftroman, die nun ebenfalls als eine symbolische ›Beseitigung aller‹, die dem Leser ›im Wege stehen‹, ihn ›beleidigt‹ oder ›geschädigt‹ haben, angesehen werden muß, rückt diesen so in die Nähe der für den psychischen Haushalt unabdingbar notwendigen Phänomene wie Träume und kindliche ›Tagträume‹.
In diesem Zusammenhang ist vor allem die Diskrepanz zwischen auslösender ›Kleinigkeit‹ und ›drakonischer Strafe‹ beim aggressiv disponierten Menschen von Interesse; die Einsicht in die Tatsache, daß das Strafbedürfnis sich auch mit ›milderen‹ Formen der Gewaltentladung begnügt, war Freud angesichts der Kriegsgreuel zur Entstehungszeit der Arbeit gewiß verstellt.

6

Der Leser erlebt die Destruktion der Maroto-Sippe ausschließlich ›passiv‹ mit; in einer der Schadenfreude ähnlichen Haltung kostet er deren und besonders des Alten Leiden weidlich aus. Das aus heiterem Himmel hereinbrechende Unglück muß ihm schicksalhaft erscheinen, gewissermaßen als Reaktion auf seine eigene Abneigung.
Er ist – wie schon gesagt – mit der Wirkung der Verbrechen durchaus einverstanden, ohne sich dabei allerdings mit Taten und Tätern zu identifizieren. Das verhindert – wie bereits am Beispiel der Opfer demonstriert – eine entsprechende Charakterisierung, die jedoch hier um eine Dimension vertieft erscheint.
Die Distanzierung von den Marotos wurde vor allem durch eine im Äußerlichen bleibende Personenbeschreibung betrieben; zumeist ist das auch das bevorzugte Mittel im Abenteuerheftroman: kaum ein Krimineller, dem man nicht an seinen eng zusammenstehenden Augen, seiner gebrochenen Nase oder den Säbelbeinen seine extreme Natur von weitem ansieht.
Im wie eine Detektivgeschichte aufgebauten *Ein Millionär im Fadenkreuz* allerdings muß diese Methode zu kurz kommen: die Verbrecher, die bis zum Schluß in der Anonymität verbleiben, tauchen selbst nur zweimal für wenige Augenblicke auf, ohne daß ihr Äußeres in den Blick gerät.
Dafür wird ein anderes Mittel der Charakterisierung verstarkt eingesetzt: Die Schilderung ihrer Gewalttaten und deren Folgen distanziert, wie zu zeigen ist, wesentlich nachdrücklicher, weil diese beim Leser nicht nur der bewußten Beurteilung ausgesetzt sind.
Das erste Delikt ist der heimtückische Mord an José und Anabel, auf den bereits ausführlicher eingegangen wurde. Für den Zuschauer bleibt dieses Ereignis noch merkwürdig folgenlos: zwar wird die Zerstörung des Autos beim Aufprall auf die Klippen eingehender vorgeführt, über das Schicksal der Insassen jedoch erfährt man nichts. Dies wird erst zehn Seiten später bei der Untersuchung durch Quinn ausführlich nachgeholt:
»Vor dem Wrack blieben sie stehen. Hinter dem Lenkrad saß ein schwarzhaariger Mann, der einen schmalen Schnurrbart trug. Seine Augen standen offen und waren gebrochen« (14).
»Die Frau war aus dem Wagen geschleudert worden, und der Wagen hatte sie unter sich begraben. Nur ihre Beine sahen unter dem Wagendach hervor. Quinn wandte sich schaudernd ab« (14 f.).
»Das Wrack des Buiks wurde hochgezogen, und die Leichen wurden in einen Wagen verladen. Josés Frau war bis zur Unkenntlichkeit verstümmelt« (16).
Bei den beiden folgenden Morden werden dem Leser nur die blutigen Resultate präsentiert:
»Quinn preßte die Lippen zusammen und kniete nieder. Es war Roman de la Fuenta, der tot auf dem Rücken lag. Er trug einen fliederfarbenen Schlafrock. Seine rechte Hand umklammerte einen Colt, den er sich in den Mund geschoben haben mußte. Er hatte abgedrückt, und die Kugel hatte seinen Schädel gesprengt. Der Anblick war nichts für schwache Nerven, doch Quinn überwand das flaue Gefühl im Magen und untersuchte den Toten weiter. Es sah nach Selbstmord aus. Nach den Ereignissen des vergangenen Tages glaubte Quinn freilich nicht daran« (29).

»Das Gesicht des Toten war fast unversehrt, nur der Hinterkopf und die Schädeldecke waren völlig zerfetzt« (29).
Als man Romans Frau von seinem Tod Mitteilung machen will, findet man sie ebenfalls tot im Bett. Auch Constanza bietet ›keinen Anblick für schwache Nerven‹:
»Quinn bückte sich, schob das Haar des Mädchens beiseite und ließ es sofort wieder fallen. Er hatte den Strick gesehen, der um ihren Hals gebunden war. Das Gesicht des Mädchens war blau angelaufen. Die Augen, die fast aus den Höhlen traten, waren gebrochen. Der Mund stand weit offen. Es gab keinen Zweifel, sie war erdrosselt worden« (31 f.).
»Quinn drehte die Tote auf den Rücken und sah sie an. Jemand hatte ihr von hinten einen Strick um den Hals gelegt und brutal zusammengezogen. Er sah sich die Fingernägel der Toten an, fand aber keine Spuren dahinter. Wahrscheinlich war sie im Schlaf überrascht worden, und bevor sie sich wehren konnte, war sie schon tot. Er wunderte sich, daß sie nicht geschrien hatte, doch die Lösung fand er, als er ihren Mund und die Zähne untersuchte. Er fand Fasern auf ihren Lippen. Wahrscheinlich hatte ihr der Täter ein Tuch auf den Mund gepreßt oder sie geknebelt, was noch wahrscheinlicher war« (32).
Auffällig ist, daß die Beschreibung der Leichen aus der Perspektive des Identifikationsobjekts Quinn erfolgt. Nicht genug, daß jeder Leser die ekelerregenden Bilder selbst in Schaudern und Empörung umsetzen kann, er erfährt zusätzlich noch die Reaktion des ›hartgesottenen‹ Helden und daß sich sogar bei diesem ein »flaues Gefühl« bemerkbar macht. Das Unbehagen, das er bei Anthonys Untersuchung verspürt, überträgt sich gewiß auf die diese auslösenden kriminellen Handlungen.
Bei weiteren Morden kann sich der Konsument wieder selbst ein Bild vom brutalen Vorgehen der Verbrecher machen. Als sich Ernesto und Berta in Begleitung von drei bewaffneten Landarbeitern auf den Weg zu Ernestos Praxis machen, werden sie von zwei Männern mit Maschinenpistolen überfallen:
»Ernesto sah den zuckenden Feuerschein, und dann prasselten die Kugeln in den Jeep. Einer der Landarbeiter hob die Hände und brach zusammen, die beiden anderen hechteten aus dem Wagen und suchten Deckung. Da tauchte auf der rechten Seite ein weiterer Maskierter auf. Auch er trug eine Maschinenpistole, die loshämmerte und die beiden Landarbeiter mit Kugeln durchsiebte« (39 f.).
»Dann nahm sie der zweite Mann unter Feuer. Die erste Garbe durchlöcherte die rechte Seite des Mercedes. Der Mann hob die Waffe, und die Kugeln zerfetzten Bertas hübsches Gesicht. Sie war augenblicklich tot« (40).
»Ernesto keuchte. Nur noch fünfzig Meter, dann hatte er das rettende Wäldchen erreicht, doch er erreichte es nicht.
Seine Verfolger waren stehengeblieben.
Sie zogen gleichzeitig durch, und zwei Maschinenpistolengarben zerfetzten seinen Körper.
Die beiden Männer kamen näher und blieben vor dem Toten stehen. Der größere der beiden stieß den toten Arzt mit einem Fuß an.
›Er ist tot‹, sagte er. ›Jetzt müssen wir noch schauen, ob die Frau lebt.‹
Sie gingen ohne Eile zum Mercedes. Ein Blick ins Wageninnere genügte. Bertas Kopf war völlig durchsiebt« (40).
Die Heimtücke des Attentats auf den Millionär (8 f.) und der Anschläge mit Gift

(21 ff.), giftigen Spinnen (27 f.), herabstürzenden Felsbrocken (49 f.) und Giftgas (60 f.) paßt sich diesem Bild besonderer Grausamkeit und Skrupellosigkeit an.
Die spezielle Qualität der Verbrechergewalttaten fällt ins Auge, wenn man sie mit denen der Helden vergleicht; auch sie töten und verletzen ihre Gegner, aber der Unterschied zwischen beiden Gruppen ist nicht allein, daß die einen sich fürs Unrecht, die anderen fürs Recht einsetzen.
Anthony und Carol kommen erst zum Zuge, als alle Morde passiert sind und nachdem sie von den Tätern mit in den Kreis der Bedrohten einbezogen wurden: Der Spinnenanschlag und die künstlich erzeugte Steinlawine galten speziell ihnen, und das vergiftete Essen gefährdet sie ebenso wie die Familienmitglieder. Erst auf die – im Grunde unmotivierten – Angriffe erfolgt auch von ihrer Seite Gewaltanwendung.
Carol und ihr Mann töten im direkten Kampf mit den Gangstern je einen Menschen und verwunden einen weiteren, aber sie tun das auf eine auffallend unblutige Weise – jedenfalls aus der Sicht des Lesers.
»Eine Maschinenpistole hämmerte los, und Quinn ließ sich zu Boden fallen. Dann hörte er das Krachen der Schnellfeuerwaffe. Er hatte sich dicht an den Boden gepreßt und hob vorsichtig den Kopf.
Carol hatte gut getroffen. Einer der Maskierten riß die Arme hoch und fiel zusammen. Die Maschinenpistole schlitterte über den Felsen, krachte gegen einen Stein und flog auf den Weg hinunter« (50).
»Er preßte sich hinter einen Felsvorsprung, duckte sich und spannte die Muskeln an, dann schoß er. Einer der Männer fiel zu Boden. Die Maschinenpistole schlitterte über den Gang. Quinn sprang auf und zog sich tiefer in den Gang zurück. Der zweite Mann feuerte auf die Stelle, wo sich Quinn vor Sekunden noch befunden hatte.
Quinn schoß wieder. Er glaubte getroffen zu haben, da der Mann zusammenzuckte, doch er konnte es nicht genau feststellen. Der Maskierte ging rasch auf den Ausgang zu, dabei wandte er Quinn das Gesicht zu und schoß immer wieder« (52).
Die Quinns kämpfen nur aus einer ausgesprochenen Notsituation heraus, und sie töten, ohne selbst Hand anzulegen – auf größere Entfernung mit weittragenden Waffen. Die Folgen ihres Tuns werden kaum angedeutet. Nicht einmal den Anblick ihrer toten Opfer braucht der Leser zu ertragen, weil auch die Helden sich nicht mehr um sie kümmern. Anthony bedauert zwar später: »Schade, daß wir keine Zeit hatten, die beiden Toten zu untersuchen, aber das können wir später nachholen« (53); natürlich geschieht es dann nicht.
Selbst als der Hauptschuldige zur Strecke gebracht wird, passiert dies auf fast aseptische Weise:
»Hernando lief durch die Halle und schoß wieder auf Quinn, der das Feuer erwiderte. Er wollte den Mann nicht töten, er wollte ihn lebend haben. Er zielte auf die Beine und traf. Eine Kugel bohrte sich in den linken Oberschenkel des Mannes. Hernando zuckte zusammen und drehte sich um. Quinn blieb im Augenblick nichts anderes übrig, als in Deckung zu gehen. Er schoß nochmals, doch diesmal traf er nicht« (62).
»Hernando hatte die Garage erreicht und öffnete die Tür. Er drehte sich um und hob die Waffe. Quinn warf sich hinter den Brunnen und schoß wieder.
Hernando stieß einen lauten Schmerzensschrei aus. Die Kugel hatte sein linkes Knie zerschmettert, doch der Mann gab noch immer nicht auf« (62).

7

Die Differenz zwischen dem Töten der Quinns und dem der Banditen ist unübersehbar: Während die einen nur auf Angriffe reagieren, sich die Hände nicht schmutzig machen und anschließend einen sauberen Kampfplatz verlassen, greifen die anderen aus dem Hinterhalt und unvermutet an, scheuen sich nicht vor blutigem Kontakt mit ihren Opfern und lassen ein Schlachtfeld von abstoßender Gräßlichkeit zurück.
Der Zusammenhang mit dem psychischen Phänomen, das Konrad Lorenz als ›artspezifische Tötungshemmung‹ bezeichnet hat, ist unübersehbar. Die Helden benutzen ›Tötungstechniken‹, die diese Tötungshemmung nicht zum Tragen kommen lassen, weil sie so funktionieren, »daß dem Handelnden die Folgen seines Tuns nicht unmittelbar ans Herz greifen«.[63] Pistolen und Gewehre, Bomben und Raketen haben nicht nur deshalb die Art kriegerischer Kampfhandlungen grundlegend verändert, weil sie größere Quantitäten des Gegners sicherer vernichten können, sondern weil sie auch Emotionen beim Auslöser der Zerstörungskräfte weitgehend ausschalten: »Die Entfernung, auf die alle Schußwaffen wirken, schirmt den Tötenden gegen die Reizsituationen ab, die ihm anderenfalls die Gräßlichkeit der Konsequenzen sinnlich nahebringen würde. Die tiefen gefühlsmäßigen Schichten unserer Seele nehmen es einfach nicht mehr zur Kenntnis, daß das Abkrümmen eines Zeigefingers zur Folge hat, daß unser Schuß einem anderen Menschen die Eingeweide zerreißt. Kein geistig gesunder Mensch würde auch nur auf die Hasenjagd gehen, müßte er das Wild mit Zähnen und Fingernägeln töten.«[64]
Der Leser ›nimmt nicht zur Kenntnis‹, daß auch Carol Quinns ›Schuß einem anderen Menschen die Eingeweide zerreißt‹ – die Identifikation und der Tötungsakt werden nicht durch Unlustgefühle belastet.
Die Verbrecher morden gewissermaßen mit ›Zähnen und Fingernägeln‹, die eingehende Schilderung entweder der Taten selbst oder ihrer Folgen ersetzt das ›Zerreißen der Eingeweide‹ und erzeugt eine ›instinktive‹ Abneigung, die ebenso unterschwellig ansetzt wie die Aggression gegen die Millionärsfamilie.
Die auf diese Weise bewirkte Distanzierung von den Mördern erfüllt wieder vornehmlich zwei Funktionen: offiziell werden so entsprechend massive Gegenmaßnahmen gerechtfertigt – die ja dann auch zur Ausführung gelangen und die diesesmal den Leser identifikatorisch ›aktiv‹ und ›legal‹ daran teilnehmen lassen, außerdem schließt die Antipathie – wie schon bei der Maroto-Sippe – jede Identifikation und damit Frustration bei der Vernichtung aus.
Nachdem die Identität der Mörder aufgedeckt ist und sie gestellt werden konnten, holt der Autor nach, was am vollständigen Bild der Gangster noch fehlte: das unsympathische Äußere (das bisher unter der Maske des Biedermanns geschickt verborgen werden konnte), der schlechte Charakter, das aggressiv unbeherrschte Wesen und das niedrige Motiv (das zu Beginn schon kurz anklang), und rechtfertigt noch nachdrücklicher das unnachsichtige Vorgehen der Helden.
»Ihr Gesicht war nicht mehr hübsch, die Augen waren weit aufgerissen, und der Mund war wütend verzerrt. Ein unglaublicher Schwall von Schimpfwörtern kam über ihre Lippen. Sie spuckte Quinn an und beschimpfte ihn« (63).
»›Ja‹, stieß Lupe hervor. ›Ja, so war es geplant!‹

›Halt den Mund!‹ brüllte Hernando, doch Lupe hörte nicht auf ihn. Sie wußte, daß jetzt alles verloren war.
›Ihr hättet alle sterben sollen‹, schrie Lupe. ›Ich hasse euch alle. Alle, ohne Ausnahme. Ich wollte das Leben genießen, doch ich war hier eingesperrt. Ich konnte nicht fort‹« (64).
»›Du lügst!‹ brüllte Hernando. ›Du lügst! Du machtest mir den Vorschlag. Der Plan stammt von dir. Ich wäre gar nicht auf so eine Idee gekommen, du hast mich verführt und mich für deine Pläne eingespannt...‹
›Das stimmt nicht‹, widersprach Lupe. ›Du hast mich zum Mitmachen gezwungen. Ich konnte nicht anders. Du hast mir gedroht, meinem Mann zu sagen, daß ich mit dir ein Verhältnis habe‹« (65).

Exkurs II

Die Zeichnung des Verbrechers im Heftroman ist ohne Kenntnis seines Bildes und seiner Rolle in der Gesellschaft nur unzureichend verständlich; sie allein mit dem Wunsch nach vereinfachender Schwarzweißmalerei erklären zu wollen, hieße zu kurz greifen. Es wurde schon eingangs darauf hingewiesen, daß der rechtschaffene Bürger sich in der Realität gerade von dem Bereich betont absetzt, den er hier so ausgiebig frequentiert. Diese Distanz hat ihre Gründe, und sie bleibt auch nicht ohne Konsequenzen.
Natürlich lehnt der Normalmensch Kriminelle und kriminelle Delikte *auch* aus Empörung über Unrecht und Gewalt ab. Er fühlt sich *auch* in den Opfern bedroht und dringt *auch* aus Mitleid mit ihnen auf Bestrafung. Aber gerade beim letzten Punkt existieren zu viele Ausnahmen, als daß man eine durchweg humanitäre Gesinnung widerspruchslos akzeptieren könnte: Der Bürger kennt z. B. kein oder wenig Mitgefühl für – vor allem ›feindliche‹, auch ›neutrale‹ – Kriegsopfer, sogar für die (unschuldige) Zivilbevölkerung, seine mitleidende Haltung wird gehemmt bei Andersdenkenden, Andersaussehenden, Andershandelnden, und vollends versagt sein Mitleid – eben beim Verbrecher.
Die Wissenschaft weiß längst um die äußeren Bedingungen der Delinquenz und verlegt deren Ursachen mehr in gewisse gesellschaftliche Zustände und Mechanismen als in die Person des Verbrechers.[65] Die Ergebnisse sind so eindeutig und einleuchtend, daß selbst die sparsamen und schüchternen Aufklärungskampagnen einen durchschlagenden Erfolg hätten aufweisen müssen; die Reform der Bekämpfungsmethoden von Kriminalität in Richtung auf eine Humanisierung wäre als logische Folge unumgänglich gewesen.
Daß sich vor allem in der breiten Öffentlichkeit keinerlei Auswirkungen abzeichnen, setzt eine starke emotionale Gegenwehr voraus und zeigt, daß auch der rechtschaffene Normalmensch seine Verbrecher braucht. Friedrich Hacker hat in seinem Buch *Aggression* diese Abhängigkeit treffend charakterisiert: »Gäbe es keine Verbrecher und Verrückte (es gibt sie), man müßte sie als legitime Aggressionsobjekte zur kollektiven Triebabfuhr erfinden. Als Sündenböcke und Prügelknaben der Gesellschaft erfüllen sie die wichtige soziale Funktion, aggressive Strebungen abzuführen, die

unterdrückt und verdrängt werden müßten, wenn sie sich nicht im Aggressionsventil der Strafe und des Zwangs entladen könnten.«[66]
Man darf behaupten, daß in einem nicht in kriegerische Konflikte verwickelten Staat die Kriminellen die *einzigen* legalen Aggressionsobjekte sind und daß andere Gruppen erst über eine Kriminalisierung ins Schußfeld gebracht werden können. Die Intensität des Bedürfnisses wird evident, wenn man das Bild des Nicht-Delinquenten vom Delinquenten ins Auge faßt: »Die Wirklichkeit ist meist ernüchternd und enttäuschend, auch die Wirklichkeit des Verbrechens. Sie kann den hochgestellten Triebansprüchen nicht genügen. Der kleine mittelmäßige Verbrecher, der gewöhnlich im Gerichtssaal erscheint (auch in einer cause célèbre ist es selten anders), kann die Affektivität nicht genügend erregen.«[67] Deshalb erscheint der Verbrecher im Bewußtsein der Gesellschaft in all seinen verbrecherischen Eigenschaften stark überzeichnet: »Man will geradezu den Verbrecher als ein ›Untier‹, eine reißende Bestie auffassen«, aber nicht nur, »damit man sich um die Verantwortung gegenüber dem asozial werdenden Menschen drücken kann«,[68] sondern auch, weil sonst der Bestrafung im Psychischen Hemmungen entgegengesetzt werden. Die Einsicht in die Entstehungsbedingungen des Verbrechens und in die nicht so kategoriale Andersartigkeit des Verbrechers würde die Rechtfertigung für das ausschließlich auf Bestrafung basierende Verhältnis beseitigen.
Dieses Kriminellenbild hat nicht nur die »Gerichtsberichte« beeinflußt, die »allzuoft nicht den Verbrecher, wie er ist, sondern wie er sein soll«, schildern,[69] sondern auch auf die Verbrecherzeichnung dort eingewirkt, wo wirklich, wie Hacker postulierte, ›Verbrecher und Verrückte erfunden‹ werden: im Heftroman.
Die Haltung, die in der Wirklichkeit eingenommen wird, ist hier gleichermaßen in die Konstruktion eingebaut; der Jurist und Psychologe Paul Reiwald, der wohl als erster und bisher einziger dieser Diskrepanz zwischen Realität und Fiktion nachgegangen ist, hat vor allem »heroische Gemeinheit« und den Besitz eines »Verbrecherideals« als »Forderung[en] der Affekte an den Verbrecher« des Kriminalromans herausgearbeitet: »Der Verbrecher soll morden, gut, aber mit dem Haß und der Tücke eines Jago, er soll stehlen und betrügen, gewiß, aber mit der List und Gewandtheit eines Odysseus«; und er soll »*zu sich selber stehen, müsse mit sich einig sein.* Er soll ein Verbrecherideal haben, ein gutes Gewissen, ein Über-Ich, das die Begehung des Verbrechens billigt, ja fordert.«[70]
Die Mörder der Marotos erfüllen alle Bedingungen in hohem Maße: Sie morden ausgiebig, mit ›Haß und Tücke‹, und sie bekennen sich (s. vor allem die Rechtfertigung von Lupe) zu ihren Taten. Zu ergänzen wäre noch die abstoßende Grausamkeit der Taten und das zuletzt decouvrierend Vulgär-Häßliche des Äußeren. Das reicht aus, um auch in Burcettes Roman die von Reiwald als unerläßlich konstatierte »Verleugnung der Beziehung, die zwischen Leser oder Hörer und dem dargestellten Verbrecher statthat«,[71] zu ermöglichen.

8

Die Mörder sind – was die Romanfiguren bereits ahnten und der Leser sicher längst wußte – Angehörige der Familie Maroto. Nicht Blutsverwandte zwar, aber doch immerhin eine Schwiegertochter des Millionärs und der Bruder seines Schwieger-

mittelnde Ich: Das Über-Ich gibt sich augenscheinlich damit zufrieden, daß zu Beginn Unrecht und Unordnung geschaffen werden müssen, damit eine Wiederherstellung von Recht und Ordnung erfolgen kann; der Lustgewinn des Es an ebendiesen Taten bleibt dabei unbemerkt; gegen die Frustration der Bestrafung schützt die nachhaltige Distanzierung von Tätern und Taten.
Worauf Freud zurückführte, daß »der *König Oedipus* den modernen Menschen nicht minder zu erschüttern weiß als den zeitgenössischen Griechen«,[75] daß nämlich der Stoff in unserem psychischen Apparat durch unsere frühkindliche Entwicklung verankert ist, das scheint auch ähnlich für den Abenteuerroman zuzutreffen: dessen Stoffe erlauben die Abreaktion aggressiver Strebungen, die das tägliche Leben, vornehmlich der Arbeitsprozeß, immer wieder regenerieren, ohne daß es mit Gesellschaft und psychischen Instanzen in Konflikt gerät. Dies und die Tatsache, daß die aggressiven Akte Ersatzfiguren für das vorgestellte frustrierende Agens treffen, sichert dem Abenteuerroman seinen permanenten Erfolg.

9

Die Mächtigen und Reichen sind deshalb – auf jeden Fall in *Ein Millionär im Fadenkreuz* – nicht zu beneiden. Und die Welt des Wohlstands wurde auch nicht aufgebaut, um Sehnsüchte zu wecken oder »um so größere Hoffnung, am Wohlstand zu partizipieren«,[76] sondern um ihre Inhaber bis auf unbedeutende Reste zu vernichten. »Die Aggression entlädt sich« zwar wirklich »gegen Ersatzobjekte«, aber »die eigentlichen oder wichtigsten Urheber bleiben« *nicht* »ungeschoren«,[77] wie Peter Nusser behauptet.
Aus der Fülle der Kriminal- und Abenteuerromane lassen sich sicher Gegenbeispiele zu diesem Muster finden; aber bei eingehenderer Betrachtung der einzelnen Serien ist festzustellen, daß nur wenige – im übrigen auch die ›besseren‹ – nicht in gehobenem Milieu spielen und hieraus ihre Opfer rekrutieren und daß selten diese Umgebung sympathisch gezeichnet ist. Für den Täter – oder seine Auftraggeber – signalisieren Statussymbole in den meisten Fällen, daß auch er über Macht und Geld verfügt – wenn auch gewissermaßen mit umgekehrten Vorzeichen: der Mafia-Boß mit dem herrischen Auftreten und der nerzbekleideten Freundin ist fast eine stehende Figur in Jerry-Cotton-Heften geworden.
Solche Beobachtungen sind auch bei Fernsehkrimis wie z. B. dem *Kommissar* oder *Tatort* anzustellen, und was Christian Potyka in seiner Kritik der *Inspektor-Columbo-Reihe* als »Schwäche« auslegt, daß »der Mörder permanent aus sogenannten besseren Kreisen« kommt,[78] ist bei einigen amerikanischen Serien die Regel.
Aber auch im Wildwest- und im Science-fiction-Roman findet unentwegt dieser fiktive Klassenkampf statt, nur daß natürlich die Figuren in der entsprechenden Verkleidung auftreten: nach Jens-Ulrich Davids stellt im Westernheft der ›Typus des bösen Großunternehmers‹, »sei er Großrancher, Bankier, Spieler oder Grundstücksspekulant, [...] in 50 % der Hefte den Antagonisten«,[79] und der ›Erbe des Universums‹ Perry Rhodan, der in intergalaktischen Dimensionen denkt und handelt, kämpft bei seinen Unternehmungen einsichtigerweise nicht gegen untergeordnete Chargen der Wesen von fremden Sternen.

sohns Domingo Santos. Die beiden haben sich damit eines weiteren Vergeh
gegen ein im psychischen Apparat verankertes Tabu schuldig gemacht, das allerdin
auch im Verhalten der übrigen Marotos andeutungsweise angelegt war: Sie habe
das ›ambivalent‹ angelegte Verhältnis zu Freunden und Verwandten »entmischt«,[7]
indem sie nur noch ihren aggressiven Antrieben, nicht aber den diese sonst hemmen-
den erotischen freien Raum ließen. Was der Leser verdrängt und nur in seinen
Träumen zu äußern wagt, haben Lupe und Hernando ausgeführt. Wichtiger aber
noch ist, daß auch diese beiden, überbetont eben durch die Verwandtschaft mit den
Marotos, zur Oberschicht gehören und in ihnen wiederum Personifikationen der
vagen Vorstellungen und Eindrücke des ›Oben‹ bestraft werden.

Wie schon beim ersten Teil des Romans – der Ausbreitung des ›Falles‹ – so klaffen
auch beim zweiten – der ›Lösung‹ – äußere Handlung und die durch aggressive Strömungen gesteuerte Rezeption des Lesers deutlich auseinander. An der Oberfläche
erringt die Gerechtigkeit einen Sieg, die Haupttäter eines Sippenmordes werden
entlarvt und unschädlich gemacht, zwei ihrer Komplizen getötet. Unterschwellig
liefert der Roman Ersatzobjekte – in Gestalt von Vertretern der Oberschicht – der
Aggressionsentladung seiner entsprechend disponierten Leser aus; die überspitzte
Kriminalisierung und die Bedrohung der Helden (eine ›innerliterarische Frustration‹, die im Identifikationsobjekt das -subjekt trifft) legalisieren die Strebungen.

Von diesem zweigleisigen Vorgang dringt nur ein Teil ins Bewußtsein, während die
triebartig angelegte Komponente aufs Unterbewußte zielt. Die die Triebe beinhal-
tende Instanz des psychischen Apparates – Freud hat sie mit ›Es‹ bezeichnet – kann
so seinen Strebungen nachgehen, ohne daß die Instanz der anerzogenen Werte und
Normen – das ›Über-Ich‹ – auf Grund seiner Kontrollfunktion Einspruch erhebt. Mit
Hilfe dieser ›Triebrationalisierung‹ ist die Vermittlungsinstanz – das ›Ich‹ – in der
Lage, seinen Aufgaben ›korrekt‹ nachzukommen; nach Freud ist »eine Handlung
des Ichs korrekt, wenn sie gleichzeitig den Anforderungen des Es, des Über-Ichs
und der Realität genügt, also deren Ansprüche miteinander zu versöhnen weiß«.[73]
Das Lesen (auch von Heftromanen) als im Grunde asoziale Tätigkeit ist sicher wie
›Phantasieleben‹ und ›Kunstgenuß‹ »ausdrücklich den Ansprüchen der Realitäts-
prüfung entzogen und [bleibt] für die Erfüllung schwer durchsetzbarer Wünsche
bestimmt«.[74] So braucht das ›versöhnende‹ Ich die ›schwer durchsetzbaren Wünsche‹
des triebhaften Es – Töten und Strafen – nur gegenüber dem Über-Ich und seinen
ethischen Normen zu rechtfertigen; ein Konflikt zwischen beiden Instanzen hätte
Unlustgefühle zur Folge, die das nach Lustgewinn strebende Ich aber gerade zu vermeiden trachtet.

Zur Durchsetzung genügt, das zeigt das vorliegende Beispiel, wie darüber hinaus das
gesamte Abenteuerromangenre, der Hinweis auf die Fiktionalität des Geschehens
nicht. Das Über-Ich, so scheint es, sieht Gewalt erst gerechtfertigt, wenn sie in einem
Milieu stattfindet, das Gewalthandlungen glaubhaft macht, und wenn sie im Namen
der Gerechtigkeit geschehen (der Großstadtsumpf, der Wilde Westen, der Weltraum
und das russische Schlachtfeld; der Detektiv, der Sheriff, der ›space-heroe‹ und der
deutsche Soldat erfüllen diese Bedingungen). Dann ist Töten und Strafen ›offiziell‹
erlaubt, trotzdem aber wird die Notwendigkeit noch durch Notwehrsituationen verstärkt.

Aufschlußreicher aber noch ist die Verwendung von Gangsterdelikten durch das ver-

Es konnte an dieser Stelle ausschließlich ein Teil der aggressiven Strömungen des Abenteuerromans verfolgt werden. Daß es sich bei den stärksten von ihnen deutlich um gerichtete Aggressionen handelte, dürfte als erwiesen gelten, ebenso wie die Tatsache, daß diese auf Frustrationen der Berufssphäre reagieren. Damit scheint die verbreitete Auffassung widerlegt, daß allein (Unter-)Schichtenzugehörigkeit und mangelnde Schulbildung zu dieser Lektüre disponieren. Gerade aber die Verkettung mit Arbeitsplatz und Schule läßt das Ausmaß der Abhängigkeit von dieserart ›Unterhaltung‹ ahnen.

Auf dem Frustrations-Aggressions-Mechanismus transportiert der Abenteuerroman seinen ideologischen Gehalt,[80] der mit dazu beiträgt, daß sich die Betroffenen widerspruchslos in die frustrativen Bedingungen fügen; dazu verhilft auch, daß die kontinuierliche, zumindest teilweise Abreaktion Raum für die sich täglich regenerierenden Aggressionen schafft. Der Kreislauf ist so mehrfach abgesichert.

KLAUS F. GEIGER

Jugendliche lesen ›Landser‹-Hefte. Hinweise auf Lektürefunktionen und -wirkungen

›Landser‹-Hefte und ihre Inhalte – Einstellungen Jugendlicher zur Darstellung des Krieges – Wirkungen der Rezeption eines ›Landser‹-Textes – Lesemotivation bei ›Landser‹-Interessenten – Manipulation oder Bedürfnis? – Schlußfolgerungen

Massenhaft verbreitete Texte, ihre Produktion, ihre Inhalte und – ansatzweise – ihre Rezeption, sind zum Gegenstand literaturwissenschaftlicher Untersuchung avanciert. Eine Wissenschaft in der Legitimationskrise mußte ihren Gegenstandsbereich ausweiten:[1] Der Begriff Literatur, einst Ausdruck für Hehres und Echtes, wird – oft noch zwischen schützende Anführungszeichen gepackt – auch für Illustrierte, Sachbücher, Bestseller, Heftromane verwandt. Allerdings werden verschiedene Genres verschieden intensiv behandelt: So wächst die Comics-Bibliographie ins Uferlose,[2] Arbeiten über Science Fiction gibt es in großer Zahl[3] – eine Gattung wie das in großen Auflagen produzierte Kriegsbuch und, spezifischer, das Kriegsromanheft ist dagegen weitgehend unbeachtet geblieben.[4] Dafür lassen sich mehrere Gründe finden: Einmal fordern solche Bücher und Hefte gebieterischer als z. B. Liebesromane einen ideologiekritischen Zugang[5] statt des tradierten ästhetischen. Die säuberliche Trennung zwischen politischer und scheinbar unpolitischer wissenschaftlicher Analyse droht bei einem derartigen Gegenstand ins Wanken zu geraten. Es ist ungefährlich, Micky Maus mit ägyptischen Fresken in Verbindung zu bringen, Perry Rhodan mit der *Utopia* des Thomas Morus; aber die Wurzeln kriegsverherrlichender Massenliteratur in Buch- und Heftserien der Wilhelminischen Zeit zu suchen erfordert ein Überdenken des überkommenen Geschichts- und Gesellschaftsbildes.
Ein zweiter Grund für das Nichtbeachten kriegsverherrlichender Kioskliteratur mag in dem Verhalten derjenigen Individuen und Organisationen zu suchen sein, welche *vor* den Wissenschaftlern sich mit Massenliteratur beschäftigten: der Kämpfer gegen ›Schmutz und Schund‹. Denn diesen ging es um die Gefahren der Erotik, der Verbrechensverherrlichung, auch der Überfremdung nationalen Geistes – mit massenhaft verbreiteter Kriegsliteratur hatten sie nichts im Sinn, das heißt: nichts Kritisches.[6] Wurden einzelne Reihen als Kriegsschund verdammt, so wegen Fragen des schlechten Stils, der inhaltlichen Unwahrscheinlichkeiten, nicht aber wegen militaristischer und chauvinistischer Tendenzen;[7] denn solche Tendenzen waren ja auch und gerade die Basis mancher von den ›Schundkämpfern‹ gepriesener ›guter‹ Jugendschrift und eigener Traktate.[8]
Neben diesen historischen Gründen – der tradierten Forschungsperspektive und der tradierten Betonung anderer Genres – gibt es *heute* allerdings noch einen weiteren Grund, Kriegsromanhefte nicht als Untersuchungsgegenstand zu wählen: die Annahme, derartige Serien seien in der Bundesrepublik Deutschland ganz ausgestorben.

›Landser‹-Hefte und ihre Inhalte

Tatsächlich ist die quantitative Bedeutung der Romanheftreihen, die Erzählungen über den Zweiten Weltkrieg enthalten, seit dem Ende der Wiederaufrüstungsdebatte stark zurückgegangen: Zählte man 1959 noch mindestens dreizehn solcher Serien, so sind es heute noch zwei. Auch lassen sich ihre Auflagenzahlen nicht mit denen der Science-Fiction- und Krimireihen (angeführt von den wöchentlich erscheinenden 300 000 *Jerry-Cotton*-Heften [9]) vergleichen; nach Angaben von Händlern und Grossisten übersteigen ›Landser‹- und ›Landser-Großband‹-Hefte vermutlich nicht die Durchschnittsauflage von Romanheften in der Bundesrepublik Deutschland, d. h. 60 000 Exemplare pro Nummer.[10] Allerdings stellt sich die Frage, ob dies schon als Quantité négligeable zu bezeichnen ist: zwei selbständige Reihen, herausgegeben im Pabel-Verlag, der zum Bauer-Großkonzern gehört, und verkauft in Schreibwarenläden, Supermärkten und Kiosken; eine Auflagenzahl, welche diejenige der meisten Buchtitel bei weitem übertrifft, und eine noch weitaus höhere Leserzahl (muß man doch mit sieben Lesern pro verkauftem Exemplar rechnen[11]). Und der Verkaufserfolg scheint so stabil zu sein, daß der Verlag in den letzten Jahren die Zahl der produzierten Hefte allmählich wieder steigern konnte: gab es bis Anfang 1971 wöchentlich ein Heft (aus damals drei alternierend erscheinenden Reihen), danach ein Heft pro Woche und ein weiteres pro Monat, so werden heute jede Woche ein Heft und außerdem alle 14 Tage ein weiteres ausgeliefert. Heftreihen aber, von denen über 40 % der vom Verfasser 1972 befragten, durchschnittlich 15 Jahre alten, männlichen Jugendlichen mindestens ein Exemplar gelesen hatten, müssen auf ihre Inhalte und Wirkungen hin untersucht werden.[12]

In welcher Weise wird nun der Zweite Weltkrieg in den ›Landser‹-Heften dargestellt? Eine Inhaltsanalyse, hier in Stichworten zusammengefaßt, ergibt folgendes Bild:[13]

1. In diesen Erzählungen reduziert sich der Krieg auf die Handlungen kleiner Gruppen von Soldaten an der Front. Die Phänomene der geschilderten Angriffs- und Verteidigungsszenen werden aus ihrem ethischen und politischen Erklärungszusammenhang herausgelöst, indem Fragen nach Kriegsschuld und -ursachen ausgeklammert bleiben, indem die Zeit vor dem 1. September 1939 nicht dargestellt und die Realität der Konzentrationslager und Gestapo tabuiert wird, indem NS-Machthaber, wenn überhaupt, nur in bezug auf ihre militärischen Entscheidungen erwähnt werden.

2. Grauen und Tod werden nur in abgeschwächter Form in die Erzählrealität aufgenommen. Wo sie nicht gänzlich übergangen werden, sorgen verschiedene Darstellungstechniken dafür, sie ›genießbar‹ zu machen: durch Euphemismen, durch Pathos, durch die Neutralisierung menschlichen Leidens in der administrativen Sprache der Wehrmacht, durch Entlastungsmotive wie z. B. Erotik und ›Landserhumor‹, vor allem aber durch Handlungsspannung, die das mörderische Ziel der Handlungen übersehen läßt.

3. Die Autoren gestalten und werten die Ereignisse aus der Perspektive *einer* nationalen Armee, und das heißt in der überwältigenden Mehrzahl der Hefte: aus der Perspektive der Deutschen Wehrmacht. Die positiv gezeichneten, individuellen Vertreter dieser Identifikationsseite kämpfen gegen ›den‹ Feind, eine anonyme, be-

drohliche Masse. Dabei sind Unterschiede zwischen der Darstellung der West- und derjenigen der Ostalliierten festzustellen: die Sowjetsoldaten werden am wenigsten individuiert, am seltensten positiv gezeichnet, nie zu Hauptfiguren der Erzählung gemacht, sie sind der ›eigentliche‹ Feind in den ›Landser‹-Heften.[14]

4. Die positiven Eigenschaften der Identifikationsfiguren, die sogenannten soldatischen Tugenden, erweisen sich als bloße Sekundärtugenden,[15] welche die militärische ›Verwendbarkeit‹ des Menschen in beliebigen Situationen und für beliebige (in den Heften verschwiegene) Ziele gewährleisten. Letzter Wertungspunkt bleibt die Effizienz des Handelns für die Erreichung kurzfristiger militärischer Vorteile.

5. Damit hängt zusammen, daß Gestaltung und Wertung der Ereignisse nicht aus dem Blickwinkel des sogenannten ›Landsers‹, des einfachen Soldaten, erfolgen, sondern aus demjenigen der Wehrmacht und ihrer Offiziere, die als Vorbild- und Vaterfiguren die ›Landser‹-Erzählungen bestimmen.

6. Ungenannter, aber implizit immer vorhandener Fixpunkt der Hefte ist der militärische Sieg, speziell: der Sieg der Deutschen Wehrmacht.[16] Auf dieses Ziel beziehen sich die Handlungen der unwandelbaren Helden der Erzählungen, auf dieses Ziel bezieht sich ebenso die selektive Realitätsdarstellung der Autoren, die alle Handlungsalternativen verschweigen und das Verhalten der deutschen Militärs als selbstverständliche Folge neutraler Sachzwänge erscheinen lassen.

Aus der Inhaltsanalyse lassen sich Schlüsse auf die subjektive Funktion und die Wirkung der Rezeption von ›Landser‹-Heften ziehen. Tatsächlich stellen derartige ›Inferenzen‹ das Ziel vieler, auch quantifizierender Inhaltsanalysen von Massenliteratur dar.[17] Wenn allerdings festgestellt wird, daß zwischen Inhalten und Wirkungen ein logischer Zusammenhang besteht, so gilt dies nur in eingeschränktem Sinne: Die Textaussagen stellen keine hinreichende, höchstens eine notwendige Bedingung für die Rezeptionsweise dar.[18] (Das bedeutet allerdings, daß jede Untersuchung über die Rezeption von Texten zunächst die Inhalte dieser Texte analysieren muß, sie also nicht wie beliebige, austauschbare Stimuli behandeln darf.)

Konkret heißt das, daß die oben skizzierten Ergebnisse einer Inhaltsanalyse von ›Landser‹-Erzählungen Feststellungen ›negativer‹ Art erlauben: Es ist u. a. *nicht* zu erwarten, daß der Leser auf Grund solcher Lektüre lernt, den Zusammenhang zwischen deutschem Faschismus und Zweitem Weltkrieg zu erkennen, Ursprünge und Vermeidbarkeit von Kriegen überhaupt zu überdenken, menschliches Handeln als Entscheidung zwischen Alternativen zu sehen, Handlungsaufforderungen in bezug auf ihre sozialen Ziele zu bewerten; es ist *nicht* zu erwarten, daß die Lektüre beim Leser abschreckend wirkt, was die Bewertung und das Nachempfinden kriegerischer Aggression betrifft.

›Positive‹ Aussagen sind vorsichtiger in Wenn-dann-Sätzen zu formulieren: Wenn der Leser in seiner Rezeption das ihm im Text Angebotene realisiert, so ist u. a. zu erwarten, daß er eine technokratische und nationalistische Sicht vom Zweiten Weltkrieg und vom Krieg überhaupt gewinnt, daß er die Darstellung kriegerischer Aggression als ›spannend‹, d. h. als Unterhaltung, die eine als angenehm empfundene Erregung hervorruft, goutiert. Ob derartige Wirkungen tatsächlich eintreten, hängt aber von der Selektionstätigkeit des Lesenden ab und damit von seinen Prädispositionen[19] (welche nicht individualpsychologisch zu hypostasieren, sondern aus des Lesers sozialer Erfahrung zu erklären sind), d. h. im wesentlichen von seinem Wissen über und seinen Einstellungen zu den in ›Landser‹-Erzählungen gestalteten Themen, von seiner Erwartungshaltung gegenüber dem Medium und dessen Inhalten. Das bedeutet, daß sich die Inhalte der Hefte in bezug auf verschiedene Rezipientengruppen als mehrfunktional erweisen. Ein ehemaliger Kriegsteilnehmer etwa, der regelmäßig ›Landser‹-Hefte liest, sucht – so ist zu vermuten – eine Hilfe bei der Verdrängung eigener, die Integrität seines Körpers und seiner Psyche bedrohender Erlebnisse; bei der selektiven Erinnerung an Augenblicke, die sich durch ein Gefühl intensiver Erregung oder die Erfahrung spontaner, ›kameradschaftlicher‹ Kommunikation positiv von einem monotonen, unbefriedigenden Berufsalltag abhoben; bei der retrospektiven Sinngebung eines Lebensabschnittes voller Entbehrungen, die objektiv auf Grund der faschistischen Kriegsschuld und subjektiv durch das Erleben der Niederlage ihren Sinn verloren haben; bei der Konservierung internalisierter Werte, anerzogener Verhaltens- und Interpretationsmuster, die heute nicht mehr allgemein anerkannt werden usw.[20]

Einstellungen Jugendlicher zur Darstellung des Krieges

Für die empirische Untersuchung, aus der im folgenden einige Ergebnisse referiert werden, wurden nicht ehemalige Kriegsteilnehmer, sondern Jugendliche als potentielle Rezipienten von Kriegsromanheften gewählt. Hierfür waren – neben der Tatsache, daß diese Jugendlichen als Schüler für eine Befragung zugänglicher waren als Ältere – zwei Gründe entscheidend: Erstens hat die empirische Wirkungsforschung festgestellt, daß Menschen dann leichter durch Massenkommunikation zu beeinflussen sind, wenn sie gegenüber einem Objekt noch keine oder nur wenig fixierte und wenig intensive Einstellungen besitzen; das bedeutet u. a., daß Jugendliche durch Massenkommunikation beeinflußbarer sind als Ältere;[21] auch Aussagen der Entwicklungspsychologie weisen in dieselbe Richtung. Wenn dem so ist, dann ist es von Bedeutung für die gesamte Gesellschaft, in welcher Form und mit welcher Wirkung Jugendliche mit Darstellungen sozialer, politischer und historischer Abläufe konfrontiert werden. Der zweite Grund für die Wahl Jugendlicher für die Untersuchung besteht in den Aussagen von Zeitschriftenhändlern und aus dem Verlag selbst, wonach ›Landser‹-Hefte in allererster Linie gerade von Jugendlichen gelesen werden.
Mittels eines Fragebogens wurde versucht, die Einstellungen von 323 Schülern zum Medienangebot, zu Fragen der Politik und der jüngsten Geschichte und zu Kriegsdarstellungen ebenso zu erfassen wie die Wirkungen der Rezeption eines ›Landser‹-Textes.[22] Die Jugendlichen wurden kurz vor oder nach dem Ende des neunten Schuljahres in jeweils vier Gymnasial-, Realschul- und Berufsschulklassen befragt; sie waren zumeist zwischen 15 und 16 Jahren alt. Da gerade die Rezeption von Kioskliteratur stark von den Geschlechtsrollen geprägt ist und Kriegsdarstellungen vor allem bei männlichen Rezipienten auf Interesse stoßen, werden im folgenden – wo nichts anderes vermerkt ist – nur die Antworten der befragten 249 *männlichen* Jugendlichen referiert.
Zuwendung zu massenmedialen Aussagen und Wirkungen einer Rezeption dieser Aussagen sind da am wahrscheinlichsten, wo die Einstellungen der Rezipienten und

der in den Medienaussagen implizite Wertungsstandpunkt nicht weit auseinanderliegen.[23] Das bedeutet, daß die Rezeption von Kriegsdarstellungen dann gänzlich ausbliebe oder doch keine Wirkungen (genauer: keine in Richtung der Kommunikatoren-Intention gehende) hervorriefe, wenn die Jugendlichen derartige Darstellungen grundsätzlich ablehnten.

Ein Desinteresse der Mehrheit gerade an Kriegsromanheften ließe sich aus der Tatsache ableiten, daß nach ihren eigenen Angaben nur etwas mehr als 40 % der Jungen schon ›Landser‹-Hefte gelesen haben, während Hefte der übrigen ›Männerreihen‹ (Krimi, Western, Science Fiction) jeweils von einer größeren Zahl unter ihnen rezipiert worden sind. Allerdings machen weitere Antworten im Fragebogen klar, daß hier keine grundsätzliche Ablehnung vorliegt: Nach der Lektüre einiger Seiten aus ›Landser‹-Erzählungen bekundeten etwa 77 % der Jungen ihr Interesse daran, den Text zu Ende zu lesen; und 52 % erklärten, sie würden dafür, wenn nötig, auch 1 DM ausgeben. Auf Ablehnung von einer gewissen Intensität treffen Darstellungen im ›Landser‹-Stil nur bei wenigen: etwa 23 % antworteten auf die Frage, ob diese Texte »ein Merkmal« besäßen, »welches Sie besonders ablehnen«, mit Ja; nur 4 % der Jungen schließlich finden es »unsympathisch«, wenn »ein Bekannter solche Texte liest« (während es 7 % »sympathisch« und 89 % »gleichgültig« ist).

Dieses Bild wird verstärkt durch die Tatsache, daß auch Kriegsdarstellungen in anderen Medien keineswegs, wie man vielleicht annehmen könnte, auf Desinteresse oder Ablehnung treffen. Die Befragten sollten bei 22 Buchtypen angeben, ob sie diese »gerne lesen oder nicht«; Tabelle 1 führt die Bücher auf, die von einer Mehrheit der Jungen »gerne« gelesen werden.

Tabelle 1: Interesse männlicher Jugendlicher an Buchtypen

1.	Humorvolle Bücher	86,4 %
2.	Abenteuerromane	83,5 %
3.	Kriminalromane	73,5 %
4.	Comics	71,5 %
5.	Sachbücher	66,3 %
6.	*Kriegsbücher*	65,5 %
7.	Wildwestromane	57,8 %
8.	Science-Fiction-Romane	57,0 %
9.	Aufklärungsbücher	51,4 %

Kriegsbücher zählen demnach zu den Lesestoffen, die von einer Mehrheit begrüßt werden, und zwar im Verein mit anderen Büchern, die den Wunsch nach Spannung (Abenteuer-, Kriminalroman usw.) oder nach ›technischer‹ Realitätsinformation (Sach-, Aufklärungsbücher) ansprechen, jedenfalls dem Leser leicht verständlich sind (Humor, Comics) – während eine Mehrheit der Jungen Bücher »nicht gerne« liest, die soziales Engagement herausfordern (Bücher über Politik oder über die Arbeitswelt), mit der Frauenrolle verknüpft (Liebes-, Heimatromane usw.) oder durch ihre sprachliche Formung schwerer zugänglich (moderne Romane, Gedichte usw.) sind.

Ein entsprechendes Ergebnis brachte die Bewertung von 16 Filmtypen; Tabelle 2 nennt diejenigen, welche von der Mehrheit »gerne« gesehen werden.

Tabelle 2: Interesse männlicher Jugendlicher an Filmtypen

1.	Abenteuerfilm	91,2 %
2.	Kriminalfilm	90,0 %
3.	Wildwestfilm	88,0 %
4.	Zeichentrickfilm	84,3 %
5.	*Kriegsfilm*	77,1 %
6.	Horrorfilm	74,3 %
7.	Science-Fiction-Film	69,9 %
8.	Stummfilm	66,7 %
9.	Sexfilm	61,9 %
10.	Paukerfilm	57,4 %
11.	Aufklärungsfilm	53,4 %
12.	Problemfilm	53,0 %

Kriegsfilme werden demnach von mehr als drei Vierteln der Jungen befürwortet,[24] wobei die Tabelle die Nähe zu anderen Abenteuergenres in der Beurteilung durch die Jugendlichen deutlich macht. Interessanterweise sind die Unterschiede zwischen den Schülern verschiedener Schularten in der Bewertung von Kriegsfilmen – wie auch in der Bewertung von Kriegsbüchern – gering.
Kriegsdarstellungen in verschiedenen Medien werden somit nur von einer Minderheit abgelehnt, bei einer Mehrheit bestehen keine Selektionsbarrieren, bei einer Mehrheit können auch Kriegsdarstellungen im Stil der ›Landser‹-Hefte wirkkräftig sein. Tabelle 3 soll helfen, genauere Eindrücke von der Einschätzung eines ›Landser‹-Textes – über die grundsätzliche Frage der Ablehnung oder Zuwendung hinaus – zu erlangen und dadurch auch erste Gründe für die Rezeption dieser oder äquivalenter Medieninhalte zu erkennen. Die Tabelle gibt die Bewertung einiger Meinungs-Statements wieder, welche *nach* der Lektüre des ›Landser‹-Textes den Schülern vorgelegt wurden. (Die Differenz zwischen der Zeilensumme und 100 % ergibt sich durch Schüler, die keine oder keine eindeutige Bewertung abgaben.)

Tabelle 3: Einschätzung von ›Landser‹-Texten durch männliche Jugendliche

Statement	Zustimmung	Ablehnung
1. Der Inhalt entspricht der Wirklichkeit.	84,3 %	14,5 %
2. Solche Texte regen zum Nachdenken an.	85,5 %	14,1 %
3. So etwas würde ich auch gern einmal erleben.	4,4 %	94,4 %
4. Die dargestellten Figuren wirken echt.	83,5 %	15,3 %
5. Wenn mehr Leute die Eigenschaften der Hauptpersonen besäßen, dann könnte die Welt besser sein.	24,9 %	72,7 %
6. Was da drin steht, hat mit meinem Leben gar nichts zu tun.	48,2 %	48,6 %
7. Ich finde diese Texte spannend.	80,7 %	18,1 %
8. Ich kann mich in meinem Verhalten ein wenig nach den Hauptpersonen richten.	26,1 %	71,1 %
9. Wenn man solche Texte liest, kann man den Alltagskram vergessen.	48,2 %	51,0 %
10. Vieles in diesen Texten ist stark übertrieben.	37,0 %	60,6 %

Die Statements 2, 3, 5, 6, 8 beziehen sich auf die *bewußte* Bereitschaft, sich vom Gelesenen *beeinflussen* zu lassen. Daß sie über Erzählungen in der Art der ›Landser‹-Hefte anschließend nachdenken, behaupten 85,5 % – während nur 4,4 % angeben, sie wollten das Gelesene nicht nur mitempfinden, sondern in der Realität nacherleben (wobei diese Zahl noch erstaunt, endete doch der abgedruckte Text nicht mit der erfolgreichen Tat der Identifikationsfigur, sondern mit dem nachfolgenden ›Heldentod‹). Immerhin ein Viertel glaubt sich im eigenen Verhalten oder aber in der Deutung fremden Verhaltens durch die Darstellung der Hauptpersonen beeinflussen zu lassen. Dabei ist zu berücksichtigen, daß eine solche Zustimmung zu einem abstrakten, generalisierenden Statement nicht das dem einzelnen unbewußte Lernen von Verhaltensregeln auf Grund der kumulativen Wirkung verschiedener Modellfiguren,[25] auch fiktiver, erfaßt.
Die Aussagen 1, 4 und 10 in der Tabelle betreffen den *Grad der Glaubwürdigkeit*,[26] den die männlichen Jugendlichen ›Landser‹-Texten beimessen. Die Antworten zeigen, daß das in diesen Heften Geschilderte in den Augen dieser Lesergruppe »wirklich«, »echt«, für die meisten sogar »nicht übertrieben« ist. Ungleich anderen Abenteuergenres – etwa dem Kriminal- und dem Wildwestroman – besitzt für sie demnach die ›Landser‹-Erzählung mehr den Charakter des Dokumentarischen als den des Fiktiven: Die Unkenntnis der Kriegsrealität und die Verwechslung genau dargestellter Einzelphänomene mit der Wirklichkeit eines Geschehens[27] bilden eine wichtige Voraussetzung für die Wirksamkeit solcher Texte, und zwar in zweifacher Hinsicht: Da die Jugendlichen – wie die Befragung ergeben hat – nur sehr wenige Kenntnisse über den Zweiten Weltkrieg besitzen, kann ihnen Kriegsliteratur in Form der ›Landser‹-Hefte als erste Quelle der *Information* über Fakten dienen. Zweitens hat die Forschung nachgewiesen, daß da eine Medienwirkung auf die *Einstellungen* am ehesten zu erwarten ist, wo die Glaubwürdigkeit eines Kommunikators bzw. eines Mediums vom Rezipienten hoch eingeschätzt wird.
Kommt der ›Landser‹-Text demnach dem Wunsch der Jugendlichen nach Information entgegen, so gleichzeitig dem Wunsch nach einem *Gefühl der Spannung* – einem Wunsch, der in intensiver Weise vorhanden ist, wie schon die Liste der von den Befragten positiv bewerteten Bücher und Filme gezeigt hat. Über 80 % der Jungen gestehen dem ›Landser‹-Text das Prädikat »spannend« zu (Statement 7), und noch knapp die Hälfte von ihnen stimmt einer Aussage (9) zu, die in sehr direkter Form den Vorgang des Escape ausdrückt. Das Gefühl der Spannung aber, das in der Rezeption von Abenteuergenres gesucht und auch bei der Lektüre von ›Landser‹-Heften empfunden wird, ist Ergebnis einer (zumindest partiellen) Einfühlung des Rezipienten in die fiktive Handlung und ihre Helden; der daraus resultierende (partielle) Verlust der Distanz zu den Inhalten der Kommunikation erleichtert die Rezeptionswirkung.

Wirkungen der Rezeption eines ›Landser‹-Textes

Der bisherigen experimentellen Wirkungsforschung sind vor allem zwei Vorwürfe gemacht worden:[28] Sie *isoliere* ihre Variablen so stark, daß Wirkung im umfassenden Sinne von Wirksamkeit der Medien in unserer Gesellschaft nicht mehr erfaßt werde; sie isoliere nämlich den Moment der Rezeption von der voraufgehenden Biographie des Rezipienten, den einzelnen von der Gruppe, die Medienaussage von ihrer Produktion und von dem Kontext der übrigen Aussagen, der übrigen Medien und der zu einem bestimmten Zeitpunkt vorhandenen Formen des Bewußtseins. Zweitens werde fast immer nur eine *kurzfristige* Wirkung gemessen. Beide Einwände sind auch für die Wirkungsversuche innerhalb der hier referierten Untersuchung gültig. Andererseits ging es ganz bescheiden darum, experimentell nachzuweisen, daß auch die Rezeption von Druckmedien (nicht nur, wie meist untersucht, von audiovisuellen) Wirkungen (im kurzfristig-engen Sinne) auf dem Niveau der Einstellungen der Rezipienten hervorruft. Zweitens kann die Beschränktheit der Ergebnisse, die aus der isolierenden Versuchsanordnung resultiert, anschließend teilweise aufgehoben werden, indem Rezeptionsmotivationen und -wirkungen in einen hypothetischen Zusammenhang gebracht werden mit der beide verursachenden Sozialisation der Rezipienten.

Der Versuch wurde folgendermaßen durchgeführt: Jede Klasse (und, bei gemischten Klassen, jede Geschlechtsgruppe innerhalb einer Klasse) erhielt je zur Hälfte eine von zwei verschiedenen Fragebogenversionen. In der einen Version wurde eine Frage nach nationalen Vorurteilen *vor* der ›Landser‹-Lektüre gestellt, eine Frage nach Einstellungen zur Aggression *nach* der Lektüre; die andere Fragebogenversion enthielt die betreffenden Fragen in umgekehrter Reihenfolge.[29] Das bedeutet, daß jeweils die Hälfte der Befragten die Antworten unter dem Eindruck des gelesenen Textes abgab, die andere Hälfte (›Kontrollgruppe‹) ohne diese Beeinflussung; da die beiden Gruppen von Befragten hinsichtlich wesentlicher Merkmale beinahe identisch waren, läßt sich die Differenz ihrer Antworten als Rezeptionswirkung interpretieren.[30] – Die Zahlen beziehen sich im folgenden auf *alle* 323 Befragten, nicht nur auf die männlichen.

Die Wirkungsforschung geht davon aus, daß Beeinflussung von Einstellungen dann zu erwarten ist, wenn die präkommunikativen Einstellungen der Rezipienten mit den in der Medienaussage inhärenten vereinbar sind, und daß diese Beeinflussung am wahrscheinlichsten in Richtung einer Verfestigung und Intensivierung der vorgängigen Einstellungen erfolgt.

Die inhaltsanalytische Untersuchung der Nationendarstellung in ›Landser‹-Heften hat ergeben, daß Sowjetsoldaten hier eine eindeutig negative Rolle spielen. Die Vorurteilsforschung in der Bundesrepublik wiederum hat Ergebnisse erbracht, die unter dem Schlagwort ›West-Ost-Gefälle der Vorurteile‹ zusammengefaßt werden.[31] Um festzustellen, ob diese Tatsache auch in bezug auf die befragten Jugendlichen gilt, wurde ihnen folgende, absichtlich permissiv formulierte Doppelfrage vorgelegt:

»Oft sind einem die Angehörigen eines Volkes sympathischer als die eines anderen Volkes. Schreiben Sie bitte im folgenden [...] vier Völker auf, die Ihnen sympathisch sind, und [...] vier Völker, die Ihnen unsympathisch sind.«

Die Nennungen ›sympathischer Völker‹ bewiesen, daß gegenüber Sowjetbürgern bzw. Russen nur bei sehr wenigen Jugendlichen positive Einstellungen von einer gewissen Intensität bestehen: Nur vier der *vor* der ›Landser‹-Lektüre Befragten erwähnten in ihrer Antwort auf den ersten Teil der Frage »Russen« oder »Sowjetunion«; diese kamen damit auf einer Rangliste der positiven nationalen Vorurteile[32] auf den 22. Platz – während auf den ersten drei Plätzen Engländer (84 Nennungen), Franzosen (82) und US-Amerikaner (68) rangierten. Dagegen wurden »Russen« und »Sowjetunion« bei der Frage nach ›unsympathischen Völkern‹ am häufigsten genannt, wie Tabelle 4 zeigt:

Tabelle 4: Die zehn häufigsten negativen nationalen Vorurteile der Jugendlichen

Rangplatz	Volk	Zahl der Nennungen
1.	Russen	71
2.	Italiener	62
3.	Chinesen	37
4.	Türken	34
5.	Griechen	23
6./7.	Jugoslawen, Franzosen	22
8.–10.	Spanier, Polen, Engländer	18

Die Liste zeigt, daß sich Vorurteile dieser Jugendlichen oft gegen Vertreter sogenannter ›Gastarbeiter‹-Völker richten, Menschen also, die als Minoritäten in unserer Gesellschaft leben, noch stärker aber gegen Vertreter eines ›feindlichen‹ Staatensystems, d. h. gegen Völker, deren Einschätzung noch weniger als im Fall der ›Gastarbeiter‹ aus direkten Kontakten und Beobachtungen der Befragten stammen kann, sondern nur aus Schilderungen und Bewertungen von seiten der verschiedenen Erziehungs- und Kommunikationsagenturen.[33]
Die Akzentuierung des Feindbildes ›Sowjetbürger‹ in den ›Landser‹-Heften einerseits, die negative Bewertung von ›Russen‹ und ›Sowjetunion‹ in großen Teilen der bundesrepublikanischen Bevölkerung und auch innerhalb der Gruppe der befragten Jugendlichen andererseits lassen folgende Wirkung der Rezeption eines ›Landser‹-Textes erwarten: Eine wenig fixierte Einstellung gegenüber Sowjetbürgern kann auf dem Bewertungskontinuum in Richtung auf den Negativpol verschoben, ein wenig intensives Vorurteil, das vor der Lektüre nur latent vorhanden war, kann intensiviert und dadurch aktualisiert werden.
Das bedeutet für den Wirkungsversuch: Erwartet wurde, daß unter denjenigen, welche *nach* der ›Landser‹-Rezeption negative nationale Vorurteile äußern, mehr Jugendliche »die Russen« oder »die Sowjetunion« nennen als unter den anderen, die *vor* der Textlektüre der Aufforderung nachgekommen sind, bis zu vier ›unsympathische Völker‹ aufzuzählen. Tabelle 5 beweist, daß sich in diesem indirekten Vorher-Nachher-Vergleich tatsächlich eine signifikante Zunahme der Nennung von negativen Vorurteilen gegen Russen feststellen läßt.

Tabelle 5: Negative nationale Vorurteile der Jugendlichen

	Vor ›Landser‹-Lektüre	Nach ›Landser‹-Lektüre
gegen Russen bzw. Sowjetunion	66	76
gegen andere Völker bzw. Staaten	61	42

$\chi 2 = 3{,}88$; signifikant.[34]

Zur Beurteilung des Ergebnisses ist es wichtig zu wissen, daß in der zweiten Fragebogenversion die Frage nach ›sympathischen‹ und ›unsympathischen‹ Völkern nicht im unmittelbaren Anschluß an die Lektüre, sondern erst nach einer Reihe anderer, distanzierender Fragen gestellt wurde: Die häufigere Nennung von Sowjetbürgern stellt also nicht einen bloßen unbewußten Reflex dar.
›Landser‹-Erzählungen können demnach bei Jugendlichen spezifische nationale Vorurteile *intensivieren* und *aktualisieren* – womit keinesfalls behauptet werden soll, das einmalige Lesen einiger Seiten aus ›Landser‹-Heften schaffe für immer ein negatives Russen-Stereotyp. Doch erhärtet der Versuch die Annahme, daß die häufige Rezeption solcher Texte oder äquivalenter Medieninhalte kumulativ in dieser Richtung wirkt.[35]
Ergebnis entsprechender Rezeptionsakte ist dann eine relative Fixierung der Einstellung. Tatsächlich zeigen sich bei Schülern, die ›Landser‹-Hefte schon gelesen hatten (insbesondere, wenn das in einem kurzen Zeitraum vor der Befragung geschehen war), nur geringe Unterschiede zwischen denen, welche vor der Textlektüre ›unsympathische Völker‹ benannt, und denen, die dies danach getan hatten: Jugendliche dieser Gruppe hatten schon vor der Rezeption häufiger als ihre Altersgenossen antirussische bzw. antisowjetische Einstellungen gezeigt; ihre intensiveren Vorurteile brauchten nicht erst durch den Text aus der Latenz hervorgeholt zu werden. Anders ausgedrückt: die Fixierung der Einstellung und die *Habitualisierung* der Rezeption bestimmter Aussagen verringert die Wirkung jeder folgenden einzelnen Kommunikation.
Neben einer Aktualisierung von Vorurteilen (die bei ›habitualisierten‹ Gruppen nur in begrenztem Umfang stattfindet) war gleichzeitig eine Aktualisierung von Normen zu erwarten, welche die Äußerung negativer ethnischer Vorurteile grundsätzlich verbieten. Gerade die Kombination eines Textes, der durch eine nationalistische Perspektive ausgezeichnet ist, mit einer Frage, die zur Nennung ›unsympathischer Völker‹ auffordert, mußte einen derartigen *Inhibitions*effekt[36] bei einem Teil der Schüler hervorrufen. Bildet man die Spaltensummen in Tabelle 5, so erkennt man, daß *nach* der ›Landser‹-Lektüre tatsächlich weniger Schüler sich bereit fanden, negative nationale Vorurteile zu äußern; allerdings bleibt die Differenz weit unterhalb der Forderungen statistischer Signifikanz. Anders ist es, betrachtet man allein die Antworten der Gymnasiasten (Tabelle 6).

Tabelle 6: Äußerung negativer nationaler Vorurteile durch Gymnasiasten

	Vor ›Landser‹-Lektüre	Nach ›Landser‹-Lektüre
Beantwortung der Frage	52	42
Explizite Verweigerung der Antwort	6	20

$\chi 2 = 8{,}48$; sehr signifikant.

Vor der Lektüre weigerten sich weniger Gymnasiasten als Schüler der andern beiden Schularten, die Frage nach negativen nationalen Vorurteilen zu beantworten; danach aber stieg (anders als bei Real- und Berufsschülern) die Zahl der Gymnasiasten, die eine Beantwortung ausdrücklich ablehnten, in sehr (d. h. bei einer Irrtumswahrscheinlichkeit von nur 1 %) signifikanter Weise: Die in Tabelle 6 festgehaltene Differenz ist demnach als Aktualisierung einer Hemmung zu interpretieren. Zu erklären ist diese Tatsache einerseits mit der Beobachtung, daß das Leseerleben bei den Gymnasiasten intensiver war (intensiver als etwa bei Berufsschülern, unter denen verschiedene mit Leseschwierigkeiten zu kämpfen hatten), und andererseits mit der Annahme, daß in der elterlichen und schulischen Sozialisation der Gymnasiasten die Äußerung negativer Vorurteile besonders negativ bewertet und mit Sanktionen belegt wird.

Die nationalistische Perspektive der ›Landser‹-Erzählungen kann demnach vage vorhandene nationale Vorurteile aktualisieren und kanalisieren. Entsprechend ist zu erwarten, daß die partielle Einfühlung des Rezipienten in den zentralen Inhalt der Texte, nämlich in Akte *legitimierter Aggression*, eine *›stimulierende‹* Wirkung hervorruft,[37] die sich in einer erhöhten Zustimmung des Rezipienten zu legitimierter Aggression überhaupt (und zu einer durch Aggressionsakte aufrechterhaltenen Ordnung) ausdrückt.

In der Gewalt-in-den-Medien-Debatte,[38] zunächst in den angelsächsischen Ländern, in den vergangenen Jahren auch in der Bundesrepublik geführt, stehen sich im wesentlichen zwei Thesen gegenüber. Die *Katharsis*these[39] geht von einem triebtheoretischen Modell aus und nimmt an, daß ein durch Frustration ausgelöstes Quantum an Aggressivität im fiktiven Mitvollzug einer massenmedial dargestellten Aggression »abgeführt« werden kann; der Rezipient wäre also nach dem Empfang der Gewaltdarstellung weniger aggressionsbereit als davor. Demgegenüber fußt die *Stimulationsthese* einerseits auf einer modifizierten Frustrations-Aggressions-Hypothese:[40] Frustrationen führen zu Aggressionen, wenn bestimmte Bedingungen erfüllt sind, z. B. wenn eine aggressive Verhaltensweise durch eine massenmediale Kommunikation vorgeführt und dadurch beim Rezipienten ausgelöst wird. Die zweite Grundlage der Stimulationsthese bilden allgemeine lerntheoretische Überlegungen: Aggression, ihre Formen und ihre Bewertung werden durch Modelle, auch durch massenmediale, gelernt.[41] Behauptet wird also, daß die Bereitschaft zur Aggression nach Empfang der Gewaltdarstellung grundsätzlich steigt. Auf Grund der Zahl und der Differenziertheit der Experimente, die Ergebnisse im Sinne der Stimulationsthese erbrachten, kann diese inzwischen als bestätigt gelten.

In einem Feldexperiment wurde nachgewiesen, daß ein James-Bond-Film bei seinen Rezipienten die Einstellung zu staatlich legitimierter Gewalt, genauer: zur Bestrafung Krimineller, signifikant beeinflußt.[42] Im hier beschriebenen Experiment wurde versucht, unter Verwendung desselben Meßinstruments zu zeigen, daß auch ein Druckmedium ähnlichen Inhalts eine solche Wirkung hervorbringen kann. Den Schülern wurde daher – zur Hälfte vor, zur Hälfte nach der ›Landser‹-Lektüre – folgende Frage vorgelegt:

»[...] Es wird viel über eine Reform des Strafrechts diskutiert. Was halten Sie davon? Stellen Sie sich folgenden Fall vor: Sie werden eines Abends hinterrücks niedergeschlagen und ausgeraubt. Sie werden dabei so verletzt, daß Sie vier Wochen im Krankenhaus liegen müssen. Der Täter wird gefaßt; er ist volljährig und zurechnungsfähig. Welche Bestrafung würden *Sie persönlich* für angemessen halten?«

(Angekreuzt werden konnte ein Strafmaß zwischen 6 Wochen Haft und der Todesstrafe.)

»Würden Sie außerdem in einem solchen Fall eine gesetzliche Prügelstrafe für richtig halten?«
Erwartet wurde, daß *nach* der ›Landser‹-Lektüre häufiger höhere Strafmaße und auch die Prügelstrafe gefordert würden. Tabelle 7 zeigt das Ergebnis des Versuchs: Die Schüler wählten im Durchschnitt (Median) eine Strafe von 1 Jahr Gefängnis. Dabei verringerte sich nach der Lektüre in signifikanter Weise die Zahl derer, welche mildere Urteile als 1 Jahr forderten: Es war ein Lerneffekt eingetreten im Sinne erhöhter Zustimmung zu legitimierter Aggression.[43]

Tabelle 7: Strafforderungen der Jugendlichen für einen Überfall

	Vor ›Landser‹-Lektüre	Nach ›Landser‹-Lektüre
unter 1 Jahr Gefängnis	65	44
1 Jahr Gefängnis oder mehr	96	113
$\chi^2 = 5{,}38$; signifikant.		
Befürwortung der Prügelstrafe	23	27
Ablehnung der Prügelstrafe	137	132
$\chi^2 = 0{,}41$; nicht signifikant.		

Allerdings ist die erhöhte Zahl derer, welche nach der ›Landser‹-Lektüre die Prügelstrafe befürworteten, in keiner Weise signifikant. Erklärt werden kann diese Tatsache entweder damit, daß die Wirkung des kurzen Textes in der ›unnatürlichen‹ Versuchssituation nicht so groß war, daß die Abneigung der meisten Jugendlichen gegen körperliche Züchtigung außer Kraft gesetzt worden wäre. Ein anderer Grund für die geringe Zunahme in den Forderungen nach Prügelstrafe könnte darin liegen, daß der rezipierte Textinhalt – aggressive Handlung und Tod der Identifikationsfigur – neben einer Aggressionsstimulierung auch die Weckung von Aggressionsangst bewirkte, was sich bei der Frage nach direkter körperlicher Schädigung deutlicher gezeigt hätte als bei der Frage nach der weniger ›direkt aggressiven‹ Gefängnisstrafe.
Bedeutsam ist, daß sich bei diesem Wirkungsversuch kein Nachweis für eine Habitualisierung finden ließ – im Gegenteil: Bei Schülern, die schon ›Landser‹-Hefte gelesen hatten oder sich für derartige Lektüre interessierten, ergab sich gerade eine besonders deutliche Zunahme in der Zahl höherer Strafforderungen nach der Lektüre des abgedruckten Textes. Bei denen, die solche Hefte schon gelesen hatten, stieg sogar die Zahl derer, welche die Prügelstrafe befürworteten, nach der Textrezeption in schwach (d. h. auf dem 10 %-Niveau) signifikanter Weise an.

Lesemotivation bei ›Landser‹-Interessenten

Im voraufgehenden wurde zunächst versucht nachzuweisen, daß die Einstellungen der Jugendlichen (insbesondere der männlichen) zu Thema und Darstellungsform der ›Landser‹-Hefte eine Wirkung der Rezeption solcher Texte nicht ausschließen; sodann wurde gezeigt, daß wichtige Merkmale des Inhalts, nationalistische Perspektive und legitimierte Aggression, tatsächlich eine (kurzfristig nachweisbare) Auswirkung auf Einstellungen der jugendlichen Rezipienten haben. Es gilt nun noch, einige Merkmalsausprägungen festzustellen, in denen sich ›Landser‹-Interessenten von den Mitschülern unterscheiden, welche an dieser Lektüre wenig Interesse zeigen. Die Unterschiede können als Hinweise auf einzelne Motive dienen, die zur Rezeption von Kriegserzählungen und äquivalenten Medieninhalten führen.

Unter ›Interessenten‹ sollen hierbei im folgenden alle männlichen Schüler verstanden werden, die angaben, sie würden 1 DM dafür zahlen, um den auszugsweise abgedruckten Text zu Ende lesen zu können. Die Vergleichsgruppe der ›Desinteressierten‹ stellen ihre männlichen Mitschüler dar.

Zu beachten ist, daß unter den ›Landser‹-Interessenten Realschüler und vor allem Berufsschüler stärker, Gymnasiasten dagegen schwächer vertreten sind als in der Gesamtheit der männlichen Befragten. Der Grund hierfür dürfte in folgender Tatsache liegen: Zwar hat unter den männlichen Schülern aller drei Schularten fast der gleiche Prozentsatz angegeben, schon Kriegsromanhefte gelesen zu haben. Aber diese Lektüre beginnt bei Gymnasiasten in einem früheren Alter als bei Realschülern, bei diesen früher als bei Haupt- und Berufsschülern; umgekehrt enden die tatsächliche Rezeption der Hefte und das Interesse daran bei Gymnasiasten auch früher als bei den andern.

1. Das Interesse an Kriegserzählungen im Stil der ›Landser‹-Reihen korreliert positiv mit entsprechender *Lektüre bei Eltern oder Freunden* (s. Tabelle 8).

Tabelle 8: Interesse an Kriegsromanheften und Begegnung mit dieser Literatur in Primärgruppen bei männlichen Jugendlichen

	›Landser‹-Interessenten	Desinteressierte
entsprechende Lektüre bei Eltern	27	5
keine entsprechende Lektüre bei Eltern	109	99
$\chi 2$ = 11,54; hoch signifikant.		
entsprechende Lektüre bei Freunden	115	50
keine entsprechende Lektüre bei Freunden	19	54
$\chi 2$ = 39,23; hoch signifikant.		

Interesse für militaristische Literatur hängt demnach nicht nur von Einstellungen und Wünschen der Jugendlichen selbst, sondern auch vom Rezeptionsverhalten ihrer nächsten Umgebung, vor allem der ›peer group‹ ihrer Freunde, ab. Dabei ist eine Wechselbeziehung anzunehmen: Die Begegnung mit einem Medium in der eigenen Gruppe wertet dieses in den Augen des einzelnen auf; umgekehrt spielt ein spezifisches Rezeptionsverhalten (an sich und als Symbol für einen ganzen Komplex von Einstellungen, Wünschen, Verhaltensweisen) eine gewisse Rolle bei der Bildung einer Freundesgruppe.

2. Bei ›Landser‹-Interessenten besteht ein höheres Interesse an *Kriegs*darstellungen überhaupt, d. h. in verschiedenen Medien, als bei ihren Mitschülern[44] (Tabelle 9).

Tabelle 9: Interesse an Kriegsromanheften und an Kriegsdarstellungen in anderen Medien bei männlichen Jugendlichen

	›Landser‹-Interessenten	Desinteressierte
Interesse an Kriegsromanen und -geschichten	110	51
kein Interesse an Kriegsbüchern	29	56
$\chi 2 = 26{,}48$; hoch signifikant.		
Interesse an Kriegsfilmen	122	67
kein Interesse an Kriegsfilmen	17	38
$\chi 2 = 19{,}67$; hoch signifikant.		

Es ist anzunehmen, daß *Informations-* und Unterhaltungswunsch in diesem thematisch bestimmten Interesse zusammenfließen. Die Kriegsdarstellungen werden von diesen Jugendlichen als wahre Wiedergabe der Realität verstanden: Noch mehr (und zwar hoch signifikant mehr) Schüler unter den ›Landser‹-Interessenten bejahen die volle Glaubwürdigkeit des ›Landser‹-Textes, als dies bei ihren Mitschülern der Fall ist.

3. Gleichzeitig bestätigen die ›Landser‹-Interessenten (hoch signifikant) häufiger den Charakter der gelesenen Erzählung als »spannende« Lektüre und als Mittel zur Flucht aus dem »Alltagskram«. Darin spiegelt sich die Tatsache, daß ›Landser‹-Interessenten noch häufiger als ihre Mitschüler *aggressive Unterhaltung* jeder Art bevorzugen;[45] sie bewerten in noch höherem Ausmaß Abenteuer-, Kriminal- und Wildwestromane oder Abenteuer-, Kriminal- und Horrorfilme positiv. Die Suche nach einem Gefühl der Spannung, das beim Nachvollzug von Gewalttätigkeiten empfunden wird, ist demnach ein wesentliches Motiv für das Interesse an Kriegsromanheften und vergleichbaren Kriegsdarstellungen.

4. Eine weitergehende Bejahung aggressiver Unterhaltungsgenres geht bei einem Teil der ›Landser‹-Interessenten mit einer weitergehenden Zustimmung zu härterer Bestrafung eines kriminellen Außenseiters einher: ›Landser‹-Interessenten fordern (nicht signifikant) häufiger längere Gefängnisstrafen für einen Überfall, und eine (signifikant) höhere Anzahl unter ihnen tritt schon vor der ›Landser‹-Lektüre für die Anwendung der Prügelstrafe ein (Tabelle 10).

Tabelle 10: Interesse an Kriegsromanheften und Einstellung zur Prügelstrafe bei männlichen Jugendlichen

	›Landser‹-Interessenten	Desinteressierte
Befürwortung der Prügelstrafe	13	2
Ablehnung der Prügelstrafe	58	48
$\chi 2 = 4{,}29$; signifikant.		

Zumindest bei einem Teil der ›Landser‹-Interessenten spiegelt somit die Lektüre den bei ihnen stärker vorhandenen Wunsch, in einer durch Normen legitimierten Weise gegen andere *aggressiv* vorzugehen.

5. Die Fragen zum gelesenen Text erweisen fernerhin, daß ›Landser‹-Interessenten

eher als ihre Mitschüler bereit sind, *Wertungen* des Textes *zu übernehmen*. So schlagen ›Landser‹-Interessenten signifikant häufiger für den abgedruckten Text eine Überschrift vor, in der sich nationalistische Perspektive und Heldenideologie der Erzählung wiederfinden: »Gegen die Russen« und »Die Heldentat«. Signifikant mehr ›Landser‹-Interessenten als Mitschüler stimmen auch dem Statement zu: »Ich kann mich in meinem Verhalten ein wenig nach den Hauptpersonen richten.«

6. Diese Zustimmung zu Wertimplikamenten des Textes ist erklärlich aus der insgesamt *›konservativeren‹* politischen Einstellung der an ›Landser‹-Erzählungen Interessierten.[46] Zwar stimmt auch unter ihnen nur eine Minderheit einem Meinungsstatement zu, in dem »die Ostverträge« als »Verrat am deutschen Volk« bezeichnet, oder einem andern, in dem der Ruf nach einem »fähigen, starken Mann an der Spitze« erhoben wird – doch sind es signifikant mehr als unter den Jungen, welche kein Interesse an ›Landser‹-Texten zeigen. Vor allem sind ›Landser‹-Interessenten in ihrer Mehrheit apologetischen Deutungen des deutschen Faschismus zugänglicher als ihre Mitschüler (Tabelle 11).

Tabelle 11: Interesse an Kriegsromanheften und Bewertung des Nationalsozialismus bei männlichen Jugendlichen
Statement: »Der Nationalsozialismus hatte auch gute Seiten.«

	›Landser‹-Interessenten	Desinteressierte
Zustimmung	83	49
Ablehnung	55	57

$\chi 2 = 4{,}68$; signifikant.

Für eine Gruppe innerhalb der ›Landser‹-Interessenten bedeutet derartige Lektüre demnach eine Bestätigung von politischen Meinungen, die sie – von welchem Meinungsträger auch immer – schon vorher aufgenommen haben.

7. Der Wunsch nach Erregung durch das Mitfühlen einer Fiktion, der Wunsch nach einer Flucht aus dem Alltäglichen, könnte gedeutet werden als eine mehr oder weniger bewußte Ablehnung des *Leistungsprinzips* und als Zeichen für mangelnde *soziale Integration*. Derartigen Annahmen ist in neueren Untersuchungen widersprochen worden;[47] und auch die Ergebnisse der Schülerbefragung legen eine Modifikation dieser These nahe. In dem Fragebogen waren »einige weitverbreitete Meinungen aufgezählt, wie es einer bei uns zu etwas bringt«; die Statements reichten von der Betonung des »Glücks« und »reicher Eltern« bis zu »Intelligenz« und »Skrupellosigkeit«. In der Bewertung dieser Meinungen nun gab es einen einzigen hoch signifikanten Unterschied zwischen ›Landser‹-Interessenten und Mitschülern (Tabelle 12).

Tabelle 12: Interesse an Kriegsromanheften und Vorstellungen vom sozialen Aufstieg bei männlichen Jugendlichen
Statement: »Mit Fleiß und guten Leistungen bringt man es zu etwas.«

	›Landser‹-Interessenten	Desinteressierte
Zustimmung	135	89
Ablehnung	3	15

$\chi 2 = 11{,}21$; hoch signifikant.

Demnach finden sich unter ›Landser‹-Interessenten noch mehr als unter den an dieser Lektüre nicht Interessierten Jugendliche, die an den Erfolg der individuellen Leistung in unserer Gesellschaft glauben; es gibt unter ihnen auch (schwach signifikant) mehr, welche mit ihren eigenen (Schul-)Leistungen zufrieden sind.
Auch die Annahme, Kriegsromanheft-Interessenten seien sozial isoliert, wäre falsch. Sie sind sogar signifikant häufiger Mitglied in einem Verein als ihre Mitschüler; und es wäre eine Untersuchung wert festzustellen, ob nicht die Rezeption ›harter‹ Unterhaltung und die Mitgliedschaft in einem Sport- oder Musikverein denselben Wünschen dieser männlichen Jugendlichen entspringt: den Wünschen nach erfolgreicher individueller Leistung innerhalb einer ›kameradschaftlich‹ verbundenen Gruppe und nach sozialer Anerkennung.
Zu erklären ist demnach das Paradoxon, daß gerade solche Jugendliche, welche an die ›offizielle‹ Deutung für den Mechanismus unserer Gesellschaft glauben, in eine Welt der spannenden fiktiven Aggression fliehen wollen. Schon die Inhaltsanalyse verweist allerdings darauf, daß es sich nur scheinbar um ein Paradox handelt, daß hier keine Flucht in ein Gegenbild unserer Gesellschaft vorliegt: Gerade in den ›Landser‹-Erzählungen gilt ja die individuelle Leistung als höchster Wert; und der Unterschied zur Realität besteht eben darin, daß in diesen Erzählungen die individuelle Leistung auch ihre Anerkennung und meist ihren sofortigen Erfolg findet. Der Jugendliche landet bei seiner Flucht also nicht in einer Gegenwelt, sondern in einer entgrenzten Version unserer Gesellschaft, wo das Versprechen, Leistung führe zum Erfolg, tatsächlich eingelöst wird.[48]

Manipulation oder Bedürfnis?

Die Motivation für die Rezeption von Kriegsromanheften und vergleichbaren Medieninhalten, das wurde bereits angedeutet, ist nicht bei allen männlichen Jugendlichen, die sich dafür interessieren, die gleiche: die Zahl der Motive, ihre Verbindung, ihr jeweiliges Gewicht differieren. Folgende Motive aber lassen sich aus Inhalts-, Wirkungs- und Einstellungsanalyse als besonders wichtig extrapolieren: Wünsche nach lustvoller innerer Erregung, nach temporärer Flucht aus dem Alltagsleben, nach sozialer Anerkennung, nach Erfolg der eigenen individuellen Leistung, nach Orientierung für Umweltverständnis und eigenes Verhalten, nach legitimierbarer (und, wegen der Fiktivität des Vollzugs, gefahrloser) Aggression.
Zur Erklärung der Lesemotivation und -funktion wird hier vage von ›Wünschen‹ gesprochen statt, wie gewöhnlich, von ›Bedürfnissen‹,[49] da der letztere Begriff die Motive zu stark zu hypostasieren und zu nivellieren droht. Er verdeckt die Tatsache, daß die einzelnen Motive – z. B. Wünsche nach Aggression und solche nach Information – auf verschiedenen psychischen Ebenen angesiedelt sind. Zweitens ist nicht zu übersehen, daß die Motive an verschiedener Stelle auf einem Kontinuum zwischen formaler Allgemeinheit und inhaltlicher Bestimmtheit zu suchen sind, was ein Vergleich zwischen dem Wunsch nach Erregung und dem nach erfolgreicher individueller Leistung deutlich macht. Schließlich ist noch zu unterscheiden zwischen ›positiven‹, auf die Kommunikation bezogenen Motiven und einem stärker ›negativen‹, d. h. durch die Negation eines andern Erfahrungsbereichs bestimmten Motiv,

dem Wunsch nach temporärer Flucht aus dem Alltag. (Wurde in früheren Arbeiten über Kioskliteratur vor allem der ›negative‹, der Fluchtaspekt betont, so ist in Zukunft stärker die Frage, welche ›positive‹ Funktionen die Rezeption derartiger Texte erfüllt, theoretisch und empirisch zu untersuchen,[50] will man die tatsächliche, aber nicht für immer notwendige Herrschaft dieser Literatur erklären.)
Die skizzierte Verschiedenheit der Lesemotive hängt zusammen mit einer Verschiedenheit in ihrer Kausation, in ihrer sozialen Erzeugung. Der Wunsch nach angenehmer Erregung ist in seiner formalen Leere wohl als anthropologische Konstante anzusehen (wobei schon das Erregungsniveau, das als lustvoll empfunden wird, in verschiedenen kulturellen Einheiten differieren kann). Der Wunsch nach Flucht dagegen, der Wunsch, die Befriedigung eines in der Realität geweckten Verlangens gerade in der Fiktion zu finden, verweist auf die konkrete Lebenssituation der Rezipienten: Das Defizit an erfahrener sozialer Anerkennung und Solidarität begünstigt die Lektüre von Texten, in deren Mittelpunkt männerbündische Kameradschaftlichkeit steht. Wunsch nach Erfolg auf Grund individueller Leistung verweist auf Werte, die in der Hierarchie der offiziellen Werte unserer Gesellschaft (was sich nur partiell mit den realen Mechanismen dieser Gesellschaft deckt) obenan stehen: Individualismus, Konkurrenz, individuelle Leistung.
Am oberen Ende der imaginären Skala, die den Grad der ›Sozialisiertheit‹ eines Lesemotivs anzeigt, treffen wir auf inhaltlich genau fixierte Rezeptionswünsche, die das Ergebnis vorhergehender Kommunikationsakte zum gleichen thematischen Bereich darstellen. Dieser Zusammenhang wird deutlich, wenn das Interesse an Kriegsromanheften mit der Kenntnis entsprechender Literatur aus Elternhaus oder ›peer groups‹ positiv korreliert. Er wird noch deutlicher, wenn man beobachtet, wie die Kurve der Produktion von Kriegsromanheften in den fünfziger Jahren, anders ausgedrückt: die steigende Rezeptionsbereitschaft für diese Literatur, die Entwicklung der Wiederaufrüstungsdebatte in der Bundesrepublik widerspiegelt.
Warum kann gerade die Rezeption von Kriegsdarstellungen (in der Art der ›Landser‹-Erzählungen) die Erfüllung von Wünschen nach Erregung, nach sozialer Anerkennung und Solidarität, nach Hochleistung und ihrer Gratifikation versprechen? An dieser Frage läßt sich das Ineinander von Wünschen der Rezipienten und Manipulation durch das Kommunikationsangebot nochmals verdeutlichen. Auf der einen Seite finden wir formale Wünsche der Rezipienten, ihre Einstellungen auf Grund internalisierter Werte, ihre Erlebnisdefizite in der Realität – auf der anderen Seite die in vielen (massenmedialen oder face-to-face-)Kommunikationen empfangene Behauptung, die Erfahrung des Soldatenlebens (auch in der Fiktion) könne die Erfüllung der Rezipientenwünsche bringen. Diese Behauptung aber stellt eine Mischung aus Wahrheit, halber Wahrheit und Lüge dar. Die Teilnahme an Kriegen vergangener Jahrhunderte, in geringem Maße auch: des Zweiten Weltkrieges, brachte (neben anderen!) Erfahrungen der spontanen Kommunikation und der Mobilität innerhalb eines erweiterten Erlebnishorizontes, die positiv von einer beengten Situation im zivilen Alltagsleben abstachen. Daneben zwang gerade das Leidvolle in der Kriegserfahrung zur partiellen Verdrängung und zur nachfolgenden Rechtfertigung, auch in der Kommunikation mit den Jüngeren. Schließlich aber ist das Bild des *Krieges als Ort des Abenteuers*[51] das Ergebnis der Arbeit von Werbern und Propagandisten,

welche für die ›Auffüllung‹ der Armeen und die rechtzeitige Kampfbereitschaft der Jugendlichen zu sorgen hatten und haben.
Das Wort ›Manipulation‹ [52] im obigen Zusammenhang bedarf einer näheren Erläuterung. Zu unterscheiden wäre zwischen Verlegerhandeln und dem Handeln politischer Institutionen. Im ersten Fall handelt es sich um den ›Selbstlauf‹ eines Marktmechanismus: Verleger gehen auf Rezeptionsmotivationen ein und versuchen sie durch Werbung und Angebot zu fixieren und zu stabilisieren. Auf der andern Seite stehen politische Institutionen, die durch politische Akte und die Beeinflussung von Informationskanälen das Weltbild der Rezipienten steuern, damit indirekt aber auch deren Präferenzen für bestimmte fiktive Medieninhalte. Direkt schließlich – und das wäre Manipulation im engsten Wortsinne – beeinflussen diese Institutionen Medienangebot und dadurch geweckte oder verstärkte Nachfrage durch die selektive Förderung bzw. Duldung oder Nichtduldung bestimmter Medieninhalte (wobei an die lange Tradition des Verbotes erotischer und der Unterstützung oder zumindest Nichtbehinderung militaristischer Literatur zu erinnern wäre [53]).

Schlußfolgerungen

Hält man die Inhalte eines massenhaft produzierten Genres für unwahr, soll heißen: ein falsches Bild der Wirklichkeit und falsche Handlungsanweisungen vermittelnd, anerkennt man die potentielle Wirksamkeit einer Rezeption dieses Genres, so stellt sich die Frage nach einer Beeinflussung des Rezeptionsverhaltens sozialer Gruppen, vor allem auch der Jugendlichen. Nicht zuletzt besitzen der Gesellschaftskunde- und der Medienkundeunterricht der Schulen hier wichtige Aufgaben. Kann dieser Unterricht auch nicht alle oben angedeuteten Gründe beseitigen, die zur Rezeption der ›harten‹ Unterhaltung, auch der militaristischen, führen, so kann er doch zwei wichtige Ziele erreichen.
Einmal geht es darum, den Kindern und Jugendlichen ein Bild der historischen und sozialen Realität so frühzeitig zu vermitteln, daß die Wirksamkeit einer späteren Rezeption verfälschter Abbilder der Wirklichkeit zumindest eingeschränkt wird. Zum andern dürfen in der Schule nicht nur Medieninhalte (vor allem: nicht nur die Inhalte der ›Hochliteratur‹) Gegenstand des Unterrichts sein; gleich wichtig ist es, mit den Schülern gemeinsam die Motivationen hinter der Rezeption verschiedener (vor allem auch: Unterhaltungs-) Texte zu analysieren. Denn nur die Fähigkeit zu einer distanzierenden Haltung gegenüber Medien und gegenüber eigenen Motiven ermöglicht eine partielle Immunität [54] gegen den Einfluß wirklichkeitsverfälschender Literatur.

Literaturverzeichnis

VON GUNTER GRIMM

Adorno, Theodor W.: Ästhetische Theorie. Hrsg. von Gretel Adorno u. Rolf Tiedemann. Frankfurt a. M. 1970. (Gesammelte Schriften 7.)
– Rede über Lyrik und Gesellschaft. In: T. W. A., Noten zur Literatur I. Frankfurt a. M. 1958. S. 73–104.
Altick, Richard Daniel: The English Common Reader. A Social History of the Mass Reading Public 1800–1900. Chicago u. London 1957.
Auerbach, Erich: Das französische Publikum des 17. Jahrhunderts. München 1933. (Münchner romanistische Arbeiten 3.)
– Mimesis. Dargestellte Wirklichkeit in der abendländischen Literatur. Bern [3]1964.
– Literatursprache und Publikum in der lateinischen Spätantike und im Mittelalter. Bern 1958.
Bark, Joachim: Trivialliteratur – Zur gegenwärtigen Diskussion. In: Sprache im technischen Zeitalter 41 (1972) S. 52–65.
Barthes, Roland: Literatur oder Geschichte. In: R. B., Literatur oder Geschichte. Frankfurt a. M. 1969. S. 11–35.
– Was ist Kritik? Ebd., S. 62–69.
Bauer, Gerhard: Zum Gebrauchswert der Ware Literatur. In: LILI. Zeitschrift für Literaturwissenschaft und Linguistik 1 (1971) H. 1/2, S. 47–57.
Bauer, Werner, Renate Braunschweig-Ullmann, Helmtrud Brodmann, Monika Bühr, Brigitte Keisers, Wolfram Mauser: Text und Rezeption. Wirkungsanalyse zeitgenössischer Lyrik am Beispiel des Gedichtes »Fadensonnen« von Paul Celan. Frankfurt a. M. 1972.
Baum, Günter: Soziologisch bedeutsame literarisch-ästhetische Bedürfnisstrukturen. In: Wissenschaftliche Zeitschrift der Universität Halle 18 (1969) G, H. 2, S. 261–273.
Baumann, Hans-Heinrich: Über französischen Strukturalismus. In: Sprache im technischen Zeitalter 30 (April–Juni 1969) S. 157–183.
Baumgärtner, Alfred Clemens: Lesen – Ein Handbuch. Lesestoff, Leser und Leseverhalten, Lesewirkungen, Leseerziehung, Lesekultur. Hrsg. von A. C. Baumgärtner, unter Mitarbeit von Alexander Beinlich, Malte Dahrendorf, Klaus Doderer, Wolfgang R. Langenbucher. Hamburg 1973.
Beaujean, Marion: Das Lesepublikum der Goethezeit. Die historischen und soziologischen Wurzeln des modernen Unterhaltungsromans. In: Der Leser als Teil des literarischen Lebens. Eine Vortragsreihe mit Marion Beaujean u. a. Bonn 1971; [2]1972. S. 5–32.
– Leser und Lektüre in der Bundesrepublik. Anmerkungen zu einem wichtigen Thema. In: Literaturunterricht. Hrsg. von Gisela Wilkending. München 1972. S. 226–237.
Becker, Eva D. u. Manfred Dehn: Bibliographie Literarisches Leben. Hamburg 1968. (Schriften zur Buchmarktforschung 13.)
Becker, Eva D.: Schiller in Deutschland 1781–1970. Materialien zur Schiller-Rezeption, für die Schule hrsg. von Eva D. Becker. Frankfurt a. M., Berlin u. München 1972. (Texte und Materialien zum Literaturunterricht.)
Beiträge zur Theorie des Text-Leser-Verhältnisses und seiner empirischen Erforschung. Hrsg. u. eingel. von H. Heuermann, P. Hühn u. B. Röttger. Paderborn, in Vorb. (ISL. Informationen zur Sprach- und Literaturdidaktik.)
Beljamé, Alexandre: Le public et les hommes de lettres en Angleterre au dix-huitième siècle, 1668 bis 1744. Paris 1881.
Benjamin, Walter: Literaturgeschichte und Literaturwissenschaft. In: W. B., Angelus Novus. Ausgewählte Schriften 2. Frankfurt a. M. 1966. S. 450–456.

– Charles Baudelaire. Ein Lyriker im Zeitalter des Hochkapitalismus. Hrsg. von Rolf Tiedemann. Frankfurt a. M. 1969.
– Geschichtsphilosophische Thesen. In: W. B., Illuminationen. Frankfurt a. M. 1969. S. 268–279.
Bennett, Henry Stanley: English Books and Readers, 1475 to 1557. Cambridge 1952.
Bertram, Ernst: Nietzsche. Versuch einer Mythologie. Berlin [3]1919.
Beyer, Hildegard: Die deutschen Volksbücher und ihr Lesepublikum. Phil. Diss. Frankfurt a. M. 1961.
Blanchard, Frederic T.: Fielding the Novelist. A Study in Historical Criticism. New Haven, Conn. 1926.
Bleicher, Thomas: Homer in der deutschen Literatur (1450–1740). Zur Rezeption der Antike und zur Poetologie der Neuzeit. Stuttgart 1972. (Germanistische Abhandlungen 39.)
Boas, George: A Primer for Critics. Baltimore 1937; rev. Aufl. Baltimore 1950.
Bomhoff, Jacobus Gerardus: Über Spannung in der Literatur. In: Dichter und Leser. Studien zur Literatur. Hrsg. von Ferdinand van Ingen u. a. Groningen 1972. S. 300–314.
Bouazis, Charles: Littérarité et société. Théorie d'un modèle du fonctionnement littéraire. Paris 1972.
Braun, Michael: Das Verhältnis von Qualität und Verbreitung. Eine Analyse des Publikumsgeschmacks auf Grund vergleichender Untersuchungen der publikumswirksamen Elemente beim Spielfilm. Phil. Diss. München 1956.
Bruford, Walter H.: Germany in the Eighteenth Century: the Social Background of the Literary Revival. Cambridge 1935. Dt.: Die gesellschaftlichen Grundlagen der Goethezeit. Weimar 1936.
– Über Wesen und Notwendigkeit der Publikumsforschung. In: Maske und Kothurn. Vierteljahrsschrift für Theaterwissenschaft 1 (1955) H. 1/2, S. 148–155.
– Culture and Society in Classical Weimar 1775–1886. Cambridge 1962. Dt.: Deutsche Kultur der Goethezeit. Konstanz 1965.
Brüggemann, Fritz: Der Kampf um die bürgerliche Welt- und Lebensanschauung in der deutschen Literatur des 18. Jahrhunderts. In: Deutsche Vierteljahrsschrift für Literaturwissenschaft und Geistesgeschichte 3 (1925) S. 94–127.
Brüning, Eberhard: Probleme der Rezeption amerikanischer Literatur in der DDR. In: Weimarer Beiträge 16 (1970) H. 4, S. 175–186.
Brunner, Horst: Überlieferung und Rezeption der mittelhochdeutschen Lyriker im Spätmittelalter und in der frühen Neuzeit. Probleme und Methoden der Erforschung. In: Historizität in Sprach- und Literaturwissenschaft. Hrsg. von Walter Müller-Seidel. München 1974. S. 133–141.
Buch und Leser in Deutschland. Eine Untersuchung des DIVO-Instituts Frankfurt. Bearbeitet von Maria-Rita Girardi, Lothar-Karl Neffe u. Herbert Steiner. Gütersloh 1965. (Schriften zur Buchmarkt-Forschung. Bd. 4.)
Buch und Leser in Frankreich. Eine Studie des Syndicat National des Editeurs. Gütersloh 1963.
Das Buch zwischen gestern und morgen. Zeichen und Aspekte. Georg von Holtzbrinck zum 11. Mai 1969. Hrsg. von Georg Ramseger u. Werner Schoenicke. Stuttgart 1969.
Das Bücherlesen. Fakten und Motive. Eine Untersuchung des Nederlands Centrum voor Marketing Analyses NV im Auftrage der Stichting Speurwerk betreffende het Boek in Amsterdam. Hamburg 1968.
Bürger, Peter: Die frühen Komödien Corneilles und das französische Theater um 1630. Frankfurt a. M. 1971.
Busch, Rolf: Imperialistische und faschistische Kleist-Rezeption 1890–1945. Eine ideologiekritische Untersuchung. Frankfurt a. M. 1974. (Studien zur Germanistik. Studienreihe Humanitas.)
Carlsson, Anni: Die deutsche Buchkritik von der Reformation bis zur Gegenwart. Bern u. München 1969.
Červenka, Miroslav: Die Grundkategorien des Prager literaturwissenschaftlichen Strukturalismus. In: Viktor Žmegač/Zdenko Škreb [Hrsg.]: Zur Kritik literaturwissenschaftlicher Methodologie. Frankfurt a. M. 1973. S. 137–168.
Chvatík, Květoslav: Strukturalismus und Avantgarde. Aufsätze zur Kunst und Literatur. München 1970.
Collingwood, Robin George: The Idea of History. New York u. Oxford 1956.
Collins, Arthur Simons: Authorship in the Days of Johnson: being a Study of the Relation between Author, Patron, Publisher and Public 1726–1780. London 1927.
– The Profession of Letters. A Study of the Relation of Author to Patron, Publisher, and Public. 1780–1832. London 1928.

Cruse, Amy: The Englishman and His Books in the Early Nineteenth Century. London 1930.
– The Victorians and Their Books. London 1935; [3]1962.
– After the Victorians (On the Books That were most widely read between 1887 und 1914). London 1938.
Curtius, Ernst Robert: Europäische Literatur und lateinisches Mittelalter. Bern 1948; [6]1967.
Dahrendorf, Malte: Literarische Wirkung und Literaturdidaktik. In: Alfred Clemens Baumgärtner: Lesen – ein Handbuch. Hamburg 1973. S. 313–352.
Dehn, Wilhelm [Hrsg.]: Ästhetische Erfahrung und literarisches Lernen. Beiträge von Helmuth Plessner, Karel Kosík u. a.). Frankfurt a. M. 1974.
Deicke, Werner: Literatur und Unterhaltung. In: Weimarer Beiträge 17 (1971) H. 11, S. 182–189.
Descotes, Maurice: Le public de théâtre et son histoire. Paris 1964.
Dichter und Leser. Studien zur Literatur. Hrsg. von Ferdinand van Ingen, Elrud Kunne-Ibsch, Hans de Leeuwe, Frank C. Maatje. Groningen 1972. (Utrechtse Publikaties voor Algemene Literatuurwetenschap.)
Dieckmann, Herbert: Diderot et son Lecteur. In: H. D., Cinq leçons sur Diderot. Genf 1959.
– Diderot und die Aufklärung. Aufsätze zur europäischen Literatur des 18. Jahrhunderts. Stuttgart 1972.
Dithmar, Reinhard [Hrsg.]: Literaturunterricht in der Diskussion. Teil II. Kronberg (Taunus) 1974.
Doležel, Lubomír: Zur statistischen Theorie der Dichtersprache. In: Mathematik und Dichtung. Hrsg. von H. Kreuzer und R. Gunzenhäuser. München 1965. S. 275–293.
Dudek, Gerhard: Traditionsbewußtsein in der sowjetischen Literatur. In: Weimarer Beiträge 16 (1970) H. 4, S. 145–155.
Durzak, Manfred: Rezeptionsästhetik als Literaturkritik. In: Akzente 6 (1971) S. 487–504, und in: Kritik der Literaturkritik. Hrsg. von Olaf Schwencke. Stuttgart, Berlin u. a. S. 56–70.
Eco, Umberto: Le problème de la réception. In: Études de sociologie de la littérature. Bruxelles 1971. S. 13–18.
– Einführung in die Semiotik. München 1972.
– Das offene Kunstwerk. Frankfurt a. M. 1973.
Eggert, Hartmut: Studien zur Wirkungsgeschichte des deutschen historischen Romans 1850–1875. Frankfurt a. M. 1971. (Studien zur Philosophie und Literatur des neunzehnten Jahrhunderts. Bd. 14.)
Eggert, Hartmut, Hans Christoph Berg u. Michael Rutschky: Zur notwendigen Revision des Rezeptionsbegriffs. In: Historizität in Sprach- und Literaturwissenschaft. Hrsg. von Walter Müller-Seidel. München 1974. S. 423–432.
Ehrismann, Otfried: Studien zur Rezeption des Nibelungenlieds. Von der Mitte des 18. Jahrhunderts bis zum Ersten Weltkrieg. München 1974. (Münchener Germanistische Beiträge. Bd. 14.)
– Thesen zur Rezeptionsgeschichtsschreibung. In: Historizität in Sprach- und Literaturwissenschaft. Hrsg. von Walter Müller-Seidel. München 1974. S. 123–131.
Ellegård, Alvar: The Readership of the Periodical Press in Mid-Victorian Britain. Göteborg 1957.
Elling, Barbara: Leserintegration im Werk E. T. A. Hoffmanns. Bern u. Stuttgart 1973.
Eloesser, Arthur: Das bürgerliche Drama. Seine Geschichte im 18. und 19. Jahrhundert. Berlin 1898. Nachdruck Genf 1970.
Emrich, Wilhelm: Wertung und Rangordnung literarischer Werke. In: Sprache im technischen Zeitalter 12 (1964) S. 974–991.
Engelsing, Rolf: Der Bürger als Leser. Die Bildung der protestantischen Bevölkerung Deutschlands im 17. und 18. Jahrhundert am Beispiel Bremens. In: Archiv für die Geschichte des Buchwesens 3 (1960/61) Sp. 206–367.
– Massenpublikum und Journalistentum im 19. Jahrhundert in Nordwestdeutschland. Berlin 1966.
– Die Perioden der Lesergeschichte in der Neuzeit. Das statistische Ausmaß und die soziologische Bedeutung der Lektüre. In: Archiv für die Geschichte des Buchwesens 10 (1969) Sp. 945–1002.
– Analphabetentum und Lektüre. Zur Sozialgeschichte des Lesens in Deutschland zwischen feudaler und industrieller Gesellschaft. Stuttgart 1973.
– Der Bürger als Leser. Lesergeschichte in Deutschland 1500–1800. Stuttgart 1974.
Enzinger, Moriz: Adalbert Stifter im Urteil seiner Zeit. Festgabe zum 28. Jänner 1968. Österreichische Akademie der Wissenschaften, Phil.-hist. Klasse. Sitzungsberichte. Bd. 256. Wien 1968.
Escarpit, Robert: Sociologie de la littérature. Paris [3]1964. Dt.: Das Buch und der Leser. Entwurf einer Literatursoziologie. Köln [2]1966. (Kunst und Kommunikation. Bd. 2.)

– [Hrsg.]: Le littéraire et le social. Eléments pour une sociologie de la littérature. Paris 1970.
Fambach, Oscar: Schiller und sein Kreis in der Kritik ihrer Zeit. Berlin 1957.
Fecher, H.: Literatursoziologische Methoden der Textbetrachtung. Begründung und Bibliographie. In: Blätter für Deutschlehrer 11 (1967) S. 97–115.
Fechter, Werner: Das Publikum der mittelhochdeutschen Dichtung. Reprogr. Nachdruck der Ausgabe Frankfurt 1935. Darmstadt 1966.
Fieguth, Rolf: Rezeption contra falsches und richtiges Lesen? Oder Mißverständnisse mit Ingarden. In: Sprache im technischen Zeitalter 38 (1971) S. 142–159.
– Zur Rezeptionslenkung bei narrativen und dramatischen Werken. In: Sprache im technischen Zeitalter (1973) H. 47, S. 186–201.
Flaker, Aleksander u. Viktor Žmegač [Hrsg.]: Formalismus, Strukturalismus und Geschichte. Kronberg (Taunus) 1974.
Ford, George Harry: Keats and the Victorians: A Study of His Influence and Rise to Fame, 1821–95. New Haven [2]1945; [1]1944.
– Dickens and his Readers. Aspects of Novel-Criticism since 1836. Princeton 1955.
– The Dickens Critics. Hrsg. von George H. Ford u. Lauriat Lane. Ithaca, N. Y. 1962.
Franz, Alfred: Lesen als Lebensersatz. Zur Psychologie der Unterhaltungslektüre. In: Bücherei und Bildung 3 (1951) S. 670–678.
Frey, Eberhard: Was ist guter Stil? Ausländische und einheimische Leserreaktionen auf literarische Textproben. In: Peter Uwe Hohendahl [Hrsg.], Sozialgeschichte und Wirkungsästhetik. Dokumente zur empirischen und marxistischen Rezeptionsforschung. Frankfurt a. M. 1974. S. 135–161.
Friedrich, Cäcilia: Einige Überlegungen zur literatursoziologischen Fragetechnik. In: Wissenschaftliche Zeitschrift der Martin-Luther-Universität Halle-Wittenberg, gesellschafts- und sprachwissenschaftliche Reihe 15 (1966) S. 499–502.
Fröhner, Rolf: Das Buch in der Gegenwart. Eine empirisch-sozialwissenschaftliche Untersuchung. Gütersloh 1961.
Fröschner, Günther: Zur methodologischen Problematik der Beziehungen zwischen Bibliothek und Gesellschaft. Ein Versuch. In: Buch – Bibliothek – Leser. Festschrift für Horst Kunze zum 60. Geburtstag. Berlin 1969. S. 81–96.
Fügen, Hans Norbert: Die Hauptrichtungen der Literatursoziologie und ihre Methoden. Ein Beitrag zur literatursoziologischen Theorie. Bonn [5]1971. (Abhandlungen zur Kunst-, Musik- und Literaturwissenschaft. Bd. 21.)
– [Hrsg.]: Wege der Literatursoziologie. Neuwied 1968. (Soziologische Texte. Bd. 46.)
– Literaturkonsum und Sozialprestige. In: Der Leser als Teil des literarischen Lebens. Bonn [2]1972. S. 33–51.
– Dichtung in der bürgerlichen Gesellschaft. Sechs literatursoziologische Studien. Bonn 1972.
Fuhrmann, Manfred: Die Antike und ihre Vermittler. Konstanz 1969.
– [Hrsg.]: Terror und Spiel. Probleme der Mythenrezeption. München 1971. (Poetik und Hermeneutik. Bd. 4.)
Gadamer, Hans-Georg: Wahrheit und Methode. Grundzüge einer philosophischen Hermeneutik. Tübingen 1960.
Gallas, Helga: Strukturalismus als interpretatives Verfahren. Darmstadt u. Neuwied 1972.
Geiger, Klaus: Fiktive Welt der Massenmedien und reale Welt des Publikums. In: Der Deutschunterricht 23 (1971) H. 2, S. 145–152.
Gelbrich, Dorothea: Antikerezeption in der Lyrik der DDR. In: Weimarer Beiträge 19 (1973) H. 11, S. 42–62.
Girschner-Woldt, Ingrid: Aussagestruktur und Rezeptionsweise. In: Wilhelm Dehn: Ästhetische Erfahrung und literarisches Lernen. Frankfurt a. M. 1974. S. 171–186.
Glaser, Horst Albert: Methoden der Literaturgeschichtsschreibung. In: Grundzüge der Literatur- und Sprachwissenschaft. Bd. 1: Literaturwissenschaft. Hrsg. von Heinz Ludwig Arnold und Volker Sinemus. München 1973. S. 413–431.
Glotz, Peter u. Wolfgang R. Langenbucher: Buchwissenschaft? In: Festschrift für Otto Groth. Bremen 1965. (Publizistik. Zeitschrift für die Wissenschaft von Presse, Rundfunk, Film, Rhetorik, Werbung und Meinungsbildung 10 [1965] H. 3.) S. 302–313.
Glotz, Peter u. Wolfgang R. Langenbucher: Der mißachtete Leser. Köln u. Berlin 1969.
Glotz, Peter: Buchkritik in deutschen Zeitungen. Hamburg 1968.

Goltschnigg, Dietmar [Hrsg.]: Materialien zur Rezeptions- und Wirkungsgeschichte Georg Büchners. Kronberg (Taunus) in Vorb. (Skripten Literaturwissenschaft. Bd. 12.)

Gorman, John: The Reception of Federico Garcia Lorca in Germany. Göppingen 1973. (Göppinger Arbeiten zur Germanistik. Nr. 79.)

Göttert, Karl-Heinz: Die Spiegelung der Lesererwartung in den Varianten mittelalterlicher Texte (am Beispiel des »Reinhart Fuchs«). In: Deutsche Vierteljahrsschrift für Literaturwissenschaft und Geistesgeschichte 48 (1974) H. 1, S. 93–121.

Grappin, Pierre: Aspekte der Rezeption Werthers in Frankreich im 18. Jahrhundert. In: Historizität in Sprach- und Literaturwissenschaft. Hrsg. von Walter Müller-Seidel. München 1974. S. 411–421.

Greiner, Martin: Literatur und Gesellschaft. Literatursoziologie als Wirkungsgeschichte der Dichtung. In: Deutsche Universitätszeitung 12 (1957) Nr. 8, S. 14–17, und in: Viktor Žmegač: Methoden der deutschen Literaturwissenschaft. Frankfurt a. M. 1971. S. 225–234.

Grimm, Gunter: Rezeptionsforschung als Ideologiekritik. Aspekte zur Rezeption Lessings in Deutschland. In: Über Literatur und Geschichte. Festschrift für Gerhard Storz. Hrsg. von Bernd Hüppauf u. Dolf Sternberger. Frankfurt a. M. 1973. S. 115–150.

Grimm, Reinhold: Zur Wirkungsgeschichte von Vischers »Auch Einer«. In: Gestaltungsgeschichte und Gesellschaftsgeschichte. In Zusammenarbeit mit Käte Hamburger hrsg. von Helmut Kreuzer. Stuttgart 1969. S. 352–381.

Grimm, Reinhold u. Jost Hermand [Hrsg.]: Die Klassik-Legende. Frankfurt a. M. 1971. (Schriften zur Literatur 18.)

Grimminger, Rolf u. a. : Einführung in eine subjektbezogene Literaturwissenschaft. In: Modelle der Praxis. Hrsg. von Hermann Müller-Solger. Tübingen 1972.

Groeben, Norbert: Literaturpsychologie. Literaturwissenschaft zwischen Hermeneutik und Empirie. Stuttgart, Berlin, Köln und Mainz 1972. (Sprache und Literatur 80.)

– Literaturpsychologie. In: Grundzüge der Literatur- und Sprachwissenschaft. Hrsg. von Heinz Ludwig Arnold u. Volker Sinemus. Bd. 1 Literaturwissenschaft. München 1973. S. 388–397.

Gumbrecht, Hans Ulrich: Rezension von: Siegfried J. Schmidt: Ästhetizität. Philosophische Beiträge zu einer Theorie des Ästhetischen. München 1971. In: Poetica 4 (1971) S. 554–559.

– Soziologie und Rezeptionsästhetik. Über Gegenstand und Chancen interdisziplinärer Zusammenarbeit. In: Jürgen Kolbe [Hrsg.], Neue Ansichten einer künftigen Germanistik. München 1973. S. 48–74.

Gundolf, Friedrich: Shakespeare und der deutsche Geist. Berlin 1911; [7]1923.

– Caesar. Geschichte seines Ruhms. Berlin 1924.

Günther, Hans: Grundbegriffe der Rezeptions- und Wirkungsanalyse im tschechischen Strukturalismus. In: Poetica 4 (1971) H. 2, S. 224–243.

– Struktur als Prozeß. Studien zur Ästhetik und Literaturtheorie des tschechischen Strukturalismus. München 1973.

Habermas, Jürgen: Strukturwandel der Öffentlichkeit. Untersuchungen zu einer Kategorie der bürgerlichen Gesellschaft. Neuwied 1962.

Hackett, Alice P.: Fifty Years of Bestsellers, 1895–1945. New York 1945.

Haferkorn, Hans Jürgen: Der freie Schriftsteller. Eine literatursoziologische Studie über seine Entstehung und Lage in Deutschland zwischen 1750 und 1800. Diss. Göttingen 1959. Auszug in: Archiv für die Geschichte des Buchwesens 5 (1962–64) Sp. 523–712.

Harbage, Alfred: Shakespeare's Audience. New York 1941.

Hart, James D.: The Popular Book. A History of America's Literary Taste. New York 1950.

Harth, Dietrich: Romane und ihre Leser. In: Germanisch-Romanische Monatsschrift, N. F. 20 (1970) S. 159–179.

– Begriffsbildung in der Literaturwissenschaft. Beobachtungen zum Wandel der ›semantischen Orientierung‹. In: Deutsche Vierteljahrsschrift für Literaturwissenschaft und Geistesgeschichte 45 (1971) S. 397–433.

Haseloff, Otto Walter [Hrsg.]: Kommunikation. Berlin [2]1971.

Hass, Hans-Egon: Das Problem der literarischen Wertung (1959). Darmstadt [2]1970. (Libelli CCCX.)

Haubrichs, Wolfgang: Zur Relevanz von Rezeption und Rezeptionshemmung in einem kybernetischen Modell der Literaturgeschichte. Ein Beitrag zum Problem der Periodisierung. In: Historizität in Sprach- und Literaturwissenschaft. Hrsg. von Walter Müller-Seidel. München 1974. S. 97–121.

Hauser, Arnold: Sozialgeschichte der Kunst und Literatur. 2 Bde. München 1953; [2]1967.

– Philosophie der Kunstgeschichte. München 1958.
Hehn, Viktor: Goethe und das Publikum. Eine Literaturgeschichte im Kleinen. In: V. H., Gedanken über Goethe. Berlin 1887. S. 49–185.
Hermand, Jost: Unbequeme Literatur. Eine Beispielreihe. Heidelberg 1971.
– Vom Gebrauchswert der Rezension. In: Kritik der Literaturkritik. Hrsg. von Olaf Schwencke. Stuttgart, Berlin, Köln u. Mainz 1973. (Sprache und Literatur 84.) S. 32–47.
Herrlitz, Hans-Georg: Der Lektüre-Kanon des Deutschunterrichts im Gymnasium. Ein Beitrag zur Geschichte der muttersprachlichen Schulliteratur. Heidelberg 1964.
– Lektüre-Kanon und literarische Wertung. Bemerkungen zu einer didaktischen Leitvorstellung und deren wissenschaftlicher Begründung. In: Der Deutschunterricht 19 (1967) H. 1, S. 79–92.
Heß, Gerhard: Das Bild der Gesellschaft in der französischen Literatur (1954). In: Gesellschaft – Literatur – Wissenschaft: Gesammelte Schriften 1938–1966. Hrsg. von Hans Robert Jauß u. Claus Müller-Daehn. München 1967.
Heß, Rainer: Die Anfänge der modernen portugiesischen Lyrik. Habil.-Schrift Erlangen 1970.
Hiller, Helmut: Zur Sozialgeschichte von Buch und Buchhandel. Bonn 1966.
Hillmann, Heinz: Rezeption – empirisch. In: Historizität in Sprach- und Literaturwissenschaft. Hrsg. von Walter Müller-Seidel. München 1974. S. 433–449.
Hirsch, Julian: Die Genesis des Ruhms. Ein Beitrag zur Methodenlehre der Geschichte. Leipzig 1914.
Historizität in Sprach- und Literaturwissenschaft. Vorträge und Berichte der Stuttgarter Germanistentagung 1972. In Verbindung mit Hans Fromm u. Karl Richter hrsg. von Walter Müller-Seidel. München 1974.
Hodeige, Fritz: Zur Stellung von Dichter und Buch in der Gesellschaft. Eine literatursoziologische Untersuchung. Diss. Marburg 1949.
Hohendahl, Peter Uwe: Literaturkritik und Öffentlichkeit. In: LILI. Zeitschrift für Literaturwissenschaft und Linguistik 1 (1971) H. 1/2, S. 11–46.
– Benn – Wirkung wider Willen. Dokumente zur Wirkung Benns. Hrsg., eingel. u. komm. von P. U. H. Frankfurt a. M. 1971. (Wirkung der Literaur. Bd. 1.)
– [Hrsg.]: Sozialgeschichte und Wirkungsästhetik. Dokumente zur empirischen und marxistischen Rezeptionsforschung. Frankfurt a. M. 1974.
– Einleitung in: P. U. H., Sozialgeschiche und Wirkungsästhetik. S. 9–48.
Höhle, Thomas: Probleme einer marxistischen Literatursoziologie. In: Wissenschaftl. Zeitschrift der Martin-Luther-Universität Halle-Wittenberg. Gesellschafts- u. sprachwissenschaftl. Reihe 15 (1966) S. 477–488.
Hohmann, Walter: Es geht um die Erforschung der literarischen Wirkung. In: der bibliothekar. Zeitschrift für das Bibliothekswesen 19 (1965) S. 505–515.
Hollstein, Walter: Der deutsche Illustriertenroman der Gegenwart. Produktionsweise – Inhalte – Ideologie. München 1973.
Hoppe, Otfried: Triviale Lektüre. Publizistische und sozialpsychologische Überlegungen zur Didaktik der Trivialliteratur. In: Linguistik und Didaktik 4 (1973) H. 13, S. 16–34.
Hotz, Karl [Hrsg.]: Goethes »Werther« als Modell für kritisches Lesen. Materialien zur Rezeptionsgeschichte, zusammengestellt u. eingel. von K. H. Stuttgart 1974.
Hurwitz, Harold: Der heimliche Leser. Beiträge zur Soziologie des geistigen Widerstandes. Köln 1966.
Ingarden, Roman: Das literarische Kunstwerk. Halle 1931.
– Vom Erkennen des literarischen Kunstwerks. Tübingen 1968.
– Erlebnis, Kunstwerk, Wert. Tübingen 1969.
Iser, Wolfgang: Die Appellstruktur der Texte. Unbestimmtheit als Wirkungsbedingung literarischer Prosa. Konstanz 1970; [2]1971. (Konstanzer Universitätsreden 28.)
– Der implizite Leser. Kommunikationsformen des Romans von Bunyan bis Beckett. München 1972.
Jaeggi, Urs: Literatur und Politik. Ein Essay. Frankfurt a. M. 1972.
– Literatursoziologie. In: Grundzüge der Literatur- und Sprachwissenschaft. Bd. 1: Literaturwissenschaft. Hrsg. von Heinz Ludwig Arnold und Volker Sinemus. München 1973. S. 397–412.
Jäger, Georg: Die Wertherwirkung. Ein rezeptionsästhetischer Modellfall. In: Historizität in Sprach- und Literaturwissenschaft. Hrsg. von Walter Müller-Seidel. München 1974. S. 389–409.
Jakobson, Roman: Über den Realismus in der Kunst. In: Russischer Formalismus. Texte zur allgemeinen Literaturtheorie und zur Theorie der Prosa. Hrsg. u. eingel. von Jurij Striedter. München 1971. S. 373–391.

Janik, Dieter: Die Kommunikationsstruktur des Erzählwerks. Ein semiologisches Modell. Bebenhausen 1973. (Thesen und Analysen. Bd. 3.)
Jauß, Hans Robert: Untersuchungen zur mittelalterlichen Tierdichtung. Tübingen 1959.
– Literaturgeschichte als Provokation der Literaturwissenschaft. Konstanz [1]1967; [2]1969. (Konstanzer Universitätsreden. Bd. 3.) Verändert in H. R. J.: Literaturgeschichte als Provokation. Frankfurt a. M. 1970. S. 144–207.
– L'Avare. In: Das französische Theater. Vom Barock bis zur Gegenwart. Hrsg. von Jürgen von Stackelberg. 2 Bde. Düsseldorf 1968. Bd. 1. S. 137–163.
– [Hrsg.]: Die nicht mehr schönen Künste. Grenzphänomene des Ästhetischen. München 1968. (Poetik und Hermeneutik. Bd. 3.)
– Provokation des Lesers im modernen Roman. In: Die nicht mehr schönen Künste. München 1968. S. 669–690.
– Paradigmawechsel in der Literaturwissenschaft. In: Linguistische Berichte (1969) H. 3, S. 44–56.
– Kleine Apologie der ästhetischen Erfahrung. Konstanz 1972.
– Racines und Goethes Iphigenie. Mit einem Nachwort über die Partialität der rezeptionsästhetischen Methode. In: neue hefte für philosophie (1973) H. 4, S. 1–46.
Jüttner, Siegfried: Der Mythos vom Leser. Zur Theorie der politischen Dichtung im heutigen Frankreich. In: Deutsche Vierteljahrsschrift für Literaturwissenschaft und Geistesgeschichte 48 (1974) H. 2, S. 228–248.
Kačer, Miroslav: Der Prager Strukturalismus in der Ästhetik und Literaturwissenschaft. In: Die Welt der Slaven 13 (1969) S. 64–86.
Kaiser, Gerhard: Exkurs über: Hans Robert Jauß, Literaturgeschichte als Provokation der Literaturwissenschaft. In: Fragen der Germanistik. Zur Begründung und Organisation des Faches. München 1971. S. 59–65.
– Nachruf auf die Interpretation? In: Poetica 4 (1971) S. 267–277.
– Überlegungen zu einem Studienplan Germanistik. Literaturwissenschaftlicher Teil. 3. Exkurs über: Hans Robert Jauß, Literaturgeschichte als Provokation der Literaturwissenschaft. In: Fragen der Germanistik. Zur Begründung und Organisation des Faches. München 1971. S. 59–65.
– Metakritik zu kritischen Notizen von Hans Robert Jauß und Hilmar Kallweit. In: G. K., Antithesen. Zwischenbilanz eines Germanisten 1970–1972. Frankfurt a. M. 1973. (Gegenwart der Dichtung. Bd. 10.) S. 45–49. Darin auch: Nachruf auf die Interpretation? S. 51–70.
Kaiser, Michael: Literatursoziologische Studien zu Gottfried Kellers Dichtung. Bonn 1965.
Kalivoda, Robert: Der Marxismus und die moderne geistige Wirklichkeit. Frankfurt a. M. 1970.
Kaufmann, Hans: Zehn Anmerkungen über das Erbe, die Kunst und die Kunst des Erbens. In: Hans Kaufmann [Hrsg.], Positionen der DDR-Literaturwissenschaft. Auswahl aus den Weimarer Beiträgen (1971–1973). Bd. 2. Kronberg (Taunus) 1974. S. 251–270. Zuerst in: Weimarer Beiträge 19 (1973) H. 10, S. 33–53.
– [Hrsg.]: Positionen der DDR-Literaturwissenschaft. Auswahl aus den Weimarer Beiträgen (1955 bis 1973). 2 Bde. Kronberg (Taunus) 1974.
Kayser, Wolfgang: Wer erzählt den Roman? In: Die Vortragsreise. Studien zur Literatur. Bern 1958. S. 82–101.
– Das literarische Leben der Gegenwart. In: Deutsche Literatur in unserer Zeit. Göttingen 1959. S. 5–31.
Kesting, Marianne: Auf neuen Wegen. Literaturwissenschaft vom Leser. In: Die Zeit (23. 3. 1973).
Kindermann, Heinz: Theatergeschichte der Goethezeit. Wien 1948.
– Theatergeschichte Europas. Bd. 1–9. Salzburg 1957–70.
Klein, Albert: Die Krise des Unterhaltungsromans im 19. Jahrhundert. Ein Beitrag zur Theorie und Geschichte der ästhetisch geringwertigen Literatur. Bonn 1969. (Abhandlungen zur Kunst-, Musik- und Literaturwissenschaft. Bd. 84.)
Kluckhohn, Paul: Dichterberuf und bürgerliche Existenz. Tübingen 1949.
Kohn-Bramsted, Ernest: Aristocracy and Middle-Classes in Germany. Social types in German literature 1830–1900. Chicago u. London 1964.
Kolbe, Jürgen [Hrsg.]: Neue Ansichten einer künftigen Germanistik. Probleme einer Sozial- und Rezeptionsgeschichte der Literatur. Kritik der Linguistik. Literatur- und Kommunikationswissenschaft. München 1973.
Kortum, Hans u. Reinhart Weisbach: Unser Verhältnis zum literarischen Erbe. In: Weimarer Beiträge 16 (1970) H. 5, S. 214–219.

Koselleck, Reinhard u. Wolf-Dieter Stempel [Hrsg.]: Geschichte – Ereignis und Erzählung. München 1973. (Poetik und Hermeneutik. Bd. 5.)

Kosík, Karel: Die Dialektik des Konkreten. Frankfurt a. M. 1967. (Theorie 2.)

Köster, Albert: Goethe und sein Publikum. In: Goethe-Jahrbuch. Bd. 29 (1908). Anhang, S. 1*–20*.

Krauss, Werner: Literaturgeschichte als geschichtlicher Auftrag. In: W. K., Studien und Aufsätze. Berlin 1959. (Neue Beiträge zur Literaturwissenschaft. Bd. 8.) S. 19–71.

Kristeller, Paul Oskar: Der Gelehrte und sein Publikum im späten Mittelalter und in der Renaissance. In: Medium Aevum Vivum. Festschrift Bulst. Heidelberg 1960. S. 212–230.

Kügler, Hans: Literatur und Kommunikation. Ein Beitrag zur didaktischen Theorie und methodischen Praxis. Stuttgart 1971.

Kuhn, Hugo: Dichtung und Welt im Mittelalter. Stuttgart 1959.

– Text und Theorie. Stuttgart 1969.

Kuhn, Thomas S.: Die Struktur wissenschaftlicher Revolutionen. Frankfurt a. M. 1967.

Kühn, Heinz: Untersuchungen zur Lektüre der werktätigen Jugendlichen. Diss. Dresden 1963.

Kulturpolitisches Wörterbuch. Berlin [Ost] 1970. Artikel »Rezeption«, S. 460–462.

Lämmert, Eberhard: Zur Wirkungsgeschichte Eichendorffs in Deutschland. In: Festschrift für Richard Alewyn. Hrsg. von Herbert Singer und Benno von Wiese. Köln u. Graz 1967. S. 346–378.

– Rezeptions- und Wirkungsgeschichte der Literatur als Lehrgegenstand. In: Jürgen Kolbe [Hrsg.], Neue Ansichten einer künftigen Germanistik. München 1973. S. 160–173.

Landwehr, Jürgen: Text und Fiktion. Zu einigen literaturwissenschaftlichen und kommunikationstheoretischen Grundbegriffen. München 1974. (Kritische Information 30.)

Lange, Victor: Die Lyrik und ihr Publikum im England des 18. Jahrhunderts. Eine geschmacksgeschichtliche Untersuchung über die englischen Anthologien von 1670–1780. Weimar 1935.

Lange-Eichbaum, Wilhelm u. Wolfram Kurth: Genie, Irrsinn und Ruhm. Genie – Mythus und Pathographie des Genies. Tübingen 1927; München u. Basel ^{6}1967.

Langenbucher, Wolfgang: Der aktuelle Unterhaltungsroman. Beiträge zur Geschichte und Theorie der massenhaft verbreiteten Literatur. Bonn 1964. (Bonner Beiträge zur Bibliotheks- und Bücherkunde 9; zugleich Phil. Diss. München: Die »Zeitungs«-Relevanz massenhaft verbreiteter Literatur.)

– Das Publikum im literarischen Leben des 19. Jahrhunderts. In: Der Leser als Teil des literarischen Lebens. Bonn 1972. S. 52–84.

Leary, Louis [Hrsg.]: Contemporary Literary Scholarship, Edited for The Committee on Literary Scholarship and the Teaching of English of the National Counsil of Teachers of English. New York 1958.

Leavis, Queenie Dorothy: Fiction and the Reading Public. London 1932.

Leibfried, Erwin: Kritische Wissenschaft vom Text. Stuttgart 1970.

Lenzer, Rosemarie: Lesen als Gegenstand der sowjetischen Literaturwissenschaft. In: Weimarer Beiträge 16 (1970) H. 5, S. 184–194.

Leppmann, Wolfgang: Goethe und die Deutschen. Vom Nachruhm eines Dichters. Stuttgart 1962. (Sprache und Literatur. Bd. 3.)

Der Leser als Teil des literarischen Lebens. Eine Vortragsreihe mit Marion Beaujean, Hans Norbert Fügen, Wolfgang R. Langenbucher, Wolfgang Strauß. Bonn 1971; ^{2}1972. (Forschungsstelle für Buchwissenschaft an der Universitätsbibliothek Bonn, Kleine Schriften 8.) Inhalt: Marion Beaujean: Das Lesepublikum der Goethezeit – Die historischen und soziologischen Wurzeln des modernen Unterhaltungsromans, S. 5–32; H. N. Fügen: Literaturkonsum und Sozialprestige, S. 33 bis 51; W. R. Langenbucher: Das Publikum im literarischen Leben des 19. Jahrhunderts, S. 52–84; W. Strauß: Leserforschung in Deutschland, S. 85–121.

Liebhart, Ernst: Wirkungen des Lesens. In: Baumgärtner, Lesen – ein Handbuch. Hamburg 1973. S. 231–312.

Löffler, Dietrich: Soziologische Probleme der Beziehungen zwischen Werkstrukturen und der Publikumsstruktur: In: Wissenschaftliche Zeitschrift der Universität Halle 18 (1969) G, H. 2, S. 283–289.

Loschütz, Gert: Von Buch zu Buch – Günter Grass in der Kritik. Eine Dokumentation. Neuwied u. Berlin 1968.

Lotman, Jurij M.: Zwei Kapitel zur strukturellen Poetik. In: Sprache im technischen Zeitalter (1971) H. 38, S. 110–120.

– Die Struktur literarischer Texte. München 1972.

– Vorlesungen zu einer strukturalen Poetik. Hrsg. u. mit einem Nachwort versehen von Karl

Eimermacher. München 1972. (Theorie und Geschichte der Literatur und der Schönen Künste. Bd. 14.)
– Die Struktur des künstlerischen Textes. Hrsg. mit einem Nachwort und einem Register von Rainer Grübel. Frankfurt a. M. 1973.
– Aufsätze zur Theorie und Methodologie der Literatur und Kunst. Eingel. u. hrsg. von Karl Eimermacher. Kronberg (Taunus) 1974. (Forschungen Literaturwissenschaft. Bd. 1.)
Löwenthal, Leo: Literatur und Gesellschaft. Das Buch in der Massenkultur. Neuwied 1964. (Soziologische Texte. Bd. 27.)
– Erzählkunst und Gesellschaft. Die Gesellschaftsproblematik in der deutschen Literatur des 19. Jahrhunderts. Mit einer Einleitung von Frederic C. Tubach. Neuwied u. Berlin 1971.
Lubbers, Klaus: Aufgaben und Möglichkeiten der Rezeptionsforschung. In: Germanisch-Romanische Monatsschrift, N. F. 14 (1964) H. 4, S. 292–302.
Lublinski, Samuel: Litteratur und Gesellschaft im 19. Jahrhundert. Bd. 1: Die Frühzeit der Romantik. Berlin 1899; Bd. 2: Romantik und Historizismus. Berlin 1899. (Ende des Jahrhunderts. Rückschau auf 100 Jahre geistiger Entwickelung. Bd. 12/13.)
Ludwig, Albert: Das Urteil über Schiller im 19. Jahrhundert. Bonn 1905.
– Schiller und die deutsche Nachwelt. Berlin 1909.
Lützeler, Paul Michael: Die marxistische Lessing-Rezeption – Darstellung und Kritik am Beispiel von Mehring und Lukács. In: Lessing-Yearbook III (1971) S. 173–193.
Mahrholz, Werner: Literaturgeschichte und Literaturwissenschaft. 2. erw. Aufl. Leipzig 1932.
Mandelkow, Karl Robert: Probleme der Wirkungsgeschichte. In: Jahrbuch für Internationale Germanistik II (1970) H. 1, S. 71–84; und in: Peter Uwe Hohendahl [Hrsg.], Sozialgeschichte und Wirkungsästhetik. Dokumente zur empirischen und marxistischen Rezeptionsforschung. Frankfurt a. M. 1974. S. 82–96.
– [Hrsg.]: Goethe im Urteil seiner Kritiker. Wirkungsgeschichte I. Frankfurt a. M. in Vorb. (Wirkung der Literatur. Bd. 7.)
– Rezeptionsästhetik und marxistische Literaturtheorie. In: Historizität in Sprach- und Literaturwissenschaft. Hrsg. von Walter Müller-Seidel. München 1974. S. 379–388.
Materialistische Wissenschaft 1. Autorenkollektiv sozialistischer Literaturwissenschaftler Westberlin: Zum Verhältnis von Ökonomie, Politik und Literatur im Klassenkampf. Grundlagen einer historisch-materialistischen Literaturwissenschaft. VI. Literaturwissenschaft in der BRD. 3. Bürgerliche Reform der Literaturgeschichte: Das antimarxistische Modell einer Rezeptions- und Wirkungsästhetik. Berlin 1971. S. 160–164.
Mayer, Hans: Lessing, Mitwelt und Nachwelt. In: Sinn und Form 6 (1954) S. 5–33.
– Schillers Nachruhm. In: Etudes Germaniques (1959) S. 374–385, und in: Sinn und Form (1959) S. 701–714.
– Hofmannsthal und die Nachwelt. In: Jürgen Haupt: Konstellationen Hugo von Hofmannsthals. Salzburg 1970. S. 5–44.
Mehring, Franz: Die Lessing-Legende. Berlin 1963 (Gesammelte Schriften. Bd. 9); [1]1893.
Meilach, Boris: Die Kunstrezeption – Forschungsaspekte und Untersuchungsmethoden. In: Kunst und Literatur 2 (1971) S. 140–155.
Metzing, Dorothea: Untersuchungen zur systematischen Erfassung und Überprüfung der Leseinteressen von Schülern der 8. Klasse in der POS. Diss. Berlin 1966.
Meyer, Peter: Die Kunst und ihr Publikum. In: Wirtschaft und Kultursystem. Hrsg. von Gottfried Eisermann. Erlenbach-Zürich u. Stuttgart 1955. S. 255–266.
Michels, Gerd: Rezeption und Veränderung. Grundfragen einer Theorie der Literaturdidaktik. In: Literaturdidaktik. Aussichten und Aufgaben. Hrsg. von Jochen Vogt. Düsseldorf 1972; [2]1973. S. 33–49.
– Leseprozesse. Zur kommunikationstheoretischen Begründung von Literaturdidaktik. Düsseldorf 1973. (Literatur in der Gesellschaft. Bd. 16.)
Michelsen, Peter: Laurence Sterne und der deutsche Roman des 18. Jahrhunderts. Göttingen 1962. (Palaestra. Bd. 232.)
Milstein, Barney M.: Eight Eighteenth Century Reading Societies. A Sociological Contribution to the History of German Literature. Bern u. Frankfurt a. M. 1972.
Mohr, Wolfgang: Minnesang als Gesellschaftskunst. In: Der deutsche Minnesang. Hrsg. von Hans Fromm. Aufsätze zu seiner Erforschung. Darmstadt 1961. S. 197–228. (Wege der Forschung. Bd. XV.)

Mortier, Roland: Diderot in Deutschland 1750–1850. Stuttgart 1967.
Mühlmann, Wilhelm E.: Soziologie des Genie-Mythos. In: Kölner Zeitschrift für Soziologie und Sozialpsychologie 9 (1957) S. 118–124.
– Bestand und Revolution in der Literatur. Stuttgart, Berlin, Köln u. Mainz 1973. (Sprache und Literatur 87.)
Mukařovský, Jan: Kapitel aus der Poetik. Frankfurt a. M. 1967.
– Kapitel aus der Ästhetik. Frankfurt a. M. 1970.
Müller-Hanpft, Susanne: Lyrik und Rezeption. Das Beispiel Günter Eich. München 1972.
Müller-Seidel, Walter [Hrsg.]: Historizität in Sprach- und Literaturwissenschaft. Vorträge und Berichte der Stuttgarter Germanistentagung 1972. München 1974.
Münzberg, Olav: Rezeptivität und Spontaneität. Die Frage nach dem ästhetischen Subjekt oder soziologische und politische Implikationen des Verhältnisses Kunstwerk – Rezipient in den ästhetischen Theorien Kants, Schillers, Hegels, Benjamins, Brechts, Heideggers, Sartres und Adornos. Frankfurt a. M. 1974. (Studienreihe Humanitas.)
Muschg, Walter: Tragische Literaturgeschichte. Bern u. München 1948; [4]1969.
– Der Dichter und sein Ruhm. In: Universität 5 (1950) S. 391–394.
Naumann, Bernd: Dichter und Publikum in deutscher und lateinischer Bibelepik des frühen 12. Jahrhunderts. Untersuchungen zu frühmittelhochdeutschen und mittellateinischen Dichtungen über die kleineren Bücher des Alten Testaments. Nürnberg 1968. (Erlanger Beiträge zur Sprach- und Kunstwissenschaft. Bd. 30.)
Naumann, Manfred: Autor – Adressat – Leser. In: Weimarer Beiträge 17 (1971) H. 11, S. 163–169. Auch in: Hans Kaufmann, Positionen der DDR-Literaturwissenschaft. Auswahl aus den Weimarer Beiträgen (1971–1973). Kronberg (Taunus) 1974. S. 101–107.
– Autor und Leser. In: Weimarer Beiträge 19 (1973) H. 2, S. 5–9.
– Gesellschaft – Literatur – Lesen. Literaturrezeption in theoretischer Sicht. Beiträge von Manfred Naumann, Dieter Schlenstedt, Karlheinz Barck, Dieter Kliche, Rosemarie Lenzer. Berlin u. Weimar 1973.
– Literatur und Probleme ihrer Rezeption. In: Peter Uwe Hohendahl [Hrsg.], Sozialgeschichte und Wirkungsästhetik. Dokumente zur empirischen und marxistischen Rezeptionsforschung. Frankfurt a. M. 1974. S. 215–237. (Erweiterte und überarbeitete Fassung des zuerst unter dem Titel »Literatur und Leser« in Weimarer Beiträge 16 [1970] H. 5, S. 92–116, erschienenen Aufsatzes.)
Nelson, Lowry: The Fictive Reader and Literary Self-Consiousness. In: Festschrift René Wellek: »The Disciplines of Criticism«. Yale 1968.
Nerlich, Michael: Romanistik und Anti-Kommunismus. In: Das Argument 14 (April 1972) H. 3/4, S. 276–313.
Netzer, Klaus: Der Leser des Nouveau Roman. Frankfurt a. M. 1969. (Schwerpunkte Romanistik 1.)
Neumeister, Sebastian: Poetizität. Wie kann ein Urteil über heutige Gedichte gefunden werden? Antwort auf die Preisfrage der Deutschen Akademie für Sprache und Dichtung vom Jahre 1970. Heidelberg 1970.
Neuschäfer, Hans-Jörg: Der Sinn der Parodie im Don Quijote. Heidelberg 1963.
– Mit Rücksicht auf das Publikum ... Probleme der Kommunikation und Herstellung von Konsens in der Unterhaltungsliteratur, dargestellt am Beispiel der Kameliendame. In: Poetica. Zeitschrift für Sprach- u. Literaturwissenschaft 4 (1971) S. 478–514.
Neven Du Mont, Reinhold: Die Kollektivierung des literarischen Konsums in der modernen Gesellschaft durch die Arbeit der Buchgemeinschaften. Diss. Freiburg i. Br. 1961.
Nies, Fritz: Gattungspoetik und Publikumsstruktur. Zur Geschichte der Sévignébriefe. München 1972.
Nisin, Arthur: La littérature et le lecteur. Paris 1959.
– Les œuvres et les siècles. Paris 1960.
Nollau, Alfred: Das literarische Publikum des jungen Goethe von 1770 bis zur Übersiedlung nach Weimar. Weimar 1935. (Literatur und Leben 5.)
Nühlen, Karl: Das Publikum und seine Aktionsarten. In: Kölner Zeitschrift für Soziologie und Sozialpsychologie 5 (1952) S. 446–474.
Nutz, Walter: Der Trivialroman, seine Formen und seine Hersteller. Ein Beitrag zur Literatursoziologie. Köln u. Opladen 1962. (Kunst und Kommunikation 4.)
Oellers, Norbert: Schiller. Geschichte seiner Wirkung bis zu Goethes Tod 1805–1832. Bonn 1967. (Bonner Arbeiten zur deutschen Literatur. Bd. 15.)

– [Hrsg.]: Schiller – Zeitgenosse aller Epochen. Dokumente zur Wirkungsgeschichte Schillers in Deutschland. Tl. 1. Frankfurt a. M. 1970. (Wirkung der Literatur. Bd. 2.)
Oswald, Horst: Literatur, Kritik und Leser. Berlin 1968.
Peschken, Bernd: Versuch einer germanistischen Ideologiekritik. Stuttgart 1972.
Peters, Joseph: Von der Wirkung der Schönen Literatur. In: Bücherei und Bildung, Reutlingen 6 (1954) S. 20–32; 1037–1045.
Picon, Gaeton H.: Introduction à une esthétique de la littérature. Paris 1953.
– L'usage de la lecture. Paris 1960.
Pollmann, Leo: Von der Chanson de geste zum höfischen Roman in Frankreich. In: Germanisch-Romanische Monatsschrift, N. F. 16 (1966) S. 1–14.
– Literaturwissenschaft und Methode. 2. verb. Aufl. Frankfurt a. M. 1973.
Posner, Roland: Strukturalismus in der Gedichtinterpretation, Textdeskription und Rezeptionsanalyse am Beispiel von Baudelaires »Les Chats«. In: Sprache im technischen Zeitalter 29 (1969) S. 27–59.
Poulet, Georges: Phenomenology of Reading. In: New Literary History 1 (1969/70) S. 53–58.
Prawer, Siegbert S.: Mörike und seine Leser. Versuch einer Wirkungsgeschichte. Stuttgart 1960.
Preston, John: The Created Self. The Reader's Role in Eighteenth Century Fiction. London 1970.
Profitlich, Ulrich: Der seelige Leser. Untersuchungen zur Dichtungstheorie Jean Pauls. Bonn 1968. (Bonner Arbeiten zur deutschen Literatur. Bd. 18.)
Prokop, Dieter [Hrsg.]: Massenkommunikationsforschung 1. Produktion. Frankfurt a. M. 1972; 2. Konsumtion. Frankfurt a. M. 1973.
Prüsener, Marlies: Lesegesellschaften im achtzehnten Jahrhundert. Ein Beitrag zur Lesergeschichte. Frankfurt a. M. 1972. (Sonderdruck aus: Archiv für Geschichte des Buchwesens. Bd 13. Lieferung 1–2. Frankfurt a. M. 1972.)
Reso, Martin: »Der geteilte Himmel« und seine Kritiker. Dokumentation mit einem Nachwort des Herausgebers. Halle (Saale) 1965.
Riefstahl, Hermann: Dichter und Publikum in der ersten Hälfte des 18. Jahrhunderts, dargestellt an der Geschichte der Vorrede. Diss. Frankfurt a. M. 1934.
Riffaterre, Michael: Describing poetic structures. Two approaches to Baudelaires »Les Chats«. In: Yale French Studies 36/37 (1966) S. 200–242.
Roethe, Gustav: Vom literarischen Publikum in Deutschland. In: G. R., Deutsche Reden. Leipzig 1927. S. 204–222.
Rossbacher, Karlheinz: Lederstrumpf in Deutschland. Zur Rezeption James Fenimore Coopers beim Leser der Restaurationszeit. München 1972.
Rothfels, Hans: Ranke und die geschichtliche Welt. In: Deutsche Beiträge zur geistigen Überlieferung (1953) S. 97–120.
Rüdiger, Horst [Hrsg.]: Komparatistik. Aufgaben und Methoden. Stuttgart, Berlin u. a. 1973. (Sprache und Literatur 85.) Darin: H. R., Klassik und Kanonbildung – Zur Frage der Wertung in der Komparatistik S. 127–144.
Rumpf, Walter: Das literarische Publikum und sein Geschmack in den Jahren 1760–1770. (Versuch einer sozialliterarischen Literaturbetrachtung.) Diss. Frankfurt a. M. 1924.
– Das literarische Publikum der sechziger Jahre des 18. Jahrhunderts in Deutschland. In: Euphorion XXVIII (1927) S. 540–564.
Rusterholz, Peter: Hermeneutik. In: Grundzüge der Literatur- und Sprachwissenschaft. Hrsg. von Heinz Ludwig Arnold u. Volker Sinemus. Bd. 1: Literaturwissenschaft. München 1973. S. 89–105.
Salber, Wilhelm: Lesen und Lesen-lassen. Zur Psychologie des Umgangs mit Büchern. Frankfurt a. M. 1971. (Schriftenreihe des Börsenvereins des Deutschen Buchhandels. Bd. 6.)
– Literaturpsychologie. Gelebte und erlebte Literatur. Bonn 1972. (Abhandlungen zur Kunst-, Musik- und Literaturwissenschaft. Bd. 130.)
Sartre, Jean Paul: Qu'est-ce que la littérature? Paris 1948. Dt.: Was ist Literatur? Reinbek 1967 ([1]1958).
Sauermann, Klemens Walter: Kritik und Publikum. Diss. Köln 1935.
Saunders, John Whiteside: The Profession of English Letters. London 1964.
Schäfer, Dorothea: Der Leserkontakt in den Erzählungen Hugo von Hofmannsthals. Göttingen 1962. (Palaestra. Bd. 233.)
Schalk, Fritz: Das Publikum im italienischen Humanismus. Krefeld 1955. (Schriften und Vorträge des Petrarca-Instituts 6.)

Scheibe, Jörg: Der »Patriot« (1724–26) und sein Publikum. Untersuchungen über die Verfassergesellschaft und die Leserschaft einer Zeitschrift der frühen Aufklärung. Göppingen 1973. (Göppinger Arbeiten zur Germanistik. Bd. 109.)

Schenda, Rudolf: Volk ohne Buch. Studien zur Sozialgeschichte der populären Lesestoffe 1770–1910. Frankfurt a. M. 1970. (Studien zur Philosophie und Literatur des 19. Jahrhunderts. Bd. 5.)

– Die Konsumenten populärer Lesestoffe im 19. Jahrhundert. Zur Theorie und Technik ihrer Erforschung. In: Das Triviale in Literatur, Musik und bildender Kunst. Hrsg. von Helga de la Motte-Haber. Frankfurt a. M. 1972. S. 63–77.

Scherpe, Klaus: Werther und Wertherwirkung. Zum Syndrom bürgerlicher Gesellschaftsordnung im 18. Jahrhundert. Anhang: Vier Wertherschriften aus dem Jahre 1775 in Faksimile. Bad Homburg v. d. H., Berlin u. Zürich 1970.

Schirmer, Walter: Antike, Renaissance und Puritanismus. Eine Studie zur englischen Literaturgeschichte des 16. und 17. Jahrhunderts. München 1924.

Schmid, Herta: Zum Begriff der ästhetischen Konkretisation im tschechischen Strukturalismus. In: Sprache im technischen Zeitalter (1970) H. 36, S. 290–318.

Schmidt, Siegfried J.: text, bedeutung, ästhetik. Hrsg. von S. J. S. München 1970.

– Ästhetische Prozesse. Beiträge zu einer Theorie der nicht-mimetischen Kunst und Literatur. Köln u. Berlin 1971.

– Ästhetizität. Philosophische Beiträge zu einer Theorie des Ästhetischen. München 1971. (Grundfragen der Literaturwissenschaft 2.)

Schmidtchen, Gerhard: Lesekultur in Deutschland. Ergebnisse repräsentativer Buchmarktstudien für den Börsenverein des Deutschen Buchhandels. In: Börsenblatt für den Deutschen Buchhandel – Frankfurter Ausgabe – 24 (30. 8. 1968) Nr. 70, S. 1977–2152.

Schöffler, Herbert: Die Anfänge des Puritanismus. Versuch einer Deutung der englischen Reformation. Köln 1932. (Kölner Anglistische Arbeiten 14.)

Schönert, Jörg [Hrsg.]: Carl Sternheims Dramen. Aspekte zur Rezeptionsgeschichte und Ideologiekritik. Heidelberg in Vorb.

Schröter, Klaus [Hrsg.]: Thomas Mann im Urteil seiner Zeit. Dokumente 1891–1955. Hamburg 1969.

Schücking, Levin L.: Literaturgeschichte und Geschmacksgeschichte. In: Germanisch-Romanische Monatsschrift 5 (1913) S. 561–577.

– Die Familie als Geschmacksträger in England im 18. Jahrhundert. In: Deutsche Vierteljahrsschrift für Literaturwissenschaft und Geistesgeschichte 4 (1926) S. 439–458.

– Die puritanische Familie in literar-soziologischer Sicht. 2. verb. Aufl. Bern u. München 1964.

– Soziologie der literarischen Geschmacksbildung. 3. verb. Aufl. Bern u. München 1961 (Leipzig 1931).

Schulte-Sasse, Jochen: Literarische Wertung. Stuttgart 1971.

– Literarischer Markt und ästhetische Denkform. Analysen und Thesen zur Geschichte ihres Zusammenhanges. In: LILI. Zeitschrift für Literatur und Linguistik 2 (1972) H. 6, S. 11–31.

Schunk, Peter: Zur Wirkungsgeschichte des Misanthrope. In: Germanisch-Romanische Monatsschrift, N. F. 21 (1971) S. 1–15.

Schurzig, Edith: Lesetätigkeit und literarische Bedürfnisse jugendlicher Leser staatlicher allgemeiner öffentlicher Bibliotheken. Berlin 1970. (Beiträge zur Theorie und Praxis der Bibliotheksarbeit.)

Schweikhardt, Josef: Perzeption. In: Maske und Kothurn 18 (1972) S. 347–364.

Seeba, Hinrich C.: Wirkungsgeschichte der Wirkungsgeschichte. Zu den romantischen Quellen (F. Schlegel) einer neuen Disziplin. In: Jahrbuch für Internationale Germanistik III (1971) H. 1, S. 145–167.

Segebrecht, Wulf: Über Anfänge von Autobiographien und ihre Leser. In: Die Ringenden sind die Lebendigen. Festschrift für Hermann Leins. Stuttgart 1969. S. 63–77.

– Die Emanzipation des Lesers in der Literaturwissenschaft. Ein Bericht über Ansätze zur Umorientierung. In: Buch und Bibliothek 24 (1972) S. 300–304, 566–575.

Sichelschmidt, Gustav: Die geistige Lebensdauer der Bücher. In: Börsenblatt für den Deutschen Buchhandel. Frankfurt a. M. 20 (1964) S. 1033–35.

– Schwierigkeiten beim Schreiben einer Wirkungsgeschichte. In: Börsenblatt für den Deutschen Buchhandel. Frankfurt a. M. 21 (1965) S. 1585–87.

Silbermann, Alphons: Art.: Kunst. In: Soziologie. Hrsg. von René König. S. 156–166. Frankfurt a. M. 1958. (Fischerlexikon 10.)

– Von den Wirkungen der Literatur als Massenkommunikationsmittel. In: Poesie und Politik. Zur Situation der Literatur in Deutschland. Hrsg. von Wolfgang Kuttenkeuler. Stuttgart, Berlin, Köln und Mainz 1973. (Sprache und Literatur 73.) S. 11–31.

Silbermann, Alphons u. Udo Michael Krüger: Soziologie der Massenkommunikation. Stuttgart, Berlin, Köln u. Mainz 1973.

Simons, Elisabeth: Ästhetische Wirkungsforschung und sozialistische Realismustheorie. In: Einheit 23 (1968) H. 9, S. 1164–73.

Šklovskij, S. Viktor: Theorie der Prosa. Frankfurt a. M. 1966.

Škreb, Zdenko: Die Wissenschaftlichkeit der Literaturforschung. In: Žmegač/Škreb [Hrsg.]: Zur Kritik literaturwissenschaftlicher Methodologie. Frankfurt a. M. 1973. S. 9–50.

Smuda, Manfred: Becketts Prosa als Metasprache. München 1970.

Sommer, Dietrich u. Dietrich Löffler: Soziologische Probleme der literarischen Wirkungsforschung. In: Weimarer Beiträge 16 (1970) H. 8, S. 51–76.

Sötemann, A. L.: Adäquate Konkretisation als äußerste Grenze. In: Dichter und Leser. Studien zur Literatur. Hrsg. von Ferdinand van Ingen u. a. Groningen 1972. S. 134–142.

Spiegel, Marianne: Der Roman und sein Publikum im früheren 18. Jahrhundert. 1700–1767. Bonn 1967. (Abhandlungen zur Kunst-, Musik- und Literaturwissenschaft. Bd. 41.)

Spurgeon, Caroline F. E.: Five Hundred Years of Chaucer Criticism and Allusion, 1357–1900. 3 Bde. Cambridge 1925.

Stallknecht, Newton P.: Poet, Reader, and Critic. In: Dichter und Leser. Studien zur Literatur. Hrsg. von Ferdinand van Ingen u. a. Groningen 1972. S. 156–162.

Steinlein, Rüdiger: Theaterkritische Rezeption des Expressionistischen Dramas. Ästhetische und politische Grundpositionen. Kronberg (Taunus) in Vorb. (Skripten Literaturwissenschaft. Bd. 10.)

Steinmetz, Horst [Hrsg.]: Lessing – ein unpoetischer Dichter. Dokumente aus drei Jahrhunderten zur Wirkungsgeschichte Lessings in Deutschland. Frankfurt a. M. 1969. (Wirkung der Literatur. Bd. 1.)

– Der vergessene Leser. Provokatorische Bemerkungen zum Realismusproblem. In: Dichter und Leser. Studien zur Literatur. Hrsg. von Ferdinand van Ingen u. a. Groningen 1972. S. 113–133.

– Der Leser als konstituierendes Element literarischer Texte. In: Duitse Kroniek 24 (1972) S. 90–106.

Stephen, Leslie: English Literature and Society in the Eighteenth Century. London 1904.

Stierle, Karlheinz: Dunkelheit und Form in Gérard de Nervals »Chimères«. München 1967.

Stockert, Franz von: Dichter zwischen Muse und Publikum. In: Germanisch-Romanische Monatsschrift 23 (1973) H. 3, S. 257–268.

Storz, Gerhard: Zusammenspiel zwischen Erzähler und Leser – Marginalien zu Käte Hamburgers »Logik der Dichtung«. In: Probleme des Erzählens in der Weltliteratur. Festschrift für Käte Hamburger. Hrsg. von Fritz Martini. Stuttgart 1971, S. 409–421.

Strauss, Walter: Vorfragen einer Soziologie der literarischen Wirkung. Diss. Köln 1934.

Strauß, Wolfgang: Leserforschung in Deutschland. In: Der Leser als Teil des literarischen Lebens. Eine Vortragsreihe mit Marion Beaujean u. a. Bonn 1971; [2]1972. S. 85–121.

Strelka, Joseph: Die gelenkten Musen. Dichtung und Gesellschaft. Wien 1971.

Strich, Fritz: Goethe und die Weltliteratur. Bern 1946; [2]1957.

Striedter, Jurij [Hrsg.]: Russischer Formalismus. Texte zur allgemeinen Literaturtheorie und zur Theorie der Prosa. München 1969.

Strudthoff, Ingeborg: Die Rezeption Georg Büchners durch das deutsche Theater. Berlin 1957. (Theater und Drama. Bd. 19.)

Sulz, Eugen: Literarische Kunst und ihre Wirkung. In: Bücherei und Bildungspflege 12 (1932) S. 96 bis 102.

Szondi, Peter: Zur Erkenntnisproblematik in der Literaturwissenschaft. In: Neue Rundschau 73 (1962) S. 146–165.

– Über philologische Erkenntnis. In: P. S., Hölderlin-Studien. Frankfurt a. M. 1970. S. 9–34.

Teesing, Hubert Paul Hans: Der Standort des Interpreten. In: Orbis Litterarum XIX (1964) S. 31–46.

– Dichter en lezer. Voordracht 1959. Voordrachten en redevoeringen Centrale Opleidingscursussen voor Middelbare Akten Utrecht – Nr. 9. 1959.

Thibaudet, Albert: Le Liseur de romans. Paris 1925.

Thöming, Jürgen C.: Zur Rezeption von Musil- und Goethe-Texten. Ästhetische Vermittlung von sinnlicher Wahrnehmung und Gefühlserlebnissen. München 1974.

Todorov, Tzvetan: Les catégories du récit littéraire. In: Communications 8 (1966) S. 125–152.

Träger, Claus: Zur Kritik der bürgerlichen Literaturwissenschaft. Teil 2. In: Weimarer Beiträge 18 (1972) H. 3, S. 10–36.
Das Triviale in Literatur, Musik und bildender Kunst. Hrsg. von Helga de la Motte-Haber. Frankfurt a. M. 1972. (Studien zur Philosophie und Literatur des 19. Jahrhunderts. Bd. 18.)
Turk, Horst: Literatur und Praxis. Versuch über eine Theorie der literarischen Wirkung. In: Fragen der Germanistik. München 1971. S. 96–129.
Tynjanow, Jurij: Über literarische Evolution. In: J. T., Die literarischen Kunstmittel und die Evolution in der Literatur. Frankfurt a. M. 1967.
Ullmann, Renate: Theorie einer literarischen Wirkungsanalyse. In: Linguistische Berichte 10 (1970) S. 43–48.
Vallentin, Berthold: Napoleon. Berlin 1923.
Viëtor, Karl: Georg Büchner als Politiker. Bern u. Leipzig 1939.
– Georg Büchner. Politik, Dichtung, Wissenschaft. Bern 1949.
Vodička, Felix V.: The History of the Echo of Literary Works. In: Paul L. Garvin, A Prague School Reader on Esthetics, Literary Structure and Style. Washington, D. C. 1964. S. 71–81.
– Die Problematik der Rezeption von Nerudas Werk. In: Struktura vývoje. Prag 1969. S. 193–219.
– Die Entwicklung der Struktur. In Vorb.
Vossler, Karl: Wandlungen des Ruhmes im Wandel der Zeit. In: Stimmen der Zeit 139 (1947) S. 452–461.
Wagner, Fritz: Der Historiker und die Weltgeschichte. Freiburg i. Br. u. München 1965.
Waldmann, Günter: Theorie und Didaktik der Trivialliteratur. Modellanalysen – Didaktikdiskussion – literarische Wertung. München 1973. (Kritische Information. Bd. 13.)
Walter, Achim: Sozial bedingte Lesemotivation. In: Peter Uwe Hohendahl [Hrsg.], Sozialgeschichte und Wirkungsästhetik. Dokumente zur empirischen und marxistischen Rezeptionsforschung. Frankfurt a. M. 1974. S. 269–289. Zuerst in: Weimarer Beiträge 16 (1970) H. 11, S. 124–144.
Warneken, Bernd Jürgen: Zu Hans Robert Jauß' Programm einer Rezeptionsästhetik. In: Peter Uwe Hohendahl [Hrsg.]: Sozialgeschichte und Wirkungsästhetik. Dokumente zur empirischen und marxistischen Rezeptionsforschung. Frankfurt a. M. 1974. S. 290–296. Zuerst in: Das Argument 14 (1972) H. 3/4, S. 360–366.
Warning, Rainer: Tristram Shandy und Jacques le Fataliste. München 1965.
– Rezeptionsästhetik. Theorie und Praxis. München in Vorb.
Webb, Robert Kiefer: The British Working Class Reader. 1790–1848. Literary and social tension. London 1955.
Weber, Erich: Die Freizeitgesellschaft und das Buch. Literaturpädagogische Aufgaben in der Schule. München 1967.
Weerth, Georg. Werk und Wirkung. Aufsatzsammlung. Von einem Autorenkollektiv. Hrsg. vom Zentralinstitut für Literaturgeschichte der Akademie der Wissenschaften der DDR (Literatur und Gesellschaft). Berlin [Ost] 1974.
Wehrli, Max: Wert und Unwert in der Dichtung. Köln u. Olten 1965.
– Deutsche Literaturwissenschaft. In: Literaturwissenschaft und Literaturkritik im 20. Jahrhundert. Hrsg. von Felix Philipp Ingold. Bern 1970. S. 9–34.
Weil, Rudolf: Das Berliner Theaterpublikum unter A. W. Ifflands Direktion (1796 bis 1814). Ein Beitrag zur Methodologie der Theaterwissenschaft. Berlin 1932. (Schriften der Gesellschaft für Theatergeschichte 44.)
Weimann, Robert: Wandlungen und Krisen amerikanischer Literarhistorie. In: Weimarer Beiträge 11 (1965) H. 3, S. 394–435; und in: R. W., Literaturgeschichte und Mythologie. S. 218–280.
– Literaturkritik als historisch-mythologisches System. In: Sinn und Form 17 (1965) H. 3/4 in Teilen, als Ganzes erst in: R. W., Literaturgeschichte und Mythologie. S. 342–363.
– Literaturwissenschaft und Mythologie. Vorfragen einer methodologischen Kritik. In: Sinn und Form 19 (1967) S. 484–521; und in: R. W., Literaturgeschichte und Mythologie. S. 364–427.
– Tradition und Originalität. Geschichtlichkeit und Aktualität im literarischen Werk Paul Rillas. In: Sinn und Form 21 (1969) S. 1475–1503.
– Der humanistische Traditionsgedanke als Einheit von Literaturkritik und Literaturgeschichte. Zur literaturtheoretischen Position Paul Rillas. In: Positionen (1969) S. 431–472.
– Literaturkritik und Literaturgeschichte als Einheit. In: Sinn und Form 21 (1969) H. 6, S. 1475 bis 1503; und in: R. W.: Literaturgeschichte und Mythologie, S. 129–169.
– Gegenwart und Vergangenheit in der Literaturgeschichte. Ein ideologiegeschichtlicher und methodo-

logischer Versuch. In: Weimarer Beiträge 16 (1970) H. 5, S. 31–57. Auch in: R. W., Literaturgeschichte und Mythologie. S. 11–46; Viktor Žmegač, Methoden der deutschen Literaturwissenschaft. Eine Dokumentation. Frankfurt a. M. 1971. S. 340–372; Peter Uwe Hohendahl [Hrsg.], Sozialgeschichte und Wirkungsästhetik. Dokumente zur empirischen und marxistischen Rezeptionsforschung. Frankfurt a. M. 1974. S. 238–268.

– Literaturgeschichte und Mythologie. Methodologische und historische Studien. Berlin u. Weimar 1971; ²1972.

– Tradition als literar-geschichtliche Kategorie. In: R. W., Literaturgeschichte und Mythologie. S. 47–128.

– [Hrsg.]: Tradition in der Literaturgeschichte. Beiträge zur Kritik des bürgerlichen Traditionsbegriffs bei Croce, Ortega, Eliot, Leavis, Barthes u. a. Eingel. u. hrsg. von R. W. Mit Beiträgen von Cornelia Lehmann, Helga Militz, Monika Walter, Robert Weimann. Berlin 1972. (Literatur und Gesellschaft.)

– Das Traditionsproblem und die Krise der Literaturgeschichte. In: Tradition in der Literaturgeschichte. Hrsg. von R. W. S. 9–25.

– »Rezeptionsästhetik« und die Krise der Literaturgeschichte. Zur Kritik einer neuen Strömung in der bürgerlichen Literaturwissenschaft. In: Weimarer Beiträge 19 (1973) H. 8, S. 5–33.

Weinhold, Heinz: Marktforschung für das Buch. (Diss. St. Gallen 1950.) St. Gallen 1956.

Weinrich, Harald: Tempus. Besprochene und erzählte Welt. Stuttgart 1964. (Sprache und Literatur 16.)

– Für eine Literaturgeschichte des Lesers. In: H. W.: Literatur für Leser. S. 23–34; zuerst in: Merkur 21 (1967) S. 1026–38; auch in: Viktor Žmegač [Hrsg.]: Methoden der deutschen Literaturwissenschaft. Frankfurt a. M. 1971. S. 325–339.

– Literatur für Leser. Essays und Aufsätze zur Literaturwissenschaft. Stuttgart, Berlin, Köln u. Mainz 1971. (Sprache und Literatur 68.)

– Kommunikative Literaturwissenschaft. In: H. W., Literatur für Leser. S. 7–11.

Weisstein, Ulrich: Einführung in die Vergleichende Literaturwissenschaft. Stuttgart, Berlin, Köln u. Mainz 1968. (Sprache und Literatur 50.)

Wellek, René: A history of modern criticism 1750–1950. 4 Bde. New Haven 1955–65. – 1. The later eighteenth century; 2. The romantic age; 3. The age of transition; 4. The later 19th century.

– Geschichte der Literaturkritik 1750–1830. Neuwied u. Darmstadt 1959.

– Literaturtheorie, Kritik und Literaturgeschichte. In: R. W.: Grundbegriffe der Literaturkritik. Stuttgart, Berlin, Köln u. Mainz ²1971. (Sprache und Literatur 24.) S. 9–23.

– Zur methodischen Aporie einer Rezeptionsgeschichte. In: Koselleck/Stempel: Geschichte – Ereignis und Erzählung. München 1973. (Poetik und Hermeneutik 5.) S. 515 517.

– The Fall of Literary History. Ebd., S. 427–440.

Wellek, René u. Austin Warren: Theorie der Literatur. Berlin 1968.

Wellershoff, Dieter: Literatur, Markt, Kulturindustrie. In: D. W., Literatur und Veränderung. Versuche zu einer Metakritik der Literatur. Köln u. Berlin 1969. S. 123–147.

– Fiktion und Praxis. In: D. W., Literatur und Veränderung. S. 9–32.

Wenzel, Rudolf: Vom »Gegen-den-Strich-Lesen«. In: Projekt Deutschunterricht 3: Soziale Fronten in der Sprache. Hrsg. von Heinz Ide u. a. Stuttgart 1972. S. 84–100.

Werner, Hans-Georg: Umfrage zum Erbe in Wissenschaft und Praxis. Antwort von Hans-Georg Werner. In: Weimarer Beiträge 17 (1971) H. 2, S. 170–182.

– Zur Wirkung von Heines literarischem Werk. In: Weimarer Beiträge 19 (1973) H. 9, S. 35–73.

Wertheim, Ursula: Die marxistische Rezeption des klassischen Erbes. Zur literaturtheoretischen Position von Gerhard Scholz. In: Positionen. Beiträge zur marxistischen Literaturtheorie in der DDR. Hrsg. von Werner Mittenzwei. Leipzig 1969. S. 473–527.

Wienold, Götz: Textverarbeitung. Überlegungen zur Kategorienbildung in einer strukturellen Literaturgeschichte. In: Peter Uwe Hohendahl: Sozialgeschichte und Wirkungsästhetik. Frankfurt a. M. 1974. S. 97–134. Zuerst in: LILI. Zeitschrift für Literaturwissenschaft und Linguistik 1 (1971) S. 59–89.

– Empirie in der Erforschung literarischer Kommunikation. In: Jens Ihwe [Hrsg.], Literaturwissenschaft und Linguistik. Bd. 1. Frankfurt a. M. 1972. S. 311–322.

Winter, Lorenz: Heinrich Mann und sein Publikum. Eine literatursoziologische Studie zum Verhältnis von Autor und Öffentlichkeit. Köln u. Opladen 1965. (Kunst und Kommunikation 10.)

Wittmann, Walter: Beruf und Buch im 18. Jahrhundert. Ein Beitrag zur Erfassung und Gliederung der Leserschaft im 18. Jahrhundert. Bochum 1935.

Wolf, Christa: Popularität oder Volkstümlichkeit? In: Neue Deutsche Literatur (1956) H. 1, S. 115.

Wolf, Karl: Skizze zu einer Wirkungslehre der Literatur. In: Wirkendes Wort 8 (1957/58) S. 170 bis 179.

Wolff, Erwin: Der intendierte Leser. Überlegungen und Beispiele zur Einführung eines literaturwissenschaftlichen Begriffs. In: Poetica 4 (1971) H. 2, S. 140–166.

Wunberg, Gotthart [Hrsg.]: Hofmannsthal im Urteil seiner Kritiker. Dokumente zur Wirkungsgeschichte Hugo von Hofmannsthals in Deutschland. Frankfurt a. M. 1972. (Wirkung der Literatur. Bd. 4.)

Würzner, Hans: Text und Kontext in der Literaturwissenschaft. In: Duitse Kroniek 24 (1972) S. 144–149.

Wyss, Ulrich: Zur Kritik der Rezeptionsästhetik. In: Historizität in Sprach- und Literaturwissenschaft. Hrsg. von Walter Müller-Seidel. München 1974. S. 143–154.

Ziermann, Klaus: Romane vom Fließband. Die imperialistische Massenliteratur in Westdeutschland. Berlin [Ost] 1969.

Zimmermann, Bernhard: Der Leser als Produzent. Zur Problematik der rezeptionsästhetischen Methode. In: LILI. Zeitschrift für Literaturwissenschaft und Linguistik H. 15. In Vorb.

Zimmermann, Hans Dieter: Das Vorurteil über die Trivialliteratur, das ein Vorurteil über die Literatur ist. In: Akzente 19 (1972) S. 386–408.

Žmegač, Viktor [Hrsg.]: Methoden der deutschen Literaturwissenschaft. Eine Dokumentation. Frankfurt a. M. 1971.

Žmegač, Viktor u. Zdenko Škreb [Hrsg.]: Zur Kritik literaturwissenschaftlicher Methodologie. Frankfurt a. M. 1973.

Žmegač, Viktor: Probleme der Literatursoziologie. In: Žmegač/Škreb: Zur Kritik literaturwissenschaftlicher Methodologie. S. 253–282.

Nachtrag

Haroff, Stephan C.: Wolfram and his audience. A study of the themes of quest and of recognition of kinship identity. Göppingen 1974. (Göppinger Arbeiten zur Germanistik. Bd. 120.)

Iser, Wolfgang: The reading process. A phenomenological approach. In: New Literary History 3 (1971/72) S. 279–299.

Kunne-Ibsch, Elrud: Die Stellung Nietzsches in der Entwicklung der modernen Literaturwissenschaft. Tübingen 1972. (Studien zur deutschen Literatur. Bd. 33.)

Landwehr, Jürgen u. Wolfgang Settekorn: Lesen als Sprechakt? Zu einigen pragmatischen Bedingungen literarischer Kommunikation. In: LILI. Zeitschrift für Literaturwissenschaft und Linguistik 3 (1973) H. 9/10, S. 33–51.

Lehmann, Günther K.: Die Theorie der literarischen Rezeption aus soziologischer und psychologischer Sicht. In: Weimarer Beiträge 20 (1974) H. 8, S. 49–70.

Maase, K.: Leseinteressen der Arbeiter in der BRD. Köln 1974. (Sammlung Junge Wissenschaft.)

Schalk, Fritz [Hrsg.]: Petrarca 1304–1374. Beiträge zu Werk und Wirkung. Frankfurt a. M. 1974.

Schlenstedt, Dieter: Die Leser und die Literatur. In: Einheit 28 (1973) S. 1218–25.

Strützel, Dieter: Zu Lesegewohnheiten in der DDR. In: Deutsch als Fremdsprache 10 (1973) Sonderheft, S. 9–17.

Süssenberger, C.: Rousseau im Urteil der deutschen Publizistik bis zum Ende der Französischen Revolution. Ein Beitrag zur Rezeptionsgeschichte. Bern 1974. (Europäische Hochschulschriften. Reihe I: Deutsche Literatur und Germanistik 95.)

Thiekötter, Friedel: Autor, Text und Leserinteresse. Ein Unterrichtsprojekt zum literarischen Kommunikationsprozeß. Düsseldorf 1974.

Viehweg, Wolfram: Georg Büchners »Dantons Tod« auf der deutschen Bühne. München 1963. (Neue Schaubühne. Bd. 1.)

Anmerkungen

GUNTER GRIMM

Einführung in die Rezeptionsforschung

Die Einführung informiert nur bis zu dem Stand der Forschung, von dem aus die Beiträge geschrieben worden sind (also Wende 1973/74). Später erschienene Literatur wird zwar im Literaturverzeichnis erfaßt, im Text selbst ist sie nicht berücksichtigt. Diese Begrenzung erscheint legitim, da ja kein nach Vollständigkeit strebender Forschungsbericht geboten werden soll, sondern lediglich eine die speziellen Beiträge vorbereitende Einführung bzw. Auffrischung einiger zum Verständnis notwendiger Kenntnisse.

1 Vgl. dazu besonders Alfred Clemens Baumgärtner [Hrsg.]: »Lesen – Ein Handbuch«. Hamburg 1973. S. 318–330.
2 Alphons Silbermann: »Von den Wirkungen der Literatur als Massenkommunikationsmittel«. In: Wolfgang Kuttenkeuler [Hrsg.], »Poesie und Politik. Zur Situation der Literatur in Deutschland«. Stuttgart u. a. 1973. S. 12.
3 Ebd., S. 16. – Die folgenden Zitate ebd., S. 16 f.
4 Robert Weimann: »Gegenwart und Vergangenheit in der Literaturgeschichte«. Zitiert wird nach dem Abdruck bei Viktor Žmegač [Hrsg.]: »Methoden der deutschen Literaturwissenschaft. Eine Dokumentation«. Frankfurt a. M. 1971. S. 340–372.
5 Ebd., S. 343.
6 Karl Marx: »Einleitung zur Kritik der politischen Ökonomie«. In: Marx/Engels, »Werke«. Berlin 1964 ff. Bd. 13. S. 641.
7 Hegel: »Ästhetik. Erster Teil III 3. Die Äußerlichkeit des idealen Kunstwerks im Verhältnis zum Publikum«. Wilhelm von Humboldt: »Über die Aufgabe des Geschichtsschreibers«. In: W. v. H., Studienausgabe in 3 Bdn., hrsg. von Kurt Müller-Vollmer, hier Bd. 2, Frankfurt a. M. 1971, S. 289–304; Zitate auf S. 291 und 296. Dazu vgl. Weimann (= Anm. 4), S. 347.
8 Weimann (= Anm. 4) S. 348.
9 Georg Gottfried Gervinus: Selbstanzeige der Geschichte der poetischen Nationalliteratur der Deutschen«. In: G. G. G., »Schriften zur Literatur«. Hrsg. von Gotthard Erler, Berlin 1962. S. 123–141, hier S. 123.
10 Vgl. Weimann (= Anm. 4), S. 351, Anm. 20; ferner Hans Robert Jauß: »Literaturgeschichte als Provokation«. Frankfurt a. M. 1970. S. 148–154; auch Arnold Hauser: »Sozialgeschichte der Kunst und Literatur«. 2 Bde. München 1953 ([2]1967).
11 Weimann (= Anm. 4), S. 353.
12 Ernst Bertram: »Nietzsche. Versuch einer Mythologie«. Berlin 1919. S. 2.
13 Etwa Friedrich Gundolf: »Caesar. Geschichte seines Ruhms«. Berlin 1924. Vgl. Manfred Naumann: »Literatur und Leser«. In: »Weimarer Beiträge« 16 (1970) H. 5, S. 104. Naumann weist auf den Widerspruch zwischen »Struktur« und »Funktion« der Literatur hin. Wenn, als Folge »metaphysischer Denkweise«, das Werk der subjektivistischen Willkür des Lesers anheimfällt, so löst er gemeinhin das Werk aus allen Bezügen, »von denen die Struktur als ein durch das schriftstellerische Subjekt vermitteltes Abbild der gesellschaftlich-geschichtlichen Wirklichkeit objektiv abhängig ist. Ihren Segen erhielt diese Art von Umgang mit dem Werk am Ende des vorigen Jahrhunderts durch die psychologische Ästhetik, die den Wert der Literatur auf ihre Fähigkeit reduzierte, die subjektivistischen Genußbedürfnisse des Lesers zu befriedigen.« Hier fällt der Hinweis auf Nietzsche und Dilthey, denen zufolge Textauslegung eine »Kunst mit ›divinatorischem‹ Charakter« sei. Der subjektiven Willkür trat nach dem Zweiten Weltkrieg die »werkimmanente« Textinterpretation entgegen; doch blieb auch ihre Basis eine ahistorische, da zwar subjektive Willkür durch größere Textannäherung vermieden werden sollte, aber die hermeneutische Vermittlung zwischen Subjekt und Objekt durch Berücksichtigung der Geschichtlichkeit beider Pole nicht geleistet war – und so fiel, wenn auch textnäher, diese Methode ebenfalls dem subjektiven Gefühl des ›ohne Voraussetzungen‹ an den Text herangehenden Interpreten anheim.
14 Friedrich Gundolf: »Shakespeare und der deutsche Geist«. Berlin [7]1923. S. VIII.

15 Gundolf (= Anm. 13), S. 7.
16 Hier sind zu erwähnen die Werke von Ernst Kantorowicz: »Kaiser Friedrich der Zweite«. Berlin 1927 (⁴1936); Ernst Bertram: »Nietzsche«. Berlin 1919; Berthold Vallentin: »Napoleon«. Berlin 1923.
17 Bertram (= Anm. 12), S. 1. – Die folgenden Zitate ebd.
18 Weimann (= Anm. 4), S. 356.
19 Karl Robert Mandelkow: »Probleme der Wirkungsgeschichte«. In: »Jahrbuch für Internationale Germanistik« II (1970) H. 1, S. 73.
20 Hinrich C. Seeba: »Wirkungsgeschichte der Wirkungsgeschichte. Zu den romantischen Quellen (F. Schlegel) einer neuen Disziplin«. In: »Jahrbuch für Internationale Germanistik« III (1971) H. 1, S. 145–167; hier S. 150, bes. Lyceums-Fragment 112.
21 Ebd., S. 158.
22 Ebd., S. 158 f. Nach Schlegels »romantischer Formel der wirkungsästhetischen Hermeneutik« von 1797: »*Kritisieren* heißt einen Autor besser verstehn als er sich selbst verstanden hat« (Friedrich Schlegel: »Literary Notebooks 1797–1801«, edited with introduction and commentary by Hans Eichner. London 1957, Fragment 983, S. 107). Dazu Seeba (= Anm. 20), S. 151. – Die folgenden Zitate S. 165 und 163.
23 Mandelkow (= Anm. 19), S. 73 f.; vgl. auch den Aufsatz »Wandlungen und Krisen amerikanischer Literarhistorie« von Robert Weimann, in: R. W., »Literaturgeschichte und Mythologie«. Berlin u. Weimar 1971 (²1972). S. 218–280.
24 Dazu vgl. Mandelkow (= Anm. 19), S. 74 f., und Wulf Segebrecht: »Die Emanzipation des Lesers in der Literaturwissenschaft«, in: »Buch und Bibliothek« 24 (1972) S. 300–304 und 566–575, hier S. 301.
25 Mandelkow (= Anm. 19), S. 74 f.
26 Levin L. Schücking: »Die puritanische Familie. In literar-soziologischer Sicht«. Bern u. München ²1964 (¹1929). Vgl. auch die Publikationen Erich Auerbachs, siehe Literaturverzeichnis.
27 Leo Löwenthal: »Erzählkunst und Gesellschaft«. Neuwied 1971. S. 28; vgl. auch Walter Benjamin: »Literaturgeschichte und Literaturwissenschaft«. In: W. B., »Angelus Novus«. Frankfurt a. M. 1969. S. 450–456, hier S. 454–456.
28 Löwenthal: »Erzählkunst und Gesellschaft« (= Anm. 27), S. 39; auch Löwenthal: »Literatur und Gesellschaft. Das Buch in der Massenkultur«. Neuwied 1964.
29 Eugen Sulz: »Literarische Kunst und ihre Wirkung. Eine dynamische Kunsttheorie«. In: »Bücherei und Bildungspflege. Zeitschrift für die gesamten außerschulmäßigen Bildungsmittel«. Der »Blätter für Volksbibliotheken« 33. Jg. (1932) S. 96–102.
30 Joseph Peters: »Von der Wirkung der Schönen Literatur«. In: »Bücherei und Bildung« 6 (1954) 1. Halbjahr, S. 20–32; zur Kritik an Peters vgl. Johannes Langfeldt: »Man will Wahrheit, man will Wirklichkeit und man verdirbt dadurch die Poesie« (in: »Bücherei und Bildung« 6 [1954] 2. Halbjahr, S. 1037–45). Peters handle nicht so sehr von den Wirkungen der Literatur als von den »Leseantrieben« (S. 1038).
31 Karl Wolf: »Skizze zu einer Wirkungslehre der Literatur«. In: »Wirkendes Wort« 8 (1957/58) H. 3, S. 170–179.
32 Gustav Sichelschmidt: »Die geistige Lebensdauer der Bücher«. In: »Börsenblatt für den Deutschen Buchhandel« (Frankfurter Ausgabe) 20 (1964) S. 1033–35; hier S. 1033.
33 »Ungerecht wird die Nachwelt nie sein. Anfangs zwar pflanzt sie Lob und Tadel fort, wie sie es bekömmt; nach und nach aber bringt sie beides auf ihren rechten Punkt« (G. E. Lessing: »Rettungen des Horaz«, Ausgabe von Rilla, Bd. 3, S. 548).
34 »So ist denn der Richterstuhl der Nachwelt, wie im günstigen, so auch im ungünstigen Fall, der gerechte Kassationshof der Urtheile der Mitwelt« (Schopenhauer: »Über Urtheil, Kritik, Beifall und Ruhm«. In: »Parerga und Paralipomena II. Arthur Schopenhauers sämmtliche Werke«. Hrsg. von Julius Frauenstädt. Leipzig ²1922. Bd. 6. S. 511).
35 »Auch das Provozieren auf die Nachwelt gewährt keinen Trost. Die Nachwelt urteilt nicht besser als die Mitwelt. Die jetzt Lebenden sind ja auch die Nachwelt einer Vorwelt und nun frage sich ein jeder wie er sich gegen diese verhalte? Wie viel, oder vielmehr wie wenig er von ihr weiß, wie richtig oder wie falsch er von ihr urteilt? Und so wird es ihm bei der Nachwelt auch ergehen. Lebe nur jeder so fort wie er kann, um das Gerede der Mit- und Nachwelt gleich unbekümmert: er wird es keiner zu Recht und zu Dank machen« (Walter Muschg, »Tragische Literaturgeschichte«. Bern u. München ⁴1969. S. 595. Das von Muschg Goethe zugeschriebene Zitat

stammt allerdings von Riemer. Friedrich Wilhelm Riemer: »Mitteilungen über Goethe«. Auf Grund der Ausgabe von 1841 und des handschriftlichen Nachlasses hrsg. von Arthur Pollmer. Leipzig 1921. Vorwort Riemers, S. 34.)

36 Gustav Sichelschmidt: »Schwierigkeiten beim Schreiben einer Wirkungsgeschichte«. In: »Börsenblatt für den Deutschen Buchhandel« (Frankfurter Ausgabe) 21 (1965) H. 63, S. 1585–87, hier S. 1586.

37 Segebrecht (= Anm. 24), S. 568.

38 Vgl. die Schriften: Levin L. Schücking, »Soziologie der literarischen Geschmacksbildung«. Bern u. München [3]1961; Werner Fechter: »Das Publikum der mittelhochdeutschen Dichtung«. Reprogr. Nachdruck der Ausgabe Frankfurt 1935. Darmstadt 1966; Hugo Kuhn: »Dichtung und Welt im Mittelalter«. Stuttgart 1959; ders.: »Text und Theorie«. Stuttgart 1969; Erich Auerbach: »Mimesis. Dargestellte Wirklichkeit in der abendländischen Literatur«. Bern [3]1964; ders.: »Das französische Publikum des 17. Jahrhunderts«. München 1933; ders.: »Literatursprache und Publikum in der lateinischen Spätantike und im Mittelalter«. Bern 1958; Fritz Schalk: »Das Publikum im italienischen Humanismus«. Krefeld 1955; Herbert Dieckmann: »Diderot et son Lecteur«. In: H. D., »Cinq leçons sur Diderot«. Genf 1959.

39 Walter H. Bruford: »Über Wesen und Notwendigkeit der Publikumsforschung«. In: »Maske und Kothurn« 1 (1955) H. 1/2, S. 148–155. Vgl. Literaturverzeichnis.

40 Arthur Eloesser: »Das bürgerliche Drama«. Berlin 1898.

41 Samuel Lublinski: »Litteratur und Gesellschaft im neunzehnten Jahrhundert«. 2 Bde. Berlin 1899.

42 Siehe Literaturverzeichnis.

43 Robert Escarpit: »Das Buch und der Leser. Entwurf einer Literatursoziologie«. Köln u. Opladen 1961. (Kunst und Kommunikation 2.)

44 Vgl. etwa: »Buch und Leser in Deutschland. Eine Untersuchung des DIVO-Instituts Frankfurt«. Gütersloh 1965; Rolf Fröhner: »Das Buch in der Gegenwart. Eine empirisch-sozialwissenschaftliche Untersuchung«. Gütersloh 1961.

45 Hans Norbert Fügen: »Die Hauptrichtungen der Literatursoziologie und ihre Methoden. Ein Beitrag zur literatursoziologischen Theorie«. 5. erw. Aufl. Bonn 1971.

46 Martin Greiner: »Literatur und Gesellschaft. Literatursoziologie als Wirkungsgeschichte der Dichtung«. In: »Methoden der deutschen Literaturwissenschaft«. Hrsg. von Viktor Žmegač. Frankfurt a. M. 1971. S. 225–234 (zuerst in: »Deutsche Universitätszeitung« 12 [1957] Nr. 8, S. 14–17). Zitat auf S. 229.

47 Hans-Georg Gadamer: »Wahrheit und Methode. Grundzüge einer philosophischen Hermeneutik«. Tübingen 1960. »Das Prinzip der Wirkungsgeschichte« auf den Seiten 284–290; hier S. 284. – Die folgenden Zitate ebd., S. 288 und 289.

48 Roland Barthes: »Literatur oder Geschichte«. In: R. B., »Literatur oder Geschichte«. Frankfurt a. M. 1969. S. 11–35.

49 Klaus Lubbers: »Aufgaben und Möglichkeiten der Rezeptionsforschung«. In: »Germanisch-Romanische Monatsschrift«, N. F. 14 (1964) H. 4, S. 292–302, hier S. 295. Lubbers führt die ältere Literatur, vor allem im Bereich der Anglistik, auf.

50 In: »Dictionary of World Literary Terms«. Hrsg. von Joseph T. Shipley. London 1955. S. 155 f.

51 Lubbers (= Anm. 49), S. 297 f.

52 Zitiert nach: Lubbers (= Anm. 49), S. 298.

53 René Wellek u. Austin Warren: »Theory of Literature«. New York [2]1956. S. 31; zitiert nach: Lubbers (= Anm. 49), S. 299 f.

54 Dazu vgl. Gunter Grimm: »Rezeptionsforschung als Ideologiekritik. Aspekte zur Rezeption Lessings in Deutschland«. In: »Über Literatur und Geschichte. Festschrift für Gerhard Storz«. Hrsg. von Bernd Hüppauf u. Dolf Sternberger. Frankfurt a. M. 1973. S. 148–150.

55 Lubbers (= Anm. 49), S. 302.

56 Das Kapitel »›Rezeption‹ und ›Wirkung‹« in Ulrich Weissteins Buch »Einführung in die Vergleichende Literaturwissenschaft«, Stuttgart u. a. 1968, S. 103–117, ist in diesem Zusammenhang unergiebig, da Weisstein Rezeption und Wirkung im Sinne der älteren Einflußforschung ausschließlich unter dem Aspekt der Einwirkung eines Autors auf einen anderen versteht, wobei er Rezeption als Belesenheit von Einfluß unterscheidet.

57 Walter Hohmann: »Es geht um die Erforschung der literarischen Wirkung«. In: »der bibliothekar. Zeitschrift für das Bibliothekswesen« 19 (1965) H. 5, S. 505–515.

58 Harald Weinrich: »Literatur für Leser«. Stuttgart, Berlin, Köln u. Mainz 1971; darin: »Für eine Literaturgeschichte des Lesers«, S. 23–34; zuerst in: »Merkur« 21 (1967) S. 1026–38.
59 Seeba (= Anm. 20), bes. S. 149 f.; vgl. auch hier S. 18 f.
60 Jean-Paul Sartre: »Was ist Literatur? Ein Essay«. Reinbek bei Hamburg 1958; Original: »Qu'est-ce que la littérature?« Paris 1948. – Die folgenden Zitate ebd., S. 27 f., 29 und 30.
61 Arthur Nisin: »La littérature et le lecteur«. Paris 1959.
62 Weinrich (= Anm. 58), S. 30–34.
63 Thomas S. Kuhn: »Die Struktur wissenschaftlicher Revolutionen«. Frankfurt a. M. 1967. (Theorie 2.)
64 Hans Robert Jauß: »Paradigmawechsel in der Literaturwissenschaft«. In: »Linguistische Berichte« 3 (1969) S. 44–56.
65 Werner Krauss: »Literaturgeschichte als geschichtlicher Auftrag«. In: W. K., »Studien und Aufsätze«. Berlin 1959. (»Neue Beiträge zur Literaturwissenschaft«. Bd. 8.) S. 19–71.
66 Jauß (= Anm. 64), S. 53; vgl. dazu Michael Nerlich: »Romanistik und Anti-Kommunismus«. In: »Das Argument« 14 (April 1972) H. 3/4, S. 276–313, hier S. 307–312.
67 Northrop Frye: »Analyse der Literaturkritik«. Stuttgart 1964. (»Sprache und Literatur« 15.)
68 Jauß (= Anm. 64), S. 55.
69 Ebd., S. 56.
70 Hans Robert Jauß: »Literaturgeschichte als Provokation der Literaturwissenschaft«. 1. Aufl. Konstanz 1967; veränderte Edition in: H. R. J., »Literaturgeschichte als Provokation«. Frankfurt a. M. 1970. S. 144–207. (Im folgenden zitiert als: »Provokation«.)
71 Vgl. Anm. 6.
72 Richard Brinkmann: »Wirklichkeit und Illusion. Studien über Gehalt und Grenzen des Begriffs Realismus für die erzählende Dichtung des 19. Jahrhunderts«. Tübingen ^{2}1966. S. 62.
73 Karel Kosík: »Die Dialektik des Konkreten«. Frankfurt a. M. 1967. (»Theorie« 2.)
74 Ebd., S. 123; bei Jauß: »Provokation« (= Anm. 70), S. 163.
75 Ebd., S. 138 f.
76 Jauß: »Provokation« (= Anm. 70), S. 163, zitiert nach: Kosík (= Anm. 73), S. 140.
77 Jauß: »Provokation« (= Anm. 70), S. 164.
78 Diesen Ansatz im Marxismus nimmt Jauß erst in der Erweiterung seines Aufsatzes wahr; vgl. Jauß: »Provokation«, S. 162, wo Werner Krauss (= Anm. 65) herangezogen wird.
79 Jauß: »Provokation« (= Anm. 70), S. 166.
80 Ebd., S. 169. Die sieben Thesen sind auch abgedruckt im »Jahrbuch für Internationale Germanistik« 2 (1970) H. 1, S. 25–28.
81 Ebd., S. 171.
82 Ebd., S. 173.
83 Ebd., S. 173 f.
84 Ebd., S. 177.
85 Ebd., S. 177.
86 Ebd., S. 183.
87 Robin George Collingwood: »The Idea of History«. New York u. Oxford 1956.
88 Jauß: »Provokation« (= Anm. 70), S. 186.
89 Ebd., S. 189.
90 Manfred Durzak: »Rezeptionsästhetik als Literaturkritik«. In: Olaf Schwencke, »Kritik der Literaturkritik«. Stuttgart, Berlin, Köln u. Mainz 1973. S. 56–70, hier S. 57.
91 Jauß: »Provokation« (= Anm. 70), S. 193; vgl. die Ausführungen Otfried Hoppes in Anm. 139.
92 Ebd., S. 194 f.
93 Ebd., S. 199.
94 Ebd., S. 200.
95 Ebd., S. 202; hier wäre zu verweisen auf das Wellershoffsche Modell von Literatur als Simulationsraum: Dieter Wellershoff, »Fiktion und Praxis«. In: D. W., »Literatur und Veränderung«. Köln u. Berlin 1969. S. 9–32.
96 Jauß: »Provokation« (= Anm. 70), S. 207.
97 Vgl. auch die Arbeiten bzw. Sammlungen: Hans Robert Jauß: »Provokation des Lesers im modernen Roman«. In: »Die nicht mehr schönen Künste. Grenzphänomene des Ästhetischen«. Hrsg. von H. R. J. München 1968 (»Poetik und Hermeneutik«. Bd. 3). S. 669–690; »Terror und Spiel. Probleme der Mythenrezeption«. Hrsg. von Manfred Fuhrmann. München 1971 (»Poetik und

Hermeneutik«. Bd. 4); Hans Jörg Neuschäfer: »Mit Rücksicht auf das Publikum. Probleme der Kommunikation und Herstellung von Konsens in der Unterhaltungsliteratur, dargestellt am Beispiel der Kameliendame«. In: »Poetica. Zeitschrift für Sprach- u. Literaturwissenschaft«. Bd. 4 (1971) S. 478–514 (These: Unterhaltungsliteratur erfordere keinen Horizontwandel beim Publikum); Hans Kügler: »Literatur und Kommunikation. Ein Beitrag zur didaktischen Theorie und methodischen Praxis«. Stuttgart 1971.

98 Vgl. S. 56 f.; Hans Günther: »Grundbegriffe der Rezeptions- und Wirkungsanalyse im tschechischen Strukturalismus«. In: »Poetica« 4 (1971) S. 224–243, hier S. 229. Von den Veröffentlichungen der tschechischen Strukturalisten liegen in deutscher Sprache vor: Lubomír Doležel: »Zur statistischen Theorie der Dichtersprache«. In: »Mathematik und Dichtung«. Hrsg. von H. Kreuzer u. R. Gunzenhäuser. München [2]1967. S. 275–293; Jan Mukařovský: »Kapitel aus der Poetik«. Frankfurt a. M. 1967; ders. »Kapitel aus der Ästhetik«. Frankfurt a. M. 1970; Miroslav Kačer: »Der Prager Strukturalismus in der Ästhetik und Literaturwissenschaft«. In: »Die Welt der Slaven« 13 (1968) S. 64–86; Květoslav Chvatík: »Strukturalismus und Avantgarde«. München 1970; Robert Kalivoda: »Der Marxismus und die moderne geistige Wirklichkeit«. Frankfurt a. M. 1970; Miroslav Červenka: »Die Grundkategorien des Prager literaturwissenschaftlichen Strukturalismus«. In: Viktor Žmegač u. Zdenko Škreb [Hrsg.], »Zur Kritik literaturwissenschaftlicher Methodologie«. Frankfurt a. M. 1973. S. 137–168; Felix V. Vodička: »Die Entwicklung der Struktur«. München 1973; darin besonders die Kapitel über »Die Rezeptionsgeschichte«, »Die Konkretisation des literarischen Werks«; Aleksander Flaker u. Viktor Žmegač [Hrsg.]: »Formalismus, Strukturalismus und Geschichte«. Kronberg (Taunus) 1974. Auf die Bedeutung des Rezipienten bei der Beurteilung »realistischer« Werke hat Roman Jakobson bereits 1921 hingewiesen in seinem Aufsatz »Über den Realismus in der Kunst«. In: »Russischer Formalismus. Texte zur allgemeinen Literaturtheorie und zur Theorie der Prosa«. Hrsg. von Jurij Striedter. München 1971. S. 373–391; neuerdings zu diesem Problem Horst Steinmetz: »Der vergessene Leser«. In: »Dichter und Leser. Studien zur Literatur«. Hrsg. von Ferdinand van Ingen u. a. Groningen 1972. S. 113–133; vgl. ferner zu diesem Komplex: Herta Schmid: »Zum Begriff der ästhetischen Konkretisation im tschechischen Strukturalismus«. In: »Sprache im technischen Zeitalter« 36 (1970) S. 290–318; als differenzierende Ergänzung zu Günther.

99 Günther (= Anm. 98), S. 239 ff., zum Begriff der semantischen Geste und zur Kontextanalyse.

100 Max Wehrli: »Deutsche Literaturwissenschaft«. In: »Literaturwissenschaft und Literaturkritik im 20. Jahrhundert«. Hrsg. von Philipp Ingold. Bern 1970. S. 9–34, hier S. 31.

101 Mandelkow (= Anm. 19), S. 79 f.

102 Ebd., S. 84.

103 Seeba (= Anm. 20), S. 145; vgl. auch Manfred Naumann u. a.: »Gesellschaft, Literatur, Lesen. Literaturrezeption in theoretischer Sicht«. Berlin u. Weimar 1973. S. 133 f.

104 Seeba (= Anm. 20), S. 145 f.

105 Dietrich Harth: »Begriffsbildung in der Literaturwissenschaft. Beobachtungen zum Wandel der ›semantischen Orientierung‹«. In: »Deutsche Vierteljahrsschrift für Literaturwissenschaft und Geistesgeschichte« 45 (1971) S. 397–433, hier S. 429.

106 Gerhard Kaiser: »Überlegungen zu einem Studienplan Germanistik. Literaturwissenschaftlicher Teil«. 3. Exkurs über: Hans Robert Jauß, »Literaturgeschichte als Provokation der Literaturwissenschaft«. In: »Fragen der Germanistik. Zur Begründung und Organisation des Faches«. Hrsg. von Horst Turk. München 1971. S. 59–65, hier S. 59. – Die folgenden Zitate ebd., S. 61–63.

107 Ähnlich übrigens auch Theodor W. Adorno: »Ästhetische Theorie«. Hrsg. von Gretel Adorno u. Rolf Tiedemann. Frankfurt a. M. 1970. S. 339.

108 Kaiser (= Anm. 106), Exkurs, S. 64.

109 Hartmut Eggert: »Studien zur Wirkungsgeschichte des deutschen historischen Romans 1850 bis 1875«. Frankfurt a. M. 1971. (»Studien zur Philosophie und Literatur des neunzehnten Jahrhunderts«. Bd. 14.) S. 13–19.

110 Vgl. Barthes (= Anm. 48), S. 22.

111 Werner Bauer, Renate Braunschweig-Ullmann, Helmtrud Brodmann, Monika Bühr, Brigitte Keisers, Wolfram Mauser: »Text und Rezeption. Wirkungsanalyse zeitgenössischer Lyrik am Beispiel des Gedichtes ›Fadensonnen‹ von Paul Celan«. Frankfurt a. M. 1972.

112 Michael Riffaterre: »Describing poetic structures. Two approaches to Baudelaire's ›Les Chats‹«. In: »Yale French Studies« 36/37 (1966) S. 200–242; vgl. die auszugsweise Übersetzung in

Roland Posners Aufsatz »Strukturalismus in der Gedichtinterpretation – Textdeskription und Rezeptionsanalyse am Beispiel von Baudelaires ›Les Chats‹«. In: »Sprache im technischen Zeitalter« 29 (1969) S. 27–58.

113 Bauer/Mauser (= Anm. 111), S. 23.

114 Susanne Müller-Hanpft: »Lyrik und Rezeption. Das Beispiel Günter Eich«. München 1972. S. 7–18, hier S. 8.

115 Ebd., S. 11.

116 Adorno (= Anm. 107), S. 338 f.

117 Norbert Groeben: »Literaturpsychologie. Literaturwissenschaft zwischen Hermeneutik und Empirie«. Stuttgart, Berlin, Köln u. Mainz 1972. (Sprache und Literatur 80.) S. 151–153.

118 Ebd., S. 152.

119 Peter Rusterholz: »Hermeneutik«. In: »Grundzüge der Literatur- und Sprachwissenschaft«. Hrsg. von Heinz Ludwig Arnold u. Volker Sinemus. Bd. 1: »Literaturwissenschaft«. München 1973. S. 89–105, hier S. 101 f.

120 Ebd., S. 102 f.

121 Urs Jaeggi: »Literatursoziologie«. In: »Literaturwissenschaft« (= Anm. 119), S. 397–412, hier S. 402 f.

122 Vgl. auch Groeben (= Anm. 117), S. 144–153.

123 Horst Albert Glaser: »Methoden der Literaturgeschichtsschreibung«. In: »Grundzüge der Literatur- und Sprachwissenschaft« (= Anm. 119), S. 413–431, hier S. 429–431 Literaturgeschichte als Rezeptionsgeschichte.

124 Ebd., S. 430.

125 Adorno (= Anm. 107), S. 338 f.

126 Etwa Riffaterres (= Anm. 112) Begriff des Superlesers.

127 Sektion II: Rezeption und Geschichte (1. Teil).
1. Helmut Brackert: »Überlegungen zu einer Theorie produktiver Rezeption«.
2. Wolfgang Haubrichs: »Hemmungen in einem kybernetischen Modell der literarischen Rezeption. Das Problem der Diskontinuität in der Literaturgeschichte«.
3. Otfried Ehrismann: »Thesen zur Rezeptionsgeschichtsschreibung. Ausgehend von der Geschichte der Rezeption des Nibelungenlieds im 19. Jahrhundert«.
4. Horst Brunner: »Überlieferung und Rezeption der mittelhochdeutschen Lyriker im Spätmittelalter und in der frühen Neuzeit. Probleme und Methoden ihrer Erforschung«.
5. Karl Bertau u. Ulrich Wyss: »Zur Kritik der Rezeptionsästhetik«.
Sektion VII: Rezeption und Geschichte (2. Teil).
1. Karl Robert Mandelkow: »Probleme der Wirkungsgeschichte unter besonderer Berücksichtigung marxistischer Literaturtheorien«.
2. Georg Jäger: »Goethes ›Werther‹: ein rezeptionsästhetisches Modell«. (Erst die Ausdehnung der Untersuchungen auf eine Soziologie des Lesers stellt die Beziehung zwischen dem Rezipient als Leser und als Subjekt der Gesellschaft her und verankert das rezeptionsästhetische Modell soziologisch. Einen solchen Verknüpfungsversuch unternimmt Georg Jäger, der vom rezeptionsästhetischen Modell der Prager Strukturalisten [Mukařovský, Vodička] ausgeht. Statt des verschwommenen Begriffs ›Erwartungshorizont‹ dienen ihm verschiedene Typen zur Feststellung von Rezeptionsphasen. Bei »Werther« unterscheidet er die erste Phase der erbaulichen Konkretisation von der zweiten einer didaktischen Konkretisation. Da diese Rezipiententypen nicht kongruent sind mit sozialen Schichten, bleibt die Arbeit mit Lesertypen auch an den literarischen Bereich gebundene Hypothese.)
3. Pierre Grappin: »Aspekte der Rezeption Werthers in Frankreich im 18. Jahrhundert«.
4. Hartmut Eggert, Hans Christoph Berg u. Michael Rutschky: »Zur Notwendigkeit einer Revision des Rezeptionsbegriffs«.
5. Heinz Hillmann: »Rezeption – empirisch«.
Die Beiträge sind mit leicht veränderten Titeln abgedruckt in: »Historizität in Sprach- und Literaturwissenschaft. Vorträge und Berichte der Stuttgarter Germanistentagung 1972«. In Verbindung mit Hans Fromm und Karl Richter hrsg. von Walter Müller-Seidel. München 1974; die Aufsätze sind unter dem Verfassernamen im Literaturverzeichnis aufgeführt. Eine kurze Zusammenfassung der Aufsätze findet sich in den jeweiligen Sektionsberichten. In: »Mitteilungen des Deutschen Germanistenverbandes« 20 (1973) H. 3, S. 13–26, bes. S. 16 und 24 f. Vgl. auch den Vortrag von Eggert, Berg u. Rutschky auf der Trierer Tagung des Germanistenverbandes: »Re-

zeption von Literatur durch Schüler als Gegenstand der Literaturdidaktik«. In: »Mitteilungen des Deutschen Germanistenverbandes« 20 (1973) H. 1/2, S. 1.

128 »Historizität in Sprach- und Literaturwissenschaft« (= Anm. 127), S. 379–388.

129 »Mitteilungen des Deutschen Germanistenverbandes« 3 (1973), S. 24.

130 Wellek/Warren: »Theorie der Literatur«. Berlin 1968. S. 214–245.

131 René Wellek: »The Fall of Literary History«. In: »Geschichte – Ereignis und Erzählung«. Hrsg. von Reinhart Koselleck u. Wolf-Dieter Stempel. München 1973. S. 427–440; René Wellek: »Zur methodischen Aporie einer Rezeptionsgeschichte«. Ebd., S. 515–517.

132 Ebd., S. 515.

133 Ebd., S. 515; ähnlich S. 439: »One must welcome emphasis on hitherto unexplored aspects of literary history but in practice ›Rezeptionsgeschichte‹ cannot be anything else than the history of critical interpretations by authors and readers, a history of taste which has always been included in a history of criticism.«

134 Ebd., S. 515. Ein Werk, das »den durch eine Gattungs-, Stil- oder Formkonvention geprägten Erwartungshorizont« seiner Leser erst eigens evoziert, »um ihn sodann Schritt für Schritt zu destruieren [...]«, wird von Jauß als »Idealfall der Objektivierbarkeit« apostrophiert (Jauß: »Provokation« [= Anm. 70], S. 176 [These 2]); der Vorwurf richtet sich auch gegen Weinrich, der den impliziten Leser bzw. den textintern signalisierten Erwartungshorizont mit dem realen Leser bzw. dessen Erwartungshorizont zu identifizieren scheint. Vgl. dazu auch S. 27 und S. 242 f.

135 Wellek: »Zur methodischen Aporie ...« (= Anm. 131), S. 516; vgl. auch Wellek, »The Fall of Literary History« (= Anm. 131), S. 439: »Jauss argues that the attitude of an author to his public can be reconstructed not only from addresses to the reader or external evidence but implicitly: through the assumption, for instance, in Don Quijote of a knowledge and concern for chivalric romances.«

136 Wellek: »Zur methodischen Aporie ...« (= Anm. 131), S. 516. Die Konsequenz dieser Ansicht ist die Feststellung, das Kunstwerk habe »keine bleibende Struktur und auch keinen bleibenden Wert«.

137 Wellek/Warren (= Anm. 130), S. 214–227; Wellek: »The Theory of Literary History«. In: »Travaux du Cercle linguistique de Prague 1936«, S. 173 ff.

138 Vgl. Grimm (= Anm. 54), S. 115 ff.

139 Wellek: »Zur methodischen Aporie ...« (= Anm. 131), S. 517. Gegen das in These 7 propagierte Modell einer Vermittlung zwischen Literatur und Gesellschaft wendet sich Otfried Hoppe in seinem Aufsatz »Triviale Lektüre. Publizistische und sozialpsychologische Überlegungen zur Didaktik der Trivialliteratur«. In »Linguistik und Didaktik« 4 (1973) H. 13, S. 16–34, hier S. 21 f. Jauß verstelle die geforderte Differenzierung der Adäquanz, der Übereinstimmung zwischen Leseerwartung und Leseerlebnis, weil er den »Bezug zwischen Text und Leser häufig unreflektiert als Wirkung des Textes auf den Leser« verstehe. Daß die literarische Erfahrung das Weltverständnis des Lesers präformiere, sei eine nicht bewiesene Hypothese, die Jauß außerdem nicht einmal als Hypothese kenntlich gemacht habe. »Die von ihm postulierte Literaturgeschichte, die ›im Gang der „literarischen Evolution" jene im eigentlichen Sinn *gesellschaftsbildende* Funktion aufdeckt‹, legt einen Adäquanzbegriff zugrunde, bei dem die Literatur den Leser durch Wirkung an sich anpaßt. Von der funktionellen Auffassung der Lektüre her, die zunächst im Bereich der Publizistik verifiziert ist, müßte die These von Jauß umgekehrt werden: Das Weltverständnis des Lesers präformiert die literarische Erfahrung. Daraus folgt, daß eine didaktische Einflußnahme auf diesen Prozeß beim Weltverständnis des Lesers, nicht bei der literarischen Erfahrung anzusetzen hätte.«

140 Die verschiedenen Aufsätze sind gesammelt, vielfach in erweiterter Form, in dem Buch: Robert Weimann, »Literaturgeschichte und Mythologie. Methodologische und historische Studien«. Berlin u. Weimar [2]1972; vgl. auch: Robert Weimann u. a., »Tradition in der Literaturgeschichte«. Berlin 1972. Zusammengefaßt hat Weimann seine Einwände gegen die rezeptionsästhetische Methode von Jauß in dem Aufsatz: »›Rezeptionsästhetik‹ und die Krise der Literaturgeschichte«. In: »Weimarer Beiträge« 19 (1973) H. 8, S. 5–33. Siehe Literaturverzeichnis.

141 Weimann, »Literaturgeschichte und Mythologie« (= Anm. 140), S. 7. Die folgenden Zitate bis Anm. 143 ebd., S. 27, 31–33.

142 Ebd., S. 31. Im Aufsatz »Rezeptionsästhetik und die Krise der Literaturgeschichte« bringt Wei-

mann auch Bedenken gegen Jauß' Einschränkung des Begriffs ›Erwartungshorizont‹ aufs Literarische vor (S. 21) sowie gegen den Versuch einer Objektivierbarkeit des Erwartungshorizontes: »Doch die Grundlage dieser Objektivierung ist der Wirkungsgeschichte und darüber hinaus der Realgeschichte (und damit auch dem Subjekt der Wirkungsgeschichte) vielfach entrückt. Als Grundlage dient weder die Lebenstätigkeit noch die Ideologie der Leser noch überhaupt literarsoziologische Wirklichkeit, sondern der *ins literarische Werk zurückgeschlagene Reflex von subjektiven Erwartungen* und ästhetischem ›Vorverständnis‹« (S. 21 f.), aber auch gegen seine formaltypische Kategorie des ›Lesers‹ (S. 22) und das ästhetische Kriterium der ›Innovation‹ (S. 25 f.). Der Negation von Tradition in der »bürgerlichen« Kulturkritik stellt Weimann das Modell einer Einheit von Entstehungs- und Wirkungsgeschichte entgegen (vgl. Anm. 143), das sich positiv als Funktionalisierung des Erbes konkretisiert: »Aus der Dialektik zwischen der rezeptionsbezogenen Produktion und der ›produktiven Konsumtion‹ wird auch die metaphysische Antinomie zwischen der Auffassung der Literatur als Struktur (das heißt als reines Produkt) und der Auffassung der Literatur als Funktion (das heißt als reiner Gegenstand der Konsumtion) hinfällig« (S. 19).

143 Vgl. die weiteren Ausführungen Weimanns über das Verhältnis von Entstehungsgeschichte und Wirkungsgeschichte als einer Einheit, S. 34–46. Entstehungsgeschichtliche Rekonstruktion und wirkungsgeschichtliche Neudeutung sollen verklammert werden. Schon Marx und Engels betrachteten ja Kunst unter dem entstehungsgeschichtlichen (abbildenden) Aspekt in der sozioökonomischen Basisbedingtheit und unter dem wirkungsgeschichtlichen (bildenden) Aspekt, daß »sie für uns noch Kunstgenuß gewähren und in gewisser Beziehung als Norm und unerreichbare Muster gelten«, eine tatsächliche Schwierigkeit, der mit dem fragwürdigen idealistisch-ahistorischen Wesensbegriff des ›Klassischen‹ (Lukács) gewiß nicht beizukommen ist, weil er die Problematik der Vermittlung von Geschichtsbedingtheit und Überzeitlichkeit durch Ausflucht ins Zeitlose kaschiert. Insofern liegt die wahre Schwierigkeit der Literaturgeschichte durchaus in der Herstellung einer »geschichtlichen und doch zugleich lebendigen Beziehung« zwischen den Werken als »Vergangenheitsabbildern« und »Bildnern der Gegenwart«, eine Beziehung, »die den Widerspruch und die Einheit zwischen der Zeitlichkeit und der ›Überzeitlichkeit‹, dem über die Zeiten Hinausweisenden großer Dichtung, zu einem vorrangigen Gegenstand der Literaturgeschichte erhebt« (S. 39). Der Widerspruch oder die Einheit zwischen Gegenwart und Vergangenheit sollen nicht nur Objekt literarischer Interpretation, sondern Anlaß gesellschaftlicher Veränderung werden: daraus folgt die praxisorientierte Funktion von Literatur. Indem sie das ideologisch als »gültig Erkannte« zur Anwendung bereitet, besteht das Ziel historischer Arbeit nicht im Verstehen um seiner selbst willen, sondern »in der Verlebendigung und Verwirklichung des (vom fortgeschrittensten Standpunkt der Gegenwart) Gültigen« (S. 42). Den Standpunkt normiert die Ideologie, die auch die Selektion der historischen Texte bestimmt und die Wirkung zeitgenössischer dirigiert. Der marxistische Historiker müsse zugleich Erzieher sein im »durch die revolutionäre Emanzipation der Arbeiterklasse« bestimmten historischen Prozeß. Literatur wird nicht mehr um ihrer ästhetischen Qualitäten willen betrieben, sie wird eingespannt in den gesellschaftlichen Prozeß als ein Mittel zu dessen (programmierter) Erkenntnis und Veränderung.

144 In: Weimann, »Literaturgeschichte und Mythologie« (= Anm. 140), S. 47–128. – Die folgenden Zitate ebd., S. 55–58.

145 Zu Robert Weimanns Traditionsbegriff vgl. ebd., S. 47 ff. und S. 58 ff. Zu Weimanns eigenem Modell von Entstehungs- und Wirkungsgeschichte S. 34 ff.; ferner den Aufsatz »Wandlungen und Krisen amerikanischer Literarhistorie. Zu ihrer Methodologie und Geschichte«. In: R. W., »Literaturgeschichte und Mythologie« (= Anm. 140), S. 228–280, bes. S. 250–265; ursprünglich in: »Weimarer Beiträge« 11 (1965) H. 3, S. 394–435; vgl. auch den Sammelband »Tradition in der Literaturgeschichte« (= Anm. 140), S. 152.

146 Manfred Naumann: »Literatur und Leser«. In: »Weimarer Beiträge« 16 (1970) H. 5, S. 92–116.

147 Z. B. von Werner Krauss: »Literaturgeschichte als geschichtlicher Auftrag« (= Anm. 65).

148 Naumann (= Anm. 146), S. 97.

149 Marx/Engels: »Werke«. Berlin 1964 ff. Bd. 13, S. 623 f.

150 Ebd., S. 624.

151 Naumann (= Anm. 13), S. 110. – Die folgenden Zitate ebd., S. 112.

152 Jauß: »Provokation« (= Anm. 70), S. 207.

153 Autorenkollektiv sozialistischer Literaturwissenschaftler Westberlin: »Zum Verhältnis von Öko-

nomie, Politik und Literatur im Klassenkampf. Grundlagen einer historisch-materialistischen Literaturwissenschaft. Materialistische Wissenschaft 1«. Berlin 1971. VI 3. Bürgerliche Reform der Literaturgeschichte: Das antimarxistische Modell einer Rezeptions- und Wirkungsästhetik. S. 160–164.

154 Nerlich (= Anm. 66), S. 276–313.

155 Claus Träger: »Zur Kritik der bürgerlichen Literaturwissenschaft« (Teil II). In: »Weimarer Beiträge« 18 (1972) H. 3, S. 10–36; zu Jauß S. 19–22.

156 In: »Das Argument« 14 (1972) S. 360–366.

157 Vgl. dazu auch Naumann (= Anm. 13), S. 96–104.

158 Naumann u. a. (= Anm. 103), S. 99–178. Die folgenden Zitate auf S. 140 f.

159 Naumann u. a. (S. 141 f.) beziehen sich hier auf den Brief von Engels an Franz Mehring, vom 24. Juli 1893 (Marx/Engels [= Anm. 6], Bd. 39, S. 98). Das folgende Zitat auf S. 143.

160 So im Satz: »Das geschichtliche Leben des literarischen Werks ist ohne den aktiven Anteil seines Adressaten nicht denkbar« (Jauß: »Provokation«, S. 169). Dazu Naumann u. a., S. 135 f. und S. 519 Anm. 101; ähnlich ist die nicht eindeutige Differenzierung zwischen »Adressat« und »Leser« bei Weinrich; dazu vgl. S. 27. Die folgenden Zitate auf S. 136–139.

161 Naumann u. a. (= Anm. 103), S. 139. Helmut Winter hat diesen Aspekt in seiner Besprechung des Buches in der »Süddeutschen Zeitung« Nr. 87 vom 13./14./15. April (Osterausgabe) 1974, S. 87, zusammengefaßt: »An dem Adorno-Zitat ›Bedeutende Kunstwerke der Vergangenheit arten in dem Augenblick, in dem das Bewußtsein sie als Reliquien anbetet, in Bestandteile einer Ideologie aus, die am Vergangenen sich labt, damit am Gegenwärtigen sich nichts ändere‹ demonstrieren die Autoren, daß die bisherige Überbewertung sanktionierter Kulturgüter – und als Reaktion darauf die ausschließliche Beschäftigung mit Massenliteratur – unmarxistisch, weil undialektisch, also einseitig ist: sie übersieht, daß außer der bürgerlich-kapitalistischen auch noch andere Gesellschaftsformen vorstellbar sind, und sie verabsolutiert auf unzulässige Weise ein ›spontan-ökonomisch manipulierendes System der Bedürfnisbefriedigung‹.« Die folgenden Zitate bei Naumann u. a. (= Anm. 103), S. 139 und 143.

162 Naumann u. a. (= Anm. 103), S. 143; Hervorhebung von mir, G. G.

163 Winter (= Anm. 161), S. 87.

164 Naumann u. a. (= Anm. 103), S. 35. Vgl. auch S. 38: Die Werke schaffen »nicht nur den rezeptiven Bedürfnissen das Material zu ihrer Befriedigung und die Fähigkeit zu ihrer Rezeption, sondern auch die Weise ihrer Rezeption. Jedes Werk weist eine innere Konsistenz, eine ihm eigene Struktur, eine Individualität, eine Reihe von Merkmalen auf, die den rezeptiven Prozessen bestimmte Leitlinien vorgeben für die Weise seiner Rezeption, für ihre Wirkungen und auch für die Bewertungen des Werkes.«

165 Ebd., S. 35 f. Zur Lage der Wirkungsforschung in der DDR vgl. Peter Uwe Hohendahl: »Sozialgeschichte und Wirkungsästhetik. Dokumente zur empirischen und marxistischen Rezeptionsforschung«. Frankfurt a. M. 1974. Einleitung, S. 30–40.

166 Hans Robert Jauß: »Racines und Goethes Iphigenie. Mit einem Nachwort über die Partialität der rezeptionsästhetischen Methode«. In: »neue hefte für philosophie« 4 (1973) S. 1–46, hier S. 1–29. Herangezogen wird: »Erläuterungen und Dokumente. Johann Wolfgang Goethe, Iphigenie auf Tauris«. Hrsg. von Joachim Angst u. Fritz Hackert. Stuttgart 1969. (»Racines und Goethes Iphigenie ...« im folgenden zitiert als: »Partialität«.)

167 Jauß, ebd., S. 36.

168 Ebd., bes. S. 30–46. – Außer den hier behandelten Aufsätzen bzw. Kritiken von Günther, Harth, Kaiser, Mandelkow, Nerlich, Träger, Warneken, Weimann und Wehrli bezieht Jauß sich noch auf folgende Publikationen: E. Bonora, »Dalla storia della letteratura alla scienza della letteratura«. In: »Giornale storico della lett. ital.« 148 (1971) S. 163–177; Ch. Grivel, in: »Het Franse Boek« 38 (1968) S. 130 ff.; M. Kesting, »Krise und Neubeginn«. In: »Frankfurter Allgemeine Zeitung« (10. 11. 1970) S. 9; F. Meregalli, in: »Annali di Ca' Foscari« 9 (1970) S. 1–7; E. Pasquini, in: »Studi e problemi di critica testuale« 4 (1972) S. 266–276; A. Pizzorusso, in: »Belfagor« 25 (1970) S. 614 ff.; A. Varvaro, Einleitung zu der ital. Ausgabe der Jaußschen Schrift: »Perché la storia della letteratura«. Napoli 1969.

169 Vgl. Jauß: »Partialität« (= Anm. 166), S. 42, wo der Rezeptionsästhetik »gegenüber der produktiven und der darstellenden Funktion ästhetischer Praxis nur eine hermeneutische Priorität« zugebilligt wird.

170 Vgl. Anm. 106.

171 Jauß: »Partialität« (= Anm. 166), S. 34.
172 Ebd., S. 36; doch vgl. Warneken (= Anm. 156), S. 164.
173 Jauß: »Partialität« (= Anm. 166), S. 36.
174 Ebd., S. 41.
175 Robert Weimann: »Tradition als literar-geschichtliche Kategorie«. In: R. W., »Literaturgeschichte und Mythologie« (= Anm. 145), S. 47.
176 Jauß: »Partialität« (= Anm. 166), S. 41.
177 Ebd., S. 41.
178 Vgl. dazu Naumann (= Anm. 13), S. 98 ff., auch Warneken (= Anm. 156) S. 361 ff. Weimann selbst bezieht sich in der als Nachtrag gekennzeichneten Anmerkung 53 seines Aufsatzes »Rezeptionsästhetik und die Krise der Literaturgeschichte« (S. 31–33) auf Jauß' Metakritik, deren Vorwürfe er zurechtrückt. Die Möglichkeit der Selektion sieht Weimann in seinem eigenen Modell insofern enthalten, als »jede historiographische Bewußtseinsaktivität« vom Standpunkt der »entwickeltsten und mannigfaltigsten historischen Organisation«, also der fortgeschrittensten Position der Gegenwart auszugehen habe: »So wird das in seiner ›Gültigkeit‹ allein aus den höchsten geschichtlichen Entfaltungen heraus bestimmbare Geschichtsresultat ›ebensosehr‹ als ›das Produkt historischer Verhältnisse‹, also aus dem totalen Prozeß heraus gesehen: womit die Einheit von Gegenwart und Vergangenheit zugleich den Widerspruch von Wertung und Prozeß umschließt – damit aber über den ideologiekritischen Grundimpuls der Rezeptionsästhetik hinausweist« (S. 32 f.).
179 Jauß: »Partialität« (= Anm. 166), S. 44.
180 Träger (= Anm. 155), S. 21.
181 Jauß: »Partialität« (= Anm. 166), S. 45.
182 Kaiser (= Anm. 106), S. 56 f.
183 Jauß: »Partialität« (= Anm. 166), S. 46; Bezug auf Warneken (= Anm. 156), S. 363 f.; Träger (= Anm. 155), S. 22.
184 Jauß: »Partialität« (= Anm. 166), S. 46.
185 Vgl. S. 28 ff., 34 f., 42 f.
186 Harald Weinrich: »Kommunikative Literaturwissenschaft«. In: H. W., »Literatur für Leser« (= Anm. 58), S. 7–11.
187 Groeben (= Anm. 117).
188 Vgl. dazu etwa: Wolfgang Fritz Haug, »Kritik der Warenästhetik«. Frankfurt a. M. 1971, [2]1972; W. F. Haug: »Warenästhetik, Sexualität und Herrschaft. Gesammelte Aufsätze«. Frankfurt a. M. 1972; Hans Heinz Holz: »Vom Kunstwerk zur Ware. Studien zur Funktion des ästhetischen Gegenstands im Spätkapitalismus«. Neuwied u. Berlin 1972.
189 Vgl. auch den Bericht von Segebrecht, der den vorliegenden ergänzt: Segebrecht (= Anm. 24); ferner die Einleitung von Peter Uwe Hohendahl in dem von ihm herausgegebenen Reader: »Sozialgeschichte und Wirkungsästhetik. Dokumente zur empirischen und marxistischen Rezeptionsforschung«. Frankfurt a. M. 1974. S. 9–48.
190 Wolfgang Iser: »Die Appellstruktur der Texte. Unbestimmtheit als Wirkungsbedingung literarischer Prosa«. Konstanz 1970.
191 Vgl. Mandelkow (= Anm. 19), S. 73 f.
192 Herta Schmid: »Zum Begriff der ästhetischen Konkretisation ...« (= Anm. 98), S. 291.
193 Roman Ingarden: »Das literarische Kunstwerk«. Halle 1931, 1965; ders.: »Vom Erkennen des literarischen Kunstwerks«. Tübingen 1968; ders.: »Erlebnis, Kunstwerk, Wert«. Tübingen 1969. Zur Kritik vgl. Groeben (= Anm. 117), S. 159 ff.; »Dichter und Leser. Studien zur Literatur«. Hrsg. von Ferdinand van Ingen u. a. Groningen 1972. S. 3; ausführlich Joseph Strelka: »Die gelenkten Musen. Dichtung und Gesellschaft«. Wien 1971. S. 343–348; vgl. auch die Ästhetikkonzeption des tschechischen Strukturalismus: Herta Schmid, »Zum Begriff der ästhetischen Konkretisation ...« (= Anm. 98).
194 Herta Schmid: »Zum Begriff der ästhetischen Konkretisation ...« (= Anm. 98), S. 292.
195 Günther (= Anm. 98), S. 226; ausführlich auch Herta Schmid: »Zum Begriff der ästhetischen Konkretisation ...« (= Anm. 98), S. 294 ff.
196 Günther (= Anm. 98), S. 229; Herta Schmid: »Zum Begriff der ästhetischen Konkretisation ...« (= Anm. 98), S. 294 ff.
197 Jauß: »Partialität« (= Anm. 166), S. 3.
198 Iser (= Anm. 190), S. 7.

199 Günter Waldmann: »Theorie und Didaktik der Trivialliteratur. Modellanalysen – Didaktikdiskussion – literarische Wertung«. München 1973. S. 86 f.; bei Waldmann heißt es fälschlich »Generation von Textstrukturen« anstatt »Konkretisation von Textstrukturen«; das geht aus seinen übrigen Feststellungen hervor: »Ein ästhetisches Produkt existiert konkret nur als werthaft rezipiertes«, S. 88, sowie S. 86: die Rezeption generiere »aus den mit dem Text gelieferten polyfunktionalen Signifikanten aktuelle ästhetische Bedeutungen«; vgl. das Kapitel »Zur Theorie des ästhetischen Textes: Struktur – Rezeption – Wertung«, ebd., S. 80–88.

200 Vgl. hier auch die in dieselbe Richtung tendierenden Ausführungen Sartres, Kap. II »Warum Schreiben«, in: J.-P. S., »Was ist Literatur« (= Anm. 60), S. 25–42; für Sartre ist »ein geistiges Werk naturgemäß *eine Anspielung*« (S. 43). Erst die Rekonstruktion des semiotischen Kontexts macht die autorintentionelle Anspielung verstehbar (etwa bei Lektüre historischer Texte oder Schriften aus fremdem Kulturkreis). Gerd Michels charakterisiert diesen Rezeptionsprozeß so: »Der Grad der mangelnden Determination vororganisierter Wahrnehmungsfelder im Text steigert die Beteiligung des Lesers am Vollzug semantischer Auffüllung. Interpretation (oder Rezeption) als Festschreibung einer Perspektive und damit eines Sinnes, würde den Text auf eine Meinung festlegen, die in Potentialität vorgestellte Welt in einer eindimensionalen Beobachtungskapazität einebnen, kurz den Vorstellungshorizont im eigenen Blockierungszusammenhang bestätigen« (Michels: »Leseprozesse. Zur kommunikationstheoretischen Begründung von Literaturdidaktik«. Düsseldorf 1973. S. 36). Michels setzt sich in Kap. 5 »Rezeptionsschwierigkeiten« mit Weinrich, Jauß und Iser, in Kap. 6 »Identifikation und Distanz« mit der Informationsästhetik (Bense, Schmidt), in Kap. 7 »Text als Zeichen« mit dem Prager Strukturalismus und in Kap. 8 »Strukturalistische Analyse und ästhetisches Objekt« mit dem sowjetischen Formalismus auseinander.

201 Iser (= Anm. 190), S. 15 ff.

202 Siegfried J. Schmidt: »Ästhetizität. Philosophische Beiträge zu einer Theorie des Ästhetischen«. München 1971. (»Grundfragen der Literaturwissenschaft« 2.) S. 10 f., S. 19–26.

203 Iser (= Anm. 190), S. 7; dazu vgl. die vom substantialistischen Textverständnis aus vorgetragene Kritik von Gerhard Kaiser: »Nachruf auf die Interpretation?« In: »Poetica« 4 (1971) S. 267–277, hier S. 270 ff.; auch Rusterholz (= Anm. 119), S. 102 f.

204 Kaiser (= Anm. 203), S. 277.

205 Ebd., S. 277, zitiert nach Adorno (= Anm. 107), S. 33.

206 Adorno (= Anm. 107), S. 288.

207 Ebd., S. 289.

208 Ebd., S. 288; Urs Jaeggi: »Literatur und Politik. Ein Essay«, Frankfurt a. M. 1972, S. 87, charakterisiert Adornos Position folgendermaßen: »Adorno, der die Ästhetik gegen den Schein ästhetischer Relativität dennoch retten möchte, bestimmt die ästhetische Objektivität als einen Prozeß, das Werk als Kraftfeld.«

209 Rusterholz (= Anm. 119), S. 103.

210 Ebd., S. 103.

211 Ebd.

212 Ebd., S. 104. Übereinstimmungen mit Iser auch bei Groeben (= Anm. 117), S. 152 f., doch hält auch er, Leibfried folgend, eine Trennung von Rezeption bzw. Konkretisation und (wissenschaftlicher) Interpretation für notwendig (Groeben, S. 161). Als ein geistreicher Versuch, weltanschaulich bedingte Interpretationen ad absurdum zu führen, kann Heinz Politzers Aufsatz über einen Text Kafkas gelten: »›Gibs auf!‹ – Zum Problem der Deutung von Kafkas Bildsprache«. In: H. P., »Franz Kafka, der Künstler«. Gütersloh 1965. S. 19–44. Politzer führt nacheinander eine historische, eine psychologische, eine religiöse und eine existentialistische Interpretation vor, die in ihrer Einseitigkeit zwar einen Aspekt des Textes beleuchten, aber seine Sinnpotentialität verfehlen. Eine Interpretation hätte gerade auf die Polyvalenz, die Vieldeutigkeit und -deutbarkeit zu achten.

213 Vgl. den Überblick von Hans Wuerzner: »Text und Kontext in der Literaturwissenschaft«. In: »Duitse Kroniek« 24 (Dezember 1972) S. 144–149; Umberto Eco: »Einführung in die Semiotik«. München 1972; ders.: »Das offene Kunstwerk«. Frankfurt a. M. 1973.

214 Dazu vgl. Jochen Schulte-Sasse, Wolfgang Karrer u. Georg Behse: »Theorie literarischer Texte und Methoden des Zugangs«. In: »Die Literatur«. Freiburg, Basel u. Wien 1973. (»Wissen im Überblick«.) S. 391–417; sowie Eco (= Anm. 213), S. 145–167; Waldmann (= Anm. 199), S. 80 bis 88.

215 Schulte-Sasse u. a. (= Anm. 214), S. 410; vgl. das dort gebotene »Grundmodell literarischer Kommunikation«, S. 412/413; vgl. auch Jurij M. Lotman: »Die Struktur literarischer Texte«. München 1972. S. 81.
216 Ebd., S. 410.
217 Wilhelm Emil Mühlmann: »Bestand und Revolution in der Literatur«. Stuttgart, Berlin, Köln u. Mainz 1973. S. 68.
218 Strelka (= Anm. 193), S. 325 und S. 345.
219 Ebd., S. 325.
220 Hubert Paul Hans Teesing: »Der Standort des Interpreten«. In: »Orbis Litterarum« XIX (1964) S. 31–46; vgl. »Dichter und Leser...« (= Anm. 193), S. 5.
221 Teesing, ebd., S. 45.
222 »Dichter und Leser...« (= Anm. 193), S. 4; zur Inkonsequenz Ingardens vgl. Groeben (= Anm. 117), S. 159.
223 A. L. Sötemann: »Adäquate Konkretisation als äußerste Grenze«. In: »Dichter und Leser...« (= Anm. 193), S. 134–142, hier S. 139. – Die folgenden Zitate S. 141.
224 Grimm (= Anm. 54), S. 123 und S. 142 ff.; vgl. auch diese Einleitung S. 183 f.
225 Vgl. Groeben (= Anm. 117), S. 159. Hier spielt auch die Tatsache eine Rolle, daß Rezeptionstexte vorwiegend expositorisch (oder referentiell), Kunsttexte dagegen fiktional sind, sich also nur vermittelt in Beziehung setzen lassen; vgl. den Beitrag von Gotthart Wunberg in diesem Band, S. 120 f. Im übrigen ist eine strikte Trennung zwischen ›expositorisch‹ und ›fiktional‹ nicht möglich; vgl. Segebrecht (= Anm. 24), S. 573.
226 Ingarden: »Vom Erkennen des literarischen Kunstwerks« (= Anm. 193), S. 42; Grimm (= Anm. 54), S. 123.
227 Der Text hätte also bei jedem Rezipienten (verschiedenster Zeiten und Gesellschaften) eine identische Bedeutung.
228 Sötemann (= Anm. 223), S. 141.
229 Kaiser (= Anm. 203), S. 270 ff.
230 Groeben (= Anm. 117), S. 161 ff.
231 Erwin Leibfried: »Kritische Wissenschaft vom Text«. Stuttgart 1970.
232 Zur Problematik der Objektivität und der Stimmigkeit vgl. Groeben (= Anm. 117), S. 163 ff.; vgl. auch Jochen Schulte-Sasse: »Literarische Wertung«. Stuttgart 1971. S. 34–63.
233 Peter Szondi: »Zur Erkenntnisproblematik in der Literaturwissenschaft«. In: »Neue Rundschau« 73 (1962) S. 146–165, hier S. 160.
234 Groeben (= Anm. 117), S. 166.
235 Ebd., S. 166 f.; vgl. auch S. 142 f., ferner S. 80 f.
236 René Wellek: »Literaturtheorie, Kritik und Literaturgeschichte«. In: R. W., »Grundbegriffe der Literaturkritik«. Stuttgart, Berlin, Köln u. Mainz [2]1971. S. 9–23, hier S. 21.
237 Dazu vgl. Helga Gallas: »Strukturalismus als interpretatives Verfahren«. Darmstadt u. Neuwied 1972. S. IX–XXXI, hier S. XX ff.
238 Vgl. Grimm (= Anm. 54), S. 146–150.
239 Reinhart Meyer: »›Hamburgische Dramaturgie‹ und ›Emilia Galotti‹. Studie zu einer Methodik des wissenschaftlichen Zitierens entwickelt am Problem des Verhältnisses von Dramentheorie und Trauerspielpraxis bei Lessing«. Frankfurt a. M. 1973. S. 242.
240 »Schiller in Deutschland 1781–1970. Materialien zur Schiller-Rezeption«. Für die Schule hrsg. von Eva D. Becker. Frankfurt a. M., Berlin u. München 1972. S. X.
241 Vgl. Schulte-Sasse (= Anm. 232), S. 55–59. »Ebensowenig wie der Horizont aktueller liegt außerdem der Horizont potentieller Bedeutungen im Werk selbst verborgen, um dort etwa auf seine Konkretisation zu warten. Er erstellt sich erst in einer langen Rezeptionsgeschichte und ist von einer unendlichen Reihe sich geschichtlich entfaltender semantischer Bezugssysteme abhängig (wobei der Bedeutungshorizont natürlich durch das Werk eingeschränkt bleibt und nur ein relativ kleiner Spielraum durch die historisch variable Dialektik zwischen Werk und Bezugssystem bestimmt wird)« (S. 55).
242 Hans-Georg Herrlitz: »Lektüre-Kanon und literarische Wertung. Bemerkungen zu einer didaktischen Leitvorstellung und deren wissenschaftlicher Begründung«. In: »Der Deutschunterricht« 19 (1967) H. 1, S. 79–92; bes. S. 82–89.
243 Wilhelm Emrich: »Wertung und Rangordnung literarischer Werke«. In: »Sprache im technischen Zeitalter« 12 (1964) S. 974–991. Die folgenden Zitate auf S. 981 und 983.

244 Herrlitz (= Anm. 242), S. 86: »Die bloße Addition historisch bedingter, weltanschaulich vermittelter Meinungen über ein literarisches Werk führt zwar zu einer meßbaren Summe von ›Wirkungsdauer‹ quer durch die Epochen hindurch, schließt aber keineswegs die Möglichkeit aus, die Bestimmung dessen, ›was Kunst ist oder nicht‹, als eine weltanschaulich abhängige Variable zu interpretieren.«

245 Ebd., S. 85.

246 Ebd.

247 Max Wehrli: »Wert und Unwert in der Dichtung«. Köln u. Opladen 1965. S. 10; vgl. auch Herrlitz (= Anm. 242), S. 86 f. »Im Begriff des ›Unausschöpfbaren‹ fallen der künstlerische Rang und die historische Wirkung eines Werkes zusammen.« Kritik an Emrich übt auch Waldmann (= Anm. 199), S. 90–93.

248 Wenn dem Text potentielle Substanz zugemessen wird, so ist diese erst im Rezeptionsakt manifest. In diesem Prozeß liegt die Initiative beim Leser, die Bedeutung, die für ihn der Text hat, ist vom semiotischen Kontext abhängig; Bedeutung des Textes für Autor und Leser kann also extrem divergieren. Vgl. die Literaturangaben in Anm. 214.

249 Zdenko Škreb: »Die Wissenschaftlichkeit der Literaturforschung«. In: Viktor Žmegač u. Zdenko Škreb [Hrsg.], »Zur Kritik literaturwissenschaftlicher Methodologie«, Frankfurt a. M. 1973. S. 9–50, hier S. 45.

250 Ebd. S. 43. »Jedes Literaturwerk hat ›ihm immanente Wertintentionen‹ [Hass], die auf bestimmte Leserschichten zielen, und die es aufzudecken gilt in der Forschung; ob diese Intentionen aber tatsächlich als Werte erlebt wurden, von welchen Leserschichten und zu welchem Zeitpunkt, ist eine historische Frage, die in die Rezeptions- und Wirkungsästhetik der Literaturgeschichte gehört« (S. 43 f.).

251 Jauß: »Provokation« (= Anm. 70), S. 178. Auch diese These ist nicht neu. Klaus Scherpe führt in seinem Buch »Werther und Wertherwirkung« (Bad Homburg, Berlin u. Zürich 1970, S. 14) ein in ähnliche Richtung weisendes Zitat von Adolf von Knigge an: »Nach den Würkungen [...], welche ein Buch hervorbringt, kann man wohl den Grad seines Werths bestimmen« (Adolph Knigge: »Ueber Schriftsteller«. Hannover 1793. S. 75). Gegen die Jaußsche Bestimmung des Kunstcharakters wendet sich Otfried Hoppe (= Anm. 139), S. 20 f. »Jauß berücksichtigt zur Bestimmung des literarischen Wertes nur das Kriterium der ›Adäquanz‹ [die Übereinstimmung zwischen Leseerwartung und Leseerlebnis. *G. G.*]; die positive Bewertung der Abweichung von der Norm der Leseerwartung läßt eine Unterscheidung zwischen Kunst und Unsinn nicht zu, weil ›Verständlichkeit‹ nicht als Kriterium auftritt. Außerdem müßte nach dieser These eine nicht mehr aktuelle Literatur denselben ästhetischen Wert haben wie eine noch nicht aktuelle; oder man setzt einen simplen Fortschrittsglauben voraus, nach dem alles, was einmal da war, prinzipiell als aufgehoben und überwunden angesehen wird, nach dem dann auch jede Abweichung von den jeweils genormten Erwartungen nur progressiv sein kann.
Bestritten werden muß vor allem die Grundannahme, von der Jauß ausgeht: Die Leseerwartungen seien zu einem Zeitpunkt weitgehend homogen, weil sie durch den historischen Prozeß bedingt seien; diese generalisierten Leseerwartungen setzen den generalisierten Leser voraus, den Jauß als ›Publikum‹ bezeichnet. [...] Die Divergenz der Leseerwartungen ist nicht als historische Übergangsphase zu erklären, in der sich neue Leseerwartungen allmählich gegen alte durchsetzen; die Leseerwartungen divergieren vielmehr kategorial, und es scheint nicht ungewöhnlich, daß sie auch beim einzelnen Leser je nach Situation kategorial divergieren: neben Erwartungen, die sich primär auf die Bestätigung von Weltanschauungselementen, auf Illusion oder auf Unterhaltung richten, gibt es – gerade in der Literaturwissenschaft und Literaturkritik – auch Erwartungen wie: Das Werk soll ›modern‹ sein, d. h. gesellschaftskritisch oder in bestimmter Weise artifiziell oder auch nur nicht-interpretierbar. Je allgemeiner und formaler die Leseerwartungen, desto schwerer hat es der Autor, ihnen nicht zu entsprechen, um ästhetisch wertvoll zu sein. Gerade wo der Autor sich negativ an einer Literaturkritik orientiert, deren Erwartungen primär auf ästhetische oder formale Merkmale gerichtet sind, sieht er sich zur Erfindung immer neuer Effekte und Techniken gezwungen, um dem Vorwurf der ›Trivialität‹ zu entgehen. Wo die Leseerwartung des Kritikers allerdings darauf reduziert ist, daß der Leser immer wieder etwas Neues erwartet, kann der Autor ihn prinzipiell nicht mehr überraschen, es sei denn, er wird bewußt trivial.
Diese Kritik ist nicht nur formale Spielerei: Wenn die Rezeption zur Basis literaturwissenschaftlicher Aussagen gemacht werden soll, dann kann ein rein formal gefaßtes Kriterium der

Adäquanz auf dem Hintergrund einer pauschalierten historischen Auffassung nicht ausreichen, um qualitative Aussagen über Texte zu machen; vielmehr müssen distinktive Kategorien der Rezeption (und damit der Adäquanz) aufgestellt werden, die jeweils den Konvergenzpunkt zwischen Leseerwartung und Textdisposition bestimmen.«

252 Jauß: »Provokation« (= Anm. 70), S. 186.

253 Renate Ullmann: »Theorie einer literarischen Wirkungsanalyse«. In: »Linguistische Berichte« 10 (1970) S. 43–48, hier S. 47. Siegfried J. Schmidt (= Anm. 202) differenziert zwischen der Polyfunktionalität auf seiten des Kunstwerks (formale Organisation als Wahrnehmungsangebot) und der Polyvalenz auf seiten des Rezipienten, sofern dieser »ohne ideologische/ausschließliche und damit restriktive Deutungserwartungen an die Textrezeption« herangeht. Schmidt nennt die »polyperspektivische Sehweise ohne eine dominante/restriktive Rezeptionsperspektive«: »konkretes Sehen« (S. 21).

254 Ullmann (= Anm. 253), S. 47. Zur Wertlehre bei Mukařovský vgl. Günther (= Anm. 98), S. 234 ff. Er unterscheidet zwischen der aktuellen ästhetischen Wertung, dem allgemeinen Wert und dem Evolutionswert.

255 Dazu Groeben (= Anm. 117), S. 79 f.

256 Strelka (= Anm. 193), S. 337 f.

257 Ebd., S. 343–348; allgemein S. 337–355 »Aspekte des Wertungsproblems«.

258 Ebd., S. 352; Mühlmann (= Anm. 217), S. 46–51; vgl. auch Herrlitz (= Anm. 242), S. 79–92; Wehrli (= Anm. 247), S. 10. Vgl. auch die Studie Wilfried Barners in diesem Band, S. 99 f.

259 Strelka (= Anm. 193), S. 354; Wellek/Warren (= Anm. 130), S. 214–227 Bewertung, hier S. 224.

260 Wellek/Warren (= Anm. 130), S. 226.

261 Schmidt (= Anm. 202), S. 11: »Nach diesen Voraussetzungen steht zu vermuten, daß das Ästhetische, soll es ein überindividueller und dabei intrasubjektiv wahrnehmbarer und dabei wieder zeitüberlegener Faktor eines Wahrnehmungsangebots (und damit ein mögliches Objekt wissenschaftlicher Deskription) sein, ein Signifikat von Struktureigenschaften bestimmter Gegenstände in Kommunikationsprozessen sein muß, deren Wahrnehmung und semantische Interpretation von einer bestimmten Forschungsperspektive beziehungsweise Decodierungsart auf Seiten des Rezipienten abhängt. Ein solcher Gegenstand, der als Zielpunkt des Kommunikationsprozesses angesehen wird, muß eine bestimmte – wie zu vermuten ist – formale, intersubjektiv aufweisbare Organisation besitzen, die im Kommunikationsprozeß mit dem Gegenstand in seinen möglichen Kontexten unter einer geeigneten Rezeptionsperspektive im Rezipienten jeweils intrasubjektiv wirksam und so auch intersubjektiv nachweisbar wird. Diese Perspektive wird im folgenden *konkretes Sehen* genannt werden. Die formale Organisation des Wahrnehmungsangebots (als Träger von Wirkungs- beziehungsweise Beeinflussungspotenzen) soll *Polyfunktionalität*, deren semantisches Äquivalent auf der Rezipientenseite *Polyvalenz* heißen.« Vgl. auch S. 13: »Ein Kunstwerk als Zeichen auffassen heißt, die Frage nach der *Bedeutung* von Kunstwerken als legitim anzuerkennen, verweist zugleich aber darauf, daß Bedeutung ein relativer Relevanzwert konstitutiver sinngebender Interpretationsprozesse ist, der sich aus der Interaktion von Objekt und Perspektive als sozialrekurrentem Interpretationssystem ergibt. Mit anderen Worten, die durchaus legitime Frage nach der Bedeutung von Zeichenkomplexen erlaubt selten oder nie eine eindeutige Antwort; vielmehr gibt es jeweils so viele Antworten, als anschließbare Interpretations- beziehungsweise Klassifikationssysteme, d. h. Kontexte an ein Wahrnehmungsangebot nachweisbar sinnvoll herangetragen werden können. Faßt man das Kunstwerk auf als sprachliches Zeichen, erlaubt die legitime Frage: Was bedeutet das? jeweils so viele Antworten, als Schemata der Redundanzbildung möglich sind.« Die Erfüllung von vier Bedingungen hält Schmidt für notwendig, »damit Polyfunktionalität als Bedingung der Möglichkeit des Ästhetischen in/an Texten gelten kann«: 1. Polyfunktionalität als Semantizität, 2. Polyfunktionalität in/an einer identischen Zeichenbasis, 3. Konsistenz der semantischen Valenzen auf dem jeweiligen Analyselevel, 4. Simultaneität der Funktionsmöglichkeiten polyfunktional vertexteter Konstituenten. Schmidt folgert hieraus: »Ein Text, so kann nach diesen Erläuterungen hypothetisch definiert werden, ist dann ästhetisch, wenn er in adäquater Rezeption simultane Dimensionen des Semantischen in/an einer identischen Zeichenbasis aufgrund der polyfunktionalen Strategien der Vertextung aktiviert beziehungsweise realisiert« (S. 26).

262 Horst Steinmetz: »Der Leser als konstituierendes Element literarischer Texte«. In: »Duitse Kroniek« 24 (Dezember 1972) S. 90–106, hier S. 95

263 Ebd., S. 95.
264 Bei Waldmann (= Anm. 199) findet sich auch eine orientierende Zusammenfassung der betreffenden Forschungsrichtungen.
265 Waldmann (= Anm. 199), S. 78.
266 Ebd., S. 79.
267 Ebd., S. 136–142.
268 Ebd., S. 102.
269 Ebd., S. 127.
270 Ebd., S. 128.
271 Ebd., S. 130.
272 Vgl. etwa Strelka (= Anm. 193), S. 354. »Dennoch sind völliges Chaos und totaler Relativismus nicht die notwendige Folge, und zwar nicht zuletzt infolge eines vierten Paradoxes: Gerade die allergrößten literarischen Werke – einmal erkannt und entdeckt – unterliegen am wenigsten großen Schwankungen der Wertung. Man kehrt zu ihnen immer wieder zurück, entdeckt immer wieder Neues an ihnen, immer neue ›Bedeutungsebenen‹, immer neue ›Bezugssysteme‹, wie Wellek sagt. Dies hat seinen Grund in einer solchen ›Vielwertigkeit‹, wie George Boas es ausdrückt, in einer solchen Reichhaltigkeit und umfassenden Breite ihres ästhetischen Wertes, daß es unter ihren Schichten immer eine oder mehrere gibt, welche jede spätere Periode befriedigt oder anzieht« (S. 354 f.). »Zusammenfassend gesehen ergibt sich beim Überblicken der Weltliteratur jedenfalls ein relativ stabiles und allgemein akzeptiertes Bild von Wertungen: ›Das Ansehen der Größten überlebt unterdessen alle verschiedenen Generationen: Chaucer, Spenser, Shakespeare, Milton – selbst Dryden, Pope, Wordsworth und Tennyson – nehmen einen bleibenden, wenn auch nicht ›festgelegten‹ Rang ein.‹ (Zitat nach Wellek/Warren [= Anm. 130], S. 224.) Also nicht nur die Spitzen einer Epoche, auch die Sterne zweiten Ranges erfreuen sich einer weitgehend allgemein gesicherten Bewertung.« Wellek/Warren stellen fest: »Wir sind ferner bei einer ›Vielwertigkeit‹ angelangt, der Auffassung, daß bleibende Kunstwerke verschiedene bewundernde Generationen aus verschiedenen Gründen ansprechen. Größere Werke, die ›Klassiker‹, behalten ihren Platz, behalten ihn auf Grund einer Reihe wechselnd ansprechender Merkmale oder ›Gründe‹, während originale, sehr besondere Werke (z. B. Donne) und unbedeutendere Werke (gut nur innerhalb eines Periodenstils, wie z. B. Prior oder Charles Churchill) dann an Ansehen gewinnen, wenn die Gegenwartsliteratur irgendwelche verwandten Züge zur Literatur jener Tage aufweist, und umgekehrt an Ansehen verlieren, wenn diese Beziehung auf Gegensätzlichkeiten beruht« (S. 224). Besonders bei ›Vergleichspaaren‹ weist die Einschätzung im selben Traditionsraum Schwankungen auf, doch bleibt die Einstufung in eine gewisse Ranghöhe (Dichter 1., 2. und 3. Ordnung) von einem gewissen Zeitpunkt an meist unangetastet, d. h. es steht fest, daß Corneille ein Dichter 1. Ordnung ist, doch wechselt seine Einschätzung innerhalb dieser ersten Ordnung gegenüber Racine.
273 Waldmann (= Anm. 199), S. 130 f.
274 Bereits Goethe geht im Bericht über den zweiten römischen Aufenthalt auf die Streitigkeiten der Italiener über den Rang von Ariost und Tasso ein (»Goethes Werke«. Festausgabe. Hrsg. von Robert Petsch. Bd. 17. Bearb. von Robert Weber. Leipzig o. J. Zweiter Römischer Aufenthalt. Juli 1787. Bericht, S. 391 f.). Ähnliche Streitigkeiten gab es hinsichtlich der Einschätzung von Michelangelo und Raffael (ebd., S. 385, Dienstag, 31. Juli; und S. 392, Bericht Juli 1787). Vgl. auch Goethes Bemerkung vom 12. Mai 1825 gegenüber Eckermann über die wechselnde Einschätzung des eigenen und des Schillerschen Werkes durch das Publikum: »Nun streitet sich das Publikum seit zwanzig Jahren, wer größer sei: Schiller oder ich, und sie sollten sich freuen, daß überall ein paar Kerle sind, worüber sie streiten können« (Johann Peter Eckermann: »Gespräche mit Goethe in den letzten Jahren seines Lebens 1823–1832«. Hrsg. von Richard Müller-Freienfels. Berlin o. J. Bd. 1. S. 172).
275 Waldmann (= Anm. 199), S. 131 f.
276 Hans-Egon Hass: »Das Problem der literarischen Wertung«. Darmstadt [2]1970. S. 87.
277 Vgl. dazu den Beitrag von Wilfried Barner in diesem Band, S. 85–100; auch Waldmann (= Anm. 199), S. 132 f.
278 Nicht nur Rezeption ist wertbestimmt (Waldmann, S. 88), sondern auch die Produktion; deren Wertungsgefüge schlägt sich aber in den Strukturen des Produktionsresultates, des Kunstwerks nieder. Diese Werte beeinflussen auch die Wertung des einem anderen semiotischen Kontext zugehörenden Rezipienten, der in der Konfrontation seiner Wertnormen mit den im Kunstwerk

überlieferten (allerdings erst zu deutenden!) des Autors der eigenen sich erst bewußt wird und im Vergleich und in der Reflexion am ehesten einem Entscheidungsfreiraum nahekommt.

279 Waldmann (= Anm. 199), S. 85.

280 Groeben (= Anm. 117), S. 151; vgl. ebd., S. 142.

281 Durzak (= Anm. 90), S. 56–70.

282 Ebd., S. 57.

283 Vgl. auch die Kriterien Waldmanns »für ein publikumsgerechtes Verfahren der berufsmäßigen Literaturkritik« (Waldmann [= Anm. 199], S. 140).

284 Noch 1762 erklärte Lessing: »Wer seine Schriften öffentlich herausgibt, macht sie durch diese Handlung publici juris, und so steht es jedem frei, dieselben nach seiner Einsicht zum Gebrauch des Publikums bequemer einzurichten.« Vgl. Hans Jürgen Haferkorn: »Der freie Schriftsteller. Eine literatursoziologische Studie über seine Entstehung und Lage in Deutschland zwischen 1750 und 1800«. In: »Archiv für Geschichte des Buchwesens«. Bd. V. Frankfurt a. M. 1964. Sp. 523–711, hier Sp. 629.

285 Steinmetz (= Anm. 262), S. 95–98.

286 Eberhard Lämmert: »Germanistik – eine deutsche Wissenschaft«. In: »Germanistik – eine deutsche Wissenschaft«. Beiträge von Eberhard Lämmert, Walther Killy, Karl Otto Conrady und Peter von Polenz. Frankfurt a. M. 1967. S. 7–41, hier S. 32 und S. 35.

287 Walter Benjamin: »Literaturgeschichte und Literaturwissenschaft«. In: W. B., »Angelus Novus«. Ausgewählte Schriften 2. Frankfurt a. M. 1966. S. 450–456, hier S. 456; dazu vgl. Michael Nerlich (= Anm. 66), S. 308.

288 Norbert Oellers: »Schiller. Geschichte seiner Wirkung bis zu Goethes Tod 1805–1832«. Bonn 1967. (»Bonner Arbeiten zur deutschen Literatur«. Hrsg. von Benno von Wiese. Bd. 15.) S. V.

289 Vgl. ebd.; Viktor Žmegač konstatiert: »Die Rezeptionsgeschichte kann [...] eine Historie des Textes sowie eine Historie des Publikums, der Öffentlichkeit sein« (Žmegač: »Probleme der Literatursoziologie«. In: Žmegač/Škreb [= Anm. 249], S. 281).

290 Wilhelm Lange-Eichbaum u. Wolfram Kurth: »Genie, Irrsinn und Ruhm. Genie – Mythus und Pathographie des Genies«. München u. Basel [6]1967 (Tübingen [1]1927).

291 Walter Muschg: »Tragische Literaturgeschichte«. Bern u. München [4]1969. S. 577–612; vgl. auch die Einleitung zu: Eva D. Becker (= Anm. 240), S. VII–X; weitere Literatur zu »Dichterruhm und Literaturrezeption« in: Eva D. Becker u. Manfred Dehn, »Literarisches Leben. Eine Bibliographie«. Hamburg 1968. (»Schriften zur Buchmarktforschung« 13.)

292 Muschg (= Anm. 291), S. 577.

293 »Lessing – ein unpoetischer Dichter. Dokumente aus drei Jahrhunderten zur Wirkungsgeschichte Lessings in Deutschland«. Hrsg., eingel. u. kommentiert von Horst Steinmetz. Frankfurt a. M. 1969. S. 11.

294 Vor allem auf die Schwierigkeit, die historische Perspektive mit dem rezeptions*ästhetischen* Ansatz in den Griff zu bekommen, hat Leo Pollmann hingewiesen. Er referiert verschiedene Einzeluntersuchungen (Neuschäfer, Warning: »Tristram Shandy«, Stierle, Bürger, Netzer, R. und G. Heß und Smuda) und folgert aus ihnen: »All diesen Arbeiten [...] ist aber nun gemeinsam, daß sie sich durch einen ausgesprochen mikroskopischen, eher ästhetischen als geschichtlichen Ansatz im Detail auszeichnen, so daß man sich fragen mag, ob diese wertvolle Methode tatsächlich geeignet ist, die Literatur*geschichte* als eine Beschreibung des *geschichtlichen* Prozesses entscheidend zu erneuern und voranzutreiben. Die rezeptions-ästhetische Methode ist eben auf Grund ihrer Ausrichtung auf Produktion und Wirkung vornehmlich synchronisch orientiert, ist in der Stoßrichtung ihrer Frage in erster Linie auf die Synchronie angewiesen, während sie auf dem Bereich der Diachronie naturgemäß schwerfällig und umständlich wirkt« (Leo Pollmann: »Literaturwissenschaft und Methode«. Zweite, verbesserte Auflage. Frankfurt a. M. 1973. S. 289–294, hier S. 291 f.).

295 Vgl. etwa Günther Mahal [Hrsg.]: »Lyrik der Gründerzeit«. Tübingen 1973 (»Deutsche Texte« 26): »Für die Frage der Epochenkonsistenz sind nicht allein die Erscheinungsjahre einzelner Werke von Bedeutung, sondern mehr noch deren Rezeption« (S. 12). Unterdrückte Texte trügen »nicht weniger zur Epochenerhellung« bei als kanonisierte Dichtung. »Epocheneinteilungen allein von den ›großen‹ Dichtern her« entsprächen »mehr einem Wunschbild aufsteigender ästhetischer Progression« als der Literaturwirklichkeit der jeweiligen Zeit (S. 35).

296 Vgl. Anm. 166.

297 Etwa die Beiträge der Stuttgarter Germanistentagung, vgl. Anm. 127.

298 Hier ist augenblicklich vor allem an Beiträge aus der Frankfurter Schule (Adorno, Habermas, Horkheimer, Löwenthal u. a.) zu denken; vgl. auch Pollmann (= Anm. 294), S. 291–294.

299 Unter urteilsgeschichtlichem Aspekt sammelt neuerdings systematisch Dokumente zur Wirkungsgeschichte deutscher Autoren die von Karl Robert Mandelkow herausgegebene Reihe »Wirkung der Literatur. Deutsche Autoren im Urteil ihrer Kritiker«. Bisher sind folgende Bände erschienen:

1. »Lessing – ein unpoetischer Dichter. Dokumente aus drei Jahrhunderten zur Wirkungsgeschichte Lessings in Deutschland«. Hrsg., eingel. u. komm. von Horst Steinmetz. Frankfurt a. M. 1969.
2. »Schiller – Zeitgenosse aller Epochen. Dokumente zur Wirkungsgeschichte Schillers in Deutschland«. Hrsg., eingel. u. komm. von Norbert Oellers. T. 1. Frankfurt a. M. 1970.
3. »Benn – Wirkung wider Willen. Dokumente zur Wirkungsgeschichte Benns«. Hrsg., eingel. u. komm. von Peter Uwe Hohendahl. Frankfurt a. M. 1971.
4. »Hofmannsthal im Urteil seiner Kritiker. Dokumente zur Wirkungsgeschichte Hugo von Hofmannsthals in Deutschland«. Hrsg., eingel. u. komm. von Gotthart Wunberg. Frankfurt a. M. 1972.

Weitere Bände über die Wirkungsgeschichte Heinrich Heines (Helmut Koopmann), Theodor Fontanes (Helmuth Nürnberger) und Goethes (Karl Robert Mandelkow) sind geplant.
Auch die im Reclam-Verlag publizierte Reihe »Erläuterungen und Dokumente« enthält eine Auswahl von Zeugnissen über die Wirkung der jeweiligen Werke.

300 Mandelkow (= Anm. 19), S. 84; Grimm (= Anm. 54), S. 149f.

301 Mandelkow (= Anm. 19), S. 83 f.

302 Marianne Spiegel: »Der Roman und sein Publikum im frühen 18. Jahrhundert. 1700–1767«. Bonn 1967 (»Abhandlungen zur Kunst-, Musik- und Literaturwissenschaft«. Bd. 41); Segebrecht (= Anm. 24), S. 570; vgl. auch Anm. 127 (Jäger).

303 Segebrecht (= Anm. 24), S. 570; Siegbert S. Prawer: »Mörike und seine Leser. Versuch einer Wirkungsgeschichte«. Stuttgart 1960.

304 Jost Hermand: »Vom Gebrauchswert der Rezension«. In: »Kritik der Literaturkritik«. Hrsg. von Olaf Schwencke. Stuttgart, Berlin, Köln u. Mainz 1973. (»Sprache und Literatur« 84.) S. 32–47, hier S. 34.

305 Anni Carlsson: »Die deutsche Buchkritik von der Reformation bis zur Gegenwart«. Bern u. München 1969.

306 Hermand (= Anm. 304), S. 36.

307 Wolfgang Kayser: »Wer erzählt den Roman?« In: W. K., »Die Vortragsreise. Studien zur Literatur«. Bern 1958. S. 82–101.

308 Vgl. Baumgärtner (= Anm. 1), S. 318–341.

309 Ulrich Profitlich: »Der seelige Leser. Untersuchungen zur Dichtungstheorie Jean Pauls«. Bonn 1968 (»Bonner Arbeiten zur deutschen Literatur«. Bd. 18); vgl. Segebrecht (= Anm. 24), S. 303 und bes. S. 570.

310 Wolfgang Iser: »Der implizite Leser. Kommunikationsformen des Romans von Bunyan bis Beckett«. München 1972. Iser meint mit dem impliziten Leser »den im Text vorgezeichneten Aktcharakter des Lesers« (S. 9). Freilich ersetzt die Untersuchung der Leserrolle im Text, die natürlich ein Reflex auf literarische und gesellschaftliche Gegebenheiten ist, nicht eine empirische Analyse, wie sich dem individuellen Rezipienten ein bestimmter Text mit Sinn ›füllt‹. Der implizite Leser ist ja als textimmanente Gestalt ebenfalls bloß ein Strukturmerkmal mit anweisendem Signalcharakter, auf das der reale Leser individuell verschieden reagieren kann. Im Gefolge Isers entstand die Arbeit seines Schülers Klaus Netzer: »Der Leser des Nouveau Roman«. Frankfurt a. M. 1970 (Schwerpunkte Romanistik), in der die Leserrolle untersucht wird.

311 Erwin Wolff: »Der intendierte Leser. Überlegungen und Beispiele zur Einführung eines literaturwissenschaftlichen Begriffs«. In: »Poetica« 4 (1971) H. 1, S. 141–166, hier S. 160.

312 Ebd., S. 166.

313 Wie Wolff behauptet, ebd., S. 166.

314 Marianne Kesting: »Auf neuen Wegen. Literaturwissenschaft vom Leser«. In: »Die Zeit« (23. 3. 1973).

315 Dieter Janik: »Die Kommunikationsstruktur des Erzählwerks. Ein semiologisches Modell«. Bebenhausen 1973. S. 67.

316 Manfred Naumann: »Autor – Adressat – Leser«. In: »Weimarer Beiträge« 17 (1971) H. 11, S. 163–169, hier S. 164. – Die folgenden Zitate ebd., S. 166–168.
317 Käte Hamburger: »Die Logik der Dichtung«. 2. stark veränderte Aufl. Stuttgart 1968 ([1]1957).
318 Gerhard Storz: »Zusammenspiel zwischen Erzähler und Leser – Marginalien zu Käte Hamburgers ›Logik der Dichtung‹«. In: »Probleme des Erzählens in der Weltliteratur. Festschrift für Käte Hamburger zum 75. Geburtstag«. Hrsg. von Fritz Martini. Stuttgart 1971. S. 409–421, hier S. 412 und 416.
319 Horst Steinmetz: »Der vergessene Leser. Provokatorische Bemerkungen zum Realismusproblem«. In: »Dichter und Leser. Studien zur Literatur«. Hrsg. von Ferdinand van Ingen u. a. Groningen 1972. S. 113–133. Diesem Thema sind im selben Band verschiedene Beiträge gewidmet; vgl. etwa: Newton P. Stallknecht: »Poet, Reader, and Critic«, S. 156–162; Jacobus Gerardus Bomhoff: »Über Spannung in der Literatur«, S. 300–314; vgl. auch Steinmetz: »Der Leser als konstituierendes Element literarischer Texte« (Anm. 262).
320 Roman Jakobson: »Über den Realismus in der Kunst« (= Anm. 98).
321 Steinmetz (= Anm. 319), S. 119.
322 Ebd., S. 122. Ähnlich in Steinmetz' Aufsatz: »Der Leser als konstituierendes Element« (= Anm. 262), S. 98: »Das sogenannte literarische Kunstwerk ist ja nicht mit dem Text gleichzusetzen, sondern entsteht erst durch den schöpferischen Beitrag seiner Leser. Es liegt also eigentlich zwischen Text und Leser.«
323 Zur Konzeption von Leserrollen in Trivialliteratur vgl. Waldmann (= Anm. 199), S. 11–33 passim; S. 12: »Diese Relation [Zweck der Unterhaltung G. G.] zwischen der tatsächlichen Wirkungsintention des trivialliterarischen Textes und der durch sie bewirkten tatsächlichen Rezeption durch den Leser darf nicht einfach übersprungen werden, denn sie ist ein konstitutives Strukturmoment des trivialliterarischen Textes selbst: Seine Strategien literarischer Textkonstitution sind stets auch Strategien des Entwurfs von Leserrollen, in denen seine Textvorgänge rezipiert werden sollen, in diesem Falle: Leserrollen verschiedener Formen, sich literarisch *unterhalten* zu lassen.« Vgl. auch S. 136–140, wo die Differenz der Wertigkeit eines Textes für Lehrer und Schüler in ihrer Schul- und ihrer Privatrolle zur Sprache kommt.
324 Iser (= Anm. 190), S. 6.
325 Vgl. Groeben (= Anm. 117), S. 153, 167–216.
326 Dazu Harald Weinrich (= Anm. 186), S. 7–11; vgl. Segebrecht (= Anm. 24), S. 571.
327 Baumgärtner (= Anm. 1), S. 323 f., auch 326.
328 Vgl. Segebrecht (= Anm. 24), S. 569.
329 Literaturhinweise ebd., S. 569.
330 Baumgärtner (= Anm. 1), S. 327.
331 Ebd., S. 328.
332 Ebd., S. 345.
333 Ebd., S. 347.
334 Ebd., S. 348.
335 Ebd., S. 314.
336 Ebd., S. 315.
337 Ebd., S. 315.
338 Groeben (= Anm. 117), S. 144–151.
339 Doch vgl. die Einwände Segebrechts gegen diese auch von Iser unternommene Unterscheidung poetischer und expositorischer Texte (Segebrecht [= Anm. 24], S. 573); vgl. auch die Ausführungen bei Waldmann (= Anm. 199), S. 80–88: »Zur Theorie des ästhetischen Textes: Struktur – Rezeption – Wertung«. Über die Struktur des ästhetischen Textes sagt Waldmann: »Er ist, und das definiert weithin seine ästhetische Qualität, in syntagmatischer wie paradigmatischer Beziehung in jeweils entscheidenden Teilen gerade entgegengesetzt wie ein referentieller Text organisiert, nämlich in syntagmatischer Hinsicht liefert er zum Teil statt zureichender oder gar redundanter Informationssummen nur restringierte oder gar defektive Informationen, und in paradigmatischer Hinsicht liefert er nicht nur kontextuelle Anweisungen, die virtuelle Bedeutungsvielfalt der Textkonstituenten zu selektieren und diese so zu definieren, sondern sieht es zum Teil gerade darauf ab, die Bedeutungsvielfalt der Textkonstituenten hervorzuheben und zu aktivieren« (S. 82). Mimetisch-fiktionale Texte seien, »anders als referentielle Texte auf eine umfängliche Erweiterung und Komplettierung der von ihnen gelieferten Informationen durch den Leser ausgelegt«. Damit existierten sie »in ungleich stärkerem Maße als referentielle

Texte durch die Rezeption des Lesers« (S. 84). Zum gesamten Komplex vgl. auch Schmidt (= Anm. 202), S. 19–44.

340 Groeben (= Anm. 117), S. 148.

341 Vgl. auch Silbermann (= Anm. 2), S. 11–31.

342 Überblick mit Literaturangaben bei Segebrecht (= Anm. 24), S. 300–304.

343 Ullmann (= Anm. 253), S. 43–48.

344 Bauer/Mauser (= Anm. 111), S. 5–13.

345 Riffaterre (= Anm. 112); Posner (= Anm. 112), S. 27–58; Bauer/Mauser (= Anm. 111), S. 18 bis 21.

346 Bauer/Mauser (= Anm. 111), S. 21; vgl. auch Waldmann (= Anm. 199), S. 102 f.: »So wichtig es ist, den Leser in die literarische Wertung mit einzubeziehen, so wenig ist damit getan, von ›dem Leser‹ auszugehen, denn entweder sind bei so allgemeinem Ansatz die mit ihm zu erzielenden Bestimmungen so weit und vage, daß sie nicht mehr operationell sind; oder ›dem Leser‹ sind ideologische Konstrukte wie ›der eigentliche Leser‹ supponiert, die die Analyse verfälschen.«

347 Zu weiteren Methoden und Problemen der empirischen Wirkungsforschung vgl. Baumgärtner (= Anm. 1), S. 231–312; Groeben (= Anm. 117), S. 183–194. Konventioneller im Ansatz ist die Untersuchung von Susanne Müller-Hanpft (= Anm. 114), S. 204 (Einengung der Analyse auf schriftliche Reaktionen; Kritiker, Schriftsteller, Literaturwissenschaftler).

348 Vgl. Groeben (= Anm. 117), S. 120, ferner S. 77 ff. Rezeption und Leservariablen.

349 Wilhelm Salber: »Lesen und Lesen-lassen. Zur Psychologie des Umgangs mit Büchern«. Frankfurt a. M. 1971. (»Schriftenreihe des Börsenvereins des Deutschen Buchhandels«. Bd. 6.) Vgl. auch Salbers »Psychologische Untersuchungen über Motivationen des Umgangs mit Büchern«, in: »Archiv für Soziologie und Wirtschaftsfragen des Buchhandels« XVII (6. Juli 1971) im »Börsenblatt für den Deutschen Buchhandel« Nr. 53/71.

350 Salber: »Lesen und Lesen-lassen« (= Anm. 349), S. 46.

351 Ebd., S. 47.

352 Vgl. Jaeggi: »Literatursoziologie« (= Anm. 121), S. 397–412; Literaturangaben ebd., S. 547–549.

353 Fügen (= Anm. 45), S. 166 f.

354 Vgl. Groeben (= Anm. 117), S. 154; Jaeggi: »Literatursoziologie«, S. 401.

355 Weisstein (= Anm. 56), S. 103–117. Vgl. Strelka (= Anm. 193), S. 323–336.

356 Dazu: Fügen (= Anm. 45), S. 176–187 (Vermittler), S. 187–192 (Dichterkreise); Mühlmann (= Anm. 217), S. 51–60 (Die vermittelnden Instanzen), S. 60–66 (Koterien); zu Fügen vgl. Segebrecht (= Anm. 24), S. 568; Strelka (= Anm. 193), S. 299–312 (Vermittler literarischer Wirkungen); Schücking (= Anm. 38), S. 55–75 (Mittel der Auswahl).

357 Fügen (= Anm. 45), S. 169–176; Escarpit (= Anm. 43), S. 104–120; Schücking (= Anm. 38), S. 76–105; Strelka (= Anm. 193), S. 47–90.

358 Strelka (= Anm. 193), S. 47–58.

359 Ebd., S. 59–79.

360 Wolfgang Strauß: »Leserforschung in Deutschland«. In: »Der Leser als Teil des literarischen Lebens. Eine Vortragsreihe mit Marion Beaujean, Hans Norbert Fügen, Wolfgang R. Langenbucher, Wolfgang Strauß«. Bonn [2]1972. S. 85–121; vgl. darin auch Hans Norbert Fügen: »Literaturkonsum und Sozialprestige«, S. 33–51 (Buchleser-Analyse nach den Merkmalen von Alter, Geschlecht, Wohnlage, Ausbildung, Beruf). Eine Einführung in die Fragestellungen der Literatursoziologie gibt der von Fügen herausgegebene Sammelband: »Wege der Literatursoziologie«. Neuwied u. Berlin 1968. Vgl. auch folgende Untersuchungen: »Buch und Leser in Deutschland. Eine Untersuchung des DIVO-Instituts Frankfurt«. Bearbeitet von Maria-Rita Girardi, Lothar-Karl Neffe u. Herbert Steiner. Gütersloh 1965 (»Schriften zur Buchmarkt-Forschung«. Bd. 4); Rolf Fröhner: »Das Buch in der Gegenwart. Eine empirisch-sozialwissenschaftliche Untersuchung«. Gütersloh 1961; Gerhard Schmidtchen: »Lesekultur«. In: »Börsenblatt für den Deutschen Buchhandel« 24 (1968) S. 1977–2152; Marion Beaujean: »Leser und Lektüre in der Bundesrepublik«. In: »Literaturunterricht«. Hrsg. von Gisela Wilkending. München 1972. S. 226–237; vgl. auch Wolfgang Kayser: »Das literarische Leben der Gegenwart«. In: »Deutsche Literatur in unserer Zeit«. Göttingen 1959. S. 5–31; Gerd Michels: »Leseprozesse. Zur kommunikationstheoretischen Begründung von Literaturdidaktik«. Gütersloh 1973; Harold Hurwitz: »Der heimliche Leser. Beiträge zur Soziologie des geistigen Widerstandes«. Köln 1966. Vgl. ferner die beiden von Dieter Prokop hrsg. Bände über Massenkommunikation, in

denen auch ältere Aufsätze wieder abgedruckt sind: »Massenkommunikation 1. Produktion«. Frankfurt a. M. 1972; »2. Konsumtion«. Frankfurt a. M. 1973; darin speziell zur Rezeption von Massenmedien weiterführende Literatur, die teilweise auch die Buchrezeption tangiert. Alphons Silbermann u. Udo Michael Krüger: »Soziologie der Massenkommunikation«. Stuttgart, Berlin, Köln u. Mainz 1973. Kap. »Rezipientenforschung«, S. 59–81. Hier finden sich auch Hinweise auf empirisch-demoskopische Rezipientenforschung hinsichtlich der Massenmedien.

361 Strelka (= Anm. 193), S. 313–322.

362 Hans Ulrich Gumbrecht: »Soziologie und Rezeptionsästhetik. Über Gegenstand und Chancen interdisziplinärer Zusammenarbeit«. In: »Neue Ansichten einer künftigen Germanistik«. Hrsg. von Jürgen Kolbe. München 1973. S. 48–74; vgl. auch den großangelegten »Versuch über eine Theorie der literarischen Wirkung« von Horst Turk: »Literatur und Praxis«. In: »Fragen der Germanistik. Zur Begründung und Organisation des Faches«. München 1971. S. 96–129. Er unterscheidet einen funktionalen, einen medialen (integralen) und einen aktualen Wirkungsbegriff, den er in die drei Typen des ästhetischen, rhetorischen und dialektischen Wirkungsbegriffs untergliedert. Diese Wirkungstheorie dient ihm zur Bestimmung der sozialen Funktion von Kultur.

363 Gumbrecht (= Anm. 362), S. 49.

364 Ebd., S. 66 f.

365 Ebd., S. 70 f.

366 Waldmann (= Anm. 199), S. 52. Zu dem Komplex »Trivialliteratur an der Schule« vgl. Waldmann passim. Vgl. zum Rollenverhalten des rezipierenden Schülers auch die Untersuchung von Eggert, Berg und Rutschky in diesem Band, S. 272–294.

367 Waldmann (= Anm. 199), S. 66.

368 Grimm (= Anm. 54), S. 115–150.

369 Vgl. hier S. 61.

370 Eberhard Lämmert: »Rezeptions- und Wirkungsgeschichte der Literatur als Lehrgegenstand«. In: »Neue Ansichten einer künftigen Germanistik«. Hrsg. von Jürgen Kolbe. München 1973. S. 160–173; die folgenden Zitate auf S. 165 und 171.

371 Vgl. Eggert, Berg u. Rutschky: »Zur Notwendigkeit einer Revision des Rezeptionsbegriffs« (= Anm. 127); Heinz Hillmann: »Rezeption – empirisch« (= Anm. 127); ferner vgl. Grimminger, Ortmann u. Solms: »Einführung in eine subjektbezogene Literaturwissenschaft«. In: »Modelle der Praxis«. Hrsg. von Hermann Müller-Solger. Tübingen 1972, S. 113–151.

WILFRIED BARNER

Wirkungsgeschichte und Tradition. Ein Beitrag zur Methodologie der Rezeptionsforschung

1 Hierzu sei generell auf die dem Band vorangestellte Einleitung des Herausgebers verwiesen. Einzelne Titel, auf die besonders Bezug genommen wird, erscheinen in den nachfolgenden Anmerkungen.

2 Zur Kritik an der von Hans Robert Jauß neuerdings vorgeschlagenen Trennung vgl. auch Eberhard Lämmert: »Rezeptions- und Wirkungsgeschichte der Literatur als Lehrgegenstand«. In: »Neue Ansichten einer künftigen Germanistik«. Hrsg. von Jürgen Kolbe. München 1973. S. 160 bis 173, hier S. 165 f.

3 Diesen Hintergrund skizziert Karl Robert Mandelkow: »Probleme der Wirkungsgeschichte«. In: »Jahrbuch für Internationale Germanistik« II/1 (1970) S. 71–84.

4 Hans-Georg Gadamer: »Wahrheit und Methode. Grundzüge einer philosophischen Hermeneutik«. Tübingen [3]1972.

5 Hans Robert Jauß: »Literaturgeschichte als Provokation der Literaturwissenschaft« [zuerst 1967]. In: H. R. J., »Literaturgeschichte als Provokation«. Frankfurt a. M. 1970. S. 144–207. (Im folgenden zitiert als: »Provokation«.)

6 Robert Weimann: »Literaturgeschichte und Mythologie«. Berlin u. Weimar 1972. Vgl. auch: »Tradition in der Literaturgeschichte. Beiträge zur Kritik des bürgerlichen Traditionsbegriffs bei Croce, Ortega, Eliot, Leavis, Barthes u. a.«. Eingel. u. hrsg. von Robert Weimann. Berlin 1972.

7 Gadamer (= Anm. 4), S. 324–360.

8 Ebd., S. 351. Nur die Kategorie des Geschmacks (a. a. O., S. 31 ff.) erhält, im Anschluß an Kant, wesenhaft gesellschaftliche Qualität, ohne freilich im Zusammenhang der Wirkungsgeschichte eine erwähnenswerte Rolle zu spielen.

9 Weimann: »Literaturgeschichte und Mythologie« (= Anm. 6), S. 149.

10 Jauß: »Provokation« (= Anm. 5), S. 186.

11 Hans Robert Jauß: »Racines und Goethes Iphigenie. Mit einem Nachwort über die Partialität der rezeptionsästhetischen Methode«. In: »neue hefte für philosophie« 4 (1973) S. 1–46. (Im folgenden zitiert als: »Partialität«.)

12 Eine Reihe weiterer anregender »Lehrbeispiele« dieser und ähnlicher Art bietet Lämmerts in Anm. 2 genannter Beitrag.

13 Ausgabe Goedeke, Bd. 9, S. 93.

14 Vgl. hierzu schon das frühe Zeugnis in Schillers »Versuch über den Zusammenhang der thierischen Natur des Menschen mit seiner geistigen« (Ausgabe Goedeke, Bd. 1, S. 155).

15 Aus der fast unübersehbaren Fülle der einschlägigen Literatur (meist ohne den Begriff ›Tradition‹ im Titel) seien hier nur genannt: Albert K. Cohen: »Attitude change and social influence«. New York 1964; Deutsche Gesellschaft für Soziologie: »Verhandlungen des 13. Deutschen Soziologentages«. Köln u. Opladen 1957; Arnold Gehlen: »Urmensch und Spätkultur«. Bonn 1956; David Riesman: »Die einsame Masse«. Hamburg 1958. Methodologisch anregend auch der umfangreiche Band: »Soziologie und Sozialgeschichte«. Hrsg. von Peter Christian Ludz. Opladen 1973. (»Kölner Zeitschrift für Soziologie und Sozialpsychologie«. Sonderheft 16.)

16 Brauchbare Vorarbeiten hierzu, geschweige denn eine Spezialmonographie, existieren nicht. In der Literatur zur Traditionsproblematik finden sich immer nur verstreute Einzelhinweise. Innerhalb der selbstgesteckten Grenzen nützlich ist einstweilen der Artikel ›Tradition‹ in »Grimms Deutsches Wörterbuch« 11/1 (1932) Sp. 1022–25.

17 Die Doppelbedeutung von Lehrvortrag und Lehrinhalt begegnet bezeichnenderweise häufig in Quintilians »Institutio oratoria«.

18 Hierzu exemplarisch Oskar Cullmann: »Die Tradition als exegetisches, historisches und theologisches Problem«. Zürich 1954.

19 Ausgabe Lachmann-Muncker, Bd. 13, S. 102.

20 Weimarer Ausgabe, Bd. 44, S. 304.

21 Hierzu der Sammelband: »Kontinuität? Geschichtlichkeit und Dauer als volkskundliches Problem«. Hrsg. von Hermann Bausinger u. Wolfgang Brückner. Berlin 1969 (dort auch weiterführende Literaturangaben). Vgl. außerdem Hermann Bausinger: »Kritik der Tradition. An-

merkungen zur Situation der Volkskunde«. In: »Zeitschrift für Volkskunde« 65 (1969) S. 232 bis 250.

22 Hellmuth Langenbucher: »Der heldische Gedanke in der deutschen Dichtung« (1933). Zitiert nach: Horst Joachim Frank, »Geschichte des Deutschunterrichts. Von den Anfängen bis 1945«. München 1973. S. 836.

23 Vorwiegend unter diesem Gesichtspunkt – wenn auch mit verschiedener Zielsetzung stehen: Wilhelm Windelband: »Über Wesen und Wert der Tradition im Kulturleben« (1908). In: W. W., »Präludien«. Bd. 2. Tübingen 1924. S. 244–269; Gerhard Krüger: »Geschichte und Tradition«. Stuttgart 1948; Josef Pieper: »Über den Begriff der Tradition«. Köln u. Opladen 1958; vgl. auch das »Eranos-Jahrbuch« 1968 mit dem Generalthema ›Tradition und Gegenwart‹ (Zürich 1970) sowie: »Vom Sinn der Tradition. Zehn Beiträge...«. Hrsg. von Leonhard Reinisch. München 1970.

24 Gadamer (= Anm. 4), S. 261.

25 Theodor W. Adorno: »Über Tradition«. In: T. W. A., »Ohne Leitbild. Parva Aesthetica«. Frankfurt a. M. 1967. S. 29–41, hier S. 29.

26 Jauß: »Provokation« (= Anm. 5), S. 170 und S. 232.

27 Weimann: »Literaturgeschichte und Mythologie« (= Anm. 6), S. 49.

28 Zu den historischen Aspekten Theodor Eschenburg: »Über Autorität«. Frankfurt a. M. 1965; Horst Rabe: Artikel ›Autorität‹. In: »Geschichtliche Grundbegriffe. Historisches Lexikon zur politisch-sozialen Sprache in Deutschland«. Hrsg. von Otto Brunner, Werner Conze, Reinhart Koselleck. Bd. 1. Stuttgart 1972. S. 382–406.

29 Außer der in Anm. 18 genannten Arbeit von Cullmann vgl. Helmut Coing: »Die juristischen Auslegungsmethoden und die Lehren der allgemeinen Hermeneutik«. Köln u. Opladen 1959 (beide Titel mit weiterführenden Literaturangaben). Für die juristischen Aspekte auch wichtig Emilio Betti: »Allgemeine Auslegungslehre als Methodik der Geisteswissenschaften«. Tübingen 1967.

30 Paul Koschaker: »Europa und das römische Recht«. München u. Berlin [2]1953.

31 Mandelkow (= Anm. 3), S. 71 f.

32 Hierzu vor allem Arnold Gehlen: »Der Mensch. Seine Natur und seine Stellung in der Welt«. Bonn [7]1967.

33 Reichhaltiges historisches Material jetzt bei Rolf Engelsing: »Analphabetentum und Lektüre. Zur Sozialgeschichte des Lesens in Deutschland zwischen feudaler und industrieller Gesellschaft«. Stuttgart 1973. Systematischer Überblick: »Lesen – Ein Handbuch«. Hrsg. von Alfred Clemens Baumgärtner. Hamburg 1973.

34 Zur Gegenwart: Peter Glotz u. Wolfgang R. Langenbucher: »Der mißachtete Leser. Zur Kritik der deutschen Presse«. Köln u. Berlin 1969; Peter Glotz: »Buchkritik in deutschen Zeitungen«. Hamburg 1968.

35 Tendenziell wird dieser Anspruch am ehesten noch von Jauß vertreten.

36 Richard Levy: »Martial und die deutsche Epigrammatik des siebzehnten Jahrhunderts«. Diss. Heidelberg 1903.

37 Wilfried Barner: »Barockrhetorik. Untersuchungen zu ihren geschichtlichen Grundlagen«. Tübingen 1970. S. 44–46, S. 62–67, S. 355–366.

38 Ebd., S. 356–361.

39 Hermann Bausinger: »Formen der Volkspoesie«. Berlin 1968. S. 9–17.

40 Wilfried Barner: »Heinrich Manns Spätwerk. Probleme seiner Erschließung«. In: »Mitteilungen des Arbeitskreises Heinrich Mann« (1974) H. 4, S. 17–20.

41 Analysen dazu bei Klaus Schröter: »Deutsche Germanisten als Gegner Heinrich Manns. Einige Aspekte seiner Wirkungsgeschichte«. In: K. S., »Heinrich Mann. ›Untertan‹ – ›Zeitalter‹ – Wirkung«. Stuttgart 1971. S. 60–71.

42 Jürgen Habermas: »Strukturwandel der Öffentlichkeit«. Neuwied u. Berlin 1962.

43 Hierzu Näheres in dem in Anm. 28 genannten Artikel von Rabe (s. auch den Titel Eschenburg, Anm. 28).

44 Reichhaltige Literaturangaben in: »Lesen – Ein Handbuch« (= Anm. 33).

45 Manfred Windfuhr: »Die unzulängliche Gesellschaft. Rheinische Sozialkritik von Spee bis Böll«. Stuttgart 1971.

46 Neben der Textanalyse spielten hierbei freilich auch die ›traditionalen‹ Resultate der vergleichenden Heldenepen-Forschung eine wichtige Rolle.

47 Dazu jetzt vor allem die Monographie von Engelsing (= Anm. 33).
48 Die Genesis des Stücks ist insofern wichtig, als sich hier bereits die Basis einer langen und komplexen Tradition zeigt.
49 Zum Prozeß der Traditionsfixierung: Helga Gallas, »Marxistische Literaturtheorie«. Neuwied u. Berlin 1971. S. 157–163.
50 Zur Typologie Mandelkow (= Anm. 3), S. 71.
51 Wilhelm Emil Mühlmann: »Bestand und Revolution in der Literatur«. Stuttgart 1973. S. 55.
52 Frank (= Anm. 22), S. 253 u. ö.
53 Einen Überblick gibt Walter Veit: »Toposforschung. Ein Forschungsbericht«. In: »Deutsche Vierteljahrsschrift für Literaturwissenschaft und Geistesgeschichte« 37 (1963) S. 120–163. Vgl. auch den Band: »Toposforschung. Eine Dokumentation«. Hrsg. von Peter Jehn. Frankfurt a. M. 1972 (dort S. VII–LXIV eine – freilich weit überzogene – polemische Generalabrechnung Jehns mit dem ›restaurativen‹ Toposforscher Curtius).
54 Grundsätzliches dazu bei Hans-Jürgen Schings: »Die patristische und stoische Tradition bei Andreas Gryphius«. Köln u. Graz 1966. S. 1–21.
55 Ernst Robert Curtius: »Europäische Literatur und lateinisches Mittelalter«. Bern u. München [3]1961. S. 9.
56 Die Konsequenz, daß sowohl für den Autor wie für den Interpreten alle Traditionen zu ›Material‹ werden, zieht dann Wolfgang Babilas: »Tradition und Interpretation«. München 1961.
57 Hans Mayer: »Bertolt Brecht und die Tradition«. Pfullingen 1961.
58 »Thomas Mann und die Tradition«. Hrsg. von Peter Pütz. Frankfurt a. M. 1971.
59 Jauß: »Partialität« (= Anm. 11), S. 1 f.
60 Levin L. Schücking: »Soziologie der literarischen Geschmacksbildung« [zuerst 1923]. Bern u. München [3]1961.
61 Gadamer (= Anm. 4), S. 261 und S. 264.
62 Bei der an sich naheliegenden Akademie der Wissenschaften in Berlin dürfte das Interesse aus politischen Gründen gehemmt gewesen sein.
63 Hierzu aufschlußreich Elisabeth Meier-Lefhalm: »Das Verhältnis von mystischer Innerlichkeit und rhetorischer Darstellung bei Angelus Silesius«. Diss. Heidelberg 1958.
64 Friedrich Gundolf: »Shakespeare und der deutsche Geist«. Berlin [5]1920. S. 1–56.
65 »Marxismus und Literatur. Eine Dokumentation in drei Bänden«. Hrsg. von Fritz J. Raddatz. Bd. II. Reinbek bei Hamburg 1969. S. 106.
66 Siehe Anm. 57.
67 Die starre Einlösung vorgestanzter Erzählschemata gilt vielen als ein Hauptmerkmal sogenannter Trivialliteratur.
68 Hans Blumenberg: »Wirklichkeitsbegriff und Wirkungspotential des Mythos«. In: »Terror und Spiel. Probleme der Mythenrezeption«. Hrsg. von Manfred Fuhrmann. München 1971. (»Poetik und Hermeneutik«. IV.) S. 11–66.
69 Jürgen Scharfschwerdt: »Thomas Mann und der deutsche Bildungsroman. Eine Untersuchung zu den Problemen einer literarischen Tradition«. Stuttgart 1971. Zum Problem von Tradition und Neuschöpfung vgl. generell den Kongreßband: »Tradition und Ursprünglichkeit. Akten des III. Internationalen Germanistenkongresses 1965 in Amsterdam«. Hrsg. von Werner Kohlschmidt u. Herman Meyer. Bern u. München 1966.
70 Unter den vielen neueren Darstellungen sei hier genannt: Wilfried van der Will, »Pikaro heute. Metamorphosen des Schelms bei Thomas Mann, Döblin, Brecht, Grass«. Stuttgart 1967 (bes. S. 11–14 über die »pikarische Erzähltradition«).
71 Hier begegnet sich der Sprachgebrauch z. B. mit bürgerlich-humanistischen Intentionen, vgl. etwa die Reihe »Das Erbe der Alten«.
72 »Marxismus und Literatur«. Bd. II (= Anm. 65), S. 105–109.
73 Wörtliche Bezugnahme z. B. in: »Marxismus und Literatur«. Bd. II (= Anm. 65), S. 83 f.
74 Ebd., S. 105.
75 So schon im Untertitel von: »Tradition in der Literaturgeschichte« (s. Anm. 6).
76 Außer der großen, mehrbändigen Literaturgeschichte etwa die »Deutsche Literaturgeschichte in einem Band« (Hrsg. von Hans Jürgen Geerdts. Berlin 1971) und die Reihe »Erläuterungen zur deutschen Literatur«.
77 »Zur Tradition der sozialistischen Literatur in Deutschland. Eine Auswahl von Dokumenten«. Berlin u. Weimar [2]1967.

78 »Literaturgeschichte und Mythologie« (= Anm. 6), S. 209.
79 Horst Rüdiger: »Die Wiederentdeckung der antiken Literatur im Zeitalter der Renaissance«. In: »Geschichte der Textüberlieferung der antiken und mittelalterlichen Literatur«. Bd. 1. Zürich 1961. S. 511–580.
80 In dieser Hinsicht sind vor allem die von Schücking entwickelten Thesen und Fragestellungen noch nicht ausgeschöpft.
81 Gadamer (= Anm. 4), S. 248.
82 Ulrich Weisstein: »Einführung in die Vergleichende Literaturwissenschaft«. Stuttgart u. a. 1968. S. 101 f.
83 Jauß: »Partialität« (= Anm. 11), S. 36.
84 Mühlmann: »Bestand und Revolution in der Literatur« (= Anm. 51), S. 46.
85 Ebd., S. 66.
86 Ausgabe Grisebach, Bd. 5, S. 487.

JOCHEN SCHULTE-SASSE

Autonomie als Wert.
Zur historischen und rezeptionsästhetischen Kritik eines ideologisierten Begriffes

1 In einer Stellungnahme vom 19. Februar 1971 vor der Bundesprüfstelle für jugendgefährdende Schriften. Zitiert nach Jörg Einecke: »Über die Tätigkeit der Bundesprüfstelle für jugendgefährdende Schriften. Eine Untersuchung unter dem Aspekt des Kunstschutzes«. In: »Zeitschrift für Literaturwissenschaft und Linguistik« 2 (1972) H. 6, S. 50.

2 »Schillers sämtliche Werke«. Säkular-Ausgabe. Hrsg. von Eduard von der Hellen. Stuttgart u. Berlin o. J. Bd. 12. S. 17–19 [fortan als SA zitiert].

3 Rolf Gutte: »Marxistische Literaturbetrachtung«. Phil. Diss. Marburg 1951. S. 23.

4 Berthold Hinz: »Zur Dialektik des bürgerlichen Autonomie-Begriffs«. In: Michael Müller u. a., »Autonomie der Kunst – Zur Genese und Kritik einer bürgerlichen Kategorie«. Frankfurt a. M. 1972. S. 173.

5 Hans-Wolf Jäger: »Politische Kategorien in Poetik und Rhetorik der zweiten Hälfte des 18. Jahrhunderts«. Stuttgart 1970. S. 28.

6 SA Bd. 11, S. 96 f.

7 Vgl. z. B. Peter Szondi: »Die Theorie des bürgerlichen Trauerspiels im 18. Jahrhundert«. Frankfurt a. M. 1973. S. 167.

8 »Von der Zärtlichkeit«. In: »Carlsruher Beyträge zu den schönen Wissenschaften«. Hrsg. von Friedrich Molter. Bd. 3 (1765) S. 126 f.

9 Friedrich Carl Moser: »Der Herr und der Diener«. Frankfurt a. M. 1759. S. 13 f.

10 Joseph von Sonnenfels: »Der Mann ohne Vorurtheil«. Bd. 2. Wien 1766. S. 620 und S. 626.

11 SA Bd. 11, S. 100.

12 SA Bd. 11, S. 98.

13 SA Bd. 11, S. 213 und S. 215.

14 SA Bd. 11, S. 211 f.

15 SA Bd. 12, S. 180.

16 SA Bd. 12, S. 6.

17 SA Bd. 12, S. 13.

18 »Briefwechsel zwischen Schiller und Körner«. Hrsg. von Klaus Leo Berghahn. München 1973. S. 162.

19 Ebd., S. 163.

20 SA Bd. 12, S. 38.

21 Georg Lukács: »Das Ideal des harmonischen Menschen in der bürgerlichen Ästhetik«. In: G. L., »Probleme des Realismus«. Berlin 1955. S. 51.

22 Christopher Caudwell: »Bürgerliche Illusion und Wirklichkeit«. München 1971. S. 67 f.

23 SA Bd. 12, S. 224.

24 Wilhelm von Humboldt: »Werke«. Bd. 2. Hrsg. von Andreas Flitner u. Klaus Giel. Darmstadt 1961. S. 167 und S. 317.

25 Vgl. hierzu ausführlicher Jochen Schulte-Sasse: »Literarischer Markt und ästhetische Denkform. Analysen und Thesen zur Geschichte ihres Zusammenhangs«. In: »Zeitschrift für Literaturwissenschaft und Linguistik« 2(1972) H. 6, S. 11–32.

26 »Friedrich Schlegel: Seine prosaischen Jugendschriften. 1794–1802«. Bd. 1. Hrsg. von Jacob Minor. Wien [2]1906. S. 16.

27 Fritz Valjavec: »Geschichte der abendländischen Aufklärung«. Wien u. München 1961. S. 130 f.

28 Vgl. z. B. Georg Forster: »Philosophische Schriften«. Hrsg. von Gerhard Steiner. Berlin [Ost] 1958. S. 211 f. und S. 215, wo Forster mit recht nüchternem Blick die klassen- bzw. schichtenspezifische Interessenverwurzelung der Fürsten herausstellt und damit dem politischen, optimistischen Harmoniedenken der Aufklärung den Boden entzieht.

29 Emanuel Geibel: »Was ich vom Kunstwerk will? Daß es schön und sich selber genug sei« (»Gesammelte Werke«. Bd. 5. München 1884. S. 82).

30 »Schiller – Zeitgenosse aller Epochen«. Hrsg. von Norbert Oellers. Frankfurt a. M. 1970. S. 440.

31 Norbert Mecklenburg: »Kritisches Interpretieren. Untersuchungen zur Theorie der Literaturkritik«. München 1972. S. 76.

32 August Knüttell: »Die Dichtkunst und ihre Gattungen. Ihrem Wesen nach dargestellt und durch eine nach den Dichtungsarten geordnete Mustersammlung erläutert«. Breslau 1840. S. 18 und S. 21.
33 Herbert Seidler: »Die Dichtung. Wesen, Form, Dasein«. Stuttgart 1959. S. 36 und S. 72.
34 Wolfgang Kayser: »Vom Werten der Dichtung«. In: W. K., »Die Vortragsreise«. Bern 1958. S. 70.
35 Joseph Peters: »Unterhaltungsliteratur und Kitsch pädagogisch und schrifttumspolitisch gesehen«. In: »Probleme der Jugendliteratur«. Ratingen 1956. S. 281 und S. 304.
36 Harro Müller: »Jugendschriften und ihre literarische Wertung«. In: »Westermanns Pädagogische Beiträge« 20 (1968) S. 289.
37 Herbert Seidler: »Zum Wertungsproblem in der Literaturwissenschaft«. In: H. S., »Beiträge zur methodologischen Grundlegung der Literaturwissenschaft«. Wien u. a. 1969. S. 11.
38 Herbert Marcuse: »Kultur und Gesellschaft«. Bd. 1. Frankfurt a. M. 1965. S. 62.
39 Seidler (= Anm. 37), S. 12.
40 Julius Petersen: »Die Wissenschaft von der Dichtung. System und Methodenlehre der Literaturwissenschaft«. Berlin 1939. S. 259.
41 Seidler (= Anm. 37), S. 22 f.
42 Vgl. hierzu Jochen Schulte-Sasse, Wolfgang Karrer u. Georg Behse: »Theorie literarischer Texte und Methoden des Zugangs« (in: »Die Literatur«. Freiburg u. a. 1973. Bes. S. 394–414), und Jochen Schulte-Sasse: »Literarische Struktur und historisch-sozialer Kontext. Zum Beispiel Lessings ›Emilia Galotti‹« (Stuttgart 1974).
43 Seidler (= Anm. 37), S. 6.
44 Im folgenden wird, um den Gedankengang des Essays abzurunden, in aller Kürze eine Diskussion gestreift, deren Höhe die Bücher von Norbert Mecklenburg (= Anm. 31), Günter Waldmann (»Theorie und Didaktik der Trivialliteratur. Modellanalysen, Didaktikdiskussion, literarische Wertung«. München 1973) und Götz Wienold (»Semiotik der Literatur«. Frankfurt a. M. 1972) repräsentieren. Zum funktionalen Werkbegriff des folgenden vgl. insbesondere Jurij M. Lotman: »Die Struktur des künstlerischen Textes«. Frankfurt a. M. 1973.
45 Jan Mukařovský: »Kapitel aus der Ästhetik«. Frankfurt a. M. 1970. S. 77.
46 Mecklenburg (= Anm. 31), S. 108.
47 Ebd., S. 110 f.

GOTTHART WUNBERG

Modell einer Rezeptionsanalyse kritischer Texte

1 Vgl. besonders Hans Robert Jauß, »Literaturgeschichte als Provokation der Literaturwissenschaft«, in: »Literaturwissenschaft als Provokation«, Frankfurt a. M. 1970, S. 144–207; sowie ders., »Die Partialität der rezeptionsgeschichtlichen Methode«, in: »neue hefte für philosophie« (1973) H. 4, S. 30–46. Die in diesem Aufsatz von Jauß selbst neuerlich wieder in die Diskussion gebrachte präzise begriffliche Trennung zwischen der Wirkung eines Kunstwerkes und dessen Rezeption verdeckt das Problem; es gibt keine Wirkung ohne den Rezipienten. Jedenfalls ist das allenfalls Faßbare die Rezeption, nicht die Wirkung. Nur am Rezeptionstext ist die Wirkung diskutierbar. – Zur allgemeinen Orientierung über den Stand der Forschung sei auf die Einführung verwiesen.

2 Insofern auch jeder andere Rezipient in gewissen Grenzen analysiert und gleichzeitig produktiv wird, hat die Tätigkeit des Kritikers in der Tat paradigmatischen Charakter.

3 Diese für den Kritiker notwendige Kombination von Analytischem und Produktivem müßte erst als soziologisch beschriebene wirklich einleuchtend werden: das Phänomen hängt engstens mit dem Auftrag zusammen, den die arbeitsteilige Gesellschaft dem Kritiker erteilt hat. Die Gesellschaft insgesamt, d. h. besonders die Rezipienten im Sinne von Modus 1, die rein rezeptiven Rezipienten also, bedürfen einer Vermittlungsinstanz. Für sie bewirkt das Werk nicht nur keine eigene Produktion wie in Modus 2, weil sie dazu kein Talent haben, sondern auch keine Analyse, wie in Modus 3, weil sie das wissenschaftliche Handwerk nicht gelernt haben (und es wahrscheinlich auch gar nicht erlernen möchten).

4 Er ist *direkt* etwa (als Beispiel) in Fontanes Besprechung von Gerhart Hauptmanns »Vor Sonnenaufgang« (in der »Vossischen Zeitung« vom 21. Oktober 1889) zu finden (vgl. unten das Modell sub A 2.1.0.1 sowie die *Applikation des Modells,* S. 129–133); *indirekt* im ersten »Kritischen Waffengang« der Brüder Heinrich und Julius Hart: »Wozu, Wogegen, Wofür?«, Leipzig 1882 (vgl. unten das Modell sub A 2.1.0.2). – Das erste Beispiel eines kritischen, expositorischen Textes verweist direkt, das zweite indirekt auf einen fiktionalen Text: beiden Textarten sind literarische Texte als (direkter oder indirekter) Rezeptionsgegenstand gemeinsam. Im ersten Falle ist der Gegenstand konkret das Drama Hauptmanns, im zweiten die Summe aller Literatur, gegen die die »Kritischen Waffengänge« geführt werden. Beiden kritischen Texten ist aber wiederum die Verwendung von Daten in kritischer Absicht gemeinsam. Das genügt, beide als Gegenstand der Rezeptionsanalyse zu qualifizieren.

5 Dieser Verpflichtung kann sich die Einflußforschung (vgl. Modus 2) nicht entziehen, weil sie sich gerade auf fiktionale Texte bezieht.

6 Also zum Beispiel Fontane oder die Brüder Hart; vgl. oben Anm. 4.

7 In diesem Sinne analysiert der Rezeptionsanalytiker die Rezeptionstexte so wenig als Rezipient, wie der Literaturwissenschaftler Dichtung als Dichter interpretiert.

8 Walter Benjamin: »Literaturgeschichte und Literaturwissenschaft« (»Literarische Welt« [17. 4. 1931]). In: W. B., »Angelus Novus. Ausgewählte Schriften 2«. Frankfurt a. M. 1966. S. 456.

9 Sie werden hier eingeführt, obwohl sie sich (und den Verfasser) dem Vorwurf modischer Assimilierung an z. B. die ihrerseits in mancher Hinsicht modische Linguistik aussetzen. – Ähnliches gilt für die ›Fremdwörter‹: sie sollen möglichst zweifelsfrei und ohne viele eingefahrene Konnotationen ausdrücken, worum es sich handelt. Dabei geht es nicht ohne Systemzwang ab: was man anfängt, muß man treiben. So zieht das harmlose ›Datum‹ die ›Valenz‹ nach sich, gar die ›Limesvalenz‹. – Zur Erinnerung darf auf die klassische Rhetorik verwiesen werden, die sich bis heute – wenngleich anders begründet und begründbar, versteht sich – ihres riesigen ›Fremdwörter‹-Apparates bedient.

10 Vgl. Anm. 4.

11 Vgl. Anm. 4.

12 Zitiert nach: Theodor Fontane, »Sämtliche Werke«. Hrsg. von Walter Keitel. »Aufsätze, Kritiken, Erinnerungen. Zweiter Band. Theaterkritiken«. Hrsg. von Siegmar Gerndt. München 1969. S. 817–824.

13 Wo im folgenden mit einfachen Ziffern (ohne A oder B) auf das Modell verwiesen wird, handelt es sich immer um den Teil B des Modells; Teil A wird eigens kenntlich gemacht.

14 Brief Fontanes an Paul Ackermann vom 8. September 1889, in: »Theodor Fontane, 1819/1969. Stationen seines Werkes«, Sonderausstellungen des Schiller-Nationalmuseums, Katalog Nr. 20, 1969, S. 130 f.; an Gerhart Hauptmann vom 12. September 1889, ebd., S. 131; an Martha Fontane (Tochter) vom 14. September 1889, in: »Fontanes Briefe in zwei Bänden«, hrsg. von Gotthard Erler, Berlin u. Weimar 1969, Bd. 2, S. 241–243; an Friedrich Stephany vom 10. Oktober 1889 und vom 22. Oktober 1889, ebd., S. 245 f. und 249 f.; an Wilhelm Hertz vom 11. Dezember 1889, ebd., S. 258.

15 In: »Berliner Tageblatt« (16. und 18. 10. 1909); in: Otto Brahm, »Kritiken und Essays«. Hrsg. von Fritz Martini. Zürich u. Stuttgart 1964. S. 513–528.

16 In: »Die Nation« (26. 10. 1889); ebd. S. 295–302.

17 In: »Die Gesellschaft« (November 1889) S. 1657–60.

18 In: »Die Gesellschaft« (Dezember 1889) S. 1733–45.

19 In: »Freie Bühne« 1 (29. 1. 1890) H. 1, S. 1 f.

20 Vgl. Anm. 16.

21 Im Falle des Datums »Ton« müßte zunächst dieser von Fontane besonders favorisierte Begriff etwa als Darstellungsweise oder als Form interpretiert werden, um in eine sinnvolle Rezeptionssequenz gestellt werden zu können; denn das Datum »Ton« würde als bloßer Terminus auf der Suche nach einer Rezeptionssequenz natürlich nichts austragen, bzw. das ganze Unternehmen ad absurdum führen. Solche Komplexitäten sind selbstverständlich mit zu bedenken.

22 Vgl. besonders das materialreiche Buch von Paul Konrad Kurz: »Künstler, Tribun, Apostel. Heinrich Heines Auffassung vom Beruf des Dichters«. München 1967.

23 Vgl. dazu besonders: David E. R. George, »Henrik Ibsen in Deutschland. Rezeption und Revision«. Göttingen 1968.

24 Vgl. David E. R. George, ebd.

MANFRED GÜNTER SCHOLZ

Zur Hörerfiktion in der Literatur des Spätmittelalters und der frühen Neuzeit

1 Zitiert wird nach der Ausgabe von Francesco Fòffano: »Orlando Innamorato di Matteo Maria Boiardo. Riscontrato sul codice Trivulziano e su le prime stampe«. 3 Bde. Bologna 1906/07. – Wer den »Orlando« auf deutsch lesen möchte, ist noch immer auf zwei sehr alte Übersetzungen angewiesen: auf die unten (= Anm. 16) genannte von Regis und auf »Matteo Maria Bojardo's, Grafen von Scandiano, Verliebter Roland«. Zum erstenmale verdeutscht und mit Anmerkungen versehen von J[ohann] D[iederich] Gries. 4 Tle. Stuttgart 1835–39.

2 Zum Vorstehenden vgl. Giulio Reichenbach: »Matteo Maria Boiardo«. Bologna 1929. S. 101 ff. und S. 148; ders.: »L'Orlando Innamorato di Matteo Maria Boiardo«. Firenze 1936. S. 97; Virgilio Procacci: »La vita e l'opera di Matteo Maria Boiardo«. Firenze 1931. S. 45 und S. 108; Angelandrea Zottoli: »L'›Innamorato‹ e la corte«. In: A. Z., »Dal Bojardo all'Ariosto«. Milano 1934. S. 55–90, hier S. 57 und S. 61 f.

3 Vgl. Procacci (= Anm. 2), S. 45; Angelandrea Zottoli: »Di Matteo Maria Boiardo, Discorso«. Firenze 1937. S. 120.

4 Vgl. Procacci (= Anm. 2), S. 108 f.

5 Vgl. Casimir von Chledowski: »Der Hof von Ferrara«. München 1919. S. 131; Procacci (= Anm. 2), S. 109.

6 Vgl. Antonio Franceschetti: »Struttura e incompiutezza dell' ›Orlando innamorato‹«. In: »Il Boiardo e la critica contemporanea. Atti del Convegno di studi su Matteo Maria Boiardo. Scandiano – Reggio Emilia 25–27 Aprile 1969, a cura di Giuseppe Anceschi«. Firenze 1970. (»Biblioteca dell' ›Archivum Romanicum‹«, Ser. I, Vol. 107.) S. 281–294, hier S. 291. – Vgl. auch Giulio Reichenbach: »La partizione originaria dell' ›Orlando Innamorato‹«. In: »Giornale storico della letteratura italiana« 137 (1960) S. 157–159, hier S. 158.

7 Vgl. Reichenbach, 1960 (= Anm. 6), S. 157–159.

8 Vgl. »Gesamtkatalog der Wiegendrucke«. Bd. IV. 2. Aufl. (Durchgesehener Neudruck der 1. Aufl.) Stuttgart u. New York 1968. Sp. 361 (Nr. 4607); Zottoli, 1937 (= Anm. 3), S. 4 f. Anm.; Roberto Ridolfi: »Giunte e correzioni al ›Gesamtkatalog der Wiegendrucke‹«. In: »Bibliofilía« 59 (1957) S. 85–100, hier S. 93.

9 Die bisweilen angegebene Jahreszahl 1486 ist venezianische Zählung; vgl. Fòffano (= Anm. 1), Bd. 3, S. 4 Anm. 1; Nereo Vianello: »Dell'unico esemplare conosciuto della ›editio princeps‹ dell' ›Innamorato‹«. In: »Il Boiardo ...« (= Anm. 6), S. 521–526, hier S. 521 Anm. 2.

10 Vgl. »Gesamtkatalog ...« (= Anm. 8), Sp. 361 (Nr. 4608).

11 Vgl. Ridolfi (= Anm. 8), S. 97.

12 Vgl. »Gesamtkatalog ...« (= Anm. 8), Sp. 362 (Nr. 4609).

13 Vgl. »Gesamtkatalog ...« (= Anm. 8), Sp. 362 (Nr. 4610). Zur Überlieferung der hier in Frage kommenden Ausgaben insgesamt vgl. Gianfranco Folena: »Überlieferungsgeschichte der altitalienischen Literatur«. In: »Geschichte der Textüberlieferung der antiken und mittelalterlichen Literatur«. Bd. II. Zürich 1964. S. 319–537, hier S. 534 f.

14 Antonio Panizzi, der erste moderne Herausgeber des Werkes (»Orlando Innamorato di Bojardo. Orlando Furioso di Ariosto. With an Essay on the Romantic Narrative Poetry of the Italians, Memoirs and Notes«. 9 Bde. London 1830 bis 1834), hält die Strophe für unecht und bezweifelt Boiardos Mitwirkung an der Publikation der Dichtung (Bd. V. London 1831. S. 353). Ridolfi (= Anm. 8) dagegen nimmt sie für authentisch und glaubt, daß sie in den ersten drei Ausgaben enthalten gewesen sei; später, als das wirkliche dritte Buch hinzukam, sei sie getilgt worden (S. 92 Anm. 1); vgl. auch Reichenbach, 1929 (= Anm. 2), S. 150.

15 So Panizzi (= Anm. 14), Bd. II. London 1830. S. LXXVII f.

16 »Matteo Maria Bojardo's, Grafen von Scandiana [sic!], Verliebter Roland, als erster Theil zu Ariosto's Rasendem Roland nach den bisher zugänglichen Texten der Urschrift zum erstenmale vollständig verdeutscht«. Mit Glossar und Anmerkungen hrsg. von Gottlob Regis. Berlin 1840. S. 339.

17 Pio Rajna: »Le fonti dell'Orlando Furioso. Ricerche e studii. Firenze 1876. S. 85. – Über den Einfluß der ›cantari‹ auf Ariost und seine Vorgänger, darunter auch Boiardo, informiert jetzt ausführlich Giovanni B. Bronzini: »Tradizione di stile aedico dai cantari al ›Furioso‹«. Firenze 1966. (»Biblioteca di ›Lares‹«. Vol. 23.)

18 Dieter Kremers: »L'Orlando Innamorato«. In: »Kindlers Literatur Lexikon«. Bd. V. Zürich 1969. Sp. 1086–89, hier Sp. 1088.
19 Norbert Miller: »Die Rollen des Erzählers. Zum Problem des Romananfangs im 18. Jahrhundert«. In: »Romananfänge. Versuch zu einer Poetik des Romans«. Hrsg. von Norbert Miller. Berlin 1965. S. 37–91, hier S. 48 Anm. 19.
20 Vgl. Reichenbach, 1936 (= Anm. 2), S. 98.
21 Abgesehen davon, daß diese Verben im Dienste der Hörerfiktion stehen können, ist es möglich, daß gelegentlich auch ihr uneigentlicher Gebrauch vorherrscht, daß sie in übertragenem Sinne verwendet sind. Dies ist eindeutig der Fall im folgenden Vers, wo »odire« die abgeschwächte Bedeutung von ›vernehmen, erfahren, kennenlernen‹ angenommen hat: »Ch'odisti mai per voce, o per scrittura« (I,2.68).
22 Das Schweigen vieler Forscher zu den Problemen der Erzähltechnik und der intendierten Rezeption des Werkes spricht ebenfalls für sich.
23 Der leichten Zugänglichkeit und der Zweisprachigkeit wegen zitiere ich nach der folgenden Ausgabe: »Juan Ruiz, Arcípreste de Hita: Libro de buen amor«. Übersetzt u. eingel. von Hans Ulrich Gumbrecht. München 1972. (»Klassische Texte des romanischen Mittelalters in zweisprachigen Ausgaben«. Bd. 10.)
24 G. B. Gybbon-Monypenny: »The Spanish ›Mester de Clerecía‹ and its intended public: concerning the validity as evidence of passages of direct address to the audience«. In: »Medieval Miscellany presented to Eugène Vinaver«. Manchester u. New York 1965. S. 230–244.
25 Ebd., S. 233.
26 Ebd., S. 234 und S. 241 f.
27 Ebd., S. 241.
28 Ebd., S. 234.
29 Zitiert wird nach der folgenden Ausgabe: »Johann Fischarts Werke. Zweiter Teil. Eulenspiegel Reimensweiß«. Hrsg. von Adolf Hauffen. Stuttgart o. J. (Kürschners »Deutsche Nationalliteratur« Bd. 18,2.)
30 Zitiert wird nach der folgenden Ausgabe: »Froschmeuseler. Von Georg Rollenhagen«. Hrsg. von Karl Goedeke. 2 Bde. Leipzig 1876. (»Deutsche Dichter des sechzehnten Jahrhunderts«. Bd. 8/9.)
31 In meiner Habilitationsschrift (»Hören und lesen. Studien zur Rezeption der mittelalterlichen Literatur«, Druck in Vorb.) gehe ich ausführlicher auf diese Zusammenhänge ein.

GUNTER GRIMM

Lessings Stil. Zur Rezeption eines kanonischen Urteils

1 »Zweiter Anti-Goeze«. In: Lessing, »Sämtliche Schriften«. Hrsg. von Karl Lachmann. 3., aufs neue durchgesehene und vermehrte Aufl., besorgt durch Franz Muncker. Bd. I–XIII. Stuttgart u. Leipzig 1886–1924, hier Bd. XIII (zitiert als LM XIII), S. 149 f.

2 Brief Lessings vom 30. Dezember 1743 an Dorothea Salome Lessing (LM XVII, S. 3); dazu vgl. Klaus Briegleb: »Lessings Anfänge 1742–1746. Zur Grundlegung kritischer Sprachdemokratie«. Frankfurt a. M. 1971. S. 49–83.

3 Eric A. Blackall: »Die Entwicklung des Deutschen zur Literatursprache 1700–1775«. Stuttgart 1966. Kap. XI: »Die Prosa der Reife«. S. 266–292.

4 Reinhard M. G. Nickisch: »Die Stilprinzipien in den deutschen Briefstellern des 17. und 18. Jahrhunderts. Mit einer Bibliographie zur Briefschreiblehre (1474–1800)«. Göttingen 1969.

5 Nickisch (= Anm. 4), S. 162.

6 In: »Belustigungen des Verstandes und des Witzes. Auf das Jahr 1742«. S. 177–189; Nachdruck in: Christian Fürchtegott Gellert, »Die epistolographischen Schriften«. Faksimiledruck nach den Ausgaben von 1742 und 1751. Mit einem Nachwort von Reinhard M. G. Nickisch. Stuttgart 1971. Die folgenden Zitate befinden sich auf S. 178, 183 und 184.

7 Nickisch (= Anm. 4), S. 173.

8 Georg Steinhausen: »Geschichte des deutschen Briefes. Zur Kulturgeschichte des deutschen Volkes«. Teil 2. Berlin 1891. S. 251.

9 Bruno Markwardt: »Geschichte der deutschen Poetik«. Bd. 2. Berlin 1956. S. 519. Vgl. auch Bruno Markwardt: »Studien über den Stil G. E. Lessings im Verhältnis zur Aufklärungsprosa. Vorbemerkungen und Inhaltsübersicht zu den Gesamtstudien«. In: »Wissenschaftliche Zeitschrift der Universität Greifswald« 3 (1953/54), Gesellschafts- und sprachwissenschaftliche Reihe Nr. 3/4, S. 151–187.

10 Nickisch (= Anm. 4), S. 176.

11 »Berlinische Privilegirte Zeitung. Im Jahr 1751. 55. Stück«. Sonnabend, den 8. May; LM IV, S. 315 f.

12 »Critische Nachrichten aus dem Reiche der Gelehrsamkeit. Auf das Jahr 1751. 25. Stück«. Freytags, den 18. Junius, 1751, S. 199 f., und »26. Stück«, Freytags, den 25. Junius, 1751, S. 207 f.; LM IV, S. 226–229, hier S. 228.

13 »Berlinische Privilegirte Zeitung. Im Jahr 1751. 134. Stück«. Dienstag, den 9. November; LM IV, S. 367 f.

14 LM IV, S. 228.

15 Detlef Droese: »Lessing und die Sprache«. Diss. Zürich 1968. S. 65–79. Vgl. auch Jürgen Schröder: »Gotthold Ephraim Lessing. Sprache und Drama«. München 1972. Kap. IV, 2: »Das Problem der natürlichen Sprache bei Dubos, Breitinger und Gottsched«. S. 340–347; darin auch über Lessings »Theaterlogik«, S. 73 ff. (I, 3a: »Der ›eigne Stil‹«).

16 »Die Vernünfftigen Tadlerinnen: Erster Jahr-Theil«. Bd. I. Leipzig o. J. [1725]. S. 163. Vgl. auch Gottscheds Charakterisierung der »guten Schreibart« in der »Ausführlichen Redekunst«, Leipzig [5]1759, S. 359 (XVI. Hauptstück, § 1); sie müsse »1) deutlich, 2) artig, 3) ungezwungen, 4) vernünftig, 5) natürlich, 6) edel, 7) wohlgefaßt, 8) ausführlich, 9) wohlverknüpft und 10) wohlabgetheilet« sein.

17 Vgl. Erich Schmidts Besprechung: »August Lehmann: Forschungen über Lessings Sprache. Braunschweig 1875«. In: »Anzeiger für Deutsches Alterthum und deutsche Litteratur« 2 (1876) S. 38–79, hier S. 54–78.

18 Ebd., S. 78.

19 »Hamburgische Dramaturgie«. 89. Stück. LM X, S. 162. Auf die Zuordnung des neuen Sprachideals zu den Protagonisten des bürgerlichen Trauer- und Lustspiels im Gefolge der Lessingschen Theorie von Naturnachahmung kann hier nur hingewiesen werden. Dazu Droese (= Anm. 15), S. 80–103. Vgl. »Hamb. Dram.«. 59. Stück.

20 Blackall (= Anm. 3), S. 273; auch Droese (= Anm. 15), S. 109.

21 Lessing scheint zwischen Poesie und Prosa zu unterscheiden, wenn er feststellt: »Der Poet will nicht bloß verständlich werden, seine Vorstellungen sollen nicht bloß klar und deutlich seyn;

hiermit begnügt sich der Prosaist. Sondern er will die Ideen, die er in uns erwecket, so lebhaft machen, daß wir in der Geschwindigkeit die wahren sinnlichen Eindrücke ihrer Gegenstände zu empfinden glauben, und in diesem Augenblicke der Täuschung, und der Mittel, die er dazu anwendet, seiner Worte bewußt zu seyn aufhören« (»Laokoon«, Kap. 17; LM IX, S. 101). Vgl. auch die Auseinandersetzung mit Klopstocks Abhandlung »Von der Sprache der Poesie« im »Nordischen Aufseher«, Bd. 1, 26. Stück vom 18. Mai 1758, im 51. Literaturbrief vom 16. August 1759, LM VIII, S. 143–145.

22 Vgl. die berühmten Wendungen im »Zweiten Anti-Goeze«, vor allem: »Es kömmt wenig darauf an, wie wir schreiben, aber viel, wie wir denken« (LM XIII, S. 149) sowie den 49. Literaturbrief vom 2. August 1759: »Die Sprache kann alles ausdrücken, was wir deutlich denken [...]« (LM VIII, S. 132 f.).

23 LM XIII, S. 11; vgl. LM XVI, S. 92: »Für mich ist schon die möglichste Kürze Wohlklang.«

24 Über Lessings Bedeutung in der Tradition des ›Witzes‹ vgl. Paul Böckmann: »Formgeschichte der deutschen Dichtung«. 1. Bd.: »Von der Sinnbildsprache zur Ausdruckssprache«. Hamburg [3]1967. Kap. V, 4: »Die Überwindung der Formtradition des Witzes durch Lessing«, S. 530–546.

25 Vgl. Blackall (= Anm. 3), S. 275; auch Erich Schmidt: »Lessing. Geschichte seines Lebens und seiner Schriften«. 2 Bde. Berlin [2]1899, Bd. 1, hier S. 199.

26 Goethe: »Dichtung und Wahrheit«. Buch VII. Jakob Mauvillon vergleicht in seiner »Emilia Galotti«-Rezension den Dialog der »Miss Sara Sampson« und der »Emilia Galotti«. In der »Sara« sei »viel zu viel Declamation«, »zu viel Tiraden« – zwar habe Lessing in der »Emilia« diese aus dem französischen Drama stammende Unnatürlichkeit des Dialogs vermieden, sei jedoch ins andere Extrem gefallen: der Dialog der »Emilia« sei »so zerstückelt«, daß »gar zu vieles in dem Charakter und in der Empfindungsart der Personen unentschieden« bleibe (S. 439). Zuerst: »Auserlesene Bibliothek der neuesten deutschen Litteratur«. Lemgo 1772. 2. Bd. S. 163–187; abgedruckt bei: Julius W. Braun, »Lessing im Urtheile seiner Zeitgenossen. Zeitungskritiken, Berichte und Notizen, Lessing und seine Werke betreffend, aus den Jahren 1747–1781«. 2 Bde. 1884 und 1893, hier Bd. 1, S. 425–442.

27 13. Literaturbrief vom 1. Februar 1759; LM VIII, S. 28.

28 Vor allem der zweite und achte »Anti-Goeze«; LM XIII, S. 148–153; LM XIII, S. 187–193.

29 »Zweiter Anti-Goeze«; LM XIII, S. 150.

30 Ebd., S. 151.

31 Vgl. Blackall (= Anm. 3), S. 276 f. Zur Analyse des Lessingschen Stils, gerade des »Zweiten Anti-Goeze«, vgl. Walter Wagner: »Die Sprache Lessings und ihre Bedeutung für die deutsche Hochsprache«. In: »Muttersprache. Zeitschrift zur Pflege und Erforschung der deutschen Sprache« (1961) S. 108–117; dort ist auch die neuere Literatur zu Lessings Stil verzeichnet. Vgl. ferner den Forschungsbericht von Karl S. Guthke: »Der Stand der Lessing-Forschung. Ein Bericht über die Literatur von 1932–1962«. Stuttgart 1965. (Sonderdruck aus: »Deutsche Vierteljahrsschrift für Literaturwissenschaft und Geistesgeschichte« 38 [1964] Sonderheft.) Kap. VI: »Stil und Sprache«, S. 85–88. Zu Lessings polemischer Technik vgl. den Aufsatz von Norbert W. Feinäugle: »Lessings Streitschriften. Überlegungen zu Wesen und Methode der literarischen Polemik«. In: »Lessing-Yearbook« I (1969) S. 126–149; ferner die Studie von Helmut Göbel: »Bild und Sprache bei Lessing«. München 1971. Eine gewiß sehr aufschlußreiche Studie, die den Stil des von einigen (Georg Gottfried Gervinus, Berthold Litzmann) als Vorläufer Lessings apostrophierten Satirikers Christian Ludwig Liscow mit dem Lessings vergleichen würde, steht noch aus.

32 Adolf Bach: »Geschichte der deutschen Sprache«. 7. erweiterte Aufl. Heidelberg 1961. § 194, S. 313 f.

33 Ebd., S. 311–313.

34 Guthke (= Anm. 31), S. 85.

35 Theodor Mundt: »Die Kunst der deutschen Prosa. Aesthetisch, literaturgeschichtlich, gesellschaftlich«. Berlin 1837. In: Horst Steinmetz [Hrsg.], »Lessing – ein unpoetischer Dichter. Dokumente aus drei Jahrhunderten zur Wirkungsgeschichte Lessings in Deutschland«. Frankfurt a. M. u. Bonn 1969. S. 37. Ferner vgl. die Meinung der Kritiker Jakob Mauvillon und Ludwig Unzer (vgl. S. 153), Herders (S. 154 f.) und das gesamte Kapital 3 (S. 152–155, vor allem Christian Gottfried Schütz, S. 154 Anm. 65).

36 Kuno Fischer: »G. E. Lessing als Reformator der deutschen Literatur. Erster Theil. Lessings reformatorische Bedeutung. Minna von Barnhelm. Emilia Galotti«. Stuttgart u. Berlin 1904. S. 64.

Vgl. auch Fischers weiterreichende Charakterisierung auf S. 69: »Ich wollte nur andeuten, wie sich in Lessings Schreibart die Vermögen des Epigrammatisten, des Fabeldichters, des dramatischen Poeten, des gelehrten kritischen und philosophischen Denkers vereinigen mußten, um jenen unvergleichlichen Stilisten zu erzeugen, der eben so mustergiltig bleibt als unerreichbar.«

37 Adolf Bartels: »Lessing und die Juden. Eine Untersuchung«. Dresden u. Leipzig 1918.

38 Adolf Bartels: »Geschichte der deutschen Literatur«. Braunschweig u. a. ^{16}1937. S. 148.

39 Ebd., S. 148.

40 Anselm Salzer: »Illustrierte Geschichte der Deutschen Literatur von den ältesten Zeiten bis zur Gegenwart«. Zweite, neu bearb. Aufl. 2. Bd.: »Vom Dreißigjährigen Kriege bis zu den Freiheitskriegen«. Regensburg 1926. S. 694.

41 »Rheinzeitung« (3./4. Januar 1970).

42 »Kölner Stadt-Anzeiger« (3. Januar 1970).

43 »Schwäbisches Tagblatt«, Tübingen (3. Januar 1970).

44 Jakob Mauvillon über Lessings Trauerspiele; bei Braun, Bd. 1 (= Anm. 26), S. 438.

45 August Wilhelm Schlegel: »Vorlesungen über dramatische Kunst und Literatur«. Abgedruckt bei: Steinmetz (= Anm. 35), Nr. 48, S. 229.

46 Wolfgang Paul in der »Stuttgarter Zeitung« anläßlich der Berliner Inszenierung 1972 von Gerhard F. Hering.

47 Schröder (= Anm. 15), S. 9.

48 Vgl. etwa die Belege bei Braun (= Anm. 26), Bd. 1, S. 184, 194, 201, 354, 366, 375 f., 389 f.; Bd. 2, S. 283, 391, 395 u. a.

49 Edward Dvoretzky: »Lessing. Dokumente zur Wirkungsgeschichte 1755–1968« (Teil 1 u. 2). Göppingen 1971 u. 1972 (»Göppinger Arbeiten zur Germanistik« Nr. 38/39); Bd. 1, Nr. 376, S. 138.

50 »Staats- und Gelehrte Zeitung des Hamburgischen unpartheyischen Correspondenten«. Hamburg 1772. 24. März; bei Braun (= Anm. 26), Bd. 1, S. 352–354, hier S. 352.

51 Eschenburg in der »Gnädigst privilegirten Neuen Braunschweigischen Zeitung«, Braunschweig 1772. 24., 26., 27., 30., 31. März und 2. April; bei Braun (= Anm. 26), Bd. 1, S. 354–366, hier S. 355; auch bei Steinmetz (= Anm. 35), Nr. 12, S. 79–86, hier S. 79.

52 Anton von Klein: »Über Lessings Meinung vom heroischen Trauerspiel und über ›Emilia Galotti‹«. Frankfurt u. Leipzig 1781. Zuerst in: »Rheinische Beyträge zur Gelehrsamkeit«. Mannheim 1780, 1. Christmonat, S. 528 f.; 1781, 1. Hornung, S. 168–181; abgedruckt bei Braun (= Anm. 26), Bd. 2, S. 273–282; Auszüge bei Steinmetz (= Anm. 35), Nr. 26, S. 114–119, hier S. 119.

53 »Über den Werth einiger Deutschen Dichter und über andere Gegenstände den Geschmack und die schöne Litteratur betreffend. Ein Briefwechsel«. 2 Stücke. Frankfurt u. Leipzig 1771/72.

54 Mauvillon/Unzer: »Briefwechsel« (= Anm. 53), 2. Teil. 17. Brief, S. 69 f.

55 Ebd., 2. Teil, 25. Brief, S. 246.

56 Ebd., 2. Teil, 26. Brief, S. 248 f.

57 Braun (= Anm. 26), Bd. 1, S. 439; vgl. Anm. 44.

58 Brief Sulzers vom 24. Dezember 1774. In: »Briefe der Schweizer, Bodmer, Sulzer, Geßner«. Aus Gleims literarischem Nachlasse hrsg. von Wilhelm Körte. Zürich 1804. (»Briefe deutscher Gelehrten«. Bd. 1.) S. 422.

59 Zunächst wurde dieses Urteil Hottingers abgedruckt bei Johann Georg Heinzmann: »Gotthold Ephraim Lessing. Analekten für die Literatur«. 3 Theile. Berlin u. Leipzig 1785–86; vgl. Steinmetz (= Anm. 35), Nr. 36, S. 145–151, hier S. 148; dann veröffentlichte er das Selbstzitat in einer eigenen Schrift: Johann Jakob Hottinger: »Versuch einer Vergleichung der deutschen Dichter mit den Griechen und Römern. Eine von der Kurfürstlichen deutschen Gesellschaft in Mannheim gekrönte Preisschrift«. Mannheim 1789; bei Steinmetz (= Anm. 35), Nr. 38, S. 153–157.

60 Brief Goethes von Mitte Juli 1772 an Herder. In: Goethe, »Gedenkausgabe der Werke, Briefe und Gespräche«. Bd. 18. Zürich 1949. S. 175. Ähnlich Friedrich Schlegel (vgl. Anm. 62) und August Wilhelm Schlegel (»Vorlesungen über dramatische Kunst und Literatur 1809«; bei Steinmetz [= Anm. 35], Nr. 48, S. 229). Herders Brief von Mitte Juli 1772 an Caroline Flachsland; bei Dvoretzky (= Anm. 49), Bd. 1, Nr. 313, S. 106.

61 »Über naive und sentimentalische Dichtung«. In: »Schillers Werke. Nationalausgabe«. Bd. 20. Hrsg. von Benno von Wiese. Weimar 1962. S. 445 f.

62 Friedrich Schlegel: »Über Lessing« (1797). Abgedruckt bei Steinmetz (= Anm. 35), Nr. 43, S. 169–195, hier S. 182.
63 Friedrich von Blanckenburg: »Versuch über den Roman«. Faksimiledruck der Originalausgabe von 1774. Mit einem Nachwort von Eberhard Lämmert. Stuttgart 1965. S. 508.
64 Johann Gottfried Herder: »G. E. Lessing. Gebohren 1729, gestorben 1781«. In: »Der Teutsche Merkur«. Weimar 1781, Weinmond. S. 3–29. Auch bei Braun (= Anm. 26), Bd. 2, S. 397–415, und bei Steinmetz (= Anm. 35), Nr. 31, S. 123–134.
65 Christian Gottfried Schütz: »Über Gotthold Ephraim Lessing's Genie und Schriften. Drei Vorlesungen«. Halle 1782; Teilwiedergabe bei Steinmetz (= Anm. 35), Nr. 33, S. 135–141.
66 Leonhard Meister: »Gotthold Ephraim Lessing«. In: L. M., »Charakteristik deutscher Dichter. Nach der Zeitordnung gereihet mit Bildnissen von Heinrich Pfenninger«. Bd. 2. St. Gallen u. Leipzig 1789. Auszug bei Steinmetz (= Anm. 35), Nr. 37, S. 151–153. Meister plagiiert im übrigen, teilweise wortwörtlich, die Ausführungen von Schütz (= Anm. 65).
67 Am typischsten ist der Nachruf in der »Auserlesenen Bibliothek der neuesten deutschen Litteratur«, Lemgo 1781, 19. Bd., S. 678–681. In: Braun (= Anm. 26), Bd. 2, S. 395–397.
68 Braun (= Anm. 26), Bd. 2, S. 397 f. Von Herder stammt auch eine Charakterisierung von Lessings methodischem Vorgehen, die immer wieder zitiert werden sollte: »Leßings Schreibart ist der Styl eines Poeten, d. i. eines Schriftstellers, nicht der gemacht hat, sondern der da machet, nicht der gedacht haben will, sondern der uns vordenket, wir sehen sein Werk werdend, wie das Schild Achilles bei Homer. Er scheint uns die Veranlassung jeder Reflexion gleichsam vor Augen zu führen, Stückweise zu zerlegen, zusammen zu setzen; nun springt die Triebfeder, das Rad läuft, ein Gedanke, ein Schluß giebt den andern, der Folgesatz kommt näher, *da ist* das Produkt der Betrachtung« (Herder: »Erstes Wäldchen« aus: »Kritische Wälder« [1769]; bei Dvoretzky [= Anm. 49], Bd. 1, Nr. 304, S. 99).
69 Braun (= Anm. 26), Bd. 2, S. 403.
70 Friedrich Schlegel: »Über Lessing«. In: »Lyceum der Schönen Künste«. 1797, S. 76–128; und: »Charakteristiken und Kritiken«. Von August Wilhelm Schlegel und Friedrich Schlegel. Bd. 1. Königsberg 1801. S. 221–281; auch bei Steinmetz (= Anm. 35), Nr. 43, S. 169–195; das folgende Zitat auf S. 188.
71 Vgl. ebd., S. 172, auch S. 179. Das Urteil Schlegels blieb in der Folgezeit nicht unwidersprochen; ja, alle seitdem unternommenen Rehabilitierungsversuche von Lessings Dichtertum (Franz Horn, 1824, bei Steinmetz, Nr. 56, S. 249 ff.; Johann Friedrich Schink, 1825, bei Steinmetz, Nr. 57, S. 251 ff.; Wilhelm Bernhard Mönnich, 1841, bei Steinmetz, Nr. 70, S. 296 ff., August Nodnagel, 1842, bei Steinmetz, Nr. 72, S. 305 ff. u. a.) leiten sich von dessen Eliminierung durch Friedrich Schlegel ab. Vgl. Hans Mayer: »Lessing, Mitwelt und Nachwelt«. In: »Gotthold Ephraim Lessing«. Hrsg. von Gerhard u. Sibylle Bauer. Darmstadt 1968. (»Wege der Forschung«. Bd. CCXI.) S. 260–286, hier S. 260 f.; die folgenden Zitate bei Steinmetz (= Anm. 35), S. 172, 189 und 172 f.
72 Vor allem die »Anti-Goeze«-Schriften; Steinmetz (= Anm. 35), S. 174. Der »Anti-Goeze« verdiene »nicht etwa bloß in Rücksicht auf zermalmende Kraft der Beredsamkeit, überraschende Gewandtheit und glänzenden Ausdruck, sondern an Genialität, Philosophie, selbst an poetischem Geiste und sittlicher Erhabenheit einzelner Stellen, unter allen seinen Schriften den ersten Rang«.
73 Vgl. Steinmetz (= Anm. 35), S. 178. »Das Interessanteste und das Gründlichste in seinen Schriften sind Winke und Andeutungen, das Reifste und Vollendetste Bruchstücke von Bruchstücken.« Zu Schlegels Interpretation von Lessings Prophetentum als Vordeutung der Romantik vgl. Elsbeth Bonnemann: »Lessing. Kritik und Lessingbild der Romantik«. Köln 1932, bes. S. 98–100.
74 Steinmetz (= Anm. 35), S. 178.
75 Ebd., S. 196 f. Vgl. ferner ebd., S. 197–199, wo sich Schlegel über das Wesen des Lessingschen Stils, der Sprache und des Witzes ausläßt und die »eigentümliche Kombination der Gedanken« als die »innere Form« von Lessings Denken erkennt.
76 In der Einleitung »Vom kombinatorischen Geist«; Steinmetz (= Anm. 35), S. 211–216. Hier betont Schlegel vor allem die Bedeutung von Lessings »spekulativem« Witz (S. 216), dessen Funktion im Rahmen produktiver Kritik die »energische« und »universelle« Anregung zum Selbstdenken ist.
77 Schlegel: »Vom Charakter der Protestanten«; bei Steinmetz (= Anm. 35), S. 216–223.

78 Karl Heinrich Jördens: »Denkwürdigkeiten, Charakterzüge und Anekdoten aus dem Leben der vorzüglichsten deutschen Dichter und Prosaisten«. Bd. 2. Leipzig 1812; bei Steinmetz (= Anm. 35), Nr. 50, S. 233–235, hier S. 235.
79 Franz Horn: »Die Poesie und Beredsamkeit der Deutschen, von Luthers Zeit bis zur Gegenwart«. 4 Bde. Berlin 1822–29, hier 3. Bd. 1824; bei Steinmetz (= Anm. 35), Nr. 56, S. 249–251.
80 Heinrich Gustav Hotho: »Vorstudien für Leben und Kunst«. Stuttgart u. Tübingen 1835; bei Steinmetz (= Anm. 35), Nr. 63, S. 266–275, hier S. 266 f. Ähnlich auch Heinrich Laube in seiner »Geschichte der deutschen Literatur«. Stuttgart 1839. Bd. 2; bei Steinmetz (= Anm. 35), Nr. 68a, S. 290.
81 Anita Liepert: »Lessing-Bilder. Zur Metamorphose der bürgerlichen Lessingforschung«. In: »Deutsche Zeitschrift für Philosophie« 19 (1971) S. 1318–30.
82 Heinz Plavius: »Revision des Humanismus. Die Wandlungen im Lessing-Bild der westdeutschen Reaktion«. In: »Neue Deutsche Literatur« 12 (1964) H. 9, S. 94–109.
83 Heinrich Heine: »Zur Geschichte der Religion und Philosophie in Deutschland« (1834/35); bei Steinmetz (= Anm. 35), S. 264.
84 Liepert (= Anm. 81), S. 1323.
85 Steinmetz (= Anm. 35), S. 222.
86 Ebd., S. 264. Vgl. auch die Beurteilung des Heineschen Lessing-Bildes durch Franz Mehring in seinem Buch »Die Lessing-Legende« (1893). Berlin 1963. S. 45–47.
87 Steinmetz (= Anm. 35), S. 263.
88 Wolfgang Menzel: »Die deutsche Literatur«. Zweite, vermehrte Aufl. Stuttgart 1836. 3. Theil; auch bei Steinmetz (= Anm. 35), Nr. 64, S. 276–281, hier S. 277.
89 Friedrich Schlegel: »Kritische Schriften«. Hrsg. von Wolfdietrich Rasch. 2. erw. Aufl. München 1964. Athenäumsfragmente, S. 38.
90 Steinmetz (= Anm. 35), S. 277. – Die folgenden Zitate ebd., S. 277–281.
91 Reiche Belege bei Steinmetz (= Anm. 35), Register, S. 597.
92 Blanckenburg, Herder, Schütz; vgl. S. 154; vgl. ferner die beispielhafte Rezension der »Minna von Barnhelm« durch Johann Joachim Eschenburg; Steinmetz (= Anm. 35), Nr. 4, S. 61: »Ein wahres Original, worin alles deutsch ist, nicht allein die Namen, sondern auch Handlung und Charaktere.«
93 Steinmetz (= Anm. 35), S. 37.
94 Gottlob Egelhaaf: »Grundzüge der deutschen Literaturgeschichte. Ein Hilfsbuch für Schulen und zum Privatgebrauch«. Leipzig [21,22]1913. S. 174.
95 Vgl. George Peabody Gooch: »Geschichte und Geschichtsschreiber im 19. Jahrhundert«. Frankfurt a. M. 1964. S. 115–123.
96 Georg Gottfried Gervinus: »Selbstkritik«. In: »Hinterlassene Schriften«. Wien 1872. S. 33–99, hier S. 80.
97 Friedrich Christoph Schlosser: »Geschichte des achtzehnten Jahrhunderts und des neunzehnten bis zum Sturz des französischen Kaiserreichs. Mit besonderer Rücksicht auf geistige Bildung«. Bd. 2. Heidelberg 1837. S. 632–636; auch bei Steinmetz (= Anm. 35), Nr. 65, S. 281–284.
98 Zur politischen Position von Gervinus vgl. Gunter Grimm (= Anm. 211), S. 125 ff.; dort auch weitere Literaturangaben zu Gervinus.
99 Georg Gottfried Gervinus: »Geschichte der Deutschen Dichtung«. Bd. 5. Leipzig [4]1853. S. 666.
100 Ebd., Bd. 4. Leipzig [4]1853, S. 293. In der ersten Auflage von 1840, S. 322, ist bezeichnenderweise noch die Rede vom »fortwährenden Ringen eines *liberalen* Geistes«. Nach dem Scheitern der liberalen Bewegung löst sich Gervinus also auch von deren Vokabular.
101 Steinmetz (= Anm. 35), S. 295 f. – Die folgenden Zitate ebd., S. 295 und 293.
102 Vgl. hierzu den Passus auf S. 300 bis 304 im 4. Band der »Geschichte der Deutschen Dichtung«, Leipzig 1853 (nicht bei Steinmetz).
103 »Worte der Weihe bei der Enthüllung der Lessing-Statue am XXIX. September MDCCCLIII. Gesprochen von Dr. V. F. L. Petri, Geheimem Hofrathe«. Braunschweig 1853; bei Steinmetz (= Anm. 35), Nr. 79, S. 334–336, hier S. 335.
104 Erich Schmidt: »Lessing. Geschichte seines Lebens und seiner Schriften«. 2. Bd. 2. unveränderte Aufl. Berlin 1899. VI. Capitel: »Sprache«, S. 526–581.
105 Walter Wagner: »Die Sprache Lessings und ihre Bedeutung für die deutsche Hochsprache«. In: »Muttersprache« (1961) S. 109.
106 Erich Schmidt (= Anm. 104), S. 580 f.

107 Als Folie dieser Anschauung vgl. etwa den Beginn des 1. Kapitels des 1. Buches in der 2. veränderten Auflage von Schmidts Lessingbuch (Berlin 1899. S. 1 ff.).
108 Johann Christoph Adelung: »Ueber den deutschen Styl«. 2 Theile (1785). Berlin [3]1789/90. Teil 2, S. 93; vgl. dazu: Hans-Georg Herrlitz, »Der Lektüre-Kanon des Deutschunterrichts im Gymnasium«. Heidelberg 1964. S. 56.
109 Johann Heinrich Ludwig Meierotto: »Abschnitte aus deutschen und verdeutschten Schriftstellern zu einer Anleitung der Wohlredenheit besonders im gemeinen Leben«. Berlin 1794; dazu vgl. Herrlitz (= Anm. 108), S. 63.
110 Herrlitz (= Anm. 108), S. 85–90.
111 Ebd., S. 91–98.
112 »Beytrag zum Reichs-Postreuter«. Altona 1778 (27. April). In: Braun (= Anm. 26), Bd. 2, S. 130 bis 135, hier S. 134 f.
113 »Beytrag zum Reichs-Postreuter«. Altona 1778 (31. August). In: Braun (= Anm. 26), Bd. 2, S. 153–155.
114 »Hallische Neue Gelehrte Zeitungen«. Halle 1778 (26. April). In: Braun (= Anm. 26), Bd. 2, S. 119–130, hier S. 119, S. 125 und S. 130.
115 »Freywillige Beyträge zu den Hamburgischen Nachrichten aus dem Reiche der Gelehrsamkeit«. Hamburg 1778 (21. Juli). In: Braun (= Anm. 26), Bd. 2, S. 140 f.
116 »Freywillige Beyträge ...«. Hamburg 1779 (12. Februar). In: Braun (= Anm. 26), Bd. 2, S. 180 bis 187, hier S. 182.
117 »Allgemeine deutsche Bibliothek«. Berlin u. Stettin 1779. 39. Bd., 1. Stück, S. 36–78. In: Braun (= Anm. 26), Bd. 2, S. 224–245, hier S. 242 und S. 244.
118 Herrlitz (= Anm. 108), S. 106. Friedrich Joachim Günther: »Über den deutschen Unterricht auf Gymnasien«. Essen 1841.
119 Carl Friedrich von Nägelsbach: »Gymnasialpädagogik«. Erlangen [2]1869. S. 94.
120 E. Köpke: »Rezension über Dr. E. Niemeyer: Lessing's ›Nathan der Weise‹, durch eine historisch-kritische Einleitung und einen fortlaufenden Commentar besonders zum Gebrauch auf höheren Lehranstalten erläutert. Leipzig 1855«. In: »Zeitschrift für das Gymnasialwesen, im Auftrage des Berlinischen Gymnasiallehrervereins« 10 (1856) S. 183–186; in: Steinmetz (= Anm. 35), Nr. 80, S. 337–339.
121 Gustav Brugier: »Geschichte der deutschen National-Literatur«. Freiburg i. Br. [8]1888.
122 Ebd., S. 289.
123 Etwa Rudolf Lehmann: »Der deutsche Unterricht. Eine Methodik für höhere Lehranstalten«. Berlin 1890. S. 247–269.
124 A. F. C. Vilmar: »Geschichte der deutschen National-Literatur«. 15. vermehrte Aufl. Marburg u. Leipzig 1873. Erste Aufl. 1845, letzte Aufl. 1936. Dazu vgl. die Rezension von Wilhelm Scherer: »Kleine Schriften«. Hrsg. von Konrad Burdach. Berlin 1893. Bd. 1. S. 672 ff.; zitiert nach: Karl Otto Conrady, »Einführung in die Neuere deutsche Literaturwissenschaft«. Reinbek 1966. S. 194–196; S. 195: »Der Litterarhistoriker, welcher die Auffassung der gebildeten Masse beherrscht, heißt nicht Gervinus, sondern – Vilmar.«
125 Scherer (= Anm. 124), S. 196.
126 Ebd., S. 195.
127 Vilmar (= Anm. 124), S. 4.
128 Ebd., S. 423 f.
129 Ebd., S. 427. – Die folgenden Zitate ebd., S. 429.
130 Ebd., S. 429. Vgl. dazu Lessings Brief an seinen Bruder Karl vom 7. November 1778 über den »Nathan«: »Die Theologen aller geoffenbarten Religionen werden freylich innerlich darauf schimpfen; doch dawider sich öffentlich zu erklären, werden sie wohl bleiben lassen« (LM XVIII, S. 293).
131 Vilmar (= Anm. 124), S. 424 f. – Die folgenden Zitate ebd., S. 425 und 423.
132 Dazu vgl. Vilmar (= Anm. 124), S. 420.
133 Ebd., S. 421.
134 LM XIII, S. 23/24. Eine Duplik.
135 Vilmar (= Anm. 124), S. 421. – Die folgenden Zitate ebd., S. 422.
136 Adolf Bartels: »Lessing und die Juden. Eine Untersuchung«. Zweite durchgearbeitete Aufl. Leipzig 1934. S. 185.
137 Dvoretzky (= Anm. 49), Bd. 1, Nr. 584, S. 225 f.

138 Julius Bab: »Nathan der Jude«. In der Lessing-Nummer der »C. V.-Zeitung« (1929) Nr. 3; vgl. dazu Julius Richter: »Rückblick aufs Lessingjahr 1929«. In: »Zeitschrift für Deutschkunde« (1930), Jg. 44 der »Zeitschrift für den deutschen Unterricht«, S. 562–577, hier S. 564 f., und Bartels (= Anm. 136), S. 232 f.
139 »Der Berliner Antisemitismusstreit«. Hrsg. von Walter Boehlich. Frankfurt a. M. [2]1965.
140 Richard Mayr: »Beiträge zur Beurteilung G. E. Lessing's«. Wien 1880. Bes. S. 61 f. und 144.
141 Wilhelm Marr: »Lessing contra Sem«. Berlin 1885; ders.: »Der Sieg des Judenthums über das Germanenthum. Vom nicht confessionellen Standpunkt aus betrachtet. Vae victis«. Bern [8]1879.
142 Eugen Dühring: »Die Judenfrage als Frage der Racenschädlichkeit für Existenz, Sitte und Cultus der Völker. Mit einer weltgeschichtlichen, religionsbezüglich, social und politisch freiheitlichen Antwort«. 4., theilweise umgearbeitete und vermehrte Aufl. Berlin 1892. Erstdruck: »Die Judenfrage als Rassen-, Sitten- und Kulturfrage«. Berlin 1881. Auszug bei Steinmetz (= Anm. 35), Nr. 91, S. 390–396; die folgenden Zitate befinden sich auf S. 391 und S. 393.
143 Fritz Mauthner: »Um Lessing. I. Die Feinde«. 1886; bei Steinmetz (= Anm. 35), Nr. 94, S. 399–402, hier S. 400.
144 Bartels (= Anm. 136), S. 226.
145 Josef Nadler: »Literaturgeschichte der deutschen Stämme und Landschaften«. Bd. 2: »Sachsen und das Neusiedelland. 800–1786«. Regensburg [2]1923. S. 471 ff.
146 Bartels (= Anm. 136), S. 227. Später steht Bartels wesentlich negativer zu Lessing. Vgl. Kapitel XII: »Die Lessingfeier«. 1929. S. 228–235.
147 Nadler (= Anm. 145), Bd. 2, S. 471–473. Zur Kritik vgl. etwa Karl Viëtor: »Deutsche Literaturgeschichte als Geistesgeschichte«. In: PMLA 60 (1945) S. 912 f. Auch Walter Muschg: »J. Nadlers Literaturgeschichte«. In: W. M., »Die Zerstörung der deutschen Literatur«. Berlin [3]1958 (auch List-TB 156, S. 185–200).
148 Nadler (= Anm. 145), Bd. 2, S. 474.
149 Ebd., S. 476.
150 Allerdings hat die Kürze der Herrschaft und die interne Uneinigkeit die Errichtung eines vollständig nationalsozialistisch ausgerichteten Erziehungswesens verhindert. Ansätze zur »Neuordnung des höheren Schulwesens« finden sich in dem Erlaß von 1938: »Erziehung und Unterricht in der Höheren Schule. Amtliche Ausgabe des Reichs- und Preußischen Ministeriums für Wissenschaft, Erziehung und Volksbildung«. Berlin 1938. S. 48–68.
151 Ebd., S. 49.
152 Ebd., S. 66 f.
153 Horst Joachim Frank: »Geschichte des Deutschunterrichts. Von den Anfängen bis 1945«. München 1973. S. 804.
154 Heinrich Wölfflin: »Kunstgeschichtliche Grundbegriffe. Das Problem der Stilentwicklung in der neueren Kunst«. München 1915.
155 Wilhelm Schneider: »Ausdruckswerte der deutschen Sprache. Eine Stilkunde«. 2. unveränderte Aufl. Darmstadt 1968 (1.Aufl. Leipzig u. Berlin 1931).
156 Ebd., S. 51 f.
157 Ebd., S. 74–76.
158 Ebd., S. 129.
159 Ebd., S. 149; ausdrücklich wird er nicht »sachlich« genannt.
160 Ebd., S. 189.
161 Ebd., S. 231 f.
162 Ebd., S. 243.
163 Georg Kühn: »Stil als erzieherische Kraft. Ein Beitrag zur Frage des Sprachstils in der Schule«. In: »Zeitschrift für deutsche Bildung« (1936) S. 75 f.
164 Heinz Otto Burger: »Die rassischen Kräfte im deutschen Schrifttum«. In: »Zeitschrift für Deutschkunde« (1934), Jg. 48 der »Zeitschrift für den deutschen Unterricht«, S. 462–476; vgl. Frank (= Anm. 153), S. 864.
165 Wilhelm Poethen: »Die Lesestoffauswahl im Rahmen der heutigen Forderungen«. In: »Zeitschrift für deutsche Bildung« (1936) S. 24 f.
166 Ludwig Reiners: »Stilkunst. Ein Lehrbuch deutscher Prosa«. München 1959 (1. Aufl. 1943).
167 Dazu vgl. den grundlegenden kritischen Aufsatz von Reinhard M. G. Nickisch: »Das gute Deutsch des Ludwig Reiners«. In: »Diskussion Deutsch. Zeitschrift für Deutschlehrer aller Schulformen in Ausbildung und Praxis« 3 (November 1972) H. 10, S. 323–341.

168 Reiners (= Anm. 166), S. 51. – Die folgenden Zitate ebd., S. 219–221.
169 Ebd., S. 299. Lessings Satz ist als Motto dem Kapitel vorangestellt.
170 Ebd., S. 366.
171 Ebd., S. 375.
172 Ebd., S. 388, vgl. S. 573.
173 Ebd., S. 422 f. und 425.
174 Ebd., S. 432.
175 Ebd., S. 508.
176 Ebd., S. 545.
177 Ebd., S. 536, auch S. 542.
178 Ebd., S. 547.
179 Ebd., S. 583 f.
180 Ebd., S. 596; vgl. S. 597 f.
181 Vgl. Anm. 167.
182 »Duden. Stilwörterbuch der deutschen Sprache. Das Wort in seiner Verwendung«. 5. Aufl. neu bearb. von der Dudenredaktion unter Leitung von Dr. phil. habil. Paul Grebe in Zusammenarbeit mit Dr. Gerhart Streitberg. Mit einer Einleitung über guten deutschen Stil von Ludwig Reiners. Mannheim 1963. – Die folgenden Zitate ebd., S. 8–17.
183 Vgl. auch Nickisch (= Anm. 167), S. 324.
184 Reiners, »Stilkunst« (= Anm. 166), S. 508; vgl. Blackall (= Anm. 3), S. 273.
185 Nickisch (= Anm. 167), S. 324.
186 Reiners, Dudenessay (= Anm. 182), S. 20.
187 LM VIII, S. 127–133, hier S. 132 f. Vgl. Blackall (= Anm. 3), S. 274.
188 LM VIII, S. 132.
189 Reiners, Dudenessay (= Anm. 182), S. 8.
190 Reiners: »Stilfibel. Der sichere Weg zum guten Deutsch«. München [9]1969. S. 35. Ähnlich: »Die Schulregeln verbieten *wenn* mit *würde,* und daran müssen wir uns halten« (Reiners, »Stilfibel«, S. 55 f.). Vgl. Nickisch (= Anm. 167), S. 334.
191 Nickisch (= Anm. 167), S. 331.
192 Ebd., S. 330; etwa Sybel, Brehm und Nadler.
193 Ebd., S. 331.
194 Hugo von Hofmannsthal: »Gotthold Ephraim Lessing. Zum 22. Januar 1929«. Bei Steinmetz (= Anm. 35), Nr. 105, S. 451–454; hier S. 452 f.
195 Nickisch (= Anm. 167), S. 331.
196 Ebd., S. 332 f.
197 Ebd., S. 334; vgl. etwa Reiners, »Stilkunst« (= Anm. 166), S. 102.
198 Siehe Anm. 2.
199 Reiners, Dudenessay (= Anm. 182), S. 7 f.
200 Nickisch (= Anm. 167), S. 336–339.
201 Reiners steht mit dieser Auffassung freilich nicht vereinzelt da. Eine Reihe der von Dvoretzky gesammelten Zeugnisse spricht durchaus dieselbe Tendenz aus. Es begegnet öfters auch der Gegensatz zwischen Form und Inhalt, der in eine Trennung beider hinausläuft. Wem der Inhalt nichts mehr zu sagen hat, der lobt dennoch die Form – und gibt damit sein eigenes Unverständnis kund. Vgl. etwa Dvoretzky (= Anm. 49), Bd. 2, Nr. 1011 Erika Mitterer an den Herausgeber (10. II. 1960), S. 520; Nr. 1012 Eugen Roth an den Herausgeber (14. II. 1960), S. 520; Nr. 1018 Max Brod an den Herausgeber (14. II. 1960), S. 522; Nr. 1024 Helene von Lerber an den Herausgeber (21. III. 1960), S. 526; vor allem Nr. 1027 Karlheinz Deschner an den Herausgeber (2. IV. 1960), S. 527; Nr. 1028 Heinz Steguweit an den Herausgeber (6. IV. 1960), S. 528.
202 Schröder (= Anm. 15).
203 Briegleb (= Anm. 2).
204 Vgl. die Kritik von Wilfried Barner in: »Germanistik« 13 (1972) H. 3., S. 504 f.
205 Diese Tendenz liegt bereits bei Franz Horn vor; vgl. Anm. 79; dezidiert dann bei Ferdinand Kürnberger:
»Und so lese ich denn schon lange meinen Lessing fast nur noch aus formalen Gründen, denn das Sachliche, insofern es bleibend, ging ja in Fleisch und Blut über; fast der halbe Lessing aber besteht leider aus Sachlichem, das vergänglich war und das veraltet ist. Wer lächelt nicht

schmerzlich, wieviel Papier ein Lessing daran wendete – um einem Epiker Dusch oder selbst einem Geheimderat Klotz ihre nebelköpfigen Dummheiten zu beweisen! Welch prächtige Donnerwetter um solcher Omelette willen!
Aber die Donnerwetter füllen mein Ohr mit ihrem erhabenen Schall! Diese Donner- und Wettersprache lese ich – etwa wie ein Römer unter Theoderich die Klassiker des Augustus las –, bloß um mir die Sprache blank zu putzen, welche reißend schnell zu verrosten droht, bloß um mich zu erinnern und mir gegenwärtig zu halten, wie man ein starkes und nachdrückliches Deutsch sprechen kann« (Ferdinand Kürnberger: »Die Blumen des Zeitungsstils«. Zitiert nach Steinmetz [= Anm. 35], S. 39).

206 Karl Wolfskehl: »Gotthold Ephraim Lessing« (1931); bei Steinmetz (= Anm. 35), Nr. 107, S. 464; vgl. auch Kuno Fischer (= Anm. 36).

207 Karl Wolfskehl: »Gesammelte Werke«. Hrsg. von Margot Ruben u. Claus Victor Bock. Bd. 2. Hamburg 1960. S. 225.

208 Vgl. Barner, Grimm u. a.: »Lessing – Arbeitsbuch« in Vorb.

209 Briegleb (= Anm. 2), S. 252.

210 Ebd., S. 249.

211 Vgl. Gunter Grimm: »Rezeptionsforschung als Ideologiekritik. Aspekte zur Rezeption Lessings in Deutschland«. In: Bernd Hüppauf u. Dolf Sternberger [Hrsg.], »Über Literatur und Geschichte. Festschrift für Gerhard Storz«. Frankfurt a. M. 1973. S. 115–150, hier S. 115.

212 A. L. Sötemann: »Adäquate Konkretisation als äußerste Grenze«. In: »Dichter und Leser. Studien zur Literatur«. Hrsg. von Ferdinand van Ingen u. a. Groningen 1972. S. 134–142, hier S. 140 f.

213 Hier wären die Anschauungen der tschechischen Strukturalisten Mukařovský und Vodička heranzuziehen; dazu vgl. den Aufsatz von Hans Günther: »Grundbegriffe der Rezeptions- und Wirkungsanalyse im tschechischen Strukturalismus«. In: »Poetica« 4 (1971) S. 224–243.

214 So Theodor W. Adorno: »Über Tradition«. In: Th. W. A., »Ohne Leitbild. Parva Aesthetica«. Frankfurt a. M. 1971. S. 29–41; heranzuziehen wären auch die betreffenden Partien in Adornos »Ästhetischer Theorie«. Frankfurt a. M. 1970 (»Gesammelte Schriften« 7), etwa S. 288 ff., 338 ff., 357 ff.

GÜNTHER MAHAL

Der tausendjährige Faust. Rezeption als Anmaßung

1 Gunter Grimm: »Rezeptionsforschung als Ideologiekritik. Aspekte zur Rezeption Lessings in Deutschland«. In: Bernd Hüppauf u. Dolf Sternberger [Hrsg.], »Über Literatur und Geschichte. Festschrift für Gerhard Storz«. Frankfurt a. M. 1973. S. 115–150, hier S. 133.

2 Ernst Beutler: »Der Kampf um die Faustdichtung«. In: E. B., »Essays um Goethe«. Zweite, erw. Aufl. Leipzig 1941. S. 350–368, hier S. 363.

3 Hans Schwerte: »Faust und das Faustische. Ein Kapitel deutscher Ideologie«. Stuttgart 1962. S. 8.

4 Ebd., S. 160 u. ö.

5 »Goethe über den Faust«. Hrsg. von Alfred Dieck. Mit einem Nachwort von Kurt Schreinert. Göttingen [2]1963. S. 18.

6 Vgl. Günther Mahal: »Mephistos Metamorphosen. Fausts Partner als Repräsentant literarischer Teufelsgestaltung«. Göppingen 1972. (»Göppinger Arbeiten zur Germanistik« Nr. 71.) Bes. S. 341 ff.

7 Spenglers Begriff des »Faustischen« – darauf hat Schwerte (= Anm. 3) mehrmals aufmerksam gemacht – wurde freilich vornehmlich, um nicht zu sagen ausschließlich in seiner positiven Dimension verwendet: als Terminus oft bombastisch-aufgeblähten Kulturbewußtseins; unterschlagen wurde dabei seine »Untergangs«-gefährdete Seite.

8 Gustav von Loeper, zitiert nach: Schwerte (= Anm. 3), S. 156.

9 Vgl. Bernhard Kummer: »Heimkehr im Schatten. Ein Lebensspiel zwischen Teufel und Gott mit einem Vorwort: ›Von Siegfried zu Faust‹«. Leipzig 1933. (»Nordische Bühne«, Bd. 2).

10 Vgl. Kurt Engelbrecht: »Faust im Braunhemd«. Leipzig 1933. (»Auftakt zur nationalen Revolution«, Bd. 14.)

11 Hermann Glaser: »Spießer-Ideologie. Von der Zerstörung des deutschen Geistes im 19. und 20. Jahrhundert«. Freiburg 1964. S. 163.

12 Hitler betonte in einem Brief an Rosenberg vom 31. Dezember 1933 dessen Pionierleistung als weltanschaulicher Autor: »Mein lieber Parteigenosse Rosenberg! Eine der ersten Voraussetzungen für den Sieg der nationalsozialistischen Bewegung war die geistige Zertrümmerung der uns gegenüberstehenden feindlichen Gedankenwelt.« Zitiert nach: Joseph Wulf, »Literatur und Dichtung im Dritten Reich. Eine Dokumentation«. Reinbek 1966. S. 170.

13 Daß es weder vor 1933 noch nach 1945 an Bezugnahmen auf das »Faustische« fehlte – während des ›Dritten Reichs‹ genügt der Hinweis auf Hermann August Korff: »Faustischer Glaube. Versuch über das Problem humaner Lebenshaltung«. Leipzig 1938 –, sollen einige wenige Titel belegen: Wilhelm Böhm: »Faust der Nichtfaustische«. Halle (Saale) 1932; Johannes Pinsk: »Krisis des Faustischen«. Berlin 1948; Gustav Würtenberg: »Goethes Faust heute. Das Ende des faustischen Menschen«. Bonn 1949; Quirin Engasser: »Der faustische Mythos. Ist Faust das heilige Buch der Deutschen?« Rosenheim 1949. – Alle nach dem Zweiten Weltkrieg erschienenen Titel nehmen mehr oder weniger explizit Stellung zur anmaßenden Hypertrophie des Begriffs vom ›Faustischen‹ während des Nationalsozialismus.

14 Eine weitere Brücke schlug die Monographie von Ludwig Jacobskötter: »Goethes Faust im Lichte der Kulturphilosophie Spenglers«. Berlin 1924. – Von Spengler führt »eine Linie bis zu dem ungeheuerlich vereinfachten und verflachten Faustbild der Hitlerzeit, die in Faust wesentlich nur noch den tatendurstigen, willensstarken Kolonisator, eine Art von geistigem Protektor des Reichsarbeitsdienstes und mythisch überhöhtem Konstantin Hierl sehen wollte«. So Würtenberg (= Anm. 13), S. 94.

15 Rudolf Radler in »Kindlers Literaturlexikon«. Bd. VII. Darmstadt o. J. S. 6560.

16 Alfred Rosenberg: »Der Mythus des 20. Jahrhunderts. Eine Wertung der seelisch-geistigen Gestaltenkämpfe unserer Zeit«. München [6]1942, S. 260.

17 Ebd., S. 515. – Das »Wesen von uns« war auch in den nationalsozialistischen »Faust«-Interpretationen so eindeutig als ein nordisch-rassisches bestimmt, daß ich darauf verzichten konnte, diesen Strang der »Einbräunung« eigens zu analysieren. Statt dessen nenne ich einige einschlägige Titel: Richard H. Grützmacher: »Goethes Faust. Ein deutscher Mythus«. Berlin 1936. (Preußische Jahrbücher. Schriftenreihe 34, 35.); Reinhard Buchwald: »Goethes Faust-Dichtung als deutscher Mythus vom Menschen«. In: R. B., »Das Vermächtnis der deutschen Klassiker«. Leipzig

1944. S. 152–186; Robert Petsch: »Nordisches und Südliches in Goethes Faust«. In: »Goethe. Vierteljahresschrift der Goethe-Gesellschaft«. Neue Folge des Jahrbuchs. 1. Bd. Weimar 1936. S. 243–263.

18 Adolf Hitler: »Mein Kampf«. Zwei Bände in einem Band. 328–329. Aufl. München 1938. S. 341: »Noch in der Zeit Friedrich des Großen fällt es keinem Menschen ein, in den Juden etwas anderes als das ›fremde‹ Volk zu sehen, und noch Goethe ist entsetzt bei dem Gedanken, daß künftig die Ehe zwischen Christen und Juden nicht mehr gesetzlich verboten sein soll. Goethe aber war denn doch, wahrhaftiger Gott, kein Rückschrittler oder gar Helot; was aus ihm sprach, war nichts anderes als die Stimme des Blutes und der Vernunft.«

19 Hermann Rauschning: »Gespräche mit Hitler«. Zürich [4]1940. S. 211.

20 Thomas Manns »Doktor Faustus« entstand während des amerikanischen Exils, ebenfalls im Exil (in Amsterdam) der »Mephisto«-Roman von Klaus Mann (1936); als drittes Werk des Widerstandes gegen das nationalsozialistische Regime und der Faust-Thematik ist Karl Kraus' »Dritte Walpurgisnacht« zu erwähnen, die 1933 abgeschlossen wurde. – Eine Übersicht über Faust-Dichtungen, die im ›Dritten Reich‹ entstanden waren, gibt André Dabezies: »Visages de Faust au XXe siècle. Littérature, idéologie et mythes«. Paris 1967. Vgl. auch Anm. 22.

21 Thomas Mann: »Goethe als Repräsentant des bürgerlichen Zeitalters«. In: Th. M., »Schriften und Reden zur Literatur, Kunst und Philosophie 2«. Frankfurt a. M. u. Hamburg 1968. S. 62 bis 89; 75.

22 André Dabezies: »Le mythe de Faust«. Paris 1972. S. 184.

23 Hans Carossa: »Wirkungen Goethes in der Gegenwart«. Leipzig 1938. Bes. S. 32 ff.; Baldur von Schirach: »Goethe an uns«. In: B. v. S., »Revolution der Erziehung«. München 1938. S. 168–180. – Aufschlußreich ist auch die Namensliste der von 1932–1945 mit der Goethe-Medaille für Kunst und Wissenschaft Ausgezeichneten; 1938 war beispielsweise Hans Friedrich Blunck dabei, 1940 Hanns Johst. Interessant, doch mir leider nicht zugänglich, wäre eine Übersicht der im ›Dritten Reich‹ im Zusammenhang mit Goethes »Faust« gestellten Abitur- und Aufsatzthemen.

24 Ich verweise auf die umfangreichen Angaben bei Heinz Kindermann: »Das Goethebild des 20. Jahrhunderts«. Zweite, verbesserte und ergänzte Ausgabe mit Auswahl-Bibliographie der Goetheliteratur seit 1952. Darmstadt 1966. – Nur einige exemplarische Titel seien genannt: Erich Weniger: »Goethe und die Generäle. Vorstudien zu einer politischen Geschichte der deutschen Bewegung«. In: »Jahrbuch des Freien Deutschen Hochstifts Frankfurt am Main« (1936/40) S. 408–593 (auch als Buch: Leipzig 1942); Heinrich Ritter von Srbik: »Goethe und das Reich«. In: »Goethe. Viermonatsschrift der Goethe-Gesellschaft«. Neue Folge des Jahrbuchs. 4. Bd. Weimar 1939. S. 211–232; Ernst Bertram: »Goethe als Gestalter deutscher Geschichte und Former deutschen Wesens«. Ebd., 1944. S. 24–53.

25 Buchwald (= Anm. 17), S. 152.

26 Ernst Beutler: »Einhundertfünfzig Jahre ›Faust‹. Über Irrwege und Umwege zum Verständnis der künstlerischen Einheit des Werks«. In: »Abendblatt und Erstes Morgenblatt der Frankfurter Zeitung« vom Sonntag, 3. November 1940, S. 4. – Karl August Meissinger: »Helena, Schillers Anteil am Faust« (Frankfurt a. M. 1935), S. 9, spricht von »unserer größten nationalen Dichtung, der einzigen deutschen Dichtung von zweifelloser Weltgeltung«.

27 Daß »Faust«-Deutung im ›Dritten Reich‹ sich nicht unbedingt mit der Staatsdoktrin verbinden mußte, zeigen neben anderen Werken Kurt May: »Faust, 2. Teil, in der Sprachform gedeutet« (Berlin 1936), und Max Kommerell: »Faust, 2. Teil. Zum Verständnis der Form« (in: M. K., »Geist und Buchstabe der Dichtung«. Frankfurt a. M. [3]1944. S. 9–74).

28 Hermann Hesse: Brief an Fräulein Anni Rebenwurzel, Köln. In: H. H., »Gesammelte Schriften«. 7. Bd. Stuttgart u. Hamburg o. J. S. 546 f.

29 Vgl. den Titel von Engasser (= Anm. 13) sowie Reinhold Schneider: »Fausts Rettung« (in: R. S., »Über Dichter und Dichtung«. Köln u. Olten 1953, S. 71–92), S. 72: »Der ›Faust‹ ist in gewissem Grade das heilige Buch eines Jahrhunderts gewesen: ist er es noch?«

30 So der Titel eines Buches von August Raabe, Bonn 1934.

31 Georg Schott: »Goethes Faust in heutiger Schau«. Stuttgart 1940. S. 19.

32 Karl Gabler: »Faust-Mephisto, der deutsche Mensch. Mit erläuternder Darlegung des romantischen und des Realinhalts von Goethes ›Faust‹«. Berlin o. J. [1938]. S. 9.

33 Schott (= Anm. 31), S. 9.

34 Vgl. den Titel in Anm. 31.

35 Schott (= Anm. 31), S. 8.

36 Ebd., S. 8.
37 »Goethe über den Faust« (= Anm. 5), S. 39.
38 Ebd., S. 32.
39 So Goethe wiederholt, bes. in seinem Tagebuch, etwa am 18. Mai 1827.
40 Schott (= Anm. 31), S. 13.
41 So schon Düntzer, zitiert nach: Grützmacher (= Anm. 17), S. 8.
42 Vgl. Rudolf G. Binding: »Von der Kraft deutschen Worts als Ausdruck der Nation«. (Rede, gehalten in der Preußischen Akademie der Künste zu Berlin am 28. April 1933.) Mainz 1936. Unpaginiert [S. 10]: »Glaub es nur, Deutscher, [...] daß du dieser Parsifal, dieser Faust, dieser Siegfried und auch dieser Hagen [...] – im Guten und im Bösen – selber bist.«
43 Hermann Burte, zitiert nach: Ernst Loewy, »Literatur unterm Hakenkreuz. Das Dritte Reich und seine Dichtung. Eine Dokumentation«. Frankfurt a. M. u. Hamburg 1969. S. 233.
44 Vgl. auch den Satz Franz Schauweckers: »Ohne die Fugen Johann Sebastian Bachs hat der Hohenfriedberger Marsch seinen Sinn verloren, ohne den Schritt der preußischen Bataillone ist der ›Faust‹ ein schönes Spiel im leeren Raum.« Zitiert nach: Klaus Vondung, »Völkisch-nationale und nationalsozialistische Literaturtheorie«. München 1973. S. 28 f.
45 Thomas Mann: »Leiden an Deutschland. Tagebuchblätter aus den Jahren 1933 und 1934«. In: Th. M., »Politische Schriften und Reden 2«. Frankfurt a. M. u. Hamburg 1968. S. 290.
46 Schwerte (= Anm. 3), S. 186: »Gewiß griff der Nationalsozialismus und seine Zuträger noch einmal propagandistisch auf diese lang und bequem zubereitete deutsch-germanische Ideologie zurück, deren unzeitgemäßen Romantizismus er ebenso zu nutzen und zu brutalisieren verstand wie die national-imperiale Ausgriffs- und Schicksalsgeste des ›faustischen Lebensdranges‹ und faustischen Tätertums. Doch neue Nuancen, die nicht schon im 19. Jahrhundert entwickelt waren, kamen kaum hinzu.«
47 Hans Volkelt: »›Auf freiem Grund mit freiem Volke stehn‹. Goethes Faust – und Deutschlands Lebensanspruch«. Leipzig 1944.
48 Schott (= Anm. 31), S. 82.
49 Grützmacher (= Anm. 17), S. 12.
50 Victor Klemperer: »›LTI‹. Die unbewältigte Sprache. Aus dem Notizbuch eines Philologen«. München 1969.
51 Volkelt (= Anm. 47), S. 1.
52 Ebd., S. 2.
53 Ebd., S. 7.
54 Ebd., S. 12.
55 Schott (= Anm. 31), S. 8.
56 Arthur Dix, zitiert nach: Wulf (= Anm. 12), S. 385.
57 Schott (= Anm. 31), S. 30; weitere ›Kostproben‹ solcher Synchronisierung S. 18, 31, 86, 102, 107. – Das »Mephistophelische« war im ›Dritten Reich‹ nicht durchgängig als Jüdisches verurteilt: Vgl. Gabler (= Anm. 32), S. 95: »Die Zweiheit Faust-Mephisto ist, da ja das Streben sowohl wie eine solche negative Stimme in jedem Menschen wohnt, zugleich ein poetisches Sinnbild des (nordischen) Menschen überhaupt, Fausts Entwicklung daher die typische Entwicklung desselben (Aufstieg, Erlösung).« Vgl. auch Wolfgang Mohr: »Mephistopheles und Loki«. In: »Deutsche Vierteljahrsschrift für Literaturwissenschaft und Geistesgeschichte« 18 (1940) S. 173 bis 200.
58 Reinhold Conrad Muschler, zitiert nach: Wulf (= Anm. 12), S. 115.
59 Vgl. Klemperer (= Anm. 50), S. 134: »Damals zuerst leuchtete mir ein, daß Bestes und Schlimmstes innerhalb des deutschen Charakters doch wohl auf einen gemeinsamen und dauernden Grundzug zurückzuführen seien. Daß es einen Zusammenhang gebe zwischen den Bestialitäten der Hitlerei und den faustischen Ausschweifungen deutscher klassischer Dichtung und deutscher idealistischer Philosophie.«
60 Schott (= Anm. 31), S. 17 f.
61 Ebd., S. 13.
62 Gabler (= Ann. 32), S. 320.
63 Schott (= Anm. 31), S. 112.
64 Volkelt (= Anm. 47), S. 20.
65 Franz Schonauer: »Deutsche Literatur im Dritten Reich. Versuch einer Darstellung in polemisch-didaktischer Absicht« (Olten u. Freiburg i. B. 1961) zählt S. 62 »den faustischen Menschen

als Prototyp des Deutschen« zu den »einschlägigen Wunschbildern«, die vom Nationalsozialismus »einem politisch und national zu kurz gekommenen Volk« vorgesetzt wurden.
66 Schott (= Anm. 31), S. 12.
67 Ebd., S. 26.
68 Ebd., S. 51.
69 Gabler (= Anm. 32), S. 316 f.
70 Johannes Bertram: »Goethes Faust im Blickfeld des XX. Jahrhunderts. Eine weltanschauliche Deutung«. Hamburg-Altona [2]1939. S. 315 f.
71 Volkelt (= Anm. 47), S. 19.
72 Dabezies (= Anm. 22), S. 185.
73 Gabler (= Anm. 32), S. 318.
74 Bertram (= Anm. 70), S. 150 f.
75 Schott (= Anm. 31), S. 41.
76 Vgl. auch Dabezies (= Anm. 22), S. 186.
77 Gabler (= Anm. 32), S. 314 – der gesamte Text in Sperrdruck.
78 Ebd., S. 315.
79 Vgl. Rudolf Erckmann: »Der Dichter im Volk«. In: »Weimarer Reden des Großdeutschen Dichtertreffens 1938«. Hamburg 1939. S. 7–16; 14 f.: »Unser Volk wird als nordisch bestimmtes ein ewig ringendes sein, und seine Kultur wird ewig vor der Aufgabe stehen, diesem Ringen bleibenden Ausdruck zu verleihen. So wie Faust am Ende des zweiten Teiles von Goethes Dichtung, ganzer Welten teilhaftig, sich dennoch und wiederum zum tätigen Leben und Streben bekennt, so wollen wir uns unablässig bemühen um größere Klarheit, um die hellere Wachheit des völkischen Gewissens und um die ständige, bessere Tat [...] *Bewußt sollte dabei der Dichter selber das Wort nehmen* [...] Wir haben diesen Weg [...] beschritten, weil uns angesichts solch gewaltiger Fragenkreise heute weniger Erkenntnisse als vielmehr Bekenntnisse weiterzuführen scheinen.«
80 Volkelt (= Anm. 47), S. 7.
81 Dorothea Lohmeyer: »Faust und die Welt. Zur Deutung des zweiten Teiles der Dichtung«. Potsdam 1938. S. 23 u. 127.
82 Gabler (= Anm. 32), S. 306 ff.
83 Bertram (= Anm. 70), S. 326 ff.
84 Schott (= Anm. 31), S. 17 f.
85 Ebd., S. 90, 95.
86 Paul Husfeldt: »Schuld und Tragik in Goethes Faust«. In: »Dichtung und Volkstum« 44 (1944) S. 19–52, hier S. 47.
87 Hans Böhm: »Zur Behandlung des ›Faust‹ in der Schule. Gespräch zwischen einem Studienassessor und seinem Tutor«. In: »Zeitschrift für Deutsche Bildung« 16 (1940) S. 162–170, hier S. 169.
88 Volkelt (= Anm. 47), S. 13.
89 Würtenberg (= Anm. 13), S. 166.
90 Für andere Genres seien als bekannte Beispiele Wagner und Nietzsche genannt.
91 Goethe an Carlyle (13. 4. 1828) und an Zelter (21. 5. 1828).
92 Bertram (= Anm. 70), S. 325.

PAUL MOG

Aspekte der ›Gemüterregungskunst‹ Joseph von Eichendorffs. Zur Appellstruktur und Appellsubstanz affektiver Texte

Eichendorffs Poetische Werke werden mit Band und Seitenzahl zitiert nach: Joseph Freiherr von Eichendorff, »Neue Gesamtausgabe der Werke und Schriften in vier Bänden«. Hrsg. von Gerhart Baumann in Verb. m. Siegfried Grosse. Stuttgart 1957/58.

1 »An die Stelle der Ordnung ist Unbestimmtheit getreten, an die Stelle der Gliederung Diffusion [...]«. Die Wirklichkeit wird aufgelöst in den »flüchtigen Chiffren ungreifbarer Gefühle.« Walther Killy: »Der Roman als romantisches Buch. Eichendorff: ›Ahnung und Gegenwart‹«. In: W. K., »Romane des 19. Jahrhunderts. Wirklichkeit und Kunstcharakter«. Göttingen 1967. S. 36–58, hier S. 38, S. 49.

2 Otto Friedrich Bollnow spricht von der stimmungshaften »Staffage« der poetischen Welt Eichendorffs, die »nicht mit einer inneren Notwendigkeit aus der dichterischen Bewältigung eines echten und ursprünglichen Wirklichkeitserlebens entspringt«. Otto Friedrich Bollnow: »Das romantische Weltbild bei Eichendorff«. In: O. F. B., »Unruhe und Geborgenheit im Weltbild neuerer Dichter. Acht Essays«. Stuttgart 1953. S. 227–259, hier S. 231.

3 Richard Alewyn: »Ein Wort über Eichendorff«. In: »Eichendorff heute. Stimmen der Forschung mit einer Bibliographie«. Hrsg. von Paul Stöcklein. Darmstadt (2., ergänzte Aufl.) 1966. S. 7–18, hier S. 9.

4 Richard Alewyn: »Eine Landschaft Eichendorffs«. In: »Eichendorff heute« (= Anm. 3), S. 19–43, hier S. 22.

5 Oskar Seidlin: »Eichendorffs symbolische Landschaft«. In: »Eichendorff heute« (= Anm. 3), S. 218–241, hier S. 219.

6 Alexander von Bormann: »Natura loquitur. Naturpoesie und emblematische Formel bei Joseph v. Eichendorff«. Tübingen 1968. (»Studien zur deutschen Literatur«. Bd. 12.) S. 239.

7 Eberhard Lämmert: »Eichendorffs Wandel unter den Deutschen. Überlegungen zur Wirkungsgeschichte seiner Dichtung«. In: »Die deutsche Romantik. Poetik, Formen und Motive«. Hrsg. von Hans Steffen. Göttingen 1967. S. 219–252, hier S. 227.

8 Ebd., S. 237.

9 Novalis: »Werke, Briefe, Dokumente«. Hrsg. von Ewald Wasmuth. Bd. 2: »Fragmente I«, Heidelberg 1957. S. 366: »Poesie gleich Gemüterregungskunst«.

10 Vgl. Dieter Kafitz: »Wirklichkeit und Dichtertum in Eichendorffs ›Ahnung und Gegenwart‹. Zur Gestalt Fabers«. In: »Deutsche Vierteljahrsschrift für Literaturwissenschaft und Geistesgeschichte« 55 (1971) S. 350–374.

11 »Die Poesie liegt vielmehr in einer fortwährend begeisterten Anschauung und Betrachtung der Welt und der menschlichen Dinge [...]« (II, 142).

12 Alewyn (= Anm. 4), passim.

13 Erwin Leibfried: »Kritische Wissenschaft vom Text. Manipulation, Reflexion, Transparente Poetologie«. Stuttgart 1970. S. 307.

14 Lämmert (= Anm. 7), S. 237.

15 Wolfgang Iser: »Die Appellstruktur der Texte. Unbestimmtheit als Wirkungsbedingung literarischer Prosa«. Konstanz 1970. S. 8.

16 Gerhard Kaiser: »Nachruf auf die Interpretation? Wolfgang Iser: Die Appellstruktur der Texte« (Rezension). In: »Poetica« 4 (1971) S. 267–277, hier S. 271.

17 August Wilhelm Schlegel: »Kritische Schriften und Briefe«. Hrsg. von Edgar Lohner. Bd. 2: »Die Kunstlehre«. Stuttgart 1963. S. 226.

18 Vgl. Ludwig Klages: »Die Sprache als Quell der Seelenkunde«. Zürich 1948. S. 179–194.

19 Otto Friedrich Bollnow: »Das Wesen der Stimmungen«. Frankfurt a. M. 1941. S. 22.

20 Ludwig Binswanger: »Das Raumproblem in der Psychopathologie«. In: L. B., »Ausgewählte Vorträge und Aufsätze«. Bd. 2. Bern 1955. S. 200.

21 Alewyn (= Anm. 4), S. 32.

22 Ebd., S. 41.

23 Vgl. II, 355; II, 367; II, 423.

24 Friedrich Schiller: »Über Matthissons Gedichte«. In: F. S., »Werke«. Bd. 4: »Schriften«. Frankfurt a. M. 1966. S. 401–418, hier S. 407.
25 Ebd., S. 407 f.
26 Vgl. Art. ›stimmen 2‹ bei Friedrich Kluge u. Walther Mitzka: »Etymologisches Wörterbuch der deutschen Sprache«. Berlin [20]1967. S. 750.
27 Novalis (= Anm. 9), S. 316.
28 Leo Spitzer: »Classical and Christian Ideas of World Harmony. Prolegomena to an Interpretation of the Word ›Stimmung‹«. Mit einem Vorwort von René Wellek hrsg. von Anna Granville Hatcher. Baltimore 1963.
29 Vgl. dazu auch Reinhold Hammerstein: »Die Musik der Engel. Untersuchungen zur Musikanschauung des Mittelalters«. Bern u. München 1962.
30 Richard Erny: »Lyrische Sprachmusikalität als ästhetisches Problem der Vorromantik«. In: »Jahrbuch der Deutschen Schiller-Gesellschaft« 2 (1958) S. 114–144.
31 Johann Gottfried Herder: »Kritische Wälder. Viertes Wäldchen«. In: J. G. H., »Sämtliche Werke«. Hrsg. von Bernhard Suphan. Bd. 4. Berlin 1878. S. 166.
32 Schiller (= Anm. 24), S. 404.
33 Ebd., S. 409.
34 Dieser Zusammenhang kann in »Ahnung und Gegenwart« überdeutlich hervortreten und zu einem allegorischen Tableau oder Denkmal erstarren. Vgl. dazu Horst Meixner: »Romantischer Figuralismus. Kritische Studien zu Romanen von Arnim, Eichendorff und Hoffmann«. Frankfurt a. M. 1971. (»Ars Poetica. Texte und Studien zur Dichtungslehre und Dichtkunst«. Bd. 13.) S. 105–113.
35 Binswanger (= Anm. 20), S. 200.
36 Seidlin (= Anm. 5), S. 232
37 Joseph von Eichendorff: »Der deutsche Roman des achtzehnten Jahrhunderts in seinem Verhältniß zum Christenthum«. In: »Sämtliche Werke des Freiherrn J. von Eichendorff. Literaturhistorische Schriften«. Bd. 8/2. Hrsg. von Wolfram Mauser. Regensburg 1965. S. 80 f.
38 Johann Wolfgang Goethe: »Die Leiden des jungen Werther«. In: J. W. G., »Werke«. Hamburger Ausgabe. Bd. 6. Hamburg [5]1963. S. 116.
39 Johann Caspar Lavater: »Physiognomische Fragmente zur Beförderung der Menschenkenntnis und Menschenliebe«. Leipzig u. Winterthur 1775–78. Hier: 2. Fragment. 4. Versuch. 1778. S. 83.
40 Immanuel Kant: »Kritik der Urteilskraft«. Hrsg. von Karl Vorländer. Hamburg 1963. § 49. S. 173.
41 Ebd., § 46, S. 160.
42 Odo Marquard: »Zur Bedeutung der Theorie des Unbewußten für eine Theorie der nicht mehr schönen Kunst«. In: »Die nicht mehr schönen Künste. Grenzphänomene des Ästhetischen«. Hrsg. von Hans Robert Jauß. München 1968. (»Poetik und Hermeneutik« Bd. 3.) S. 375–392, hier S. 384.
43 Ebd., S. 385.
44 Ebd., S. 385 f.
45 Eichendorff: »Die zwei Gesellen« (I, 63).
46 Eichendorff: »Nachtzauber« (I, 228).
47 Friedrich Carl Scheibe: »Symbolik der Geschichte in Eichendorffs Dichtung«. In: »Literaturwissenschaftliches Jahrbuch der Görres-Gesellschaft«; NF 6 (1965) S. 155–177.
48 Manfred Beller: »Narziß und Venus. Klassische Mythologie und romantische Allegorie in Eichendorffs Novelle ›Das Marmorbild‹«. In: »Euphorion« 62 (1968) S. 117–142.
49 Peter Paul Schwarz: »Aurora. Zur romantischen Zeitstruktur bei Eichendorff«. Bad Homburg v. d. H. 1970. (»Ars Poetica. Texte und Studien zur Dichtungslehre und Dichtkunst«. Bd. 12.) S. 193–202.
50 Alewyn (= Anm. 3), S. 17.
51 Theodor W. Adorno: »Zum Gedächtnis Eichendorffs«. In: Th. W. A., »Noten zur Literatur I«. Frankfurt a. M. 1958. S. 105–143, hier S. 119.
52 Max Horkheimer u. Theodor W. Adorno: »Dialektik der Aufklärung. Philosophische Fragmente«. Amsterdam [2]1968. S. 47.
53 Eichendorff: »Zwielicht« (I, 11).
54 Schiller (= Anm. 24), S. 404.

55 Oskar Seidlin: »Eichendorff und das Problem der Innerlichkeit«. In: O. S., »Klassische und moderne Klassiker«. Göttingen 1972. S. 61–82, hier S. 62.
56 Alewyn (= Anm. 3), S. 17.
57 Robert Musil: »Der deutsche Mensch als Symptom«. Aus dem Nachlaß hrsg. von der Vereinigung Robert-Musil-Archiv Klagenfurt. Reinbek [2]1967. S. 52.
58 Norbert Elias: »Über den Prozeß der Zivilisation. Soziogenetische und psychogenetische Untersuchungen«. Bd. 1. 2. Zweite, um eine Einleitung vermehrte Aufl. Bern u. München 1969. Bd. 1, S. 63 der Einleitung.
59 Im Zeitraum von 1850 bis 1925 erlebte der »Taugenichts« etwa hundert Neuauflagen und Neudrucke. Vgl. Lämmert (= Anm. 7), S. 221.
60 Thomas Mann: »Betrachtungen eines Unpolitischen«. In: Th. M., »Politische Schriften und Reden I«. Frankfurt a. M. 1968, S. 284.
61 Alexander von Bormann: »Philister und Taugenichts. Zur Tragweite des romantischen Antikapitalismus«. In: »Aurora. Jahrbuch der Eichendorff-Gesellschaft« 30 (1970) S. 94–112, hier S. 102.
62 Friedrich Schiller: »Über naive und sentimentalische Dichtung«. In: F. S. (= Anm. 24), S. 287–368, hier S. 303. »Das Gefühl, von dem hier die Rede ist, ist also nicht das, was die Alten hatten; es ist vielmehr einerlei mit demjenigen, welches wir *für die Alten haben.* Sie empfanden natürlich; wir empfinden das Natürliche.«
63 Bormann (= Anm. 61), S. 100.
64 Wolf Lepenies: »Soziologische Anthropologie. Materialien«. München 1971. S. 109–114.
65 Bormann (= Anm. 61), S. 103.

HORST TURK

Das politische Drama des »Danton«. Geschichte einer Rezeption

Büchners Werke werden mit Band und Seitenzahl zitiert nach: Georg Büchner, »Sämtliche Werke und Briefe«. Historisch-kritische Ausgabe mit Kommentar in vier Bänden, hrsg. von Werner R. Lehmann. Darmstadt 1969 f.

1 Hans-Georg Gadamer: »Wahrheit und Methode. Grundzüge einer philosophischen Hermeneutik«. Tübingen ²1965. S. 285: »Aber aufs Ganze gesehen, hängt die Macht der Wirkungsgeschichte nicht von ihrer Anerkennung ab. Das gerade ist die Macht der Geschichte über das endliche menschliche Bewußtsein, daß sie sich auch dort durchsetzt, wo man im Glauben an die Methode die eigene Geschichtlichkeit verleugnet. Die Forderung, sich dieser Wirkungsgeschichte bewußt zu werden, hat gerade darin ihre Dringlichkeit – sie ist eine notwendige Forderung für das wissenschaftliche Bewußtsein.« Zur Kritik dieses Standpunkts unter dem Aspekt einer soziologischen und wissenschaftstheoretischen Hermeneutik vgl. »Hermeneutik und Ideologiekritik«. Mit Beiträgen von Karl-Otto Apel u. a. Frankfurt a. M. 1971. (Theorie-Diskussion.)

2 Hans Robert Jauß: »Racines und Goethes Iphigenie. Mit einem Nachwort über die Partialität der rezeptionsgeschichtlichen Methode«. In: »neue hefte für philosophie« (1973) H. 4, S. 1–46, hier S. 34: »Die Fragerichtung der aneignenden Rezeption verläuft vom Leser zum Text; wer sie verkehrt, fällt nicht allein in den Substantialismus monologisch sich selbst fortzeugender ewiger Fragen und bleibender Antworten zurück [...], sondern verkennt auch, daß die Potentialität des Kunstcharakters die unmittelbar gestellte und vernehmbare Frage ausschließt.« Zum Problem einer Auflösung des philologischen Textbegriffs vgl. neben der bei Jauß (»Partialität«, S. 30) angegebenen Literatur: Gerhard Kaiser, »Nachruf auf die Interpretation?« (Rez. zu W. Iser, »Die Appellstruktur der Texte«). In: »Poetica« 4 (1971) S. 267–277. (Jauß: »Racines und Goethes Iphigenie ...« im folgenden zitiert als : »Partialität«.)

3 Gadamer (= Anm. 1), S. 290 ff.

4 Jauß: »Partialität« (= Anm. 2), S. 3.

5 Gadamer (= Anm. 1), S. 292: »Ein Gesetz will nicht historisch verstanden werden, sondern soll sich in seiner Rechtsgeltung durch die Auslegung konkretisieren. Ebenso will ein religiöser Verkündigungstext nicht als ein bloßes historisches Dokument aufgefaßt werden, sondern er soll so verstanden werden, daß er seine Heilswirkung ausübt. [...] Verstehen ist hier immer schon Anwenden.« Vgl. auch ebd., S. 307: »Der Interpret, der es mit einer Überlieferung zu tun hat, sucht sich dieselbe zu applizieren.«

6 Jauß: »Literaturgeschichte als Provokation der Literaturwissenschaft«. In: H. R. J., »Literaturgeschichte als Provokation«. Frankfurt a. M. ³1973. S. 144–204, S. 178. (Im folgenden zitiert als: »Provokation«.) Zum ›Ereignischarakter‹ vgl. ebd., S. 172 f.

7 Gadamer (= Anm. 1), S. 275 f.

8 Jauß: »Partialität« (= Anm. 2), S. 3.

9 Dazu vgl. Horst Turk: »Wirkungsästhetik: Aristoteles, Lessing, Schiller, Brecht. Theorie und Praxis einer politischen Hermeneutik«. In: »Jahrbuch der Schillergesellschaft« 17 (1973) S. 519 bis 531.

10 Jauß: »Provokation« (= Anm. 6), S. 178, vgl. auch ders.: »Partialität« (= Anm. 2), S. 4.

11 »Diese zu erstreben, auch für diejenigen Stufen des Menschen, welche Natur sind, ist die Aufgabe der Weltpolitik, deren Methode Nihilismus zu heißen hat« (Walter Benjamin: »Theologisch-politisches Fragment«. Zitiert nach: W. B., »Schriften«. Hrsg. von Theodor W. Adorno u. Gretel Adorno. Frankfurt a. M. 1955. Bd. 1. S. 511 f.).

12 Georg Lukács: »Der faschistisch verfälschte und der wirkliche Georg Büchner. Zu seinem hundertsten Todestag am 19. Februar 1937«. In: »Georg Büchner«. Hrsg. von Wolfgang Martens. Darmstadt 1969. (»Wege der Forschung« LIII.) S. 197–224, hier S. 212, vgl. auch S. 209.

13 Ebd., S. 209; vgl. dazu G. W. F. Hegel: »Vorlesungen über die Ästhetik«. Zitiert nach: G. W. F. Hegel, »Werke in 20 Bänden« (Theorie-Werkausgabe). Frankfurt a. M. 1970. Bd. 15. S. 549 f.: »Die vollständigste Art dieser Entwicklung ist dann möglich, wenn die streitenden Individuen, ihrem konkreten Dasein nach, an sich selbst jedes als Totalität auftreten, so daß sie an sich selber in der Gewalt dessen stehen, wogegen sie ankämpfen, und daher das verletzen, was sie ihrer eigenen Existenz gemäß ehren sollten. So lebt z. B. Antigone in der Staatsgewalt Kreons; sie selbst ist

Königstochter und Braut des Hämon, so daß sie dem Gebot des Fürsten Gehorsam zollen sollte. Doch auch Kreon, der seinerseits Vater und Gatte ist, müßte die Heiligkeit des Bluts respektieren und nicht das befehlen, was dieser Pietät zuwiderläuft. So ist beiden an ihnen selbst das immanent, wogegen sie sich wechselweise erheben, und sie werden an dem selber ergriffen, und gebrochen, was zum Kreise ihres eigenen Daseins gehört. Antigone erleidet den Tod, ehe sie sich des bräutlichen Reigens erfreut, aber auch Kreon wird an seinem Sohne und seiner Gattin gestraft, die sich den Tod geben, der eine um Antigones, die andere um Hämons Tod. Von allen Herrlichkeiten der alten und modernen Welt – ich kenne so ziemlich alles, und man soll es und kann es kennen – erscheint mir nach dieser Seite die Antigone als das vortrefflichste, befriedigendste Kunstwerk.«

14 Lukács (= Anm. 12), S. 213.

15 Ebd.

16 Karl Marx: »Kritik des Hegelschen Staatsrechts«. Zitiert nach: Karl Marx u. Friedrich Engels, »Werke«. Berlin 1968 ff. Bd. 1. S. 319.

17 Marx: »Ökonomisch-philosophische Manuskripte aus dem Jahr 1844« (= Anm. 16), Ergänzungsbd., 1. Teil, S. 553.

18 Marx: »Zur Judenfrage« (= Anm. 16), Bd. 1, S. 369.

19 Vgl. Georg Lukács: »Das Problem der Perspektive« (in: G. L., »Essays über Realismus« [»Werke«, Bd. 4]. Neuwied u. Berlin 1971. S. 651–658); »Probleme der Ästhetik« (»Werke«, Bd. 10). Neuwied u. Berlin 1969. S. 539–786.

20 Zum Verhältnis von poetischer und dialektischer Erkenntnis vgl. Hegel: »Vorlesungen über die Ästhetik« (= Anm. 13), S. 244: »Das Denken aber hat nur Gedanken zu seinem Resultat, es verflüchtigt die Form der Realität zur Form des reinen Begriffs, und wenn es auch die wirklichen Dinge in ihrer wesentlichen Besonderheit und ihrem wirklichen Dasein faßt und erkennt, so erhebt es dennoch auch dies Besondere in das allgemeine ideelle Element, in welchem allein das Denken bei sich selber ist. Dadurch entsteht der erscheinenden Welt gegenüber ein neues Reich, das wohl die Wahrheit des Wirklichen, aber eine Wahrheit ist, die nicht wieder im *Wirklichen* selbst als gestaltende Macht und eigene Seele desselben offenbar wird. Das Denken ist nur eine Versöhnung des Wahren und der Realität im *Denken*, das poetische Schaffen und Bilden aber eine Versöhnung in der wenn auch nur geistig vorgestellten Form *realer Erscheinung* selber.« Vgl. zum Sich-Darstellen der Sache im dialektischen Erkennen aus der Vorrede zur »Phänomenologie des Geistes«: »Das wissenschaftliche Erkennen erfordert aber vielmehr, sich dem Leben des Gegenstandes zu übergeben, oder, was dasselbe ist, die innere Notwendigkeit desselben vor sich zu haben und auszusprechen« (Hegel: »Werke« [= Anm. 13], Bd. 3, S. 52).

21 Vgl. Lukács (= Anm. 12), S. 197 f.

22 Reinhard Koselleck: »Kritik und Krise. Ein Beitrag zur Pathogenese der bürgerlichen Welt«. München [2]1955.

23 Karl Viëtor: »Die Tragödie des heldischen Pessimismus. Über Büchners Drama ›Dantons Tod‹«. In: »Georg Büchner« (= Anm. 12), S. 98–137, hier S. 127. – Die folgenden Zitate ebd., S. 127–133.

24 Helmut Krapp: »Der Dialog bei Georg Büchner«. Darmstadt 1958. S. 20.

25 Wolfgang Martens: »Ideologie und Verzweiflung. Religiöse Motive in Büchners Revolutionsdrama«. In: »Georg Büchner«. Hrsg. von W. M. Darmstadt 1969. (»Wege der Forschung« LIII.) S. 406–442.

26 Martens (= Anm. 12), S. 431, Anm. 31. Vgl. Karl Mannheim: »Ideologie und Utopie«. Bonn 1929.

27 Martens (= Anm. 12), S. 424.

28 Ebd., S. 422.

29 Ebd., S. 427.

30 Ebd., S. 422.

31 Vgl. dazu Wolfgang Wittkowski: »Georg Büchners Ärgernis«. In: »Jahrbuch der deutschen Schillergesellschaft« 17 (1973) S. 362–383.

32 Zur Realisation im Zusammenhang der Säkularisationsthematik vgl. Dorothee Sölle: »Realisation. Studien zum Verhältnis von Theologie und Dichtung nach der Aufklärung«. Darmstadt u. Neuwied 1973.

33 Aristoteles: »Poetik«. 9. Kapitel.

34 Ebd., 25. Kapitel.

35 Lessing: »Hamburgische Dramaturgie«. 33. Stück.

36 Krapp (= Anm. 24), S. 60.
37 Ebd., S. 116 ff.
38 Ebd., S. 51.
39 Ebd., S. 59.
40 Erich Auerbach: »Mimesis. Dargestellte Wirklichkeit in der abendländischen Literatur«. Bern u. München [4]1967. Vgl. Krapp (= Anm. 24), S. 14.
41 Krapp (= Anm. 24), S. 137. Vgl. auch S. 33.
42 Ebd., S. 127.
43 Ebd., S. 60 f.
44 Ebd., S. 37.
45 Auerbach (= Anm. 40), S. 515.
46 Ebd., S. 25.
47 Ebd., S. 50.
48 Ebd., S. 187.
49 Ebd., S. 43, 47 u. ö.
50 Ebd., S. 74. Mit Bezug auf die Inkarnation S. 46.
51 Ebd., S. 193.
52 Hierzu und im folgenden vgl. Heinrich Lausberg: »Handbuch der literarischen Rhetorik«. München 1960. §§ 1078–1082; ders.: »Elemente der literarischen Rhetorik«. München [2]1963. §§ 465 bis 469; vgl. ferner Klaus Dockhorn: »Die Rhetorik als Quelle des vorromantischen Irrationalismus in der Literatur- und Geistesgeschichte«. In: K. D.: »Macht und Wirkung der Rhetorik« Bad Homburg v. d. H., Berlin u. Zürich 1968. (»res publica literaria« II.) S. 46–95; ders.: Rez. zu Lausberg, »Handbuch der literarischen Rhetorik«. In: »Göttingische Gelehrte Anzeigen« 214 (1962) S. 177–196.
53 Dockhorn: »Die Rhetorik als Quelle ...« (= Anm. 52), S. 56.
54 Friedrich Schiller: »Über Anmut und Würde«. Zitiert nach: »Sämtliche Werke«. Hrsg. von Gerhard Fricke u. Herbert Georg Göpfert. München 1959. Bd. 5. S. 479.
55 Ebd., S. 478.
56 Dockhorn: »Die Rhetorik als Quelle ...« (= Anm. 52), S. 49 ff. Zur Lehre vom ›aptum‹ vgl. ferner Lausberg: »Handbuch« (= Anm. 52), §§ 1055–1062; ders.: »Elemente ...« (= Anm. 52), § 464.
57 Auerbach (= Anm. 40), S. 47.
58 Krapp (= Anm. 24), S. 26.
59 Schiller (= Anm. 54), S. 480 f.
60 Über den wirkungsästhetischen Sinn dieser Aussöhnung vgl. Horst Turk: »Literatur und Praxis. Versuch über eine Theorie der literarischen Wirkung«. In: »Fragen der Germanistik. Zur Begründung und Organisation des Faches«. Mit Beiträgen von Gerhard Kaiser u. a. München 1971. S. 96–129, S. 117 ff. Wiederabdruck in: »Ästhetische Erfahrung und literarisches Lernen«. Hrsg. von Wilhelm Dehn. Frankfurt a. M. 1974. S. 90–108.
61 Jauß: »Partialität« (= Anm. 2), S. 34: »Der Prozeß der Vermittlung von Wirkung und Rezeption eines Kunstwerks ist ein Dialog zwischen einem gegenwärtigen und einem vergangenen Subjekt, in dem das letztere dem ersteren erst wieder ›etwas sagen‹ kann (nach Gadamer: etwas so sagen kann, als sei es eigens ihm gesagt), wenn das gegenwärtige Subjekt die in der vergangenen Rede implizierte Antwort als Antwort auf eine jetzt und von ihm zu findende Frage erkennt und stellt.«
62 Ebd., S. 34.
63 An diesem Punkt setzt sich Jauß – als Philologe – vom Sinn »des begrifflichen Instrumentariums der Systemtheorie von N. Luhmann« ab. Er verwendet dieses Instrumentarium »mit der Einschränkung, daß die Traditionsbildung im Bereich der Kunst geeignet ist, gegen die unbestimmte Offenheit der Systemtheorie die Partialität aller Erfahrungshorizonte zur Geltung zu bringen: Selektion im sinnkonstituierenden Verhalten steht einer immer schon vorselegierten Welt gegenüber, die sich schwerlich anders als historisch erklären läßt« (ebd., S. 37, Anm. 53).
64 Ebd., S. 3. Jauß übernimmt den Begriff der ›Konkretisation‹ von Roman Ingarden (R. I.: »Vom Erkennen des literarischen Kunstwerks«. Tübingen 1968. S. 49 ff.), verwendet ihn aber in einer dem Prager Strukturalismus angenäherten Bedeutung zur Bezeichnung des »immer neuen Charakter[s], den das Werk in seiner ganzen Struktur [!] unter veränderten geschichtlich-gesellschaftlichen Rezeptionsbedingungen erhalten kann«.

65 Der systemtheoretische Ansatz der Rezeptionsästhetik hat verschiedene Ausgangspunkte: den Formalismus (vgl. vor allem Jauß: »Provokation« [= Anm. 6], S. 164 ff.), die Phänomenologie (vgl. vor allem Wolfgang Iser: »Der implizite Leser«. München 1972. S. 69 u. ö.; vgl. auch oben Anm. 64), die Historismus-Kritik (Hans Blumenberg: »Die Legitimität der Neuzeit«. Frankfurt a. M. 1966; vgl. Jauß: »Provokation« [= Anm. 6], S. 192) und die Kommunikationssoziologie (Niklas Luhmann: »Sinn als Grundbegriff der Soziologie«. In: Jürgen Habermas u. N. L., »Theorie der Gesellschaft oder Sozialtechnologie – Was leistet die Systemforschung?« Frankfurt a. M. 1971 [Theorie-Diskussion]; vgl. oben Anm. 63). Die Historismus-Kritik setzt die Rezeptionsästhetik von der Geschichte frei, indem sie die Erwartungsstruktur der historischen Rede aus dem Standpunkt einer Kommunikation über die historische Rede destruiert. Die Kommunikationssoziologie bietet eine Möglichkeit, die Geschichte in das System zu integrieren, indem sie die Gesellschaft als ›sinnkonstituierendes‹ System auffaßt.

66 Niklas Luhmann: »Religiöse Dogmatik und gesellschaftliche Evolution«. In: Karl-Wilhelm Dahm, Niklas Luhmann u. Dieter Stoodt, »Religion – System und Sozialisation«. Darmstadt u. Neuwied 1972. (»Theologie und Politik« II.) S. 15–132, S. 18: »Durch Konstitution von Sinn wird die Unabschließbarkeit der Verweisung auf andere Möglichkeiten mitkonstituiert. Ihre Offenheit gehört zu den ›Kosten‹ eines selektionsbewußten Verhältnisses von System und Umwelt und variiert mit der Selektionsleistung.« Ders.: »Sinn als Grundbegriff der Soziologie«. In: Habermas/Luhmann (= Anm. 65), S. 25–100, hier S. 30: »Was es zu verstehen und im Begriff der Konstitution zu fassen gilt, ist jenes Verhältnis einer selektiv verdichteten Ordnung zur Offenheit anderer Möglichkeiten, und zwar als ein Verhältnis des Wechselseitig-sich-Bedingenden, des Nur-zusammen-Möglichen.«

67 Jauß: »Partialität« (= Anm. 2), S. 32 f.

68 Das Problem des phänomenologischen Systemrationalismus ist die Offenheit des Systems. Um sie zu denken, muß er das System ›grundlos‹ denken, d. h. durch sich selbst hervorgebracht ohne Anfang in Raum oder Zeit (Niklas Luhmann: »Systemtheoretische Argumentationen. Eine Entgegnung auf Jürgen Habermas«. In: Habermas/Luhmann, »Theorie der Gesellschaft ...« [= Anm. 65], S. 379 f.), und er muß das System als ein sich selbst erhaltendes denken, d. h. als Reduktion, Konstitution und Erhaltung von ›Umweltkomplexität‹ zugleich. Jauß ›reduziert‹ das Phänomen der Sinnkonstitution, ohne das Negierte zu ›erhalten‹, wenn er das Problem ausschließlich als ein Problem der Sinnverkürzung auffaßt und gegen die Offenheit des Luhmannschen Systems die ›immer schon vorselegierte Welt‹ des Kunstwerks einwendet (vgl. oben Anm. 63).

69 Luhmann: »Sinn als Grundbegriff ...« (= Anm. 65), S. 99. Vgl. ebd., S. 35 ff., S. 35: »Die Konstitution einer solchen das Erleben beständig-gegenwärtig begleitenden Welt von augenblicklich inaktuellen Potentialitäten beruht auf der eigentümlich-menschlichen Fähigkeit zur *Negation.*« Die Frage, »was Negativität ›an sich‹ ist«, läßt Luhmann ungeklärt (ebd., Anm. 6 zur logischen, Anm. 7 zur psychologischen, S. 36, Anm. 8 zur sprachlichen Herleitung). Die systemrationale Analyse beschränkt sich auf eine Beschreibung der Funktion der Negativität. Sie erklärt, warum die ›Fähigkeit zur Negation‹ entscheidend für den kommunikativen Prozeß einer Sinnkonstituierung ist: »Negation ist eine reflexive, und zwar eine notwendig reflexive Prozeßform des Erlebens. Sie kann auf sich selbst angewandt werden, und diese Möglichkeit der Negation von Negation ist für Erleben, das überhaupt negieren kann, unverzichtbar. Das aber besagt, daß alle Negation in einer unaufhebbaren Vorläufigkeit verbleibt und den Zugang zum Negierten nicht ausschließt. Nur die Zeit, nicht die Negation, eliminiert Möglichkeiten definitiv« (ebd., S. 36). Als ›negierbare‹ Negation leistet die Negation, was der Sinnkonstitution als Systemleistung zugedacht werden soll. Sie reduziert, konstituiert und erhält in einem Akt die ›Umweltkomplexität‹. »Zunächst und vor allem fungiert Negation als sicherndes Begleiterleben bei allen Zuwendungen. Im Zugriff auf ein bestimmtes Ding bin ich sicher, daß ›alles andere‹ erhalten bleibt – sowohl das Vorhandene, das im Moment nicht interessiert, als auch das Nichtvorhandene, besonders die nichtvorhandene Gefahr, deren laufende Negierbarkeit mir überhaupt erst andere Zuwendungen gestattet« (ebd., S. 36).

70 Ebd. Die ›Negation von Negation‹ ist nicht mit der ›bestimmten Negation‹ Hegels oder Adornos zu verwechseln. In den Begriffen Luhmanns gesprochen, läßt sich sagen, daß die Systemtheorie die Reflexivität der Negation nicht als ein ›Handeln‹ in der Zeit, sondern als ein ›Erleben‹ in der Zeit auffaßt (ebd., S. 77). Es ergibt sich jedoch die Schwierigkeit, daß die reflexive Negativität als ›Erleben‹ nicht dem System zugerechnet werden kann. Denn das System geht – via negationis – aus dem ›Erleben‹ hervor.

71 Theodor W. Adorno: »Ästhetische Theorie«. Frankfurt a. M. 1970. (»Gesammelte Schriften« 7.) S. 200: »Der Wahrheitsgehalt der Kunstwerke, als Negation ihres Daseins, ist durch sie vermittelt, aber sie teilen ihn nicht wie immer auch mit. Wodurch er mehr ist als von ihnen gesetzt, ist ihre Methexis an der Geschichte und die bestimmte Kritik, die sie durch ihre Gestalt daran üben. Was Geschichte ist an den Werken, ist nicht gemacht, und Geschichte erst befreit es von bloßer Setzung oder Herstellung [...].«

72 Jauß: »Provokation« (= Anm. 6), S. 200 f., sieht darin die ›gesellschaftsbildende Funktion der Literatur‹ verbürgt.

73 Unter dem Gesichtspunkt des Handelns ist die ›Negation der Negation‹ bei Hegel und Adorno gedacht: als »ausdrückliche Negation von bestimmtem Sinn«, wie es bei Luhmann heißt, die nach Luhmann »ein wohl erst durch Sprache möglicher Sonderfall« ist (Luhmann, »Sinn als Grundbegriff ...« [= Anm. 65], S. 37). Zur Kritik des Pragmatismus unter dem Gesichtspunkt der bestimmten Negation vgl. Horst Turk: »Die handlungstheoretischen Grundlagen der Poetik in Hegels ›Ästhetik‹«. In: »Kulturwissenschaftliche Germanistik«. Hrsg. von A. Wierlacher. [Erscheint demnächst.]

74 Vgl. dagegen Krapp (= Anm. 24), S. 120 f.

75 Hierzu und im folgenden vgl. Paul Watzlawick, Janet H. Beavin u. Don D. Jackson: »Menschliche Kommunikation. Formen, Störungen, Paradoxien«. Bern, Stuttgart u. Wien [3]1972.

76 Zum Unterschied zwischen ›Inhalts‹- und ›Beziehungsaspekt‹ der Kommunikation vgl. ebd., S. 53 ff., zur Definition der Beziehung durch die Beziehungspartner ebd., S. 127 ff.

77 Zu verschiedenen Formen der Metakommunikation vgl. ebd. (= Anm. 99), S. 79 ff., zur Unumgänglichkeit der Metakommunikation S. 55 f.

78 Nach Watzlawick (= Anm. 75), S. 98 ff., ist ein wesentliches Merkmal der menschlichen Kommunikation die Fähigkeit zur Negation. Zur Reflexivität vgl. ebd., S. 171 ff. die Ausführung zu den ›Paradoxien‹ der menschlichen Kommunikation. Vgl. ferner zur Erwartungserwartung Luhmann: »Sinn als Grundbegriff ...« (= Anm. 65), S. 63: »Soziale Strukturen haben nicht die Form von Verhaltenserwartungen, geschweige denn von Verhaltensweisen, sondern die Form von Erwartungserwartungen; sie können jedenfalls erst auf dieser Ebene des reflexiven Erwartens integriert und erhalten werden.«

79 Dazu vgl. I, 12: »Camille. Wenn du das weißt, warum hast du den Kampf begonnen?«

80 Vgl. Krapp (= Anm. 24), S. 68 ff. u. ö.

81 Emil Staiger: »Grundbegriffe der Poetik«. Zürich [3]1956. S. 151: »Der pathetische Mensch, so müssen wir sagen, ist bewegt von dem, was sein soll; und seine Bewegung ist gerichtet wider das Bestehende.«

82 Vgl. auch I, 60: »Danton. Wär' es ein Kampf, daß die Arme und Zähne einander packten! aber es ist mir, als wäre ich in ein Mühlwerk gefallen und die Glieder würden mir langsam systematisch von der kalten physischen Gewalt abgedreht. So mechanisch getödtet zu werden!«

83 Vgl. I, 48: »Payne. [...] Merke dir es, Anaxagoras, warum leide ich? Das ist der Fels des Atheismus. Das leiseste Zucken des Schmerzes und rege es sich nur in einem Atom, macht einen Riß in der Schöpfung von oben bis unten.« Das ›Philosophengespräch‹ mündet – bevor Danton auftritt – in die Nihilismusthese: »Herault. O Philosoph Anaxagoras, man könnte aber auch sagen, damit Gott Alles sey, müsse er auch sein eignes Gegentheil seyn, d. h. vollkommen und unvollkommen, bös und gut, seelig und leidend, das Resultat freilich würde gleich Null seyn, es würde sich gegenseitig heben, wir kämen zum Nichts. Freue dich, du kömmst glücklich durch [...]« (I, 49).

84 Zur sozialpsychologischen Ausarbeitung dieses Gesichtspunkts beim jungen Marx vgl. Marx (= Anm. 17), S. 532 ff.

85 In diesem Sinn definiert Luhmann die Funktion der Sprache im System der Kommunikation. Luhmann: »Sinn als Grundbegriff ...« (= Anm. 65), S. 43: »Sprache ist eine sekundäre, dann freilich alle höhere Evolution von Sinn fundierende Spezialisierung des Kommunikationsprozesses. Sie macht es möglich, Kommunikation aus sonstigem Handeln auszudifferenzieren, und sie vervielfältigt dadurch die Zahl der Verhaltensweisen, mit denen man andere informieren kann, ins praktisch Beliebige. Dadurch erst kann Sinn entkonkretisiert und selbst zum Inhalt von Bewußtseinsprozessen gemacht werden, so daß Sinn auch die Selektivität von Sinn noch regulieren kann.« Diese Negativität der Kommunikation aus den Voraussetzungen der Sprache aufzuheben ist das Bestreben von Jürgen Habermas, wenn er in den »Vorbereitenden Bemerkungen zu einer Theorie der kommunikativen Kompetenz«, ausgehend von der Searleschen Sprechakttheorie, gegen

Luhmann einwendet: »Allerdings dienen die pragmatischen Universalien, indem wir die Sprechsituation mit ihrer Hilfe erzeugen, *zugleich* dazu, die Sprechsituation auch *darzustellen*« (in: Habermas/Luhmann, »Theorie der Gesellschaft...« [= Anm. 65], S. 101–141, hier S. 110). Vgl. auch: »Sprechakte nennt Searle die elementaren Einheiten der Rede, weil der Sprecher mit dem Akt des Aussprechens genau die Handlung vollzieht, die der in der Äußerung verwendete performatorische Ausdruck zugleich darstellt« (ebd., S. 102 f.). Das ›Zugleich‹ von Darstellung und Vollzug bzw. Erzeugung macht – durch eine Substantialisierung der Kommunikation – deren ursprüngliche Negativität zunichte. Die Kommunikation wird wieder geschichtlich; jedoch um den Preis, daß sie ihre historische Leistung als Kommunikation darüber einbüßt. Das Problem des Entwurfs zu einer ›Theorie der kommunikativen Kompetenz‹ ist das Problem der Wiederherstellung einer Kommunikation über Sachverhalte und Vollzüge. Vgl. zum Problem der ›kontrafaktischen Unterstellung‹ Horst Turk: »Dialektische Literaturwissenschaft. Zur kommunikationssoziologischen Begründung einer allgemeinen Texttheorie«. In: »Historizität in Sprach- und Literaturwissenschaft«. Hrsg. von Walter Müller-Seidel. München 1974. S. 219–246.

86 Sie wiederholt darin ein Stück Entstehungsgeschichte der Neuzeit. Zur theologischen Herkunft des Kontingenzgedankens vgl. Luhmann: »Systemtheoretische Argumentationen« (= Anm. 68), S. 392 f. In der Frage der Technizität, die die Kontingenz ermöglicht, kommen systemtheoretische Argumentation und Historismuskritik überein. Vgl. Blumenberg: »Die Legitimität der Neuzeit« (= Anm. 65), S. 169 f., und Luhmann: »Sinn als Grundbegriff...« (= Anm. 65), S. 58. Vgl. auch ebd., S. 88, Anm. 62.

HORST STEINMETZ

Die Rolle des Lesers in Otto Ludwigs Konzeption des ›Poetischen Realismus‹

Alle Zitate, sofern nicht ausdrücklich anders vermerkt, folgen der Ausgabe: »Otto Ludwigs gesammelte Schriften«. Hrsg. von Adolf Stern. 6 Bde. Leipzig 1891. Zitatnachweise (röm. Band-, arab. Seitenzahl) sind in Klammern in den Text aufgenommen.

1 Grundsätzlich – wenn auch nicht überall konsequent – unterscheidet Ludwig zwischen »Spiegel« und »Spiegelbild«. Dort, wo Literatur »Spiegelbild« ist, hat sie ihre Objektivität verloren, wird sie selbst gleichsam Teil der historischen Situation. Der Dichtung seiner Zeit wirft Ludwig wiederholt vor, nicht »Spiegel«, sondern »Spiegelbild« zu sein: »Im neueren Drama dagegen wie fast in der ganzen neueren Litteratur ist der Dichter selten der Spiegel, meist das Spiegelbild der Zeit, sind die Leidenschaften der Zeit nicht der objektiv behandelte Stoff, sondern sie diktieren ihm subjektiv den Stoff, sie sind nicht der Gegenstand seiner Darstellung, sondern die maßgebenden Mächte derselben, es erscheinen die Menschen und Verhältnisse nicht in eigner Gestalt und Farbe, sondern durch das parteiisch gefärbte Glas einer herrschenden Leidenschaft angeschaut« (V, 54).

2 Gerade auch in dieser Forderung Ludwigs kommt seine objektivistische Definition von Literatur zum Ausdruck. Der Dichter darf sich nicht engagieren, er muß, die widerstreitende Vielfalt überblickend, den Standpunkt eines Richters einnehmen: »Der neuere Dichter ist nicht mehr der Richter des Falles, er ist der Anwalt der unterliegenden Partei, er verwirrt das Bild des Falles, er macht die Ausnahme zur Regel, bemäntelt und beschönigt hier, entschuldigt und verdächtigt dort [. . .]« (V, 54).

3 Auch hierfür bilden wieder Shakespeares Dramen das große Vorbild: »Was wir bei Shakespeare finden, ist die Welt, aber ohne die Widersprüche, die uns in der wirklichen irren; eine Welt, deren geheimste Motive uns vor Augen liegen, wir sehen diese Menschen wie höhere Geister durch und durch; ihr Recht, ihr Unrecht, ihr ganzes Wesen und ihr Schicksal im notwendigen Verhältnisse dazu« (V, 80).

4 Obwohl Ludwig die Beziehung zwischen Kunst und Leben sehr eng geknüpft sehen will, ist es aufschlußreich, daß seine Definition realistischer Literatur für pragmatische Mimesis keine Möglichkeit läßt. Er lehnt jeden Illusionismus der Realität ab. Kunst und Leben bilden zwei verschiedene Bereiche, ohne daß ihre Zusammengehörigkeit in Frage gestellt werden muß. Die »Poesie steht der Wirklichkeit gegenüber, wie die Metapher dem eigentlichen Ausdrucke, sie erhöht ihn, ohne ihn zu verfälschen« (V, 77). Mit dieser Auffassung steht Ludwig trotz aller Polemik doch in der Tradition der Klassik. Anders jedoch als sie dringt er auf einen überprüfbaren Wahrheitsgehalt des Gleichnisses der Kunst. Ihr »uneigentlicher Ausdruck« (V, 469) muß zugleich auch eigentlicher Ausdruck sein.

5 »Gedanken Otto Ludwigs«. Aus dem Nachlaß ausgewählt u. hrsg. von Cordelia Ludwig. Leipzig 1903. S. 116.

6 Ebd., S. 155.

7 Daß der Zuschauer des Dramas in der Dreiheit von Dichter, Schauspieler und Publikum in Ludwigs Konzeption tatsächlich die Rolle eines nur passiven Rezipienten zugeteilt erhält, ergibt sich auch aus Ludwigs Überlegung, was geschähe, wenn die Dreiheit auf eine der drei Komponenten einseitig zugespitzt würde. Zwar geht Ludwig von der Existenz der Dreiheit aus, praktisch aber betrifft seine Untersuchung nur Dichter und Schauspieler. Der Zuschauer kommt in seinem theoretischen Experiment nicht vor: »Nun läßt sich der Fall denken, daß jeder dieser drei Faktoren sich auf Kosten der andern beiden geltend macht. Im besten Falle wird daraus eine Einseitigkeit. Herrscht der Poet, so wird der Schauspieler zum bloßen Sprachrohre, Vorträger, Deklamator, er kann sich nicht ausleben als Schauspieler, er wird höchstens zum denkenden, fühlenden Deklamator fremder Worte, was er nicht als seine eigenste Aufgabe ansehen kann, er thut, was er thut, mehr dem Dichter oder der Poesie zuliebe; herrscht der Schauspieler, so wird die Poesie übel daran sein, gewiß aber das Publikum weniger. Jedenfalls sieht man, ist es besser, das Schauspielerische herrsche vor. Denke man sich einen Schauspieler von großer, poetischer Anlage, so wird dieser ein beßrer Autor sein, als ein Poet, der nicht große schauspielerische Anlage hat« (V, 438).

8 Die mehr oder weniger notwendig erfolgende Ausschaltung des Zuschauers ergibt sich jedoch

allein beim aufgeführten Drama. Als Werk, das nur gelesen wird, wendet es sich wieder an die Phantasie des Rezipienten, der nun gleichsam die Arbeit des Schauspielers verrichten muß. Doch auch dann noch muß es im Gegensatz zu epischen Werken spezifisch dramatisch sein, d. h., es muß den Leser zwingen, es in der Form einer gedachten Aufführung zu konkretisieren: »Es soll nicht als lyrisches oder episches Gedicht gefallen; und was es uns als ein dramatisches erscheinen und die spezifische Wirkung eines solchen erreichen läßt, ist eben, daß wir es uns auch beim bloßen Lesen als auf der Szene vorgehend vorstellen, ja daß wir gezwungen sind, Szene, Personen und was zur Aufführung gehört, hinzuzudenken« (V, 464). Ein echtes, ein dramatisches Schauspiel unterscheidet sich auch als ein gelesenes vom »Lesestück« (V, 148). Bei diesem nämlich begibt sich »alles unter das *epische Gesetz*«. Es entbehrt der »gegenwärtigen sinnlichen Erscheinung«, das »Aufgeschriebne [ist] das Drama selbst« (V, 488 f.).

9 Ludwig spricht in diesem Zusammenhang von »Epitomierung« (V, 264 u. ö.) des Geschehens. Sie trägt wesentlich zur »konzentrierten Darstellung des Weltlaufes« im Drama bei (V, 432).

10 Daß im realistischen Roman die Spannungstechnik bewußt zur Erzeugung von Leerstellen eingesetzt wurde, hat Wolfgang Iser an der besonderen Form der Fortsetzungsromane von Dickens gezeigt. Vgl. Wolfgang Iser: »Die Appellstruktur der Texte«. Konstanz 1970. (»Konstanzer Universitätsreden« 28.) S. 17 ff.

11 Zu diesem Begriff vgl. Roman Ingarden: »Vom Erkennen des literarischen Kunstwerks«. Tübingen 1968. S. 49 ff.

12 Einige hiermit zusammenhängende Fragen habe ich in meinem Aufsatz: »Der vergessene Leser. Provokatorische Bemerkungen zum Realismusproblem« (in: »Dichter und Leser«. Hrsg. von Ferdinand van Ingen u. a. Groningen 1972. S. 113–133) angeschnitten.

13 Wie groß die hier angedeutete Problematik ist, kann ein Wort von Umberto Eco veranschaulichen, in dem die von Ludwig beschriebene Beziehung zwischen Erinnerung und Roman umgekehrt wird: »Es ist nur natürlich, daß das Leben mehr dem ›Ulysses‹ als den ›Drei Musketieren‹ gleicht: dennoch sind wir alle eher geneigt, es in den Kategorien der ›Drei Musketiere‹ zu denken als in denen des ›Ulysses‹: oder besser, ich kann das Leben nur erinnern und beurteilen, wenn ich es als traditionellen Roman denke« (Umberto Eco: »Das offene Kunstwerk«. Frankfurt a. M. 1973. S. 206. Anmerkung).

14 »Gedanken Otto Ludwigs« (= Anm. 5), S. 55.

15 Die harmonisierende Wirkung der Erinnerung fördert nach Ludwig auch das »Gefallen an traurigen Gegenständen«. Erinnerung distanziert und setzt gleichzeitig das Vermögen der Phantasie frei. Poesie, die sich an die Phantasie wendet, kann deshalb die gleiche Wirkung für sich in Anspruch nehmen wie die Erinnerung: »[...] ist uns in der Erinnerung vieles angenehm, was in der wirklichen Gegenwärtigkeit uns entsetzte; da wurde die Phantasie gebunden, Sinn und Gemüt waren dem unmittelbaren Ansturme des Schrecklichen hilflos preisgegeben. Ich möchte sagen: je mehr etwas Vorstellung der Phantasie ist, desto mehr gefällt es. Nicht allein von tragischen Gegenständen gilt das; darauf gründet sich unser Gefallen an Poesie überhaupt. Das Schreckliche der Gegenwart und Wirklichkeit gefällt uns in dem Maße, als es die Reaktionen der Phantasie frei läßt; traurige Gegenstände in der Wirklichkeit gefallen uns, insoweit wir frei genug bleiben, sie durch Einmischung der Phantasie in Poesie zu verwandeln« (V, 463).

16 An dieser Stelle müßte eine ausführlichere vergleichende Analyse von Ludwigs und der klassischen, insbesondere der Schillerschen, Kunsttheorie folgen. Doch würde das weit über das hier behandelte Thema hinausführen. Darum kann Ludwigs Verhältnis zu Schiller hier lediglich mit Hilfe von zwei Schiller-Zitaten angedeutet werden. Ludwigs Feststellung, die Einheit und Ganzheit des Menschen sei verlorengegangen, hatte vor ihm besonders Schiller nachdrücklich formuliert. Und trotz aller Polemik gegen Schiller ist Ludwig sicherlich von Worten wie diesem aus »Über die ästhetische Erziehung« beeinflußt worden: »[...] zerriß auch der innre Bund der menschlichen Natur, und ein verderblicher Streit entzweyte ihre harmonischen Kräfte« (Nationalausgabe. Bd. 20. S. 323). Andererseits entfernt Ludwig sich deutlich von Schillerschen Standpunkten, wenn er nicht wie dieser Naivität des Dichters fordert, sondern sich damit zufriedengibt, über das Werk gewissermaßen eine ›naive Wirkung‹ zu erzielen. Schiller konstatiert: »Aber eben das macht ja den Dichter aus, daß er alles in sich aufhebt, was an eine künstliche Welt erinnert, daß er die Natur in ihrer ursprünglichen Einfalt wieder in sich herzustellen weiß« (Nationalausgabe. Bd. 20. S. 462). Ludwig strebt nicht im Dichter die Wiederherstellung an, sondern im Rezipienten.

ARBEITSGRUPPE

Böll in Reutlingen. Eine demoskopische Untersuchung zur Verbreitung eines erfolgreichen Autors

1 Dieser Bericht und die ihm zugrundeliegende Untersuchung entstanden im Rahmen und mit Hilfe eines Seminars *Die Rezeption Heinrich Bölls*, das im Sommersemester 1973 am Deutschen Seminar der Universität Tübingen abgehalten wurde (Seminarleiter: Prof. Dr. Wilfried Barner). Die auf Repräsentativität ausgerichtete Umfrage in der Nachbarstadt Reutlingen stellt den ersten Teil eines Projekts dar, in dem am Beispiel des Autors Böll *empirisch* der Rezeption von Literatur nachgegangen werden soll.
Der Arbeitsgruppe gehörten an: Robert Boesler, Doris Christokat, Christina Fetzer, Anton Grüner, Harald Haasis, Rolf Kellner, Johannes Klinkmüller, Reinhold Seyboth. – Autoren des Berichts: Boesler, Grüner, Haasis, Kellner, Seyboth. – Adresse der Gruppe: Rolf Kellner, 74 Tübingen, Wilhelmstraße 50, Deutsches Seminar.

2 »Die Zeit« (1971) Nr. 32, S. 9 f.

3 So der Klappentext; vgl. speziell hierzu Manfred Durzak: »Heinrich Bölls epische Summe«. In: »Basis« 3 (1972) S. 174–194.

4 »Für Leni, Lev und Boris. Heinrich Bölls neuer Roman ›Gruppenbild mit Dame‹«. In: »dpa-brief« (23. 8. 1973) Buchbrief 612.

5 dpa-Meldung, veröffentlicht am 16. Februar 1973 in der »Südwest-Presse«, Ulm.

6 Rechtzeitig lagen in den Buchläden oder kamen bald nach der Nobelpreisverleihung heraus: »Erzählungen 1950–1970«, »Neue politische und literarische Aufsätze« und Neuauflagen der beiden Bände mit je drei Romanen, alle nicht ohne Hinweise auf den Nobelpreis. Auch Bölls alter Verlag Middelhauve versuchte mit einer illustrierten Neuausgabe der »Schwarzen Schafe« am Boom zu partizipieren.

7 Die Ausstellung wurde in Zusammenarbeit mit der Deutschen Akademie für Sprache und Dichtung erstellt und fand in der Zeit vom 23. November 1972 bis 31. Januar 1973 statt.

8 Zu diesem Komplex s. Hartmut Panskus: »Buchwerbung in Deutschland«. In: Heinz Ludwig Arnold [Hrsg.], »Literaturbetrieb in Deutschland«. München 1971. S. 78–90; über den neuesten Stand der Dinge informiert »Der Spiegel« (1973) Nr. 41 in seinem Artikel: »Wir haben uns alle total heiß gemacht«, Spiegel-Report über Bestseller und Bestseller-Macher, S. 182–197.

9 Obwohl er sie vor anderen durchschaute, schrieb Levin L. Schücking in seinem Buch »Soziologie der literarischen Geschmacksbildung« (Bern u. München [3]1961 [[1]1923]) die Verbreitung einzelner Autoren nicht den Mechanismen des Literaturbetriebs, sondern einem daraus resultierenden ›Geschmack‹ zu.

10 Siehe hierzu Jochen Vogt: »Vom armen H. B., der unter die Literaturpädagogen gefallen ist. Eine Stichprobe«. In: »Heinrich Böll«. »Text + Kritik« 33 (1972) S. 33–41; s. auch Anm. 46.

11 Zu diesem Komplex wurde von Renate Dörper, Angelika Istvan und Gaby Schmitt im Wintersemester 1973/74 in Reutlingen, Rottenburg und Tübingen eine Umfrage in Buchhandlungen und Leihbibliotheken veranstaltet. Eine Zusammenfassung des Berichts dieser Arbeitsgruppe wird mit den Ergebnissen des zweiten Projektteils veröffentlicht.

12 Überschrift des dpa-Berichts (= Anm. 5). Kritik an der Gruppenbild-Kritik übt Heinz Ludwig Arnold: »Heinrich Bölls ›Gruppenbild mit Dame‹ und einige Marginalien zu seinen Kritikern«. In: »Heinrich Böll«. »Text + Kritik« 33 (1972) S. 42–49.

13 Zu diesem Ergebnis kommt Bruno Römer in seiner im Sommersemester 1973 angefertigten Seminararbeit »Romane und Kurzgeschichten Heinrich Bölls in ihrer Bewertung durch die literarische Kritik«.

14 Titel von Arbeiten aus dem Sammelband »In Sachen Böll. Ansichten und Einsichten«. Hrsg. von Marcel Reich-Ranicki. München 1968.

15 Roy Pascal: »Sozialkritik und Erinnerungstechnik«. In: »In Sachen Böll« (= Anm. 14), S. 63–69, hier: S. 66 (Hervorhebung von den Verff.).

16 Karl Ludwig Schneider: »Die Werbeslogans in dem Roman ›Und sagte kein einziges Wort‹«. In: »In Sachen Böll« (= Anm. 14), S. 183–188, hier: S. 183 (Hervorhebung von den Verff.).

17 Harald Weinrich: »Für eine Literaturgeschichte des Lesers«. In: Viktor Žmegač [Hrsg.]: »Methoden der deutschen Literaturwissenschaft«. Frankfurt a. M. 1971. S. 325–339, hier S. 331.

18 Ebd., S. 325.
19 Ebd., S. 326.
20 Ebd., S. 331 f.
21 Ebd., S. 336 f.
22 Ebd., S. 336; Schiller war's!
23 Ebd., S. 331; obwohl sie andere Intentionen haben, sind die Ansätze von Erwin Wolff (»Der intendierte Leser«, in: »Poetica« 4 [1971] S. 141–166) und Wolfgang Iser (»Der implizite Leser«, München 1972) ähnlich wie der Weinrichs zu beurteilen; zu Wolffs ausdrücklicher Ablehnung der Empirie s. S. 244.
24 Bauer u. a.: »Text und Rezeption«. Frankfurt a. M. 1972. (»Ars Poetica« 14.)
25 Wolff: »Der intendierte Leser« (= Anm. 23), S. 142.
26 Ebd., S. 166.
27 Weinrich: »Für eine Literaturgeschichte des Lesers« (= Anm. 17), S. 326.
28 An der Freiburger Untersuchung ist noch entschieden zu bemängeln, daß kein Kontrolltext vorgelegt wurde. So wird zwar dem ›literarischen‹ Celan-Text ›Poetizität‹ und ›Multivalenz‹ nachgewiesen, nicht aber, daß nicht jede unsinnige Wort- und Satzaneinanderreihung in gleicher Weise rezipiert würde.
29 Heinz Hillmann: »Rezeption – empirisch«. In: »Historizität in Sprach- und Literaturwissenschaft«. Hrsg. von Walter Müller-Seidel. München 1974. S. 433–449.
30 Atteslander (s. S. 248), S. 82 f.
31 Erwin K. Scheuch: »Das Interview in der Sozialforschung«. In: René König [Hrsg.], »Handbuch der empirischen Sozialforschung«. Bd. I. Stuttgart ²1967. S. 166.
32 Ebd., S. 166.
33 Erbslöh (s. S. 248), S. 19.
34 Noelle (s. S. 248), S. 34 und S. 35.
35 Erbslöh (s. S. 248), S. 65.
36 An dieser Stelle möchten wir Herrn Bürgermeister Kaiser sowie den Herren Platen und Salanga vom Einwohnermeldeamt Reutlingen für ihr Entgegenkommen und ihre Mühe danken.
37 Erbslöh (s. S. 248), S. 66.
38 Näheres darüber bei Noelle (s. S. 248), S. 132 ff.
39 Atteslander (s. S. 248), S. 215.
40 Den Herren sei für ihre Hilfe hiermit noch einmal herzlich gedankt.
41 Der notwendigen Kürzung fielen auch technische Finessen wie Pufferfragen, Kontrollfragen usw. weitgehend zum Opfer.
42 Erbslöh (s. S. 248), S. 50.
43 Siehe dazu Arbeitsbericht Abschnitt III und IV, S. 249 f.
44 Für entscheidende Hilfe in dieser Phase danken wir Herrn Gerhard Schubring vom Zentrum für Datenverarbeitung und Herrn Josef Held vom Zentrum für Hochschuldidaktik, der uns auch im weiteren Verlauf des Projekts tatkräftig unterstützte.
45 Zum Vergleich einige Zahlen des Allensbacher Instituts für Demoskopie, die das Börsenblatt für den Deutschen Buchhandel 21 (1961) S. 368–370 veröffentlicht: Danach war Böll damals 6 % der Bevölkerung (20 % derjenigen mit höherer Schulbildung) bekannt und wurde von 3 % (11 %) gelesen.
46 Zu diesem Komplex wurden im Sommersemester 1973 innerhalb des Seminars zwei Arbeiten angefertigt: Wolfgang Layer, »Böll in der Schule, dargestellt an Lesebüchern und Handreichungen« und Elisabeth Singer, »Erfahrungen bei der Behandlung von Böll-Texten in der Schule«.
47 Diese Vermutung wird gestützt durch die Ergebnisse der Untersuchung »Heinrich Böll in der kirchlich-katholischen Presse«, die Norbert Arzberger und Richard Kötter im Wintersemester 1973/74 durchführten; ihre Resultate werden mit denen des zweiten Projektteils veröffentlicht.
48 Hierzu dürfte die ›rechte‹ Presse einen Großteil beigetragen haben.
49 Gerhard Schmidtchen: »Lesekultur in Deutschland«. In: »Börsenblatt für den Deutschen Buchhandel« 24 (1968) S. 1977–2152.
50 Franz Mehring: »Die Lessing-Legende«. In: F. M., »Gesammelte Schriften«. Bd. 9. Berlin 1963. S. 283.
51 Der zweite und dritte Teil des Projekts wurde inzwischen durchgeführt; sie werden in absehbarer Zeit an anderer Stelle veröffentlicht.

HARTMUT EGGERT, HANS CHRISTOPH BERG, MICHAEL RUTSCHKY

Die im Text versteckten Schüler.
Probleme einer Rezeptionsforschung in praktischer Absicht

1 Eine Vorform dieser Überlegung bietet: Eggert, Berg u. Rutschky, »Zur notwendigen Revision des Rezeptionsbegriffes«. In: »Historizität in Sprach- und Literaturwissenschaft. Vorträge und Berichte der Stuttgarter Germanistentagung 1972«. In Verbindung mit Hans Fromm u. Karl Richter hrsg. von Walter Müller-Seidel. München 1974. S. 423–432.

2 Die Interviews wurden (außer von uns) geführt von: Reinhold Brück, Clemens Emschermann, Barbara Höllfritsch, Bernd Neumann, Dorothea Schuntermann, Jürgen Zimmermann. Die im folgenden gebrauchten Namen der Interviewees sind fingiert. – Das Forschungsprojekt »Bildungsprozesse im Literaturunterricht der Sekundarstufe« wird von der Deutschen Forschungsgemeinschaft und dem Fachbereich Germanistik der Freien Universität Berlin unterstützt. Im Zentrum steht die kontinuierliche Beobachtung einer Schulklasse; u. a. mit dem Instrument des Einzelinterviews versuchen wir, die Probleme unverschulter Jugendlektüre genauer zu fassen.

3 Hans Robert Jauß: »Racines und Goethes Iphigenie. Mit einem Nachwort über die Partialität der rezeptionsästhetischen Methode«. In: »neue hefte für philosophie« (1973) H. 4, S. 46. (Im folgenden zitiert als: »Partialität«.)

4 Ivor Armstrong Richards: »Practical Criticism. A Study of Literary Judgement« (1929). London [10]1970.

5 Hans Robert Jauß: »Literaturgeschichte als Provokation der Literaturwissenschaft«. In: H. R. J., »Literaturgeschichte als Provokation«. Frankfurt a. M. 1970. S. 173. (Im folgenden zitiert als: »Provokation«.)

6 Ein praktisches Beispiel findet sich in der Veröffentlichung von Gerhard Frank u. Walter Riethmüller: »Deutschstunden in der Sekundarstufe« (Stuttgart 1970), wo den Analytikern von Unterrichtsstunden über Luise Rinsers Erzählung »Die rote Katze« offensichtlich die Abwehrreaktionen und Ausbruchsversuche der Schüler entgangen sind.

7 Franz Kafka: »Die Erzählungen«. Frankfurt a. M. 1961. S. 132.

8 Nach der Meinung des Schülers stellt der zweite Absatz (im Indikativ) das Klischee dar, das über den Artisten – von ihm aktiv befördert – kursiert: sozusagen eine heile Welt der Sensationen und großen Taten abseits von anderen Ereignissen. Dabei bemerkt der Zuschauer nicht, daß seine Hilfe nötig wäre, um die Zwangssituation, in der sich der Artist befindet (und die im ersten Absatz konjunktivisch dargestellt ist), zu durchbrechen. Vielmehr fesselt der Zuschauer den Artisten an die Welt des billigen Scheins, und zwar durch den Beifall, den der Artist erheischt und der ihn zugleich zu immer neuen Hochleistungen anspornt.

9 Jauß: »Partialität« (= Anm. 3), S. 43 u. passim; ders.: »Provokation« (= Anm. 5), S. 199 u. passim.

10 Jauß: »Partialität« (= Anm. 3), S. 33; Wolfgang Iser: »The Reading Process: A. Phenomenological Approach«. In: »New Literary History« 3 (1971/72) S. 279–299; Roman Ingarden: »Das literarische Kunstwerk«. Tübingen [3]1965. S. 354 ff. Zentral ist der Begriff in: Ingarden, »Vom Erkennen des literarischen Kunstwerks«. Tübingen 1968.

11 Jauß referiert diesen Einwand gegen seine Konstruktion in: Jauß, »Partialität« (= Anm. 3), S. 43; siehe vor allem aber: Jauß, »Provokation« (= Anm. 5), S. 200 ff. (Vgl. Hartmut Eggert: »Studien zur Wirkungsgeschichte des deutschen historischen Romans 1850–1875«. Frankfurt a. M. 1972. S. 17.) Jauß konzediert eine soziologische Aufschlüsselung der den Erwartungshorizont bestimmenden Interessen und Bedürfnisse, hält aber als eigentlich rezeptionsästhetisch die Frage fest: »wie sich im Erwartungshorizont einer Lebenspraxis ästhetische Erfahrung in kommunikative Verhaltensmuster umsetzen kann« (»Partialität«, S. 44; vgl. »Provokation«, S. 199).

12 Jürgen Habermas: »Strukturwandel der Öffentlichkeit«. Neuwied u. Berlin [2]1965. S. 39.

13 Ebd., S. 54 f.

14 Ebd., S. 62.

15 Ebd., S. 63. – Wolfgang Isers Analysen des in Romanen von Fielding und Smollett »impliziten Lesers« lesen sich vielfach wie Ausführungen dieser Argumentation; bei ihnen fehlt freilich die soziologische Seite. Wolfgang Iser: »Die Leserrolle in Fieldings Joseph Andrews und Tom

Jones«. In: W. I., »Der implizite Leser«. München 1972. S. 57–93; ders., »Realitätsvermittlung und Leserlenkung in Smolletts Humphry Clinker«. Ebd., S. 94–131.

16 Jauß: »Partialität« (= Anm. 3), S. 43.

17 Daß der Rezeptionsästhetik ein idealisiertes Modell der bürgerlichen literarischen Öffentlichkeit zugrunde liegen könnte, macht Iser in der erwähnten Aufsatzsammlung deutlich; noch deutlicher in einer schematisierenden Analyse von Fieldings »Tom Jones«, Thackerays »Vanity Fair« und Joyces »Ulysses«: die Abfolge soll eine Zunahme der vom Leser aufzufüllenden »Unbestimmtheit« darstellen; zugleich spiegelt sie aber einen *Verfall* der im »Tom Jones« realisierten Dialogsituation mit dem Leser. Wolfgang Iser: »Die Appellstruktur der Texte«. Konstanz 1970. S. 24 ff.

18 Walter Benjamins inzwischen berühmtes Konzept einer vor allem durch die Entwicklung der Presse durchgesetzten »Literarisierung der Lebensverhältnisse« impliziert ebenfalls einen Rollentausch von Produzent und Rezipient, der vor allem in der Sowjetpresse praktiziert werde: »Der Lesende ist dort jederzeit bereit, ein Schreibender, nämlich ein Beschreibender oder auch ein Vorschreibender zu werden. Als Sachverständiger – und sei es auch nicht für ein Fach, vielmehr nur für den Posten, den er versieht – gewinnt er einen Zugang zur Autorschaft« (W. B.: »Der Autor als Produzent«. In: W. B., »Versuche über Brecht«. Frankfurt a. M. 1966. S. 101). – Vgl. Brechts Radiotheorie (»Gesammelte Werke«. Bd. 18. Frankfurt a. M. 1967. S. 117–134), die zusammen mit Benjamins Argumentation Hans Magnus Enzensberger wiederaufgenommen hat: »Baukasten zu einer Theorie der Medien«. In: »Kursbuch 20« [1970] S. 159–186. – Aber dies Konzept suchen auch eine Reihe von Kunstübungen zu realisieren; wir verweisen nur kursorisch auf die Happening-Bewegung, Versuche im Theater wie Paul Pörtners Mitspiele, Texte, die der Leser selektiv lesen muß wie Franz Mons »herzzero« oder Michel Butors »Mobile«. Auf dieselbe Tendenz verweist ja auch die von Iser konstatierte zunehmende »Unbestimmtheit« moderner Prosa.

19 Gert Mattenklott u. Klaus Schulte: »Literaturgeschichte im Kapitalismus. Zur Bestimmung demokratischer Lehrinhalte in der Literaturwissenschaft«. In: Jürgen Kolbe [Hrsg.], »Neue Ansichten einer künftigen Germanistik«. München 1973. S. 88.

20 Max Horkheimer u. Theodor W. Adorno: »Dialektik der Aufklärung«. Amsterdam 1947. S. 144–198.

21 Theodor W. Adorno u. Walter Dirks [Hrsg.]: »Soziologische Exkurse«. Artikel ›Ideologie‹. Frankfurt a. M. 1956. (»Frankfurter Beiträge zur Soziologie«. Bd. 4.) S. 176.

22 Alfred Lorenzer: »Kritik des psychoanalytischen Symbolbegriffs«. Frankfurt a. M. 1970. Kap. III u. IV, S. 64 ff. – Ders.: »Sprachzerstörung und Rekonstruktion«. Frankfurt a. M. 1970. Lorenzer beschreibt hier die neurotische Symptombildung als Ausbildung einer »pseudo-kommunikativen Privatsprache«; s. vor allem Kap. IV, Exkurs über die Krankengeschichte des kleinen Hans, S. 93 ff.

23 Jürgen Habermas: »Erkenntnis und Interesse«. Frankfurt a. M. 1968. Kap. 10 u. 11, S. 262 ff.

24 Wolfgang Fritz Haug: »Kritik der Warenästhetik«. Frankfurt a. M. 1971.

25 Als Beitrag zu einer solchen Geschichte des Unbewußten kann gelten: Norbert Elias, »Über den Prozeß der Zivilisation«. Bern ^{2}1968. – Elias verfährt allerdings nur implizit psychoanalytisch.

26 Marcel Proust: »Tage des Lesens«. In: M. P., »Tage des Lesens. Drei Essays«. Frankfurt a. M. 1963, S. 9 f.

27 Ebd., S. 10.

28 Ebd., S. 11.

29 Z. B. Iser: »Die Appellstruktur der Texte« (= Anm. 17), S. 15: »Der Leser wird die Leerstellen andauernd auffüllen, beziehungsweise beseitigen.«

30 Proust (= Anm. 26), S. 35.

31 Er lautet: »Das Lachen ist keineswegs seiner Natur nach grausam; es unterscheidet den Menschen vom Tier, und es ist, so wie es aus der Odyssee von Homerus, dem griechischen Dichter, hervorgeht, das Erbteil der unsterblichen und glücklichen Götter, die während der Muße der Ewigkeit auf olympische Weise nach Herzenslust lachen« (ebd., S. 34).

32 Ebd., Fußnote 5.

33 Siehe Anm. 22.

34 Proust (= Anm. 26), S. 22.

35 Ebd., S. 23.

36 Ebd., S. 24.

37 Sigmund Freud: »Der Dichter und das Phantasieren«. In: S. F., »Gesammelte Werke«. Bd. VII.

S. 215. – Bei Proust konkurriert das Lesen explizit zweimal mit derjenigen Tätigkeit, die den Jugendlichen am festesten an die bürgerliche Familie bindet: mit dem Essen (einmal der Mittags-, einmal einer Nachmittagsmahlzeit). Vgl. auch die oben mitgeteilte Anekdote. – Daß Lesen als orale Einverleibung des Textes, als Essen begriffen werden kann, die Konkurrenz deshalb verständlich ist, demonstriert James Strachey: »Some Unconscious Factors in Reading«. In: »International Journal of Psycho-Analysis« XI (1930) S. 322–331.

38 Proust (= Anm. 26), S. 25 f.

39 Dieses Problem steht bisher bei wirkungsgeschichtlichen und literatursoziologischen Studien zumeist im Hinblick auf Aktualisierungen und ›Konkretisationen‹ eines Textes im Vordergrund; vgl. dazu neuerlich Hans Ulrich Gumbrecht: »Soziologie und Rezeptionsästhetik«. In: »Neue Ansichten einer künftigen Germanistik« (= Anm. 19), S. 65 ff.

40 Heinrich v. Kleist: »Von der Überlegung. Eine Paradoxe«. In: H. v. K., »Sämtliche Werke und Briefe«. Hrsg. von Helmut Sembdner. München [2]1961. Bd. 2. S. 337 f.

41 Wir hatten die Schüler ausführlich über den Sinn der Interviews informiert und den Stellenwert im Rahmen unseres Forschungsprojektes erläutert; dabei insbesondere darauf hingewiesen, daß sich die Gesprächspartner zurückhalten würden, um ihnen Gelegenheit zu geben, ihr Textverständnis zu entwickeln und auszuarbeiten. Die Interviewer waren gebeten worden, sich in der ersten Phase des Interviews auf eine Echotechnik zu beschränken, die neutrale Impulse gibt und zugleich die Aufmerksamkeit des Interviewers anzeigt. In einer zweiten Phase sollten konkrete Nachfragen zu vorher Geäußertem gestellt werden, um dadurch eine Ausarbeitung, Vertiefung zu erreichen. In der letzten Phase dagegen sollten ggfs. Einwände, andere Interpretationen angeboten, formuliert werden seitens des Interviewers, um die Konsistenz und ›Härte‹ der erreichten Interpretation zu überprüfen. – Die Interviewer hatten also keinen Fragenkatalog, den sie nacheinander durchgingen, sondern einige Leitfragen für die einzelnen Phasen, auf die sie im Zweifelsfall als Anregung zurückgreifen konnten.

42 Vgl. Jürgen Habermas: Einleitung zur Neuausgabe von »›Theorie und Praxis‹. Sozialphilosophische Studien«. Frankfurt a. M. 1971. S. 23 ff.

43 Hans Glinz: »Textanalyse und Verstehenstheorie I«. Frankfurt a. M. 1973. S. 47–49.

44 Hans-Georg Gadamer: »Wahrheit und Methode«. Tübingen [2]1962. S. 290 ff.

45 »Hermeneutik und Ideologiekritik«. Mit Beiträgen von Karl-Otto Apel u. a. Frankfurt a. M. 1971.

46 Jürgen Habermas: »Der Universalitätsanspruch der Hermeneutik«. Ebd., S. 83 ff; Hans-Georg Gadamer: »Replik«. Ebd., S. 303 ff.

47 Karl-Otto Apel: »Szientismus oder transzendentale Hermeneutik?« In: »Hermeneutik und Dialektik« (Gadamer-Festschrift). Hrsg. von Rüdiger Bubner u. a. Tübingen 1970. S. 142.

48 Ebd., S. 141.

49 Heinrich von Kleist: »Tagesbegebenheit«. In: H. v. K., »Sämtliche Werke und Briefe«. Hrsg. von Helmut Sembdner. München [2]1961. S. 262.

50 Peter Szondi: »Traktat über philologische Erkenntnis«. In: P. S., »Hölderlin-Studien«. Frankfurt a. M. 1970. S. 9–34.

51 Walter Benjamin: »Verstecktes Kind«. In: W. B., »Einbahnstraße«. Frankfurt a. M. 1962. S. 65 f.

52 Jauß: »Partialität« (= Anm. 3), S. 44.

53 Sigmund Freud: »Über ›wilde‹ Psychoanalyse«. In: S. F., »Gesammelte Werke«. Bd. VIII. S. 123.

54 Das Problem ist nicht dadurch zu lösen, daß man – wie Heinz Hillmann empfahl (in der Diskussion über seinen Vortrag auf dem Germanistentag Stuttgart 1972 »Rezeption – empirisch«) – eine schriftliche Formulierung des Textverständnisses ohne vorherige Besprechung des Textes einfordert, wie auch Richards verfahren ist. Die Interpretation ist davon geprägt, wie der Leser den Stellenwert der Aufgabe für den, der sie stellt, einschätzt und wie er sein Verhältnis zu diesem interpretiert.

55 Robert Heinrich Hiecke: »Der deutsche Unterricht auf deutschen Gymnasien. Ein pädagogischer Versuch«. Leipzig 1842.

56 Zitiert nach: Hiecke (= Anm. 55), S. 79. – Zum Verhältnis der Schule gegenüber deutscher Literatur vor dieser Zeit, insbesondere zur Form der ›angeleiteten Privatlektüre‹ vgl. Horst Joachim Frank: »Geschichte des Deutschunterrichts. Von den Anfängen bis 1945«. München 1973. S. 260 ff.

57 Hiecke (= Anm. 55), S. 81.
58 Ebd., S. 131.
59 Hiecke (= Anm. 55) formuliert in einer Zusammenfassung als Aufgabe des »deutschen Unterrichts«: »Er ist es, der wahrhaft das Bewußtsein formalisiert, der die freieste und klarste Entwickelung des Selbstbewußtseins nach dessen rein formeller Seite herbeiführt, indem er zu der Herrschaft über das unserer Nation natürliche Organ des Sprechens und damit des Denkens entwickelt und erzieht. – Aber das Selbstbewußtsein bleibt nicht bloß eine leere, abstracte Fertigkeit; der gehaltvolle Stoff läßt als durchdrungener und durchgearbeiteter einen vielseitigen würdigen Inhalt in geordneter klarer Gestalt zurück, welcher die Keime einer reichen und tiefen Weltanschauung in sich schließt« (S. 280 f.).
60 Vgl. unseren Vortrag »Literaturrezeption von Schülern als Problem der Literaturdidaktik« auf dem Germanistentag Trier 1973, in: Wilhelm Dehn [Hrsg.]: »Ästhetische Erfahrung und literarisches Lernen«. Frankfurt a. M. 1974. S. 267–298.
61 Vgl. stellvertretend für solche Bemühungen: Adolf Jensen u. Wilhelm Lamszus: »Poesie in Not. Ein neuer Weg zur literarischen Genesung unseres Volkes« (Hamburg 1913) u. »Unser Schulaufsatz ein verkappter Schundliterat. Ein Versuch zur Neugründung des deutschen Schulaufsatzes für Volksschule und Gymnasium« (Hamburg 1910).
62 So ist zu beobachten, wie wenig bei literaturwissenschaftlichen Begriffsbildungen bewußt gehalten wird, daß sie in der Regel Metabegriffe zur abgekürzten Verständigung sind und nicht die Sache selbst vertreten. An der ganzen ›Bauformen‹-Forschung der fünfziger und sechziger Jahre ist zu beobachten, wie sie häufig zum Selbstzweck wurde und wie man vielfach glaubte, sie sei bereits die Interpretation.
63 Vgl. Jürgen Habermas: »Thesen zur Theorie der Sozialisation« (Stichworte und Literatur zur Vorlesung im Sommersemester 1968). In: J. H., »Arbeit, Erkenntnis, Fortschritt«. Amsterdam 1970. S. 382 f.
64 Dieter Wunderlich hat in einer, freilich nicht sehr weit ausformulierten Kritik an Habermas' Konstruktion der idealen Redesituation beiläufig auf die »notwendige Asymmetrie im Erziehungsverhalten« hingewiesen (D. W.: »Zum Status der Soziolinguistik«. In: Klein/Wunderlich [Hrsg.], »Aspekte der Soziolinguistik«. Frankfurt a. M. 1971. S. 304). – Diese Asymmetrie scheint ein unauflösbares Rollenmuster im Verhältnis auch von Lehrer und Schüler darzustellen, das eine zwanglose Aneignung der Werke prinzipiell verhindert, weil der Lehrer notwendig ein Niveau der Textinterpretation festlegt, das der Schüler noch nicht erreicht hat, aber erreichen muß. Freilich ist gerade für literarische Texte dies Niveau nicht regelmäßig und abstrakt normierbar, und damit ist die tendenzielle Aufhebbarkeit der Asymmetrie gegeben. Die entgegengesetzte Position würde nicht nur einen festen Kanon der Werke, sondern auch deren Interpretation festlegen müssen, was schon angesichts des von der Literaturwissenschaft dokumentierten Interpretationswandels absurd wäre.
65 Szondi (= Anm. 50), S. 12.
66 Jauß: »Provokation« (= Anm. 5), S. 205 f.
67 Jan Mukařovský: »Ästhetische Funktion, Norm und ästhetischer Wert als soziale Fakten«. In: J. M., »Kapitel aus der Ästhetik«. Frankfurt a. M. 1970. S. 18.
68 Theodor Wilhelm: »Theorie der Schule«. Stuttgart 1967. S. 349–361.
69 Pierre Bourdieu: »Elemente zu einer soziologischen Theorie der Kunstwahrnehmung«. In: P. B., »Zur Soziologie der symbolischen Formen«. Frankfurt a. M. 1970. S. 159–201.
70 Einen ähnlichen, allerdings sehr viel weniger subtilen Versuch, die Kunst (die Literatur) als Gegenstand der Soziologie zu begründen, hat Hans Norbert Fügen unternommen: in das »soziale Grundverhältnis der Literatur« kann nur eintreten, wer ein Werk als fiktives decodieren, sich »literaturgemäß verhalten« kann, wobei Fügen den Begriff Fiktion nach Ingarden entwickelt; H. N. F.: »Die Grundrichtungen der Literatursoziologie«. Bonn [2]1966. S. 19 und S. 109 ff.
71 Bourdieu (= Anm. 69), S. 193.
72 Ebd., S. 194.
73 Ebd., S. 200.
74 Theodor W. Adorno: »Aufzeichnungen zu Kafka«. In: T. W. A., »Prismen. Kulturkritik und Gesellschaft«. München 1963. S. 249 f.
75 Bourdieu (= Anm. 69), S. 180 f.
76 Ebd., S. 172.

77 Habermas (= Anm. 46), S. 77 f.
78 S. Viktor Šklovskij: »Kunst als Kunstgriff«. In: V. Š., »Theorie der Prosa«. Frankfurt a. M. 1966. S. 12 ff.
79 Jurij Tynjanow: »Über Literarische Evolution«. In: J. T., »Die literarischen Kunstmittel und die Evolution in der Literatur«. Frankfurt a. M. 1967. S. 51. – Tynjanow ist einer von Jauß' Kronzeugen, s. »Provokation« (= Anm. 5), S. 164 ff.
80 Habermas (= Anm. 46), S. 74.
81 Jan Mukařovský: »Die Kunst als semiologisches Faktum«. In: J. M. (= Anm. 67), S. 142 f.
82 Jauß: »Partialität« (= Anm. 3), S. 45.
83 Theodor W. Adorno: »Ästhetische Theorie«. Hrsg. von Gretel Adorno u. Rolf Tiedemann. (»Gesammelte Schriften« Bd. 7.) Frankfurt a. M. 1970. S. 533. – In diesem Zusammenhang könnte man Adornos vehemente, das ganze Werk durchziehende Kritik an Kunst als Kommunikation reformulieren; eine Kritik, die ihn in eigentümlicher Verwandtschaft mit dem ›linksradikalen‹ Flügel der französischen Strukturalisten, der Gruppe Tel Quel und ihrer Kritik an »Sinn« zeigt. Das hat Urs Jaeggi angedeutet; U. J.: »Literatur und Politik. Ein Essay«. Frankfurt a. M. 1972. S. 29 f.
84 Šklovskij (= Anm. 78), S. 13 f.
85 Wolfgang Kayser: »Das sprachliche Kunstwerk«. Bern u. München [9]1963. S. 14.
86 Habermas (= Anm. 46), S. 74.
87 Z. B. Hans Magnus Enzensberger: »Gemeinplätze, die neueste Literatur betreffend«. In: »Kursbuch 15« (1968) S. 187–197.
88 Man kann die von André Breton immer wieder geforderte Suche nach der »surréalité« als die nach einem totalen Signifikat begreifen; A. B.: »Die Manifeste des Surrealismus«. Reinbek 1968. – Bretons »Nadja« ist ein Dokumentarroman (dt. Ausgabe: Pfullingen 1960). – Elisabeth Lenk hat sehr eindrucksvoll Bretons »poetischen Materialismus« erläutert; E. L.: »Der springende Narziß«. München 1971. – Roland Barthes spricht von den »essentialistischen Ambitionen der [modernen] Poesie« und kommt zu der paradoxen Schlußfolgerung: »Im Grunde sind von allen Benutzern des Wortes die Dichter die am wenigsten formalistischen, denn sie allein glauben, daß der Sinn der Wörter nur eine Form ist, mit dem sie als Realisten sich nicht zufrieden geben können« (R. B.: »Mythen des Alltags«. Frankfurt a. M. 1964. S. 118 f.).
89 Gadamer hat gegen Apel und Habermas, gegen ihre Explikation der Psychoanalyse als Ideologiekritik, die die Hermeneutik transzendiert, eingewandt: »[...] wenn er [der Psychoanalytiker] dieselbe Reflexion dort ausübt, wo er nicht als Arzt dazu legitimiert ist, sondern wo er selber sozialer Spielpartner ist, fällt er aus seiner sozialen Rolle. Wer seine Spielpartner auf etwas jenseits ihrer Liegendes hin ›durchschaut‹, d. h. das nicht ernst nimmt, was sie spielen, ist ein Spielverderber, dem man aus dem Wege geht.« H. G. G.: »Rhetorik, Hermeneutik und Ideologiekritik«. In: »Hermeneutik und Ideologiekritik« (= Anm. 45), S. 81. – Nicht durch ein Durchschauen, wohl aber durch die praktische Kündigung des Einverständnisses, auf dem das soziale Rollenspiel basiert, ist die Literatur genau charakterisiert: Baudelaires grün gefärbte Haare wie die Aktionen der Surrealisten machen den Literaten sogar unabhängig vom Werk unmittelbar als sozialen Spielpartner zum Spielverderber, der aber gerade in der Öffentlichkeit der Großstadt auftritt.
90 Roland Barthes: »Literatur und Bedeutung«. In: R. B., »Literatur oder Geschichte«. Frankfurt a. M. 1969. S. 111.
91 Vgl. zum folgenden Eggert, Berg u. Rutschky: »Literaturrezeption von Schülern (= Anm. 60), Abschnitte IV und V. S. 285 ff. – Wir verdanken in diesem Punkt viel der Diskussion mit Peter Krumme und Michael Schröter.
92 Freud (= Anm. 37), S. 219 und S. 223.
93 Otto Rank: »Der Mythus von der Geburt des Helden«. Leipzig u. Wien [2]1922. S. 140 ff. – Hanns Sachs: »Gemeinsame Tagträume«. Leipzig, Wien u. Zürich 1924. S. 3–36. – Norman N. Holland: »The Dynamics of Literary Response«. New York 1968. Holland ist in vielem verpflichtet: Simon O. Lesser, »Fiction and the Unconscious«. Boston 1957.
94 Freud (= Anm. 37), S. 217.
95 Die verschiedenen Verwendungsweisen und -zusammenhänge des Begriffs ›Phantasie‹ referieren: Jean Laplanche u. Jean-Bertrand Pontalis: »Das Vokabular der Psychoanalyse«. Frankfurt a. M. 1972. S. 388–394.
96 Proust erläutert diese Lust so: »Ich glaubte durch dieses Mittelalter hindurch, das Gautier allein

mir enthüllen konnte, eine wunderbare Antike zu sehen. Aber ich hätte gern gehabt, daß er, statt es flüchtig nach der langweiligen Beschreibung eines Schlosses zu sagen, das ich mir wegen der übergroßen Zahl unbekannter Begriffe nicht im geringsten vorstellen konnte, das ganze Buch hindurch Sätze dieser Art schriebe und mir von Dingen erzählte, die ich nach Beendigung seines Buches hätte weiter kennenlernen und lieben können« (»Tage des Lesens«, S. 35). – Folgt man Hollands Modell, in dem der Text eine Phantasie bietet, die der Leser teilt (Holland [= Anm. 93], S. 90), dann beschreibt Proust einen Fall, in dem die Phantasie des Lesers vom Text divergiert, die der Text aber angeregt hat. Dies ist für unsere Interviews dem Fall vergleichbar, in dem der Interviewee mehr-minder kraß den Textsinn verfehlt, sich vom Text zu einer Problemerörterung anregen läßt, die zwar für ihn wichtig sein mag, aber nicht das Problem des Textes trifft.

97 Sachs (= Anm. 93), S. 5. – Anschauliche, wenngleich nicht analysierte Beispiele solcher Phantasien finden sich in: Julien Varendonck: »Über das vorbewußte phantasierende Denken«. Leipzig, Wien u. Zürich 1922. – Das ›klassische‹ Beispiel eines ›Privatromans‹ ist der ›Familienroman‹: Sigmund Freud, »Der Familienroman der Neurotiker«. In: S. F., »Gesammelte Werke«. Bd. VII. S. 225–231. – Ein prägnantes Beispiel für die Verknappung des Phantasierens auf eine Szene bietet: Sigmund Freud, »Ein Kind wird geschlagen«, ebd. Bd. XII, S. 195–226. – Der Satz bezeichnet den bewußten Inhalt der Phantasie.

98 Holland (= Anm. 93), S. 30. – Siehe dazu das Kapitel: »The Functions of Form«, in: Lesser (= Anm. 93), S. 121–144.

99 Für die Jugendlektüre macht das besonders deutlich: Käte Friedländer, »Kinderbücher und ihre Funktion in Latenz und Vorpubertät«. In: »Internationale Zeitschrift für Psychoanalyse und Imago« 26 (1941) S. 232–252. – In einer ›klassischen‹ Analyse hat Freud das zentrale Problem eines Analysanden, des »Wolfsmannes«, aus dessen noch bewußten Erinnerungen an Märchen rekonstruieren können; Sigmund Freud: »Aus der Geschichte einer infantilen Neurose«. In: »Gesammelte Werke«. Bd. XII. S. 54 ff. – In diesem Sinn hat Siegfried Bernfeld in der Diskussion um ›Schmutz und Schund‹ Stellung genommen: »Die Schundphantasie selbst ist das Produkt der Überwindung von noch anstößigeren, noch direkteren Phantasien, die im Zusammenhang der frühkindlichen Masturbation entstanden sind, und, umgebildet und entstellt, sich vom direkten Sexualgenuß freigemacht haben. Indem das Kind die Schundphantasie pflegt, schreitet es von einer primitiven kulturferneren Stufe zu einer höheren vor. Es wäre ungerecht, ihnen zu verbieten, sich auf der gewonnenen Hochebene zu tummeln und sie ohne Aufenthalt den letzten Gipfel hinaufzutreiben« (S. B.: »Das Kind braucht keinen Schutz vor Schund! Es schützt sich selbst!« [1926]. In: Dieter Richter [Hrsg.], »Das politische Kinderbuch«. Darmstadt u. Neuwied 1973. S. 247).

100 Szondi (= Anm. 50), S. 11.

101 Gadamer: »Rhetorik, Hermeneutik und Ideologiekritik« (= Anm. 89), S. 57.

102 Sigmund Freud: »Die Traumdeutung«. In: S. F., »Gesammelte Werke«. Bd. II/III. S. 267 ff.

103 Herbert Marcuse: »Über den affirmativen Charakter der Kultur«. In: H. M., »Kultur und Gesellschaft I«. Frankfurt a. M. 1965. S. 56–101.

104 Ein prägnantes Beispiel für Feindseligkeit bietet: Efraim M. Rosenzweig, »Surrealism as Symptom«. In: »American Imago« II (1941) S. 286–295. – Freud schreibt in einem Brief an André Breton: »Ich erhalte soviel Zeugnisse dafür, daß Sie und Ihre Freunde meine Forschungen schätzen, aber ich selbst bin nicht im Stande mir klarzumachen, was Ihr Surréalisme ist und will. Vielleicht brauche ich, der ich der Kunst so fern stehe, es gar nicht zu begreifen.« André Breton: »Die kommunizierenden Röhren«. München 1973. S. 131.

105 Jean Frois-Wittmann: »Moderne Kunst und Lustprinzip«. In: »Psychoanalytische Bewegung« II (1930) S. 211–247. Der Beitrag ist bereits mit Widerständen aufgenommen worden: A. J. Storfer, der Redakteur der Zeitschrift, hat in einer Vorbemerkung sogleich kritische Einwände formuliert; ein Absatz ist völlig irreführend übersetzt, wie die Zeitschrift in einem späteren Heft anmerken muß (S. 313).

106 Dieter Wellershoff: »Literatur und Veränderung«. Köln 1969; ders., »Literatur und Lustprinzip«. Köln 1973.

107 In: Sigmund Freud, »Die Zukunft einer Illusion«. (»Gesammelte Werke«. Bd. XIV. S. 323–380.) – Es handelt sich um ein Plädoyer für die Abschaffung der religiösen Erziehung.

108 Und insofern ist Kunst, worauf Adorno insistiert hat, »Sprache des Leidens« (»Ästhetische Theorie« [= Anm. 83], S. 35 f.).

109 Habermas (= Anm. 23), S. 335.
110 Ebd., S. 340.
111 Jürgen Habermas: Einleitung zu: »Protestbewegung und Hochschulreform«. Frankfurt a. M. 1969. S. 27.
112 Jürgen Habermas: »Legitimationsprobleme im Spätkapitalismus«. Frankfurt a. M. 1973. S. 120.
113 Lenk (= Anm. 88), Kap. I, S. 1–48.
114 »›Die Welt verändern‹ predigte Marx, ›Das Leben ändern‹ forderte Rimbaud, uns aber verschmelzen beide Aussprüche zu einem einzigen Schlachtruf.« Zitiert nach: Maurice Nadeau, »Geschichte des Surrealismus«. Reinbek 1965. S. 182.
115 Eggert, Berg u. Rutschky: »Literaturrezeption von Schülern« (= Anm. 60), S. 291 ff.
116 Vgl. Theodor W. Adorno: »Resümee über Kulturindustrie«. In T. W. A., »Ohne Leitbild«. Frankfurt a. M. 1967. S. 66: »Man darf annehmen, daß das Bewußtsein der Konsumenten selbst gespalten ist zwischen dem vorschriftsmäßigen Spaß, den ihnen die Kulturindustrie verabreicht, und einem nicht einmal sehr verborgenen Zweifel an ihren Segnungen. Der Satz, die Welt wolle betrogen werden, ist wahrer geworden, als wohl je damit gemeint war. Nicht nur fallen die Menschen, wie man so sagt, auf Schwindel herein, wenn er ihnen sei's noch so flüchtige Gratifikationen gewährt; sie wollen bereits einen Betrug, den sie selbst durchschauen [...]«. Auch Freud hatte mit der Analyse der literarischen als einer Phantasieproduktion an der Trivialliteratur angesetzt.
117 Lesser (= Anm. 93), S. 46.
118 Habermas (= Anm. 23), S. 340.

ROLF KELLNER

Schlachtfeld Heftroman.
Der Abenteuer- und Kriminalroman als Beispiel zielgerichteter Aggression

1 Hansjörg Bessler: »Brutalität im Fernsehen«. In: Dieter Prokop [Hrsg.], »Massenkommunikationsforschung«. Bd. 2: »Konsumtion«. Frankfurt a. M. 1973. S. 253–274, hier S. 257.
2 Gerhard Schmidtchen: »Lesekultur in Deutschland«. In: »Börsenblatt für den Deutschen Buchhandel« 24 (1968) S. 1977–2152.
3 Bernd Lehmann: »Leseinteressen und Lesegewohnheiten 13- bis 15-jähriger Schüler«. In: »Zeitnahe Schularbeit« 4/5 (1969) S. 107–126.
4 Die Angaben zur Gesamtproduktion, selbst solche aus dem gleichen Zeitraum, differieren erheblich; Walter Nutz (Artikel ›Trivialliteratur‹, in: Fischer Lexikon »Literatur«, Bd. II, 2, Frankfurt a. M. 1965, S. 572) spricht von nur 100 Millionen im Jahr, Klaus Kunkel (= Anm. 28) von 5 Millionen und Gerhard Herm (»Die Romanfabriken«, in: »Die Zeit«, 23. 9. 1966) von 6 Millionen pro Woche. Die auch von Klaus Ziermann (»Romane vom Fließband«, Berlin 1969, S. 111) und von Peter Nusser (= Anm. 31) übernommenen 6 Millionen pro Woche entsprechen etwa den 320 Millionen, die in der Sendereihe »Trivialliteratur« des Süddeutschen Rundfunks (3. Fernsehprogramm) im Herbst 1971 genannt wurden. Da nirgends aber Quellen für diese Informationen angegeben werden, sind sie mit dem gebührenden Mißtrauen zu behandeln.
5 Buhl (= Anm. 29), S. 194; Kunkel (= Anm. 28) nennt 350 000, zählt allerdings die Neuauflagen alter Hefte mit; Cotton-Romane gibt es auch als Taschenbücher, nach mehreren Romanen entstanden Filmdrehbücher.
6 Manfred Nagl: »Unser Mann im All«. In: »Zeitnahe Schularbeit« 4/5 (1969) S. 189–208, hier S. 190. Die Rhodan-Hefte erscheinen inzwischen in der 3. Auflage, eine Taschenbuchreihe mit einer Mindeststückzahl von 30 000 und eine Comicreihe sind ebenfalls auf dem Markt; ein Roman wurde verfilmt.
7 Hermann Broch: »Zum Problem des Kitsches«. In: H. B., »Die Idee ist ewig«. München 1968. S. 117–132, hier z. B. S. 117.
8 Walther Killy: »Deutscher Kitsch«. Göttingen [6]1970. Z. B. S. 31.
9 Arbeitsgruppe Massenliteratur: »Verwertbare Unmündigkeit«. In: »Ästhetik und Kommunikation« 5/6 (1972) S. 49–57, hier S. 50.
10 Ebd., S. 55, Anm. 10.
11 Inzwischen können allerdings auch einige Reihen abonniert werden.
12 Dorothee Bayer (»Der triviale Familien- und Liebesroman im 20. Jahrhundert«, Tübingen [2]1971) nennt auf S. 171 eine Reihe von Arbeiten, die diesen Aspekt hervorheben; er ist auch in neueren Arbeiten immer wieder betont worden.
13 Zu den Praktiken z. B. des Bauer-Verlages (zu dem die Heftroman-Verlage Pabel und Moewig gehören) vgl.: »Jedem zu Willen«. In: »Der Spiegel« 44 (1971) S. 84–94; s. auch Kunkels (= Anm. 28) Angaben zum Testkreis ›Jerry Cotton‹, S. 566.
14 Norbert Groeben: »Literaturpsychologie«. Stuttgart 1972. (»Sprache und Literatur« 80.) S. 82.
15 Harald Weinrich: »Für eine Literaturgeschichte des Lesers«. In: Viktor Žmegač [Hrsg.], »Methoden der deutschen Literaturwissenschaft«. Frankfurt a. M. 1971. S. 325–339, hier S. 326.
16 Ebd., S. 331 f.
17 Erwin Wolff (»Der intendierte Leser«, in: »Poetica« 4 [1971] S. 141–166) führt die Form des literarischen Kunstwerks u. a. auf die Vorstellungen des Autors von seiner Leserschaft zurück.
18 Stanislaw Lem: »Science Fiktion: Ein hoffnungsloser Fall – mit Ausnahmen«. In: »Polaris« 1. S. 11–59, hier S. 15.
19 Eigenwerbung des Moewig Verlages für seine neue Wildwest-Serie »Ronco, der Geächtete«.
20 Killy (= Anm. 8), S. 31.
21 Ebd., S. 31.
22 Ebd., S. 31.
23 Alfred Franz: »Lesen als Lebensersatz«. In: »Bücherei und Bildung« 3 (1951) S. 670–678, hier S. 677.
24 Hans Harald Breddin: »Über Wertung und Wirkung von Unterhaltungsliteratur«. In: »Bücherei und Bildung« 4 (1952) S. 879–893, hier S. 891.

25 Halle ^{3}1925. S. 55.
26 Hans Daiber: »Nachahmung der Vorsehung«. In: Jochen Vogt [Hrsg.], »Der Kriminalroman«. Bd. 2. München 1971. S. 421–436, hier S. 431.
27 Urs Jaeggi: »Literatur und Politik«. Frankfurt a. M. 1972. S. 190.
28 Zitiert nach: Klaus Kunkel, »Ein artiger James Bond«. In: Vogt (= Anm. 26), S. 559–578, hier S. 575; die Angaben bestätigt Buhl (= Anm. 29), S. 192 f.
29 So spricht der frühere Moewig-Inhaber Wilhelm Heyne von sich und seinen Kollegen als »wir Verleger von Volksliteratur«; zitiert nach: Wolfgang Buhl, »Funktion der Trivialliteratur«. In: Hermann Glaser [Hrsg.], »Aufklärung heute«. Freiburg 1966. S. 191–204, hier S. 204, Anm. 2.
30 Siehe Anm. 2.
31 Peter Nusser: »Romane für die Unterschicht«. Stuttgart 1973. S. 8.
32 Siehe Anm. 3.
33 Ulrich Hain u. Jörg Schilling: »Trivialliteratur als Forschungs- und Unterrichtsgegenstand«. In: »Die Deutsche Schule« 64 (1972) S. 26–34, hier S. 31. Ähnliche Äußerungen zu Heftroman und Comic finden sich in den meisten Veröffentlichungen, die sich mit diesem Komplex befassen.
34 Ebd., S. 31 f.
35 Josef Rattner: »Aggression und menschliche Natur«. Frankfurt a. M. 1972. S. 156–158.
36 Herbert Marcuse: »Aggressivität in der gegenwärtigen Industriegesellschaft«. In: »Aggression und Anpassung in der Industriegesellschaft«. Frankfurt a. M. ^{6}1972. S. 7–29, hier S. 18.
37 Urs Jaeggi: »Macht und Herrschaft in der Bundesrepublik«. Frankfurt a. M. 1969, S. 58.
38 »Der Spiegel« 27 (1973) S. 98–100, hier S. 98; s. auch den Artikel von Dietmar Gottschall u. Petra-Monika Jander: »Den Arbeiter vom Diktat der Maschine befreien«. In: »manager magazin« 7 (1973) S. 37–44.
39 Kurt J. Huch: »Einübung in die Klassengesellschaft«. Frankfurt a. M. 1972. S. 44.
40 Siehe dazu die Bemerkungen von Marcuse (= Anm. 36), S. 9 f.
41 Eduard Naegeli: »Verbrechen und Strafe als Formen der Aggression«. In: Arno Plack [Hrsg.], »Der Mythos vom Aggressionstrieb«. München 1973. S. 157–180, hier S. 167.
42 Zitiert nach der deutschen Neuausgabe: John Dollard, Leonhard W. Doob, Neal E. Miller, O. H. Mowrer u. Robert S. Sears: »Frustration und Aggression«. Weinheim, Berlin u. Basel ^{4}1972. Hier S. 9.
43 Ebd.
44 Bekanntester Vertreter ist wohl Arno Plack mit seinem Werk: »Die Gesellschaft und das Böse«. München ^{10}1971.
45 Die Theorie geht auf Arbeiten von Albert Bandura und Richard H. Walters zurück. In deutscher Sprache liegt, soweit ersichtlich, bisher nur ein Text vor: A. B. und R. H. W.: »Der Erwerb aggressiver Verhaltensweisen durch soziales Lernen«. In: Amélie Schmidt-Mummendey u. Hans Dieter Schmidt [Hrsg.], »Aggressives Verhalten«. München ^{2}1972. S. 107–129.
46 Vor allem in seiner zum Bestseller avancierten Schrift »Das sogenannte Böse«. Wien ^{25}1970.
47 Dollard u. a. (= Anm. 42), S. 19.
48 Herbert Selg: »Zur Aggression verdammt?«. Stuttgart u. a. 1971. S. 15.
49 Dollard u. a. (= Anm. 42), S. 63.
50 Ebd., S. 47.
51 Ebd.
52 Der Roman wurde zur exemplarischen Interpretation bewußt mehr oder weniger zufällig ausgesucht; mehr: Er entstammt einer von einem Kioskverkäufer vorgelegten Auswahl von 6–8 Heften; weniger: Auf Grund des Titels schien Burcettes Roman als Demonstrationsobjekt geeigneter als die anderen Hefte. Die Interpretation erhebt auch nicht den Anspruch, für *alle* Abenteuerromane exemplarisch zu stehen, allerdings erhebt sie diesen Anspruch für einen großen Teil (s. auch die Ausführungen auf S. 40 f.). Im folgenden bedeuten die in Klammern gesetzten Zahlen die Seitenzahlen des Romans.
53 Breddin (= Anm. 24).
54 Nusser (= Anm. 31), S. 74.
55 Die Arbeitsgruppe Massenliteratur (= Anm. 9) sieht in dem roten Jaguar gar das »einzige Luxusattribut«, das Cottons »Askese mildert« (S. 52).
56 Gertrud Willenborg: »Adel und Autorität«. In: Gerhard Schmidt-Henkel [Hrsg.], »Trivialliteratur«. Berlin 1964. S. 192–216, hier S. 209.
57 Nusser (= Anm. 31), S. 61.

58 Siehe dazu den Exkurs II.
59 Hubert Gundolf: »Phänomen Waffe – Phänomen Rauschgift«. Hamburg 1971. S. 51 f.
60 Sigmund Freud: »Die Traumdeutung«. Studienausgabe in 10 Bden. Bd. II. Frankfurt a. M. [2]1972. S. 254.
61 Ebd., S. 259.
62 Sigmund Freud: »Zeitgemäßes über Krieg und Tod«. In: S. F., »Werke«. London 1952 ff. Bd. X. S. 323–355, hier S. 351. Vor allem diese Schrift des ›mittleren‹ Freud hat ihn später als einen Vorläufer des Reaktionsmodells erscheinen lassen. Der ›späte‹ Freud ist allerdings zur Triebtheorie zurückgekehrt.
63 Lorenz (= Anm. 46), S. 324.
64 Ebd., S. 324 f.
65 Siehe dazu u. a. die Ausführungen von Hacker (= Anm. 66), Naegeli (= Anm. 41), Rattner (= Anm. 35), Reiwald (= Anm. 67).
66 Friedrich Hacker: »Aggression«. Reinbek bei Hamburg 1973. S. 66.
67 Paul Reiwald: »Die Gesellschaft und ihre Verbrecher«. Frankfurt a. M. 1973. S. 121.
68 Rattner (= Anm. 35), S. 135.
69 Reiwald (= Anm. 67), S. 120 f.
70 Ebd., S. 121.
71 Ebd., S. 122.
72 Siehe zu diesem Komplex: Sigmund Freud, »Die Traumdeutung« (= Anm. 60), vor allem das bereits zitierte Kapitel »Die Träume vom Tod teurer Personen«, S. 253–275.
73 Sigmund Freud: »Abriß der Psychoanalyse. Das Unbehagen in der Kultur«. Frankfurt a. M. 1970 ([1]1938), hier: Abriß, S. 10.
74 Ebd., S. 78.
75 Freud: »Die Traumdeutung« (= Anm. 60), S. 266.
76 Nusser (= Anm. 31), S. 74.
77 Ebd., S. 86.
78 »Süddeutsche Zeitung« (12. 2. 1974).
79 Jens-Ulrich Davids: »Leichen und Häuschen im Garten. Zur Analyse der Wildwesthefte«. In: »Zeitnahe Schularbeit« 22 (1969) S. 168–188, hier S. 174.
80 Siehe dazu u. a.: Theodor W. Adorno u. Max Horkheimer, »Kulturindustrie«. In: T. W. A. u. M. H., »Dialektik der Aufklärung« (1947). Amsterdam 1968. (Raubdruck.) – Theodor W. Adorno: »Résume über Kulturindustrie«. In: T. W. A., »Ohne Leitbild«. Frankfurt a. M. [3]1969. S. 60–70. – Hans Magnus Enzensberger: »Bewußtseins-Industrie«. In: H. M. E., »Einzelheiten I«. Frankfurt a. M. [6]1969. S. 7–17. – Speziell zum Heftroman: Arbeitsgruppe Massenliteratur (= Anm. 9); Ziermann (= Anm. 4); Michael Pehlke u. Norbert Lingfeld, »Roboter und Gartenlaube. Ideologie und Unterhaltung in der Science-Fiction-Literatur«. München 1970.

KLAUS F. GEIGER

Jugendliche lesen ›Landser‹-Hefte. Hinweise auf Lektürefunktionen und -wirkungen

1 Vgl. Rudolf Schenda: »Die Lesestoffe der Beherrschten sind die herrschende Literatur«. In: Dorothee Bayer, »Der triviale Familien- und Liebesroman im 20. Jahrhundert«. Tübingen ^{2}1971. (»Untersuchungen des Ludwig-Uhland-Instituts Tübingen« 1.) S. 187–230.

2 Vgl. Wolfgang Kempkes [Hrsg.]: »Bibliographie der internationalen Literatur über Comics«. München u. Berlin 1971.

3 Vgl. z. B. Eike Barmeyer [Hrsg.]: »Science Fiction. Theorie und Geschichte«. München 1972; Manfred Nagl: »Science Fiction in Deutschland. Untersuchungen zur Genese, Soziographie und Ideologie der phantastischen Massenliteratur«. Tübingen 1972. (»Untersuchungen des Ludwig-Uhland-Instituts Tübingen« 30.)

4 Siehe als wichtigste Ausnahme: Jürgen Ritsert, »Zur Gestalt der Ideologie in der Popularliteratur über den Zweiten Weltkrieg«. In: »Soziale Welt« 15 (1964) S. 244–253.

5 Vgl. Jürgen Ritsert: »Inhaltsanalyse und Ideologiekritik. Ein Versuch über kritische Sozialforschung«. Frankfurt a. M. 1972.

6 Vgl. das Kapitel »Kriegsromanhefte und ›literarischer Jugendschutz‹« in der im Druck befindlichen Untersuchung des Verf.s: »Kriegsromanhefte in der Bundesrepublik Deutschland. Inhalte und Funktionen«. (»Untersuchungen des Ludwig-Uhland-Instituts Tübingen« 35.)

7 Siehe z. B. Paul Samuleit: »Kriegsschundliteratur«. Berlin 1916. (Flugschrift der Zentralstelle zur Bekämpfung der Schundliteratur in Berlin.)

8 Siehe z. B. Ernst Schultze: »England als Seeräuberstaat«. Stuttgart 1915.

9 Siehe Klaus Berthold: »Romane vom Fließband«. In: »Buchmarkt« 5 (1970) S. 133–140, hier S. 138.

10 Siehe Karla Fohrbeck u. Andreas J. Wiesand: »Der Autorenreport«. Reinbek 1972. S. 125.

11 Siehe Berthold (= Anm. 9), S. 138.

12 Die im folgenden wiedergegebenen Ergebnisse einer quantifizierenden Inhaltsanalyse von ›Landser‹-Heften und einer Schülerbefragung zur Bestimmung von Funktionen und Wirkungen derartiger Lektüre bei Jugendlichen beruhen auf der in Anm. 6 genannten Untersuchung des Verf.s.

13 Die hier aufgezählten inhaltlichen Merkmale von ›Landser‹-Erzählungen gelten auch für einen Großteil der Kriegsdarstellungen in andern Medien; vgl. Heribert Schlinker: »Das Verhältnis der Jugend zum Kriegsfilm. Ein Beitrag zur Pädagogik der Publizistik«. Diss. München 1965 [masch.]; Frank-Friedrich Wagner: »Der literarische Ausdruck faschistischer Tendenzen in Westdeutschland – untersucht an Kriegsromanen«. Diss. Berlin [Ost] 1957 [masch.]; Herbert Knittel: »Der Roman in der deutschen Illustrierten 1946–1962«. Diss. Berlin 1967. S. 76–79; Walter Nutz: »Der Trivialroman, seine Formen und seine Hersteller. Ein Beitrag zur Literatursoziologie«. Köln u. Opladen 1962. (»Kunst und Kommunikation« 4.) S. 66–68.

14 Vgl. Klaus Ziermann: »Romane vom Fließband. Die imperialistische Massenliteratur in Westdeutschland«. Berlin 1969. S. 207; Erich Wasem: »Kriegsfilm – unaktuell? (inhaltsanalytische Streiflichter)«. In: »Jugend, Film, Fernsehen« 9 (1965) H. 4, S. 188–194, hier S. 189.

15 Zu diesem Begriff vgl. Carl Amery: »Die Kapitulation oder Deutscher Katholizismus heute«. Reinbek 1963. S. 22 f.

16 Diese Tendenz wird überdeutlich in Buchtiteln der sogenannten Generalsliteratur wie »Verlorene Siege« oder »Verratene Schlachten«; s. Heinz Brüdigam: »Der Schoß ist fruchtbar noch ... Neonazistische, militaristische, nationalistische Literatur und Publizistik in der Bundesrepublik«. Frankfurt a. M. ^{2}1965. S. 158.

17 Vgl. Ithiel de Sola Pool: »Trends in Content Analysis Today. A Summary«. In: I. de S. P. [Hrsg.], »Trends in Content Analysis«. Urbana, Ill. 1959. S. 189–233, hier S. 219 f.

18 In dieser vereinfachten Feststellung wird die Möglichkeit außer acht gelassen, daß die Selektionstätigkeit eines Rezipienten bei der Wahrnehmung und Interpretation der Aussagen so stark ist, daß das Aufgenommene in logischem Widerspruch zu dem objektiv im Text Niedergelegten steht.

19 Vgl. Franz Dröge, Rainer Weißenborn u. Henning Haft: »Wirkungen der Massenkommunikation«. Frankfurt a. M. ^{2}1973. S. 23–27 und passim.

20 Vgl. Peter Nusser: »Romane für die Unterschicht. Groschenhefte und ihre Leser«. Stuttgart 1973. S. 56 und 74.

21 Siehe Dröge u. a. (= Anm. 19), S. 67.

22 Es bestand die Gefahr, daß diese Befragung bei den Jugendlichen unerwünschte Nebenwirkungen hervorrufen würde, die im genauen Gegensatz zum praktischen Ziel der gesamten Untersuchung gestanden hätten: etwa eine Aufwertung der Lektüre von Kriegsromanheften oder eine Bestätigung negativer nationaler Vorurteile. Sollten solche Effekte eingetreten sein, so wurden sie wieder abgebaut in einer Besprechung des Verf.s mit den befragten Schülern, in der über die zentralen Ergebnisse der Befragung ebenso wie über die Inhalte der ›Landser‹-Hefte diskutiert wurde.

23 Vgl. Frank Bledjian u. Krista Stosberg: »Analyse der Massenkommunikation: Wirkungen«. Düsseldorf 1972. (»Gesellschaft und Kommunikation« 7/2.) S. 93.

24 In den fünfziger und frühen sechziger Jahren, als Kriegsfilme einen höheren Anteil am Verleihangebot stellten, nahmen diese Kriegsfilme einen noch höheren Rang auf der Präferenzenskala Jugendlicher ein; s. Heribert Schlinker: »Kriegsfilme im Kino«. In: »Jugend, Film, Fernsehen« 9 (1965) H. 4, S. 194–202, hier S. 199 f.

25 Zum Modell-Lernen s. die zahlreichen Untersuchungen von Albert Bandura und R. H. Walters; vgl. Anm. 41.

26 Zu dieser Wirkungsvariablen s. Dröge u. a. (= Anm. 19), S. 101 und S. 105–110.

27 Vgl. Schlinker (= Anm. 13), S. 194.

28 Zur grundsätzlichen Kritik an der bisherigen Wirkungsforschung s. Dröge u. a. = Anm. 19), S. IX–XXVI.

29 Vgl. den Abschnitt »Aggression und Vorurteile als Wirkung von Literatur« in: Alfred Clemens Baumgärtner [Hrsg.]: »Lesen – Ein Handbuch«. Hamburg 1973. S. 335–337.

30 Zur Problematik des Wirkungsexperiments vgl. Baumgärtner (= Anm. 29), S. 296 f.

31 Vgl. Heinz E. Wolf: »Stellungnahmen deutscher Jugendlicher zu westlichen u. a. Gruppen«. In: »Kölner Zeitschrift für Soziologie und Sozialpsychologie« 18 (1966) S. 300–328; ders.: »Soziologie der Vorurteile. Zur methodologischen Problematik der Forschung und Theoriebildung«. In: René König, »Handbuch der Empirischen Sozialforschung«. Bd. 2. Stuttgart 1969. S. 912–960, hier S. 925. Zu deuten ist das Phänomen verbreiteter negativer Vorurteile gegen osteuropäische Völker allerdings – anders als bei Wolf – mit dem Einfluß des Antikommunismus; im gleichen Sinne argumentiert Uta Quasthoff: »Soziales Vorurteil und Kommunikation. Eine sprachwissenschaftliche Analyse des Stereotyps«. Frankfurt a. M. 1973. S. 87–95.

32 Zum hier verwendeten »weiten« Vorurteilsbegriff vgl. u. a. Wolf: »Soziologie der Vorurteile« (= Anm. 31), S. 948; andere Forscher schränken den Begriff auf negative Einstellungen ein, vgl. u. a. Gordon W. Allport: »Die Natur des Vorurteils«. Köln 1971. S. 23.

33 Zur Entstehung von Vorurteilen s. John Harding u. a.: »Prejudice and Ethnic Relations«. In: Gardner Lindzey [Hrsg.], »Handbook of Social Psychology«. Bd. 2. Reading, Mass. u. London 1954. S. 1021–61, bes. S. 1038–46.

34 Mit dem »Chi-Quadrat«-Test wird errechnet, ob ein Unterschied zwischen zwei verschiedenen Ausprägungen derselben Variablen (im Beispiel: Vorurteilsäußerungen vor oder nach der Lektüre) möglicherweise bloß zufällig oder »signifikant«, d. h. mit hoher Wahrscheinlichkeit nicht-zufällig, ist. Im folgenden werden verschiedene Signifikanzstufen unterschieden; ein Unterschied kann »schwach signifikant« (d. h. mit mindestens 90%iger Wahrscheinlichkeit nicht-zufällig), »signifikant« (95 %), »sehr signifikant« (99 %) oder »hoch signifikant« (99,9 %) sein.

35 Vgl. Schlinker (= Anm. 24), S. 196–198.

36 Die Stimulations-, Habitualisierungs- und Inhibitionsthesen, die gewöhnlich neben- und gegeneinandergestellt werden – vgl. Hella Kellner u. Imme Horn: »Gewalt im Fernsehen. Literaturbericht über Medienwirkungsforschung«. Mainz 1971. (»Schriftenreihe des ZDF« 8.) S. 12–19 –, erweisen sich als jeweils partielle Beschreibungen eines einheitlichen Wirkungsprozesses.

37 Die Tatsache, daß die Rezeptionswirkung dargestellter Gewalt u. a. davon abhängt, ob die Aggression legitim oder illegitim erscheint, belegten Leonard Berkowitz u. Edna Rawlings: »Effects of Film Violence on Inhibitions against Subsequent Aggression«. In: »Journal of Abnormal and Social Psychology« 66 (1963) S. 405–412.

38 Einen Überblick bietet neben dem in Anm. 36 genannten Titel Verf.: »Gewalt im Fernsehen. Was weiß man über die Wirkung der Medien?«. In: »Der Bürger im Staat« 22 (1972) S. 74–80.

39 Vgl. Seymour Feshbach: »The Stimulating Versus Cathartic Effects of a Vicarious Aggressive Activity«. In: »Journal of Abnormal and Social Psychology« 63 (1961) S. 381–385.

40 Siehe Leonard Berkowitz: »Aggression. Psychological Aspects«. In: »International Encyclopaedia of the Social Sciences« 1 (1968) S. 168–174, bes. S. 171 ff.

41 Vgl. Albert Bandura u. a.: »Imitation of Film-Mediated Aggressive Models«. In: »Journal of Abnormal and Social Psychology« 66 (1963) S. 3–11.
42 Siehe Peter Schönbach: »James Bond –Anreiz zur Aggression?« In: Ferdinand Merz [Hrsg.], »Bericht über den 25. Kongreß der Deutschen Gesellschaft für Psychologie – Münster 1966«. Göttingen 1967. S. 570–575.
43 Zu entsprechenden Wirkungen eines Kriegsfilms s. Karl Heinrich: »Filmerleben – Filmwirkung – Filmerziehung. Der Einfluß des Films auf die Aggressivität bei Jugendlichen«. Berlin u. a. o. J. [1961]. S. 282.
44 Vgl. Klaus Schönbach u. a.: »Zur Funktion der Romanhefte. Eine Studie zur Charakterisierung von Romanheftlesern«. In: »Publizistik« 16 (1971) S. 398–416, S. 405: »Personen, die *bestimmten Aussagen* in einem Medium stark ausgesetzt sind, nehmen an der *gleichen Art von Aussagen* auch in anderen Medien in hohem Maße Anteil.«
45 Vgl. Gerhard Schmidtchen: »Lesekultur in Deutschland. Ergebnisse repräsentativer Buchmarktstudien für den Börsenverein des Deutschen Buchhandels«. In: »Börsenblatt für den Deutschen Buchhandel (Frankfurter Ausg.)« 24 (30. 8. 1968) S. 1977–2152, S. 2008 f.: Einer der festgestellten 8 »Typen des Leseinteresses« umfaßt »Literatur über Kriege und Soldatentum, Kriminalromane, Zukunftsromane, Tatsachenromane. Der gemeinsame Faktor dieses Syndroms dürfte das Interesse an harter Unterhaltung sein.«
46 Vgl. Schönbach u. a. (= Anm. 44), S. 402.
47 Vgl. ebd., S. 402 und S. 406.
48 Vgl. Jens-Ulrich Davids: »Leichen und Häuschen mit Garten. Zur Analyse der Wildwesthefte«. In: »Zeitnahe Schularbeit« 22 (1969) S. 168–188.
49 Vgl. Rudolf Schenda: »Volk ohne Buch. Studien zur Sozialgeschichte der populären Lesestoffe 1770–1910« (Frankfurt a. M. 1970. [»Studien zur Philosophie und Literatur des neunzehnten Jh.s« 5] S. 470), wo der Begriff »Exigenzen« vorgeschlagen wird.
50 Vgl. den Frageansatz bei Günter Giesenfeld: »Methodische Vorüberlegungen zum Umgang mit nicht anerkannter Literatur«. In: »Diskussion Deutsch« 2 (1971) S. 314–334; vgl. ders.: »Ein Kurs in Trivialliteratur«. In: Heinz Ide [Hrsg.], »Massenmedien und Trivialliteratur«. Stuttgart 1973. (»Projekt Deutschunterricht« 5.) S. 177–214.
51 Vgl. Wolfgang Müller: »Der Krieg als Abenteuer«. In: »Der Rundbrief (Berlin)« 12 (1962) H. 9, S. 16–19, bes. S. 18 f.
52 Zum Wortgebrauch vgl. z. B. Günter Heyden u. a.: »Manipulation. Die staatsmonopolistische Bewußtseinsindustrie«. Berlin [2]1969; Ralf Zoll [Hrsg.]: »Manipulation der Meinungsbildung. Zum Problem hergestellter Öffentlichkeit«. Opladen 1971. (»Kritik« 4.)
53 Vgl. Holger Knudsen: »Aktion Jugendschutz«. In: »Recht der Jugend und des Bildungswesens« 16 (1968) S. 146 f.
54 Vgl. Hans-Jürgen Heringer: »Sprache als Mittel der Manipulation«. In: »Sprache – Brücke und Hindernis. 23 Beiträge [. . .] des ›Studio Heidelberg‹«. München 1972. S. 47–57, hier S. 56.

Die Autoren der Beiträge

Wilfried Barner

Geboren 1937. Studium der Germanistik und der Klassischen Philologie in Göttingen und Tübingen. Professor am Deutschen Seminar der Universität Tübingen. Preis der Philologisch-Historischen Klasse der Akademie der Wissenschaften in Göttingen 1972.

Publikationen u. a.:
Neuere Alkaios-Papyri aus Oxyrhynchos. Hildesheim 1966. – Barockrhetorik. Untersuchungen zu ihren geschichtlichen Grundlagen. Tübingen 1970. – Produktive Rezeption. Lessing und die Tragödien Senecas. München 1973. – Der literarische Barockbegriff (Hrsg.). (Wege der Forschung. Bd. CCCLVIII. In Vorb.) – Aufsätze, Vorträge, Editionen, Rezensionen.

Hans Christoph Berg

Geboren 1936. Volksschullehrerausbildung. Studium der Psychologie in Berlin. Dipl. Psych. Mitglied des Forschungsprojektes »Bildungsprozesse im Literaturunterricht der Sekundarstufe«.

Publikationen:
Ein Schulporträt von Hermanndingen. (In Vorb.) – Gemeinsame Aufsätze mit Hartmut Eggert und Michael Rutschky aus dem Forschungsprojekt.

Hartmut Eggert

Geboren 1937. Studium der Germanistik und Geographie in Freiburg und Berlin. Studienassessor. Dr. phil. Assistenzprofessor am Fachbereich Germanistik der Freien Universität Berlin. Mitglied des Forschungsprojektes »Bildungsprozesse im Literaturunterricht der Sekundarstufe«.

Publikationen:
Studien zur Wirkungsgeschichte des deutschen historischen Romans 1850–1875. Frankfurt a. M. 1971. – Romantheorie. Dokumentation ihrer Geschichte in Deutschland 1620–1880 (Mithrsg.). Köln 1971. (Bd. II: 1880–1970 in Vorb.) – Gemeinsame Aufsätze mit Hans Christoph Berg und Michael Rutschky aus dem Forschungsprojekt.

Klaus F. Geiger

Geboren 1940. Studium der Germanistik und Anglistik. Lehrer an Gymnasien. Promotion im Fach Empirische Kulturwissenschaft in Tübingen. Assistent am Seminar für Volkskunde in Göttingen.

Publikationen:
Kriegsromanhefte in der Bundesrepublik Deutschland. Inhalte und Funktionen. (Im Druck.) – Aufsätze im Bereich der Massenkommunikationsforschung.

Gunter Grimm

Geboren 1945. Studium der Germanistik, Geschichte und Politischen Wissenschaft. Dr. phil. Assistent am Deutschen Seminar der Universität Tübingen.

Publikationen:
Die Hiob-Dichtung Karl Wolfskehls. Bonn 1972. – Satiren der Aufklärung (Hrsg.). Stuttgart 1975. – Aufsätze, Rezensionen, Mitarbeit an Lexika und Arbeitsbuch-Projekten.

Rolf Kellner

Geboren 1943. Studium der Germanistik und Sportwissenschaft in Hamburg und Tübingen. Arbeitet z. Z. an einer Dissertation über Trivialliteratur.

Günther Mahal

Geboren 1944. Studium der Germanistik, Geschichte und Politik in Tübingen. Dr. phil. Assistent am Deutschen Seminar der Universität Tübingen.

Publikationen:
Mephistos Metamorphosen. Fausts Partner als Repräsentant literarischer Teufelsgestaltung. Göppingen 1972. – Ansichten zu Faust (Hrsg.). Stuttgart, Berlin u. a. 1973. – Lyrik der Gründerzeit (Hrsg.). Tübingen 1973. – Aufsätze und Rezensionen.

Paul Mog

Geboren 1941. Studium der Germanistik, Romanistik und Philosophie in Köln und Tübingen. Assistent am Deutschen Seminar der Universität Tübingen.

Publikationen:
Ratio und Gefühlskultur. Studien zu Psychogenese und Literatur im 18. Jahrhundert. (In Vorb.)

Michael Rutschky

Geboren 1943. Studium der Soziologie, Philosophie und Literaturwissenschaft in Frankfurt a. M., Göttingen und Berlin. M. A. Mitarbeit in Institutionen der politischen Bildung. Mitglied des Forschungsprojekts »Bildungsprozesse im Literaturunterricht der Sekundarstufe«.

Publikationen:
Literaturkritik in Zeitschriften. – Gemeinsame Aufsätze mit Hartmut Eggert und Hans Christoph Berg aus dem Forschungsprojekt.

Manfred Günter Scholz

Geboren 1938. Studium der Germanistik, Anglistik und Philosophie. Privatdozent für Deutsche Philologie an der Universität Tübingen.

Publikationen:
Walther von der Vogelweide und Wolfram von Eschenbach. Literarische Beziehungen und persönliches Verhältnis. Diss. Tübingen 1966. – Bibliographie zu Walther von der Vogelweide. Berlin 1969. – Festschrift für Kurt Herbert Halbach (Mithrsg.). Göppingen 1972. – Hören und lesen. Studien zur Rezeption der mittelalterlichen Literatur. (In Vorb.) – Aufsätze, Lexikonartikel und Rezensionen.

Jochen Schulte-Sasse

Geboren 1940. Studium der Germanistik, Sprachwissenschaften und Philosophie in Göttingen, Bonn, Münster und Bochum. Dr. phil. Assistent am Germanistischen Institut der Ruhr-Universität Bochum.

Publikationen u. a.:
Die Kritik an der Trivialliteratur seit der Aufklärung. Studien zur Geschichte des modernen Kitschbegriffs. München 1971. – Literarische Wertung. Stuttgart 1971. – Lessing, Mendelssohn, Nicolai – Briefwechsel über das Trauerspiel (Hrsg.). München 1972. – Literarische Struktur und historisch-sozialer Kontext. Zum Beispiel Lessings »Emilia Galotti«. Stuttgart 1974. – Aufsätze und Lexikonartikel.

Horst Steinmetz

Geboren 1934. Studium der Germanistik, Literaturwissenschaft und Philosophie. Dr. phil. Professor an der Universität Leiden (Niederlande).

Publikationen u. a.:
Die Komödie der Aufklärung. Stuttgart 1966. [2]1971. – Trilogie. Entstehung und Struktur einer Großform des deutschen Dramas nach 1800. Heidelberg 1968. – Lessing – ein unpoetischer Dichter. Dokumente aus drei Jahrhunderten zur Wirkungsgeschichte Lessings in Deutschland. Frankfurt a. M. 1969. – Eduard Mörikes Erzählungen. Stuttgart 1969. – Max Frisch: Tagebuch, Drama, Roman. Göttingen 1973. – Editionen (Gellert, Gottsched, Hagedorn, J. E. Schlegel). – Aufsätze in Sammelbänden und Zeitschriften.

Horst Turk

Geboren 1935. Studium der Germanistik, Philosophie und Geschichte in Hamburg, Frankfurt a. M. und Berlin. Professor an der Universität Göttingen.

Publikationen:
Dramensprache als gesprochene Sprache. Untersuchungen zu Kleists ›Penthesilea‹. Bonn 1965. – Fragen der Germanistik (Mithrsg.). München 1971. – Prospekt einer Studienbibliothek Germanistik (Mithrsg.). Frankfurt a. M. 1971 – Dialektischer Dialog. Literaturwissenschaftliche Untersuchung zum Problem der Verständigung. (In Vorb.)

Gotthart Wunberg

Geboren 1930. Studium der Germanistik, Philosophie, Ev. Theologie, Pädagogik. Professor für Neuere Deutsche Literatur an der Universität Tübingen.

Publikationen u. a.:
Der frühe Hofmannsthal. Schizophrenie als dichterische Struktur. Stuttgart 1965. – Autorität und Schule. Stuttgart 1966. – Hermann Bahr. Zur Überwindung des Naturalismus. Theoretische Schriften 1887–1904 (Hrsg.). Stuttgart 1968. – Die literarische Moderne. Dokumente zum Selbstverständnis der Literatur um die Jahrhundertwende (Hrsg.). Frankfurt a. M. 1971. – Hofmannsthal im Urteil seiner Kritiker. Dokumente zur Wirkungsgeschichte Hofmannsthals in Deutschland (Hrsg.). Frankfurt a. M. 1972. – Samuel Lublinski. Die Bilanz der Moderne. 1904 (Hrsg.). Neuausgabe Tübingen 1974. – Das Junge Wien. Österreichische Literatur- und Kunstkritik 1887–1902 (Hrsg.). Tübingen 1974. – Literaturwissenschaftliche und pädagogische Aufsätze in Zeitschriften und Sammelbänden. – Hrsg. der Reihe »Deutsche Texte« im Max Niemeyer Verlag, Tübingen.

Arbeitsgruppe »Böll in Reutlingen«:

Robert Boesler, Doris Christokat, Christina Fetzer, Anton Grüner, Harald Haasis, Rolf Kellner, Johannes Klinkmüller, Reinhold Seyboth.

Namenregister